dictionnaire des
grands peintres

sous la direction de

Michel Laclotte

conservateur en chef du département des peintures
du musée du Louvre
inspecteur général des musées

1

Aachen / Lucas de Leyde

17, RUE DU MONTPARNASSE - 75298 PARIS CEDEX 06

Une partie des illustrations est extraite
du Petit Larousse de la Peinture.

Le présent volume appartient à la dernière édition
(revue et corrigée) de cet ouvrage.

ISBN : 2-03-510 002-X

Achevé d'imprimer le 6-1-1987, par Mohndruck, Gütersloh.
N° d'éditeur : 13676. Dépôt légal : janvier 1987. – Imprimé en R.F.A.

Comment choisir, parmi les milliers d'artistes dont les toiles ornent les musées d'Europe et d'Amérique, ceux qui mériteraient de constituer la cohorte des « grands peintres » ? L'entreprise paraît bien présomptueuse. Est-elle même tout à fait légitime depuis que la mise en évidence des écoles, des courants internationaux et des grands mouvements stylistiques a notablement affaibli le culte exclusif des « titans », des « phares », que le mythe romantique du héros avait suscité au XIXe siècle et qu'entretient encore un certain public friand de biographies romanesques ? Isoler, comme le propose ce dictionnaire, les personnalités d'exception, c'est, nous ne l'ignorons pas, récuser une histoire de la peinture égalitaire ou donnant du phénomène de la création une explication excessivement sociologique.

Un tel choix — c'est la règle pour tout dictionnaire sélectif — est nécessairement injuste. Combien d'artistes retenus parmi les contemporains seront-ils oubliés dans vingt ou trente ans ? Combien, parmi ceux, anciens ou modernes, que nous avons négligés, auront alors trouvé ou retrouvé une dimension historique ? On mesure les risques d'erreur ou de partialité critique que comportait, à l'intérieur des limites fixées par l'édition de ce volume, l'établissement de notre « palmarès ». Du moins avons-nous tenté, en le dressant, de distinguer les véritables créateurs des simples praticiens, même célèbres. Le souci d'exalter le génie personnel des grands maîtres nous a conduit à exclure l'activité des équipes collectives de l'époque romane, donc à commencer notre enquête au milieu du XIIIe siècle en Italie, au moment où apparaissent des peintres nettement individualisés (Giunta Pisano, Margarito d'Arezzo). Suivant le même principe, on a dû éliminer la production d'ateliers plus récents qui demeure anonyme et d'un classement problématique (notamment celle des peintres autrichiens, colonais ou valenciens du début du XVe siècle). Il a fallu également renoncer, non sans regret, à inclure dans le dictionnaire plusieurs maîtres importants dont l'identité historique ou artistique reste, pour diverses raisons, incertaine ou encore trop discutée (« Barna », Jacopino di Francesco, le Maître du Bambino Vispo, alias Starnina, le Maître du Jardin du Paradis de Francfort, Carlo Braccesco, Hans Multscher, le Maître du Chevalier de Montesa, certains Portugais). Nous avons accueilli parmi les « grands peintres » des dessinateurs dont la vision peut être qualifiée de « picturale » (Bellange, Callot, Piranèse), mais non les purs graphistes (Bosse, Flaxman, Beardsley). De même, les sculpteurs dont l'œuvre de peintre nous paraît moins fondamentalement neuve que la production plastique (Verrocchio, Puget, Oldenburg) n'ont pas été élus, pas plus que certains architectes-peintres (Bramante, Le Corbusier). D'autres rejets imposés par les normes mêmes de l'ouvrage nous ont davantage coûté, lorsqu'il s'agissait de choisir entre deux ou trois artistes d'égal mérite. En désignant celui qui, par sa précocité ou son rayonnement, paraissait le plus remarquable (Fattori au lieu de Lega, Giusto de' Menabuoi au lieu de Guariento, Claesz au lieu de Héda, Signac au lieu de Cross, Poelenburgh au lieu de Breenbergh, Pérugin au lieu de Pinturicchio, Dix au lieu de Grosz), nous ne nions pas la part d'arbitraire qu'impliquent de telles discriminations, évidemment inévitables pour les écoles ayant atteint un niveau technique moyen particulièrement élevé (la Hollande du XVIIe siècle, la France du XVIIIe siècle). L'intention de reconnaître les vraies personnalités a provoqué le choix d'artistes appartenant à des cultures « provinciales », travaillant par conséquent dans un certain isolement, de préférence à des peintres de talent analogue ou même supérieur, mais soutenus et stimulés par l'activité d'un foyer plus riche : sans doute trouverait-on dans l'œuvre de plusieurs peintres français ou anglais absents de ce volume des toiles plus « réussies » que celles, comparables, d'un Michalowski, d'un Cole ou d'un Munkácsy. Reste que la vitalité créatrice et l'authenticité d'inspiration dont témoignent ces derniers et quelques autres justifiaient leur introduction parmi les grands maîtres.

Injuste, nous l'avons dit, notre choix l'est fatalement. Mais en fonction de quelle justice ? Celle de notre temps, bien entendu. Composé il y a trente ans, ce livre n'aurait sans doute accueilli qu'un nombre restreint de peintres du XIXe siècle, hormis les Français et les Anglais (et, pour ces derniers, à l'exclusion des préraphaélites), que peu d'Italiens du XVIIe siècle ; des artistes majeurs comme Bellange, Stubbs, Maso, Subleyras, Gustave Moreau, Sweerts, Batoni ou Wright n'y auraient pas figuré. Il y a cinquante ans, l'omission aurait compris Georges de La Tour, Ter Brugghen, Magnasco, Saenredam, peut-être Spranger et Rosso. De telles constatations incitent à la modestie. Il est vrai que les découvertes et révisions de l'histoire de l'art s'accumulent sans se contredire ; les résurrections successives du Maniérisme, des tendances les moins classiques, puis les plus classiques du XVIIe siècle, du Néo-Classicisme, du Symbolisme n'ont pas entraîné, en compensation, de spectaculaires remises en cause : le triomphe de Georges de La Tour n'exclut pas celui de Poussin, ni celui des Carrache ; la renaissance de David n'a rien enlevé à la gloire de Goya, ni celle de Puvis de Chavannes ou de Klimt à celle de Cézanne. Seuls peut-être les aspects les plus légers du XVIIIe siècle et les plus superficiels de l'Impressionnisme pâtissent-ils auprès des historiens d'art, sinon des amateurs épris de pure sensualité picturale, du renouveau d'intérêt pour la peinture « à sujet ». Est-ce à dire que, dans ce dictionnaire, seuls manquent, pour s'en tenir aux « maîtres d'autrefois » et compte tenu des omissions volontaires déjà signalées, Lancret et Natoire, Lebourg et Guillaumin ? Certes non, et c'est heureux : le passé nous réserve encore des surprises.

Pour composer ce livre, nous avons fait appel — le générique est éloquent — à des historiens d'art de nombreux pays, en laissant naturellement à chacun de ces spécialistes la responsabilité de son analyse historique et critique. On a choisi, pour illustrer chaque notice, une et parfois deux œuvres jugées significatives des recherches de l'artiste étudié, sans exclure par principe les tableaux célèbres lorsqu'ils paraissaient mériter effectivement leur popularité (la *Grande Jatte* est bien le chef-d'œuvre de Seurat, et la *Bataille d'Alexandre* celui d'Altdorfer). Ce choix tient également compte du désir de représenter la plupart des grands musées d'Europe et d'Amérique ainsi que d'évoquer par l'image, à travers les écoles et d'un siècle à l'autre, les différentes techniques picturales (mosaïque, fresque, tempera, enluminure, huile, pastel, aquarelle, collage), les espaces architecturaux occupés par les peintres (voûtes et plafonds, parois d'église ou de palais), les formes diverses des supports qu'ils utilisent (retables, polyptyques plus ou moins compartimentés, toiles de formats multiples) et enfin l'infinie variété des genres et des thèmes d'inspiration ; si bien que l'illustration de ce dictionnaire pourrait, en quelque sorte, être celle du catalogue d'un musée idéal, consacré aux maîtres de la peinture occidentale du XIIIe siècle à nos jours.

Michel LACLOTTE

Direction de l'ouvrage
Michel Laclotte,
conservateur en chef
du département des Peintures du musée du Louvre

Secrétariat de rédaction
Monique Le Noan-Vizioz
Marcel-André Stalter
assistés de Claire Marchandise

Mise en pages
Serge Lebrun

Collaborateurs

Adhémar *Hélène (H. A.)*, conservateur en chef des galeries de l'Orangerie et du Jeu de paume.

Adriani *Götz (G. A.)*, conservateur en chef de la Kunsthalle de Tübingen.

Auerbacher-Weil *Lucie (L. A. W.)*, diplômée de l'École du Louvre.

Avril *François (F. A.)*, bibliothécaire au cabinet des Manuscrits de la Bibliothèque nationale de Paris.

Bacci *Mina (M. B.)*, professeur à l'université de Florence.

Bacou *Roseline (R. B.)*, conservateur en chef au cabinet des Dessins, musée du Louvre.

Ballarin *Alessandro (A. B.)*, professeur à l'université de Padoue.

Barbier *Nicole (N. B.)*, conservateur au Musée Rodin, Paris.

Bascou *Marc-Didier (M. D. B.)*, conservateur au musée d'Orsay.

Baticle *Jeannine (J. B.)*, conservateur au département des Peintures, musée du Louvre.

Bauduin *Annie (A. Ba.)*, chargée de cours complémentaires, université de Lille III.

Bauer *Michael W. (M. W. B.)*, historien d'art, Hambourg.

Bécet *Marie (M. Bé.)*, archiviste-paléographe.

Béguin *Sylvie (S. B.)*, conservateur au département des Peintures, musée du Louvre.

Bellosi *Luciano (L. B.)*, ispettore alla Soprintendenza alle Gallerie, Florence. Professeur à l'université de Sienne.

Beyer *Victor (V. B.)*, inspecteur général des Musées.

Blankert *Albert (A. Bl.)*, historien d'art.

† Bloch *Vitale (V. Bl.)*, historien d'art.

Blondel *Nicole (N. Bl.)*, historien d'art.

† Blunt [*Anthony F.*] *(A. F. B.)*, professeur émérite à l'université de Londres. Directeur honoraire de l'Institut Courtauld, Londres.

Borea *Evelina (E. B.)*, directeur des Archives photographiques, Soprintendenza alle Gallerie, Florence.

Börsch-Supan *Helmut (H. B. S.)*, directeur des châteaux et jardins nationaux de Berlin-Ouest.

Bowness *Allan (A. Bo.)*, professeur à l'Institut Courtauld de Londres.

Bramsen *Henrik (H. B.)*, conservateur en chef honoraire de l'Académie royale des Beaux-Arts de Copenhague.

Brunner *Manfred (M. Br.)*, historien d'art, Munich.

Bruschweiler *Jura (J. Br.)*, historien d'art, Genève.

Buchowiecki *Walther (W. B.)*, professeur à l'université technique de Vienne.

Burollet *Thérèse (T. B.)*, conservateur en chef du musée du Petit-Palais, Paris.

Cachin *Françoise (F. C.)*, conservateur au Musée d'Orsay, Paris.

Calvet-Sérullaz *Arlette (A. C. S.)*, conservateur au cabinet des Dessins du musée du Louvre.

Casanova *Maria Letizia (M. L. C.)*, direttore presso la soprintendenza alle Gallerie, Rome.

Castelfranchi Vegas *Liana (L. C. V.)*, historien d'art, Milan.

† Causa *Raffaello (R. C.)*, soprintendente alle Gallerie, Naples.

Châtelet *Albert (A. Ch.),* professeur à l'université de Strasbourg II.

Clair *Jean (J. C.),* critique d'art.

Cloulas *Annie (A. C.),* maître assistant à l'université de Paris X.

Constans *Claire (C. C.),* conservateur au Musée national du château de Versailles.

Cotté *Sabine (S. C.),* conservateur des Musées nationaux.

Crochet *Bernard (B. C.),* diplômé de l'École du Louvre.

Cuzin *Jean-Pierre (J. P. C.),* conservateur au département des Peintures du musée du Louvre.

Dagnaud *Suzanne (S. D.),* chargée de mission au musée du Louvre.

Da Gusmao *Adriano (A. da G.),* conservateur du musée de Coimbra.

Del Bravo *Carlo (C. D. B.),* professeur à l'université de Florence.

Deswarte *Sylvie (S. De.),* docteur de 3e cycle d'histoire de l'art.

Diaz Padron *Matias (M. D. P.),* professeur à l'université de Madrid.

Donati *Pier Paolo (P. P. D.),* historien d'art, Florence.

Dorival *Bernard (B. D.),* professeur honoraire à l'université de Paris IV.

Fermigier *André (A. F.),* maître-assistant à l'université de Paris IV. Critique d'art.

Flores d'Arcais *Francesca (F. d'A.),* professeur à l'université de Padoue.

Forges [*Marie-Thérèse de*] *(M. T. F.),* conservateur honoraire au département des Peintures, musée du Louvre.

Foucart *Jacques (J. F.),* conservateur au département des Peintures du musée du Louvre, chef du service d'Étude et de Documentation.

† Gauthier *Maximilien (M. Ga.),* critique d'art.

Georgel *Pierre (P. Ge.),* conservateur du musée de Dijon.

Gindertael *Roger Van (R. V. G.),* critique d'art.

Goerg *Charles (C. G.),* conservateur du cabinet des Estampes et de la bibliothèque d'Art et d'Archéologie, musée d'Art et d'Histoire, Genève.

Gregori *Mina (M. G.),* professeur à l'université de Florence.

Griseri *Andreina (A. G.),* professeur à l'université de Turin.

† Guinard *Paul (P. G.),* professeur à l'université de Toulouse.

Habasque *Guy (G. H.),* historien d'art.

Hayes *John (J. H.),* directeur de la National Portrait Gallery, Londres.

Herbert *Robert L. (R. L. H.),* professeur à l'université Yale (New Haven).

Hirst *Michael (M. H.),* professeur à l'Institut Courtauld de Londres.

Homolka *Jaromir (J. Ho.),* historien d'art, Prague.

Jaworska *Wladislava (W. J.),* professeur à l'Institut d'art de l'Académie de Varsovie.

Kitson *Michael (M. K.),* professeur à l'Institut Courtauld de Londres.

Kunstler *Gustav et Vita Maria, (G. et V. K.),* historiens d'art, Vienne (Autriche).

Lacambre *Jean (J. L.),* conservateur des musées nationaux.

Lassaigne *Jacques (J. La.),* conservateur en chef honoraire du musée d'Art moderne de la Ville de Paris.

Lassalle *Hélène (H. L.),* conservateur des Musées nationaux.

Laureyssens *Willy (W. L.),* assistant des Musées royaux des Beaux-Arts de Belgique, Bruxelles.

Lévêque *Jean-Jacques (J. J. L.),* critique d'art.

Loche *Renée (R. L.),* assistante au musée d'Art et d'Histoire de Genève.

Maison *Françoise (F. M.),* conservateur au Musée national du château de Compiègne.

Malvano *Laura (L. M.),* assistante à l'université de Paris VIII.

Marandel *Jean-Patrice (J. P. M.),* conservateur des peintures au Musée national du château de Compiègne.

Marchandise *Claire (C. M.),* diplômée d'études supérieures d'histoire de l'art.

† Marlier *Georges (G. M.),* historien d'art.

Martin *Jean-Hubert (J. H. M.),* conservateur au Musée national d'Art moderne, Paris.

Michaud *Éric (E. M.),* assistant à l'université de Strasbourg II.

Monbeig Goguel *Catherine (C. M. G.),* attachée de recherches au C. N. R. S.

Montagu *Jennifer (J. M.),* conservateur au Warburg Institute, University of London.

Montclos [*Brigitte de*] *(B. d. M.),* diplômée de l'Institut d'Art et d'Archéologie de Paris.

Mura *Anna Maria (A. M. M.)*, pensionnaire à l'Accademia de la Crusca Florence.

Nesme *Henry (H. N.)*, diplômé de l'Institut d'Art et d'Archéologie de Paris.

Noël Bouton *Véronique (V. N. B.)*, chargée de mission au département des Peintures du musée du Louvre.

Novotny *Fritz (F. N.)*, professeur d'histoire de l'art à l'université de Vienne.

Østby *Leif (L. Ø.)*, conservateur de la Nasjonalgalleriet d'Oslo.

Passeron *René (R. P.)*, maître de recherches au C. N. R. S.

† Pataky *Denis (D. P.)*, conservateur du musée des Beaux-Arts de Budapest.

Perez Sanchez *Alfonso Emilio (A. E. P. S.)*, professeur à l'université de Madrid, sous-directeur du musée du Prado.

Picou *Pierre-Henri (P. H. P.)*, historien d'art, Paris.

Prache-Paillard *Anne (A. P. P.)*, professeur à l'université de Paris IV.

Previtali *Giovanni (G. P.)*, professeur à l'université de Sienne, doyen de la faculté des lettres.

Princay *Robert (R. Pr.)*, conférencier des Musées nationaux.

Repaci-Courtois *Gabriella (G. R. C.)*, historien d'art, Turin, Paris.

Ressort *Claudie (C. R.)*, attachée au département des Peintures, musée du Louvre.

Reynaud *Nicole (N. R.)*, chargée de mission au département des Peintures, musée du Louvre.

Robbins *Daniel (D. R.)*, ancien directeur du Fogg Art Museum, Harvard University.

Roli *Renato (R. R.)*, professeur à l'université de Bologne.

Romano *Giovanni (G. R.)*, direttore presso la Soprintendenza alle Gallerie, Turin. Professeur à l'université de Bologne.

Rosci *Marco (M. R.)*, professeur à l'université de Milan.

Rosenauer *Artur (A. R.)*, professeur à l'université de Vienne.

Rosenberg *Pierre (P. R.)*, conservateur en chef au département des Peintures, musée du Louvre.

Rossier *Elisabeth (E. R.)*, historien d'art, Sion.

Röthlisberger *Marcel (M. Ro.)*, professeur à l'université de Genève.

† Salas [*Xavier de*] *(X. d. S.)*, directeur du musée du Prado, Madrid.

Schnapper *Antoine (A. S.)*, professeur à l'université de Paris IV.

Secrétariat de rédaction *(S. R.)*.

Sérullaz *Maurice* (M. S.), conservateur en chef du cabinet des Dessins, musée du Louvre.

Spinoca *Nicola (N. S.)*, soprintendente alle Gallerie, Naples.

Stalter *Marcel-André (M. A. S.)*, maître assistant à l'université de Lille III.

Sterling *Charles (Ch. S.)*, conservateur honoraire du musée du Louvre, professeur honoraire de l'université de New York.

Strong *Roy (R. S.)*, directeur du Victoria and Albert Museum, Londres.

Sunderland *John Norman (J. N. S.)*, directeur de la Witt Library, Londres.

Ternois *Daniel (D. T.)*, professeur à l'université de Lyon II.

Thuillier *Jacques (J. T.)*, professeur au collège de France.

Toscano *Bruno (B. T.)*, professeur à l'université de Rome.

Toussaint *Hélène (H. T.)*, attachée au département des Peintures, musée du Louvre.

Vaisse *Pierre (P. V.)*, professeur à l'université de Lyon II.

Vallier *Dora (D. V.)*, critique d'art.

Vaugham *William (W. V.)*, conservateur à la Tate Gallery, Londres.

Viatte *Germain (G. V.)*, conservateur du Musée national d'Art Moderne, Paris.

Viatte *Françoise (F. V.)*, conservateur au cabinet des Dessins et au cabinet Edmond de Rothschild, musée du Louvre.

Vilain *Jacques (J. V.)*, conservateur à l'Inspection générale des musées classés et contrôlés.

† Visani *Maria Cionini (M. C. V.)*, assistante à l'université de Padoue.

Voggenauer *Michael (M. V.)*, historien d'art.

Volpe *Carlo (C. V.)*, professeur à l'université de Bologne.

Weinmann *Françoise (F. W.)*, historien d'art, Paris.

Zava Boccazzi *França (F. Z. B.)*, professeur à l'université de Padoue.

Zumthor *Bernard (B. Z.)*, professeur d'urbanisme et de théorie du design contemporain au Polytechnique Central de Londres.

Abréviations

Abréviations usuelles

Acad., Accad., Akad. : académie, accademia, Akademie, akademije

A. R. A. : associated member of the Royal Academy of Arts (membre associé de la Royal Academy)

auj. : aujourd'hui

autref. : autrefois

bibl. : bibliothèque

B. N. : Bibliothèque nationale

coll. : collection

coll. part. : collection particulière

env. : environ

G. ou **Gal.** : galerie, gallery, galleria, gallerija

G. A. M. : galerie d'art moderne

Gg : Gemäldegalerie

id. : *idem*

Inst. : Institut, Institute, Instituto

K. M. : Kunstmuseum, Kunsthistorisches Museum

M. A. A. : musée d'art ancien, museo de arte antigua

M. A. C. : musée d'art contemporain

M. A. M., M. N. A. M. : musée d'art moderne, musée national d'art moderne

M. F. A. : museum of fine arts

M. N. : musée national, museo nazionale

N. : nasjonal, national, nazionale, nacional, narodni

N. G. : national gallery, nationalgalerie

Nm : nationalmuseum

N. P. G. : national portrait gallery

Pin. : pinacoteca, Pinakothek

P. N. : pinacoteca nazionale

R. A. : member of the Royal Academy (membre de la Royal Academy)

S. : San, Santo, Santa, Santi

s. : siècle

v. : vers

Abréviations des musées

Accademia : Galleria dell'Accademia

Albertina : Vienne, Graphische Sammlung Albertina

Baltimore, W. A. G. : Baltimore, Walters Art Gallery

Barcelone, M. A. C. : Barcelone, Museo de Bellas Artes de Cataluna

Berlin-Dahlem : Staatliche Museen-Preussischer Kulturbesitz, Gemäldegalerie

Brera : Milan, Pinacoteca di Brera

British Museum : Londres, The Trustees of the British Museum

Budapest, G. N. H. : Budapest, Galerie nationale hongroise

Cologne, W. R. M. : Cologne, Wallraf-Richartz Museum

Copenhague, N. C. G. : Copenhague, Ny Carlsberg Glyptokek

Copenhague, S. M. f. K. : Copenhague, Statens Museum for Kunst

Dresde, Gg : Dresde, Staatliche Kunstsammlungen, Gemäldegalerie

Düsseldorf, K. N. W. : Düsseldorf, Kunstsammlung Nordrhein-Westfalen

Ermitage : Leningrad, musée de l'Ermitage

Francfort, Staedel. Inst. : Francfort, Staedelsches Kunstinstitut und Städische Galerie

Guggenheim Museum : New York, The Solomon R. Guggenheim Museum

Londres, V. A. M. : Londres, Victoria and Albert Museum

Louvre : Paris, musée du Louvre

Mauritshuis : La Haye, Mauritshuis

Metropolitan Museum : New York, Metropolitan Museum of Art

Munich, Alte Pin, Neue Pin : Munich, Bayerische Staatsgemäldesammlungen, Alte Pinakothek, Neue Pinakothek

New York, M. O. M. A. : New York, Museum of Modern Art

Offices : Florence, Galleria degli Uffizi

Orsay : Paris, musée d'Orsay

Paris, E. N. B. A. : Paris, École nationale des Beaux-Arts

Paris, M. N. A. M. : Paris, musée national d'Art moderne, Centre national d'Art et de Culture Georges Pompidou

Prado : Madrid, Museo nacional del Prado

Rijksmuseum : Amsterdam, Rijksmuseum

Rotterdam, B. V. B. : Rotterdam, Museum Boymans Van Beuningen

Vienne, Akademie : Vienne, Gemäldegalerie der Akademie der bildenden Künste

Vienne, Österr. Gal. : Vienne, Österreichische Galerie

dictionnaire des grands peintres

Hans von Aachen
◄ **Bacchus, Cérès et l'Amour**
Vienne, Kunsthistorisches Museum
Phot. Fabbri

Aachen

Hans von

peintre allemand
(Cologne 1552 - Prague 1615)

D'une famille originaire d'Aix-la-Chapelle (Aachen), il se forme à Cologne dans l'atelier du Flamand Jerrigh avant de partir pour l'Italie en 1574. Après avoir étudié Tintoret et Véronèse à Venise, il se rend à Rome, où il entre en contact avec le milieu maniériste flamand (Bril, Speckaert) et avec Spranger, dont l'art l'influencera. Il séjourne ensuite à Florence. De retour en Allemagne (1588), il travaille à Munich pour Guillaume V, duc de Bavière, ainsi qu'à Cologne et à Augsbourg. Portant souvent l'empreinte du maniérisme italien (*Résurrection du fils de la veuve,* 1590, musée de Nuremberg), les œuvres peintes à cette époque témoignent parfois d'une inspiration plus personnelle (*Jugement de Pâris,* 1588, musée de Douai). Fixé à Prague à partir de 1596, peintre de chambre de l'empereur Rodolphe II, Hans von Aachen devient avec Spranger le chef de file du maniérisme rodolfinien ; il crée des compositions où la subtilité des thèmes allégoriques et mythologiques (*Victoire de la Vérité sous la protection de la*

Justice, 1598, Munich, Alte Pin. ; *Allégorie de la fragilité des richesses,* Stuttgart, Staatsgal.) est mise en valeur par la sinuosité des lignes et la préciosité du coloris (*Vénus et Cupidon,* musée de Nuremberg). Artiste éclectique, Hans von Aachen a joué un rôle important dans l'évolution du maniérisme allemand à la fin du XVIe s. A. C. S.

Abate ou Abbate

Nicolò dell'
peintre italien
(Modène v. 1509 ou 1512 - Fontainebleau ou Paris ? 1571 ?)

Après s'être formé près du sculpteur Antonio Begarelli, puis sans doute dans l'atelier d'Alberto Fontana, il collabora avec ce dernier aux Boucheries de Modène (fragments, Modène, Pin. Estense). L'artiste s'imposa, en 1540, à la Rocca di Scandiano (environs de Modène), où il peignit l'*Énéide* (cycle le plus ancien et le plus important au XVIe s. sur ce thème) et des scènes de genre (fragments, *id.*) qui montrent une interprétation originale des modèles giorgionesques et ferrarais et des fresques profanes du château de Trente. En 1546, avec Fontana, il décora la salle des Conservateurs au Palais public de Modène. En 1547, le *Martyre de saint Pierre et de saint Paul* (Dresde, Gg), exécuté pour le maître-autel de l'église S. Pietro de Modène, fait la synthèse des influences subies (Corrège, Pordenone et les Dossi). Célèbre, Abate s'établit alors à Bologne, où, v. 1550, il décore plusieurs salles du palais Torfanini (dit aussi Zucchini Solimei) ; dans l'une d'elles, il peint des épisodes du *Roland furieux,* remarquables par le charme romanesque des sujets et du paysage (auj. Bologne, P. N.). Mais son chef-d'œuvre est au palais Poggi (bibliothèque de l'Université) l'*Histoire de Camille* et surtout les salles des *Paysages* et des *Concerts.* Sous l'influence de Parmesan, dont il se rapproche au point que l'on a pu disputer entre les deux artistes l'attribution de la *Conversion de saint Paul* (Vienne, K. M.) — auj. plutôt considérée comme une œuvre de Parmesan —, et sans doute aussi de Salviati, le maniérisme de Nicolò évolue sans qu'il abandonne ses dons de coloriste, son imagination visionnaire ni sa technique brillante et expressive. De cette période datent des portraits (*Portrait de femme,* Rome, Gal. Borghèse ; *Jeune Homme au perroquet,* Vienne, K. M.) et des paysages (Rome, Gal. Borghèse et Spada).

C'est donc en pleine célébrité et dans l'entière possession de son talent que Nicolò arrive en France, en 1552, appelé par Henri II à Fontainebleau. En 1553, il donne les modèles (Paris,

Nicolò dell'Abate
◄ **L'Enlèvement de Proserpine**
Paris,
musée du Louvre
Phot. Giraudon

E. N. B. A.) des *Émaux de la Sainte-Chapelle* (Louvre), exécutés par L. Limosin; puis, sous la direction de Primatice et d'après ses dessins, il peint la *Salle de bal* de Fontainebleau. Au cours d'une collaboration de vingt ans, dont les chefs-d'œuvre sont la *Galerie d'Ulysse* et la *Chapelle des Guise,* Primatice lui abandonne la réalisation de ses projets, se fiant à son remarquable talent de fresquiste. Mais Nicolò déploie également une activité indépendante : décorations de la chapelle de Fleury-en-Bière, de l'hôtel du connétable de Montmorency à Paris (auj. détruit) et de ses châteaux d'Écouen et de Chantilly, de la chapelle de Beauregard près de Blois, d'hôtels parisiens (hôtels des Guise, de Toulouse, du Faur dit Torpanne ou Le Tellier, en 1567). Depuis 1556, il est souvent cité dans les comptes; on possède quelques exemples de sa production française : *Eurydice et Aristée* (Londres, N. G.), l'*Enlèvement de Proserpine* (Louvre), des compositions inspirées de Primatice (*Amour et Psyché,* Detroit, Inst. of Arts; la *Continence de Scipion,* Louvre), sans doute de rares portraits (Londres, N. G.). Très bon dessinateur, il donna, comme Primatice, des projets pour les fêtes, des modèles aux graveurs (le *Concert* par E. Delaune) et des cartons de tapisseries (*Histoire d'Artémise,* Louvre et British Museum). Il est mentionné pour la dernière fois lors de l'entrée de Charles IX à Paris en 1571 avec son fils Giulio Camillo (arcs de triomphe et décor de l'Hôtel de Ville).

Figure originale du maniérisme émilien, auquel il apportera une contribution notable dans le domaine de la décoration (spécialement avec ses « concerts » et ses « paysages »), Nicolò dell'Abate joua en France, dans la première et la seconde école de Fontainebleau, un rôle personnel attesté par des copies, des imitations, des dérivations de son œuvre. Son influence sur Antoine Caron est certaine. Son atelier, ses fils, surtout Giulio Camillo, diffusèrent sa manière, dont le naturalisme et la sensibilité picturale corrigèrent l'académisme issu de Primatice. S. B.

Aertsen

Pieter

peintre néerlandais

(Amsterdam 1508 - id. 1575)

Pieter Aertsen
Le Repas des paysans (1556) ▶
Anvers,
musée Mayer Van den Bergh
Phot. Guillemot-Top

Fils d'un cardeur (Aertsen signait souvent avec un trident, forme simplifiée du peigne à carder), surnommé Lange Pier (le « grand Pierre ») à cause de sa taille, il se forma chez Allaert Claesz (d'après Van Mander) et se rendit peut-être en Italie avant son inscription à Anvers en 1535 comme nouveau membre de la gilde; il résidait alors chez Jan Mandyn. Citoyen d'Anvers en 1542, il se marie, devenant ainsi l'oncle du jeune Beuckelaer, son futur et brillant alter ego. Vite connu (il a des élèves dès 1540, tel Stradanus), il s'enrichit et reçoit des commandes de Flandre (retables à Anvers en 1546, à Léau en 1554 — toujours en place) comme de Hollande (vitraux de l'Oudekerk d'Amsterdam en 1555, commandes du marchand mécène Rauwaerts). Il rentre dans sa ville natale, où il est mentionné de nouveau en 1557 et inscrit comme citoyen en 1563, tout en restant en relations d'affaires avec Anvers et Léau. Ce retour ne s'explique ni par des questions religieuses ni par une éventuelle concurrence de Floris, comme on l'a dit, mais sans doute par l'importance des commandes à exécuter sur place, tels les fameux retables de l'Oudekerk (dont Vasari a parlé) et de la Nieuwekerk d'Amsterdam (dont subsiste seulement au Rijksmuseum un fragment représentant une étonnante tête de bœuf). « Ces retables ont disparu dans la furie iconoclaste de la *Beeldstorm* protestante de 1566, qui devait tant affecter le peintre » (Van Mander) et anéantir une grande partie de sa production religieuse.

La *Laitière* du musée de Lille, son plus ancien tableau daté connu, atteste dès 1543 le goût d'Aertsen pour un réalisme national insistant et rustique, parallèle à celui de Pieter Bruegel. En même temps, plusieurs grands retables des années 1540 (*Crucifixion, Nativité,* Bruges, église Saint-Sauveur) montrent un artiste partant de la leçon des Romanistes (Coecke, Van Orley) et surtout du milieu anversois de Hemessen et du Monogrammiste de Brunswick : les petites figures réalistes et gauches mais si expressives de ce dernier se retrouvent dans les œuvres religieuses des années 1550 (*Portements de croix,* Berlin-Dahlem et musée d'Anvers). Aertsen a aussi ressenti de nettes influences italiennes depuis la rhétorique architecturale d'un Serlio (le *Christ chez Marthe et Marie,* Rotterdam, B. V. B.) jusqu'au riche coloris des Vénitiens et au maniérisme expressif de Parmesan. Très vite, les deux courants fusionnent. Dans le thème sacré (l'*Adoration de l'Enfant,* musée de Rouen) ou dans les sujets profanes (la *Danse des œufs,* 1559, Rijksmuseum ; les *Crêpes,* Rotterdam, B. V. B. ; les *Deux Cuisinières,* Bruxelles, M. A. A.), le réalisme inné d'Aertsen devient toujours plus monumental et vigoureux ; il est servi par une gamme de tons vifs et francs et trouve, à travers son agressivité même, un souffle épique qui constitue enfin une première réponse spécifiquement septentrionale à la grande « manière » des Italiens.

Le sommet de cet art est sans doute atteint dans les marchés de plein air, aux premiers plans éloquemment chargés de légumes et de victuailles, qui relèguent à l'arrière-plan l'élément narratif (parfois une scène religieuse, comme dans *le Christ et la Samaritaine,* Francfort, Staedel. Inst.). En dépit du « pathos » maniériste propre au XVIe s. s'y affirment les droits d'une nouvelle catégorie de la peinture, définitivement admise au siècle suivant, la nature morte : les œuvres conservées dans les pays scandinaves (Copenhague, S. M. f. K. ; Stockholm, Nm), telles que l'*Étal d'une boucherie* (1551, université d'Uppsala), illustrent particulièrement cette tendance, dont Joachim Beuckelaer, après Aertsen, se fera l'efficace propagateur. Quant à l'œuvre dessiné, récemment mis en valeur (surtout projets de retables et de vitraux d'église), il confirme, par la brutalité de son style, la vigueur et l'originalité du maniérisme hollandais au cœur du XVIe s.

J. F.

Josef Albers
Temprano (1957) ▶
Washington, Phillips Collection
Phot. du musée

Albers

Josef

peintre américain d'origine allemande (Bottrop, Westphalie, 1888 - New Haven, Connect., 1976)

Sa formation, commencée à Berlin (1913-1915), se poursuivit à l'école des Arts appliqués d'Essen (1916-1919) et à Munich, mais prit une orientation décisive au Bauhaus de Weimar (1920-1923). Nommé professeur, Albers donne le fameux « Vorkurs » (cours préparatoire) et dirige l'atelier de peinture sur verre de 1923 à 1933 (*City,* 1928, peinture sur verre opaque, Zurich, Kunsthaus). Quand le parti nazi prit le pouvoir et contraignit le Bauhaus à fermer ses portes en 1933, il émigra aux États-Unis et enseigna (1933-1949) au Black Mountain College (Caroline du Nord), institution dont l'existence fut de courte durée, mais où beaucoup de futurs artistes, écrivains et musiciens, reçurent une importante formation. Les réfugiés du Bauhaus cherchaient, en effet, à recréer le mode de vie et l'esprit de la grande école allemande. Albers fut l'initiateur d'un cours sur la couleur et le dessin qui exerça une grande influence, d'abord en Caroline du Nord, puis à l'université Yale (1950-1958), où il dirigea l'école d'art au moment où l'Expressionnisme abstrait était à son apogée. Dans sa peinture comme dans son enseignement, il insista sur la complexité formelle et psychologique née de variations sérielles colorées à partir de surfaces géométriques simples, par excellence celles du carré. La première série (1932-1935) est consacrée aux *Clés de « sol »* (dix variations). L'œuvre d'Albers, de caractère expérimental, relève du constructivisme le plus strict. Dans le domaine graphique (pointes-sèches, bois, linos, lithos), après des débuts dans le sillage de l'Expressionnisme (1916-1919), le primat absolu de la droite et du noir et blanc aboutit à des constructions paradoxalement instables de plans articulés volumétriquement dans l'espace (*Structural Constellations,* 1953-1958, New York, Brooklyn Museum), tandis que la production picturale est dominée par les rapports de couleurs, développés à partir de 1950 sous le titre générique d'*Hommage au carré* (*Apparition, hommage au carré,* 1959, New York, Guggenheim Museum). Dès avant 1960, son art, en réaction contre le subjectivisme de l'Action Painting, a exercé une influence décisive sur la naissance de l'Hard Edge et du Minimal Art, avatars, vers le milieu des années 60, de l'Abstraction géométrique. En 1963, l'artiste a publié *Interaction of Colour.* On lui doit plusieurs panneaux muraux, notamment pour l'université Harvard (*Amerika,* 1949-50) et pour l'Institut de technologie de Rochester (New York) en 1967 et en 1970. Il est représenté dans la plupart des grands musées européens et surtout américains. D'importantes rétrospectives lui ont été consacrées, les dernières en 1965 et 1967 (New York, M.O.M.A., exposition itinérante) et en 1971 (Metropolitan Museum et musée de Münster). Un don d'Anni Albers (4 œuvres) a été fait au M.N.A.M. de Paris en 1978.

D. R. et C. G.

Alechinsky

Pierre

peintre belge (Bruxelles 1927)

Il entre en 1944 à l'école des Arts décoratifs de Bruxelles, figure en 1944 dans les rangs de la Jeune Peinture belge et expose des peintures sur papier à la gal. Lou Cosyn en 1947. Il fait en 1948 un premier séjour à Paris, où il s'installera en 1951, et grave les 9 eaux-fortes des *Métiers.* En 1949, il est le plus jeune membre de Cobra, groupe d'artistes septentrionaux désigné par les premières lettres de COpenhague, de BRuxelles et d'Amsterdam, et actif de 1948 à 1951. Il perfectionne son métier de graveur et travaille avec Hayter à l'Atelier 17 en 1952 ; la même année, il est en relations épistolaires avec des artistes japonais de Kyōto et, en 1955, il réalise au Japon un film, *Calligraphie japonaise.* De 1951 à 1954 env., sa peinture relève d'une abstraction libre, de grands signes couvrant toute la surface de la toile. Il adopte ensuite une figuration allusive, en quelque sorte avortée, où ses qualités de dessinateur et de coloriste sont également exploitées (*Paroles infantiles,* 1961, Oslo, Sonja Henie-Niels Onstad Foundations). La mobilité d'écriture des dessins à l'encre d'Alechinsky (le *Tout-Venant,* 1966) — dans lesquels le trait, constamment rompu et repris, décrit entrelacs et arabesques — témoigne d'une affinité avec l'art extrême-oriental, dont il observe la méthode de travail, debout, le support posé horizontalement à terre. En 1965, il fait un séjour aux États-Unis et commence à pratiquer la peinture acrylique auprès de Walasse Ting ; il inaugure aussi un nouveau procédé de composition, le thème du tableau entouré de « remarques marginales », suite de petits motifs en noir ou en couleurs analogue à une bande dessinée. L'acrylique permet des effets de taches colorées et fluides rappelant celles des encres lithographiques, qu'il exploite avec une égale virtuosité à des fins décoratives et expressives (*Vulcanologie,* suite de lithos, 1970 ; *Micky,* encre, 1972). Si l'irréalisme poétique de l'artiste est proche parfois de celui de Jorn et de Pedersen, membres danois de Cobra, l'humour primesautier, sarcastique ou agressif distingue les compositions d'Alechinsky, dans lesquelles des formes à l'état naissant, encore mal différenciées, mènent une vie sauvage et exubérante (*Melmoth,* 1970). Ses dernières peintures sont exécutées sur papier marouflé sur toile. Illustrateur de poètes (J. Mansour, L. Scutenaire, M. Butor, A. Chavée), il a réalisé avec C. Dotremont des « logogrammes-dessins » (1972). La donation d'estampes faite au M. N. A. M. comprend une centaine d'épreuves de 1970 à 1975. Parmi les dernières créations graphiques citons une grande eau-forte, *À l'aveuglette* (1973), et une suite de grands bois de fil (*Roue d'infortune,* 1973). L'artiste se manifeste régulièrement à la gal. de France, à Paris. Il est représenté dans de nombreux musées : Amsterdam (Stedelijk Museum), Berlin (N. G.), Bruxelles (M. A. M.), Cologne (W. R. M.), New York (M. O. M. A., Guggenheim Museum), Paris (M. N. A. M.), Rome (G. A. M.), Venise (fondation Peggy Guggenheim). M. A. S.

Pierre Alechinsky
▼ **Le Vert naissant** (1960)
Bruxelles,
Musées royaux des Beaux-Arts

Phot. du musée

Altdorfer

Albrecht

peintre allemand

(v. 1480 - Ratisbonne 1538)

Bien que l'on ignore ses origines, on présume qu'il est le fils du peintre Ulrich Altdorfer, qui renonça en 1491 au droit de citoyen de la ville de Ratisbonne. Albrecht devait acquérir ce droit en 1505 avant de devenir, en 1519, membre du Grand Conseil et, en 1526, membre du Conseil restreint de la cité, qui lui conféra la même année la charge d'architecte de la ville. Nous ignorons également à qui il doit sa formation artistique, mais ses œuvres trahissent l'influence de Dürer et du jeune Lucas Cranach. Ses premiers dessins et estampes datés remontent à 1506 ; ainsi, le groupe de gravures sur bois désigné sous le nom de *Mondseer Siegel* (Albertina) dut être exécuté peu de temps av. 1506 ou v. 1511 et non pas v. 1500, comme on le suppose souvent. Les tableaux les plus anciens, la *Nativité* (musée de Brême), *Saint François* et *saint Jérôme* (Berlin-Dahlem), *Famille de satyres (id.),* sont datés de 1507. En 1510 se situent le *Repos de la Sainte Famille (id.)* et *Saint Georges* (Munich, Alte Pin.), et v. 1510-11 une *Crucifixion* (musée de Kassel), *Saint Jean l'Évangéliste et saint Jean-Baptiste* (Munich, Alte Pin.).

Les premières compositions d'Altdorfer sont

Albrecht Altdorfer
La Bataille d'Alexandre ▶
(1529)
Munich, Bayerische Staatsgemäldesammlungen, Alte Pinakothek
Phot. Blauel

CONIVGE LIBERIS DARII REGI CVM M HAVD
AMPLIVS EQVITIB FVGA DILAPSIS CAPTIS

empreintes d'un dynamisme étrangement expressif. Non seulement les personnages, mais aussi les rochers et les architectures — dont le délabrement souligne l'appartenance au règne végétal — semblent obéir aux lois de ce monde parfois tellement envahissant que les minuscules silhouettes paraissent englouties par la forêt trop dense *(Saint Georges)*. La technique — probablement inspirée par Jacopo de' Barbari — qui consiste à rendre tous les éléments du tableau, qu'il s'agisse des personnages, de la configuration du terrain ou de la flore, contribue également, par un jeu de stries parallèles, à uniformiser l'ensemble. Dans certaines peintures, les bourrelets formés par les plis qui s'écrasent au sol font songer à des racines s'enroulant autour du vêtement, alors que, dans d'autres, les lichens pendant aux arbres ou aux murs évoquent la chevelure humaine. Au coloris nuancé de cette période, résultat d'une subtile tonalité lumineuse dans laquelle les différents éléments picturaux s'interpénètrent, correspond une prédilection pour les dessins rehaussés de blanc sur fond sombre, riches d'atmosphère (*Pyrame*, Berlin-Dahlem).

L'année 1511 marque le début d'une nouvelle période coïncidant avec un voyage en Autriche. Altdorfer l'entreprit sans doute afin d'exécuter une commande pour la collégiale de Saint-Florian (près de Linz). Ce fut peut-être l'occasion d'une confrontation avec le retable de Pacher à Saint-Wolfgang. Un dessin de 1511 représentant le *Danube à Sarmingstein* (musée de Budapest) en témoigne. En effet, les stries parallèles des rochers reflètent encore le style dynamique des premières années. Mais la nouvelle manière de l'artiste trouve une éclatante illustration dans le chef-d'œuvre de cette époque, le *Retable de Saint-Florian*. Il comporte 8 panneaux représentant des *Scènes de la Passion* et 4 consacrés à la *Légende de saint Sébastien* (collégiale de Saint-Florian). En outre, 2 panneaux — dont l'un figure la *Mise au Tombeau*, l'autre la *Résurrection* (Vienne, K. M.) — ont appartenu à la prédelle du même retable, qui dut être achevé en 1518 si l'on se réfère à la date inscrite sur le panneau de la *Résurrection*. Loin de s'intégrer à l'ensemble de la composition, les figures se détachent désormais en volumes aux contours précis, d'un coloris nouveau. Des couleurs resplendissantes font ressortir les personnages, qui se découpent brillamment sur le décor architectural volontairement neutre, en partie inspiré par une gravure italienne reproduisant un dessin de Bramante. Les *Scènes de la Passion* furent pour Altdorfer l'occasion de rendre sensibles les variations lumineuses des différentes parties du jour par la virtuosité des éclairages. Les dimensions imposantes du retable invitent à penser que l'artiste y consacra beaucoup de temps ; cette hypothèse se trouve d'ailleurs confirmée par l'évolution stylistique sensible de certains panneaux par rapport à d'autres. Ainsi, les scènes nocturnes (le *Mont des Oliviers*, l'*Arrestation*), qui durent être conçues d'abord, sont encore proches du style de la première période, alors que les quatre scènes du *Martyre de saint Sébastien*, exécutées sans doute les dernières, sont tout à fait novatrices. Tout en travaillant au *Retable de Saint-Florian*, Altdorfer exécuta aussi des commandes pour l'empereur Maximilien : gravures sur bois pour l'*Arc de triomphe* et l'*Entrée triomphale*, dessins sur les marges d'une partie du *Livre d'heures* de l'empereur (bibliothèque de Besançon). Du point de vue chronologique, il convient de rattacher au *Retable de Saint-Florian* 7 panneaux retraçant la *Légende de saint Florian* (3 au musée de Nuremberg, 2 aux Offices, 1 au musée de Prague, 1 dans une coll. part.) et ayant sans doute appartenu à un retable qui lui était dédié. Le coloris dépasse encore en intensité celui des *Scènes de la Passion*, et la dimension des têtes prête aux personnages un aspect poupin qui rappelle ceux de la *Nativité de la Vierge* (Munich, Alte Pin.), œuvre surprenante par son ordonnance architecturale.

Au début de la troisième décennie du XVIe s., on voit réapparaître dans l'œuvre d'Altdorfer le thème autour duquel gravitera désormais son art, le paysage. On doit à cette période 9 gravures à l'eau-forte, 3 aquarelles (Rotterdam, B. V. B. ; bibliothèque d'Erlangen ; Berlin-Dahlem, cabinet des Estampes) et 2 tableaux : le *Paysage à la passerelle* (Londres, N. G.) et le *Danube près de Ratisbonne* (Munich, Alte Pin.), premiers paysages autonomes dans la peinture occidentale depuis l'Antiquité. Les paysages à l'aquarelle de Dürer sont à l'origine de ces œuvres, qui marquent incontestablement un tournant dans l'histoire de l'art. De 1526 datent une *Crucifixion* (musée de Nuremberg) et un tableau représentant *Suzanne au bain* au pied d'un palais fantastique (Munich, Alte Pin.).

En 1528, Altdorfer renonça à devenir maire de Ratisbonne pour se consacrer au stupéfiant chef-d'œuvre, daté de 1529, qu'il exécuta pour Guillaume de Bavière : la *Bataille d'Alexandre (id.)*, tableau qui permit à l'artiste de déployer une dernière fois son génie de coloriste ; un paysage cosmique vu à vol d'oiseau (la Méditerranée orientale), évoquant Patinir par l'ampleur de son panorama et Léonard de Vinci par la forme des montagnes, constitue le théâtre de l'action, dont les protagonistes ne sont autres que le ciel, la terre et la mer, que le soleil et la lune baignent de leur clarté. Les minuscules silhouettes des soldats, qui rappellent ceux de l'*Entrée triomphale* de Kölderer (Albertina), se confondent en une masse bigarrée de lances hérissées, dont la progression semble épouser les mouvements du terrain.

Au cours de la quatrième décennie, les œuvres se font plus rares. Une *Madone* (Vienne, K. M.) et une *Scène courtoise* (Berlin-Dahlem), dont le paysage, riche d'atmosphère, annonce déjà la peinture du XVIIe s., sont datées de 1531. L'œuvre d'Altdorfer s'achève avec les fresques destinées aux bains royaux de Ratisbonne, dont seuls quelques fragments (musées de Ratisbonne et de Budapest) et un dessin (Offices) ont été conservés, et avec un tableau de grand format représentant *Loth et ses filles* (1537, Vienne, K. M.). Ici, l'artiste s'est éloigné de l'idéal de l'école du Danube pour adopter les éléments chers à la Renaissance. C'est désormais sur le corps humain que se concentre l'attention, et la fraîcheur du coloris fait place aux tons rompus. Avec Dürer, Altdorfer, dont l'art est certes plus subjectif, est le plus grand paysagiste de la peinture allemande ancienne. Représentant éminent de l'école du Danube, il a profondément marqué en son temps la peinture de l'Allemagne méridionale, bien qu'il n'ait pas eu de disciples au sens strict du terme. Il est évident que ses œuvres de jeunesse ne sont pas étrangères à l'éclosion du talent du Maître de Pulkau, que celles de la deuxième décennie ont inspiré Wolf Huber et qu'Augustin Hirschvogel a poursuivi la tradition de ses paysages à l'eau-forte. A. R.

Altichiero

peintre italien
(Vérone, seconde moitié du XIVe s.)

Les rares documents concernant sa vie et ses œuvres (de 1379 à 1384) couvrent une période trop courte pour suffire à renseigner sur une carrière qui fut féconde et s'exerça presque exclusivement dans le domaine de la fresque à Padoue et à Vérone. Altichiero, qui certainement étudia longuement les fresques de Giotto à Padoue, a également subi l'influence de l'école giottesque transplantée en Lombardie vers le milieu du XIVe s. et celle de l'école émilienne de Tommaso da Modena.

Son nom reste surtout attaché à deux cycles de fresques qui comptent parmi les plus importants de l'Italie du Nord à cette époque : les *Scènes de la vie de saint Jacques* (Padoue, basilique del Santo, chapelle S. Felice) et les *Scènes de la vie du Christ, de saint Georges, de sainte Lucie et de sainte Catherine* (Padoue, oratorio di S. Giorgio). Certains auteurs voient dans un peintre peu connu, Jacopo Avanzi, le collaborateur d'Altichiero. En effet, certaines différences stylistiques permettent de supposer que, si Altichiero conçut seul ces fresques, il se fit aider cependant pour leur exécution. Dans ces deux cycles, il déploie un véritable génie de conteur naturaliste ; il compose magistralement les scènes (grande *Crucifixion*, basilique del Santo), orchestrant savamment espace et personnages ; en même temps, observateur pénétrant, il décrit avec acuité les visages et les costumes, dépeint avec finesse les gammes de sentiments. Son emploi de couleurs variées et du clair-obscur est caractéristique de la culture du nord de l'Italie.

Son cycle de fresques du palais Scaligero à Vérone est perdu. De son activité véronaise, il ne subsiste que la fresque du *Tombeau Cavalli*

Altichiero
La Décollation de saint Georges ▶
Fresque
Padoue, Oratorio di San Giorgio
Phot. Scala

Andrea del Castagno
La Cène ▶
Fresque
Florence, réfectoire de Sant'Apollonia
Phot. Fabbri

(Vérone, église S. Anastasia), exécutée probablement peu av. 1390, après son retour de Padoue, et dans laquelle les nobles chevaliers, comme pour l'hommage féodal, sont représentés agenouillés devant le trône de la Vierge.

Altichiero fut l'un des derniers et des plus subtils représentants du trecento, dont il concrétisa les grandes inspirations avant que n'éclose à Vérone le Gothique international sous l'impulsion de Stefano et de Pisanello. L. C. V.

Andrea del Castagno

peintre italien
(Castagno 1421 - Florence 1457)

Fils d'un paysan de l'Apennin toscan, il prit le nom de son bourg natal. La tradition veut que, v. 1440, protégé par Bernardetto de' Medici, il soit allé à Florence, où, après la bataille d'Anghiari, il peignit l'effigie des rebelles pendus. À Venise, en 1442, il signe, avec Francesco da Faenza, dans la chapelle S. Tarasio à l'église S. Zaccaria, les fresques figurant les *Prophètes* et les *Évangélistes*. De nouveau à Florence, il dessine en 1444 la *Déposition* pour le vitrail de l'un des œils-de-bœuf de la coupole du Dôme ; on sait, d'autre part, qu'en 1449 il peint un panneau pour l'église S. Miniato fra le Torri et qu'en 1451 il reprend les fresques des *Scènes de la vie de la Vierge* laissées inachevées par Domenico Veneziano à S. Egidio. En 1455, il travaille à l'Annunziata et, en 1456, il peint pour le Dôme la fresque du monument équestre de Niccolò da Tolentino. L'année suivante, il est emporté par la peste.

Plus connu toutefois sous le surnom d'*Andreino degli Unpiccati* (« Andreino des Pendus »), en souvenir de sa première œuvre florentine, il fut accusé de l'assassinat de Domenico Veneziano, forfait qu'il aurait perpétré par jalousie professionnelle. L'historiographie du XIXe s. réhabilita Andrea del Castagno en prouvant qu'il mourut quatre ans avant sa victime présumée !

Sa personnalité fut redécouverte récemment ; la plupart de ses œuvres étaient restées inconnues jusque fort avant dans le XIXe s., et une bonne partie de ses fresques avait disparu sous des badigeons.

On retrouva d'abord une de ses œuvres tardives, la *Crucifixion avec des saints* (réfectoire de S. Apollonia), à la fin du XVIIIe s., puis la série des *Hommes et femmes illustres* à la villa Carducci de Legnaia en 1847. Les fresques de S. Annunziata apparurent sous des toiles du XVIIe s., tandis que, libéré du badigeon qui le recouvrait, revenait enfin au jour tout le cycle de S. Apollonia. Au début du XXe s., d'autres découvertes suivirent. La critique attribua ainsi à Andrea del Castagno le *David* de Washington (N. G.) et reconnut dans l'*Assomption* de Berlin-Dahlem la « pala » perdue de S. Miniato fra le Torri. On redécouvrit également les fresques

de S. Tarasio à Venise ainsi que la fresque de la famille Pazzi (autref. au château de Trebbio ; auj. à Florence, Pitti, donation Contini-Bonacossi). Seul parmi toutes ses œuvres, le portrait équestre de *Niccolò da Tolentino* (dôme de Florence) était resté toujours visible.

Dans une de ses *Vies,* consacrée au peintre, Vasari définit la peinture d'Andrea d'une manière qui demeure encore tout à fait valable aujourd'hui : « Il appréhende parfaitement les difficultés de l'art et notamment celles du dessin, tandis que ses couleurs dures et crues font perdre à ses œuvres une grande partie de leur valeur et de leur grâce [...]. Il excelle à rendre le mouvement de ses personnages et l'inquiétante expression de leurs visages [...], dont un vigoureux tracé souligne la gravité. »

Il est difficile de définir le bagage culturel d'Andrea à son arrivée à Florence. La *Crucifixion avec des saints* de S. Maria Nuova, première œuvre qu'on peut lui attribuer, est sans doute antérieure à son voyage à Venise. Il se révèle alors disciple de Masaccio, agençant solidement ses personnages dans la perspective et mettant en relief les contours par une ligne appuyée dans la manière de Donatello. On retrouve les mêmes caractéristiques dans les fresques de la chapelle de S. Tarasio à l'église S. Zaccaria de Venise (1442). La présence de Donatello à Padoue et les fresques d'Andrea furent des facteurs déterminants dans l'évolution de la peinture vénitienne, encore marquée par le Gothique tardif.

La *Crucifixion,* la *Déposition* et la *Résurrection,* qui constituent la partie supérieure des fresques du réfectoire de S. Apollonia à Florence, ont sans doute été les premières œuvres que Castagno exécuta à son retour de Venise. Dans le personnage du Christ, drapé de blanc, de la *Résurrection,* on trouve peut-être des réminiscences des fameuses fresques « colorées » peintes à S. Egidio à partir de 1439 par Domenico Veneziano et son élève Piero della Francesca, et que, d'ailleurs, Castagno continua, de 1451 à 1453, par d'autres *Scènes de la vie de la Vierge* (auj. perdues comme tout l'ensemble). Dans la grande *Cène,* peinte dans le réfectoire de S. Apollonia, sans doute quelque temps plus tard, les personnages, puissants *(gagliardi)* et graves, présentent déjà cette couleur « dure et crue » dont parlait Vasari. Cette œuvre est caractérisée par l'agencement d'une perspective rigoureuse, soulignée par le rapport blanc-noir du plafond et du sol et par les reflets marmoréens du mur de l'arrière-plan, traité en couleurs sombres.

Castagno exalte non seulement les valeurs morales de l'homme, comme l'avaient fait Masaccio et Donatello, mais surtout l'élan vital qui anime la machine parfaite qu'est le corps humain. Il obtient ce résultat en soulignant les visages « féroces et graves » ou en détaillant jusqu'à l'obsession les rides, tendons, os et muscles par un tracé appuyé et violent. À travers Pollaiolo et Verrocchio, cette tendance rejoindra les recherches anatomiques de Léonard de Vinci et le culte de la beauté virile de Michel-Ange. Le *David* (Washington, N. G.) est aussi rude que les rochers sur lesquels son pied se pose, tandis que la série des *Hommes et femmes illustres* de Legnaia (réfectoire de S. Apollonia) met en évidence l'intérêt du peintre pour la valeur physique des personnages plus que pour leur psychologie et pour leur brutal agencement perspectif sur un fond de faux marbre qui nie toute profondeur. La fresque du monument équestre de *Niccolò da Tolentino,* au dôme de Florence, qui fait pendant à celle de *Giovanni Acuto,* aux formes calmes, réalisée par Paolo Uccello, préfigure la violence du monument équestre du *Colleoni,* par Verrocchio. M. B.

Andrea del Sarto

Andrea d'Agnolo di Francesco, dit

peintre italien

(Florence 1486 - id. *1530)*

La carrière d'Andrea del Sarto se déroula à Florence. Apprenti chez un orfèvre, puis élève de Piero di Cosimo, il associe dans ses premières œuvres l'influence de son maître à celle de

Andrea del Sarto
La Madone à l'escalier ▶
(« Madonna della Scala »)
Madrid,
Museo nacional del Prado
Phot. Fabbri

Pérugin. Sa participation (1509-10), avec cinq scènes de la *Vie de saint Philippe Benizzi,* au cycle du porche de l'Annunziata, complété en 1514 (premier ensemble monumental entrepris à Florence depuis l'échec des tentatives de Léonard de Vinci et de Michel-Ange au Palazzo Vecchio), renoue, par son ampleur et ses rythmes simples, avec la tradition narrative des fresques du quattrocento. En 1514, Andrea entreprend la décoration en grisaille du cloître des Scalzi : 10 scènes de la *Vie de saint Jean-Baptiste* et 4 allégories des *Vertus.*

Rythmé par un jeu subtil de pilastres et de bordures en trompe l'œil, l'ensemble, exécuté en collaboration avec Franciabigio, ne sera achevé qu'en 1528. Par ses ambitions monumentales et sa force tranquille, la suite — où l'on reconnaît des motifs empruntés à Lucas de Leyde et à Dürer — relève directement de l'art de Michel-Ange (à Florence en 1516), en particulier du *David* et de la *Bataille de Cascina.* Les « sacre conversazione », exécutées à partir de 1512-13, reprennent les formules classiques de l'école de Fra Bartolomeo : citons en particulier l'*Annonciation* (Florence, Pitti) et le *Mariage mystique de sainte Catherine* (Dresde, Gg). En revanche, les 2 panneaux de l'*Histoire de Joseph* (Florence, Pitti), compris dans l'ensemble commandé en 1515 par la famille Borgherini, témoignent d'une aisance toute personnelle dans le groupement des figures sur fonds de paysage. La même animation retenue se dégage de la *Sainte Famille avec sainte Catherine* (1515-16, Ermitage), probablement inspirée par la *Madonna dell'Impannata* de Raphaël, que l'on sait présent à Florence en 1514. La *Madone des Harpies* (1517, Offices) dénote par sa gravité un peu lointaine un parti de mélancolie voilée, qui s'affirmera dans le thème de la *Pietà,* ultérieurement traité à plusieurs reprises (une version au K. M. de Vienne, 1521).

La renommée d'Andrea est bientôt telle qu'il est appelé par François Ier en France (1518), où il peint un seul tableau, la *Charité* du Louvre, reprenant la construction pyramidale de la *Sainte Anne* de Léonard de Vinci.

Un moment sensible aux recherches formelles de son élève Pontormo, dont il ne partage pas les audaces expressives (la *Madone sur l'escalier,* Prado ; *Vierge à l'Enfant,* 1519-20, Rome, Gal. Borghèse), Andrea manifeste dans sa grande fresque du *Tribut de César* à Poggio a Cajano (1520-21) une volonté de simplification et d'équilibre monumental, qui influencera profondément les artistes florentins, soucieux d'échapper, à la fin du siècle, aux conventions d'un Maniérisme attardé. L'articulation très nette, le coloris clair de la *Madone au sac* (1525, Florence, cloître de l'Annunziata) et de la *Pietà* (Florence, Pitti) seront remplacés, dans les dernières œuvres, par la multiplication des effets de draperie, favorable à la virtuosité du modelé *(Assomption, id.).*

Représentant le plus marquant du classicisme florentin, mêlant la subtilité de Léonard de Vinci aux ambitions formelles de Raphaël et de Fra Bartolomeo, Andrea témoigne, en particulier dans ses portraits (Florence, Offices, Pitti ; Prado), d'une sensibilité anxieuse accordée aux inquiétudes florentines, d'où naîtra le Maniérisme. Son rayonnement s'exercera sur des artistes aussi éclectiques que Bugiardini, Franciabigio, Bacchiacca ou Puligo. F. V.

Angelico

Fra Giovanni da Fiesole,
dans le siècle Guido di Pietro, dit
peintre italien
(Vicchio di Mugello ? v. 1400 - Rome 1455)

Les documents récemment découverts ne permettent plus de considérer l'année 1387 comme celle de sa naissance, qui doit être beaucoup plus tardive. Le 31 octobre 1417, le peintre s'inscrivait encore comme laïque à la compagnie de S. Niccolò, à l'église du Carmine de Florence ; de même, les paiements pour un panneau, auj. perdu, exécuté pour la chapelle Ghierardini à S. Stefano al Ponte le mentionnent de la même manière en 1418. En revanche, un autre paiement de l'hôpital S. Maria Nuova pour « la peinture d'une croix » le nomme en 1423 « frère Giovanni des frères de San Domenico de Fiesole ». Vasari est le premier à l'appeler Fra Giovanni Angelico, confirmant la fortune d'un adjectif employé auparavant par Fra Domenico da Corella et Landino. Il serait puéril d'imaginer ce peintre comme humble frère reclus, car son activité artistique eut bien vite un très large retentissement. Il suffit de rappeler qu'en 1438 une lettre de Domenico Veneziano cite comme peintres importants de Florence les seuls Filippo Lippi et Fra Angelico, et la décoration de la chapelle Majeure de Saint-Pierre de Rome fut confiée à ce dernier. Sa condition de religieux ne l'empêcha pas d'accueillir les nouveautés de la Renaissance ; au contraire, fort en avance sur Lippi lui-même et sur Paolo Uccello, il fut le premier à comprendre la portée de la nouvelle conception architectonique de Brunelleschi et de la révolution picturale de Masaccio, même s'il les interpréta comme un retour à la simplicité et à la pureté de l'Antiquité et des débuts du christianisme. Au siècle dernier, en prenant comme point de départ une interprétation de Vasari qui s'alignait surtout sur les préceptes de la Contre-Réforme, on insistait sur les caractères édifiants et dévots de la peinture d'Angelico, et sur des œuvres comme les reliquaires peints pour Fra Giovanni Masi (Florence, museo di San Marco, et Boston, Gardner Museum) ; aujourd'hui, on préfère mettre en évidence ses liens avec la première Renaissance, son effort novateur et l'influence initiale de Masaccio, qui se manifeste sans exception dans ses premières œuvres.

La première période. Longhi, à propos de l'activité de jeunesse du peintre, considère d'une manière convaincante qu'après les manifestations d'une première influence de Masaccio dans quelques peintures comme le *Saint Jérôme* (Princeton, musée de l'Université), sans doute exécuté en 1424, on doit passer à des œuvres telles que le retable de S. Domenico à Fiesole (prédelle à Londres, N. G.), qui, en 1425 ou peu après, révèle une orientation vers la manière de Gentile da Fabriano, pour arriver, toujours av. 1430, à la période la plus fortement inspirée par Masaccio. C'est le moment où Angelico peint des petits panneaux tels que l'*Imposition du nom à saint Jean-Baptiste* (Florence, museo di San Marco), *Saint Jacques et Ermogène* (Paris, coll. des Cars), *Nativité du Christ* et *Agonie au jardin* (Forlì, Pin.), *Conversion de saint Augustin* (musée de Cherbourg). Dans ces œuvres, les formes et l'espace rappellent clairement le *Tribut, Adam et Ève chassés du paradis terrestre* ou la *Résurrection du fils de Théophile,* fresques de Masaccio dans la chapelle Brancacci (Florence, église du Carmine).

La période de 1430-1445. L'aboutissement magistral de ces recherches est sans doute le *Couronnement de la Vierge* du Louvre, exécuté certainement av. 1435 et placé sur l'un des trois autels de l'église S. Domenico à Fiesole. La maîtrise de la perspective y est impressionnante, et le rythme des figures dans l'espace, senties déjà comme des volumes, est d'une justesse telle qu'on peut imaginer la fascination qu'une œuvre comme

Fra Angelico
La Déposition ▶
de croix
Florence,
Museo di San Marco
Phot. Giraudon

celle-ci dut exercer sur Domenico Veneziano et Piero della Francesca. En comparaison, le grand *Tabernacle des Linaioli* (1433, Florence, museo di San Marco) marque un affaiblissement de cette extraordinaire acuité spatiale : ces anges musiciens s'impriment sur le fond d'or presque à la manière d'un décor floral, et l'espace des petites scènes de la prédelle est moins homogène. Nous sommes en définitive au moment de crise de la Renaissance qui suit la mort de Masaccio, lorsque le reflux de la culture gothique domine encore le milieu artistique florentin. À côté du *Tabernacle des Linaioli,* il faut placer la très belle *Annonciation* du musée diocésain de Cortone, le *Retable du couvent d'Annalena* (Florence, museo di San Marco), le *Couronnement* des Offices, la fameuse *Déposition* de Florence, museo di San Marco, et la *Vierge trônant (id.),* dans laquelle le retour à Lorenzo Monaco est si net que beaucoup de critiques la considèrent comme une des premières œuvres d'Angelico v. 1420. Un document permet de dater de 1436 la *Lamentation sur le corps du Christ* du museo di San Marco, nouvel exemple de la dévotion du peintre qui prélude à la décoration à fresque, plus banale, du couvent de San Marco, entre 1438 et 1445. Le chef-d'œuvre de cette période (précédé seulement de quelques années par le polyptyque de la G. N. de Pérouse, peint, semble-t-il, en 1437 et dont l'admirable prédelle se trouve au Vatican) est le retable commandé par Cosme et Laurent de Médicis pour le maître-autel de l'église du couvent de San Marco, peint v. 1440

ou peu après; il se trouve auj. dans le musée attenant, à l'exception des panneaux de la prédelle *(Histoire des saints Cosme et Damien),* partagés entre le Louvre, Munich (Alte Pin.) et le museo di San Marco. Dans cette œuvre, une transparence extraordinaire des formes, même lorsqu'elles sont dans l'ombre, paraît refléter l'influence de D. Veneziano, présent à Florence à partir de 1439.

Le séjour à Rome. L'étape suivante de l'activité d'Angelico est son séjour romain avec à ses côtés son jeune élève Benozzo Gozzoli. On sait qu'il était en juillet 1445 encore à Florence et en mai 1446 déjà à Rome. En 1447, il décorait la chapelle Majeure de Saint-Pierre (auj. détruite). De la même année nous conservons les fresques de deux travées à la voûte de la chapelle S. Brizio du dôme d'Orvieto, exécutées avec Gozzoli durant les vacances estivales. Sont également détruits une chapelle de S. Niccolo (ou du Saint-Sacrement) dans le palais du Vatican, un studiolo pour lequel Angelico recevait des paiements en 1449. Seule la chapelle Nicolina nous est conservée avec des *Scènes de la vie des saints Étienne et Laurent,* identifiée d'habitude avec la « capella secreta D. N. Pape » dont la décoration, selon les documents, était en cours d'exécution en 1448. En vue d'effets monumentaux mais sobres, le peintre dispose de grandes formes avec un résultat qui, parmi ceux qui avaient déjà été obtenus, est le plus conforme à l'esprit de la Renaissance.

Les dernières années. En juin 1450, Fra Angelico était de nouveau à Florence, prieur du couvent de San Domenico. Durant cette période, il exécute des portes pour l'armoire des ex-voto de l'église de l'Annunziata (auj. à Florence, museo di San Marco) avec l'aide d'élèves, comme pour l'exécution du *Retable de Bosco ai Frati (id.),* qui semble presque une œuvre de jeunesse de Benozzo Gozzoli. En 1452, Angelico refuse de décorer l'abside de la cathédrale de Prato ; en décembre 1454, il est cité dans un document de Pérouse ; le 18 février 1455, il meurt à Rome et est enseveli à S. Maria sopra Minerva.

L'influence de Fra Angelico. Fra Angelico fut le chef ou tout au moins le modèle de tout un groupe de miniaturistes et de peintres florentins, parmi lesquels on distingue Battista di Biagio Sanguigni, Zanobi Strozzi, le Maître de la Madone de Buckingham Palace, Domenico di Michelino, Andrea di Giusto et surtout Benozzo Gozzoli. Mais on peut aussi juger l'importance de Fra Angelico par l'influence qu'il eut sur des artistes qui ne furent pas directement en relation avec lui, comme Pesellino et Filippo Lippi, et par la portée qu'ont pu avoir des œuvres comme le *Couronnement* du Louvre pour Domenico Veneziano et Piero della Francesca, et, en conséquence, sur les développements ultérieurs de la peinture italienne. L. B.

Antonello de Messine

peintre italien
(Messine v. 1430 - id. 1479)

Formé en Sicile et à Naples, où il fut, selon le témoignage de l'érudit Summonte (1524), l'élève de Colantonio, Antonello est considéré comme le plus

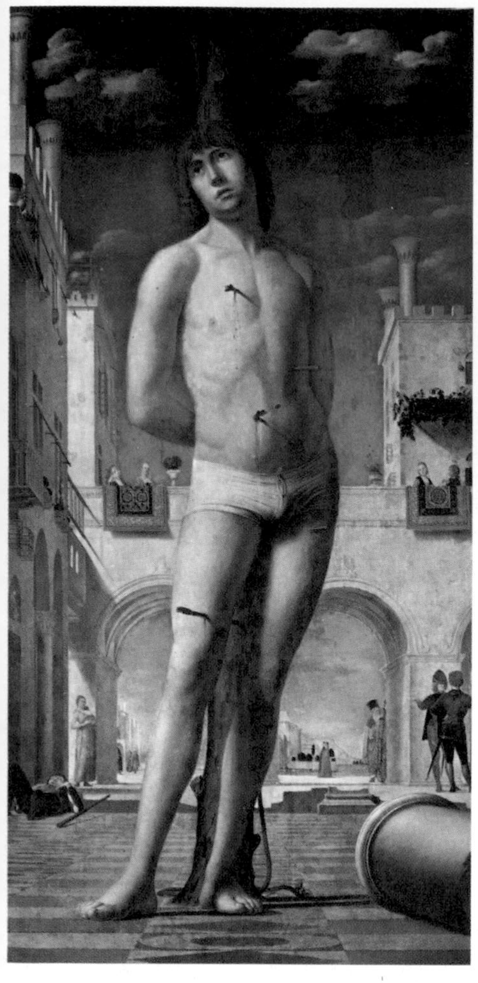

Antonello de Messine
▲ **Le Condottiere** (1475)
Paris, musée du Louvre
Phot. Lauros-Giraudon

Antonello de Messine
◀ **Saint Sébastien**
Dresde,
Staatliche Kunstsammlungen,
Gemäldegalerie
Phot. Reinhold

grand artiste de l'Italie méridionale du milieu du xve s. D'après Vasari, il aurait effectué un voyage d'études en Flandres ; cette hypothèse, qui trouva crédit auprès de quelques auteurs, doit cependant être écartée.

Dans la première moitié du xve s., Naples et la Sicile ont des rapports étroits avec les peintures espagnole et flamande ; la Sicile est une véritable province culturelle de la péninsule Ibérique, elle-même puissamment marquée par la sensibilité poétique des Flandres. Naples, passée sous la domination de la famille d'Aragon, est devenue un centre très brillant qui attire des artistes venus de toutes parts et où l'on peut admirer aussi bien des œuvres de Jan Van Eyck, de Petrus Christus, de Jacomart Baço ou de Juan Rexach que des tapisseries des Flandres ou du nord de la France, des miniatures, des peintures françaises et provençales.

Entre 1450 et 1463, Antonello séjourne à plusieurs reprises à Naples, et l'éventualité (fondée sur une interprétation erronée de certains documents) d'une rencontre avec Petrus Christus, à Milan, à cette époque, semble assez peu justifiée.

Les premières œuvres. Les premières œuvres d'Antonello sont le *Saint Zosime* (cathédrale de Syracuse), la *Vierge de l'Annonciation* (Venise, coll. Forti), la *Sainte Lucie* de l'église homonyme à Messine (auj. au musée de la ville) et un *Portrait de moine* (Meerburg, Allemagne, coll. Kister). Dans ces œuvres, des réminiscences de l'art du Valencien Jacomart Baço confirment l'importance des liens qui unissaient alors Valence et la Sicile. Cependant, la manière provençale avait introduit d'autres caractères, en particulier une solennité de la composition et une simplification des formes. La production artistique napolitaine de cette époque, bien que peu abondante, reflète en effet certains échos de l'art de Jean Fouquet et du Maître de l'Annonciation d'Aix, mêlés à des imitations plus littérales de la peinture flamande. Colantonio recueillit ces influences et les transmit à son brillant disciple. Enrichi par cet éclectisme pictural, Antonello assimila encore davantage l'art flamand, comme le prouvent en premier lieu les 2 panneaux du musée de Reggio de Calabre *Abraham servi par les anges* et *Saint Jérôme en prière*, puis, un peu plus tard, sa *Crucifixion* (musée de Bucarest). Son expérience napolitaine s'est nettement exprimée dans le polyptyque, auj. perdu, de S. Nicolò, pour lequel il s'inspira nettement du *Retable de saint Vincent Ferrier* à S. Pietro Martire à Naples, dû à Colantonio.

Antonello et la Renaissance toscane. En 1465, le *Sauveur du monde* (Londres, N. G.) prouve que la vision d'Antonello subit alors une nette métamorphose — tant du point de vue formel que du point de vue spirituel —, liée aux innovations toscanes. On peut noter dans cette œuvre la remarquable concrétisation de ce changement : un repentir modifia l'inclinaison des doigts de la main du Christ, non plus appuyés sur le thorax, mais traités en raccourci et dirigés vers le spectateur, qui se trouve désormais concerné et attiré dans le champ de ce nouvel espace pictural. Cette interprétation de l'espace est la marque d'une complète adhésion aux nouveautés les plus révolutionnaires de la Renaissance toscane, affirmée à Arezzo avec les chefs-d'œuvre de Piero della Francesca, dans lesquels la perspective donnait leur pleine valeur aux architectures et aux volumes. Il est difficile de déterminer à quel moment et de quelle manière se réalisa cette mutation artistique. Les documents siciliens ne mentionnent pas l'artiste entre 1465 et 1472 : il est possible qu'Antonello ait, à cette époque, effectué quelques séjours soit à Rome, soit à Milan ou à Venise et qu'il ait pu y connaître les expériences les plus avancées de la Renaissance. Lorsque l'on examine le *Polyptyque de saint Grégoire* (1473, musée de Messine), on remarque que la vision du peintre cristallise un tout autre ordre d'émotions : l'archaïsme analytique flamand des premières œuvres apparaît absorbé de nouveau dans une texture originale, fondée sur la connaissance des récents travaux d'analyses perspective et volumétrique des théoriciens toscans. C'est avec l'*Ecce Homo* (1470, Metropolitan Museum), dont le thème fut repris dans des peintures auj. à Gênes (G. N. di Palazzo Spinola), à Piacenza (1473, collège Alberoni), à Vienne (1474, coll. part.), et l'*Annonciation* de 1474 du Palazzolo Acreide (musée de Syracuse) que la Renaissance atteint son apogée dans l'Italie méridionale. Ces œuvres témoignent de la parfaite adhésion d'Antonello à l'art de Piero della Francesca. L'artiste possède alors la pleine maîtrise des formes et des valeurs spatiales ; il a également conscience de la lumière, qui, dans une luminosité diffuse, détermine les volumes. Très pure et irréelle dans sa clarté ivoirine, la *Madone Benson* (Washington, N. G.) constitue un exemple caractéristique où la parfaite soumission à la rigueur du style s'associe à un lyrisme d'expression qui donne à la scène des inflexions tendres et familières. Par rapport à la *Vierge de l'Annonciation* (ou *Sainte Rosalie*) [Baltimore, W. A. G.] ou à la *Madone Salting* (Londres, N. G.), que l'on considère comme les toutes premières œuvres d'Antonello, la *Madone Benson* représente un aboutissement.

Antonello à Venise. En 1475-76, Antonello est à Venise et exécute quelques portraits célèbres : *Portrait d'inconnu* (Rome, Gal. Borghèse), le *Condottiere* (Louvre), *Portrait Trivulzio* (Turin, Museo Civico), et des retables qui comptent parmi les réalisations les plus solennelles et les plus émouvantes de la peinture du xve s. : *Saint Sébastien* pour l'église S. Giuliano (Dresde, Gg) et la *Madone avec des saints* de S. Cassiano (fragments à Vienne, K. M.). Directement ou grâce à l'action et à la personnalité de Giovanni Bellini, la perfection de toutes ces œuvres eut une influence décisive sur la peinture vénitienne de la fin du xve s. Dans ses grandes réalisations, Antonello atteint à la pureté du rythme et des couleurs mises au service d'une large synthèse monumentale. Ses *Crucifixions* (1475, musée d'Anvers ; 1475 ou 1477, Londres, N. G.), tableaux de moindres dimensions, dénoncent au contraire une minutieuse objectivité descriptive, typiquement flamande. On peut rattacher à cette période son *Saint Jérôme dans son*

Baciccio
▲ **Le Triomphe du nom de Jésus**
Esquisse pour la voûte du Gesù
Rome, Galleria Spada
Phot. Scala

cabinet de travail (Londres, N. G.), bien que certains auteurs considèrent cette peinture comme une œuvre de jeunesse.

La dernière période. De retour de Sicile à la fin de 1476, Antonello peint une nouvelle *Vierge de l'Annonciation* (musée de Palerme) ; la précédente (Munich, Alte Pin.) avait été exécutée à la même époque que le *Polyptyque de saint Grégoire.* Cette œuvre, suprême fruit de la dernière activité d'Antonello, est celle d'un artiste qui, étranger d'abord à la Renaissance, en fut l'un des promoteurs, tout en conservant une position d'indépendance absolue. Le génie d'Antonello n'eut que peu de répercussions en Sicile et dans l'Italie méridionale, pauvres en véritables artistes créateurs. C'est au contraire à Venise qu'il exerça une influence profonde et que la richesse de son œuvre ouvrit des perspectives déterminantes pour les grands peintres de la nouvelle génération, en particulier Mantegna et Carpaccio. R. C.

Baciccio ou Baciccia

Giovanni Battista Gaulli, dit

peintre italien

(Gênes 1639 - Rome 1709)

Sa première éducation artistique se fit dans sa ville natale, par l'étude des œuvres de Perino del Vaga au palais Doria, de Baroche, de Rubens et de Van Dyck, avant qu'il ne se rende en 1657 à Rome, où se déroula toute sa carrière. Il acheva alors sa formation, subissant l'influence de Raphaël, de Pierre de Cortone et de Corrège, qu'il connut lors d'un voyage à Parme en 1669, sur le conseil de Bernin. Ce dernier fut pour lui un protecteur et un maître : il l'introduisit auprès de la cour pontificale comme portraitiste et fresquiste, lui procurant des commandes telles que la décoration des pendentifs de Sainte-Agnès (1666-1672) ou plus tard celle du Gesù (1672-1685) ; il orienta son art, lui insufflant le goût baroque de la vie, qui fit la renommée de ses très nombreux portraits de papes et de cardinaux (*Clément IX Rospigliosi,* Rome, G. N.), ce qui incita le critique espagnol Munoz à dire : « C'est Bernin peintre. »

L'œuvre de Baciccio peut se répartir en trois phases principales.

Jusqu'en 1672. C'est l'époque où il achève les fresques de S. Marta al Collegio Romano et où il se montre éclectique, oscillant du Baroque au Classicisme ; dans sa première commande officielle, la *Vierge à l'Enfant entre saint Roch et saint Antoine abbé* (entre 1660 et 1666, Rome, S. Rocco), riche en tonalités chaudes, se mêlent les influences de Rubens, de Van Dyck et de Strozzi. D'autres œuvres, par contre, telle la *Pietà* de la coll. Incisa della Rocchetta à Rome (v. 1667), aux couleurs froides et d'un style linéaire, montrent une sorte d'éclectisme académique, s'inspirant tour à tour d'Annibal Carrache, de Dominiquin et de Poussin. On note une influence toujours plus grande de Bernin, surtout visible dans le traitement anguleux des plis. À la fin de cette période, dans les *Quatre Vertus chrétiennes* de Sainte-Agnès, Baciccio est parvenu à fondre ces diverses composantes en un art homogène et personnel.

De 1672 à 1685. C'est la période pendant laquelle Gaulli travaille au Gesù, il atteint sa maturité sous l'influence prépondérante de Bernin, créant ses plus belles œuvres et se révélant un grand décorateur baroque, dans la ligne de Pierre de Cortone, au service de l'Église triomphante. Pour ses tableaux d'autel (*Adoration des bergers,* Fermo, S. Maria del Carmine ; la *Vierge à l'Enfant avec sainte Anne,* Rome, S. Francesco a Ripa, chapelle Altieri), il peint des compositions vigoureusement rythmées, aux couleurs saturées, se décolorant dans la lumière, et aux draperies sculpturales. C'est l'époque où il transforme le Gesù de Vignole, « église blanche » de la Contre-Réforme, en une église baroque, représentant à la voûte de la nef la *Gloire du nom de Jésus* (esquisse, Rome, Gal. Spada) : il se fait ici le porte-parole de Bernin, illustrant plus amplement ses conceptions picturales révolutionnaires, déjà exprimées à la chapelle Cornaro ; l'illusion réside dans l'aspect plastique des figures peintes, mêlées aux stucs, et dans leur passage, par-delà le cadre architectonique, sur les caissons de la voûte dans l'espace réel de l'église. Pour la première fois apparaît la composition caractéristique des fresques du Baroque tardif, où la juxtaposition des parties sombres l'emporte sur la disposition des figures.

De 1685 à 1709. On constate moins l'apparition d'un nouveau style que l'adaptation de l'ancien goût au goût général pour le classicisme de Maratta ; une « détente » se manifeste alors : la couleur devient plus pâle, le rythme plus lent, l'expression moins vigoureuse, et les visages ont un aspect poudré (*le Christ et la Vierge avec saint Nicolas de Bari,* Rome, S. Maddalena ; la *Prédication de saint Jean-Baptiste,* Louvre). Certaines œuvres, même, tel le *Combat d'Hector et d'Achille* (musée de Beauvais), sont proches de la tradition classique de Poussin. Mais on voit que l'artiste a perdu toute audace dans sa dernière fresque, le *Triomphe de l'ordre franciscain,* aux S. Apostoli à

Rome (1707). Cependant, dans certaines de ses œuvres ultimes (la *Présentation de l'Enfant au Temple,* Rieti, S. Pietro Martire), il retrouve quelque vitalité. Plus que A. Pozzo, son contemporain, il fut le véritable héritier de Bernin et de Pierre de Cortone, l'un des derniers grands peintres baroques à Rome et l'un des précurseurs de l'art du XVIIIe s.

Le K.M. de Düsseldorf conserve environ 200 dessins de Baciccio, fonds essentiel à la connaissance de son œuvre. S. De.

Bacon
Francis

peintre anglais
(Dublin 1909)

Il s'installe à Londres en 1925. Autodidacte, il séjourne en 1926-27 à Berlin et à Paris, où il visite une exposition Picasso. D'abord dessinateur (projets de meubles et de tapis) et décorateur (il expose dans son atelier en 1930), il commence à peindre à la fin de 1929, mais interrompt fréquemment son travail, qu'il détruisit en grande partie : restent une dizaine de toiles de 1929 à 1944. Ses premières expositions eurent lieu à Londres (1949, gal. Hanover), à New York (1953) et à Paris (1957, gal. Rive Droite). Relativement marqué à ses débuts par le Surréalisme (*Peinture,* 1946, New York, M.O.M.A.), il fit toujours figure d'indépendant dans la peinture contemporaine. La plupart de ses tableaux représentent des personnages isolés, groupés par deux, ou plus rarement par trois, immobiles ou en mouvement. Il a traité des sujets religieux, en particulier la *Crucifixion,* dès 1933, sans aucune soumission à la représentation traditionnelle (*Trois Études de figures au pied d'une Crucifixion,* 1944, Londres, Tate Gal.). Un thème iconographique préexistant sert souvent de point de départ : *Autoportrait* de Van Gogh (1957), le *Pape Innocent X* de Velázquez (1953, 1960), la nurse hurlante du *Cuirassé Potemkine* d'Eisenstein (1957) ou la photo, extraite d'un journal, d'un homme politique gesticulant. L'œuvre de Bacon cherche à frapper le spectateur jusqu'au plus intime de lui-même; cette attitude a pu être qualifiée d'« existentialiste » dans la mesure où l'individu est saisi au cœur de son isolement irréductible (dans la chambre, le lit ou un espace presque totalement abstrait), accentué par la très fréquente présentation en triptyque, dont les personnages juxtaposés ne communiquent guère, ce qui donne un aspect à la fois séquentiel et syncopé d'image filmique (*Études du corps humain,* 1970, coll. part.). Outre ceux de la photo et du cinéma, la mise en page de Bacon utilise à ses propres fins les arguments plastiques et émotionnels issus d'esthé-

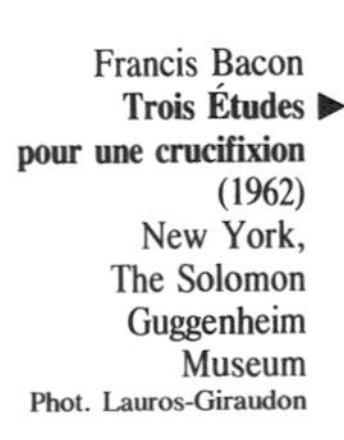
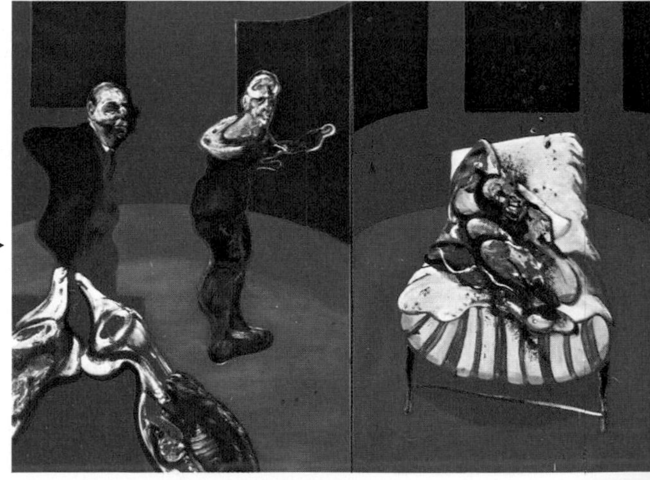

Francis Bacon
Trois Études ▶
pour une crucifixion
(1962)
New York,
The Solomon
Guggenheim
Museum
Phot. Lauros-Giraudon

tiques contemporaines, de l'Expressionnisme au Minimal Art. Mais l'essentiel de son apport consiste en une interprétation inédite du corps et du visage humains, restitués en des attitudes ramassées mais vivantes ou en des expressions hagardes mais d'une vérité criante. Un pinceau souple et cursif fouette une couleur mate et légèrement grenue aux nuances chatoyantes et acides. Les personnages de Bacon, à la limite de la désagrégation ou de la déformation d'un phénomène optique, sont paradoxalement peints dans des postures quotidiennes : assis, couchés, vautrés, endormis ou faisant l'amour, déféquant (*Deux Figures dans l'herbe,* 1954, New York, coll. part.). Une analogie d'attitudes et de situations rapproche l'homme de l'animal, du chien (1952, New York, M. O. M. A.), plus souvent du singe (*Chimpanzé,* 1955, Stuttgart, Staatsgal.). L'artiste a laissé de certains visages, et notamment du sien, des variations saisissantes dans l'accord entre le jeu coloré et celui des expressions (*Autoportraits,* 1967, 1972, 1973; *George Dyer et Isabel Rawsthorne,* 1968; *Henrietta Moraes,* 1969). L'influence de Bacon s'est exercée entre 1950 et 1960 surtout en Italie, et la Nouvelle Figuration a pu saluer en lui un authentique précurseur. L'artiste vit à Londres. Il est représenté dans de nombreux musées anglais, américains et allemands ainsi qu'au M. N. A. M. (*Triptyque,* 1964). Une importante rétrospective lui a été consacrée en 1971-72 à Paris (Grand Palais) et à la Kunsthalle de Düsseldorf.

A. Bo. et M. A. S.

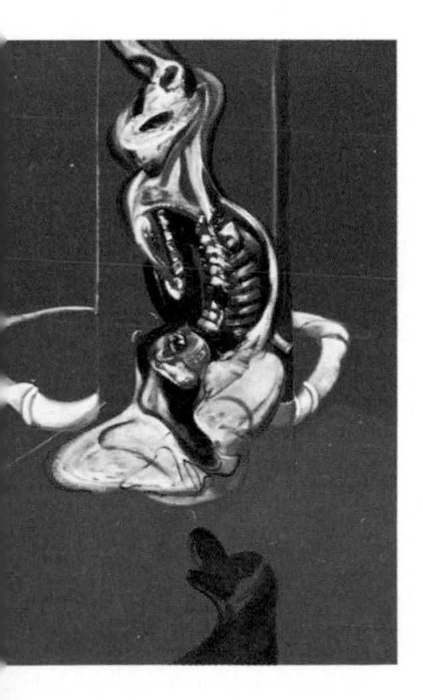

Baldung

Hans, dit Grien

peintre allemand

(Gmünd, Souabe, 1484-85 - Strasbourg 1545)

Originaire d'une famille de notables cultivés de Strasbourg, où son père tenait la charge de conseiller juridique de l'évêque depuis 1492, il fait son apprentissage dans l'atelier d'un maître dans la tradition de Schongauer. En possession d'un talent déjà très personnel, il entre en 1503 dans l'atelier de Dürer à Nuremberg, où il côtoie notamment Hans von Kulmbach, Hans Schäuffelein et Hans Leu. C'est sans doute pour se différencier de ses compagnons, et en raison d'une prédilection pour la couleur verte, qu'il se met à signer ses œuvres d'une feuille de vigne, puis du monogramme lié HBG (Grien). Baldung jouit auprès du maître d'une position privilégiée; d'importantes commandes de cartons de vitraux lui sont confiées (verrières à l'église de Grossgründlach en 1505, à Saint-Laurent de Nuremberg et à la Sainte-Croix de Schwäbisch-Gmünd en 1506). Il conserve cette faveur durant les premiers temps de l'absence de Dürer, qui a gagné Venise en 1505. Importante est également à cette époque son œuvre graphique : bois gravés du *Beschlossen Gart des Rosenkranz Mariä (Hortus conclusus du rosaire de la Vierge),* publié en 1505, et un ensemble de gravures volantes où s'exerce sa verve et son imagination créatrice. En 1507, Baldung peint à Halle les deux retables de l'*Adoration des mages* (Berlin-Dahlem) et de *Saint Sébastien* (musée de Nuremberg), qui témoignent de l'influence successive de Dürer et de Lucas Cranach, avec cependant un souci très nouveau et très personnel du coloris et de ses effets de contraste. Ces ouvrages lui auraient été commandés pour l'église de Halle par le cardinal Albrecht de Brandebourg. Certains auteurs supposent qu'il y eut ensuite un nouveau contact avec Dürer à Nuremberg. Baldung réapparaît à Strasbourg, où il acquiert le droit de bourgeoisie à Pâques 1509 et la maîtrise l'année suivante. Nourri des exemples de Cranach et de Dürer, il développe alors un style coloré et décoratif d'une grande hardiesse. Des commandes lui sont faites, entre autres par le margrave Christophe de Bade (*Image votive* du musée de Karlsruhe) et par le commandeur du couvent de Saint-Jean à l'île Verte, Erhart Kienig, à Strasbourg (*Messe de saint Grégoire,* musée de Cleveland). Dans le même temps, les bois gravés révèlent la force charnelle de son inspiration et établissent définitivement sa réputation.

Hans Baldung Grien
Ève, le serpent et la Mort ▶
Ottawa,
National Gallery
of Canada
Phot. du musée

En mai 1512, après avoir peint une *Crucifixion* pour l'hôtel strasbourgeois du couvent de Schütteren (Berlin-Dahlem), l'artiste s'établit pour cinq ans à Fribourg-en-Brisgau, où il est chargé de peindre pour la cathédrale l'important retable du chœur et l'autel de la famille Schnewlin. La première de ces œuvres illustre le *Couronnement de la Vierge,* sur le panneau central et la *Crucifixion,* au revers, encadré de volets avec les figures de saint Pierre et de saint Paul et des scènes de la *Vie de la Vierge.* Le second ouvrage, dont la partie sculptée, peinte par lui, fut exécutée par Hans Wyditz, est consacré au *Repos pendant la fuite en Égypte,* entouré, sur les volets, des protagonistes de l'*Annonciation,* du *Baptême du Christ* et de *Saint Jean à Patmos.* Baldung exécute aussi une série de bois gravés et d'illustrations ainsi que les dessins et les cartons pour les vitraux de la cathédrale que réalisera l'atelier de Ropstein (Rappolstein = Ribeaupierre) sous la direction de l'Alsacien Hans Gitschmann.

À cette période très féconde succède, dès le printemps de 1517, sa nouvelle et dernière période strasbourgeoise. Baldung devient membre du Grand Conseil de la ville. L'introduction de la Réforme, à laquelle il adhère, ne provoque pas une baisse considérable de sa production, en raison du caractère profane de son inspiration. Son dernier tableau d'autel semble avoir été le *Martyre de saint Étienne* pour l'archevêque Albrecht de Brandebourg, en 1522. Au contact des humanistes et des réformateurs strasbourgeois de la première génération, d'esprit très libéral (les deux Sturm, Martin Bucer), son art tout d'abord cherche à rendre l'expression pathétique et le caractère des physionomies (sous l'influence particulière d'Indagine), puis, à partir de 1529, année du bris des images, s'inspire manifestement du théâtre humaniste. C'est ce qu'à des degrés divers révèlent des compositions telles que *Pyrame et Thisbé* (Berlin-Dahlem), *Hercule et Antée* (musée de Kassel), *Mucius Scevola* (Dresde, Gg) et les *Vierges à l'Enfant* des musées de Berlin, de Nuremberg et de Vercelli. Au cours des dernières années de la carrière de Baldung, ses œuvres abandonnent beaucoup de leur enveloppe picturale au profit du plan et offrent de curieuses analogies avec le bas-relief (*Vierge à l'Enfant,* musée de Strasbourg). Même quand il emprunte à d'autres maîtres force détails (mouvement, ornements, architecture), son art se préserve de tout italianisme manifeste. Parmi ses derniers ouvrages, les *Sept Âges de la vie* (musée de Leipzig), le *Chemin vers la mort* (musée de Rennes ; ce dernier peut être une copie de l'original disparu) résument toute sa conception de la vie. Soutenus par un tempérament virulent, les tableaux de Baldung sont marqués du sceau de l'inquiétude et de la sensualité : sabbats de sorcières, couples de la femme et de la mort (musées de Vienne, d'Ottawa, de Bâle et de Berlin), allégories féminines (Munich, Alte Pin.). On retrouve les mêmes caractères dans ses portraits, d'une fidélité souvent brutale, et dans ses interprétations, dans un esprit humaniste, de thèmes religieux traditionnels. V. B.

Balla

Giacomo

peintre italien

(Turin 1874 - Rome 1958)

Les premiers paysages de cet autodidacte dérivent de la tradition de l'esquisse du XIXe s. turinois et plus précisément du courant naturaliste, imprégné de symbolisme et sensible aux recherches divisionnistes (Pelizza da Volpedo, Segantini et Previati). Un séjour à Paris en 1900 le met en contact plus direct avec le Divisionnisme. Depuis 1895, conduit par son idéal socialiste et humanitaire, Balla exécutait à Rome des peintures évoquant les aspects sociaux du monde contemporain (progrès technique, banlieues industrielles), thématique que développera le Futurisme. Vers 1901, Boccioni et Severini fréquentent son atelier, et c'est alors que sont entreprises certaines recherches thématiques et formelles qui aboutiront au Futurisme. Le monde du travail lui inspire une série de tableaux d'un naturalisme lucide et attentif : *Faillite* (1902, Rome, coll. Cosmelli), la *Journée de l'ouvrier* (1904, Rome, coll. Balla). En 1909, la *Lampe à arc* (New York, M.O.M.A.) marque un moment déterminant pour le Futurisme : la décomposition de la lumière ouvre la voie aux éléments formels d'une synthèse non figurative. Vers 1910, comme les autres futuristes, Balla s'attache à l'étude du mouvement et de la vitesse (*Vitesse d'une automobile,* 1912, *id.* ; *Études sur le vol des hirondelles,* 1913, *id.* ; le célèbre *Dynamisme d'un chien en laisse,* 1912, Buffalo, Albright-Knox Art Gal. ; les *Rythmes de l'archet,* 1912, Londres, coll. part., en dépôt à la Tate Gal.). Bien qu'étant l'un des pionniers du Futurisme, dont il signe les deux manifestes, il s'abstient de toute élaboration théorique et fonde intuitivement ses recherches sur ses propres œuvres. Développant jusqu'à l'extrême limite la décomposition du mouvement, il atteint à une abstraction du type puriste ou constructiviste qui le situe parmi les précurseurs de la non-figuration, avec les séries *Ligne-Vitesse, Tourbillon* (1914) ; *Vitesse-Paysage* et la série des *Compenetrazioni iridescenti,* commencée en 1912, ainsi que *Mercure passant devant le soleil* (1914, Milan, coll.

Giacomo Balla **Velocità d'automobile, luci, rumore** (1913) Zurich, Kunsthaus
Phot. Fabbri

▼ Balthus, **Le Passage du Commerce-Saint-André** (1952-1954), Paris, collection particulière
 Phot. J. Guillot-Top

Mattioli, et Vienne, musée du XXe s. ; étude à Paris, M. N. A. M.). Il exécute en 1915 des compositions d'une abstraction dynamique en faveur de l'intervention italienne dans la guerre (*Chant patriotique Piazza di Siena,* Turin, coll. part.). À la fin de la guerre et jusque v. 1930, il continue à peindre des tableaux où le rythme joue un rôle métaphorique (*Paysage + sensation de pastèque,* v. 1918, Rome, Institut suisse ; *Drame de paysage,* v. 1930, Milan, coll. part.). Balla participe en 1925 à l'exposition internationale des Arts décoratifs à Paris avec deux grandes tapisseries : *Mer, voile et vent* et le *Génie futuriste.*

Il pratiqua, en outre, diverses autres techniques : sculpture, décoration (meubles, étoffes, décors de théâtre), architecture, dessin. À partir de 1930, il revient à la peinture figurative : ses derniers paysages urbains et ses portraits en sont la plus intéressante expression. Il exposa à la Biennale de Venise pour la première fois en 1909, puis en 1926 et en 1930 avec le groupe futuriste, participant à toutes ses manifestations. Les M. A. M. de Rome, Milan, Zurich, Amsterdam, New York et de nombreuses coll. part. (en particulier, à Rome, la coll. Balla) conservent ses peintures. La G. A. M. de Rome a organisé pour le centenaire de l'artiste en 1972 une importante rétrospective. L. M.

Balthus

Balthazar Klossowski de Rola, dit

peintre français
(Paris 1908)

Fils d'un père critique d'art et d'une mère peintre, il fit, grâce à sa famille, la connaissance de Bonnard, de Roussel et de Derain. Il peignit dès l'âge de seize ans et rencontra en Suisse le poète R. M. Rilke, qui fit publier ses premiers dessins et les préfaça (*Mitsou : quarante images,* Zurich et Leipzig, 1921). Les tableaux exécutés av. 1930, notamment des scènes parisiennes, reflètent diverses influences, dont celle de Bonnard (le *Jardin du Luxembourg,* v. 1927, New York, coll. part.). Balthus fit sa première exposition à Paris en 1934 (gal. Pierre). Sa thématique et son style se précisent vers cette époque : scènes de la vie quotidienne (la *Rue,* 1933, New York, M. O. M. A.), scènes d'intérieur (*Jeune Fille au chat,* 1937, Chicago, coll. part.) et portraits (*Derain,* 1936, New York, M. O. M. A. ; *Mirò et sa fille,* 1937-38, *id. ; Marie Laure de Noailles,* coll. part.), s'apparentant plus peut-être au réalisme fantastique des peintres allemands (Grosz, Dix, Beckmann) ou à celui du groupe français Forces nouvelles (1935) qu'au Surréalisme proprement dit, dont il a retenu l'intérêt (il se lia avec Antonin Artaud et Giacometti). Après 1940 s'affirme ce qu'on a pu appeler l'« érotisme intimiste » de Balthus : fillettes dans des intérieurs, endormies, à leur toilette, candides ou perverses, paisibles ou angoissées (le *Salon,* 1942, New York, M. O. M. A. ; la *Chambre,* 1949-1952, collection particulière). On a souvent souligné la rigueur toute classique de la composition chez Balthus, grand admirateur de Piero della Francesca, fidèle à la tradition de Cézanne et de Seurat, ainsi que l'aspect scénographique de sa mise en page (le *Passage du Commerce-Saint-André,* 1952-1954, Paris, coll. part.).

Son métier économe et mesuré doit à la méditation des fresques médiévales le goût des aplats mats et savoureusement grumeleux ; il donne au dessin une apparente primauté sur la couleur, qui se fait plus subtile aux environs de 1960, notamment dans ses paysages du Morvan (Chassy), qui concilient l'eurythmie cézannienne et la géométrie rigoureuse et émerveillée des panoramas du quattrocento (*Grand Paysage,* 1960, Paris, coll. part.). Précieux dessinateur, passant aisément d'une technique à l'autre (crayon, plume, fusain, aquarelle), Balthus a laissé des illustrations pour les *Hauts de Hurlevent* (1933) d'Emily Brontë, des décors de théâtre pour *les Cenci* adaptés par son ami Artaud (1944), pour *Cosi fan tutte* (festival d'Aix-en-Provence) et pour *la Peste* et *l'État de siège* de Camus, qui préfaça son exposition à la gal. P. Matisse à New York en 1969. Le peintre aime à traiter à plusieurs reprises le même thème, donnant parfois de savantes variantes d'une même composition, avec un goût des « séries » qui évoquent, là encore, Cézanne : les *Joueurs de cartes* (1944-45, Lugano, coll. Thyssen ; 1948-1950, Grande-Bretagne, coll. part. ; 1973, Rotterdam, B. V. B.) ; le *Rêve* (1955-56 ; 1956-57, Paris, coll. part.) ; les *Trois Sœurs* (1959-1964 ; 1964-65 ; 1965, Paris, coll. part.). La grande culture de Balthus, familier de Piero et d'Uccello, qui connaît tout de Poussin et d'Ingres, lui permet d'apparaître parfois tout proche de Courbet (la *Montagne,* 1936, New York, Metropolitan Museum) et, d'autres fois, d'être sollicité par les tentations les plus diverses de l'art oriental (la *Chambre turque,* Paris, M. N. A. M.).

Nommé en 1961 directeur de la villa Médicis, Balthus, qui a peu exposé, bénéficia d'importantes rétrospectives au musée des Arts décoratifs de Paris en 1966, à la Tate Gal. de Londres en 1968 au musée de Marseille en 1973 enfin au Centre Pompidou et au Metropolitan Museum en 1983-84. Les œuvres récentes continuent de le désigner comme l'héritier de la tradition du XIXe s. issue de Degas, de Cézanne et de Bonnard. La réserve d'un homme qui répugne à se livrer, la rareté de ses toiles, longuement élaborées, exercent une véritable fascination sur un public fervent d'amateurs exigeants.

Barbari

Jacopo de'

peintre italien

(Venise v. 1450 - Malines entre 1512 et 1516)

Dès 1490, il est au service de l'empereur Maximilien, en Allemagne, et il pratique la gravure sur métaux dans la tradition de Mantegna tout en puisant certaines finesses graphiques dans l'œuvre de Martin Schongauer. Il semble être de retour à Venise entre 1490 et 1500. À cette époque, il commence à peindre dans la manière d'Alvise Vivarini (*Sainte Conversation avec un donateur,* Berlin-Dahlem). Pendant trois ans, il travaille à son chef-d'œuvre, le *Plan de Venise,* bois gravé, tiré en 1500 par Anton Kolb de Nuremberg. Artiste itinérant, il quitte de nouveau Venise et se rend en qualité de portraitiste et de miniaturiste auprès de l'empereur d'Autriche (1500), du duc de Saxe (château de Wittenberg, 1503), de l'Électeur de Brandebourg (1508), de Philippe de Bourgogne (château de Suytburg, 1509), enfin de Marguerite d'Autriche, régente des Pays-Bas (Malines, à partir de 1510). Parmi ses portraits, on peut citer celui d'*Henri de Mecklembourg* (1507, Mauritshuis) et le *Portrait de jeune homme* (1505) du K. M. de Vienne.

Au cours de ses voyages, il rencontra Dürer, Cranach, Wolgemut, Gossaert et Lucas de Leyde. Protégé par Kolb, estimé par Dürer, qui reconnaît lui devoir la connaissance des canons du corps humain, Barbari fut très apprécié dans les cours d'Allemagne et des Pays-Bas, où l'intérêt manifesté pour la Renaissance italienne était grand. En retour, l'influence de Dürer lui fit produire ses œuvres les plus délicates : *Nature morte à la perdrix* (1504, Munich, Alte Pin.) et *Faucon* (Londres, N. G.). C'est par l'intermédiaire des dessins de Barbari que la culture italienne atteindra des artistes comme Gossaert et Van Orley. A. B.

Jacopo de'Barbari
▼ **Nature morte à la perdrix** (1504)
Munich, Bayerische Staatsgemäldesammlungen, Alte Pinakothek
Phot. Blauel

Baroche

Federico Barocci

peintre italien

(Urbino v. 1535 - id. 1612)

Il ne reste pas de trace de son apprentissage, qui se fit à Rome, v. 1555, dans le milieu des Zuccaro. Un *Saint Sébastien* exécuté dès 1557-58 pour le dôme d'Urbino montre, à travers le souvenir de Raphaël et de Michel-Ange, un attachement aux déformations expressives du Maniérisme. Au cours d'un second séjour romain, Baroche dirige la décoration du Casino de Pie IV au Vatican (1561-1563), dont la complexité un peu forcée évoque le parti adopté à la même date par les Zuccaro à la Sala Regia du Vatican. Cependant, avec la *Déposition* du dôme d'Urbino, son premier chef-d'œuvre (1567-1569), il rompt nettement avec les formules un peu stéréotypées du Maniérisme et affirme un style tout personnel, faisant appel, par la simplicité des effets dramatiques, à l'émotivité la plus facilement ressentie. Fixé désormais à la cour d'Urbino, qu'il ne quittera guère plus, Baroche exécute pour la famille ducale de nombreuses peintures de dévotion et quelques portraits (*Francesco Mario della Rovere,* 1583, Offices) d'une grâce finement maniérée, recherchant les harmonies rares. L'influence de Corrège s'affirme nettement dans sa manière : silhouettes glissantes des personnages au canon court, draperies légères, enveloppe feutrée des volumes : *Repos pendant la fuite en Égypte* (1570, Vatican), *Vierge au chat* (v. 1573-74,

Federico Barocci
◀ **La Circoncision**
(1590)
Paris,
musée du Louvre
Phot. Musées nationaux

Londres, N. G.). Dans un registre différent, avec une ampleur et une audace nouvelles, Baroche réalise au cours des années qui suivent ses plus étonnantes compositions, aux constructions désarticulées et aux rythmes circulaires, d'une ferveur à la fois étrange et familière, accordée au climat religieux de la Contre-Réforme. Citons en particulier la *Madone du peuple* (1575-1579, Offices) et le *Martyre de saint Vital* (1583, Brera). Baroche développera ces recherches spatiales et chromatiques dans de grands retables religieux, dont certains sont demeurés en place et qui annoncent déjà le XVIIIe s. : *Circoncision* (1590, Louvre), *Présentation au Temple* (1593-94, Rome, Chiesa Nuova), *Madone du Rosaire* (v. 1590, Senigallia, Palazzo Vescovile). Entre 1586 et 1589, Baroche exécute pour l'empereur Rodolphe II une *Fuite d'Énée* (Vatican) au coloris tendre et nuancé, utilisant subtilement les vides et faisant une large part aux effets de lumière, que l'on retrouve dans les « nocturnes » intimistes des dernières années (*Nativité,* v. 1597, Prado). Ses dessins, très nom-

Fra Bartolomeo
◀ **La Vierge en gloire avec des saints et Ferry Carondelet**
Besançon, cathédrale Saint-Jean
Phot. Giraudon

breux et d'une grande liberté, sont parfois exécutés au pastel.

Peintre d'origine provinciale, formé dans le milieu romain de la suite de Raphaël, Baroche développe, à l'intérieur même du Maniérisme, des formules originales que reprendra l'art baroque et qui trouveront déjà audience auprès d'artistes comme F. Vanni ou Ludovico Carracci. F. V.

Bartòlomeo

Baccio della Porta, dit Fra

peintre italien

(Florence 1475 - id. 1517)

Il est connu sous le nom monastique qu'il portait au couvent de San Marco, où l'on voit encore plusieurs de ses chefs-d'œuvre. Il travaille en collaboration avec Mariotto Albertinelli, mais s'affirme très tôt comme la figure clé du début du cinquecento florentin, résumant à lui seul les aspirations parfois contradictoires d'une culture qui hésite entre l'exemple de Raphaël — présent à Florence en 1506 — et l'irréalisme anxieux du premier Maniérisme, sensible à partir de 1510-1515. Il quitte deux fois Florence pour se rendre à Venise (1508), puis à Rome (1514), séjour qui sera déterminant pour lui.

Sa formation est ombrienne et marquée par la leçon de Pérugin. Il est l'élève de Cosimo Rosselli en même temps qu'Albertinelli et Piero di Cosimo. Sa première œuvre est sans doute une *Annonciation* (dôme de Volterra) terminée par Albertinelli. À la même date, il peint en grisaille les deux faces des volets d'un tabernacle destiné à abriter une Vierge de Donatello (*Nativité, Circoncision* et *Annonciation,* Offices) et un grand *Jugement dernier* à fresque (Florence, museo di San Marco). Il prend l'habit à Prato en 1500 ; de retour à Florence, il peint une *Apparition de la Vierge à saint Bernard* pour la Badia ; version calme et simplifiée du tableau peint par Filippino Lippi pour cette même église, l'œuvre ne sera achevée qu'en 1507. Au retour d'un bref voyage à Venise, il ouvre avec Albertinelli l'atelier (1509) de San Marco, où se succéderont, après 1512, Fra Paolino et Sogliani. Fra Bartolomeo réalise à cette époque ses plus vastes compositions, synthèses un peu froides des nouvelles aspirations de la haute Renaissance, soumises à l'exemple de Raphaël et de Léonard (le *Mariage mystique de sainte Catherine*, 1511, Louvre ; *Retable Carondelet,* en collaboration avec Albertinelli, 1511-12, cathédrale de Besançon ; *Dieu le Père avec deux saints,* 1509, musée de Lucques ; *Madone avec sainte Anne et dix saints,* réalisée en 1512 pour la seigneurie de Florence [Florence, museo di San Marco] et laissée inachevée). En 1514, au cours d'un voyage à Rome, il reçoit la commande de 2 figures monumentales de *Saint Pierre* et de *Saint Paul* pour S. Silvestro al Quirinale, que Raphaël achèvera (Vatican). Ses dernières années semblent marquées par une emphase un peu apprêtée (*Vierge de la miséricorde,* 1515, musée de Lucques ; *Salvator Mundi,* 1516, Florence, Pitti ; *Annonciation,* 1515, Louvre). La construction rigoureuse de la *Déposition* du palais Pitti, terminée après sa mort par Bugiardini, influencera certaines des recherches du jeune Andrea del Sarto.

Les premiers dessins de Fra Bartolomeo, exécutés à la plume, évoquent, par leur facture extrêmement déliée, le style le plus cursif de la fin du quattrocento florentin (Filippino Lippi et Piero di Cosimo). Certains constituent de rares et subtiles études de paysage pur, dont la liberté d'exécution est, à cette date, remarquable (Louvre et série de *Paysages* autref. dans la coll. Gabuzzi). F. V.

Baschenis

Evaristo

peintre italien

(Borgame 1607 - id. 1677)

Originaire d'une famille de peintres active au XVIe s., il est l'un des meilleurs peintres italiens de natures mortes du XVIIe s. et le continuateur de la pure tradition de Caravage, son compatriote, à qui

Evaristo Baschenis
▼ **Nature morte aux instruments de musique**
Bruxelles, Musées royaux des Beaux-Arts
Phot. Fabbri

le lie également sa prédilection pour la représentation des instruments de musique, reflet certain de la renommée européenne que connurent, au XVIe et au XVIIe s., les luthiers crémonais et brescians. L'absence de datation rend difficile l'étude de sa carrière. Un seul de ses tableaux, *Instruments de musique et livres* (Merate, prov. de Côme, coll. part.), est daté (Venise 1647), et l'on sait qu'au XVIIIe s. la bibliothèque de S. Giorgio Maggiore, à Venise, détenait 8 de ses peintures. Parmi les rares œuvres à sujets non musicaux, les *Cuisines* qu'il peignit (Brera; deux conservées à Mapello, coll. part.) ont des rapports évidents avec les « bodegones » espagnols. On peut encore citer l'*Enfant aux pâtisseries* (Bergame, coll. part.) et un *Double Portrait avec des instruments de musique (id.)*, encore liés à l'école bresciane du XVIe s. L'Accad. Carrara de Bergame présente un ensemble significatif de son œuvre, qui figure également à la Brera. Hors d'Italie, le M. A. A. de Bruxelles et le B. V. B. de Rotterdam conservent de très belles natures mortes de Baschenis. M. R.

Bassano

Jacopo da Ponte, dit

peintre italien

(Bassano v. 1515 - id. 1592)

Après avoir étudié avec son père, Francesco, il se rend à Venise et fréquente l'atelier de Bonifacio de' Pitati. Les trois toiles bibliques (1535) exécutées pour le Palais public de Bassano (auj. Museo Civico) font la synthèse des apports dus à son maître et de ses tendances personnelles : les schémas narratifs empruntés à Bonifacio sont soutenus par un naturalisme nouveau. Venant de la « terre ferme », Bassano est en effet sensible aux formes réalistes de la plaine du Pô, mais également aux tendances maniéristes. Intéressé par la peinture de Pordenone au cours des années 1535-1540, il lui emprunte une structure plastique sur laquelle il peut greffer des « morceaux » d'une étonnante vérité, libéré désormais de l'influence de Bonifacio (*Samson et les Philistins,* Dresde, Gg; *Adoration des mages,* coll. Exeter, Burghley House, Grande-Bretagne).

Adhésion au Maniérisme. Le courant maniériste, en plein essor à Venise v. 1540, lui fait entrevoir de nouvelles possibilités, auxquelles il adhère avec enthousiasme, chacun de ses tableaux ayant pour lui une valeur expérimentale en soi.

1540-1550. Bassano produit successivement des œuvres fort différentes : le *Martyre de sainte Catherine* (musée de Bassano), qui rappelle Pontormo; la *Décollation de saint Jean-Baptiste* (Copenhague, S. M. f. K.), où les figures, effilées, d'une élégance toute émilienne, sont insérées dans un espace réduit; la *Montée au calvaire* (Londres, National Gallery), inspirée des gravures allemandes; la *Nativité* (Hampton Court); le *Repos pendant la fuite en Égypte* (Milan, Ambrosienne), où le rythme maniériste met en évidence des morceaux d'une vérité violente. Les indications graphiques contenues dans les estampes transmises à Venise par l'Émilie et par le Nord lui suggèrent des enchaînements animés et tourbillonnants. Sa palette s'éclaircit, ses tons perdent de leur chaleur. Si, à ses débuts, le coup de pinceau franc et décidé s'intégrait pourtant dans la surface picturale, désormais, fouillant le dessin, la facture se brise en coups de pinceau plus brefs, pour résoudre chacun des accidents graphiques en solution picturale.

1550-1560. Les expériences tentées au cours de ces dix dernières années mûrissent d'une façon décisive le goût de Bassano. Dans la *Cène* (v. 1550, Rome, Gal. Borghèse), les têtes des apôtres et les éléments de nature morte disposés sur la table sont mis en relief par la véhémence du dessin et par l'accentuation des ombres. Cette œuvre, qui marque la fin d'une période de Bassano, révèle son étude du clair-obscur de Tintoret et sa connaissance de Schiavone (*Montée au calvaire,* musée de Budapest). La tension formelle reste très forte, et l'on rencontre, dans un espace raréfié et bouleversé, quelques « morceaux » d'un réalisme voisin de celui que pratiqueront les peintres espagnols du XVIIe s. (par exemple l'âne qui allonge le cou au-dessus des fleurs rouges dans la *Nativité* [Stockholm, Nm]). Par un jeu précieux de lumière, il obtient des drapés tumultueux et sculpte l'anatomie noueuse des corps. Dans l'*Adoration des bergers* (Rome, Gal. Borghèse), sur un fond de ciel limpide et froid, êtres et animaux acquièrent une présence fantastique qui prélude à l'art de Greco. Allégées par le jeu linéaire appris de Parmesan (connu alors surtout à travers Schiavone), les formes se tordent, se chevauchent, mais gardent leur vérité épidermique. Les détails réalistes des tableaux exécutés entre 1540 et 1550 étaient enfermés dans le tracé du dessin; ils prennent désormais un nouvel aspect, dans un espace rempli d'ombres, et par conséquent plus évocateur : *Lazare et le mauvais riche* (musée de Cleveland). Entre 1550 et 1560, Bassano va donner à ces ombres leur véritable signification temporelle; les aubes et les couchers de soleil qui paraissent dans ses compositions leur donnent le

Jacopo Bassano
Lazare et le mauvais riche ▲
Cleveland, Museum of Art
Phot. Fabbri

caractère de vrais paysages. À cette époque, une luminosité particulière, dont le chromatisme froid est obtenu par un emploi très large des terres, imprègne l'œuvre du peintre et lui confère une expression lyrique et fantastique profondément nourrie par l'expérience maniériste. Ce moment du goût bassanesque se réalise dans une nouvelle interprétation de la Bible : narrations d'exodes et de paraboles sur un fond d'aubes et de crépuscules, dans un décor pastoral. Dès la fin des années 1560-1570, Bassano développera plus amplement, et avec un esprit différent, ce nouveau genre de tableau dont il vient de fixer les grandes lignes. Des œuvres comme l'*Épiphanie* (Vienne, K. M.), où il conserve inaltérée cette tension hallucinée qui frappera Greco, permettent de mieux comprendre le *Départ pour Canaan* (Hampton Court) et la *Parabole des semailles* (Lugano, coll. Thyssen), tout en les distinguant des thèmes bibliques qu'il traitera plus tard.

1560-1570. La *Crucifixion* de S. Teonisto (musée de Trévise), proche de l'*Épiphanie,* est une œuvre qui constitue le point de repère essentiel (1562) dans la chronologie, difficile à reconstituer, de Bassano. Le Christ est sur la croix, isolé sur un ciel très haut assombri d'épais nuages traversés de lueurs, tandis que, plus bas, sur les collines où se dresse la croix et où se tiennent Marie et Jean, la lumière est froide et limpide. Cette nouvelle et extraordinaire vision bouleversera Greco, mais aussi Véronèse. Désormais Bassano se dégage des phantasmes maniéristes et se tourne vers un naturalisme plus large. La puissance expressive du Christ résulte d'un luminisme intense, vigoureux, coloré ; certaines parties des figures distribuées sur les surfaces claires appellent, par l'orchestration des tons froids, les passages « impressionnistes » peints dix ans plus tard. Poursuivant et approfondissant la même expérience, Bassano atteint, dans son *Saint Jérôme* (Venise, Accademia), à une vérité qui annonce Borgianni et le réalisme du XVIIe s.

L'*Adoration des bergers* (1568, musée de Bassano) détermine une nouvelle phase de son évolution, qui s'affirme dans un ensemble de grands tableaux d'autel. Délivré de l'imaginaire halluciné des années précédentes, le peintre s'abandonne au lyrisme de la lumière, à la magie de la touche, à une peinture tout à la fois naturelle et artificielle. Le fondement des compositions est narratif, qui échelonne les figures en diagonale. L'intonation est souvent crépusculaire afin que la poésie réside tout entière dans la vibrante texture lumineuse, où jouent simultanément ruptures et croisements des touches d'ombre et de lumière sur les demi-teintes (*Baptême de sainte Lucile,* musée de Bassano). L'inspiration, bucolique et pastorale, se retrouve dans les tableaux illustrant les pages les plus diverses de la Bible : cycles du Déluge, vie et passion du Christ. Tous ces sujets sont exposés à travers palais et cuisines dans un cadre champêtre, souvent nocturne, où le jeu des lumières, flambeaux, chandelles, charbons ardents, assume un rôle important (*Départ pour Canaan,* Venise, Palais ducal; *Annonce aux bergers,* musée de Prague). L'inspiration champêtre de cette période se précise dans une série d'allégories des mois et des saisons, qui illustre la vie agreste et domestique aux différentes époques de l'année.

Diffusion des scènes bibliques et pastorales. Ce nouveau genre biblico-pastoral est largement diffusé par l'atelier de l'artiste et, surtout v. 1570, par son fils Francesco, auquel se joignent ensuite ses autres fils. Ces tableaux eurent beaucoup de succès auprès des collectionneurs vénitiens et à l'étranger. L'afflux des demandes obligea Bassano à faire exécuter de nombreuses répliques de ses originaux, et il est difficile d'identifier leurs auteurs parmi les fils de l'artiste.

Dernières œuvres. Vers 1580, le goût de Bassano se modifie de nouveau ; dans son *Saint Martin* (musée de Bassano), l'apparition soudaine, sur le fond sombre de la grotte, du saint en armes monté sur un cheval blanc rompt avec l'harmonie des compositions antérieures et introduit un souffle d'inquiétude. Cette orientation nouvelle s'affermit. L'interprétation des scènes de la Passion est plus tragique. L'ordonnance lumineuse est bouleversée par un sentiment angoissé, par un regain de fantaisie hallucinée. Fruit des expériences de jeunesse les plus hardies et né d'une confrontation avec les dernières méditations de Titien et de Tintoret (*Suzanne et les vieillards,* 1585, musée de Nîmes), le langage intériorisé et dramatique de ses dernières œuvres est tout nouveau.

L'artiste vécut paisiblement toute sa vie dans sa ville natale, travaillant pour les églises de Bassano et de ses environs, loin de Venise, où triomphèrent Véronèse et Tintoret. Il est pourtant, avec ces deux peintres, un des novateurs du Maniérisme vénitien. Il occupe à ce titre une position toute personnelle. Son art oscille entre deux tendances : l'une imaginaire et hallucinée, qui se retrouvera chez Greco ; l'autre naturaliste et luministe, à propos de laquelle on a parfois prononcé le nom de Velázquez et celui des Impressionnistes.

Les fils Bassano. Bassano eut quatre fils qui pratiquèrent la peinture : **Francesco** (Bassano 1549 - Venise 1592), **Leandro** (Bassano 1557 - Venise 1622), **Gerolamo** (Bassano 1566 - Venise 1621), **Giambattista** (Bassano 1553 - *id.* 1613). Deux d'entre eux connurent la notoriété. Francesco, établi à Venise en 1579, continua la production de scènes domestiques et champêtres. Il entreprit ensuite plusieurs œuvres dans la tradition de l'école de Tintoret (toiles dans les salles du Grand Conseil et du Scrutin au Palais ducal de Venise). Leandro, arrivé à Venise quelques années plus tard, se distingua dans le portrait et adapta la manière paternelle au goût de Venise à la fin du XVIe s. (série des *Mois,* Vienne, K. M.). A. B.

Batoni

Pompeo Girolamo

peintre italien

(Lucques 1708 - Rome 1787)

Après avoir fréquenté les académies de dessin de Lucques, il s'établit à Rome en 1728 et s'orienta vers des peintres de descendance marattesque tels

Pompeo Batoni
Le temps détruit la beauté (1746) ▼
Londres, National Gallery
Phot. du musée

que Conca, Masucci et surtout Imperiali. Ce dernier, le plus classique de tous, le moins touché par le Rococo, fut son vrai maître et le mit dès cette époque en relation avec le milieu anglais.

Batoni, durant ses années de jeunesse, de 1730 à 1740, effectua un retour aux sources du Classicisme ; il dessina d'après l'antique, copia Raphaël et les Carrache. Il produisit alors les œuvres les plus classiques de sa carrière : les tableaux d'autel des églises S. Gregorio al Celio (la *Vierge avec quatre bienheureux,* v. 1732-1734, sa première œuvre importante) et SS. Celso e Giuliano (1738) ; puis le *Saint Philippe Neri adorant la Vierge* (v. 1733-1738, Rome, coll. Incisa della Rocchetta) et la *Présentation au Temple* (Brescia, S. Maria della Pace). Ce classicisme va parfois jusqu'au purisme d'un Dominiquin ou d'un Sassoferrato (la *Visitation,* Rome, Gal. Pallavicini). Batoni s'exprima également dans le domaine du paysage, animant de figures les vues de Jan Frans Bloemen, dit l'Orizzonte.

Mais, à partir de 1740, peut-être sous l'influence de Corrège et de Parmesan, Batoni s'éloigne de ce rigorisme appliqué et de la stricte observance des modes bolonaises. Son revirement est marqué d'abord par un chef-d'œuvre, la *Chute de Simon le Magicien,* tableau d'autel commandé par le pape Benoît XIV pour Saint-Pierre, puis destiné à S. Maria degli Angeli, œuvre presque romantique ; il se voit également dans les tableaux allégoriques (*Le temps détruit la beauté,* 1746, Londres, N. G.), et mythologiques : *Hercule à la croisée des chemins* (1742) et *Hercule enfant étouffant les serpents* (1763, Offices) ; la *Fuite de Troie* (Turin, Gal. Sabauda). Batoni se réconcilie ainsi avec la richesse sensuelle du Baroque. À cette tendance participe l'importance croissante que prend dans son activité le portrait, genre anticlassique par excellence. Grâce au succès de ses portraits du *Duc* et de la *Duchesse de Wurtemberg* (1753-54, Stuttgart, Württembergische Landesbibliothek), Batoni devient le portraitiste européen le plus en vogue au milieu du XVIIIe s. Cette renommée s'étendit à son activité de peintre d'histoire : non seulement il représenta *Joseph II avec son frère Pierre-Léopold* (1769, Vienne, K. M.), mais il envoya des tableaux à sujets mythologiques à l'étranger : par exemple en France (*Mort de Marc-Antoine,* 1763, musée de Brest), à Frédéric le Grand (*Alexandre et la famille de Darius,* 1775, Potsdam, Sans-Souci), à la Grande Catherine, au Portugal (7 tableaux d'autel pour la basilique d'Estrella à Lisbonne, 1731-1734). Avant tout, il fut le portraitiste des Anglais du « grand tour ». Parti de la mode française du portrait allégorique, propre à lui plaire (la *Marquise Merenda en Flore,* 1740, Forlì, coll. Merenda ; *Dame de la famille Milltown en bergère,* 1751, Londres, coll. Mahon ; *Isabelle Potocka en Melpomène,* Cracovie, musée Czartoryski ; *Alessandra Potocka en Polymnie,* musée de Varsovie), ayant connu sans doute les débuts du portrait anglais à travers Angelica Kauffman, il créa un type de portrait répondant aux désirs de ses clients britanniques : la représentation du personnage sur un fond de ruines, de campagne romaine ou à côté d'une statue antique. On ne connaît pas moins de 70 portraits, exécutés depuis 1744, d'Anglais du « grand tour ». Avec les années, surtout à partir de 1780, les portraits de Batoni deviennent plus naturels ; toute mise en scène a disparu et le personnage apparaît à mi-corps, le plus souvent, saisi dans sa spontanéité (*Mons. Onorato Caetani,* 1782, Rome, fondation Caetani ; le *Prince Giustiniani,* 1785, Rome, coll. Busiri-Vici).

Peut-on dire que Batoni soit néo-classique ? S'il annonce le Néo-Classicisme, c'est par les formes, non par le contenu, par son rendu lisse et porcelainé. Mais il ne faut chercher en lui ni rigueur archéologique ni dignité morale. Il est le peintre du milieu aristocratique, qu'il a servi, monde qui ressent la fascination de l'antique sans en faire un *exemplum virtutis.* Il est un artiste typique de l'Ancien Régime. Son art, intermédiaire entre la tradition du Classicisme romain et le Néo-Classicisme naissant, reste indépendant et personnel entre ces extrêmes, constituant une étape nécessaire et significative dans l'histoire de la peinture au XVIIIe siècle. S. De.

Baugin

Lubin

peintre français

(Pithiviers v. 1612 - Paris 1663)

Peu de documents permettent de connaître la vie et les maîtres de Lubin Baugin et peu de tableaux ont jusqu'à présent été retrouvés (sur les 11 qui lui furent commandés pour Notre-Dame de Paris, 4 seulement subsistent). Reçu maître peintre à Saint-Germain-des-Prés en 1629, l'artiste séjourne en Italie, sans doute à partir de 1636, pour plusieurs années. Si, dans ses *Vierges à l'Enfant* (Louvre ; Londres, N. G. ; musées de Nancy et de Rennes) et les quelques grandes compositions religieuses, comme celles du musée d'Aix-en-Provence *(Présentation de la Vierge au Temple, Naissance de la Vierge),* de Notre-Dame de Paris *(Martyre de saint Barthélemy, Vierge de pitié)* ou de l'église d'Andrésy dans les Yvelines *(Adoration des bergers),* l'influence de l'école de Fontainebleau est évidente, le souvenir des toiles de Raphaël, de

Lubin Baugin
◀ **Le Dessert de gaufrettes**
Paris, musée du Louvre
Phot. Giraudon

Baroche, de Corrège, qu'il a pu étudier en Italie, celui surtout des œuvres de Parmesan et de Guido Reni — ce dernier lui valut son surnom de « Petit Guide » — n'en sont pas moins déterminants. Quatre natures mortes signées « Baugin » (le *Dessert de gaufrettes* et les *Cinq Sens* au Louvre ; *Nature morte aux prunes* au musée de Rennes ; *Nature morte à la chandelle* à Rome, Gal. Spada) ont pu faire croire que le même nom recouvrait deux artistes. Mais des documents d'archives ainsi que des évidences de style — hardiesse des tons, raffinement et préciosité de la mise en page — sont venus démontrer que l'auteur de ces natures mortes, sans doute exécutées par l'artiste avant son départ pour l'Italie, était également le père des compositions religieuses. L'arbitraire stylisation de celles-ci, leur subtile arabesque, leur harmonie froide doivent sans doute beaucoup aux exemples bellifontains et parmesans ; mais repensées par un artiste subtil au tempérament tranché, elles s'inscrivent parfaitement, aux côtés des toiles d'un Le Sueur, d'un La Hyre, d'un Stella, dans l'« école de Paris » de la première moitié du XVIIe s. P. R.

Bazaine

Jean

peintre français
(Paris 1904)

Licencié ès lettres, il entre à l'École des Beaux-Arts dans l'atelier de Landowski pour étudier la sculpture, qu'il pratiquait depuis son enfance, mais il commence aussi à peindre et se consacre entièrement à la peinture dès 1924. Il participe au Salon d'automne à partir de 1931 et fait sa première exposition particulière en 1932. Bonnard la visite et l'encourage. Il s'écarte bientôt de la transcription naturaliste, mais maintient le contact avec la réalité pour atteindre à une intériorisation de ses sensations (*Nature morte devant une fenêtre,* 1942, Paris, coll. part.). Pendant la guerre, afin de regrouper les peintres de sa génération, il participe à l'organisation de la première exposition « d'avant-garde » sous l'Occupation. Cette exposition-manifeste devait se tenir à la gal. Braun en mai 1941, sous le titre volontairement frondeur de « Vingt Jeunes Peintres de tradition française ». La même année, il expose à la gal. Jeanne Bucher et ensuite, de 1942 à 1948, à la gal. Louis Carré, en compagnie principalement de Lapicque (1898), d'Estève et de Jacques Villon. Entre-temps, Bazaine avait affirmé sa démarche picturale et développé les caractères d'une non-figuration mettant en évidence les grands signes essentiels de la nature et ses structures intérieures dans de vastes compositions rythmiques (*Vent de mer,* 1949, Paris, M.N.A.M. ; *Orage au jardin,* 1952, Eindhoven, Van Abbemuseum ; *la Terre et le Ciel,* 1950, Saint-Paul-de-Vence, fondation Maeght ; *Dans l'arbre ténébreux,* 1962, Oslo, Sonja Henie-Niels Onstad Foundations). Cette tendance non figurative est fondamentalement différente du principe de l'Art abstrait, dont Bazaine a fait le procès dans ses *Notes sur la peinture d'aujourd'hui,* publiées à Paris en 1948. Soucieux de perfection, Bazaine élabore lentement chacune de ses peintures, que précèdent souvent de nombreux dessins et des notations de valeurs colorées. Il a réalisé aussi d'importantes compositions monumentales, qui, à l'exception de la grande mosaïque du bâtiment de l'Unesco à Paris, terminée en 1960, et de celles du paquebot *France* (1961) et de la Maison de la radio (1963), ont enrichi le domaine de l'art sacré contemporain : vitraux pour l'église d'Assy (1943-1947), mosaïque de la façade (1951) et vitraux (1954) de l'église d'Audincourt, vitraux encore pour l'église de Villeparisis, pour un centre d'accueil à Noisy-le-Grand (1958) et pour l'église Saint-Séverin à Paris (1965-1969). En 1965, le M.N.A.M. lui a consacré une rétrospective. Son travail plus récent à Saint-Guénolé (Finistère) a donné à Bazaine les moyens d'une organisation plus libre entre les formes et la lumière (*Vent sur les pierres,* 1971 ; *Récif,* 1971, coll. part.). L'artiste expose régulièrement à Paris, Gal. Maeght. R. V. G.

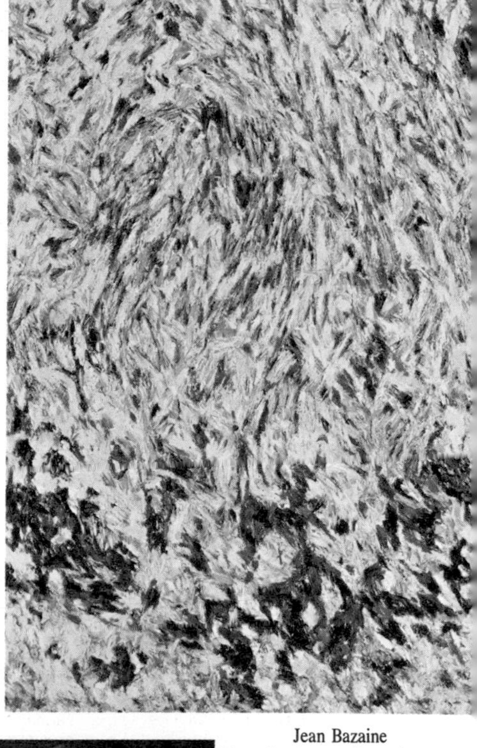

Jean Bazaine
Entre la pierre et l'eau ▲
(1964)
[détail]
Paris, musée national d'Art moderne
Phot. Musées nationaux
© by A. D. A. G. P., Paris, 1976

Bazzani

Giuseppe

peintre italien

(Mantoue 1690 - id. 1769)

Nourri des exemples laissés à Mantoue par Giulio Romano, Véronèse, les Bassan, Rubens, Van Dyck et Fetti, Bazzani fut l'élève de Giovanni Canti, mais eut en fait pour véritables maîtres Magnasco et Maffei. Si sa forte personnalité s'affirme déjà dans le *Chemin de croix* qu'il peignit à l'âge de douze ans pour l'église S. Barnaba de Mantoue, ce n'est qu'à partir de 1737, date du *Baptême du Christ* de l'église de S. Giovanni del Dosso, qu'il est en pleine possession de sa manière si personnelle.

Giuseppe Bazzani
◀ **L'Âme bienheureuse**
Mantoue, Palazzo ducale
Phot. Arborio Mella

Domenico Beccafumi
◄ **La Naissance de la Vierge**
Sienne, Pinacoteca Nazionale
Phot. Scala

Sa production est essentiellement consacrée aux tableaux religieux et en majeure partie encore conservée dans les églises de la région (S. Maurizio, S. Maria della Carità, de Mantoue ; églises de Borgoforte et de Castel Goffredo) ainsi que dans les coll. part. et au Palais ducal de Mantoue. Mais il faut également citer les ensembles décoratifs sur des sujets profanes du palais d'Arco *(Histoire d'Alexandre)* et du palais Cavriani à Mantoue, et signaler que les musées de Copenhague, Stockholm, Dublin, Springfield, Washington, Vienne ainsi que l'Accademia de Venise conservent d'importantes toiles de l'artiste. Allongeant les figures, zébrées par des éclairs de lumière (*Baiser de Judas,* musée de Springfield, Mass.), Bazzani obtient, sans beaucoup renouveler ses effets, une atmosphère de drame et d'émotion qui apparente ses toiles à celles, plus tragiques, du Vénitien Bencovich. Les gestes des mains, les attitudes des figures, fréquemment placées dans un décor architectural démesuré (*Massacre des Innocents,* Copenhague, S. M. f. K.), en font l'émule des meilleurs peintres baroques autrichiens. P. R.

Beccafumi

Domenico Mecarino, dit

peintre italien

(Valdibiana v. 1486 - Sienne 1551)

Parallèlement à l'art volontiers étrange, au graphisme aigu de Pontormo et de Rosso, Beccafumi développe à Sienne un art raffiné qui oppose sa fantaisie maniériste à la rigueur savante de Pérugin et de Fra Bartolomeo. Ses débuts sont mal connus. Il est mentionné dès 1502 à Sienne, et on le trouve ensuite à Rome (1510-1512), où il étudie Michel-

Ange et Raphaël, notamment les bas-reliefs en grisaille de l'*École d'Athènes*. Il aurait, en outre, selon Vasari, décoré la façade d'une maison du Borgo. De retour à Sienne, il travaille en 1513 à l'hôpital de la Scala (fresques de la capella del Manto), première et impérieuse manifestation d'un style qui n'évoluera guère : transfiguration mystérieuse des formes par la lumière, remplaçant les contours par un jeu subtil de vibrations lumineuses (triptyque de la *Trinité* pour l'autel de cette même chapelle, 1513, Sienne, P. N.). Les mêmes silhouettes fuselées, aux attitudes contournées, se retrouvent dans les œuvres de caractère plus ombrien exécutées avant son second voyage à Rome (v. 1519). Citons en particulier le *Retable des stigmates de sainte Catherine* (1513-1515, Sienne, P. N.) et les *Scènes de la vie de la Vierge* de l'oratoire de S. Bernardino. Dès 1519, Beccafumi entreprend une série de cartons *(Scènes de l'Ancien Testament)* destinés au décor en marbre du pavement du dôme de Sienne, dont on peut suivre avec précision le déroulement jusqu'à son achèvement en 1544. Son goût pour les éclairages insolites et son irréalisme chromatique s'affirmeront dans les œuvres réalisées entre 1520 et 1530, délibérément anticlassiques : la *Nativité* de S. Martino et surtout les deux *Chute des anges rebelles* (église du Carmine et Sienne, P. N.), et l'artiste adopte en 1529, dans les audacieux raccourcis des fresques de la Sala del Concistoro au Palais communal, un parti nettement maniériste qu'il faut situer entre les réalisations du palais du Té à Mantoue et celles de Primatice à Fontainebleau. Au retour d'un voyage à Gênes, il exécute une série de peintures pour le dôme de Pise, dont *Moïse brisant les Tables de la Loi* et les *Apôtres* (1538-39). Leur animation un peu crispée, sensible également à cette date dans les gravures en clair-obscur, contraste avec le caractère intimiste de la *Naissance de la Vierge* (v. 1540, Sienne, P. N.). Après un dernier séjour romain, qui semble être attesté par la découverte récente de dessins prouvant une connaissance du *Jugement dernier* de Michel-Ange, Beccafumi travaille à l'abside du dôme de Sienne et exécute, pour les pilastres, des anges de bronze (1550-51). F. V.

Beckmann

Max

peintre allemand

(Leipzig 1884 - New York 1950)

Il se forma à l'Académie de Weimar de 1899 à 1903. Il séjourne pour la première fois à Paris en 1903 et a la révélation de la *Pietà d'Avignon* à l'exposition des Primitifs français (1904), témoignage précoce de son attrait pour la peinture gothique. Il s'installe à la fin de 1904 à Berlin, où il expose à la Sécession en 1906. Cette même année, il obtient une bourse d'études pour Florence et revient à Paris, où il est de nouveau en 1908. Ses débuts se situent dans la lignée de l'« Impressionnisme allemand » ; comme les siennes, ses références culturelles sont tirées du XIXe s., des

Max Beckmann
▼ **La Nuit** (1918-19)
Düsseldorf, Kunstsammlung Nordrhein-Westfalen

Phot. Engelskirchen

compositions monumentales de von Marées (*Jeunes Hommes au bord du lac,* 1905, musée de Weimar) aux effets de touche de Delacroix (le *Naufrage du Titanic,* 1912, Saint Louis, City Art Museum), si un choix plus profond l'attire vers Piero della Francesca et Signorelli (l'*Éducation de Pan* du musée de Berlin, auj. détruite). De même, si la *Grande Scène d'agonie* (1906, Munich, coll. part.) est une concession au pathétique et évoque quelque peu Munch, Beckmann va rapidement adopter, au moment où se développe l'Expressionnisme, une objectivité distante, très significative dans la *Rue* (1914, New York, coll. part.). Cette conscience de la réalité se manifeste également dans les *Autoportraits,* peints, dessinés, gravés, qui constituent une part capitale de son œuvre (*Petit Autoportrait,* 1912, pointe-sèche). Paraît en 1909 son premier recueil lithographique (le *Retour d'Eurydice*), mais c'est à la pointe sèche qu'il doit sans doute ses plus belles réussites. Beckmann connaît le succès à Berlin et expose chez Paul Cassirer en 1913. Engagé volontaire dans le service de santé en 1914, il est envoyé en Prusse-Orientale, puis en Flandre. Rendu à la vie civile en 1915, après une dépression nerveuse, il s'installe à Francfort-sur-le-Main et expose en 1917 ses gravures chez Neumann à Berlin. Les gravures de 1914-15 traduisent avec acuité et avec une sensibilité plus vive que naguère l'irruption du drame contemporain (la *Grenade,* 1915, pointe-sèche) et d'un conflit qu'il voulut d'abord considérer comme l'occasion d'un reportage (la *Déclaration de guerre,* 1914, pointe-sèche). Les tableaux exécutés un peu plus tard se réfèrent en revanche assez étroitement à la tradition plastique du retable gothique, avec leurs formes à la fois denses et grêles, leur espace étroit, où les personnages sont mal à l'aise (*Descente de croix,* 1917, New York, M. O. M. A. ; *Autoportrait au foulard rouge,* 1917, Stuttgart, Staatsgal.). Cette évolution s'achève par l'évocation paroxysmique de la *Nuit* (1918-19, Düsseldorf, K. N. W.), symbole parlant de la situation de l'Allemagne dans l'immédiat après-guerre. L'expression de Beckmann s'apaise ensuite, s'il conserve les conquêtes stylistiques des années de guerre. Sa participation à la Neue Sachlichkeit en 1925 fait de lui un témoin de son temps, mais il tire de l'événement une loi plus générale qui l'éclaire de l'intérieur (10 lithographies du *Voyage berlinois,* 1922 ; *Danse à Baden-Baden,* 1923, Munich, coll. part.).

Dans la diversité des thèmes, paysages d'une sérénité ambiguë (*Paysage printanier,* 1924, Cologne, W. R. M.), natures mortes, scènes de cirque, nus, autoportraits et portraits, ces derniers se détachent avec une autorité singulière, à laquelle contribuent les contrastes des tons, équivalents des sonorités antithétiques du noir et blanc (*Quappi au châle blanc,* 1925, coll. part. ; la *Loge,* 1928, Stuttgart, Staatsgal.). Dans le thème du cirque, l'acrobate auquel Beckmann s'identifie secrètement est souvent traité dans une position périlleuse, en quête d'un impossible équilibre (*Funambule,* 1921, pointe-sèche). La poétique de Beckmann, feint détachement et grossissement des effets, rudesse et docilité, est à l'image des temps étranges que vit l'Allemagne des années 20. Professeur à Francfort de 1925 à 1933, il fréquente régulièrement l'Italie et, à partir de 1926, surtout Paris, où il expose en 1931 à la gal. de la Renaissance. Il revient à Berlin de 1933 à 1937, puis s'établit à Amsterdam, où il passe les années de la Seconde Guerre mondiale. En 1947, il part pour les États-Unis, où il est déjà connu, et habite Saint Louis. Son évolution après 1932 se signale par le recours de plus en plus affirmé au symbole, voire à l'hermétisme de la Cabale, en des triptyques monumentaux, et la plasticité de naguère est abandonnée au profit d'un style à deux dimensions (*Départ,* 1932-33, New York, M. O. M. A. ; la *Tentation de saint Antoine,* 1936-37, Santa Barbara, Californie, coll. part. ; les *Acrobates,* 1939, Saint Louis, coll. part.). À côté des autoportraits toujours décisifs (*Autoportrait en noir,* 1944, Munich, Neue Pin.), les triptyques et les compositions complexes peuplés de raides personnages mythologiques, de nus, d'objets et d'animaux évoquent un univers d'une cruauté froide et comme abstraite, pourtant soumis à une continuité quasi onirique, la peinture permettant à l'artiste de « continuer à rêver ». *Beginning* (1949, Metropolitan Museum) est un raccourci de la destinée humaine et le testament spirituel de Beckmann, qui avait toujours affirmé les droits de l'individu face au collectivisme croissant du XXe s., sans méconnaître le prix à payer pour une telle attitude : une solitude irrémédiable. Sa dernière suite de lithographies, *Day and Dream,* parut à New York en 1946. Beckmann est représenté surtout dans les musées américains et allemands ; le M. N. A. M. de Paris conserve le *Petit Poisson* (1933). M. A. S.

Bellange ou de Bellange

Jacques

dessinateur et graveur français
(Nancy fin du XVIe s. - id. ? av. 1624)

Peu de documents biographiques nous permettent de retracer la vie de cet artiste, dont la carrière semble se dérouler entièrement en Lorraine. Il est, dès 1603, peintre à la cour de Nancy. En 1605, il prend, selon Sandrart, un apprenti, Claude Deruet, et, l'année suivante, restaure la *Galerie des cerfs* du Palais ducal. En 1606, il est amené à jouer un rôle primordial dans l'organisation des fêtes données en l'honneur du mariage d'Henri de Lorraine et de Marguerite de Gonzague. Deux ans plus tard, il est envoyé en France pour étudier le décor des châteaux royaux (Fontainebleau ?) et, à partir de 1610, orne de fresques (auj. disparues) le Palais ducal de Nancy. On perd sa trace en 1617. Si les décorations de Bellange ont été détruites, si ses tableaux de chevalet ont presque tous disparu (à l'exception de l'*Ange de l'Annonciation,* signé, du musée de Karlsruhe, et de la *Lamentation sur le Christ mort,* récemment découverte à l'Ermitage), ses gravures et ses dessins permettent de se faire une juste idée de son style (on peut se demander, cependant, si le nom de Bellange ne couvre pas auj. l'œuvre entier d'autres artistes lorrains contemporains, notamment celui de son homonyme Thierry Bellange).

Ses dessins (Louvre. E.N.B.A., Musée lorrain de Nancy, cabinets des Dessins de Munich, de Berlin, de l'Ermitage), essentiellement à la sanguine ou à la plume, poussent le Maniérisme jusqu'à ses dernières limites, alors que ses précieuses gravures (l'*Annonciation,* le *Portement de croix,* les *Saintes Femmes au Tombeau,* le *Joueur de vielle*), judicieusement comparées par Mariette à celles du Siennois Ventura Salimbeni, mêlent l'élégance à la perversité avec un raffinement qui a profondément séduit nos contemporains. P. R.

Bellini (les)

Jacopo (première mention en 1423 - Venise 1470/71)
Gentile (Venise 1429 - id. 1507)
Giovanni (Venise v. 1430 - id. 1516)
peintres italiens

Jacopo. On sait par un document qu'il fut l'élève de Gentile da Fabriano à Florence entre 1423 et 1425, époque où celui-ci séjournait dans cette ville. Sa formation dut s'effectuer dans l'entourage du maître, dont il put également connaître les chefs-d'œuvre peints à Florence à ce moment. En 1424, Jacopo est cité à Venise, où il travaillera toute sa vie, dirigeant un atelier auquel se joignent, apr. 1450, ses deux fils, Giovanni et Gentile. Il exécute en 1436, pour le dôme de Vérone, un des centres du Gothique fleuri, une *Crucifixion* (perdue) où il se déclare disciple de Gentile da Fabriano. Vers 1451, il est avec Pisanello à Ferrare, où il peint le portrait (perdu) de *Lionello d'Este.* À cette occasion, il exécute la *Madone de Lionello d'Este* (Louvre), une des meilleures et dernières expressions du Gothique courtois italien. Un premier renouvellement en direction des recherches de la proto-Renaissance s'observe dans quelques *Madones* (Lovere, Gal. Tadini). Mais, étant donné la formation de Jacopo, cette évolution est due moins à l'influence des artistes toscans présents à Venise et à Padoue de 1440 à 1450 qu'au passage probable de Masolino à Venise entre 1435 et 1440 et à ses répercussions sur l'art d'Antonio Vivarini. La *Madone* (1448, Brera) dont le parapet du premier plan et le livre ouvert sont saisis en perspective n'a pas encore une composition bien assurée; mais le *Christ en croix* (Vérone, Castel Vecchio), œuvre sévère et rigoureusement construite selon la perspective logique, atteste bien un changement. Les preuves de ces nouvelles recherches sont réunies dans les deux célèbres albums de dessins (v. 1455) conservés au British Museum et au Louvre, où l'on trouve de nombreuses expériences de mise au point de la perspective. Toutefois, Bellini n'atteint pas à la

Jacques Bellange
◀ **La Grande Chasse**
Nancy, Musée historique lorrain
Phot. Giraudon

Gentile Bellini
▲ **Le Miracle de la croix au pont de San Lorenzo** (1500)
Venise, Galleria dell'Accademia
Phot. Giraudon

même certitude spatiale que les Toscans et reste toujours imprégné de fantaisie gothique. La façon dont naissent les dessins des deux carnets le prouve bien : par successifs agrandissements d'une page à l'autre, comme si l'on pouvait étirer l'espace jusqu'à l'infini à condition d'utiliser un seul point de fuite, suivant un procédé de narration spatiale ininterrompue, qui est, en fait, caractéristique du Gothique, mais qui reste étranger à l'exactitude de l'espace renaissant. Ainsi, l'art de Jacopo Bellini, comme celui d'Antonio Vivarini, définit-il un moment de la Renaissance vénitienne encore timide et qui se situe entre la fin du Gothique international durant les trois premières décennies du siècle et les débuts de Mantegna à Padoue et de Giovanni Bellini à Venise v. 1450.

Son fils aîné, **Gentile,** signe avec lui et son demi-frère Giovanni la « pala », perdue, de la chapelle du Gattamelata du Santo de Padoue (1460). Les volets de l'orgue de Saint-Marc (saints *Marc, Théodore, Jérôme* et *François,* 1464, Venise, musée de la basilique Saint-Marc) révèlent l'enseignement de Mantegna ; on y décèle aussi certaines contradictions dues à la difficulté de faire tenir tout le sujet dans la composition vue en raccourci : les paysages de collines boisées et de rochers escarpés s'élancent dans l'espace vertical des volets, derrière les saints François et Jérôme, tassés par l'effet du raccourci et paraissant ainsi — la remarque est de Longhi — « comme en d'anciennes peintures chinoises ». Dans le *Bienheureux Giustiniani* (1465, Venise, Accademia), le personnage du bienheureux, isolé au centre du tableau et comme enfermé dans son surplis, ne forme pas un volume dans l'espace, mais se résout en un jeu de lignes profilées accentuant surtout les contours osseux du visage. Cette œuvre met en évidence la prédilection du peintre pour un type de portrait de profil cerné d'un trait aigu et incisif. L'influence de Mantegna put être encore renforcée par l'œuvre de jeunesse de Giovanni Bellini, où la leçon du peintre de Padoue est si fortement comprise. Elle apparaît dans la *Pietà* de 1472 (?) au palais des Doges, sans doute collaboration des deux frères, qui partageaient en 1471 le même atelier. Par la suite, Gentile aura l'occasion d'exercer son talent de portraitiste. L'empereur germanique Frédéric III, peut-être à la faveur d'un portrait que Bellini exécuta pour lui lors de son passage à Venise en 1469, le nomme *eques* et *comes palatinus*. En 1474, il est chargé de faire le portrait officiel des doges. De 1479 à 1480, à Constantinople auprès du sultan Mahomet II en qualité de portraitiste (*Mahomet II*, Londres, N. G.), il subit l'influence des miniatures persanes (*Artiste turc*, Boston, Gardner Museum). Parallèlement à sa carrière de portraitiste, il exécute de nombreuses commandes d'œuvres narratives, presque toutes perdues ; en 1466, il poursuit la décoration de la Scuola Grande di S. Marco, commencée par son père ; en 1474, il est chargé de reprendre sur toile les sujets traités à fresque par Gentile da Fabriano et Pisanello dans la salle du Grand Conseil du palais des Doges, travail qu'il effectue en collaboration avec Giovanni et plusieurs autres peintres. Dans les trois grandes compositions sur toile qu'il exécute plus tard pour la Scuola di S. Giovanni Evangelista (Venise, Accademia) et qui, elles, sont conservées, on remarque l'influence de Carpaccio, surtout dans la tentative d'approfondissement du champ spatial et dans le renouvellement des couleurs. Mais la complexité des compositions de Carpaccio incite Gentile à revenir aux modèles fournis par les dessins de son père, qui pouvaient lui apporter des solutions perspectives plus mécaniques et plus compréhensibles. Il donne ainsi le meilleur de son art dans les portraits de la *Procession de la place Saint-Marc* (1496), dans les figures se profilant sur le « jade vert de l'eau » (Longhi) du *Miracle de la croix au pont de San Lorenzo* (1500) et dans les pavements en marbres polychromes de la *Guérison de Pietro de' Ludovici* (1501).

Giovanni, fils naturel de Jacopo, est le demi-frère de Gentile. Son adolescence se déroule alors que Uccello, Filippo Lippi, Andrea del Castagno, Donatello travaillent à Padoue et à Venise. La culture de toute la région vénitienne en subit un profond bouleversement, dont l'art de Mantegna révèle en premier lieu les effets. Giovanni Bellini, à son tour, marque la peinture de Venise même d'une manière plus décisive encore. Il commence à peindre v. 1449 ; en 1459, il dirige déjà un atelier à Venise. Bien que peu hardies, les recherches de son père dans le sens de la Renaissance avaient dû l'influencer très tôt, et, dès 1450, il devait entrevoir tout ce qui le rapprochait de Mantegna. La *Crucifixion* du musée Correr à Venise traduit bien l'influence de Mantegna (âpreté avec laquelle est conçu le raccourci du corps du Christ, traitement des rochers sur lesquels est plantée la croix), mais découvre en même temps toute la personnalité de Bellini : dans une lumière d'aurore, le corps du Christ se dresse comme plaqué sur un paysage fluvial qui humanise le drame de la Crucifixion. Amoureusement explorés, les fonds de paysage de Bellini, dominés par des verts profonds auxquels s'associent des ciels purs d'aubes ou légèrement teintés par le coucher du soleil, révèlent un classicisme moins systématique que ceux de Mantegna ; ils sont traversés par une variété de sentiments qu'ignore le monde monocorde du maître padouan. Chez Mantegna, le drame, réfracté dans les prismes d'une savante stratigraphie, perd de son intensité, tandis que, chez Bellini, au contraire, il s'amplifie, élargi au cadre même de la nature. Ainsi, dans le *Christ au mont des Oliviers* (v. 1460, Londres, N. G.), qui dérive de l'œuvre de Mantegna sur le même sujet (1457, musée de Tours), le paysage est humanisé par une lumière d'aurore qui réchauffe les nuages, rase la campagne, exalte les verts profonds : un sentiment très vif de la couleur et de la lumière adoucit ici le paysage, dont la structure géologique reste pourtant inspirée par celle de Mantegna. Dans la célèbre *Pietà* (Brera), le marbre lisse et incorruptible de Mantegna, animé, comme le remarque Pallucchini, par la « vitalité intérieure donnée à la couleur par la lumière », devient chez Bellini chair douloureuse. Ainsi s'annonce le chef-d'œuvre de la décennie 1460-1470, le *Polyptyque de saint Vincent Ferrier* (1464, Venise, S. Giovanni e Paolo) ; Longhi, qui a restitué ce polyptyque à Bellini, a souligné l'importance de cette lumière qui effleure de bas en haut les personnages des saints et « qui vient hardiment renverser la subtile orfèvrerie du maître padouan et en animer la froide articulation ». Les contours incisifs et énergiques des figures, découpés par la lumière, rappellent certains aspects de l'œuvre d'Andrea del Castagno. Bellini a campé son saint Christophe dans un paysage de coucher de soleil, à l'horizon bas ; les rives du fleuve émergent à contre-jour et se reflètent, en perspective, ainsi que le ciel, dans l'eau transparente du fleuve. Giovanni s'est inspiré de la conception spatiale de Mantegna, mais en abandonnant ce qu'elle a de systématique et d'excessivement archéologique. Il lui a insufflé sa passion pour l'homme et la nature. Il est ainsi tout prêt à comprendre la leçon de Piero della Francesca, c'est-à-dire l'exemple le plus noble de l'utilisation des canons de la perspective. Le *Couronnement de la Vierge* (musée de Pesaro) en est la preuve. D'après Longhi, l'œuvre daterait de 1473 env. ; les travaux de Pallucchini permettent d'avancer les dates de 1470-71. L'espace n'est plus compartimenté comme dans les polyptyques de l'époque ; unifié dans l'agencement perspectif, il groupe dans un nouveau système architectonique le cadre, les

figures, le trône, le paysage. La composition, vue en une perspective légèrement surplombante, est construite sur la position en dégradé des saints centrée vers le point focal. Avec une grande invention poétique, Bellini oppose à ce dégradé la montée des murs et des tours le long des collines, vue à travers le diaphragme offert par l'ouverture du trône. Une luminosité solaire modèle la forme, imprègne les plans chromatiques organisés par l'agencement perspectif construit par la lumière et qui s'échelonnent en dégradés selon la distance. Ainsi, au premier plan, les grosses tours du bas et les premiers murs des remparts sont caressés par la lumière et quasiment décrits dans leur texture de pierre, alors que le bastion supérieur, en haut de la colline, inondé par le soleil, se fond dans la clarté du ciel.

La connaissance des œuvres de Piero della Francesca à Ferrare, à Urbino, à Rimini, sur la route de Pesaro, fut évidemment capitale dans

Giovanni Bellini
◀ **Saint François en extase**
New York, Frick Collection
© The Frick Collection, New York
Phot. du musée

cette maturation de l'univers bellinien et, comme le fut la venue à Venise d'Antonello de Messine en 1475, décisive pour la destinée de toute la peinture vénitienne. La conjonction de ces deux faits essentiels aux environs de 1475 permit l'éclosion d'une culture vénitienne décidément renouvelée dans le sens de la Renaissance, qui donna son originalité au dernier quart du xve s. (Carpaccio, Cima, Montagna). En anticipant l'exécution de la « pala » (1470-1475), détruite et connue par une copie, de S. Giovanni e Paolo à Venise, la critique contemporaine a interverti le sens des rapports Antonello-Bellini. En effet, Bellini y inaugurait un schéma unitaire qui sera longtemps pris comme modèle et qu'Antonello lui-même adoptera dans la « pala », en partie détruite, de S. Cassiano : la Vierge sur un trône surélevé est au centre de la composition, tandis que les saints sont de chaque côté ; la « Sainte Conversation » est située dans une abside qui s'ouvre sur l'extérieur, derrière le trône.

On peut dater de 1480 env. la *Résurrection du Christ* (Berlin-Dahlem), le *Saint Jérôme* (Florence, Pitti, donation Contini-Bonacossi) et le *Saint François en extase* (New York, Frick Coll.). Bellini continue à donner forme à cet accord entre les aspects de la nature et les mouvements de l'âme qu'il avait poursuivi depuis ses premières œuvres « mantegnesques ». Dans l'espace rationnel des Toscans, il introduit toute la variété infinie de l'univers, celle de la campagne et du ciel italiens, et toute la gamme des sentiments humains (par exemple ceux de la maternité, étudiés dans les nombreuses *Madones à l'Enfant*). L'amour de la précision que l'on note dans ces œuvres ne tombe jamais dans celui de l'épisode ou du détail ; il intervient dans une organisation de l'espace qui charge chaque particularité d'une sorte de vibration cosmique.

Pallucchini met en relief certaines caractéristiques du *Christ en croix* (v. 1485, Florence, coll. Corsini), peinture dans laquelle sont concrétisées les recherches qui vont s'étendre à un groupe d'œuvres exécutées peu après. On y trouve d'un côté « un canevas perspectif rigoureusement mesuré » à plans larges et essentiels inspirés d'Antonello, de l'autre « un espace élargi, non plus vide mais enrichi d'une atmosphère qui adoucit les rapports entre les volumes ». Dans la distribution spatiale parfaitement calculée du triptyque des Frari (1488, Venise, église des Frari), Bellini médite la leçon d'Antonello et en assimile l'abstraction, la rigueur géométrique des volumes et l'organisation de l'espace, mais, en même temps, une luminosité nouvelle, nettement atmosphérique, imprègne la composition, adoucit le relief des plans de la campagne de la *Transfiguration* (v. 1485, Naples, Capodimonte). Dans l'univers clos de la « pala » de *S. Giobbe* (v. 1485, Venise, Accademia), la lumière, mêlée de pénombre et des reflets dorés de la mosaïque, enveloppe les volumes et humanise tout ce que Bellini emprunte à Antonello. En aspirant à un espace plus régulier, plus solennel et plus monumental, Bellini recherche en même temps des effets plus picturaux, et ses œuvres de cette époque (*Paliotto du doge Barbarigo,* 1488, Murano, S. Pietro Martire) préfigurent les tendances du cinquecento. La série de *Madones à l'Enfant,* présentées derrière un parapet et sur un paysage ouvert ou partiellement masqué par une tenture, exécutée v. 1490, révèle une impressionnante maîtrise de l'espace renaissant, une capacité d'invention toujours renouvelée, comparable à celle dont fera preuve le jeune Titien dans la série de ses portraits.

De ses différents séjours en Vénétie, en Romagne et dans les Marches, Giovanni rapporte la vision de bourgs médiévaux, ceints de murailles et adossés à de fertiles collines, et de ponts jetés depuis des siècles au-dessus des rivières. Cette vision constitue la plus profonde interprétation du paysage italien. On peut y suivre l'évolution de son histoire civile : le campanile ravennate subsiste en même temps que le campanile roman ou que la tour gothique. C'est un paysage historique qui se fond totalement dans le paysage naturel, où la nature elle-même, comme ces collines ordonnées par la main de l'homme, prend une signification, elle aussi, désormais historique. L'espace réel, rempli et coloré que Bellini avait découvert dans la peinture de Piero della Francesca reflète un naturel qui n'est jamais dû à des effets purement réalistes, mais qui jaillit d'un sentiment très vif pour les apparences colorées du monde. La construction de l'espace semble alors se produire d'instinct, née d'une émotion provoquée par un instant particulier de la lumière, par un moutonnement de nuages dans un ciel diaphane. La rigueur d'un plan perspectif semble être totalement absorbée par la libre orchestration du ton.

L'*Allégorie sacrée* (Offices) annonce les œuvres du début du cinquecento : *Sainte Conversation Giovannelli* (Venise, Accademia), *Pietà (id.),* la *Madonna del Prato* (Londres, N. G.), le *Baptême du Christ* (Vicence, S. Corona), la *« pala » de S. Zaccaria* (1505, Venise, S. Zaccaria). Dès 1506, Dürer considère Bellini comme le peintre de Venise le plus marquant. Le paysage acquiert à ce moment une autonomie lyrique ; dans ce climat, les personnages vivent à leur tour dans une liberté jusqu'alors inconnue. Dans la *« Pala » de San Zaccaria,* les figures s'animent dans la luminosité rayonnante de l'abside ouverte à la nature. La couleur, pétrie d'ombre et de lumière, atteint ici les résultats les plus personnels obtenus par Giorgione. Dans ces œuvres la cadence spatiale des figures peut être considérée comme nouvelle réalité artistique ; elle s'épanouira dans les fresques (1503, Giorgione et Titien) du Fondaco dei Tedeschi et dans les volets d'orgue de S. Bartolomeo (Sebastiano del Piombo).

Les œuvres qui se succèdent après 1510 (*Madone,* 1510, Brera ; *Assomption,* Murano ; « pala » de S. Crisostomo, 1513, Venise, S. Crisostomo) sont empreintes de la monumentalité et des qualités picturales des œuvres de ses jeunes contemporains. Bellini, qui est à l'origine du nouveau courant, s'adapte parfaitement à lui : le *Festin des dieux* (Washington, N. G.), la *Femme à sa toilette* (1515, Vienne, K. M.), l'*Ivresse de Noé* (musée de Besançon). Son classicisme, qui ignore toute différence entre le sacré et le profane, n'est pas altéré par le goût nouveau pour les sujets antiques ou profanes. Au contraire, ces thèmes lui permettent de répondre au classicisme trop systématique de la nouvelle génération. De son *Ivresse de Noé* se dégage un attachement profondément juvénile aux valeurs de la vie, un abandon sans limite à l'existence. Le rouge framboise de la draperie déployée, l'incarnat doré et vivant de Noé tombé à la renverse, le vert tendre de l'herbe, la coupe caressée par le poudroiement de la lumière, tout cela se détache sur un fond de vignes, de feuilles blondes qui se teintent de rouille. Son classicisme reste le même dans cette provocante affirmation naturaliste, dont le caractère absolu n'exista que dans sa vieillesse. Ainsi se termine le parcours — il est peu d'autres exemples d'une telle évolution — d'un artiste qui conduisit la peinture vénitienne des mollesses de la fin du Gothique au seuil de la peinture moderne. A. B.

Bellotto

Bernardo, dit aussi Canaletto le Jeune

peintre italien

(Venise 1721 - Varsovie 1780)

Fils de Lorenzo Bellotto et de Fiorenza Canal, sœur de Canaletto, il travaille dans l'atelier de celui-ci dès 1735. Entre 1738 et 1743, il est inscrit à la corporation des peintres vénitiens. Le 8 décembre 1740, il signe et date un dessin du *Campo dei Santi Giovanni e Paolo* de Venise (musée de Darmstadt), dont on retrouve le même sujet dans une peinture conservée au musée de Springfield (Mass.) et dans lequel il montre déjà un accent personnel dans l'interprétation de la « veduta » de Canaletto. En 1742, Bellotto se rend à Rome et probablement à Florence et à Lucques — on date habituellement de cette époque la vue du *Pont Saint-Ange* (Detroit, Inst. of Arts), où l'intensité des ombres et l'ampleur panoramique prennent déjà un aspect très original. Son orientation naturaliste, qui désormais le distingue nettement de Canaletto, peut être due à l'étude de quelque chef-d'œuvre d'un « vedutiste » du XVIIe s. (Viviano Codazzi ?) et aussi au contact de Joseph Vernet, de peu son aîné, qui, à Rome, a pu le conduire à apprécier certains traits de perfection « hollandaise » dans les paysages de Claude Lorrain. Au cours des années suivantes, Bellotto ne

Bernardo Bellotto
▲ Varsovie, la rue Miodowa du sud-est vers le nord-ouest (1777)
Varsovie, Muzeum Narodowe
Phot. Zbigniew Kamykowsk

réside par régulièrement à Venise. En 1744, il travaille en Lombardie pour le comte Antonio Simonetta : *Vue de Vaprio sur l'Adda* (Metropolitan Museum), la *Villa Melzi d'Eril à la Gazzada* (Brera). À Turin, en 1745, il peint pour Charles-Emmanuel III de Savoie des *Vues de Turin* (Turin, Gal. Sabauda). Durant cette période, comme en témoignent certaines de ses œuvres (Dresde, Gg), il séjourne aussi à Vérone, où il semble avoir rencontré le peintre Pietro Rotari. L'étude des portraits de Vittore Ghislandi et des peintures à sujets populaires de Giacomo Ceruti renforce la profonde vocation naturaliste de Bellotto. En juillet 1747, il s'installe à Dresde, avec sa femme et son fils Lorenzo, à la cour de Frédéric-Auguste II de Saxe. Nommé peintre de la Cour en 1748, Bellotto reste au service de Frédéric-Auguste jusqu'en 1758. Au cours de cette période, il exécute une série de 14 *Vues de Dresde* (Dresde, Gg) et réalise son chef-d'œuvre dans les 11 *Vues de Pirna (id.),* série qu'il reprend en format réduit pour le comte de Brühl, Premier ministre, et pour plusieurs amateurs particuliers. On peut supposer qu'il a tiré profit d'une nouvelle méditation des grands paysagistes hollandais du siècle précédent, en particulier des vues urbaines de Gerrit Berckheyde et de Jan Van der Heyden (il a laissé une gravure d'après un tableau, attribué à ce dernier, qui se trouvait dans la collection du comte de Brühl) ainsi que des « Flachlandschaften » (paysages de plaine) de Philips de Koninck. Bellotto est à Vienne, au service de Marie-Thérèse, de 1758 à 1761, où il exécute notamment les *Sept Grandes Vues de Vienne et de ses environs* (Vienne, K. M.) ; il est à Munich en 1761 (*Vue de Munich,* Bayerisches Nationalmuseum), puis retourne à Dresde en 1762. Frédéric-Auguste II et le comte de Brühl meurent en 1763. Bellotto perd sa charge de peintre de Cour, mais, à la fondation de l'Académie des beaux-arts, en 1764, il obtient un poste de professeur de perspective. Il produit alors ses *Vues imaginaires* (Dresde, Gg ; musée de Varsovie) ainsi que des *Allégories* (Dresde, Gg). Durant cette « seconde période saxonne », Bellotto abandonne progressivement l'agencement large et préimpressionniste qui marqua ses travaux de Pirna. Son style atteint alors une précision analytique de type néo-classique et néo-hollandais (analogue à celle d'un Johann Zoffany ou d'un Philip Hackaert) qui distingue ses œuvres de la dernière période polonaise. En 1767, Bellotto part pour se rendre à Saint-Pétersbourg, mais Stanislas Auguste Poniatowski le retient à Varsovie, où il restera jusqu'à sa mort, et le nomme peintre de la Cour en 1768. Bellotto exécute alors sa célèbre série des *Vingt-Quatre Vues de la ville* (musée de Varsovie) et deux tableaux historiques : l'*Élection de Stanislas Auguste* (1778, *id.*) et l'*Entrée de Georges Ossolinski à Rome en 1663* (1779, musée de Wrocław).

G. P.

Berchem

Nicolaes Pietersz

peintre néerlandais

(Haarlem 1620 - Amsterdam 1683)

Nicolaes Berchem
Paysage à la tour (1656) ▲
Amsterdam, Rijksmuseum
Phot. Fabbri

Fils d'un peintre de natures mortes, Pieter Claesz, il se forma auprès de Jan Van Goyen, Nicolaes Moyaert, Pieter Grebber et Jan Wils, mais ces artistes ne semblent pas l'avoir influencé. En 1642, il entre dans la gilde des peintres de Haarlem. Les œuvres de son concitoyen Pieter Van Laer, rentré à Haarlem en 1639 après un voyage en Italie, semblent alors retenir toute son attention. En effet, le thème du paysage méridional, où l'accent est mis sur les bergers et leurs troupeaux, a été introduit par Van Laer v. 1630 et constitue le motif principal du répertoire de Berchem (*Paysage avec Laban et Rachel,* 1643, Munich, Alte Pin.). L'atmosphère et la lumière des toiles de l'artiste font supposer qu'il a visité l'Italie (v. 1643-1645), même si les sources écrites n'en font pas mention. Au cours de cette période, Berchem groupe ses bergères et ses animaux autour d'un bouquet d'arbres qui limite le tableau sur l'un de ses côtés ; sa manière, encore un peu maladroite, évoque celle de Van Laer. Vers 1650, le peintre a exécuté quelques scènes bibliques et mythologiques remarquables, qui rappellent les tableaux historiques de Salomon de Bray et de Caesar Van Everdingen. Ce n'est qu'après 1650 que le talent de paysagiste de Berchem commence à s'affirmer, peut-être sous l'influence d'un second voyage en Italie qui aurait eu lieu dans les années 1653-1655 (*Paysage aux grands arbres,* 1658, Louvre). Ce qui est sûr, c'est que les œuvres de Jan Both et de Jan Asselijn, exactement contemporains, l'influencent d'une manière précise. Esprit particulièrement inventif et universel, Berchem n'a pourtant rien d'un éclectique. En utilisant une série déterminée de motifs — collines, eaux, arbres, bergers avec leurs animaux —, il atteint à une grande diversité dans la composition, le style et l'atmosphère (*Paysage avec des animaux,* 1656, Rijksmuseum). En une seule année, il exécute parfois des toiles qui, dans leur agencement et leur conception, diffèrent profondément les unes des autres. Pourtant, un dynamisme nerveux, manifesté dans les œuvres ultérieures, fait penser à Adam Pijnacker. Mais Berchem sait toujours trouver l'équilibre entre un mouvement inventif et une composition maîtrisée jusque dans les détails. On connaît plus de 800 tableaux de sa main ainsi que des séries de gravures avec bergers et animaux et un grand nombre de dessins. Son œuvre, qui semble annoncer le style rococo, a exercé une grande influence, en particulier sur la scène pastorale française du XVIIIe s. (*Paysage à la tour,* 1656, Rijksmuseum). Il fut considéré comme l'un des maîtres les plus estimés du XVIIe s. hollandais jusqu'à la fin du XIXe s., mais son œuvre qui connut un discrédit pendant la période impressionniste (Constable conseillait aux collectionneurs de brûler leurs Berchem) bénéficie de nos jours d'un regain de faveur. Berchem est représenté dans la plupart des grands musées, notamment au Rijksmuseum, au Louvre, à Dresde (Gg), à l'Ermitage, à Londres (N. G.), à Munich (Alte Pin.). A. Bl.

Berghe
Frits Van den

peintre belge
(Gand 1883 - id. 1939)

Fils du bibliothécaire de l'université de Gand, il suivit les cours de l'Académie et vécut à Laethem-Saint-Martin de 1904 à 1914, excepté un séjour de six mois aux États-Unis (1913). Les œuvres de cette période (paysages, intérieurs, nus) relèvent encore de l'Impressionnisme. Devant l'invasion allemande, il gagne Amsterdam, où il retrouve Gustave De Smet, dont l'itinéraire se confond en grande partie avec le sien jusqu'en 1926. Il s'initie en Hollande au Cubisme, prend contact avec l'Expressionnisme allemand par l'intermédiaire de revues ainsi qu'avec l'art nègre. Il exécute alors (1919-20) des gravures sur lino et sur bois, dans un style lourd, fortement simplificateur et dont les composantes, érotique ou poétique, se maintiendront par la suite (l'*Attente,* 1919, bois; le *Peintre du soleil,* 1920, bois); les peintures présentent les mêmes caractères et témoignent d'une certaine analogie avec l'art de Die Brücke (le *Semeur,* 1919, Bruxelles, coll. part.; *Portrait de Mme Brulez,* 1920, coll. part.). Plus discrète, l'influence du Cubisme apparaît dans des tableaux de facture plus légère, où les problèmes de l'espace l'emportent sur ceux de l'expression (*Malpertuis,* 1922, coll. part.). De retour en Belgique (1922), Van den Berghe s'installe avec De Smet à Afsnée et, en 1926, s'établit à Gand, qu'il ne quittera plus. Ces quelques années sont celles de sa participation majeure à l'Expressionnisme flamand; le milieu provincial et rural du pays gantois lui inspire d'abord une imagerie d'une robuste plasticité, d'une couleur à la fois chaude et souple (*Dimanche,* 1923, Bruxelles, M. A. M.; la *Lys,* 1923, musée de Bâle), mais dont la fraîcheur et l'humour cèdent rapidement à une inquiétude onirique et à un érotisme proches du climat surréaliste (l'*Éternel Vagabond,* 1925, musée d'Ostende; le *Flûtiste,* 1925, musée de Bâle). Au même moment, des scènes urbaines traitent de manière personnelle les thèmes du réalisme européen autour de 1925, dans un esprit satirique et sarcastique (*Cinéma,* gouache sur papier, v. 1925-26, Bruxelles, M. A. M.; *Scènes de maison close I, II, III,* 1927, gouaches). Le changement plus net du style et de la vision s'effectue v. 1927, quand les personnages perdent de leur pesanteur matérielle et sociale, tandis que les rapports de l'homme avec le monde sont étrangement perturbés (l'*Homme des nuages,* 1927, musée de Grenoble; *Naissance,* 1927, musée de Bâle). À partir de 1928, le raffinement de la couleur (souvent une dominante rouge-orangé et or) et de la matière est mis au service d'évocations où le fantastique (*Mercure,* coll. part.) le dispute au monstrueux et plus rarement à une poésie moins crispée (l'*Escarpolette,* 1930, coll. part.; *Cavalier de rêve,* 1939, Bruxelles, coll. part.). Durant ces années, Van den Berghe collabore avec ses dessins au périodique satirique *Koekoek* et au journal

Frits Van den Berghe
▼ **L'Éternel Vagabond** (1925)
Ostende, musée des Beaux-Arts
Phot. du musée, © by S. P. A. D. E. M., Paris, 1976

gantois socialiste *Vooruit.* Certains dessins, à l'encre de Chine (qu'il avait pratiquée de bonne heure), restituent de manière saisissante l'humanité exsangue des camps de concentration. Si l'œuvre peint des années 30 présente parfois des rapports avec Ensor et Ernst, il illustre néanmoins un aspect flamand du Surréalisme qui fait appel à une imagination plus picturale, contrepoint à l'engagement politique de l'artiste, dont l'œuvre est une des plus symptomatiques de l'entre-deux-guerres en Belgique. Van den Berghe est bien représenté dans les grands musées belges, le catalogue des peintures (huiles, gouaches, aquarelles), établi en 1966, comprend 430 numéros. M. A. S.

Bergognone ou Borgognone

Ambrogio da Fossano, dit

peintre italien

(mentionné à Milan de 1481 à 1522)

Dans ses premières œuvres, telles que la *Pietà* (La Gazzada, Villa Cagnola) et la *Déposition* (musée de Budapest), certainement commencées v. 1480, Bergognone, bien qu'influencé par Foppa, apparaît intimement lié au goût flamand de la lumière et de la couleur que lui transmit peut-être le mystérieux Zanetto Bugatto, élève de Rogier Van der Weyden, ou qu'il emprunta à l'art ligure. Les grands retables représentant la *Madone et l'Enfant avec des saints* (Milan, Ambrosienne, provenant de l'église S. Pietro in Ciel d'Oro à Pavie; Arona, collégiale) qu'il exécuta entre 1480 et 1490, tout en suivant le plan de composition innové par Giovanni Bellini, se réfèrent plus directement à Foppa, mais avec une raideur d'icône et un emploi fastueux des ors qui alourdiront toujours un peu les grandes œuvres « officielles » de Bergognone. De 1488 à 1494 date la première phase de ses travaux à la chartreuse de Pavie, qui fut aussi la plus fructueuse. On sait par les documents que Bergognone y exécuta 9 retables au moins, dont 7 subsistent : 4 sont encore en place, 1 se trouve à la N. G. de Londres (la *Madone et l'Enfant avec les deux saintes Catherine*) et 1 au musée de Pavie. Les fragments d'un 7e retable sont conservés à la chartreuse de Pavie et à Milan (coll. part.). La *Crucifixion* (1490, chartreuse de Pavie) et le *Christ portant sa croix* (musée de Pavie) sont les chefs-d'œuvre de cette série. La rigidité de l'agencement figuratif est compensée, et pour ainsi dire effacée, par la sensibilité et la vérité de la lumière jouant sur les étonnants fonds naturels, qui constituent le meilleur de l'art de Bergognone. Ce même lyrisme, cette même délicatesse argentée dans le jeu des couleurs, dans lequel persiste le goût flamand, sont exaltés dans les œuvres mineures que l'on peut rattacher à cette série : prédelles avec les *Scènes de la vie de saint Ambroise* (Turin, Gal. Sabauda; Bergame, Accad. Carrara; musée de Bâle) et avec les *Scènes de la vie de saint Benoît* (musée de Nantes et Milan, Castello Sforzesco) ainsi que les célèbres *Madones à l'Enfant,* peintes dans l'atmosphère de paysages réalistes, typiquement lombards (*Madone allaitant,* Bergame, Accad. Carrara; *Madone au chartreux,* Brera). Bergognone décora également de fresques le transept de l'église de la chartreuse.

Dans la période suivante (*Christ portant sa croix,* 1501, Londres, N.G.; le *Couronnement de la Vierge,* fresque, v. 1508, Milan, voûte de l'abside de S. Simpliciano), il chercha à renforcer plastiquement les formes en accentuant le clair-obscur sous l'influence de Léonard de Vinci. Dans les 4 « pale » des *Scènes de la vie de Marie,* à l'église de l'Incoronata de Lodi (entre 1500 et 1510), il tenta

Ambrogio Bergognone
▼ **La Madone allaitant**
Bergame, Galleria dell'Accademia Carrara
Phot. Scala

Bartolomé Bermejo
▲ **Pietà** (1490)
Barcelone, salle capitulaire de la cathédrale
Phot. Salmer

d'unir des personnages inspirés de Vinci, mais alourdis de fastueux décors architectoniques dans le style de Bramante, à ses échappées vers le paysage, qui restent admirables bien que, désormais, incohérentes. Le polyptyque de S. Spirito (Bergame, 1508), les *Saints Roch et Sébastien* (Milan, coll. part.) et les fresques de la sacristie de S. Maria della Passione à Milan reflètent encore une réelle qualité artistique, tandis que le *Couronnement de la Vierge* (1522, Brera) marque une incontestable décadence. L'art de Bergognone n'est pas sans postérité : ses paysages, comme l'a souligné Longhi, préludent au « goût de la réalité » que montrèrent les Brescians du XVIe s., tandis que la douceur piétiste de ses sujets religieux marque l'œuvre de certains Lombards influencés par Vinci, celle de Luini et même encore celle des maniéristes de la fin du XVIe s. M. R.

Bermejo

Bartolomé

peintre espagnol
(troisième tiers du XVe s.)

On possède peu de documents concernant sa vie et il a été difficile à la critique de situer son œuvre dans une école déterminée. Sa formation reste encore discutée. D'après la signature de la *Pietà* de la cathédrale de Barcelone, Bermejo serait né à Cordoue; pourtant, son style ne s'apparente pas à celui des écoles andalouses. Parmi les érudits, l'Espagnol Tormo estime qu'il aurait pu être en relation avec Nuño Gonçalvez, et l'Américain Post avec Van Eyck. Récemment, J. M. Brown a fourni des preuves qui confirment cette dernière hypothèse. La *Mort de Marie* (Berlin-Dahlem) présenterait en effet des similitudes iconographiques qui lient étroitement l'art de Bermejo à celui qui était pratiqué à Bruges et à Gand. La *Madone* d'Acqui (Italie) prouve, d'autre part, un contact certain avec l'Italie. Par son style, Bermejo a été considéré comme faisant partie de l'école d'Aragon; c'est dans ce royaume qu'il travaille v. 1474, 1486 et 1495 en collaboration avec Martín Bernat, Miguel Ximénez et Jaime Huguet. Une partie de la critique voit en lui le créateur d'un style, qu'il réussit à imposer en Aragon; d'autres, au contraire, pensent que ce peintre itinérant ne fut que l'héritier des artistes de cette région. Dernière hypothèse : Tormo a suggéré, d'après les inscriptions hébraïques de certains panneaux, qu'il s'agissait peut-être d'un juif converti.

L'œuvre de Bermejo n'atteint pas la beauté d'exécution des Flamands contemporains, mais elle possède une force profonde qui incarne sa conception esthétique. Au souci de la construction monumentale, elle allie le sens du concret et une conception particulière des visages. Dans le paysage, le peintre se montre essentiellement naturaliste. Bermejo sait capter les effets d'ombres et de lumière, avec des notations picturales qui lui sont propres. Son évolution tend vers un abandon progressif des types empruntés à l'Aragon en faveur de figures au modelé plus souple et d'un sentiment plus pathétique.

Les documents sur Bermejo provenant des archives de la cathédrale de Barcelone et des protocoles de Saragosse ont permis d'identifier et de dater (entre 1474 et 1495) quelques-unes de ses œuvres existantes. Sont sûrement de sa main 4 panneaux, dont 3 sont signés et 1 est authentifié par un document; on peut y ajouter la verrière du baptistère de la cathédrale de Barcelone, dont le dessin fut commandé à Bermejo en 1495. Entre 1474 et 1477, il peint *Saint Dominique de Silos bénissant* (Prado), provenant de Daroca (Aragon), grandiose figure solennelle, hiératique et ruisselante d'or, d'une majesté paisible rarement égalée. Le panneau formait la partie centrale d'un retable exécuté pour cette paroisse et certainement achevé en 1477. L'artiste utilise ici une construction pyramidale et une disposition frontale. Le réalisme du visage contraste avec la raideur et la richesse ornementale du trône et des vêtements. La conception générale reste soumise au plan, mais sont mis en relief les objets d'orfèvrerie, les broderies et les sujets allégoriques décoratifs.

La *Pietà* de la cathédrale de Barcelone porte l'inscription *Opus Bartholomei Vermeio Cordubensis impensa Lodovici de Spla barcinonensis archidiaconi absolutum XXIII aprilis anno salutis christianae MCCCCLXXXX.* Cette peinture, datée de 1490, correspond, par son contenu dramatique et sa qualité chromatique comme par la vigueur expressive et réaliste des figures orantes, à la maturité du style de Bermejo. La luminosité et la profondeur du vaste paysage sont l'une des meilleures réussites du peintre, dans un genre très peu pratiqué par les artistes espagnols.

La verrière de la cathédrale de Barcelone, citée plus haut, fut exécutée par un certain Fontanet, d'après un dessin de Bermejo. Elle représente le *Noli me tangere,* et la date de son exécution est mentionnée dans le livre des œuvres de 1493-1495, où l'on peut lire également que, dans ces années, Bermejo poursuit les dessins de 9 autres verrières (auj. disparues) pour orner la coupole de la même cathédrale.

Deux autres panneaux signés « Batolomeus Rubeus » sont connus : le *Saint Michel* de Tous (Luton Hoo Bedforshire, Wernher Coll.) daté par un document valencien de 1468, et la *Vierge de Montserrat,* dont le paysage crépusculaire est traité dans la manière naturaliste et avec la même luminosité que celle de la *Pietà* de la cathédrale de Barcelone.

Au nombre des autres œuvres que les historiens s'accordent à attribuer à Bermejo, il faut au moins citer la *Mort de la Vierge* de Berlin-Dahlem, la *Pietà* de la coll. Mateu de Barcelone, qui datent sans doute de sa période valencienne, le retable de *Santa Engracia de Daroca* en Aragon (auj. démembré : le centre représentant *Sainte Engracia* au Gardner Museum de Boston, les panneaux latéraux étant partagés entre les musées de Daroca, de Bilbao, de San Diego [Calif.]), et 4 panneaux de la période catalane montrant les épisodes de la vie du Christ répartis entre le M. A. C. de Barcelone et la fondation Amatller de la même ville. M. D. P.

Berruguete

Pedro

peintre espagnol

(Paredes de Nava v. 1450 - id. *1504)*

Originaire de Vieille-Castille, dont l'activité artistique est dominée dans la seconde moitié du xve s. par des maîtres flamands appelés par les Rois Catholiques, il poursuit la tradition gothique tout en l'enrichissant des nouveaux apports de la Renaissance italienne. Peu de documents con-

Pedro Berruguete
▲ **Autodafé présidé par saint Dominique**
Madrid, Museo nacional del Prado
Phot. Fabbri

cernent ses travaux, et ils sont presque tous relatifs à des œuvres disparues.

Un séjour du peintre en Italie au début de sa carrière, approximativement entre 1472 et 1482, est admis par la plupart des historiens. R. Longhi, le premier, a reconnu la main de Berruguete dans une partie de la décoration du studiolo de Federico da Montefeltre au palais ducal d'Urbino, identification confirmée par la découverte de deux documents. L'un, dans les archives notariales d'Urbino, signale en 1477 la présence d'un peintre nommé « Pietro Spagnolo » ; l'autre, dans le discours de Pablo de Céspedes (1604), mentionne qu'un peintre espagnol exécuta des portraits d'hommes célèbres au palais d'Urbino. Cette décoration comporte le *Portrait du duc Federico avec son fils Guidobaldo* (Urbino), entouré de 28 figures de savants et de philosophes de l'Antiquité et des Temps modernes, présentés à mi-corps sur deux registres au-dessus d'un décor de marqueterie (14 au Louvre, 14 au palais d'Urbino). Si le schéma d'ensemble peut être attribué à un Italien (Melozzo da Forlì pour certains) et une partie de l'exécution à un Flamand, Juste de Gand, l'intervention de Berruguete est manifeste, par l'énergie plastique du modelé des visages et des mains, dans la plupart des effigies de la rangée supérieure. Elle l'est également, malgré quelques avis différents, pour le panneau représentant *le Duc, son fils et les membres de sa cour recevant les leçons d'un humaniste* (Hampton Court) et pour les 4 *Allégories des arts libéraux* peintes pour la bibliothèque du palais (2 à Londres, N.G. ; 2 détruites à Berlin). Pendant son séjour à Urbino, Berruguete dut rencontrer de nombreux artistes attirés par le mécénat ducal et certainement Piero della Francesca, pour qui il exécuta les mains et le casque de Federico dans son tableau de la *Vierge entre les saints* (Brera). Il est vraisemblable qu'il visita la Toscane et Venise, où il peignit le *Christ soutenu par deux anges* (Brera), qui provient de l'église S. Maria della Carità.

Son départ d'Italie dut coïncider avec la mort du duc Federico (1482) ; un document signale qu'en 1483 il décore à fresque le « Sagrario » de la cathédrale de Tolède (détruit au XVIe s.). De son œuvre de fresquiste, il ne reste que deux épisodes de la *Vie de saint Pierre* (chapelle Saint-Pierre, cathédrale de Tolède). L'artiste peignit surtout un grand nombre de retables dans les provinces de Palencia, de Burgos, de Ségovie et finalement à Ávila. Peu après son retour d'Urbino, il dut exécuter les 2 panneaux de la *Vie de saint Jean-Baptiste* (église de S. Maria del Campo) et la *Messe de saint Grégoire* (cathédrale de Ségovie) ; il a gardé un souvenir précis des pilastres cannelés et des tympans en coquille de l'architecture renaissante ainsi que des compositions spatiales et lumineuses apprises de Piero della Francesca. Pour 3 églises de Paredes de Nava, sa ville natale, il peignit d'importants panneaux : 1 *Saint Pierre martyr* (musée paroissial S. Eulalia), 2 scènes de l'*Histoire de sainte Hélène* et du *Miracle de la croix* (église S. Juan Bautista) et le *Retable de la Vierge* (église S. Eulalia). Ce dernier ensemble, bien que remonté dans des boiseries baroques, a conservé l'ordonnance de Berruguete, et l'une des scènes, représentant la visite du grand prêtre accompagné des prétendants pour persuader Marie de quitter le Temple et de se marier, est d'une grande originalité iconographique. Une récente restauration (1964) a permis de retrouver l'intensité des couleurs et la richesse des brocards. À la prédelle, les rois de Juda rappellent l'expression sereine et grave des *Sages* d'Urbino, et confirment la collaboration de Berruguete au studiolo ducal.

À Becerril de Campos, le *Retable de la Vierge* (église S. Maria) inaugure une nouvelle étape dans l'évolution de l'artiste, qui se dégage de plus en plus de ses souvenirs italiens et retrouve les formes gothiques, encore très en honneur dans la Castille des Rois Catholiques. Les scènes se situent dans un espace plus restreint, l'expression des personnages est plus réaliste, enfin les fonds d'or, les plafonds « artesonados » et les accessoires se multiplient. À cette époque peuvent être rattachés les 3 scènes de la *Vie de la Vierge* (Palencia, palais épiscopal) et le *Miracle des saints Cosme et Damien* (Covarrubias, collégiale). Puis le peintre travailla pour le couvent de S. Tomás de Ávila, administré par le prieur Fray Tomás de Torquemada, grand inquisiteur et confesseur de la reine. Au maître-autel dédié au saint titulaire, 4 grandes scènes quadrangulaires montrent l'intérêt particulier que Berruguete porte à la composition du retable et son indéniable originalité. Des figures à grande échelle, pour être lisibles de loin, tracées d'une ligne incisive sur des fonds plats, confèrent à l'ensemble un caractère monumental. Ces mêmes qualités se retrouvent dans les scènes du *Retable de la Passion* (cathédrale d'Ávila), pour lequel l'artiste reçoit un paiement en 1499. Il n'exécuta que l'*Agonie,* la *Flagellation* et les 8 figures en pied de la prédelle ; Santa Cruz et Juan de Borgoña achèveront l'ouvrage après sa mort. Peints également à Ávila, pour S. Tomás, les 10 panneaux de la *Vie de saint Dominique et de saint Pierre* (Prado) ont, par leur composition à nombreux personnages, des affinités avec Carpaccio. L'*Épiphanie* (Prado) et *Saint Pierre et saint Paul* (musée de Valladolid) composaient sans doute les portes de l'orgue à l'église Saint-Pierre d'Ávila.

Avec l'*Annonciation* de la chartreuse de Miraflores (près de Burgos), il faut de nouveau évoquer des souvenirs ramenés d'Italie par l'artiste, qui avait peut-être vu la composition d'Antonello de

▲ Maître Bertram, **Création d'Ève; l'Arbre de la connaissance; le Péché originel; Annonciation; Nativité; Adoration des mages**
Hambourg, Kunsthalle
Phot. Kleinhempel

Messine (musée de Syracuse) ou, mieux, le prototype, perdu, dû à Colantonio.

Peintre de grands retables, Berruguete s'est rarement intéressé aux petits tableaux de piété; citons cependant la *Vierge et l'Enfant* (coll. part. et cathédrale de Palencia). La région de Palencia fut un des centres artistiques les plus actifs du début du XVIe s. en Espagne, et de nombreux artistes, tels les Maîtres de Becerril et de Portillo, suivirent la voie tracée par Berruguete. C. Re.

Bertram

dit Maître Bertram

peintre et sculpteur(?) allemand
(Minden, Westphalie, v. 1340/1345 - av. 1415)

Le plus ancien peintre allemand dont on connaisse le nom, la vie et les œuvres a dû naître vers 1345 d'une famille bourgeoise originaire de Minden et semble être venu jeune à Hambourg. On relève son nom dans les comptes de la ville de Hambourg de 1367 à 1387. En 1390, cet artiste projette de faire un pèlerinage à Rome et rédige un premier testament, puis un second en 1410, où il se nomme Bertram, peintre bourgeois de Hambourg. Il meurt av. 1415, année où des parents originaires de Minden font valoir leurs droits d'héritiers.

Personnalité remarquable, il est la principale figure de l'art du XIVe s. en Basse-Allemagne. Son ouvrage majeur, connu sous le nom de *Retable de Grabow* — car c'est dans cette ville du Mecklembourg qu'il fut placé au XVIIIe s. et demeura jusqu'en 1903 —, a été exécuté pour l'église Saint-Pierre de Hambourg ; il porte la date de 1379 et fut mis en place en 1383 (musée de Hambourg). Cet immense retable, large de 7 mètres, orné d'une multitude de figures sculptées et d'une série de 24 tableaux, est un des témoins les plus importants du début de la peinture de panneaux en Allemagne. Il comporte deux paires de volets, qui ne s'ouvraient qu'aux jours de fête : lorsque les volets extérieurs sont ouverts, on peut voir, sur 2 rangées de 12 tableaux, 18 scènes de la *Genèse* (de la Création à l'histoire d'Isaac) et 6 scènes de l'*Enfance du Christ* (de l'Annonciation à la Fuite en Égypte) ; lorsque les deux paires de volets sont ouvertes, apparaît le retable sculpté : au milieu du coffre central se dresse la *Crucifixion,* entre deux rangées superposées de *Prophètes,* d'*Apôtres* et de *Saints* dans des niches qui remplissent également les coffrages des volets. Bertram est-il l'auteur des sculptures ? Cette hypothèse semble vraisemblable, bien que les documents le présentent seulement comme peintre. La disparition des peintures extérieures nous laisse ignorer l'aspect du retable fermé, tel qu'il apparaissait quotidiennement. Dans cette série de tableaux, si frappants par leur simplification monumentale, la modernité de l'art de Bertram réside dans son effort pour suggérer le volume des corps en détachant sur le fond d'or de grandes figures modelées de clair et délimitées par un dessin très net, dans un décor réduit à l'essentiel, mais où quelques objets familiers ou quelques éléments naturels, plantes ou animaux, sont rendus avec justesse. La solennité de la représentation répond à l'ampleur du programme iconographique, qui illustre l'histoire de la Rédemption depuis les jours de la Création.

On reconnaît aussi comme œuvre caractéristique du maître le *Retable de la Passion* (musée de Hanovre), triptyque entièrement peint qui présente des rapports étroits avec le *Retable de Saint-Pierre* et témoigne des mêmes recherches d'expression de l'espace et des volumes. Mais à la grandiose simplicité du premier a succédé une manière plus narrative et gracieuse, influencée par l'art franco-flamand de la fin du XIVe s., qui dénote la nouvelle orientation de l'art allemand. Lorsque les volets sont ouverts, on voit, sur 2 rangées, 16 tableaux illustrant la *Passion du Christ* depuis l'Entrée à Jérusalem jusqu'à la Pentecôte. On a proposé d'identifier cette œuvre avec le *Retable de la Vierge* offert en 1394 à l'église Saint-Jean de Hambourg par la confrérie du Corps de Jésus des « Flanderfahrer » (ou navigateurs commerçant avec les Flandres). D'autres retables ont été groupés autour de ces deux œuvres authentiques : le grand *Retable de la vie de la Vierge,* provenant de Buxtehude (musée de Hambourg), est généralement considéré comme un travail d'atelier, exécuté v. 1410 par un artiste plus jeune ; mais 6 scènes de la *Vie du Christ* en 2 volets (Paris, musée des Arts décoratifs), restes d'un important retable d'un style très proche de celui de Hanovre, peuvent être regardées comme œuvre originale de Bertram.

Les sources de l'art de Bertram restent obscures. Ses origines westphaliennes expliquent sans doute la parenté des programmes et des compositions iconographiques avec ceux des retables westphaliens contemporains. Mais la manière en est toute différente : elle trahit sinon l'influence de l'art bohémien du troisième quart du XIVe s. (Théodoric de Prague), du moins les mêmes préoccupations et les mêmes recherches.

Bertram est un des meilleurs représentants dans les écoles du Nord du réalisme naissant, mais son art, puissant et naïf, ne semble pas avoir exercé un véritable rayonnement : il est supplanté dès 1420 par la vague du Gothique international, plus élégant et nerveux, importé des cours occidentales, et que Maître Francke, successeur de Bertram à Hambourg, mais venu lui-même des Pays-Bas, diffusera dans toute la Hanse. N. R.

Blake

William

peintre et poète anglais
(Londres 1757 - id. 1827)

Fils d'un bonnetier, il fit son apprentissage dès l'âge de dix ans dans une école de dessin londonienne, puis, de 1772 à 1779, chez le graveur James Basire, qui lui fit dessiner des sculptures médiévales dont on devait tirer des gravures et qui furent à l'origine de son intérêt pour l'art gothique. Il suivit les cours de la Royal Academy en 1779, y faisant, en 1780, une première exposition, suivie de plusieurs autres. Mais à la suite de querelles avec Reynolds, son président, il devint hostile à toute institution, quelle qu'elle soit.

Il doit à son expérience de la gravure la précision de l'exécution et la finesse du trait, en opposition avec le style pictural alors en faveur à l'Académie. Ses premières recherches le mirent en contact avec le Néo-Classicisme, auquel il doit son goût pour le contour; à l'encontre de ses contemporains, il ne dessina jamais d'après nature et peignit rarement des portraits, des paysages ou des scènes de genre. Bien qu'il eût commencé à exécuter des sujets empruntés à l'histoire anglaise, genre alors plutôt populaire, ses thèmes de prédilection furent toute sa vie des figures allégoriques inspirées par des sources littéraires : la Bible, les pièces de Shakespeare, les poèmes de Milton, la *Divine Comédie* de Dante et ses propres écrits. Les artistes qu'il admirait étaient, comme lui-même, de tendance non conformiste : Barry, Mortimer, Füssli et Flaxman. En politique, le radicalisme l'attirait et il soutint les révolutions américaine et française, mais il délaissa toute politique après la Terreur. En matière religieuse, il se sentait proche de la doctrine de Swedenborg, haïssant l'Église anglicane pour ses vues étroites et son hypocrisie. Tout cela contribua à faire de Blake un «étranger» et l'un des premiers romantiques.

Ses premiers chefs-d'œuvre furent les illustrations de ses poèmes, inaugurant un procédé inhabituel de gravure, l'eau-forte en relief et colorée à la main : *Chants d'innocence* (*Songs of Innocence,* 1789) et *Chants d'expérience* (*Songs of Experience,* 1794). Ces poèmes anticlassiques, aux accents élisabéthains et au style très simple, figurent parmi les plus belles pièces lyriques anglaises. La nouveauté des illustrations réside dans la concordance du texte et de la décoration, un peu à l'image d'un manuscrit enluminé du Moyen Âge et suivant le même rythme tendre, simple et linéaire. Blake commença en même temps à rédiger ses premiers «livres prophétiques», longs poèmes complexes, en vers libres, influencés par la Bible et Milton : *le Livre de Thel* (*The Book of Thel,* 1789), *les Noces du ciel et de l'enfer* (*The Marriage of Heaven and Hell,* v. 1790-1793), et, exceptionnellement rédigé en prose, *la Révolution française* (*The French Revolution,* 1791). Ils soutiennent, entre autres, l'idée de la nécessité du don de soi et la renaissance à travers la mort, la négation de la réalité de la matière, du châtiment éternel et de l'autorité. En 1793, Blake quitta Soho, où il avait vécu jusqu'alors, pour Lambeth et entra dans une période de noir pessimisme. Il écrivit d'autres œuvres prophétiques où il développait les mêmes thèmes, mais en un style encore plus obscur et désespéré : *Visions des filles d'Albion* (Visions of the Daughters of Albion) et *America* (1793), *Europe* et *le Premier Livre d'Urizen* (The First Book of Urizen) [1794], *le Livre de Los* (The Book of Los) et *la Chanson de Los* (The Song of Los) [1795], puis *Vala,* récrit sous le titre des *Quatre Zoas* (The Four Zoas) [1795-1804]. À cette époque, Blake considérait la création du monde comme un mal et identifiait Jéhovah avec

William Blake
Le Cercle de la luxure : Paolo et Francesca ▼
Aquarelle
Birmingham, City Museum and Art Gallery
Phot. du musée

son personnage imaginaire, Urizen, père tyrannique des lois morales; à Urizen, il opposait Orc, l'esprit de révolte, mais Blake découvrit plus tard une force, source de vie, dans le Christ rédempteur. Il approuvait foncièrement tout ce qui touchait à l'infini — imagination, inspiration, génie poétique, foi —, tandis qu'il condamnait tout ce qui touchait au fini : matérialisme, raison, normes d'une conduite formaliste. Cette tendance à penser par oppositions ou « contraires » révèle ce qu'il doit au Néo-Platonisme.

Bien que Blake eût illustré la plupart de ses ouvrages, ses dessins les plus importants, correspondant à la période de Lambeth, furent ses diverses « estampes en couleurs » (v. 1795). Leurs sujets : la *Création d'Adam, Nabuchodonosor, Pitié* (d'après *Macbeth,* I, VII), la *Maison de la mort* (d'après *le Paradis perdu,* XI, 477-493), sont puisés à ses sources habituelles, mais souvent interprétés d'une façon très personnelle. Ces gravures, d'une facture large, hautes en couleur et d'une grande puissance, dénotent notamment l'influence de Michel-Ange et de Füssli, bien que Blake ait proclamé l'originalité de ses créations. Elles soulignent le côté visuel de l'œuvre : figures nues ou enveloppées de draperies flottantes, fortement musclées, mais curieusement sans ossature; lignes tordues comme des flammes; absence presque totale d'ombres, d'espace traditionnel et de perspective.

De 1799 à 1805 environ, Blake exécuta pour un fonctionnaire, Thomas Butts, qui était alors son seul protecteur, 37 peintures « a tempera » et près d'une centaine d'aquarelles aux sujets bibliques. Ces œuvres font preuve de plus d'équilibre et de lyrisme que les estampes en couleurs; en fait, après son installation à Felpham (Sussex), en 1800, à l'instigation d'un autre de ses rares amis, le poète William Hayley, Blake commençait à se reprendre. Peu après son retour à Londres en 1803, il entreprit un nouveau poème, *Milton,* et, dès lors, produisit de nombreuses aquarelles sur des thèmes miltoniens. À partir de 1804 et jusqu'en 1820 env., il écrivit et illustra *Jérusalem,* son œuvre poétique la plus longue. En 1809, une importante exposition lui fut consacrée à Londres; ce fut un désastre sur le plan commercial, mais le catalogue descriptif qui l'accompagnait ainsi que ses annotations sur les *Discours* de Reynolds constituent la principale source d'information concernant les opinions de Blake sur les arts visuels. Vers 1818-1820, celui-ci peignit une série d'aquarelles pour le *Livre de Job* (gravées de 1823 à 1825), utilisant de nouveau le texte comme l'illustration de sa propre philosophie, tournée de plus en plus vers la notion de pardon. Ce fut aussi le thème de son interprétation de *la Divine Comédie* de Dante, qu'il commença à illustrer v. 1824 et laissa inachevée à sa mort.

Blake regardait ses dessins et ses poèmes comme des « visions de l'éternité » et il affirmait : « Une qualité seule donne naissance au poète : l'imagination, la divine vision. » Mais, bien que « vision » et « visionnaire » soient les mots clefs d'une controverse sur Blake, ce dernier soutint toujours, et à juste titre, que sa perception de visionnaire n'était pas, comme on aurait pu le croire, vague et imprécise, mais aiguë et claire jusqu'à la minutie. La plupart de ses contemporains le considéraient comme un excentrique, et son génie ne fut largement reconnu qu'après 1860; cependant, il ne fut pas aussi isolé et aussi peu représentatif qu'on l'a cru parfois, et ses dernières années furent éclairées par l'amitié d'un petit groupe de jeunes artistes, dont Palmer et Linnell, qui s'inspirèrent beaucoup de lui.

L'acquisition d'une partie de l'ancienne collection de John Linnell (1919), enrichie d'achats et de dons successifs, a permis de réunir à la Tate Gallery un ensemble particulièrement représentatif de l'œuvre de W. Blake, également représenté au British Museum. Aux États-Unis, des séries de dessins et de livres illustrés sont conservés à Boston (M. F. A.), New York (Pierpont Morgan Library), Cambridge (Mass.) [Fogg Art Museum], San Marino (Cal.) [Huntington Library and Art Gallery], Philadelphie (coll. Lessing J. Rosenwald). M. K.

Blechen

Karl

peintre allemand
(Cottbus 1798 - Berlin 1840)

En 1822, il abandonna une carrière commerciale pour faire ses études de paysagiste, qu'il poursuivit à l'Académie de Berlin. Au cours d'un voyage en Suisse saxonne (1828), il rencontra Dahl et sans doute Friedrich, et fut influencé par leur conception du paysage. Recommandé par l'architecte K. F. Schinkel, il travailla ensuite comme décorateur de théâtre à Berlin. Dès lors, un élément dramatique particulièrement frappant apparaît dans ses paysages : l'équilibre heureux entre nature et culture, qui confère au paysage idéalisé un sentiment d'harmonie, se transforme souvent chez Blechen en une sorte d'antagonisme. Son art, très marqué par un séjour en Italie (1828-29), s'enrichit de nouveaux motifs, tandis que son coloris s'intensifie et devient l'un des éléments essentiels de son style. Ses nombreuses études d'après nature, à l'huile, à l'aquarelle, au crayon et

Karl Blechen
◀ **Vue sur des maisons et des jardins**
Berlin-Ouest, Staatliche Museen Preussischer Kulturbesitz, Nationalgalerie
Phot. Anders

Herri Met de Bles
▼ **Paysage avec les travaux de la mine,** Budapest, Musée national
Phot. du musée

à la plume, sont à l'origine de ses tableaux de plus grand format. Nommé professeur de la classe de paysage de l'Académie de Berlin en 1831, Blechen est atteint en 1839 d'une maladie mentale. Cet artiste, dont l'apport fut, à l'origine, méconnu et qui eut peu d'influence sur ses contemporains, apparaît aujourd'hui comme le premier représentant en Allemagne d'un certain style de paysage à la fois subjectif et réaliste, dont Menzel à Berlin fut le continuateur le plus notoire.

Blechen est représenté dans de nombreux musées allemands, dont ceux de Berlin, Dresde (Gg), Hambourg, Munich (Neue Pin.), Cologne (W. R. M.), Stuttgart (*Dans le parc de Terni,* 1828-29, Staatsgal.) ainsi qu'à Winterthur. H. B. S.

Bles

Herri Met de

peintre flamand d'origine mosane
(Bouvignes, près de Dinant, v. 1510 - ? 1555)

Van Mander le mentionne en précisant que son nom est un sobriquet : « Herri à la houppe ». Serait-il Henri de Patinir, reçu franc maître en 1535, neveu de Joachim ? On ne connaît de Bles aucune œuvre signée ou attestée par une pièce d'archives. Peintre de paysages animés de scènes diverses, il est l'héritier de la conception de Patinir, ce que montrent des œuvres comme la *Sainte Famille* (musée de Bâle), le *Paysage avec les travaux de la mine de cuivre* (Offices), *Moïse et le buisson ardent* (Naples, Capodimonte). Mais, à la différence de Patinir, Bles préfère une composition plus fragmentée, faite de formes déchiquetées perdues dans une atmosphère vaporeuse. Si l'on n'est pas sûr qu'il ait réellement terminé ses jours à la cour des ducs d'Este à Ferrare, on sait qu'il a séjourné en Italie, où il est connu sous le nom de Henri de Dinant ou sous le surnom de Civetta (« chouette ») en raison de la chouette que, d'après Van Mander, il introduisait dans ses compositions ; celle-ci figure à côté de son autoportrait gravé en 1600 par Ph. Galle. Cet emblème, d'ailleurs choisi par d'autres artistes, se retrouve dans un groupe de tableaux voisins, tels le *Paysage avec le bon Samaritain* (1557 ?, Namur, Musée archéologique), le *Paysage avec les travaux de la mine* (musée de Budapest), le *Paysage avec la fuite en Égypte* (Copenhague, S. M. f. K.), la *Prédication de saint Jean-Baptiste* (Dresde, Gg, et Vienne, K. M.). On y remarque les caractères de style qui lui sont propres et qui permettent de nombreuses attributions : touches peu liées, palette assez pauvre, compositions aux multiples détails où le fantastique le dispute à un réalisme certain qui annonce les paysages flamands de la seconde moitié du XVIe s. J. L.

Bloemaert

Abraham

peintre néerlandais
(Gorinchem 1564 - Utrecht 1651)

Fils du sculpteur et architecte Cornelis I, il se rendit entre 1580 et 1583 à Paris, où, à l'âge de seize ans, il fut l'élève de Jean Bassot et de Hieronymus Francken et en contact avec l'art de Toussaint Dubreuil ; de retour à Utrecht en 1583, il travailla dans l'atelier de Gerrit Splinter et de Joos de Beer ; puis, entre 1591 et 1593, il se rendit à Amsterdam en compagnie de son père et revint à Utrecht, où il resta jusqu'à sa mort.

Maître à la gilde des peintres d'Utrecht en 1611, doyen en 1618 et inspecteur de 1611 à 1628, Abraham Bloemaert fut un aquafortiste très estimé et surtout un artiste qui embrassa tous les genres de peinture. Parallèlement au milieu maniériste de Haarlem, illustré par Cornelis Van Haarlem et Goltzius, il développa à Utrecht un maniérisme attardé, teinté d'italianisme. Peintre de portraits (*Portrait de femme,* Philadelphie, Museum of Art ; *Portrait d'homme,* 1647, Utrecht, Centraal Museum), il est surtout connu pour ses représentations religieuses : *Moïse frappant le rocher* (Metropolitan Museum), aux coloris aigres et aux formes tourmentées si typiques de son expressionnisme exacerbé, *Judith montrant au peuple la tête d'Holopherne* (Vienne, K. M.), la *Prédication de saint Jean-Baptiste* (Rijksmuseum, musées de Nancy, de Brunswick, château de Schleissheim), la *Résurrection de Lazare* (1607, Munich, Alte Pin.), l'*Adoration des bergers* (1612, Louvre), la *Madeleine pénitente* (1619, musée de Nantes), le *Christ à Emmaüs* (1622, Bruxelles, M. A. A.), la *Crucifixion* (1623, Utrecht, Centraal Museum), l'*Annonce aux bergers* (Haarlem, musée Frans Hals), l'*Adoration des mages* (1624, musée d'Utrecht ; musée de Grenoble), le *Repos pendant la fuite en Égypte* (musée d'Utrecht ; 1632, Rijksmuseum) ; il est aussi connu pour ses scènes mythologiques : les *Noces de Thétis et Pélée* (Mauritshuis), œuvre exécutée en 1590-1593, lors de son séjour à Amsterdam, qui influença Cornelis Van Haarlem lorsqu'il traita le même sujet (Haarlem, musée Frans Hals), la *Mort des enfants de Niobé* (1591, Copenhague, S. M. f. K.), *Vénus et Adonis* (1632, *id.*), *Latone et les*

Abraham Bloemaert
Judith montrant la tête d'Holopherne (1593) ▲
Vienne, Kunsthistorisches Museum
Phot. Meyer

paysans (1646, Utrecht, Centraal Museum), aux compositions riches et agréables, aux draperies mouvementées et aux figures souvent trop gracieuses, mais pleines d'une fascinante outrance ; il faut aussi noter l'importance prise par le paysage dans nombre de ses compositions. Peintre qui s'inscrit dans le vaste courant du Maniérisme européen, Abraham Bloemaert eut aussi une grande influence par l'importance de son atelier ; c'est ainsi qu'il forma des artistes comme Cornelis Van Poelenburgh, Gerrit et Willem Van Honthorst, Wybrand de Gest, Wouter Crabeth, Jan-Baptist Weenix. Il fut aussi un dessinateur prolixe et doué, et les figures, les animaux, les paysages de toutes ses compositions témoignent de la même facilité. Des détails naturalistes apparurent de bonne heure dans ses paysages, qui exercèrent une grande influence sur les générations suivantes, grâce surtout à l'impression d'une partie de son œuvre par son fils Frédérick, qui publia également différentes éditions du *Livre de dessins* (« Tekenboek ») de son père. Bloemaert est représenté dans tous les grands cabinets de Dessins du monde (Paris, Vienne, Londres, Berlin, Amsterdam, New York), ainsi qu'à Rotterdam (B. V. B.), à Dresde (Gg), à Ottawa (N. G.), à Paris (Inst. néerlandais et E. N. B. A.), à Cambridge (Fitzwilliam Museum), à Rouen (bibliothèque) et dans les musées d'Angers, de Besançon, de Gray, d'Utrecht et de Weimar. J.V.

Boccati

Giovanni

peintre italien

(Camerino — connu en Ombrie de 1444 à 1480)

Né à Camerino, dans les Marches, au moment des troubles suscités par les da Varana, seigneurs de la cité, il passe sans doute très jeune à Pérouse, où, en 1445, il demande la citoyenneté. En 1446, il reçoit la commande de la « pala » des *Flagellants* (auj. en partie repeinte, à Pérouse, G. N.). Il est à Padoue en 1448, puis à Urbino v. 1460, où il décore à fresque une salle du Palais ducal avec les *Hommes illustres.* Entre 1462 et 1470, il retourne à plusieurs reprises à Camerino, où son nom figure sur de nombreux documents. Pour la commune de Macerata, il peint le *Triptyque* de l'église S. Maria de Seppio (*Madone ; Saint Sébastien,* 1466) et le grand *Polyptyque* de l'église S. Eustachio de Belforte (1468). La « pala » d'Orvieto *(Madone et quatre saints),* auj. au musée de Budapest, date de 1473 ; en 1479, Boccati peint une *Pietà* pour S. Agata de Pérouse (G. N.) ; deux œuvres exécutées en 1480, perdues, sont signalées par des documents, les derniers concernant Boccati.

Boccati est le peintre le plus original et le plus représentatif de la culture composite, née de la tradition « expressionniste » du trecento et de la version la plus élégante et raffinée du Gothique

Giovanni Boccati
▲ **La Madone et l'Enfant avec des saints**
(dite « Madonna del Pergolato ») [1447]
Pérouse, Galleria nazionale
Phot. Scala

« courtois », celle de Gentile da Fabriano, qui s'épanouit dans les Marches et l'Ombrie vers le milieu du XVe s. Cet art s'enrichit du nouveau langage pictural de la Renaissance sous l'influence de Fra Angelico, dont le *Polyptyque des Dominicains* arriva à Pérouse en 1437, et celle de Domenico Veneziano, qui travailla en Ombrie en 1438. Après 1450, Boccati se sent attiré par la Renaissance padouane, comme beaucoup d'artistes des Marches, tel Girolamo di Giovanni, que certains ont cru, à tort, pouvoir considérer comme son fils.

La grâce de ses anges et les gestes de ses personnages restent un peu monotones, et cette impression est surtout ressentie dans ses dernières œuvres, dans lesquelles on ne retrouve plus les fraîches inventions de sa *Madone de l'orchestre* (auj. à Pérouse, G. N.) ou de sa *Madone entourée d'anges musiciens* (musée d'Ajaccio). Les productions les plus remarquables de Boccati sont ses paysages lumineux, entre la fantaisie et la réalité, qui basculent en d'invraisemblables perspectives ou sont minutieusement décrits jusqu'à l'extrême horizon (prédelle de la « pala » des *Flagellants;* la *Madone aux anges* de la coll. Berenson à Settignano ; *Calvaires* du musée d'Esztergom et de la Ca' d'Oro à Venise). Étonnante aussi paraît la façon dont Boccati transpose en termes imaginaires le monde classique, qu'évoquent des architectures fragiles et des bas-reliefs en trompe l'œil. M. B.

Boccioni

Umberto

peintre italien
(Reggio de Calabre 1882 - Vérone 1916)

À Rome en 1901, il fréquente avec Severini l'atelier de Balla, qui eut une influence déterminante sur sa formation. Après un séjour à Paris en 1906, il s'installe à Milan l'année suivante. Dans la série des *Banlieues* (1908-1910), les thèmes sociaux, le naturalisme rigoureux, la composition volontairement asymétrique, les hallucinantes perspectives en hauteur rejoignent l'esthétique de Balla et du Divisionnisme italien. Un art de suggestion mentale se substitue progressivement au vérisme imitatif des premières œuvres, où se retrouvaient un symbolisme social (la *Ville qui monte,* 1911, New

York, M.O.M.A.) et une analyse émotionnelle exaspérée : le *Deuil* (1910, New York, coll. Margarete Schultz), la célèbre série des *États d'âme* (1911), les *Adieux* (New York, coll. part.), *Ceux qui s'en vont (id.), Ceux qui restent* (Milan, G.A.M.). En développant ses premières recherches divisionnistes, Boccioni atteint à des effets dynamiques déjà proches des conceptions futuristes : *Rixe dans la galerie* (1910, Milan, coll. Jesi).

En 1910, il se lie avec le poète Marinetti et les peintres Carrà et Russolo. De ces rencontres naquit le Futurisme : cette même année, Boccioni écrit le *Manifeste des peintres futuristes,* suivi du *Manifeste des techniques de la peinture futuriste.* Dès cet instant, il s'associe aux luttes du groupe, organise des expositions dans les capitales européennes, collabore à la revue *Lacerba.* En 1912, il signe le *Manifeste technique de la sculpture,* dans lequel il énonce sa poétique. Boccioni fut l'élément le plus actif du mouvement futuriste et son représentant le plus important. R. Longhi souligne dans un de ses ouvrages que, pour Boccioni, le problème du dynamisme plastique, principe même

Umberto Boccioni
▼ **Elasticità** (1911)
Milan, collection Jucker
Phot. Scala

de la poétique futuriste, était, par son sens inné de la matière, une solution personnelle à travers une « compénétration de plans colorés, vibrants, pulvérulents, atomiques ». Ses premières œuvres futuristes, peintures et sculptures, datent de 1911 : *Éclat de rire* (New York, M. O. M. A.). Après un nouveau séjour à Paris (1911-12), en compagnie de Severini et de Marinetti, Boccioni porte jusqu'à son extrême limite le problème fondamental de l'esthétique futuriste, la construction des formes dynamiques qui reposent sur les concepts de « simultanéité » et de « lignes-forces ». Il développe également ses concepts dans une série d'écrits théoriques et les explicite dans des œuvres comme *Matière* (1912, Milan, coll. part.), *Élasticité (id.), Charge des lanciers* (1915, Milan, coll. Jucker) ou dans la série des « dynamismes » (*Dynamisme d'un corps humain,* 1913, Milan, G. A. M.). Il y pose d'une manière particulièrement sensible le problème des rapports du Futurisme et du Cubisme, et tente d'en dépasser les prémisses grâce à une conception dynamique des volumes. Ses dernières œuvres (séries de gouaches et de dessins, 1912-13 ; le *Portrait de Ferruccio Busoni,* 1916, Rome, G. A. M.) marquent un net retour à Cézanne. Boccioni exposa avec le groupe futuriste à chacune de ses manifestations. Peu de temps après sa mort, une grande rétrospective lui a été consacrée. En 1966, la Biennale de Venise présenta son œuvre de peintre et de sculpteur en même temps que Reggio de Calabre organisait une exposition de son œuvre graphique. L'artiste est très bien représenté à New York (M. O. M. A.), à Milan (G. A. M.), à Rome et dans des coll. part. italiennes ou américaines. L. M.

Böcklin

Arnold

peintre suisse

(Bâle 1827 - Fiesole 1901)

De 1845 à 1847, Böcklin fut, à Düsseldorf, l'élève de Johann-Wilhelm Schirmer, dont l'influence marqua les paysages idéalisés qu'il peignit dans sa jeunesse. Après avoir effectué de courts séjours en 1847 à Bruxelles, à Anvers, à Zurich et à Genève (avec Calame), en 1848 à Paris et passé deux années à Bâle, Böcklin part en 1850 pour Rome ; là, sous l'influence de Dreber, l'ordonnance de ses compositions devient plus rigoureuse et sa palette s'éclaircit. Au cours de l'année qui suit son retour à Rome (1857), il décore de paysages la maison de l'auteur dramatique Wedekind à Hanovre. Il peint

Arnold Böcklin
Ulysse et Calypso (1883) ▼
Bâle, Kunstmuseum
Phot. Fabbri

Louis Léopold Boilly
Houdon dans son atelier ▶
(1803)
Paris, musée
des Arts décoratifs
Phot. Lauros-Giraudon

en 1859 *Pan dans les roseaux* (Munich, Neue Pin.), où se révèle, pour la première fois, sa vision originale de la nature, que prolonge une idée mythique. Après avoir enseigné pendant deux ans à Weimar, il travaille de nouveau à Rome de 1862 à 1866, visite Naples et Pompéi, et peint en 1864 et 1865 les deux versions de la *Villa au bord de la mer* (toutes deux à la Schackgal. de Munich). Les fresques de l'escalier du musée de Bâle (1868-1870) constituent l'œuvre capitale de son séjour dans cette ville, de 1866 à 1871. Installé à Munich de 1871 à 1874, il exécute alors ses tableaux célèbres : *Triton et Néréide* (1873-74, Munich, Schackgal., et 1875, Berlin, N.G.), le *Jeu des vagues* (1883, Munich, Neue Pin.), *Ulysse et Calypso* (1883, musée de Bâle), l'*Idylle de la mer* (1887, Vienne, K.M.). Un cercle d'artistes se forme autour de lui ; à Florence, de 1875 à 1885, le sculpteur Hildebrand et von Marées font partie de son entourage. En 1880, Böcklin réalise la première des 5 versions de l'*Île des morts* (musées de Leipzig et de Bâle). Tout d'abord très critiqué, il connaît alors un succès croissant qui explique les versions fréquentes d'œuvres anciennes qui lui seront commandées à la fin de sa carrière. De 1885 à 1892, il réside à Hottingen, près de Zurich, puis, jusqu'à sa mort, à Fiesole. À la fin du siècle, il était considéré comme le peintre le plus éminent d'Allemagne, mais l'engouement pour l'Impressionnisme a très vite porté préjudice à sa renommée. Böcklin n'eut pas de véritables continuateurs. Comme Runge — et sans l'avoir connu —, il restitue au paysage, en y introduisant la figure humaine, une dimension inhabituelle. Ses meilleures œuvres frappent par le rendu méticuleux et suggestif de la nature, la création de figures fantastiques, le plus souvent monumentales, une composition simple, un coloris puissant. Si, pendant ses dernières années, Böcklin s'est souvent inspiré de pensées philosophiques, l'idée littéraire demeure toujours soumise à la composition formelle. Longtemps oublié ou mésestimé, Böcklin retrouve aujourd'hui, un peu comme Gustave Moreau, de nombreux admirateurs, séduits par les bizarreries de son imagination et les qualités poétiques de son symbolisme. Il est particulièrement bien représenté au musée de Bâle. H. B. S.

Boilly

Louis Léopold

peintre français

(La Bassée, Nord, 1761 - Paris 1845)

Fils d'un sculpteur sur bois, il séjourne très jeune à Douai (1774-1778), puis à Arras, où le peintre D. Doncre pratique un art du trompe-l'œil auquel il s'initie peut-être alors. En 1785, il s'installe à Paris, et ses débuts sont encouragés par M. Calvet de La Palun, amateur méridional ; ce dernier le charge d'un ensemble de 8 œuvres (4 au musée de Saint-Omer) et en précise lui-même les thèmes. Exécutées entre 1789 et 1791, ces petites scènes de sujet moralisateur ou galant (les *Mal-*

heurs de l'amour, Londres, Wallace Coll.) se caractérisent par une facture attentive aux accords colorés et à l'effet tactile (le *Concert improvisé ou le Prix de l'Harmonie,* 1790, musée de Saint-Omer) qui a permis d'évoquer Fragonard. Le peintre expose au Salon de 1791 à 1824, et la faveur dont il jouit pendant la Révolution, le Directoire, puis l'Empire est très représentative du goût en cette fin de XVIIIe s. Ce succès reflète les attirances multiples, voire contradictoires, des amateurs, qui, guidés par une curiosité « encyclopédique », apprécient au même moment l'héroïsme des grands tableaux d'histoire et l'intimisme des petits formats consacrés aux scènes familières dans la tradition septentrionale. L'actualité et l'atmosphère contemporaines alimentent les thèmes de Boilly. Les accusations de son compatriote Wicar, portées au nom de la décence, le contraignent à justifier publiquement son adhésion à la république (*Triomphe de Marat,* 1794, musée de Lille ; dessin au musée Lambinet, Versailles) et à rallier le parti de David (*Arrestation de Charlotte Corday,* Versailles, musée Lambinet). Plus qu'à la signification du fait historique, Boilly s'attache à saisir en notations rapides mais justes l'ambiance du moment choisi ; la virtuosité de son exécution, la fantaisie, voire l'humour de son inspiration s'expriment librement dans les scènes de la vie parisienne (l'*Entrée de l'Ambigu-Comique,* 1819, Louvre), d'un style proche de celui des vignettes. Le souci d'une description minutieuse, parfois presque illusionniste (*les Galeries du Palais-Royal,* 1809, Paris, musée Carnavalet), rappelle, comme chez Taunay ou Drolling, la familiarité profonde avec des œuvres néerlandaises du XVIIe s. (Ter Borch, Dou, Van Mieris), que les collectionneurs recherchaient, Boilly le premier. Chronique des milieux artistiques, sa série des *Ateliers* — thème courant au XIXe s. (*Atelier d'une jeune artiste,* 1800, Moscou, musée Pouchkine ; *Houdon dans son atelier,* 1803, Paris, musée des Arts décoratifs) — est un exemple de la diversité de ses portraits (il en exécuta plus de mille), combinant à la fois portrait collectif, portrait individuel et étude d'expression (27 études pour l'*Atelier d'Isabey,* musée de Lille). Dans le portrait collectif, hérité du XVIIe s. néerlandais et des « conversation pieces » britanniques, la scène d'intérieur donne cohérence et naturel à la composition (*Réunion d'artistes dans l'atelier d'Isabey,* 1798, Louvre), où parfois les figures se détachent dans un paysage panoramique dont la précision ne nuit pas à la poésie *(Christophe Philippe Oberkampf, ses deux fils et sa fille aînée devant la manufacture de Jouy,* 1803, coll. part. ; *Madame Oberkampf et ses deux filles dans la vallée de Jouy,* 1803, *id.).* Les figures individuelles (petits portraits bourgeois en buste, très achevés ; série au musée Marmottan de Paris) se rapprochent de l'art de David par la sobriété de leur mise en page (*Robespierre,* musée de Lille), de celui de Greuze ou de celui de Mme Vigée-Lebrun par la spontanéité de l'attitude (*Berthe-Juliette Dubois,* Louvre).

Recourant souvent à l'aquarelle dans ses dessins (l'*Enfant puni,* musée de Lille), Boilly fut aussi graveur et lithographe (les *Grimaces,* 1823). Cette abondante carrière le détache de ce groupe nombreux d'artistes qui sut participer au courant majeur du Néo-Classicisme (*Un Christ : trompe-l'œil,* 1812, Oxford, the Dulvertoon Trustees, dépôt à la chapelle de Magdelen College), mais qui préféra à sa stricte application la description colorée de la réalité appréhendée spontanément (l'*Averse,* Louvre) grâce à un « beau métier ». Boilly est surtout représenté en France (Paris : Louvre, musées Carnavalet et Marmottan ; musées de Lille, de Saint-Omer), à Londres (Wallace Coll.) et à Léningrad (Ermitage). C. M.

Bonington

Richard Parkes

peintre anglais

(Arnold, Nottinghamshire, 1802 - Londres 1828)

En 1817, il suivit sa famille à Calais, où il fut l'élève de François-Louis Francia, qui avait été formé à l'aquarelle dans la tradition anglaise. Il partit ensuite pour Paris (1818) et y travailla quelque temps dans l'atelier de Gros (1821-22). Il visita le nord de la France en 1821-22, la Belgique en 1823, l'Italie du Nord et Venise en 1826. Le paysage restait sa principale préoccupation, et 2 aquarelles de Normandie furent ses premiers envois au Salon, en 1822. *La Cathédrale et le quai à Rouen* (v. 1821, British Museum) procède encore du style topographique, traditionnel depuis Girtin, mais les aquarelles exécutées par la suite au cours de ses voyages annuels, d'un pinceau plus coloré et plus audacieux, révèlent l'influence de ses études à Paris et son goût croissant pour la peinture à l'huile. Il exposa, au Salon de 1824, 4 paysages à l'huile et 1 aquarelle qui lui valurent une médaille d'or, obtenue également par ses compatriotes Constable et Copley Fielding. À partir de 1825, il fit, chaque année, un voyage à Londres, où il se fit connaître, mais l'événement le plus marquant de sa première visite fut sa rencontre avec Delacroix. De retour à Paris, les deux hommes partagèrent le même atelier, et, tandis que Delacroix tirait profit de la brillante technique des aquarelles de Bonington, celui-ci fut, de son côté,

Richard Parkes Bonington
◀ **Vue du parterre d'eau à Versailles**
Paris, musée du Louvre
Phot. Giraudon

amené à s'essayer à des scènes historiques ou orientales. L'année 1826 représente le sommet de sa brève carrière. Il peint des œuvres telles que la *Côte picarde* (Kingston upon Hull, Ferens Art Gal.), où s'exprime en termes picturaux sa sensibilité très vive à l'atmosphère. L'été, il se rend en Italie ; la lumière changeante de Venise et ses édifices aux couleurs vives convenaient admirablement à sa technique, et les esquisses qu'il en donna, tel le *Monument au Colleone* (Louvre), figurent parmi ses meilleures œuvres. Il exécute ultérieurement plusieurs vues de Venise et des scènes historiques, comme *Henry III et l'ambassadeur d'Espagne* (Londres, Wallace Coll.), qui, bien que proches de Delacroix, dénotent son intérêt encore plus fort pour la peinture vénitienne. À partir de 1824, il réalisa plusieurs lithographies et travailla pour les *Voyages pittoresques dans l'ancienne France* du baron Taylor, démontrant ainsi le caractère spontané de ce nouveau moyen d'expression. Bonington fut une personnalité marquante des milieux artistiques français des années 1820 en même temps qu'un excellent représentant du style pictural anglais. En Angleterre, il contribua au développement de la peinture pittoresque du XIXe s. Son œuvre, malgré sa qualité, justifie parfois cette remarque de Delacroix concernant l'artiste : « emporté par sa propre virtuosité ». Son atelier fut dispersé chez Sotheby les 29 et 30 juin 1829, mais un grand nombre d'œuvres restèrent en France. Bonington est bien représenté dans la plupart des grands musées anglais (en particulier à Nottingham et à la Wallace Coll. de Londres) et au Louvre (le *Parterre d'eau à Versailles ; Vue des côtes normandes*). W. V.

Bonnard

Pierre

peintre français

(Fontenay-aux-Roses 1867 - Le Cannet 1947)

Issu d'une famille aisée de la bourgeoisie, Bonnard commence très jeune à peindre, dans un style proche de celui de Corot, des paysages du Dauphiné (où son père possédait une maison au village du Grand-Lemps). Après d'excellentes études secondaires, puis supérieures, il se destine à la carrière administrative. En même temps, il s'inscrit en 1887 à l'académie Julian. Il y fait la connaissance de Maurice Denis et de Paul Ranson, avec qui il formera en 1889, sous l'influence de Paul Sérusier (revenu de Pont-Aven converti au Synthétisme) et lorsque se seront joints à eux Vallotton, Vuillard et Maillol, le groupe des Nabis, qui se présente comme celui des « élèves de Gauguin » (M. Denis). Bien que Bonnard ait souvent été considéré comme le plus brillant des continuateurs de l'Impressionnisme, ses œuvres de jeunesse prouvent qu'il connaissait alors mal la peinture de Monet et de Renoir ; au contraire, il

Pierre Bonnard
Nu dans la baignoire ▶
(1937)
Paris,
musée du Petit Palais

était marqué par le climat résolument hostile à l'Impressionnisme qui caractérise la jeune peinture parisienne des années 1890. Il semble également avoir toujours été réservé à l'égard de Gauguin et des milieux symbolistes, et il était beaucoup trop ironique et modeste pour partager les préoccupations sentimentales et vaguement mystiques des Nabis. Les influences qu'il reçoit à cette période sont pourtant décisives et persisteront à travers toute son œuvre. Comme tous les « élèves de Gauguin », il « simplifie la ligne et exalte la couleur » (à tel point qu'un critique, à l'occasion de sa première exposition, parle de « tachisme violent »), utilise celle-ci de façon souvent arbitraire et sans se préoccuper de ses rapports avec la lumière, préfère l'arabesque au modelé, néglige délibérément la perspective et les lointains, resserre la composition et tend à amener l'ensemble des plans à la surface du tableau. Il pratique volontiers la déformation expressive et caricaturale, et surtout il

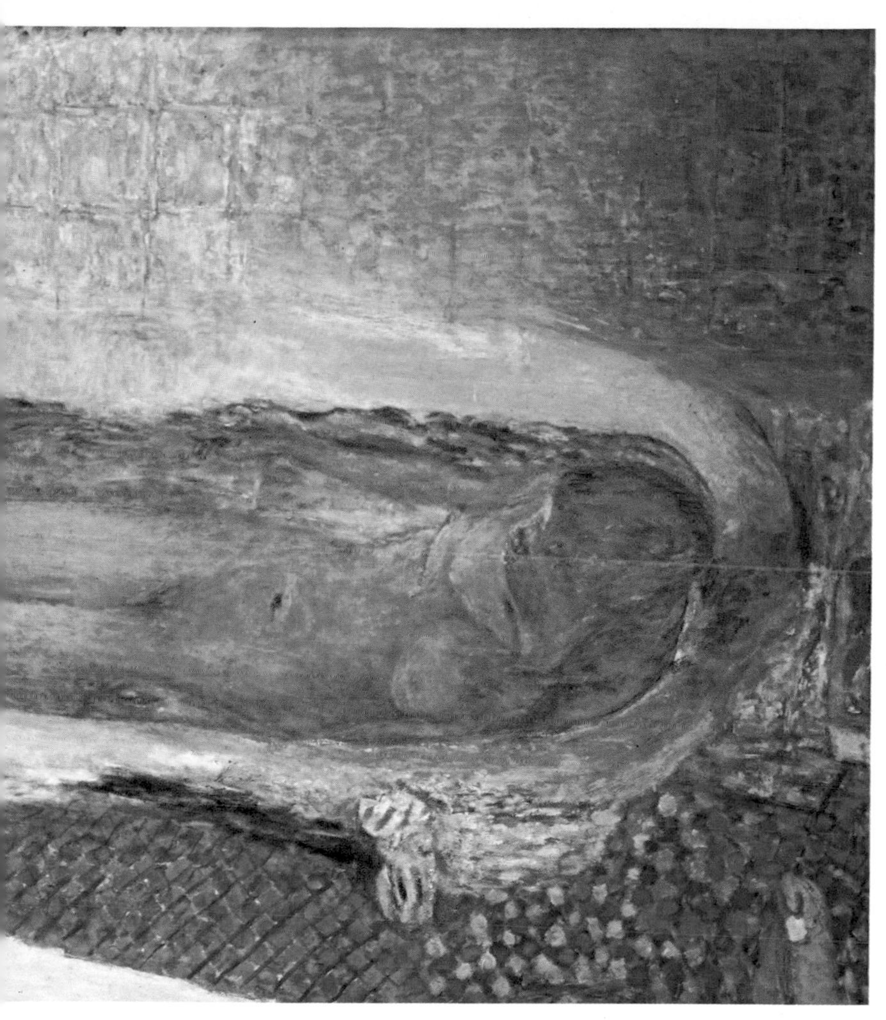

néglige la représentation de la réalité, qu'il interprète d'une façon décorative, souvent capricieuse et humoristique. Bonnard est avant tout un décorateur (« Toute ma vie, dira-t-il en 1943 à George Besson, j'ai flotté entre l'intimisme et la décoration »), et c'est à travers la liberté, la fantaisie et l'irréalisme que permet la décoration qu'il élabore son style personnel. Il se plaira longtemps à exécuter des panneaux décoratifs (*Femmes au jardin,* 1891, Paris, musée d'Orsay; les deux *Place Clichy,* 1912 et 1928, musée de Besançon), et ses premiers chefs-d'œuvre sont des lithographies en couleurs (*Quelques Aspects de la vie de Paris,* publiés par Vollard en 1899), des paravents, des illustrations pour des livres (*Daphnis et Chloé,* 1902; les *Histoires naturelles* de Jules Renard, 1904), des affiches (*France-Champagne,* 1891; la *Revue blanche,* 1894). Dans cette partie de son œuvre, Bonnard se souvient des estampes japonaises (ses amis l'avaient surnommé le « Nabi très japonard»), auxquelles il doit son goût pour certains motifs décoratifs (ramage d'une étoffe, carreaux d'une nappe : la *Partie de croquet,* 1892, États-Unis, coll. part. ; la *Nappe à carreaux rouges,* 1910, Berne, coll. Hahnloser), pour les perspectives plongeantes et les découpages imprévus (la *Loge,* 1908, coll. Bernheim-Jeune). Il exprime ainsi autour de 1900 le pittoresque de la vie quotidienne dans de nombreuses scènes et paysages parisiens que l'on a souvent décrits comme «verlainiens» et qui, beaucoup moins larges et colorés que les tableaux impressionnistes de même sujet, sont remarquables par leur mélange de cocasserie et de mélancolie, leur souci de réduire la scène à une sorte de décor intime et familier (le *Cheval de fiacre,* 1895, États-Unis, coll. part.). Cet intimisme se retrouve dans les scènes d'intérieur, qui évoquent avec la plus subtile poésie les plaisirs et les rêveries de la vie domestique (*Jeune Femme à la lampe,* 1900, musée de Berne), et dans les nus, genre qu'il aborde autour de 1900, peut-être sous l'influence de Degas, et dont il ne cessera pas, jusqu'en 1938, d'explorer toutes les possibilités. Les premiers nus, sombres et d'une atmosphère assez «fin de siècle» (l'*Indolente,* 1899, Paris, musée d'Orsay), font place, vers 1910, à des «nus à la toilette» plus clairs, plus largement traités, sans aucune intention névrotique et sensuelle, qui évoquent avec la plus spirituelle négligence le décor de l'intimité féminine (le *Nu à contre-jour,* 1908, Bruxelles, M. A. M.), et lorsque, entre les deux guerres, les baignoires remplaceront les cuvettes et les pots à eau évocateurs d'une hygiène assez rudimentaire, ce sera l'extraordinaire série des «nus au bain», qui sont peut-être les chefs-d'œuvre de Bonnard, dont la vision est la plus sensible à l'inépuisable variété des reflets, des passages et des accidents que la lumière introduit dans la couleur (*Nu dans la baignoire,* 1937, Paris, Petit Palais).

C'est en effet dans le thème du «nu» que Bonnard a trouvé l'occasion de modifier son attitude à l'égard de la réalité. On le voit progressivement découvrir le modelé, réintroduire la perspective et les plans en profondeur à travers tout un système de reflets et de miroirs d'une extraordinaire ingéniosité (la *Glace du cabinet de toilette,* 1908, Moscou, musée Pouchkine), élargir la scène, éclaircir sa palette, faire circuler l'air autour des corps et des objets, abandonner le point de vue strictement coloriste qui était le sien et retrouver la lumière impressionniste. En 1912, il a acheté une petite maison, «Ma Roulotte», à Vernon, où il a souvent l'occasion de voir Monet, qui habite à Giverny, et le paysage fait son entrée dans son œuvre : d'abord prudemment, à travers une fenêtre, puis plus largement — bien que Bonnard ait toujours préféré l'univers clos du jardin aux vastes horizons — pour s'épanouir en vastes compositions conçues toujours un peu à la manière d'une tapisserie, mais d'une splendeur lyrique et décorative inégalée (la *Terrasse de Vernon,* v. 1930, Dusseldorf, K. N. W.

Comme la plupart de ses contemporains, Bonnard traverse une époque de crise et d'incertitude entre 1914 et les années d'après guerre. Crise d'autant plus forte qu'il a été victime du climat intellectuel créé par le Cubisme dans la peinture européenne. C'est au moment où Bonnard a rejoint l'Impressionnisme que celui-ci est dénoncé par les tenants de la logique et de la géométrie constructive comme le symbole même de la décadence sensualiste et de l'abandon aux certitudes fugitives du sentiment. Bonnard se préoccupe alors d'ordonner la dispersion lumineuse de ses toiles autour d'une solide armature de plans obliques et contrariés, comme le montre le motif de la porte-fenêtre

Orazio Borgianni
La Sainte Famille ▼
Rome, Galleria Nazionale d'arte antica,
Galleria Corsini
Phot. Scala

qui apparaît dès 1913 dans la *Salle à manger de campagne* (Minneapolis, Inst. of Arts). Au lendemain de la guerre, cette crise est surmontée, comme le prouve une série de toiles exécutées autour de 1925 : la *Table* et le *Bain* (Londres, Tate Gal.), la *Salle à manger* (Copenhague, N. C. G.), qui résument l'essentiel de son art. Bonnard se limite désormais à quelques thèmes : scènes de jardin, déjeuners, marines et de très nombreuses natures mortes, genre où il excelle (le *Placard rouge*, Paris, coll. part.). Depuis 1925, il résidait dans le Midi, où il avait acheté une maison au Cannet, mais il serait fort imprudent d'attribuer à l'influence de la lumière méridionale, qu'il n'a jamais beaucoup aimée, l'évolution qui se manifeste dans les œuvres de ses quinze dernières années. Les toiles des années 1930-1940 sont en général remarquables par leur intention monumentale, le caractère beaucoup plus libre de la composition, la richesse et la complexité, l'étrangeté parfois de leur coloris (*Nu devant la glace*, 1933, Venise, G. A. M. Ca' Pesaro ; l'*Intérieur blanc* [*id.*], musée de Grenoble). La vision de la nature devient chez Bonnard d'un lyrisme presque désordonné (le *Jardin*, Paris, Petit Palais), parfois extatique (*Méditerranée*, gouache, 1941-1944, Paris, M. N. A. M.), mais il convient d'écarter l'idée d'une « dernière manière » de Bonnard, dans la mesure où la plupart des toiles de 1940-1947, qui se trouvaient dans son atelier au moment de sa mort, étaient dans un état d'inachèvement qui ne permet pas de juger des intentions du peintre. A.F.

Borgianni
Orazio

peintre italien
(Rome 1578 - id. 1616)

Il fit son éducation artistique en Italie et en Espagne à la fin du XVIe s. et au début du XVIIe, passage critique du Maniérisme tardif au Baroque. Il est à Rome en 1603 et y demeure jusqu'à sa mort. Selon son premier biographe, G. Baglione, il fit deux séjours en Espagne, l'un hypothétique de 1598 à 1602, le second documenté de 1604 à 1605.

Sa personnalité et son imagination se révèlent dans ses premières œuvres espagnoles : *Saint Christophe* (Barcelone, anc. coll. Milicua) et le *Christ en croix* (musée de Cadix), au fond de paysage fantastique. Mais c'est dans le cycle de peintures illustrant la *Vie de la Vierge* au couvent de Portacoeli à Valladolid (1604-1605) qu'il prouve sa puissance dramatique et qu'il trahit ses sources : d'une part des emprunts directs à Tintoret, tels que la composition de la *Présentation de la Vierge au Temple ;* d'autre part le souvenir de la lumière diffuse de Corrège dans l'*Assomption ;* Borgianni évoque également Rubens. Réceptif à diverses influences (les Carrache, les Vénitiens, Greco peut-être), il a pourtant cheminé seul, ne faisant partie d'aucun courant spécifique. Il fut cependant l'un des introducteurs du Caravagisme en Espagne.

Pendant sa dernière période romaine, de 1605 à 1616, Borgianni réalise ses meilleures œuvres. Dans la *Mort de saint Jean l'Évangéliste* (Dresde, Gg), il se montre l'héritier du Maniérisme par ses figures gigantesques et sa poésie étrange. Ailleurs, on retrouve le classicisme émilien, tant celui des Carrache que celui de Lanfranco, à qui l'on attribuait autrefois l'*Apparition de la Vierge à saint François* (1608, Sezzo, chapelle du cimetière). Le *Saint Charles Borromée adorant la Sainte Trinité* (v. 1611-12, Rome, Saint-Charles-aux-Quatre-Fontaines), grande silhouette instable dressée dans le monde irréel des débris antiques, absorbé dans sa vision céleste, fait paraître Borgianni comme un peintre profondément religieux, presque un visionnaire. Dans les dernières années de sa vie, le peintre abandonna cet art lyrique pour des compositions plus sculpturales, franchement luministes, influencées par le milieu caravagesque : la *Nativité de la Vierge* (Savone, Santuario della Misericordia), la *Sainte Famille* (Rome, G. N.), remarquable par sa nature morte, au premier plan, la *Pietà* (Rome, Gal. Spada). Bien que G. Baglione, dans ses *Vies des peintres* (1642), le désigne comme le pire ennemi de Caravage, il se révèle au contraire comme l'un des premiers peintres qui ait vraiment compris la leçon du Caravagisme. S. De.

Borrassa
Luis

peintre espagnol
(Gérone v. 1360 - Barcelone v. 1425)

Originaire d'une famille de modestes artistes de Gérone, il fut le premier représentant en Catalogne du Gothique international. Différents documents le mentionnent comme l'auteur de 48 retables exécutés entre 1384 et 1424 ; peu d'entre eux subsistent dans leur intégrité, mais de nombreuses peintures lui sont attribuées avec vraisemblance. L'artiste s'établit à Barcelone v. 1383 et organise un important atelier, dont les débuts sont mal connus (le grand retable qu'il exécute alors pour l'église du couvent de S. Damian n'existe plus). De cette première époque date le *Retable de Villa-*

franca del Panedes dédié à la Vierge et à saint Georges remarquable déjà par l'élégance narrative et la richesse chromatique des scènes. La première conservée et documentée par un contrat de 1402 est le *Retable de la Vierge* provenant de l'église de Copons (Valence, coll. part.) qui sert de pièce de référence pour étudier l'évolution du peintre. Un caractère vigoureux anime une prédelle, la *Déploration du Christ* (1410), ajoutée ultérieurement au *Retable du Saint-Esprit* de Pedro Serra (collégiale de Manresa). Avec cette œuvre, l'artiste atteint sa pleine maturité. D'un thème alors courant en peinture comme en sculpture, Borrassa a fait un tableau tragique dans son réalisme, où la douleur de chacun s'exprime de façon différente; les couleurs intenses s'équilibrent de part et d'autre de la Vierge, enveloppée d'un vêtement sombre. Désormais, Borrassa se rallie au style international, où interviennent des éléments flamands, parisiens, bourguignons. Les déplacements d'artistes, le mécénat des princes favorisèrent les contacts étrangers que Borrassa dût avoir à Gérone, où séjournait la cour du futur roi d'Aragon, Jean Ier, et de sa femme, Violante de Bar, nièce de Charles V. Il dut également ressentir l'influence des artistes germaniques et toscans qui contribuaient à faire de Valence l'un des hauts lieux du Gothique international.

Le *Retable de saint Pierre* (1411-1413, Tarrasa, église S. María de Egara), conservé partiellement, accuse un dynamisme accru. Le Calvaire de la partie haute équilibre les groupes de cavaliers de part et d'autre de la croix, chacun remplit son rôle en gesticulant; les scènes secondaires sont pittoresques. Saint Pierre s'enfonce dans les eaux vertes de Tibériade ou est délivré de sa prison par un ange au geste expressif; la crucifixion de l'apôtre montre un enchevêtrement acrobatique de figures s'étageant dans un minimum d'espace. La technique de Borrassa, souple et fluide, révèle une

Luis Borrassa, **La Guérison d'Abgar, roi d'Édesse** (panneau du *Retable de sainte Claire*) [1414] Vich, Museo episcopal ▶
Phot. Salmer

maîtrise alors exceptionnelle en Espagne. L'apogée de la carrière de Borrassa semble être marqué par le *Retable de sainte Claire* (1414), exécuté pour le couvent des Clarisses de Vich; l'œuvre avait 6 mètres de haut et 4 registres superposés de panneaux; elle est maintenant exposée en fragments au musée de Vich. Au centre, saint François transmet sa règle à l'ordre des Clarisses, groupées sur sa droite, à celui des Franciscains, massés à sa gauche, et aux laïques, présents derrière lui, formant le tiers ordre; au registre inférieur figurent la Vierge de l'espérance, qu'accompagnent un saint Michel vainqueur et l'abbesse des Clarisses, sainte Claire, dont la crosse et la couronne d'or rehaussent le grand manteau noir; autour, les thèmes anecdotiques se sont renouvelés et multipliés : guérison miraculeuse du roi d'Edesse, massacre des Innocents, saint Dominique sauvant des naufragés; à la prédelle est représentée une série de saints personnages isolés, dont saint Restitut, aux somptueux vêtements épiscopaux, saint Paulin de Nole portant les clous gigantesques de son martyre.

Les œuvres suivantes sont plus discrètes : le *Retable de saint Jean-Baptiste* (v. 1415-1420, Paris, musée des Arts décoratifs), conservé en entier, présente l'image squelettique du Précurseur se détachant sur l'habituel fond d'or; les scènes latérales se déroulent dans un pays rocheux *(Prédication du saint)* ponctué parfois de quelques arbres *(Baptême du Christ)*, et l'élégance raffinée des costumes se remarque dans le *Banquet d'Hérode*, auquel est associé, dans le même tableau, la *Décollation de saint Jean*.

Le *Retable de saint Michel de Cruilles* (1416, musée de Gérone), où se reconnaît la main d'un collaborateur, ajoute, à la figure traditionnelle de l'archange combattant le démon, de curieux épisodes : *Messe des âmes du purgatoire*, dont le gouffre s'ouvre face à l'autel; *Persécution de l'Antéchrist*, où saint Michel, luttant contre des démons, manifeste un dynamisme inédit dans l'œuvre du maître.

Borrassa domine toute la production barcelonaise de 1390 à 1420 env. Le type de ses retables à étages superposés, son chromatisme brillant, ses procédés techniques servirent d'exemple à ses nombreux élèves et imitateurs, qui ne réussirent pas toujours à retrouver son aisance narrative, laquelle lui fait heureusement mêler la violence et la grâce mondaine, ni le raffinement de sa manière. Son influence s'exerça avec bonheur sur des artistes catalans tels que Juan Mates ou le Maître du Roussillon; son successeur à la tête de l'activité picturale de Barcelone, Bernardo Martorell, lui doit beaucoup. S. R.

Bosch

Hieronymus

peintre néerlandais

(Bois-le-Duc 1453? - id. 1516)

Sa famille, peut-être originaire d'Aix-la-Chapelle, était fixée à Bois-le-Duc depuis au moins deux générations. Son grand-père Jan et son père, Anton Van Aken, exerçaient le métier de peintre. On sait qu'en 1481 Bosch était marié avec Aleyt, fille du bourgeois aisé Goyarts Van der Mervenne, dont il n'eut pas d'enfants. À partir de 1486, il est cité comme membre de la confrérie de Notre-Dame, mais son appartenance à ce groupement religieux ne permet pas, semble-t-il, d'expliquer les sources de son inspiration. Les rares mentions de commandes faites à l'artiste (en 1488-89, volets d'un retable sculpté pour la confrérie de Notre-Dame; en 1504, *Jugement dernier* pour Philippe le Beau) n'ont pu être rattachées à des œuvres connues. L'évolution de son style n'a été reconstituée par Charles de Tolnay que grâce à des hypothèses fondées sur l'analyse de ses œuvres.

Les peintures les plus anciennes de Bosch (le *Christ en croix,* Bruxelles, M. A. A.; 2 versions de l'*Ecce Homo,* Francfort, Staedel. Inst., et Boston, M. F. A.) ne se distinguent guère par leur originalité, bien que l'artiste y introduise des personnages aux faciès presque caricaturaux. Les *Péchés capitaux* (Prado) illustrent un thème moins courant, avec une drôlerie qui révèle une inspiration populaire. Chaque épisode est développé à la manière d'une scène de genre, où l'accent est mis non sur les accessoires, mais sur les attitudes humaines. La même veine apparaît dans les *Noces de Cana* (Rotterdam, B. V. B.), plus riches cependant en éléments allégoriques, et surtout dans la *Mort de l'avare* (Washington, N. G.) et la *Nef des fous* (Louvre). Cette dernière œuvre est peut-être la première illustration connue d'un thème cher à Bosch et qui suppose une attitude essentiellement critique et morale, celui de la folie humaine qui néglige l'enseignement du Christ. C'est également le panneau le plus ancien exécuté suivant une technique d'un brio surprenant qui, sur un dessin incisif, souvent lisible à travers les minces couches picturales, campe les personnages par quelques coups de pinceau ou de légers empâtements suggestifs : déjà Van Mander remarquait que Bosch peignait « du coup ». À ce premier groupe d'œuvres peuvent être rattachés : 4 panneaux évoquant le *Paradis* et l'*Enfer* (Venise, palais des Doges, mentionnés dès 1521 dans la coll. du cardinal Grimani), interprétations de légendes médiévales sur l'au-delà, proches de la pensée des mystiques ; 2 tableaux sur le thème du *Déluge* et de l'*Enfer* (Rotterdam, B. V. B.), au revers desquels figurent 4 scènes dont le sens reste obscur ; enfin un *Portement de croix* (Vienne, K. M.).

C'est à la période principale de son activité qu'il convient de rattacher les grands triptyques recherchés par Philippe II d'Espagne. Le *Char de foin* (Prado) développe le thème de la folie humaine. Le péché originel et l'enfer, décrits sur les volets, encadrent une scène mystérieuse dont l'interprétation reste encore assez imprécise dans le détail. L'association de figures réalistes et pittoresques à des créatures imaginaires et diaboliques domine toute la composition et sera désormais caractéristique de l'art de Bosch. La création de monstres est réalisée avec une imagination inépuisable et un sens remarquable de la vraisemblance anatomique. La *Tentation de saint Antoine* de Lisbonne (M. A. A.), qui frappa si vivement l'imagination de Flaubert, est l'une des œuvres les plus justement célèbres et les plus énigmatiques du peintre. Les épisodes de la *Légende dorée* sont développés avec une extraordinaire verve fantastique. Chaque détail implique, semble-t-il, de subtiles allégories, mais le thème essentiel n'en reste pas moins la lutte du Bien et du Mal. Les revers des volets ont pour sujets l'*Arrestation du Christ* et le *Portement de croix* avec la mort de Judas, c'est-à-dire la chute d'un apôtre associée à la souffrance du Sauveur pour l'humanité. Le *Jugement dernier* de Vienne (Akademie) est sans doute une œuvre en partie « surpeinte » ou une réplique ancienne qui traite largement un thème traditionnel. Le *Jardin des délices* (Prado), œuvre majeure de l'artiste, a suscité les commentaires les plus variés. Au revers des volets, la création du monde est évoquée dans une vision d'une puissante poésie où les éléments se séparent dans un globe émergeant du noir néant. Ouvert, le triptyque présente, entre le *Paradis* et l'*Enfer*, le *Jardin des délices :* paysage fantastique, prodigieux grouillement de nudités, tantôt associées en couples, tantôt opposées en groupes et accompagnées de formes végétales gigantesques et de bêtes étranges. À partir d'une analyse minutieuse, on a tenté d'affirmer l'appartenance de Bosch à une secte « adamique », dont l'existence à la fin du xve s. est loin d'être prouvée. Il est plus vraisemblable que le panneau central soit consacré à la tentation et à la déchéance humaines, qu'engendrent ici les plaisirs des sens et la luxure. Les fruits géants sont des symboles sexuels et rappellent la définition que Siguenza donnait en 1576 de cette œuvre : « Le tableau de la vaine gloire et du goût de la fraise ou grenade, de son goût qui se ressent à peine alors qu'il est déjà passé. » Un fragment de représentation de l'*Enfer* (Munich, Alte Pin.), dont le style s'apparente à celui

Hieronymus Bosch
La Tentation de saint Antoine ▶
(panneau central du triptyque de la *Tentation de saint Antoine*)
Lisbonne, Museu nacional de arte antiga
Phot. Giraudon

du *Jardin des délices,* est peut-être un fragment du *Jugement dernier* peint pour Philippe le Beau en 1504. Une série d'œuvres à grands personnages, consacrées notamment à des saints, se rattache encore à ce groupe central. Le *Saint Jean à Patmos* (Berlin-Dahlem) est remarquable par la qualité de son paysage : les transitions colorées, chères aux primitifs, marquent encore l'éloignement relatif des plans; c'est pourtant une vision réaliste du paysage hollandais, sans relief notable et dominé par l'eau. Des qualités voisines se retrouvent dans le *Saint Jérôme en prière* (musée de Gand), qui traduit avec plus de passion encore l'abandon dans la communion mystique. Les deux triptyques du palais des Doges de Venise *(Autel des ermites* et *Triptyque de sainte Julie)* sont malheureusement très dégradés. À la même série, il convient de rattacher un *Saint Christophe* (Rotterdam, B.V.B.), un *Saint Jean-Baptiste dans le désert* (Madrid, musée Lázaro Galdiano) et un *Saint Antoine* (Prado), dans lesquels le paysage est nettement dominé par la luxuriance des arbres. Quelques grands chefs-d'œuvre éclairent encore les dernières années de la production du peintre. Le *Portement de croix* (musée de Gand) est formé d'une mosaïque envoûtante de visages, de laquelle émergent par leur seule pureté ceux du Christ et de sainte Véronique. L'*Adoration des mages* du Prado associe, dans un paysage voisin de celui du *Saint Jean* de Berlin-Dahlem, le monde divin de l'Évangile à celui du fantastique, pour souligner la présence du Mal rôdant autour du Sauveur. L'*Enfant prodigue* (Rotterdam, B.V.B.) est peut-être la plus haute réussite picturale proprement dite de Bosch, par la poésie de ses harmonies de bruns et de gris relevés de quelques tons rouge pâle, et présente une inoubliable figure de vagabond inquiet. Une récente et subtile interprétation voit dans cette œuvre l'image du colporteur, qui est lui-même une des allégories classiques de l'un des « enfants de Saturne », c'est-à-dire de l'une des quatre « humeurs » de l'humanité, la mélancolie.

L'œuvre de Bosch a une portée exceptionnelle dans l'art de son temps par son sens du mystère ainsi que par sa richesse d'invention iconographique. Son orientation essentielle apparaît dictée par des soucis moraux, et il convient de la situer dans un milieu religieux en pleine évolution, animé par le mouvement de la *Devotio moderna.* Sans doute, la complaisance évidente de Bosch pour la représentation de monstres et la présence d'un fantastique souvent sexuel peuvent-elles relever de l'interprétation psychanalytique, mais une telle « analyse » ne peut intervenir qu'après la distinction des thèmes essentiels. Les compositions de Bosch ont été souvent copiées ou imitées de son vivant même et dans le siècle suivant. A. Ch.

Bosschaert

Ambrosius, dit le Vieux

peintre néerlandais

(Anvers 1573 - La Haye 1621)

Il émigre avant 1593, date à laquelle il est inscrit à la gilde de Saint-Luc de Middelbourg. Tout comme Jan Bruegel pour les Flandres, il est un de ceux qui ont donné à la nature morte hollandaise de fruits et de fleurs ses premières lettres de noblesse. Ses plus anciennes œuvres connues (*Bouquet de fleurs,* 1609, Vienne, K. M.) se caractérisent par des arrangements simples, une composition symétrique, un point de vue assez accentué de haut en bas, des couleurs limpides et surtout un amour des détails, décrits avec une étonnante minutie. Cependant, ses œuvres ultérieures (*Bou-*

Ambrosius Bosschaert
Bouquet de fleurs dans une niche (1617) ▼
La Haye, Mauritshuis
Phot. du musée

quets de fleurs, Mauritshuis; 1617, Stockholm, Hallwylska Museet; 1618, Copenhague, S. M. f. K.; 1619, Rijksmuseum; 1620, Stockholm, Nm) se libèrent de cette symétrie primitive : les compositions y sont plus libres (le bouquet du Mauritshuis et celui du Louvre sont placés devant des paysages), la vue de haut en bas y est moins accentuée; cependant, les bouquets y sont tout aussi fournis et les fleurs et les insectes peints avec la même perfection du détail, où perce le sentiment naturaliste du XVIIe s. dans un climat de rêve et de raffinement encore maniériste. Son chef-d'œuvre reste le *Bouquet de fleurs* du Mauritshuis, d'une merveilleuse et cristalline pureté dans ses tons d'aquarelle et son fond de paysage bleu clair. Ambrosius Bosschaert est, avec Jacob de Gheyn, le créateur du grand style floral hollandais; son influence fut décisive : tout d'abord sur ses trois fils, Ambrosius dit le Jeune, dont on peut voir un *Bouquet* (1635) au Centraal Museum d'Utrecht, Abraham et Johannes puis sur son beau-frère, Balthasar Van der Ast, et enfin sur ses élèves, Jacob Van Hulsdonck, Roelandt Savery, Christoffel Van den Berghe et Bartholomeus Assteyn. J. V.

Botticelli

Sandro di Mariano Filipepi, dit

peintre italien

(Florence 1445 - id. 1510)

Elève de Filippo Lippi, il travailla toute sa vie à Florence, à l'exception d'un séjour à Rome (1481-82), où il peignit les *Histoires de Moïse* à la chapelle Sixtine avec plusieurs des maîtres les plus fameux de l'époque.

Botticelli et les Médicis. Il fut en rapport étroit avec les Médicis et débuta en peignant un étendard pour le tournoi de Julien de Médicis, qui fut chanté par Politien dans ses *Stances* et dont Botticelli laissa plusieurs portraits en buste (Washington, N. G.). Après la conjuration des Pazzi (1478), il exécute les effigies des conjurés pendus. Dans l'*Adoration des mages* (Offices), les Médicis et leur suite ont servi de modèles aux personnages du cortège sacré.

C'est enfin pour Lorenzo di Pierfrancesco de' Medici qu'il peint ses tableaux profanes les plus fameux (le *Printemps*, la *Naissance de Vénus*) et qu'il exécute ses dessins pour *la Divine Comédie*. Les événements qui bouleversent Florence à la fin du XVe s. le troublent profondément : avec la mort de Laurent le Magnifique (1492) et l'expulsion de son fils Piero (1494) s'écroulait ce monde qui l'avait accueilli et honoré comme son maître préféré.

Les débuts de Botticelli. C'est sous l'influence de Filippo Lippi que débute Botticelli, au moment où Verrocchio et Pollaiolo commencent depuis peu à travailler. Botticelli, dans ses premières œuvres, se souvient de toutes ces expériences : ses nombreuses *Madones à l'Enfant* (Offices; Louvre; Londres, N. G.) sont toutes exécutées sur le modèle de celles de Lippi, à qui elles ont parfois été attribuées. Toutefois, la ligne de Botticelli est profondément différente de celle de son maître et de ses contemporains : le trait, accusé chez Lippi, se fait léger et subtil, la tension qui anime les corps chez Verrocchio et Pollaiolo s'adoucit tout à coup. On le constate dans la *Force* (Offices), peinte en 1470 pour compléter la série des *Vertus* de Piero del Pollaiolo, ou dans le *Saint Sébastien* (Berlin-Dahlem), où la ligne tendue et exaspérée de ses contemporains s'assouplit en une intonation presque élégiaque. On remarque le même adoucissement dans les deux *Scènes de la vie de Judith* (Offices), où la cruelle et virile héroïne est devenue une figure mélancolique drapée dans des vêtements ondoyants qui soulignent le rythme du personnage marchant. Botticelli, éludant le point culminant du drame, a préféré représenter la scène suivante, la découverte du cadavre décapité d'Holopherne.

Le Printemps. On date de 1478 env. le *Printemps,* peint pour la villa Médicis de Castello. Ce tableau fut inspiré par quelques tercets des *Stanze per la giostra* (Stances pour le tournoi) de Politien. L'interprétation de Botticelli représente une des plus extraordinaires évocations du mythe antique. La position du peintre, face au monde classique, est profondément différente de celle des « pères » de la Renaissance, cinquante ans auparavant, qui affirmaient la présence d'une nouvelle humanité dans un monde vu au travers d'une perspective harmonieuse dont ils recherchaient passionnément les lois en étudiant et en mesurant les édifices antiques. L'univers classique de Botticelli est surtout une évocation nostalgique, une évasion : dans l'*Adoration des mages* (Offices), les monuments antiques du fond ne sont pas représentés dans leur intégrité, mais dans la fragile et romantique condition de ruines.

Les fresques de la Sixtine (1481-82). Dans les fresques fort complexes de la chapelle Sixtine, Botticelli semble gêné par la nécessité de développer un discours articulé et serré. En effet, son tempérament est davantage porté à suggérer et à représenter une seule scène : les personnages du *Printemps* n'étaient pas liés par un dialogue, mais

Sandro Botticelli
Le Printemps (1478) ►
Florence,
Galleria degli Uffizi
Phot. Scala

par d'imperceptibles rythmes linéaires. Dans ces fresques, les meilleures réussites apparaissent peut-être dans certains détails, tels que les enfants avec les fagots, et les portraits intenses des personnages, notamment Zéphora, l'une des filles de Jethro (les *Épreuves de Moïse*), à qui Proust fit ressembler l'un de ses personnages, Odette de Crécy.

1482-1498. De retour à Florence, il peint ses plus célèbres Madones et les grands « tondi » du *Magnificat* et de la *Madone à la grenade* (Offices). Le sens linéaire de Botticelli s'accentue dans le rythme circulaire de la composition, dans l'harmonieuse disposition des figures, qui s'adaptent parfaitement au format de la peinture. On peut situer v. 1490 la *Pala de San Barnaba,* le *Couronnement* de San Marco, l'*Annonciation* des moines de Cestello. Dans ces œuvres, toutes conservées dans les galeries florentines (Offices ; Pitti), on observe déjà une ligne plus aiguë, une plus grande animation des gestes, un amoncellement presque convulsif des rythmes linéaires (par exemple les draperies des deux personnages de l'*Annonciation*).

La ligne botticellienne avait déjà atteint l'extrême limite de ses possibilités expressives dans la *Naissance de Vénus* (v. 1484, Offices), principalement dans l'enchevêtrement de la masse blonde des cheveux. Il ne pouvait aller plus loin sans risquer une régression ou une crise grave, qui se produisit en effet. Des œuvres comme la *Pietà* (Munich, Alte Pin., et Milan, musée Poldi-Pezzoli), la *Nativité mystique* (1501, Londres, N. G.) et les *Histoires de saint Zénobie* (Londres, N. G. ; Metropolitan Museum ; Dresde, Gg) se distinguent nettement des précédentes par la cassure de la ligne, l'intensité et la violence de la couleur.

Dernière période. La prédication de Savonarole, puis sa mort (1498) sont à l'origine d'une grave crise spirituelle. Botticelli vivait alors chez son frère Simone, un des plus fervents disciples du frère dominicain. Ses discours contre la licence et la corruption du temps, les « incendies de la vanité » sur les places florentines devaient insinuer dans l'âme hypersensible de l'artiste doutes et scrupules sur son activité passée. De la fin du XVe s. à sa mort, Botticelli utilise encore dans ses peintures des thèmes historiques et mythologiques, mais uniquement lorsqu'ils sont porteurs de messages moraux, comme dans la *Calomnie* (Offices). Il s'inspire également des histoires « vertueuses » de Lucrèce (Boston, Gardner Museum) et de Virginie (Bergame, Accad. Carrara). Dans ses tableaux sacrés des dernières années, comme la dramatique *Nativité mystique* (1501, Londres, N. G.), il accumule les allusions moralisatrices et les inscriptions sibyllines sur les turpitudes de l'Italie et sur leur punition imminente ; dans la *Crucifixion* (Cambridge, Mass., Fogg Art Museum), il déploie un enchaînement allégorique quasi dantesque (l'ange qui frappe un renard, le loup qui s'échappe des vêtements de la Madeleine) sur un fond où Florence est plongée dans une sombre tempête.

L'influence de Botticelli. L'influence de Botticelli sur ses contemporains ne fut pas en rapport avec la très haute qualité de sa peinture. Seul son jeune élève Filippino Lippi comprit son style aristocratique et difficile. Ses autres imitateurs florentins (par exemple Jacopo del Sellajo, Bartolomeo di Giovanni) saisirent mal son art et traduisirent les cadences fluides de la ligne, l'enchevêtrement de ses corps en maladroits schémas mécaniques. Botticelli n'exerça aucune attraction sur les artistes des débuts du XVIe s., attirés désormais par la « manière nouvelle » proposée à Florence même par Léonard de Vinci, Michel-Ange et Raphaël. Dans le domaine des arts figuratifs, il avait été l'interprète singulier de cet humanisme aristocratique qui se rattachait à la société des Médicis, de cet idéalisme poétique opposé à l'art bourgeois de Ghirlandaio et au réalisme fantastique de Piero di Cosimo. Longtemps oublié, il devait être redécouvert à la fin du XIXe s., suscitant, en particulier dans l'intelligentsia britannique, des préraphaélites aux artistes de l'Art nouveau, une admiration passionnée qui lui avait été refusée à la fin de sa vie. M. B.

Boucher

François

peintre français
(Paris 1703 - id. 1770)

Il fit une carrière brillante, connut tous les honneurs, reçut d'incessantes commandes royales et jouit de l'amitié de nombreux amateurs (outre Mme de Pompadour, citons Tessin, ambassadeur de Suède à Paris, le duc de Chevreuse, l'abbé de Saint-Non, le banquier Eberts ou le garde des joyaux Blondel d'Azaincourt, qui possédait 500 dessins de l'artiste) ; et pourtant, dès 1760, le public du Salon ne se presse plus autour de cet art élégant qui lui semble facile et qui ne l'émeut pas (v. le *Salon* de Diderot de 1763). Dès lors, la critique boude l'artiste pour un siècle. Au moment où l'impératrice Eugénie réinvente un XVIIIe s. à son goût, Thoré Bürger et les Goncourt en redé-

▲ François Boucher, **Le Triomphe de Vénus** (détail), Stockholm, Nationalmuseum
Phot. du musée

couvrent le peintre le plus représentatif. Une série de livres paraît à la charnière du XIXe s. et du XXe s. : Mantz, Michel, Nolhac, Kahn, Fenaille remettent le peintre en honneur et donnent bonne conscience à un public qui l'a toujours apprécié. L'œuvre de Boucher reste pourtant mal connu et mal compris, mais Oudry et Chardin admiraient ce peintre fort doué, dont David lui-même disait : « N'est pas Boucher qui veut. »

La jeunesse (1720-1735). Fils d'un obscur ornemaniste et marchand d'estampes (Nicolas Boucher), il passa v. 1720 dans l'atelier de F. Lemoyne, dont il assimila rapidement le style décoratif, influencé par la peinture vénitienne du XVIe s. Mais sa première formation reste celle d'un illustrateur : pour gagner sa vie, le jeune artiste entre dans l'atelier de J. F. Cars (père de Laurent, qui travaillera longtemps pour Boucher) et fournit pendant plusieurs années des vignettes destinées à l'illustration de thèses. En 1721, il fait des dessins pour l'*Histoire de France* de Daniel, gravée par Baquoy. Ces travaux lui valent d'être choisi par le collectionneur Jullienne pour reproduire les *Figures de différents caractères de paysages et d'études* de Watteau (1726-1728 : plus de

100 pièces sont de sa main). Entre-temps, Boucher obtient le premier prix à l'Académie (*Evilmérodach délivre Joachim prisonnier de Nabuchodonosor,* 1724, Londres, coll. part.) et part pour Rome (1727-1731). Outre la peinture claire de l'Albane, les grandes compositions de Dominiquin et de Cortone, il semble bien avoir vu l'œuvre de Castiglione à Gênes, à Parme, celle de Corrège et les décorations de Venise. Il dessine des têtes d'après la colonne Trajane et paraît marqué par la grandeur des paysages de ruines (la *Foire du village,* 1736, et la *Pipée donnée aux oiseaux,* 1749, où l'on retrouve le temple de la Sibylle). En 1733, il épouse Marie-Jeanne Buseau, qui lui servira de modèle. Boucher reprend ses travaux d'illustration : le très beau *Molière* de 1734-1736, en collaboration avec Oppenord (dessins, coll. Ed. de Rothschild), une série des *Cris de Paris,* un livre d'études de Bloemaert, gravé par ce dernier (1735), qui l'a peut-être influencé dans ses paysages postérieurs, 2 *Livres des fontaines,* gravés par Aveline (1736), 1 *Livre de vases,* et le *Bréviaire de Paris* de 1736; et, sa carrière durant, l'artiste ne cessera de fournir des dessins à des éditeurs, participant au *Boccace* de 1757, au *Rodogune* de 1760 et à l'*Ovide* de 1767. C'est de cette époque que date son amitié avec J. A. Meissonnier, initiateur du goût rocaille, que Boucher se plaît à propager. Parallèlement, il est reçu à l'Académie (*Renaud et Armide,* 1734, Louvre) et commence une longue carrière officielle : professeur (1737), directeur de l'Académie et premier peintre du roi (1765).

L'apogée (1736 - v. 1760). C'est une période d'intense activité pour l'artiste, qui partage son temps entre les manufactures royales, les décors de théâtre et d'opéra, les commandes du roi et de Mme de Pompadour et celles, moins importantes, de ses amis amateurs. Les manufactures sont Beauvais, dirigée par Oudry depuis 1734, et les Gobelins, dont Boucher devient surinspecteur (1755-1765). Dès 1736, il entreprend une série de *Pastorales* en 14 pièces; en 1739, c'est l'*Histoire de Psyché* (*Psyché recevant les honneurs divins,* musée de Blois); d'où la présence de pastorales au Salon dès cette date (décorations — perdues — pour les Petits Appartements de Fontainebleau). La fiction et l'invraisemblance du sujet lui assurent un succès immédiat (entre 1741 et 1770, l'*Histoire de Psyché* est reprise huit fois pour le roi de Suède, pour celui de Naples, pour l'ambassadeur d'Espagne...). Boucher montre ici une réelle originalité, transformant l'art grandiose de Le Brun en une décoration où la mise en page est volontairement décentrée, où courbes et contre-courbes jouent sur des perspectives très étudiées, où enfin les coloris pâles se trouvent beaucoup plus proches de l'effet obtenu par les soieries que ceux de J.-B. Oudry. Pour les Gobelins, ce sont essentiellement les deux séries célèbres des *Amours des dieux,* dont certaines compositions seront reprises dans les *Métamorphoses* en 1767 (*Apollon et Issé,* 1749, musée de Tours), et la série d'*Aminte* (1755-56, musée de Tours et Paris, Banque de France). La tenture des *Divertissements chinois* (offerte en 1764 par Louis XV à l'empereur Chien Lung; esquisses au musée de Besançon, 1742), les dessins d'ornements pour la manufacture de Sèvres (surtout entre 1757 et 1767) et les très nombreux ensembles qu'il dut réaliser pour le théâtre et l'opéra font de lui le décorateur le plus fantaisiste du siècle. De 1742 à 1748, en effet, Boucher reprend à Servandoni la charge de l'Opéra : il réalise *Issé,* de Destouches (le *Hameau d'Issé,* 1742, musée d'Amiens), les *Indes galantes,* de Rameau et Fuzelier (1735), *Persée,* de Lulli et Quinault (1746), *Atys,* de Lulli (1747).

Dès 1735, Boucher exécute en camaïeu le plafond de la chambre de la reine à Versailles (les *Vertus royales,* in situ). On lui confie deux tableaux pour la galerie des Petits Appartements de Versailles *(Chasse au tigre,* 1736, musée d'Amiens, et *Chasse au crocodile,* 1738, *id.).* Découvrant à ce moment le site champêtre des environs de Beauvais, il introduit dans ces compositions un fond de paysage très important : mais, si le motif semble noté sur le vif (dessins de l'Albertina), l'œuvre finale n'a pas cet accent de vérité si net dans les descriptions de Desportes et d'Oudry (le *Repos de Diane,* 1744, Ermitage). Là aussi, on sent une évolution dans la manière de l'artiste, qui, dans ses débuts, semblait se rapprocher davantage des continuateurs de Watteau (le *Déjeuner de chasse,* coll. part., à comparer aux œuvres de de Troy et de Lancret du musée Condé de Chantilly). En 1743 et 1746, il travaille pour la Bibliothèque du roi à Paris (l'*Histoire,* B. N.) et, à la même époque, pour Choisy et pour le Grand Cabinet du Dauphin (*Légende d'Énée,* 1747, dont le *Vénus et Vulcain* du Louvre, placé dans la chambre du roi à Marly). Mme de Pompadour joua un rôle particulièrement important dans la carrière de Boucher, lui obtenant le logement au Louvre en 1752, lui commandant une décoration pour la salle à manger de Fontainebleau (1748), *Arion* (1749, Metropolitan Museum) et le plafond du cabinet du Conseil (1753, en place), des projets de tapisserie pour La Muette, et l'utilisant surtout à Bellevue (*Adoration des bergers,* 1750, musée de Lyon) et à Crécy (dessins des statues du parc, petites allégories anacréontiques, série des *Saisons,* où l'on retrouve mainte réminiscence des compositions de Watteau [les *Amusements de l'hiver,* 1755, New York, Frick Coll.]).

C'est surtout un répertoire de mythologie galante et d'allégorie que Boucher met au point dès 1739 (Hôtel de Soubise). Tessin, ambassadeur de Suède, emporte la *Léda* et le *Triomphe de*

Vénus en 1742 (Stockholm, Nm) et commande ensuite les *Quatre Heures du jour* (seul le *Matin* est exécuté, en 1746; Stockholm, Nm). L'intendant des Finances lui commande pour le château de Montigny l'*Été* et l'*Automne* en 1749 (Londres, Wallace Coll.), et le duc de Penthièvre la série d'*Aminte* en 1755 (Paris, Banque de France).

La vieillesse. Dès 1752, Reynolds, de passage à Paris, constate que Boucher travaille beaucoup « de pratique ». Le peintre, surchargé de commandes, a accumulé un matériel énorme dans lequel il puise ses sujets (il avoue lui-même avoir exécuté plus de dix mille dessins); Diderot lui reproche sa facilité et ses coloris (« déflagration de cuivre par le nitre »). À la mort de Mme de Pompadour en 1764, Marigny ne l'abandonne pas et lui confie, en même temps qu'à Deshays, la première commande officielle de goût antiquisant pour Choisy, projet finalement abandonné. Le premier peintre continue d'exposer au Salon, bien que le public regarde désormais vers Greuze ou vers Fragonard. Malgré une vue affaiblie, Boucher déploie jusqu'au bout une activité débordante : voyage en Flandre avec Boisset (1766), tableaux religieux (*Adoration des bergers,* 1764, cathédrale de Versailles), décoration de l'hôtel de Marcilly (1769) et nombreux décors d'opéra (*Castor et Pollux,* 1764; *Thésée,* 1765; *Sylvia,* 1766). Quelques mois avant sa mort, l'Académie le désigne comme associé libre honoraire de l'Académie de Saint-Pétersbourg.

L'art de Boucher. Son génie avait fait de Le Brun le maître de l'art français pour près de quarante ans; d'emblée, Watteau crée le genre de la fête galante et l'exploite à fond; Boucher, élève de Lemoyne, qui renouvelle entièrement la peinture d'histoire dans le premier tiers du siècle, et maître d'artistes aussi différents que ses gendres Baudoin et Deshays ou Fragonard, peut-il être considéré comme un chef d'école, alors qu'il survit à son art? L'importance de son œuvre est pourtant sans égale. Le peintre établit d'abord, dans son hymne à la femme, un nouveau canon parfaitement adapté à la société parisienne, et qui plaira tant à celle du second Empire; il en néglige la tendresse ou une retenue un peu sauvage et ne cherche pas à émouvoir; mais à en saisir la beauté épanouie ou le charme piquant, il est bien le peintre du bonheur, moins érotique que d'une sensualité très raffinée et parfaitement accomplie dans ses dessins : c'est aussi cela qu'il faut voir dans ses scènes mythologiques, qui constituent l'essentiel, voire le meilleur, de son œuvre, et dans ses très beaux portraits (*Madame de Pompadour,* Munich, Alte Pin.), quand il demeure un paysagiste plein de fantaisie et de charme (l'*Ermite,* 1742, Ermitage; le *Matin,* 1764, Rome, G. N. Barberini), un grand décorateur (le *Repos en Égypte,* Ermitage) et l'ornemaniste le plus prodigieux du XVIIIe s., tant imité au XIXe s. et dont l'œuvre incarne l'esprit encyclopédique. D'une culture très étendue (il connaît l'œuvre des Vénitiens à Paris et collectionne les tableaux des Pays-Bas [vente en 1771]), Boucher est un artiste d'une rare virtuosité qui travaille intensément, exécute des esquisses fougueuses, mais, à la différence d'un Fragonard, « finit » ses toiles, et le nombre de ses dessins prouve qu'il est l'ennemi de la facilité. Il a marqué toute la fin du siècle, de Fragonard à David, de son goût pour le beau métier et de sa vision d'un monde heureux. C. C.

Boudin

Eugène

peintre français
(Honfleur 1824 - Deauville 1898)

Fils de marin, il ouvre à vingt ans, au Havre, une boutique de papeterie dont la vitrine s'agrémente de peintures déposées par des artistes de passage. C'est ainsi qu'il connaît Isabey, Troyon, Couture et Millet, qui l'encouragent de leurs conseils. En effet, depuis l'enfance, Boudin cherchait à traduire l'univers qui l'entourait, les flots, les ciels nuageux, les navires. Il abandonne alors le commerce et se consacre à l'art. Venu à Paris en 1847, il découvre ses maîtres d'élection au Louvre, où il copie les paysagistes flamands et hollandais. Deux toiles envoyées à l'exposition des Amis des arts du Havre en 1850 le font remarquer, et il bénéficie pendant trois ans d'une pension offerte par la ville. Années employées à un labeur solitaire, soit à Paris, soit plus souvent encore au Havre ou à Honfleur, à la ferme Saint-Siméon, où il retrouve les peintres connus autrefois et se livre à sa véritable vocation, peindre en plein air.

En 1858 se place l'événement capital de sa rencontre avec Monet, alors âgé de dix-sept ans. Monet n'oubliera jamais sa dette envers cet aîné qui, l'entraînant sur le motif, l'a éveillé au sentiment d'une nature mobile. Nouvelle rencontre heureuse l'été suivant avec Courbet et la naissance entre eux d'une amitié sans démenti. Ensemble, ils font la connaissance de Baudelaire; le poète, enthousiasmé par ce que lui montre Boudin, plus particulièrement par ses études de nuages au pastel (musée de Honfleur), ne cessera de le louer. En 1859, Boudin paraît au Salon avec le *Pardon de Sainte-Anne* (musée du Havre); il y figurera chaque année à partir de 1863. Installé l'hiver à Paris

Eugène Boudin
Crépuscule sur le bassin de commerce ▲ du Havre
Le Havre, musée des Beaux-Arts André Malraux
Photorama

depuis 1861, il collabore avec Troyon, pour qui il peint des ciels, et entre en relation avec Corot et Daubigny; mais dès les beaux jours il fuit la capitale à la recherche d'espace et d'air marin. À Trouville, en 1862, Monet le présente à Jongkind, lui aussi élève d'Isabey, dont la sensibilité est si proche de la sienne avec cependant des hardiesses que Boudin ne connaît pas; celui-ci gagnera à ce contact de se libérer de sa timidité. Après une vente publique de ses œuvres en 1868, ses années de misère sont terminées; il ne cesse alors de voyager, parcourant Normandie, Bretagne, Hollande, nord et midi de la France, allant jusqu'à Venise. Grâce à ce vagabondage, Boudin évite de scléroser une inspiration puisée aux mêmes sources. Ses nombreuses vues d'un même port, Le Havre, Trouville, Bordeaux, Anvers, ses scènes de plage, ses lavandières et ses troupeaux sont plus les variations d'un thème que des redites. Il ne faut donc pas s'étonner que les impressionnistes aient convié ce précurseur à participer à la première exposition de leur groupe en 1874. Durand-Ruel, en 1881, se réserve sa production et organise pour lui plusieurs expositions à Paris et à Boston. Désormais, Boudin est un peintre consacré. Il s'éteint en 1898, laissant un fonds d'atelier considérable : peintures préférées, innombrables études et pochades. Le Louvre (cabinet des Dessins) en a hérité la majeure partie, plus de 6000 numéros; le reste fut distribué entre les musées du Havre et de Honfleur. C'est dans ces œuvres spontanées que réside souvent le meilleur de Boudin, plus que dans des ouvrages poussés, parfois trop minutieux, car, s'il fut sensible à l'enseignement des maîtres anciens, aux conseils d'Isabey, de Troyon, à l'exemple de Jongkind, de Corot, de Daubigny, à la leçon, en retour, de Monet, il se fia surtout à son instinct, à sa vision aiguë et rapide. Interprète des mouvances : eaux, nuées, subtilités de l'atmosphère, remous de la foule, c'est par ce don que Boudin, fixant l'insaisissable, a préparé le chemin de l'Impressionnisme.

H. T.

Bourdon
Sébastien

peintre français
(Montpellier 1616 - Paris 1671)

Fils de Marin Bourdon, « maître peintre et vytrier », il fut élevé dans la religion protestante. Il quitta fort jeune sa famille pour s'installer à Paris, où il entra dans l'atelier du peintre Berthélémy. À quatorze ans, Bourdon abandonne la capitale. Selon ses biographes anciens, il aurait peint à fresque une voûte dans un château de la région de Bordeaux. Puis, à Toulouse, il s'engage dans l'armée. Un capitaine, ayant remarqué le peu d'intérêt du jeune homme pour son nouveau métier et appris qu'il était peintre, l'aurait fait libérer de ses engagements, lui offrant même un voyage en Italie. Bourdon arrive vers 1634 à Rome, où séjournent alors des peintres qui auront une influence capitale sur son œuvre, tels Van Laer, Poussin, Claude, Castiglione, Sacchi. Très vite, Bourdon se fait connaître en pastichant ces derniers avec talent. Les nombreuses « imitations » qu'il réalisa alors facilitèrent la dispersion et l'oubli d'une grande partie de son œuvre, de nombreux tableaux étant restés jusqu'à ces dernières années attribués aux peintres « pastichés ».

À côté de son talent d'imitateur, Bourdon pratique un genre qui lui est bien personnel. Dans le *Campement* (Oberlin, Allen Memorial Museum), comme dans le *Four à chaux* (Munich, Alte Pin.) se retrouvent des motifs propres aux peintres de bambochades ; mais ce qui caractérise Bourdon, c'est une science de la construction, rare dans les bambochades, l'enchaînement des plans, qui jouent habilement des obliques, le refus des expressions vulgaires et surtout le raffinement des coloris usant systématiquement des tonalités claires. Nous connaissons moins bien les tableaux d'histoire exécutés par Bourdon à Rome ; néanmoins, un petit tondo, *Céphale et Procris* (musée de Prague), en apporte un intéressant témoignage.

Après une querelle avec un Français qui menaçait de dénoncer au Saint-Office sa confession calviniste, Bourdon est contraint de regagner la France en 1637. Accompagné par le financier Hesselin, dont la protection avait facilité son départ de Rome, il s'arrête quelque temps à Venise. L'influence des peintres vénitiens orientera son art à son retour à Paris : l'*Adoration des mages* (Potsdam, Sans-Souci), la *Mort de Didon* (Ermitage) en sont des exemples révélateurs (nouvel esprit poétique, nouvelle conception de l'espace, usage des « repoussoirs », arrière-plan lumineux, rythmes sinueux s'opposant aux lignes rigides de l'architecture). Les mêmes caractéristiques se retrouvent dans les gravures contemporaines telles que la *Visitation,* l'*Annonce aux bergers,* le *Baptême de l'eunuque.* À Paris, Hesselin présente le jeune peintre à Simon Vouet. Comme à Rome, Bourdon peint des bambochades, mais leur style a

Sébastien Bourdon
▼ **Moïse sauvé des eaux**
Washington, National Gallery of Art
Phot. du musée

évolué : dans les *Mendiants* du Louvre et dans les gravures réalistes de la même époque, les vêtements des personnages, les architectures gothiques révèlent un esprit nouveau. Si l'on considère en outre la délicatesse du sentiment, d'où tout élément caricatural a disparu, le charme d'un coloris jouant des gris et des bleus avivés par quelques taches rouges, la finesse de l'éclairage, on conviendra que Bourdon tire des exemples romains la formule d'une « bambochade à la française ». Certains traits semblent procéder des Le Nain : leur premier tableau daté, la *Charrette* (Louvre), est de 1641 et avait sans nul doute été précédé d'œuvres nombreuses; assez sans doute pour influencer Bourdon.

À partir de 1642-43 semblent intervenir des éléments inspirés des Nordiques : *Halte de bohémiens et soldats* (Louvre), *Scène de camp* (musée de Kassel), *Joueurs de tric-trac* (musée d'Alger), le *Fumeur* (Hartford, Wadsworth Atheneum). L'*Intérieur de chaumière* du Louvre a pu être pris pour une œuvre de Kalf, qui précisément travaille à Paris v. 1642-1646.

En 1643, moment capital dans sa carrière, Bourdon exécute le may des Orfèvres pour Notre-Dame de Paris, un *Martyre de saint Pierre,* œuvre plus franchement baroque que toute autre : triomphe des obliques, compression des plans, personnages coupés par le cadre du tableau, effet mouvant des clairs-obscurs. Tout ici s'oppose à l'art de Poussin, venu à Paris en 1640-1642.

Vers 1645 apparaissent pourtant de nombreuses références à Poussin, comme la clarté des coloris, une géométrie rigoureuse : *Eliezer et Rebecca* (musée de Blois), *Sainte Famille* (musée de Salzbourg) et, plus encore, *Massacre des Innocents* (Ermitage), où l'on retrouve même certains détails du tableau de Poussin du même sujet (musée Condé de Chantilly). En 1648, Bourdon fait partie des membres fondateurs de l'Académie. L'influence profonde des amitiés liées alors se fait sentir dans le *Martyre de saint André* (musée de Toulouse), tableau proche de Le Brun et de Testelin; les visages et les nus y sont inspirés de l'antique. Malgré ces influences, Bourdon affirme au long de sa carrière son art tout personnel, aux formes souples et ondulantes traitées dans des coloris clairs, gris bleutés relevés par quelques notes rouges, avec un délicat modelé au « vaporeux » bien caractéristique.

Invité à Stockholm en 1652 par la reine Christine de Suède, Bourdon accepte sans hésitation : les événements de la Fronde ont bouleversé la France, et les artistes n'ont plus de commandes. Premier peintre de la reine, il réalise plusieurs portraits d'elle, dont le plus célèbre la représente à cheval (Prado); celui qui la montre en buste est connu par de nombreuses répliques et par un dessin à la sanguine (Louvre). Il exécute aussi de nombreux portraits des personnalités de la cour de Suède : *Charles X Gustave* (Stockholm, Nm), *Officier* (musée de Montpellier). Il trouve à cette occasion une formule qui allie à l'exactitude psychologique la pompe officielle correspondant au rôle social du sujet. L'importance donnée aux draperies cassées, au contraste des blancs ne sera oubliée ni par Rigaud ni par Largillière.

De retour à Paris en 1654, Bourdon est nommé l'année suivante recteur de l'Académie. Les marguilliers de l'église Saint-Gervais, pour leur série de tapisseries dont Le Sueur avait été chargé d'exécuter les cartons, lui commandent à la mort de ce dernier une *Décollation de saint Protais* (musée d'Arras). Il fait v. 1656-57 un voyage dans sa ville natale : on lui commande pour la cathédrale la *Chute de Simon le Magicien* et il peint les *Sept Œuvres de miséricorde* (Sarasota, Ringling Museum), connues par les eaux-fortes qu'il en a faites.

M. de Bretonvillier, président de la Chambre des comptes, confie à Bourdon, pour son hôtel, toute une décoration peinte, effectuée entre 1657 et 1663. Il ne reste rien de ces décors, détruits en 1840; seuls les gravures de Friquet de Vaurose, les dessins de Michel Corneille et de Bourdon lui-même en gardent le souvenir. De la fin de la vie de Bourdon datent ses grands paysages peints ou gravés. Les scènes bibliques, que l'artiste se plaît toujours à peindre, sont maintenant représentées au milieu de grands paysages où, ainsi que dans les gravures, se ressent fortement l'influence du Dominiquin : *Paysage avec le retour de l'Arche* (Londres, N. G.). Dessinateur fécond et virtuose, Bourdon traite à la sanguine et au lavis paysages et scènes historiques clairement structurés, d'une indication souple et élégante. V. N. B.

Bouts

Dieric, ou Dirc, ou Dirk

peintre flamand

(Haarlem v. 1420 ? - Louvain 1475)

Le témoignage de Van Mander et le relevé d'une signature, auj. disparue, attestent son origine haarlemoise. Rien de plus précis n'est connu sur sa jeunesse; seule l'analyse de son style peut permettre de situer l'artiste dans un milieu fortement marqué par l'influence de Jan Van Eyck. Des textes le mentionnent à partir de 1457 à Louvain, où il mène la vie d'un bourgeois aisé. Vers 1445-1448, il dut épouser Catherine Mettengelde, dont il eut quatre enfants.

Dirk Bouts
◄ **Le Paradis terrestre**
Lille,
Palais des beaux-arts
Phot. Giraudon

Les seuls tableaux dont l'attribution soit confirmée par des sources d'archives sont le triptyque de la *Cène* de la cathédrale de Louvain, achevé en 1468, et 2 tableaux de justice (conservés à Bruxelles, M. A. A.), destinés primitivement à l'hôtel de ville, qui illustrent la légende de l'empereur Othon. Autour de ces œuvres ont pu être regroupés de nombreux tableaux, dont les plus proches sont : le *Martyre de saint Érasme* (cathédrale de Louvain), exécuté pour la même confrérie que la *Cène,* un *Portrait d'homme,* daté de 1462 (Londres, N. G.), où se retrouve l'austérité des tableaux de Bruxelles. Plus dramatiques sont un triptyque de la *Déposition de Croix* (cathédrale de Grenade), une *Piétà* (Louvre) et une série de toiles « a tempera » (*Annonciation,* coll. part. ; *Mise au tombeau,* Londres, N. G. ; *Resurrection,* Pasadena, Norton Simon Museum) ; ces peintures révèlent la connaissance des grandes œuvres de Rogier Van der Weyden, auxquelles Bouts emprunte des schémas de composition, une tendance à l'allongement des formes et une certaine recherche du pathétique. D'autres œuvres paraissent plus fidèles à la leçon de Van Eyck. C'est le cas d'une *Vierge à l'Enfant* (Londres, N. G.) présentée à mi-corps devant une draperie de soie près de laquelle une fenêtre laisse voir une échappée sur un paysage minutieusement décrit, formule destinée à connaître un considérable succès. Relèvent d'une inspiration analogue : le *Couronnement de la Vierge* (Vienne, Akademie), le *Martyre de saint Hippolyte* (Bruges, église du Saint-Sauveur), *Moïse et le buisson ardent* (Philadelphie, Museum of Art) et surtout l'*Ecce Agnus Dei* (Munich, coll. part.). Citons également deux volets évoquant le *Paradis* et l'*Enfer* (musée de Lille) et un retable consacré à la *Vie de la Vierge* (Prado), dans lequel on s'accorde à voir la première œuvre actuellement connue du peintre. Bien d'autres tableaux lui sont attribués, qui appartiennent à des collections publiques ou privées d'Allemagne (ainsi l'*Arrestation du Christ* et la *Résurrection,* Munich, Alte Pin., ou la *Perle du Brabant* [*id.*]), des États-Unis, de Grande-Bretagne, des Pays-Bas. Signalons encore qu'il existe de nombreuses répliques contemporaines, les unes dérivées de la *Vierge à l'Enfant* (Londres, N. G.), les autres présentant une formule de diptyque associant les figures à mi-corps du Christ couronné d'épines et de la Vierge en prière. Elles témoignent du succès de l'art de Bouts en son temps. J. L.

Bramantino

Bartolomeo Suardi, dit

peintre italien

(Milan v. 1465 - id. 1530)

Son surnom indique qu'il fut l'élève de Bramante. Il fit toute sa carrière à Milan, où il est cité par des documents à partir de 1490. Malgré le

Bramantino
◄ **La Madone avec huit saints**
Florence, Palazzo Pitti, donation Contini-Bonacossi
Phot. Fabbri

nombre relativement important de ses œuvres certaines, l'absence presque totale de datation rend aléatoires la chronologie de sa production et la reconstitution de son évolution stylistique.

Sa première œuvre semble être l'*Adoration des bergers* (Milan, Ambrosienne), où l'on perçoit une influence ferraraise qui ne peut pas s'expliquer uniquement par l'intermédiaire de Butinone, qui aurait transmis cette influence, mais aussi par une connaissance directe d'Ercole de' Roberti. De cette œuvre, on peut rapprocher le *Christ ressuscité* (Lugano, coll. Thyssen), anciennement attribué à Bramante, *Philémon et Baucis* (Cologne, W. R. M.), qui fait admettre l'étude personnelle des œuvres de la maturité de Mantegna, et la fresque d'*Argus* (Milan, Castello Sforzesco, salle du Trésor), attribuée par W. Suida à Bramante. La fresque de la *Pietà* provenant de l'église S. Sepolcro (Milan, Ambrosienne) et l'*Adoration des mages* (Londres, N. G.), exécutées certainement entre 1500 et 1510, révèlent clairement la double influence de Bramante et de Mantegna, et évoquent le rapprochement avec les fresques de jeunesse, très mantegnesques, que Corrège exécuta à S. Andrea de Mantoue. En revanche, les cartons de la série des tapisseries des *Mois,* tissées pour Gian Giacomo Trivulzio (Milan, Castello Sforzesco, document de 1509), rappellent l'art ferrarais (fresques du palais Schifanoia ; studiolo de Belfiore).

En 1508-1509, Bramantino fait partie avec Sodoma et Lotto de l'équipe de Peruzzi, qui travaille à la décoration des chambres du Vatican avant l'arrivée de Raphaël. Au cours de ce séjour à Rome, il put sans doute étudier au moins l'*École d'Athènes* de Raphaël. Grâce à cet exemple, la structure architectonique de ses compositions et de chacune de ses formes se précise définitivement en termes classiques suivant sa propre vision. Dans cette synthèse plastique, accentuée, presque abstraite, soutenue par une polychromie légère, opalescente, essentiellement lombarde (par laquelle ses recherches se distinguent de celles de ses contemporains Beccafumi ou Sodoma) se profile déjà une sorte de précoce Maniérisme.

Parmi les chefs-d'œuvre qu'il crée entre 1510 et 1520, on peut probablement inclure la *Madone avec des saints* (Milan, Ambrosienne), *Saint Jean à Patmos* (Isola Bella, coll. Borromeo), la petite *Madone à l'Enfant* (Brera). La *Crucifixion* (*id.,* [de datation discutée]), la *Madone avec huit saints* (Florence, Pitti, donation Contini-Bonacossi), la *Fuite en Égypte* (Locarno, église Madonna del Sasso), la *Pietà* et la *Pentecôte* (église de Mezzana) semblent appartenir à sa dernière période.

Bramantino fut aussi architecte : en 1519, il construisit à Milan la chapelle Trivulzio (S. Nazzaro Maggiore), où se manifeste le goût d'une synthèse dépouillée et cubique propre à l'artiste. Il eut une influence considérable sur le début du XVIe s. lombard (Luini, Gaudenzio Ferrari, les Boccaccino et Melone à Crémone). M. R.

Braque

Georges

peintre français

(Argenteuil-sur-Seine 1882 - Paris 1963)

Les débuts. Né dans une famille d'artisans, Braque a passé son enfance au Havre « en pleine atmosphère impressionniste » et il a toujours insisté sur le fait qu'il avait fait « seul son éducation artistique », en dehors de tout apprentissage académique. (« Entretiens avec Dora Vallier », *Cahiers d'Art,* 1954.) Sa première formation est celle d'un peintre décorateur, profession de son père et de son grand-père, et l'importance de cet apprentissage se manifeste dans les recherches de matière et dans l'aspect artisanal et volontairement trivial que l'on retrouve souvent dans sa peinture à partir du Cubisme. Il vient à Paris en 1900 et se convertit au Fauvisme pendant l'hiver de 1905-06. « Matisse et Derain m'ont ouvert la voie », dira-t-il plus tard. Il fait en 1906 avec Othon Friesz un séjour à Anvers, puis, au cours de l'été de 1907, à La Ciotat et à l'Estaque, d'où il ramène une série de marines en général de petit format, d'un fauvisme élégant, retenu et quelque peu irréaliste (*La Ciotat,* 1907, Paris, M. N. A. M.).

La période cubiste. À l'automne de 1907, deux événements vont modifier radicalement son orientation : la rétrospective Cézanne au Salon d'automne et la rencontre avec Picasso, dont les *Demoiselles d'Avignon* le déroutent et le stupéfient. Le grand *Nu debout* (Paris, coll. part.) qu'il exécute au cours de l'hiver témoigne de cette double influence et de celle, probable, de l'art africain. Au cours de l'été de 1908, il peint à l'Estaque une série de paysages très tumultueux dans leurs mouvements, où la palette se simplifie, où la perspective tend à disparaître et qui se réduisent à quelques formes géométriques et compactes, à ces « cubes » que remarque le critique Louis Vauxcelles lorsque les tableaux sont exposés chez Kahnweiler en novembre 1908 (*Maisons à l'Estaque,* 1908, musée de Berne). Dans les paysages exécutés en 1909 en Normandie, et à La Roche-Guyon (le *Château de La Roche-Guyon,* 1909, Stockholm, coll. part.), les masses ne sont plus aussi brutalement opposées, mais communiquent entre elles par une série de passages et de modulations d'origine cézanienne qui égalisent la lumière et tendent à décomposer les volumes en une mosaïque de plans rapprochés du spectateur. C'est que Braque se préoccupe à l'époque de peindre l'espace qui est entre les objets au lieu de les faire tourner par le modelé dans le vide de la perspective traditionnelle. « Ce qui m'a beaucoup attiré — et qui fut la direction maîtresse du Cubisme —, c'était la matérialisation de cet espace nouveau que je sentais » (« Entretiens avec Dora Vallier »). Il abandonne alors le paysage pour la nature morte, « parce que dans la nature morte, il y a un espace tactile, je dirais presque manuel [...]. Cela répondait pour moi au désir que j'ai toujours eu de toucher la chose et non de la voir. C'est cet espace qui m'attirait beaucoup, car c'était cela la première recherche cubiste, la recherche de l'espace. » Les natures mortes de 1910 se caractérisent par l'austérité de leurs couleurs et le fait que les éléments constitutifs des objets sont rabattus sur la toile afin d'y former un plan unique : le *Verre sur la table* (1910, Londres, coll. part.). Depuis la fin de 1909, Braque travaille en relations étroites avec Picasso et élabore avec lui — de manière sans doute plus consciente et appliquée, même s'il est souvent difficile de départager les inventions des deux artistes — les doctrines du Cubisme dit « analytique » ou « hermétique ». Les natures mortes, où apparaissent fréquemment des instruments de musique, deviennent d'une remarquable monumentalité ; les objets sont énergiquement découpés en facettes scintillantes et dures qui suggèrent une vision simultanée de leurs divers aspects : *le Violon et la cruche* (1910, musée de Bâle). Dans les tableaux de 1911, les volumes, à peu près entièrement aplatis, se réduisent à une géométrie d'angles aigus et d'accents curvilignes à peine identifiables, l'emploi de touches divisées rend la surface du tableau de plus en plus vibrante et unitaire, et Braque introduit dans ses compositions des éléments peints en trompe l'œil, des lettres ou des clous, à la fois dans un but décoratif et pour accentuer le caractère plan, matériel de la toile, conçue comme un tableau objet : le *Portugais* (1911, musée de Bâle). En 1913, c'est l'innovation capitale des papiers collés qui permet à Braque de réintroduire la couleur, mais surtout de « dissocier nettement la couleur de la forme et de voir son indépendance par rapport à la forme » (« Entretiens avec Dora Vallier »), et qui marque le passage au Cubisme « synthétique » (*Guitare et programme de cinéma,* 1913, coll. Picasso), bien que cette dernière expression, qui définit très clairement les intentions de Juan Gris, ne doive être employée qu'avec réserve à propos de Braque. Les toiles de cette époque sont remarquables de clarté, et l'agencement en est aéré ; elles sont composées par une structure abstraite de plans simples et superposés qui suggèrent un espace sans profondeur et sur lesquels les objets sont évoqués par quelques traits d'un dessin cursif et fragmentaire (l'*Aria de Bach,* Washington, Mellon Coll.).

L'après-guerre, les natures mortes. Mobilisé en 1914, grièvement blessé en 1915, Braque se remet au travail en 1917 et exécute au lendemain de la guerre une œuvre essentiellement fondée sur la nature morte, conçue comme un microcosme de patience et de délectation, et où la dignité et le goût sont plus manifestes que la hardiesse et l'invention créatrice des années 1907-1914. La vision demeure cubiste, analyse les objets en éléments et en plans recomposés et resserrés ensuite en vigoureux rythmes plastiques et décoratifs, explore les possibilités de l'espace tactile, presque toujours limité par un mur, un paravent et rarement ouvert aux lointains. Le paysage apparaît parfois timidement, sous forme de marines assez massives et de barques échouées sur le sable (*Falaises,* 1938, Chicago, coll. part.), souvenirs des promenades que Braque fait autour de la maison qu'il a acquise à Varengeville, près de Dieppe, en 1930. La figure humaine est, elle aussi, à peu près absente, sinon dans la belle série des canéphores exécutées entre 1922 et 1927, qui sont une réplique probable aux géantes de Picasso et le tribut payé par Braque à l'atmosphère néo-classique de l'époque. Entre les deux guerres, Braque est en effet rapidement devenu le peintre français par excellence, héritier des vertus nationales et dépositaire de la tradition classique, dont lui-même se fera le défenseur dans les maximes du *Cahier de Georges Braque : 1917-1947,* publié en 1948 et 1956. À cet aspect néo-classique, on peut rattacher l'ensemble des œuvres qu'ont inspirées à Braque la poésie et l'art de la Grèce archaïque : les eaux-fortes pour la *Théogonie* d'Hésiode (1931), les 4 remarquables plâtres gravés à sujets mythologiques exécutés également en 1931 (*Héraklès,* Paris, coll. Aimé Maeght) et la plupart de ses sculptures.

L'œuvre de Braque après 1920 est d'une remarquable cohérence stylistique, sa production se partageant entre des œuvres de petit format du genre « cabinet d'amateur » et de grandes compositions plus ambitieuses et souvent longuement élaborées. On ne peut parler d'évolution au sens propre, mais — malgré le caractère très limité du répertoire de Braque — de l'apparition de nouveaux thèmes dont l'expression est liée chaque fois à une nouvelle manière d'envisager les rapports de la ligne et du volume, de la forme et de la couleur. À la série des *Guéridons* et des natures mortes de 1918-1920, sombres et très riches de pâte, où souvent une grappe de raisin voisine avec un instrument de musique (*Nature morte à la guitare,* 1919, Saint Louis, coll. part.), succèdent l'ensemble des cheminées et des tables de marbre (*Nature*

Georges Braque
▲ **Le Portugais** (1911)
Bâle, Kunstmuseum

morte à la table de marbre, 1925, Paris, M. N. A. M.), traitées en de puissantes harmonies de verts, de bruns et de noirs, où l'importance principale est accordée à l'expression du volume. Les fruits, les étoffes, les pichets s'unissent dans les natures mortes en formes pleines et sensuelles, en courbes puissamment mouvementées et presque baroques (*Bouteille, verre et fruits,* 1924, Londres, coll. part.). À partir de 1928, la palette tend à s'éclaircir, la matière, étendue sur un support granuleux, devient beaucoup plus fluide, moins voluptueuse (la *Mandoline bleue,* 1930, Saint Louis, Missouri, City Art Gal.), et Braque s'attache surtout à exprimer la liberté d'une ligne flottante et continue avec un abandon qui rappelle très précisément le Cubisme curvilinéaire de Picasso en 1923-24 (*Nature morte à la pipe,* musée de Bâle). Les deux tendances se rejoignent à la veille de la guerre pour de grandes synthèses ornementales vivement colorées, pleines de fantaisie et d'animation, où les objets dansent et se déplient dans un espace sans pesanteur (*Nature morte à la mandoline,* 1938, Chicago, coll. part.). Braque s'essaie en même temps à réintroduire la figure humaine dans certaines compositions sous forme de curieuses silhouettes vues en deux parties, face et profil, correspondant à une partie d'ombre et de lumière, qui rappellent des œuvres antérieures de Picasso (le *Peintre et son modèle,* 1939, New York, coll. part.).

Les dernières œuvres, les « Ateliers ». La guerre lui inspire des œuvres plus graves, qui sont comme un reflet de l'austérité des temps (la *Table de cuisine,* 1942, Paris, M. N. A. M.). À partir de 1947, le travail de l'artiste est souvent interrompu par la maladie, mais il réalise entre 1949 et 1956 la série des *Ateliers,* 8 toiles remarquables par leur densité un peu funèbre et ésotérique et par l'opiniâtreté avec laquelle l'artiste semble avoir voulu y rassembler tous ses souvenirs, toutes les recherches et les thèmes de son œuvre (*Atelier VI,* 1950-51, Saint-Paul-de-Vence, fondation Maeght).

Dans certaines de ces toiles apparaît un oiseau dont les ailes, déployées dans un espace abstrait, seront le thème de la décoration que Braque exécute en 1952-53 pour le plafond de la salle étrusque du musée du Louvre et constituent le dernier thème de méditation d'un artiste qui semble avoir éprouvé dans ses dernières œuvres le besoin d'échapper au monde clos et inanimé que représente toute sa peinture.

On lui doit aussi des cartons de vitraux pour la chapelle Saint-Dominique à Varengeville et pour la chapelle Saint-Bernard à la fondation Maeght à Saint-Paul-de-Vence. Il est bien représenté à Paris (M. N. A. M.) ; une donation Masurel (1979) au musée d'art moderne de Villeneuve-d'Ascq (Nord) comprend des œuvres majeures de l'artiste. A. F.

Breitner

Georg Hendrik

peintre néerlandais

(Rotterdam 1857 - Amsterdam 1923)

Il pratiqua de bonne heure avec aisance le dessin et l'aquarelle (v. 1872, Amsterdam, cabinet des Estampes), se plaisant à représenter des chevaux et des scènes militaires (cavaliers et artilleurs), comme il le fit encore à La Haye, où il se rendit pour suivre (1876-1879) les cours de l'Académie (le *Trompette des hussards jaunes,* v. 1886, Utrecht, musée Van Baaren). Il entre en contact avec les peintres de l'école de La Haye, travaille en 1880 avec W. Maris et collabore au *Panorama de Scheveningen* d'Hendrik Mesdag. Dès cette période, Breitner veut être le témoin de son temps, volonté favorisée par ses lectures (Zola, Flaubert, *Manette Salomon* des Goncourt) ; en 1882-83, il rencontre Van Gogh et est peut-être influencé par lui dans le choix de certains thèmes réalistes et sociaux (scènes paysannes inspirées de Millet exécutées dans la Drenthe en 1883 et 1885). Un séjour à Paris (mai-nov. 1884), où il fréquenta l'atelier de Cormon, ne semble pas l'avoir beaucoup marqué. Plus que celles des impressionnistes, il connut les œuvres de Courbet, de Millet, de Corot et dut être intéressé par Manet. Comme Van Gogh à la même époque, il reste attaché à la peinture hollandaise du XVIIe s., copie Jan Steen, Rembrandt (la *Leçon d'anatomie,* 1885, Amsterdam, Stedelijk Museum). Le meilleur de son œuvre se situe entre 1885 et 1900 environ. Installé à Amsterdam en 1886, Breitner devient son interprète par excellence (scènes de la vie quotidienne, paysages familiers, gens du peuple : *Deux Femmes,* v. 1890, aquarelle, Otterlo, Kröller-Müller). Chef de file des « Impressionnistes hollandais » (Verster, I. Israels, S. Bishop-Robertson), il a beaucoup utilisé la photo, par nécessité documentaire ou pour des effets de mise en page et de contrastes. Plus proche de celle de Hals que de celle des impressionnistes, auxquels l'apparente surtout son modernisme et son intérêt pour le Japon, la technique audacieuse de Breitner est toute de suggestion expressive et procède par larges touches rapides ou frappes du couteau à palette (*Soir à Amsterdam,* musée d'Anvers ; *Pont-promenade avec trois dames,* v. 1897, Amsterdam, Stedelijk Museum). Ses autoportraits (1882 ; 1885-86, La Haye, Gemeentemuseum) témoignent d'une vision incisive dans la tradition réaliste néerlandaise, revue par l'instantané photographique. Sa palette ne rejette ni les noirs ni les bruns ; elle

Georg Hendrik Breitner
Le Pont promenade avec trois dames
Amsterdam, Stedelijk Museum
Phot. du musée

admet seulement une gamme un peu plus haute dans de belles et vigoureuses études de nus (Rotterdam, B.V.B.; La Haye, Gemeentemuseum; Amsterdam, Stedelijk Museum; musée d'Anvers) et d'intérieurs *(le Kimono rouge,* 1893, La Haye, *id.).* Sa première rétrospective eut lieu à Amsterdam en 1901. Il évolua à ce moment vers un lyrisme plus objectif et paisible, peut-être sous l'influence de la photographie et stimulé par quelques voyages (1900, Norvège; 1907, Belgique; 1909, Pittsburgh, États-Unis). L'artiste est bien représenté dans les musées hollandais, particulièrement à Amsterdam et à La Haye. M. A. S.

Bril

Paul

peintre flamand
(Anvers 1554 - Rome 1626)

Peintre de fresques et de tableaux de chevalet, il joua un rôle considérable sur l'évolution du paysage européen. C'est vers 1575, d'après Van Mander, qu'il serait allé à Rome, où il est admis à l'académie de Saint-Luc en 1582. Avec son frère Matthieu, il travaille à la décoration de plusieurs salles du Vatican avant d'orner, avec un souci du pittoresque caractéristique de son origine flamande, les lunettes de la voûte de la sacristie de la chapelle Pauline à S. Maria Maggiore. Vers 1599-1600, inspiré par l'école de Girolamo Muziano, il vise à plus de simplicité et de grandeur dans les fresques de S. Cecilia et dans celles de palais romains (palais Rospigliosi). Puis, sous d'autres influences, notamment celle du réalisme minutieux d'Elsheimer, il modifie de nouveau son style; se consacrant presque exclusivement à la peinture de chevalet, il s'intéresse aux sites romains : ses *Vues de Rome,* peintes sur panneaux (1600, musée d'Augsbourg; Brunswick, Herzog Anton Ulrich-Museum; Dresde, Gg; musée de Spire), le signalent comme le créateur du paysage romain, dont le succès allait se poursuivre longtemps. Son style s'élargit avec la fresque du *Martyre de saint Clément* (1602?, Vatican, salle Clémentine) et surtout avec les *Vues de ports,* comme celle de la bibl. Ambrosienne de Milan (1611?), dont est proche celle du musée de Bruxelles. Cependant, des tableaux comme le *Paysage montagneux* (1608, Dresde, Gg), les *Pêcheurs* (1624, Louvre), le *Paysage avec la chute d'eau* (1626, musée de Hanovre) montrent que P. Bril n'a pas oublié la tradition flamande : l'abondance des feuillages ou

▲ Paul Bril, **Paysage avec Pan et Syrinx**
Paris, musée du Louvre
Phot. Lauros-Giraudon

la présence de l'eau au premier plan trahissent le souvenir du Nord. Ce qu'il fait apprécier à Rome par ses nombreux tableaux ou dessins, c'est la conception d'un paysage sans doute décoratif, mais toujours pittoresque et qui trouve son harmonie grâce à ce goût de l'équilibre qui fait de lui le précurseur de paysagistes classiques tels que Poussin ou Claude Lorrain, qui eut d'ailleurs pour modèle un élève de Bril, Agostino Tassi. La fortune de ce style nouveau, qui s'opposait à celui de Gillis Van Coninxloo et des peintres septentrionaux annonciateurs du Baroque, devait se signaler immédiatement par le nombre des imitateurs de Bril, dont Martin Ryckaert, Willem Van Nieulandt, Balthasar Lauwers et, dans une moindre mesure, Jacques Fouquières. Le Louvre conserve un important ensemble de paysages de P. Bril. J. L.

Bronzino

Angelo di Cosimo, dit

peintre italien
(Monticelli 1503 - Florence 1572)

Avec Bronzino, la tendance la plus officielle du maniérisme toscan apparaît dans toute sa stylisation précieuse et son invention décorative presque illimitée. Placé d'abord chez R. del Garbo, puis élève de Pontormo, il assiste ce dernier à la chartreuse de Galluzzo (1522-1525), puis à la chapelle Capponi de S. Felicità (1525-1528), où il oppose à l'irréalisme anxieux du maître un modelé ferme et une observation impassible et égale (2 tondi des *Évangélistes* à la voûte). En 1530, après le siège de Florence, Bronzino est à Pesaro au service des ducs d'Urbino (*Portrait de Guidobaldo da Montefeltro,* Florence, Pitti), où il décore la villa dell'Imperiale de fresques, auj. disparues De retour à Florence en 1532, il collabore de nouveau avec Pontormo (villas de Careggi et de Castello) et participe en 1539 à l'entrée à Florence d'Éléonore de Tolède, épouse de Cosme Ier. Chargé du décor de la chapelle d'Éléonore au Palazzo Vecchio, achevé en 1564 (fresques du *Déluge,* du *Serpent d'airain* et décor de la voûte), il devient le portraitiste officiel de la Cour et impose bientôt dans un genre étroitement défini un style artificiel et parfait qui dominera très vite l'art de cour en Europe. Les portraits de *Cosme Ier,* d'*Éléonore de Tolède et* [de] *son fils,* de *Bartolomeo* et de *Lucrezia Panciatichi* (Offices) isolent, sur un fond neutre, aux savantes perspectives architecturales, des chairs froides et lisses comme taillées dans une matière précieuse. Vers 1545, Bronzino achève la *Déposition* de la chapelle d'Éléonore, d'une perfection un peu glacée (musée de Besançon, remplacée dans la chapelle par une réplique), et réalise, à la demande de François Ier, une allégorie compliquée (*Vénus et Cupidon,* Londres, N. G.), expression capricieuse et savante de ses plus extrêmes exigences formelles. Invité à Rome (1546-47), il y exécute plusieurs portraits (*Giannettino Doria,* Rome, Gal. Doria Pamphili). Comme Pontormo, il interroge de très près Michel-Ange, dont les motifs tourmentés deviendront, chez lui, sous l'influence de Bandinelli, d'un académisme un peu étouffant (*Christ aux limbes,* 1552, Florence, S. Croce ; suite de tapisseries de l'*Histoire de Joseph,* 1546-1553, *id.,* Palazzo Vecchio). Membre de l'Académie de dessin, créée en 1562, il règle, deux ans après, avec Cellini, Vasari et Ammannati, le cérémonial des funérailles de Michel-Ange à S. Lorenzo et succède à Pontormo dans les travaux du chœur de cette même église (fresques disparues). Les formes heurtées et la virtuosité un peu conventionnelle des dernières œuvres (*Martyre de saint Laurent,* 1569, Florence, église S. Lorenzo) seront indéfiniment reprises par les artistes florentins de la fin du siècle, en particulier par son élève A. Allori. F. V.

▼ Angelo Bronzino, **Allégorie** (Vénus et Cupidon), Londres, National Gallery, Phot. Fabbri

Brouwer

Adriaen

peintre flamand

(Audenarde 1605 ou 1606 - Anvers 1638)

Il semble être en 1622 à Anvers et en 1625 à Amsterdam. En 1628, il entre dans l'atelier de Frans Hals à Haarlem ; il revient à Anvers en 1631 et s'y fixe désormais. Ses œuvres ne sont pas faciles à identifier, aucune n'étant signée, quelques-unes seulement portant son monogramme. La critique s'accorde cependant pour lui donner env. 80 tableaux et quelques dessins. On distingue les œuvres de la période hollandaise de celles de la période flamande, les premières révélant encore une lointaine influence de Pieter Bruegel le Vieux. Un *Intérieur d'auberge* (Rotterdam, B. V. B.), une *Beuverie paysanne* (Mauritshuis), les *Fumeurs* (musée de Kassel) montrent des personnages caricaturaux, mais vrais, animés d'une vivacité encore toute flamande. De retour à Anvers, le peintre multiplie des têtes d'expression, comme la *Tête de paysan* (Oosterbeek, coll. part.), l'*Homme au chapeau pointu* (Rotterdam, B. V. B.) ou son autoportrait (Mauritshuis). Il emprunte à la Hollande une autre atmosphère, imprégnée d'un clair-obscur qui donne à ses tableaux une profondeur nouvelle : ainsi pour la *Tabagie* (Louvre), les *Joueurs de dés se battant* (Dresde, Gg), l'*Opération au pied* (musée d'Aix-la-Chapelle). Il commence alors à s'exprimer par le paysage, associant la nature aux activités humaines, tandis que le crépuscule, la nuit et la tragédie l'attirent. Dans le *Paysage au clair de lune* (Berlin-Dahlem), les *Buveurs en plein air* (Lugano, coll. Thyssen), le *Paysage au crépuscule* (Louvre), une humanité misérable présentée en un raccourci intense se fond dans des paysages que les glacis, la densité de la matière, la facture large jointe par endroits à une touche délicate chargent d'une poésie sinistre et romantique. Tenu en haute estime à son époque (Rubens possédait 17 de ses tableaux et Rembrandt 8), il eut des imitateurs nombreux. David Tèniers reprend sa conception, déjà très moderne, du paysage, tandis que des Hollandais comme I. Van Ostade, H. M. Sorgh, P. Bloot ou des Flamands comme J. Van Craesbeck, D. Ryckaert III, D. Teniers le Jeune s'inspirent de ses peintures de genre. J. L.

Brown

Ford Madox

peintre anglais

(Calais 1821 - Londres 1893)

Élevé sur le continent, il travaille à Bruges, à Gand et à Anvers chez Wappers ; en 1840, il est à Paris, où il connaît l'œuvre de Delacroix et celle de Delaroche. Il vient ensuite en Angleterre, où il échoue au concours de Westminster Hall. En 1845, il part pour Rome et subit fortement l'influence des Nazaréens, qui se manifeste dans sa toile *Chaucer*

Adriaen Brouwer
◀ **Intérieur de tabagie**
Paris, musée du Louvre
Phot. Giraudon

Ford Madox Brown
▲ **The Last of England** (1852-53)
(le Dernier Regard sur l'Angleterre)
Birmingham, City Museum and Art Gallery
Phot. Fabbri

à la cour d'Édouard III (1851, Sydney, Municipal Gal.). Il retourna en Angleterre en 1846 ; son œuvre attira l'attention de Rossetti, qui devint en 1848 son élève et associé. Malgré ces relations, Ford Madox Brown ne fit pas partie de la « Pre-Raphaelite Brotherhood » lors de sa fondation, mais son œuvre présente de nombreuses affinités avec les objectifs de la confrérie. Son goût intransigeant du réalisme l'amène à faire de la peinture de plein air (*Après-midi d'automne en Angleterre,* 1854, Birmingham, City Museum) et s'applique même à des sujets fortement moralisateurs — tels que le *Travail* (1852-1865, Manchester, City Art Gal.), allégorie de la dureté du labeur physique — ou inspirés par des événements contemporains (*The Last of England,* 1852-53, Birmingham, City Museum). Quelques années plus tard, il participe au mouvement « Arts and Crafts » et devient l'un des fondateurs de « Morris and Co. » (1861). Comme Rossetti, il se réfugie dans un romantisme sensuel qui lui inspire les fresques de l'hôtel de ville de Manchester illustrant l'histoire de la cité (1875-1892). Tout en ayant une influence déterminante sur les principaux mouvements du milieu du XIXe s., il ne fut jamais complètement assimilé par aucun d'eux, et son talent considérable resta, dans une certaine mesure, méconnu. Il est bien représenté à Birmingham (City Museum) et à Manchester (City Art Gal.). W. V.

Bruegel ou Breughel ou Brueghel

Pieter le Vieux ou l'Ancien

peintre flamand

(Breughel v. 1525/1530 - Bruxelles 1569)

Vie de Bruegel. La date et le lieu de naissance de Bruegel n'ont pu être déterminés avec certitude. Karel Van Mander mentionne qu'il naquit au village de Breughel, près de Breda, en Brabant. Généralement, on situe sa naissance entre 1525 et 1530. Après avoir été l'élève de Pieter Coecke Van Aelst, il devint franc maître dans la gilde des peintres d'Anvers en 1551. À partir de ce moment, il dut commencer à travailler pour le graveur et marchand d'estampes Hiëronymus Cock, qui l'engagea sans doute à entreprendre un voyage en Italie, non dans l'intention de parfaire son instruction, comme il était de coutume alors, mais bien dans celle de réaliser une suite de dessins de paysages italiens et alpestres destinés à la reproduction par la gravure. L'artiste traversa la France en 1552 et parcourut toute l'Italie jusqu'au détroit de Messine. Il était à Rome en 1553, mais, au cours de la même année, il retourna à Anvers, où il reprit sa collaboration avec l'éditeur Hiëronymus Cock. Selon toute probabilité, Bruegel s'est mis à peindre assez tardivement : son premier tableau daté est de 1553. En 1563, il épousa la fille de son maître Pieter Coecke. Après son mariage, Bruegel se fixa à Bruxelles, où il mourut en 1569, laissant deux fils en bas âge : Pieter (1564) et Jan (1568). Devenus peintres, ils seront connus sous le surnom de Pieter d'Enfer et Jan de Velours.

Personnalité de Bruegel. Esprit et portée de son œuvre. Les tableaux authentiques de Bruegel conservés de nos jours sont au nombre de 45 ; 14 des peintures les plus importantes se trouvent à Vienne (K. M.). La plupart d'entre eux sont signés et datés entre 1553 et 1568. L'artiste a laissé près de 120 dessins, qui, en général, sont également signés et datés.

L'esprit de l'œuvre de Bruegel a donné naissance aux hypothèses les plus contradictoires. À part la production même du peintre, il n'existe que peu de données intéressantes concernant sa personnalité. C'était probablement un homme cultivé puisqu'il était l'ami du grand géographe Ortelius, mais de là à conclure qu'il était lui-même humaniste et érudit paraît excessif. Un autre abus d'interprétation trouve son origine dans les écrits de Van Mander, qui relate que Bruegel fut surnommé Pierre le Drôle parce qu'il fit rire ou au

Pieter Bruegel
Les Chasseurs dans la neige (1565) ▶
Vienne, Kunsthistorisches Museum
Phot. Meyer

moins sourire ses contemporains par ses représentations de scènes de mœurs et de dictons populaires. Aujourd'hui encore, en se fiant trop à certains tableaux très populaires, comme les *Proverbes* de Berlin-Dahlem, on ignore le côté tragique de cet art, Bruegel restant toujours le peintre de mœurs paysannes, capable seulement d'amuser les spectateurs, comme le voulut la tradition ancienne. Van Mander rapporte encore que Bruegel, avant sa mort, avait détruit un certain nombre de ses dessins pour épargner des ennuis à sa veuve. On en a conclu que le peintre était non seulement un intellectuel individualiste, mais aussi un idéaliste épris de liberté politique, se révoltant contre la politique néfaste de Philippe II en Flandre. Il est vrai que certains éléments de ses tableaux sont des reflets de situations de son époque, mais, si Bruegel a rendu avec objectivité les détails pittoresques de la vie de son temps, c'est qu'il ne pouvait guère faire autrement! Il semble exagéré cependant de vouloir y chercher des allusions et des parodies politiques et religieuses de caractère « engagé », car ces sortes de provocations n'auraient jamais été admises en son temps et d'ailleurs ne correspondent pas avec la mentalité et le tempérament de Bruegel. Van Mander mentionne encore un trait caractéristique de l'état d'esprit du peintre. Celui-ci assistait avec son ami Franckert aux fêtes et aux kermesses populaires non comme spectateur, mais habillé en paysan. C'est donc en se mêlant au peuple qu'il a vécu les scènes pittoresques, représentées ensuite avec réalisme et perspicacité, avec compréhension peut-être, mais jamais avec amour. Vu à travers son œuvre, Bruegel apparaît comme un artiste intelligent, un sage, issu et toujours proche du peuple, et, comme tel, doué d'un solide bon sens.

Le style de Bruegel. Inspiration et interprétation. Bien que fidèles à la réalité, les tableaux de Bruegel ne se limitent pas au pittoresque. L'artiste veut avant tout atteindre la synthèse, donner un caractère imposant et cosmique à ses représentations du monde, transfigurer la vérité de la nature par une vision personnelle et puissante. Le plus bel exemple de son style accompli, direct et large, se retrouve dans le tableau probablement inachevé de la *Tempête* (Vienne, K.M.); Bruegel y montre les éléments déchaînés et une baleine monstrueuse symbolisant les forces immenses et destructrices de la nature. Ce sens de la grandeur se manifeste particulièrement dans les paysages, qu'il s'agisse des vues cosmiques, des Alpes ou des plats pays de Flandre avec leur horizon illimité (les *Chasseurs dans la neige,* Vienne, K. M. ; la *Moisson,* Metropolitan Museum). La nature est le réel protagoniste de l'œuvre de Bruegel et il la rend impassible au drame humain, qu'il réduit jusqu'à le traiter en simple événement fortuit. Dans plusieurs scènes religieuses, comme le *Dénombrement de Bethléem*

(Bruxelles, M. A. A.) ou le *Portement de croix* (Vienne, K. M.), les personnages principaux sont complètement intégrés à la foule. Ils y perdent leur austérité religieuse, mais le tableau, illustrant la vanité de toute présence humaine sur terre, y gagne en valeur artistique. Ainsi, le constant souci de Bruegel est de projeter ses sujets sur un plan universel. Même lorsqu'il accorde à la figure humaine une importance primordiale, comme dans les *Noces villageoises* et la *Danse des paysans* (Vienne, K. M.), il ne voit pas ses personnages comme des individualités, mais comme des types généralisés, doués d'une puissante présence physique, ou bien, par exemple dans les *Aveugles* de Naples (Capodimonte), comme la personnification de l'accomplissement de la destinée humaine, qui, irrévocablement, mène à l'abîme et à la mort. Le langage pictural de Bruegel est spontané et direct. Il émane de la réalité quotidienne, dont il est l'expression intuitive et synthétique. C'est ce qui explique que les influences soient rares dans son œuvre. Issu du milieu artistique de Hiëronymus Bosch, il s'est inspiré de certains de ses thèmes, mais sa vision est plus directe et plus réaliste. D'autre part, Bruegel semble ignorer complètement les leçons des Italiens, malgré son voyage en Italie et le succès énorme que l'italianisme connut en Flandre à son époque. La composition de ses œuvres est claire et bien définie d'avance. Elle est subordonnée à un rythme général qui crée l'unité de l'ensemble et qui suggère à la fois l'évolution du mouvement et celle du temps. Par elle, le peintre atteint à une vision ample qui contraste souvent avec le foisonnement des détails. Mais l'impression d'unité est également obtenue par l'harmonie des tons et des valeurs, qui lient toutes les parties entre elles. Au point de vue de la couleur, Bruegel a réalisé un grand progrès en perfectionnant le passage des tonalités, surtout dans la subdivision du paysage en trois plans, où il fond les trois tons, brun, vert et bleu, de sorte que la première tonalité se mélange à la deuxième et ainsi de suite. Mais si la couleur et la lumière aident à réaliser l'unité du tableau, elles sont également de nature à créer des contrastes lorsque le peintre oppose une scène tragique à un paysage inondé d'une lumière claire et transparente, comme dans les *Aveugles* de Naples (Capodimonte). En ce qui concerne l'interprétation du sujet et l'ordonnance de la composition et du coloris, qui en résultent, la *Chute des anges rebelles* (Bruxelles, M. A. A.) peut être considérée comme un des cas les plus captivants de l'œuvre de Bruegel. Dans un enchevêtrement de figures, la composition, légèrement asymétrique sans pour autant exclure l'équilibre parfait des masses et des vides, donne une impression réelle de mouvement. Un bleu céleste domine la partie supérieure du tableau, tandis que, dans la partie inférieure, où grouillent les monstres de l'enfer, la couleur est chaude et sourde. De la clarté d'en haut, qui représente la présence divine, déferlent des ondes concentriques qui deviennent de moins en moins lumineuses pour aboutir à l'obscurité de l'enfer.

Le métier. Bien que Bruegel soit un dessinateur admirable, il s'affirme peintre en premier lieu. Dans ses tableaux, il ne cherche pas la netteté des contours et il n'a jamais modelé les formes comme le faisaient ses contemporains d'après l'exemple des Italiens. C'est par la rencontre des tons différents et par l'opposition de silhouettes contrastant qu'il crée son univers. La facture de l'artiste est très variée. Certaines œuvres sont brossées d'une manière large et d'autres sont exécutées très soigneusement par petites touches minces. Tantôt les couleurs sont très diluées, et tantôt elles forment une pâte grasse. Bruegel a peint non seulement à l'huile, mais également à la détrempe. Dans ce dernier cas, il travaillait sur une toile non recouverte d'une préparation, de sorte qu'elle a partiellement absorbé la couleur, qui est devenue mate. Les tableaux exécutés dans cette technique sont le *Misanthrope,* les *Aveugles* (Naples, Capodimonte) et l'*Adoration des mages* (Bruxelles, M. A. A.).

Les dessins. Les dessins de Bruegel forment deux groupes caractéristiques : les croquis et les compositions. Les feuilles d'étude ont pour objet la figure, de préférence humaine, dont le peintre cherche à fixer l'attitude, le mouvement, le type de visage ou encore certains détails de vêtements souvent annotés pour l'emploi des couleurs. Ses dessins de compositions ont été conçus surtout pour la reproduction par la gravure. Bruegel les a exécutés à la plume après avoir fait souvent un rapide croquis à la craie noire. Ces œuvres sont conservées dans les cabinets de Dessins et d'Estampes d'Amsterdam (la *Foi,* 1559; la *Chute du magicien Hermogène,* 1564), de Berlin (l'*Alchimiste,* l'*Âne à l'école,* 1556; l'*Espérance,* 1559), de Bruxelles (la *Prudence,* 1559), de Hambourg (l'*Été,* 1568), de Rotterdam (la *Charité,* la *Force,* la *Tempérance,* 1559), de Vienne (*Les gros poissons mangent les petits,* 1556; le *Jugement dernier,* 1558; *le Peintre et le connaisseur,* 1565 ?), de Londres (la *Calomnie d'Apelle,* 1565), d'Oxford (la *Tentation de saint Antoine,* 1556), de Paris (*Paysage alpestre,* 1555) et dans des coll. part. : coll. von Hirsch à Bâle, coll. Lugt à l'Institut néerlandais de Paris, coll. Seilern à Londres.

Les gravures. L'éditeur Hiëronymus Cock, d'Anvers, avec lequel Bruegel collabora à partir de 1533, recueillit près de 135 dessins de l'artiste, qu'il fit reproduire par différents graveurs. Ces estampes connurent un prodigieux succès et furent maintes fois rééditées, particulièrement au cours du XVIIe s. Différant de l'œuvre peint par l'importance accordée au trait et la sobriété incisive de la ligne, elles en suivent de près l'iconographie et les thèmes. Citons parmi les œuvres principales : la suite des *Douze Grands paysages* (1553-1557), le *Grand Paysage alpestre,* la suite des *Sept Péchés capitaux* (1556-57), le *Jugement dernier* (1558), la *Fête des fous,* la *Kermesse d'Hoboken* (1559), les *Sept Vertus* (1559-60), la suite des *Petits Paysages de Brabant et de Campine* (1559-1561), le *Pèlerinage des épileptiques à Molenbeek-Saint-Jean* (1564), la suite des *Vaisseaux de mer* (1564-65), la suite des *Douze Proverbes flamands* (1568-69). W. L.

Jan Bruegel de Velours
◀ **Nature morte : coupe aux bijoux** (1618)
Bruxelles, Musées royaux des Beaux-Arts
Phot. Scala

Bruegel
Jan I, dit de Velours
peintre flamand
(Bruxelles 1568 - Anvers 1625)

Bruegel (Jan I), dit aussi Jan Bruegel le Vieux ou Bruegel de Velours en raison de la séduction de sa palette, était le deuxième fils de Pieter Bruegel le Vieux ; artiste fécond et varié, il est le plus doué parmi sa descendance et atteint à une réelle grandeur avec la *Bataille d'Arbelles* (v. 1600-1605, Louvre). Il entre d'abord dans l'atelier d'un maître anversois, P. Goekindt, avant de partir v. 1590 pour l'Italie en passant sans doute par Frankenthal. En 1596, il est de retour à Anvers, où il s'inscrit comme maître. Après des voyages à Prague et à Nuremberg, il est nommé peintre de cour en 1609 par les archiducs Albert et Isabelle, mais reste établi à Anvers. Peintre de paysages, il s'inspire à ses débuts de Gillis Van Coninxloo (*Paysage boisé,* 1597, Munich, Alte Pin.), puis, perfectionnant sa technique, il crée un genre nouveau, à la fois simple et lyrique, d'une tonalité où dominent les bruns et les bleus-verts, et que peuplent des animaux, des fruits ou des personnages exécutés parfois par d'autres artistes : le *Paradis terrestre* (Mauritshuis), en collaboration avec Rubens. Ses natures mortes sont rares, mais ses tableaux de fleurs sont en revanche nombreux ; ses bouquets sont peints de manière brillante et minutieuse, présentés tantôt dans des vases (Milan, Ambrosienne), tantôt dans une coupe (1618, Bruxelles, M. A. A.). Il entoure de guirlandes des Vierges et des Saintes Familles de Rubens (Louvre ; Bruxelles, M. A. A.) et compose aussi diverses allégories des *Sens* ou des *Éléments* (Prado, Louvre). Sa maîtrise à traiter tous les genres, et plus particulièrement le paysage (Rijksmuseum ; musée d'Anvers ; Francfort, Staedel. Inst. ; Londres, Wellington Museum ; Prado ; Munich, Alte Pin. ; Rome, Gal. Doria Pamphili), dont il est le plus important représentant, lui valut d'être imité par de nombreux artistes. J. L.

Burgkmair
Hans
peintre allemand
(Augsbourg 1473 - id. 1531)

Principale figure du groupe des artistes « italianisants » de l'école d'Augsbourg, Hans Burgkmair a

Hans Burgkmair
▲ **Saint Jean l'Évangéliste à Patmos**
Munich, Bayerische Staatsgemäldesammlungen, Alte Pinakothek
Phot. Blauel

joué dans cette ville le même rôle que Dürer à Nuremberg : il est l'un des premiers à avoir introduit dans le Nord les conceptions artistiques de la Renaissance. Formé par son père, Thomas Burgkmair, il poursuit son apprentissage auprès de Schongauer, à Colmar, v. 1488, puis se rend, quelques années plus tard, en Italie. Admis dans la gilde des peintres d'Augsbourg en 1498, c'est à lui — ainsi qu'à Hans Holbein l'Ancien — que les religieuses du couvent de Sainte-Catherine font appel pour peindre le cycle des basiliques de Rome (*Basilique de Saint-Pierre,* 1501 ; *Basilique de Saint-Jean-de-Latran,* 1502 ; *Basilique de Sainte-Croix,* 1504 ; musée d'Augsbourg). De nouveau en Italie entre 1506 et 1508, il séjourne à Venise et à Milan. L'influence de la peinture italienne s'affirme dès lors de plus en plus dans son œuvre, que ce soit dans le modelé presque léonardesque, la lumière chaude et dorée des deux *Vierges à l'Enfant* (1509-10, musée de Nuremberg) ou dans la riche architecture Renaissance de son *Couronnement de la Vierge* (1507, musée d'Augsbourg). À son retour, l'artiste se consacre un temps presque exclusivement à la gravure sur bois, puis, v. 1518-19, exécute deux retables importants, *Saint Jean à Patmos* et la *Crucifixion* (Munich, Alte Pin.), où l'ampleur et la monumentalité de certaines figures s'allient à la beauté des paysages. Les dernières créations de Burgkmair révèlent, toutefois, l'abandon de cette mise en scène dramatique mais sobre et le retour à une composition plus touffue (*Esther devant Assuérus,* 1528, Munich, Alte Pin.).

Si, dans le domaine du portrait, Burgkmair semble avoir peu produit — l'étrange et macabre *Portrait de l'artiste et de sa femme* (1529, Vienne, K. M.) est maintenant donné à Furtnagel —, en revanche il eut une activité non négligeable comme graveur. Au service de Maximilien Ier, il exécuta de nombreux dessins destinés à la gravure, parmi lesquels la longue suite du *Triomphe* (135 planches, gravées par divers artistes, 1515-1519, mais seulement publiées en 1796) est un véritable monument à la gloire impériale. Outre ses gravures pour la *Généalogie,* le *Weiss Kunig* et le *Theuerdank,* il convient d'accorder une mention spéciale au célèbre clair-obscur qu'est la *Mort étrangleuse,* d'une violence et d'une recherche d'expression qui rangent l'artiste parmi les meilleurs graveurs de son temps. A. C. S.

Burne-Jones

sir Edward

peintre anglais
(Birmingham 1833 - Londres 1898)

Il fit ses études à la King Edward's School de Birmingham. À l'origine, il se destinait aux ordres, mais, à Oxford, il se lia avec William Morris, avec qui il partageait la même admiration pour l'illustration d'*Elfin Mere* d'Allingham, exécutée par D. G. Rossetti. En 1855, les deux amis se rendirent en France, notamment à Beauvais, où Burne-Jones admira la cathédrale, symbole de l'art médiéval. Rossetti, dont il fit la connaissance en 1856, l'encouragea à peindre. Ils fondèrent alors avec Morris le second groupe préraphaélite et, conformément à leur esthétique néo-médiévale, exécutèrent les fresques de l'Oxford Union (1858). Burne-Jones s'inspirait encore de Rossetti, comme on peut le voir dans *Clerk Saunders* (1861, Londres, Tate Gal.), mais, après deux voyages en

Italie (1859 et 1862, ce dernier avec Ruskin), il commença à s'intéresser aux primitifs italiens, en particulier à Botticelli et Mantegna, sans ignorer pourtant Michel-Ange. Membre de la Royal Water Colour Society de 1863 à 1870, il se révéla par ses peintures à l'huile lors de l'exposition inaugurale à la gal. Grosvenor, où il exposa 7 toiles en 1877. Il exposa durant dix ans dans cette galerie, foyer du nouveau préraphaélisme, puis à la New Gallery. Sa réputation grandit et atteignit son apogée quand on le désigna avec Leighton comme seuls représentants de la Grande-Bretagne à l'Exposition internationale française de 1882 à Paris, où il avait déjà exposé à l'Exposition universelle de 1878 (l'*Enchantement de Merlin,* 1874, Port Sunlight, Lady Lever Art Gal.). Il reçut le titre de baron en 1894. À cette époque, il dessinait pour Morris, son œuvre la plus remarquable étant l'illustration de Chaucer pour la *Kelmscott Press* (1894). Refusant la réalité contemporaine (sauf pour de rares portraits), il illustre des sujets médiévaux ou antiques, mais toujours chargés d'un symbolisme qui doit beaucoup à la poésie de W. Morris. Il peint volontiers des cycles évoquant, en plusieurs épisodes, un mythe ou une légende : l'*Histoire de Pygmalion* (1869-1879), au City Museum de Birmingham; *The Briar Rose* («la Belle au bois dormant» d'après Tennyson), suite de 6 tableaux peints de 1871 à 1890 (Buscot Park, coll. lord Farington; une deuxième série en 3 tableaux au musée de Ponce à Porto Rico); l'*Histoire de Persée,* en 11 compositions inspirées par le *Paradis terrestre* de Morris, peintes à partir de 1875 pour lord Balfour et qui se trouvent auj. à la Staatsgal. de Stuttgart (une deuxième série, à l'aquarelle, au musée de Southampton). Parmi ses autres peintures les plus significatives, on doit citer : le *Miroir de Vénus* (1872-1877, Lisbonne, fondation Gulbenkian), *Laus Veneris* (1873-1875, musée de Newcastle), l'*Escalier d'or* (1880, Londres, Tate Gal.), *le Roi Cophetua et la mendiante* (1884, *id.*), qui est sans doute son œuvre la plus populaire, la *Roue de Fortune* (Paris, musée d'Orsay), le *Jardin de Pan* (1887, Melbourne, N.G.), l'*Amour sur les ruines* (1894, Wightwick Manor, National Trust). Il fut, comme la plupart des préraphaélites, un dessinateur inventif et sensible, notamment dans l'aquarelle (*The Flower-Book,* 1882-1898, British Museum), et réalisa de nombreux cartons pour des vitraux (églises de Dundee, de Gasthampstead, d'Allerton et d'Édimbourg) et des tapisseries. Burne-Jones connut une gloire internationale, ses contemporains jugeant irrésistible la grâce de ses figures pensives, d'une beauté idéale évoquant nostalgiquement le passé. Après une période d'oubli, voire de mépris, l'œuvre de Burne-Jones retrouve de nos jours des admirateurs fervents, à la faveur du renouveau d'intérêt ressenti pour le Symbolisme, dont il fut l'un des prophètes (un artiste comme Khnopff lui doit beaucoup), et parce qu'on perçoit plus clairement aujourd'hui la prenante singularité de sa vision poétique et le modernisme de son style, lié aux recherches les plus audacieuses de l'Art nouveau. S. R.

Edward Burne-Jones
▼ **Le Roi Cophetua et la mendiante** (1884)
Londres, The Tate Gallery
Phot. du musée

Jacques Callot
◄ **L'Homme qui ferme un œil**
Florence,
Galleria degli Uffizi,
Gabinetto dei disegni
Phot. du musée

Callot
Jacques

graveur et dessinateur français
(Nancy 1592 ? - id. *1635)*

Après plusieurs fugues en Italie attestées par Félibien, Jacques Callot entra en apprentissage à l'âge de quinze ans chez un orfèvre de Nancy, Demange Crocq, auprès duquel — toujours d'après Félibien — il apprit les « commencements du dessin avec [...] Bellange et Deruet ». Avant 1612, date connue de son installation à Florence, il est à Rome auprès du graveur troyen Philippe Thomassin, qui lui apprend le maniement du burin. Callot restera durant neuf ans à Florence sous la protection de Christine de Lorraine, veuve de Ferdinand Ier, qui gouverna en réalité le duché jusqu'à la mort de son fils Cosme II en 1621. Il y gagna rapidement l'affection du graveur en renom Giulio Parigi et y grava deux de ses chefs-d'œuvre, la *Tentation de saint Antoine* (v. 1616) et la *Foire de l'Impruneta* (1620). En 1621, Callot s'établit à

Nancy. Il grave les nombreux dessins qu'il a rapportés d'Italie (les *Gobbi*, les *Balli di Sfessania*, la *Grande Passion*) et épouse en 1624 Catherine Kuttinger. Il n'obtient pas pour autant à la cour de Lorraine la première place qu'il ambitionnait, alors occupée par Claude Deruet, peintre officiel depuis 1620 et dont il gravera le portrait en 1632 (dessin préparatoire au Louvre). Après s'être rendu à Breda (1627) pour graver le siège de la ville, il commémora par la même technique, sur la commande de Louis XIII, deux autres sièges : ceux de *Saint-Martin-de-Ré* et de *La Rochelle*. Ce fut l'occasion pour l'artiste de faire plusieurs séjours à Paris (entre 1628 et 1631) et de confier à Israël Henriet l'édition de ses planches. Définitivement de retour à Nancy en 1632, Callot devait assister à la fin de l'indépendance du duché de Lorraine, envahi à trois reprises par les troupes de Richelieu et de Louis XIII (1631, 1632, 1633) et dévasté par la peste. Dans ce climat, l'artiste publie ses dernières œuvres : les *Désastres de la guerre* (1633) et la seconde version de la *Tentation de saint Antoine*, dédiée à Louis Phélypeaux, seigneur de La Vrillière.

Aucun tableau de Callot lui-même n'est parvenu jusqu'à nous, mais rien ne prouve en fait qu'il en ait peint. Ses seuls dessins et gravures le mettent au rang des plus grands maîtres lorrains du XVIIe s., aux côtés de Claude Gellée, de Georges de La Tour et de Jacques Bellange. Ses gravures, essentiellement ses eaux-fortes (technique qu'il perfectionna), répandues par toute l'Europe, sont d'une maîtrise exceptionnelle. Extrêmement chargées, composées d'innombrables personnages, jamais elles ne sacrifient au détail le sujet lui-même. Mais ce sont surtout ses dessins (en majeure partie conservés à l'Ermitage, au British Museum, à Chatsworth, coll. duc de Devonshire, et aux Offices), dans lesquels il utilise tour à tour toutes les techniques et traite tous les thèmes (théâtre, paysages, sujets religieux et scènes prises sur le vif), qui lui donnent une place exceptionnelle dans l'art français du XVIIe s. Dynamiques, jouant magistralement de la lumière, d'une spontanéité d'écriture rarement égalée, ils mêlent la malice, l'ironie, la vivacité à l'observation la plus précise d'une cruelle réalité. Bien que ses thèmes soient souvent empruntés aux artistes septentrionaux du XVIe s., Callot se montre sensible à un double courant maniériste : celui de la Lorraine du premier quart du XVIIe s. (Bellange), celui de Florence à la même période (Boscoli et les graveurs de fêtes et d'entrées triomphales). Il ne reniera jamais ce répertoire, qu'il marque toujours de sa forte personnalité. Il est ainsi le dernier des grands maniéristes, dont, cependant, il maîtrisera toujours les excès.

P. R.

Campin

Robert

peintre flamand

(Valenciennes 1378 ou 1379 - Tournai 1444)

Mentionné à Tournai à partir de 1406, Robert Campin prend une place essentielle dans la vie de la cité. Peintre, il développe une grande activité, exécute des travaux variés, qui vont de la fresque aux cartons de tapisserie, sans compter mille besognes plus modestes. Dans son atelier viennent se former au métier de nombreux apprentis, au premier rang desquels il convient de citer Jacques Daret et Rogier Van der Weyden. Homme politique, Campin participe très activement à la gestion municipale durant la période 1423-1428, pendant laquelle la gestion municipale est assurée essentiellement par les gildes d'artisans, mais encourt en 1428 une condamnation qui lui interdit de briguer toute fonction publique pour avoir refusé de témoigner contre un bourgeois accusé de propos séditieux. Quelques années plus tard, c'est la dissolution de sa vie privée qui lui vaut une seconde condamnation, levée sur l'intervention de la duchesse de Hainaut. Aucune œuvre de sa main n'a pu être identifiée d'une manière certaine par des mentions d'archives. Son identification avec le **Maître de Flémalle** (voir p. 490) a suscité une controverse passionnée qui a débordé le cadre de l'histoire de l'art en opposant les Wallons et les Flamands. Elle paraît pourtant, aujourd'hui, sinon acquise, du moins très vraisemblable. A. Ch.

Canaletto

Antonio Canal, dit

peintre italien

(Venise 1697 - id. 1768)

Fils de Bernardo Canal, peintre de théâtre, il débuta comme scénographe, mais son tempérament le poussa progressivement à s'éloigner d'un genre uniquement décoratif. Cependant, lors d'un séjour à Rome en 1719-20, il exécuta des décors pour les opéras de Scarlatti. À Rome, il connut sans doute Vanvitelli et des Hollandais, peintres de « vues » et de bambochades, observateurs attentifs de la réalité, qui lui communiquèrent une conscience précise de la perspective, le goût de l'esquisse et de la vie populaire, et qui le poussèrent à « excommunier le théâtre [...] et [à] s'adonner aux vues naturelles » (Zanetti, 1733).

En 1720, de retour à Venise (son nom paraît alors dans la « Fraglia » [corporation des artistes] des peintres), il ajoute à l'expérience de la « vue » romaine la connaissance de Marco Ricci et de Luca Carlevarijs. Si la « vue » la plus ancienne de Canaletto, la *Place Saint-Marc* (1723, Lugano, coll. Thyssen), montre en effet un certain lien avec Carlevarijs dans les petits personnages esquissés, l'alternance des zones d'ombre et de lumière, vibrant sur le rouge des briques du Campanile et sur le blanc azur des rideaux des Procuratie, le rapproche davantage de la manière de Marco Ricci, peintre de ruines. Les 4 *Vues de Venise* (Montréal, coll. Pillow), exécutées entre 1725 et 1726, témoignent d'un intérêt profond pour le clair-obsur dans la perspective, qui est coupée pour que la lumière tombe avec de riches effets pittoresques sur les surfaces lézardées des crépis ou sur les fentes roses des briques. De 1726 datent plusieurs compositions allégoriques peintes pour l'imprésario de théâtre Owen MacSwiny, le premier des clients anglais, si nombreux et importants dans la vie de Canaletto. La lumière, bien que plus claire, mais encore chaude, s'enrichit de tons foncés dans les 6 grandes *Vues de la place Saint-Marc* (1726-27, Windsor Castle), tandis qu'une traduction plus habile de la perspective suggère des horizons plus larges. Cette ampleur panoramique et une lumière qui réchauffe les empâtements font de l'*Église de la Carità vue de l'atelier des marbres de San Vital* (Londres, N. G.) le sommet de l'œuvre de Canaletto à cette époque.

À partir de la fin de la troisième décennie, les « vues idéales » et les effets de clair-obscur font place à un répertoire de « vues réelles », vénitiennes ou lagunaires, où joue une luminosité plus claire. Ainsi s'annonce la plus haute conquête de Canaletto, et la plus originale, celle d'une lumière « phénoménologique », la plus apte à rendre avec précision la réalité directe. Homme éclairé, participant à une morale et à une culture qui le situent à un niveau vraiment européen, Canaletto évite toute forme de représentation qui ne peut être réduite à une règle scientifique. L'utilisation qu'il fait de la « chambre optique » est précisément due à cette volonté pointilleuse de saisir la « vérité » dans l'espace et de la peindre de la façon la plus rationnelle et objective possible. Les places, les « campielli », les canaux, les quais, toute la ville est fouillée par la lumière limpide qui glisse rapidement sur les objets du premier plan, s'insinue à la recherche de minuties plus lointaines, cristallise dans une goutte de chrome transparente l'humanité fourmillante de Venise. À l'encontre de tout pressentiment romantique, c'est d'une telle exigence rigoureuse de vérité dans la représentation que naît le langage poétique de Canaletto : il peint l'histoire de Venise, ville gaie et ensoleillée, riche et aristocratique qui ne soupçonne rien de sa chute imminente. Le changement de style est nettement visible dans les deux grandes scènes de la coll. Crespi de Milan, la *Réception de l'ambassadeur Bolagno au palais des Doges* et le *Départ du Bucentaure pour le mariage avec la mer :* l'empâtement gras de la période du clair-obscur est désormais remplacé par un autre plus fluide et plus étalé, qui donne à la scène une propreté d'« après la pluie ».

Peu après 1730, Canaletto exécute une série de vues vénitiennes pour le duc de Bedford (Woburn Abbey) : la ville y est contemplée sereinement, jamais transfigurée, toujours exactement rendue dans le cadre de ses monuments et dans la couleur de son atmosphère. Le *Quai de la Piazzetta* et *San Marco et le Palais des Doges* de Washington (N. G.) datent de la même période. Dans le *Cortège du doge sur le campo San Rocco* (Londres, N. G.), l'allègre confusion de la foule en fête est traduite par les rythmes serpentins, la violence des touches curvilignes, la nervosité des taches de couleur, d'où jaillit et vibre une lumière de gemme.

Vers la fin de la cinquième décennie, Canaletto tend à diminuer les dimensions des édifices et des silhouettes et à agrandir, par contre, démesurément l'espace. Le *Bassin de Saint-Marc* (Boston, M. F. A.) en est un exemple : l'horizon sert de charnière à deux grands arcs, le champ du ciel, gradué par les nuages, et le miroir de l'eau, dont les passages sont rythmés par la disposition des barques sur des plans différents.

Depuis plusieurs années, Canaletto était en rapport avec l'Anglais John Smith, qui devint son « mécène-marchand » et son intermédiaire auprès des clients anglais. L'album des gravures de Canaletto est justement dédié au consul de Sa Majesté britannique auprès de la république de Saint-Marc, charge qui fut donnée à Smith en 1744 ; les 31 eaux-fortes, cependant, furent exécutées en plusieurs années : en partie « idéales » et en partie copiées sur la réalité, elles représentent la lagune et les paysages de l'arrière-pays ; le peintre y obtient les pures valeurs de l'atmosphère même sans couleur, seulement en approfondissant et en marquant plus ou moins le trait.

Il est probable qu'en 1742-43 Canaletto fit un deuxième voyage à Rome : ce fait pourrait être confirmé par quelques dessus-de-porte exécutés pour Smith (Windsor Castle), d'un goût fantaisiste et d'une bizarrerie inventive qui rappellent les « caprices » de Pannini. L'Angleterre constitue le deuxième pôle de l'activité de Canaletto ; ses vues étaient vivement appréciées par les Anglais (auj. encore les musées et les collections britanniques conservent plus de 200 peintures de l'artiste, soit

Antonio Canaletto
Venise, le quai de la Piazzetta ▲
Washington, National Gallery of Art
Phot. du musée

plus de la moitié de sa production autographe), non seulement par les touristes du « grand tour », mais aussi par ceux qui, dans leur pays, trouvaient familière sa simplicité toute rationnelle. Au cours de deux séjours londoniens entre 1746 et 1753, certainement organisés par Smith, la luminosité limpide et froide du ciel anglais, unie à un détachement contemplatif désormais bien acquis, inspire au peintre la représentation d'une réalité tout à la fois lyrique et immuable. Nombreuses sont les vues de la Tamise : celle de la *Terrasse de Richmond* (1746, Goodwood, coll. Earl of Richmond and Gordon) montre une perspective grandiose, organisée autour de la large courbure de la boucle du fleuve et de la diagonale de la terrasse ; la lumière méridionale met en évidence les virgules rococo des silhouettes roses et bleues. La perspective se dilate invraisemblablement le long de la grande allée centrale d'*Old Horse Guards, vue de Saint James Park* (1749, coll. Earl of Malmesbury), tandis que le charme de la campagne anglaise, douce et silencieuse, domine la vue du *Château de Warwick* (Warwick, coll. Earl of Warwick).

Rentré à Venise en 1755, Canaletto y trouva le climat changé, aussi bien dans le marché que dans le goût (il est significatif que l'Academie ait attendu 1763 pour l'accueillir). De ces dernières années datent le *Portique de palais* (Venise, Accademia) et l'*Intérieur de Saint-Marc* (Windsor Castle), une nouveauté chez le peintre de la lumière solaire qui, presque à la fin de sa vie, suscite par des signes tourbillonnants de mystérieux fantômes dans l'ombre de la basilique. Ainsi disparaissait Canaletto, qui, à n'en pas douter, ouvrait la route qui mène, en passant par les paysagistes anglais du

XVIIIe s. et Constable, au XIXe s. et au romantisme lucide de Corot.

L'influence de Canaletto fut considérable non seulement à Venise même sur des artistes de premier plan, tels que son neveu Bernardo Bellotto, Francesco Guardi ou Michele Marieschi, mais sur nombre d'imitateurs italiens (G. B. Cimaroli, Giovanni Richter, Francesco Tironi, Giuseppe Moretti, Giovanni Migliara) et étrangers, principalement anglais (Samuel Scott). M. C. V.

Cano

Alonso

peintre espagnol
(Grenade 1601 - id. 1667)

Il eut une vie agitée et inquiète. C'est une des personnalités les plus intéressantes du XVIIe s. espagnol. Fils du sculpteur de retables Miguel Cano, il partit de bonne heure à Séville, où il entra en 1616 dans l'atelier de Pacheco. Il y fut le condisciple de Velázquez. Il semble avoir travaillé en même temps dans l'atelier de sculpture de Montañes. Il obtient la maîtrise en 1626 et commence à sculpter des œuvres importantes.

En 1638, il passe au service du comte-duc d'Olivares à Madrid et inaugure ainsi sa période madrilène, au cours de laquelle il se consacrera surtout à la peinture. On conserve quelques compositions de cette époque qui marquent bien le passage de la technique encore ténébriste, aux modelés sombres, de la période sévillane (*Saint François Borgia,* 1624, musée de Séville), à une manière plus légère, aux couleurs claires et aux touches plus déliées (*Christ en croix,* 1643, Madrid, coll. part.). En 1644, son épouse est assassinée. Impliqué dans le procès, il semble qu'il ait été disculpé, car, après un court séjour à Valence, il reprend son travail à la Cour (les *Rois goths,* Prado; Retable de l'église de Getafe, près de Madrid, 1645). Durant ces années, son style s'allège et s'oriente vers une recherche de beauté idéale et un coloris raffiné d'origine vénitienne, mais qui demeure sensible à celui de Velázquez (*Miracle du puits de saint Isidore,* Prado; l'*Immaculée,* musée de Vitoria [Pays basque]). En 1652, sur la promesse de recevoir les ordres sacrés, il sollicite la charge de chanoine économe de la cathédrale. Il l'obtient et revient dans sa ville natale, où il commence un grand cycle de 7 toiles de la *Vie de la Vierge* pour décorer le chœur de la cathédrale. Son style acquiert alors une certaine emphase baroque. De continuels procès avec le chapitre, qui proteste

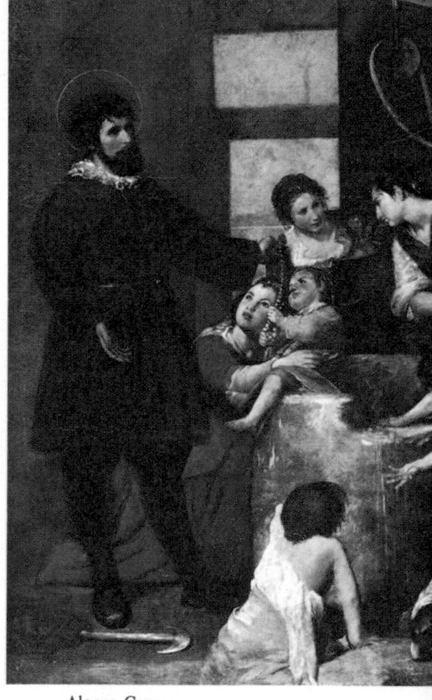

Alonso Cano
▲ **Le Miracle du puits de saint Isidore**
Madrid, Museo nacional del Prado
Phot. Scala

parce qu'il n'est pas ordonné et qui finit par l'expulser de la cathédrale, l'obligent à revenir à Madrid en 1657, où il travaille de nouveau pour des églises (le *Christ à la colonne,* Carmélites d'Ávila). En 1658, le procès s'étant terminé par son ordination sacerdotale, il revient à Grenade, s'installe de nouveau à son poste et réalise alors ses dernières œuvres (la *Vierge du rosaire,* cathédrale de Málaga).

Parmi ses autres œuvres, conservées hors d'Espagne, on peut citer la *Via dolorosa* du musée de Worcester, et le *Christ aux limbes* de Los Angeles (County Museum of Art). Les tableaux du retable de S. Paula de Séville sont dispersés entre le Louvre, la Wallace Coll., les musées de Sarasota et de Mexico. Cité le plus souvent comme sculpteur, il atteint cependant à la qualité des plus grands peintres espagnols, et c'est peut-être le seul qui, en s'inspirant directement de la Renaissance, conçut un art fort éloigné du naturalisme et tout imprégné d'un souci lyrique de beauté idéale. Ce fut en outre un dessinateur très fécond, et son influence marque largement l'école de Grenade. A. E. P. S.

Cappelle

Jan Van de

peintre néerlandais

(Amsterdam 1626 - id. 1679)

Teinturier de son état, il apprit à peindre, puis pratiqua cet art en dilettante. En 1653, il acquiert la citoyenneté de sa ville et, après 1663, on ne lui connaît plus d'œuvres datées, ce qui a laissé supposer que, comme tant d'autres artistes néerlandais (Hobbema, Van der Neer), il s'est alors surtout consacré à son entreprise.

Riche, lié avec Rembrandt, qui le portraitura tout comme le firent Hals et Eeckhout, Cappelle laissait à sa mort une immense collection, dont 500 gravures de Rembrandt, 900 dessins d'Avercamp, 16 tableaux de Porcellis, 10 peintures et plus de 400 dessins de Van Goyen, d'autres peintures et dessins de E. Van de Velde, de P. Molyn, de H. Seghers, un considérable ensemble de S. de Vlieger (90 tableaux et 1 300 dessins de Vlieger lui-même ou copiés par Cappelle), collection qui ne laissa pas d'exercer la plus large influence sur les débuts de l'artiste. Aussi celui-ci est-il essentiellement un peintre de marines « calmes », d'abord inspirées par celles de Vlieger et caractérisées par leur harmonie de gris argentés, puis de plus en plus personnelles. Cappelle sait mieux que tout autre évoquer la confusion de l'air et de l'eau, la transparence de celle-ci sous l'incertitude et la mobilité de grands ciels nuageux très légers, dans une riche et chaleureuse harmonie de tons gris-brun et blonds. On admire particulièrement l'étude des reflets des voiles et des coques sur l'eau tranquille. De tous les marinistes hollandais, Cappelle est certes l'un des plus poétiques — ses mers « calmes » ont un mystère qui rejoint, bien qu'avec des moyens différents et plus naturels, la poésie d'un Lorrain —, mais aussi l'un des plus novateurs. Il annonce Willem Van de Velde le Jeune.

Il a peint aussi quelques paysages d'hiver (de bons exemples datés de 1653 au Mauritshuis et à l'Inst. néerlandais de Paris) assez comparables à ceux de Jacob Van Ruisdael. C'est à Londres (N. G.) qu'on peut le mieux étudier Cappelle, représenté par au moins 8 marines. D'autres œuvres de lui — elles sont relativement rares —

Jan Van de Cappelle
▼ **Bateaux près de la côte**
Toledo (Ohio), Museum of Art
Phot. Giraudon

sont conservées dans les musées d'Amsterdam, Rotterdam, La Haye, Cologne, Chicago, Toledo.

J. F.

Caravage

Michelangelo Merisi ou Merighi ou Amerighi, dit il Caravaggio

peintre italien

(Caravaggio, Lombardie, 1570/1571/1573? - Port' Ercole .1610)

La formation. Avant de quitter la Lombardie, son pays d'origine, pour tenter sa chance dans la Rome des papes et des mécènes, Caravage passa quelques années à Milan, où il fut mis en apprentissage dans l'atelier de Simone Peterzano en avril 1584. C'est la phase la plus problématique de sa carrière, car, si indubitablement le destin de ce peintre révolutionnaire se joua au cours de sa toute première adolescence, nous ne possédons aucun témoignage figuratif de cette période qui nous permette de reconstituer avec certitude la nature de ses premières expériences et de ses intérêts dominants. Le problème de la formation de Caravage va de pair avec l'histoire de sa « fortune critique ». Il remonte aux années de son vivant, lorsque F. Zuccaro le définissait avec dédain comme un bas imitateur de Giorgione et que ses partisans l'exaltaient, encouragés d'ailleurs par lui-même (La nature, affirmait-il, l'avait suffisamment pourvu de maîtres), comme un peintre n'ayant d'autre maître que la nature. Seul V. Giustiniani, fin connaisseur d'art, ressentit, derrière la spontanéité naturaliste des tableaux caravagesques, la présence d'une culture et une participation consciente à ce « retour à la nature » qui est le phénomène par excellence de la peinture italienne à la charnière des deux siècles. Les académies, par contre, reprochent à Caravage de peindre des scènes « senza historia » et « senza actione » (« sans histoire » et « sans action »), de représenter sans décorum les événements sacrés, d'être donc incapable de traduire le mouvement et d'adhérer à

Caravage
La Décollation ▶
de saint Jean-Baptiste (1608)
La Valette (Malte),
cathédrale Saint-Jean
Phot. Scala

l'iconographie religieuse dictée par l'Église. Bien qu'il ait fasciné au siècle dernier des peintres comme Courbet, Manet, Cézanne par sa poésie réaliste, l'approche critique de la personnalité de Caravage est une conquête du XXe s. Elle ne s'est pas faite sans contraste. C'est à R. Longhi que revient le principal mérite d'avoir défini avec une pénétration sans égale le style de l'artiste ainsi que son rôle dans la peinture européenne. L'appartenance de l'artiste à la lignée réaliste et antihumaniste qui caractérise la meilleure production lombarde des XVe et XVIe s., ainsi que sa parenté avec des peintres comme Savoldo, Moretto, Lotto et les Campi, reste un fait acquis et essentiel pour la compréhension de son œuvre tout entier. Mais la critique plus récente tend à élargir l'étendue de ses connaissances et à lui rendre, en particulier, cette composante vénitienne acquise sans doute dans le climat néo-giorgionesque milanais (W. Friedländer, 1955) et que R. Longhi (1928) lui avait refusée.

Les premières œuvres romaines. Il ne convient guère d'insister ici sur les aventures, les querelles, les violences dont est parsemée la vie de Caravage, qui ne sont intéressantes que dans la mesure où elles contribuent à définir son portrait moral et à déterminer les étapes chronologiques et géographiques de sa carrière d'artiste. Âgé de vingt ans environ, Caravage, qui a conquis, avec un langage opposé à celui du milieu artistique officiel romain, les mécènes et les collectionneurs aristocratiques de la ville, persiste à partager la vie du peuple, où il trouve les protagonistes de ses œuvres : accusé, poursuivi, emprisonné, il élabore à chaque pause forcée des chefs-d'œuvre révélant une méditation de plus en plus approfondie et tourmentée : tout cela témoigne d'une conscience et d'une cohérence poétique qu'on ne retrouve que chez les plus grands génies. Il semble raisonnable de situer la date de son arrivée à Rome entre 1591 et 1592. Pendant son voyage, il regarda sans doute les œuvres d'artistes comme Giotto et Masaccio, qu'il devait égaler par la force de sa vision novatrice. Ses débuts à Rome furent difficiles : tout en travaillant pour gagner sa vie à des œuvres « grossières » destinées au petit commerce, il commença à peindre des tableaux personnels. Hospitalisé à S. Maria della Consolazione, il exécute des peintures qui seront peu de temps après envoyées à Séville par le prieur espagnol de l'hôpital.

Il passe ensuite à l'école du Cavalier d'Arpin, peintre gracieux et superficiel qui le laisse indifférent et qu'il quitte rapidement pour s'installer chez le cardinal dal Monte. À cette première période romaine remonte un groupe de peintures dont la suite chronologique a fait l'objet de maintes discussions. Ce sont des tableaux de chevalet, de petites dimensions, destinés aux collectionneurs. Le style de Caravage y apparaît déjà très personnel, et sa position vis-à-vis de la tradition du cinquecento assez clairement définie. Essentiellement antimaniéristes dans le rapport espace-image, ils empruntent au Maniérisme la ligne tendue et nerveuse qui définit nettement les contours. Les couleurs claires et les fonds couverts la plupart du temps de façon uniforme mettent en évidence la vitalité des sujets représentés. Leur trait le plus original est leur choix même et la libre interprétation des schémas iconographiques traditionnels. Celle-ci marque la naissance du réalisme dans le sens moderne de ce mot. Pour la première fois dans l'histoire de la peinture européenne, le thème du *Bacchus* (Offices) devient un prétexte pour accumuler des produits naturels et des objets d'usage quotidien, vrais protagonistes de la scène, autour d'un adolescent couronné de pampres et qui se distingue à peine, par cet attribut presque moqueur, du *Garçon qui serre entre ses bras un panier débordant de fruits* (Rome, Gal. Borghese). Pour la première fois, un incident vulgaire comme celui d'un *Garçon mordu par un lézard* (Florence, fondation Longhi) et un événement biblique tel que le *Sacrifice d'Isaac* (Offices) sont élevés au même rang dans leur signification picturale et traités avec le même sérieux et la même force dramatique. Dans les multiples aspects du réel qui nourrissent l'inspiration caravagesque, il n'y a pas de hiérarchie de valeurs ni de différence de classe. Ainsi, le Bacchus sera encore représenté comme un garçonnet de taverne mal nourri et maladif (*Bacchus malade,* Rome, Gal. Borghese) ; la *Madeleine repentie* (Rome, Gal. Doria Pamphili) sera vue non comme une courtisane, mais comme une femme du peuple seule avec sa souffrance dans une pauvre chambre dépouillée, alors qu'une courtisane romaine aura droit à un portrait aristocratique (*Portrait de jeune femme,* détruit à Berlin en 1945). Ainsi, le *Repos pendant la fuite en Égypte* (Rome, Gal. Doria Pamphili) est représenté comme une « tranche de vie » comparable, par la situation spirituelle des acteurs, à des scènes profanes et inédites, comme la *Diseuse de bonne aventure* (Louvre), le *Joueur de luth* (Ermitage), les *Tricheurs* (original perdu). Ainsi, finalement, une *Corbeille de fruits,* dans sa vérité éclatante et tangible, devient l'unique motif du tableau de l'Ambrosienne (Milan), considéré comme la première et l'une des plus belles « natures mortes » modernes, car, par l'absence de toute recherche décorative, de toute complaisance descriptive, de toute implication magique, Caravage rompt définitivement avec les divertissements intellectualistes des « tableaux de genre » qui l'avaient précédé, comme avec le méticuleux naturalisme flamand et l'exploration du « mystérieux » naturel de Léonard de Vinci.

Les tableaux pour Saint-Louis-des-Français et pour Sainte-Marie-du-Peuple ; la fin du séjour romain. L'exécution des peintures pour la chapelle Contarelli à Saint-Louis-des-Français, dont la chronologie a été récemment fixée, grâce à la découverte de nouveaux documents (Röttgen, 1965), aux années 1599-1600 pour les tableaux latéraux (la *Vocation* et le *Martyre de saint Matthieu*) et 1600-1602 pour le tableau d'autel *(Saint Matthieu et l'ange),* marque un tournant capital dans l'itinéraire caravagesque. Cette entreprise est immédiatement précédée de quelques œuvres annonçant les premiers symptômes d'un renouvellement stylistique auquel n'est sans doute pas étrangère l'arrivée à Rome d'Annibale Carracci en 1595 et qui témoigne, en tout cas, d'un changement d'attitude à l'égard de la culture officielle classique. Le *Repas à Emmaüs* (Londres, N. G.) semble en effet, par sa perspective plus élaborée, par son ton plus austère et solennel, une réponse à la « maniera grande » du peintre bolonais, alors que le *Saint Jean-Baptiste* (dans les deux versions de la Gal. Capitoline et de la Gal. Doria Pamphili à Rome) et l'*Amour vainqueur* (Berlin-Dahlem) — considérés non sans raison comme une sorte de parodie de motifs michélangelesques — montrent pour la première fois le souci de l'artiste de proclamer ouvertement, voire ironiquement, sa connaissance de la tradition classique du XVIe s. Après le refus insouciant et ambitieux de tout préjugé qui caractérise la production de ses vingt ans, Caravage semble donc traverser une période de réflexion qui aboutit d'abord soit à un emploi plus pondéré de ses moyens habituels, soit à des emportements improvisés d'ordre polémique, et se transforme ensuite, au cours des travaux réalisés pour Saint-Louis-des-Français, en une crise de conscience qui remet en cause la totalité de son univers poétique. Il nous est possible d'être d'autant plus affirmatif sur l'existence de cette crise que l'examen radiographique des deux tableaux latéraux a révélé des changements de conception et de nombreux repentirs témoignant de l'inquiétude avec laquelle l'artiste s'interroge sur la validité de son interprétation réaliste de tout événement, même sacré, et cherche ensuite un langage nouveau et persuasif pour justifier les libertés qu'une telle interprétation entraîne nécessairement à l'égard de l'iconographie consacrée par la tradition et reconnue par l'Église. À travers cette recherche, le credo artistique de Caravage se consolide et s'impose par son caractère révolutionnaire de façon d'autant plus pénétrante qu'il s'exprime avec une sorte de calme certitude. Audacieusement transposés dans une ambiance contemporaine (une table de jeu devant un bureau de péage pour la *Vocation,* l'intérieur d'une église romaine pour le *Martyre*), les événements sacrés sont saisis dans leur évidence physique et spirituelle grâce au rôle révélateur de la lumière qui, provenant d'une source latérale extérieure au tableau, éclaire les éléments essentiels de la composition en obéissant non pas à des lois optiques objectives, mais aux exigences expressives de l'artiste, bloque les gestes dans l'éclair d'un instantané en les chargeant d'une signification absolue, plonge la scène dans un clair-obscur silencieux et dramatique. C'est l'affirmation du « luminisme » caravagesque, dont les racines culturelles sont à rechercher dans nombre d'épisodes du Maniérisme européen, mais qui, dépouillé de toute implication intellectualiste, acquiert chez Caravage, dont il traduit de façon immédiate la poétique antihumaniste, une fonction tout à fait nouvelle. La substitution de la lumière à l'homme dans la définition de l'espace physique et moral de la représentation correspond, dans le domaine des arts figuratifs, à ce même refus d'une conception anthropocentrique du monde qui se manifestait, au même moment, avec Giordano Bruno et qui, peu de temps après, allait guider Galilée dans son exploration de l'univers. La première version du tableau d'autel (détruite à Berlin en 1945) fut jugée trop réaliste et irrespectueuse et fut refusée par les commanditaires. La deuxième version est d'une conception plus classique, conception « dangereuse » (Longhi, 1951) pour ce poète du peuple qu'était Caravage ; elle frappe surtout par la solidité des draperies qui enveloppent l'ange comme pour le soutenir dans son vol (le peintre sera à tout jamais incapable de faire « voler » un ange), ainsi que par les couleurs, dont la gamme est pourtant restreinte et l'emploi parcimonieux, qui semblent exploser au choc violent de la lumière contre le fond sombre de la toile. Bien que l'effet chromatique particulier de ce tableau laisse supposer une influence de la peinture tonale vénitienne, la place qui lui est réservée dans l'ensemble de la représentation, où les tons sombres sont prédominants, s'accorde avec l'orientation que le luminisme caravagesque avait commencé de prendre, l'année précédente, dans les deux toiles (la *Crucifixion de saint Pierre* et la *Conversion de saint Paul*) pour la chapelle Cerasi à Sainte-Marie-du-Peuple, terminées, selon les documents, en novembre 1601. Plus intenses encore que les toiles Contarelli, ces compositions sont le fruit d'un approfondissement des thèmes religieux, pratiquement les seuls sujets traités dorénavant par le peintre. Cet approfondissement, qui aboutit à une traduction en dialecte populaire de l'histoire sacrée et qui serait à mettre en rapport, selon certains critiques (W. Friedländer, 1955), avec les prédications de saint Ignace de Loyola et de saint Philippe Neri, s'exprime, dans les tableaux Cerasi, par un réalisme poussé à ses extrêmes conséquences (par exemple, la croupe du cheval en premier plan dans la *Conversion,* qui choqua le public contemporain) et par une transformation du clair-obscur en une profondeur ténébreuse, percée par la lumière incidente dans un déchirement douloureux, à travers lequel les scènes, traitées avec une palette sobre et sans détails descriptifs, s'imposent avec une vérité foudroyante.

Dans cette même lignée se situent les autres tableaux peints par Caravage à Rome, avant sa fuite consécutive à un meurtre. Vers 1602-1604, ses méditations d'ordre classique (la *Mise au tombeau,* Vatican) semblent trouver leur équilibre avec la *Madone de Lorette* (1603-1605), exécutée pour l'église S. Agostino, où la beauté sculpturale de la Vierge s'anime de tendresse humaine dans un dialogue silencieux avec ses humbles adorateurs. La vocation populaire de Caravage s'intensifie, à tel point qu'il choisit la fille d'une de ses voisines « pauvres » comme modèle pour la Vierge dans une composition à l'iconographie pourtant précieuse, la *Madone au serpent* (Rome, Gal. Borghese), peinte en 1605 pour la confrérie des Palefreniers. En même temps l'obscurité envahit de plus en plus ses tableaux et s'impose comme élément non pas complémentaire, mais opposé à la lumière, prenant valeur d'une lutte contre les ténèbres et subordonnant à leur triomphe l'existence des couleurs. C'est le cas du *Saint Jérôme* et du *David* de Rome (Gal. Borghese), du *Saint Jérôme* du monastère de Montserrat et surtout de la *Mort de la Vierge* (Louvre), tragédie muette éclairée par une lueur rougeâtre qui explore les gestes et les expressions de la misérable assemblée recueillie autour du corps de la Vierge, un corps « enflé et aux jambes découvertes » (Baglione, 1642), dont le réalisme causa de nouveau de vives réactions auprès du public contemporain.

La fuite de Rome. Les œuvres napolitaines, maltaises et siciliennes. C'est probablement pendant sa fuite, caché dans les domaines du prince Colonna, que Caravage exécute un *Repas à Emmaüs* (Brera) en le développant sur le schéma d'une « scène de taverne » plébéienne, dans laquelle chaque personnage sort de l'obscurité grâce à un éclairage individuel qui transperce la rude enveloppe corporelle et saisit sur le vif les sentiments. À Naples en 1607, il travaille fébrilement à de nombreuses œuvres mentionnées par ses biographes et en partie perdues. Celles qui subsistent, la *Vierge du rosaire* (Vienne, K.M.), les *Sept Œuvres de Miséricorde* (Naples, église du Pio Monte), une *Salomé avec la tête du Baptiste* (Londres, N.G.) et une *Flagellation* (Naples, église S. Domenico Maggiore), témoignent d'une nouvelle orientation du style caravagesque vers des effets plastiques et monumentaux qui rappellent et contredisent à la fois la tradition classique et la tradition maniériste, confiés, comme ils le sont, aux seuls rapports entre l'ombre et la lumière et employés pour exalter les aspects les plus crus de la réalité humaine.

Au début de 1607, l'artiste est à Malte, où il exécute pour l'Ordre des tableaux qui lui valent le titre de chevalier : deux portraits d'*Alof de Wignacourt* (dont l'un a été identifié, mais sans unanimité, avec le portrait du même grand maître de l'Ordre au Louvre), une *Décollation de saint Jean-Baptiste* et un *Saint Jérôme* pour la cathédrale de Saint-Jean à La Vallette. Après la parenthèse napolitaine, il reprend ici le discours commencé au début de sa fuite en l'intériorisant et en l'enrichissant d'un intérêt nouveau pour la matière picturale. Il le poursuit en Sicile, où il débarque en octobre 1608 ; au cours de ses pérégrinations (qui se concluent tragiquement, après une traversée en mer, par sa mort sur une plage du Latium le 18 juillet 1610), il y laisse des chefs-d'œuvre comme l'*Enterrement de sainte Lucie* (Syracuse, église de S. Lucia), la *Résurrection de Lazare* et l'*Adoration des bergers* (musée de Messine), la *Nativité* (Palerme, église S. Lorenzo), une *Salomé* (Escorial, Casita del Principe) et, sans doute, le *Saint Jean-Baptiste* de la Gal. Borghese à Rome. Fidèle jusqu'à la fin de ses jours à son attachement pour les aspects humbles de la vie quotidienne, Caravage en donne, dans ses dernières œuvres, la version la plus spiritualisée, que traduit une mise en page toute de sobriété et de noblesse. G. R. C.

Le Caravagisme. La révolution accomplie par Caravage sur le plan formel et sur le plan iconographique était le résultat d'un changement radical des rapports entre le peintre et le monde ; sa force de pénétration était d'autant plus efficace qu'il pouvait répondre aux exigences de renouvellement d'un certain nombre de milieux culturels et sociaux, et surtout atteindre les sensibilités individuelles les plus originales sans s'imposer sous la forme d'un langage codifié. L'une des conséquences de la leçon caravagesque fut pourtant l'établissement d'un répertoire de formules (naturalisme de la représentation, figures grandeur nature, lumière incidente, valeur expressive du clair-obscur) et de thèmes iconographiques (scènes de taverne, joueurs de luth, diseuses de bonne aventure) adopté et divulgué par nombre de peintres italiens (Gentileschi, Saraceni, Borgianni, Manfredi, Serodine, Caracciolo, pour ne citer que quelques noms) et étrangers (Honthorst, Ter Brugghen,

Ribera, Valentin, Vouet, La Tour, Leclerc, Tournier, parmi bien d'autres) auxquels revient le titre de « caravagesques », bien que le maître lombard n'ait jamais eu le désir de fonder une école. C'est entre les pôles d'une adhésion libre à une attitude mentale, et de l'adoption fidèle (poussée souvent jusqu'à la copie) d'une manière picturale, que se situe l'impact de Caravage sur la peinture européenne. D'une façon générale — et abstraction faite des conflits personnels de certains —, la lignée de souche caravagesque représente, au cours du XVIIe s., le courant d'opposition à la rhétorique classique des académies et à la brillante verve illusionniste et décorative du Baroque. On peut ainsi considérer le Caravagisme comme l'une des sources essentielles de la peinture du XVIIe s., où puisèrent des artistes aussi différents qu'Elsheimer, Velázquez et Rembrandt. G. R. C.

Vittore Carpaccio
◀ **Le Christ mort**
Berlin-Dahlem,
Staatliche Museen-
Preussischer Kulturbesitz,
Gemäldegalerie
Phot. Anders

Carpaccio
Vittore

peintre italien
(Venise v. 1465 - id. 1525)

Si l'on admet l'hypothèse récente (1958) de T. Pignatti concernant sa naissance, Vittore, fils de Piero Scarpazza, marchand de peaux, préféra changer son nom en celui de Carpaccio, dans une perspective humaniste. Il détient une place éminente et originale dans l'histoire de la peinture vénitienne du XVe s. La critique n'est pas encore tout à fait unanime pour déterminer l'origine de sa formation. On considère d'abord, après avoir écarté, et à juste titre, l'hypothèse d'un apprentissage auprès de Bastiani, qu'il subit l'influence des Bellini (particulièrement celle de Gentile) et, plus déterminante, celle d'Antonello de Messino, transmise par A. Vivarini et B. Montagna. On doit aussi constater, pour justifier un style et un goût propres à Carpaccio, fort rares à Venise, des rapports avec l'art flamand ou avec des zones artistiques en dehors de la Vénétie (Ferrare, Marches, Ombrie, Latium, Toscane) qui devraient impliquer, bien que ce fait n'ait pas été prouvé, plusieurs déplacements de l'artiste. L'hypothèse d'un voyage de Carpaccio en Orient est encore plus problématique. Sa prédilection pour des thèmes évoquant le monde oriental (Fiocco) pourrait trouver une explication dans la source iconographique des xylographies de Reeuwich, ou encore dans l'observation du caractère particulier de la vie vénitienne de l'époque; elle répond cependant à la singulière mobilité de la fantaisie inventive de Carpaccio.

On attribue à sa première période le *Christ parmi les apôtres* (collection particulière) dont la volumétrie rappelle Antonello de Messine, la « paletta » étant influencée par Montagna (la *Vierge et l'Enfant avec quatre saints* du musée de Vicence et le polyptyque d'un style encore rude de la cathédrale de Zara, dernière décennie du XVe s.).

C'est avec le cycle de l'*Histoire de sainte Ursule,* exécuté entre 1490 et 1496 pour la Scuola di S. Orsola (cette dernière, on l'a établi récemment, se trouvait à côté de l'abside de la basilique des S. Giovanni e S. Paolo), que la personnalité de Carpaccio se montre dans toute sa nouveauté déjà mûre et constituée dans ses traits les plus originaux. Les 8 toiles évoquent la vie de la sainte (auj. à l'Accademia, mais dans un ordre d'exécution qui ne correspond pas au développement historique des différents épisodes), inspirée par la *Légende dorée* de Jacques de Voragine : l'*Arrivée des ambassadeurs anglais auprès du roi de Bretagne,* les *Adieux des ambassadeurs,* le *Rapatriement des ambassadeurs,* la *Rencontre des fiancés et le départ en pèlerinage* (1495), la *Rencontre des pèlerins avec le pape,* le *Rêve de la sainte,* l'*Arrivée à Cologne* (1490), le *Martyre des pèlerins et les funérailles de la sainte* (1493). Le travail se déroula pendant un peu plus d'un lustre pour se terminer en 1496 (la date de la « pala » avec la *Gloire de la sainte,* pourtant datée de 1491, n'est pas sûre ; elle est sans doute un peu postérieure). Les capacités de narrateur de Carpaccio paraissent ici dans toute leur vivacité. L'artiste est curieux de tout indice vrai, de tout accident épisodique. Il situe l'événement sacré, réduit aux dimensions d'un fait humain étonnamment vivant, dans un monde fantastique, gai et exubérant.

Cependant, considérer la personnalité de Carpaccio exclusivement sur la base de ses mérites, par ailleurs exceptionnels, d'« illustrateur », comme le faisait l'historiographie avant les études fondamentales de Fiocco, cela équivaudrait à se méprendre profondément sur le sens nouveau de sa peinture. Celle-ci est fondée sur une analyse lucide de la forme, une conscience très sûre des moyens fournis par la perspective pour définir l'espace, un chromatisme riche, lumineux, qui annonce parfois le « tonalisme » du XVIe s. Une profonde compréhension de la culture humaniste de l'époque, si fervente en Vénétie, soutient en outre, sur le plan de l'information culturelle la plus sérieuse, les recherches figuratives de Carpaccio et explique le niveau de son monde poétique. On en juge bien lorsqu'on compare ses créations avec le récit plus froid et plus superficiel des toiles de Gentile Bellini, avec qui il entre en concurrence en participant au cycle des *Histoires de la Croix* pour la Scuola di S. Giovanni Evangelista. L'exceptionnel *Miracle de la relique de la Croix* (1494, Venise, Accademia), dont la scène se déroule à côté du pont de Rialto, est par ailleurs un document précieux sur Venise et sur sa vie à la fin du XVe s. Son activité, entrecoupée d'autres œuvres (le *Sang du Christ,* 1496, musée d'Udine ; *Sainte Conversation,* Avignon, Petit Palais, et les travaux au palais des Doges [1501 et 1507], perdus dans l'incendie de 1577), s'exerce pour le décor des Scuole de Venise. À la Scuola di S. Giorgio degli Schiavoni (1501-1507), il raconte en une série de toiles, toujours en place, l'histoire de saint Jérôme *(Saint Jérôme et le lion dans le couvent,* les *Funérailles de saint Jérôme, Saint Augustin dans son studio),* de San Trifone et de saint Georges *(Saint Georges et le dragon, Triomphe de saint Georges,* le *Baptême des Sélénites).* Sa veine narrative, toujours vivifiée par la rencontre du réel avec le fabuleux, s'enrichit de rythmes plus dynamiques et d'un sentiment humain plus profond. La mise en scène, plus complexe, présente les épisodes avec une perspective très large, et l'architecture, tout en évoquant le monde oriental, n'est pas sans rappeler l'école lombarde. Sa vision « lenticulaire » note avec une égale curiosité l'ambiance réaliste et les fantaisies funèbres. On retrouve ce goût du macabre dans les deux chefs-d'œuvre du Metropolitan Museum *(Méditation sur la passion du Christ)* et de Berlin-Dahlem *(Lamentations sur le Christ mort),* évoquant l'un et l'autre la *Déploration du Christ,* mais il se limite à des observations de détail, sans affecter la riante sérénité du paysage et des ciels ni celle des animaux agiles et multicolores, les mêmes qui égaient l'oisiveté vénitienne des *Deux Courtisanes* du musée Correr (tant admirées par Ruskin), les mêmes encore qui animent l'air limpide et le fragile jardin qui forme un cadre fabuleux et infiniment précieux à la figure guerrière du *Cavalier* de Lugano (1510, coll. Thyssen). À côté de ces chefs-d'œuvre de fantaisie et de libre invention, Carpaccio exécute pour l'église S. Giobbe (1510, Accademia) la monumentale *Présentation au Temple,* où se reflète une méditation profonde sur les solutions plastiques découvertes par Giovanni Bellini.

La force créatrice du maître, fidèle aux conquêtes et aussi aux limites de la vision du XVe s., semble s'atténuer, au cours de la deuxième décennie du siècle, comme s'il était écrasé par la « modernité » des gloires naissantes du cinquecento vénitien. D'autre part, l'intervention toujours plus fréquente de l'atelier, déjà perceptible dans la série des 6 *Scènes de la vie de la Vierge* peintes pour la Scuola degli Albanesi (auj. partagée entre l'Accad. Carrara à Bergame, la Brera, le musée Correr et la Ca' d'Oro à Venise), alourdit souvent ses œuvres. Les *Scènes de la vie de saint Étienne* de la Scuola di S. Stefano (1511-1520), partagées entre la Brera, le Louvre, les musées de Stuttgart et de Berlin, gardent toutefois, surtout dans certains épisodes (la *Dispute,* 1514, Brera ; la *Prédication,* Louvre), un chromatisme lumineux, un sens concret de l'espace, une netteté formelle et une limpidité aérienne qui désignent encore le meilleur Carpaccio. Cependant, sa production tardive, réservée en partie à la province et partagée avec ses fils Benedetto et Piero, révèle que la parabole de Carpaccio décline désormais dans le sens de la sécheresse et de la faiblesse académique (œuvres dans la cathédrale et dans le musée de Capodistria). F. Z. B.

Ludovico Carracci
◀ **La Vierge et l'Enfant avec saint François, saint Joseph et des donateurs** (1591)
Cento, Pinacoteca Civica
Phot. Arborio Mella

Carrache

Ludovico Carracci

peintre italien

(Bologne 1555 - id. 1619)

Il étudie d'abord avec Prospero Fontana, mais, très rapidement, enrichit sa culture par des séjours à Florence, Parme, Mantoue, Venise. À Bologne, l'influence de Bartolomeo Cesi détermine la construction simple et rigoureuse de ses œuvres de jeunesse, parmi lesquelles on peut citer l'*Annonciation* (Bologne, P. N.) et la *Vision de saint François* (Rijksmuseum). Alors que se réveille, à Bologne et ailleurs, certaines tendances naturalistes, Ludovico s'exprime avec une peinture fondée sur des clairs-obscurs fortement contrastés, renouvelant ainsi les schémas de sa propre vision. Plusieurs œuvres illustrent, dans un crescendo expressif, sa manière de peindre à cette époque : la *Chute de saint Paul* (1587), la *Madone des Bargellini* (1588), la *Madone des Scalzi* (toutes trois à Bologne, P. N.), la *Flagellation* (musée de Douai) et son chef-d'œuvre, la *Madone avec saint François et saint Joseph* (1591, musée de Cento, Émilie), tant par la fougue picturale qu'il y déploie que par les nuances de sentiments qui s'en dégagent. Passionné et chaleureux, d'imagination ardente, il ne donne pas d'autre fin à sa création que l'effusion picturale sur des thèmes religieux de prédilection, loin de tout esprit d'expérimentation et de tout « intellectualisme ».

Très attaché à sa ville natale, il ne s'en éloigne qu'en de rares occasions et pour peu de temps : en 1607-1608 il se rend à Plaisance pour exécuter les fresques du chœur du Dôme ; mais les autres commandes que lui font cette ville ou d'autres (d'Émilie ou de Lombardie) sont toujours expédiées de Bologne. Peu enclin à suivre l'évolution de son époque en se mettant au goût du jour, il apparaît vite vieilli par rapport aux nouvelles tendances de l'art bolonais, représenté à Bologne même par Guido Reni et Albani, à Rome par Domenichino et Lanfranco. Il consacre ses dernières années à l'enseignement et à la direction de l'académie qu'il avait fondée avec ses célèbres cousins. Sa dernière œuvre importante fut la série de fresques qu'il exécuta (1604-1605) avec ses élèves dans le cloître de S. Michele in Bosco. Aujourd'hui fort endommagées, ces fresques ne peuvent être vraiment appréciées qu'à travers des reproductions. Bien que son exemple ait joué un rôle déterminant dans la formation d'artistes comme Guerchin et, plus tard, G. M. Crespi, il n'atteignit jamais le renom d'Annibale, et son influence n'eut qu'un rayonnement limité. E. B.

Carrache

Annibale Carracci

peintre italien

(Bologne 1560 - Rome 1609)

Sa vocation peut facilement s'expliquer par la présence dans sa famille de deux peintres, son cousin Ludovico* et son frère Agostino. Il s'initie à la peinture aux côtés du maniériste Prospero Fontana, mais, comme son frère, c'est en qualité de graveur qu'il débute et donne ses premiers essais originaux en 1581. Par sa première « pala » (1583), la *Crucifixion,* à S. Niccolò de Bologne, il s'affirme avant Ludovico et Agostino. Il recherche alors d'autres enseignements hors du milieu bolonais et se tourne surtout vers Baroche, dont l'influence est sensible dans le *Baptême du Christ* (1585) de S. Gregorio de Bologne. En même temps, il étudie les Campi et J. Bassano, s'intéressant à l'observation des aspects les moins héroïques de la réalité. Il aborde tous les genres de peinture : portrait, paysage, décoration murale. Au palais Fava de Bologne, il travaille avec Ludovico et Agostino au cycle de fresques illustrant l'*Histoire de Jason.* Dans une autre salle du palais, peu après, il peint seul l'*Histoire d'Europe,* qui révèle les influences subies au cours d'un voyage d'étude à Parme et à Venise, influences dont font état, d'ailleurs, ses biographes. Fidèle aux principes fondamentaux énoncés par l'académie des Incamminati, qu'il avait définis en 1585-86 avec son frère et son cousin comme les principes idéaux, il exécute d'imposantes « pale » pour Bologne, Parme et Reggio. Les fresques d'un salon du palais Magnani *(Histoire de Romulus)* à Bologne, peintes entre 1588 et 1592, présentent les mêmes caractéristiques. Bien qu'il soit difficile de préciser la part prise par chacun des trois Carracci, cette œuvre, en révélant un commun désir de réaction à la manière des grands maîtres du XVIe s. (Corrège, Titien, Véronèse) qui idéalisaient la réalité tout en respectant les formes de la nature, constitue en quelque sorte leur manifeste artistique.

Durant les quelques années qu'Annibale Carracci devait encore passer à Bologne, il peint des portraits fortement naturalistes (naturalisme qui apparaissait déjà dans des scènes de genre telles que la *Boucherie* de Christ Church à Oxford ou le fameux *Mangeur de fèves* de la Gal. Colonna à Rome). Cependant, il excelle surtout dans la peinture de paysage, genre qu'il renouvelle par une interprétation romantique qui, pourtant, ne fuit jamais la réalité. Il se plaît à évoquer la vie des collines bolonaises, les fleuves avec leurs pêcheurs et leurs bateliers, les voyageurs et les chasseurs, sur un fond d'arbres aux chaudes couleurs automnales. Ce n'est que plus tard, à Rome, que sa vision se fera plus sévère, plus solennelle, impliquant une conception de la nature conforme à la théorie du « beau idéal » ; elle sera le théâtre héroïque des grands événements humains et divins.

En 1595, il est appelé à Rome par le cardinal Odoardo Farnèse. Il travaillait alors à la *Charité de saint Roch* (auj. à Dresde, Gg). Cette œuvre, conçue suivant les normes classiques, met en évidence un changement dans l'évolution de son style. Composition complexe et équilibrée, elle s'exprime en cadences rythmées et solennelles, en gestes lents et majestueux, en figures conçues comme des statues. Les expériences naturalistes précédentes enrichiront toujours sa nouvelle vision, nourrissant sa sensibilité aux effets de la lumière naturelle sur la surface vraie des choses, sensibilité qui restera toujours vive, même lorsqu'à Rome il aura renoncé définitivement à la représentation directe de la réalité.

Sa première œuvre romaine, la décoration à fresque du « Camerino », au palais Farnèse, illustre les *Histoires d'Hercule et d'Ulysse* entourées de grisailles qui révèlent une étude approfondie de l'Antiquité classique. Deux ans plus tard environ, il commence une nouvelle décoration à fresque pour la galerie du palais Farnèse, à laquelle collaborèrent son frère Agostino, puis plusieurs de ses élèves, parmi lesquels Domenichino, Albani et Lanfranco. Achevée après cinq ans de travail, cette entreprise grandiose permit à Annibale de déployer tout son génie. Le thème en était l'exaltation de l'Antiquité classique, représentée par les *Amours des dieux.* Il le traita dans le cadre d'une architecture feinte d'une grande complexité, comprenant des figures peintes de manière à donner l'illusion soit de personnages réels, soit de statues de bronze ou de marbre sur lesquelles joue une lumière dorée et mouvante, d'un effet atmosphérique puissant, qui semble venir des angles de la voûte à travers des fenêtres ouvrant sur le ciel. Annibale innovait une conception de la décoration développée par la peinture baroque.

Durant cette période, l'artiste honora également des commandes de tableaux d'autel, de peintures profanes, de paysages. En 1602, il fut chargé de décorer la chapelle Herrera à S. Giacomo degli Spagnoli ; les fresques (auj. démembrées et réparties dans divers musées espagnols) seront achevées par ses élèves en 1607. À la même époque, le cardinal Aldobrandini lui confie la décoration d'une chapelle de son palais, comportant des tableaux en forme de lunettes représentant des épisodes de la vie de la Vierge, sur fonds de paysages. Annibale exécuta personnellement la *Fuite en Égypte* et la *Mise au tombeau du Christ* (l'ensemble des lunettes est auj. à Rome, Gal. Doria Pamphili). Cette série inaugurait le genre héroïque de la peinture de paysage du XVIIe s. et servit de modèle à des artistes comme Domenichino et Claude Lorrain.

En 1605, atteint d'un mal incurable, Annibale doit pratiquement renoncer à peindre ; il continue toutefois à dessiner et à diriger les travaux exécutés par ses élèves. Il meurt au cours de l'été 1609, universellement regretté. L'admiration générale pour son œuvre ne commença à faiblir qu'un siècle et demi plus tard, lorsque Winckelmann et certains critiques néo-classiques mirent en doute sa grandeur, voyant en lui un imitateur quelque peu

Annibale Carracci
▲ **Le Triomphe de Bacchus et d'Ariane**
Fresque de la galerie Farnèse
Rome, palais Farnèse
Phot. Scala

éclectique. Notre époque, en réhabilitant son génie, a fait justice de cette interprétation.

L'œuvre d'Annibale comporte également un grand nombre de dessins (études d'après nature, paysages, caricatures, projets pour les grandes décorations), souvent à la pierre noire rehaussée de blanc, d'une puissante autorité. Le Louvre, la coll. de la reine d'Angleterre (Windsor Castle) et la coll. Ellesmere (dispersée en 1972) en conservent d'abondantes séries.

E. B.

Carreño de Miranda

Juan

peintre espagnol
(Avilès 1614 - Madrid 1685)

D'une famille noble asturienne, il vint à Madrid à l'âge de onze ans et entra dans l'atelier de Pedro de las Cuevas, puis travailla avec Bartolomé Roman, imitateur de Rubens, mais disciple de Velázquez. Ses premières œuvres le montrent entièrement inféodé au style et à la technique des

Juan Carreño de Miranda
◄ **La Messe de fondation de l'ordre des Trinitaires**
(1666)
Paris, musée du Louvre
Phot. Giraudon

Flamands et dénotent déjà un sens de la composition classique rare chez les maîtres espagnols. Le *Saint François prêchant aux poissons* (1646, Villanueva y Geltrú, musée Balaguer) et surtout l'*Annonciation* (1653, Madrid, hôpital de la Orden Tercera) décèlent des emprunts évidents à Rubens. L'ampleur des formes, l'aisance du dessin, l'éclat des couleurs, la lumière dorée ne doivent rien aux compatriotes de Carreño. Il semble bien que sa production ait augmenté considérablement entre 1650 et 1660, période où apparaissent de nombreuses toiles religieuses signées et datées. Carreño, qui assumait une charge officielle à la cour du roi Philippe IV, rendait souvent visite à Velázquez ; ce dernier, probablement entre 1655 et 1659, selon Palomino, lui proposait de l'aider pour la décoration du salon des Miroirs à l'Alcazar de Madrid. Carreño, qui possédait la technique de la fresque, entreprit deux compositions (disparues dans l'incendie de l'Alcazar en 1734). La coupole de S. Antonio de los Portugueses, exécutée sur un projet de Colonna et fortement retouchée par Giordano, ne permet pas d'évaluer avec précision la science de l'artiste dans ce domaine, de même qu'une coupole de la cathédrale de Tolède, entièrement repeinte au XVIIIe s. par Maella. En 1657, le maître asturien représentait le *Songe du pape Honorius* dans l'église du collège Saint-Thomas de Madrid ; cette composition, auj. disparue, avait suscité l'admiration du décorateur italien Michele Colonna, qui déclarait que Carreño était le meilleur peintre de la cour d'Espagne. Sa collaboration étroite et permanente avec Velázquez peut être considérée comme le tournant capital de son évolution ; c'est à ce moment-là que le peintre, sans renoncer à l'esthétique flamande, lui insuffle les sentiments de gravité et de passion qui lui donnent alors un cachet authentiquement espagnol. Seul véritable disciple de Velázquez, Carreño résolut, grâce à lui, les problèmes de lumière, d'atmosphère et d'espace d'une manière tout à fait novatrice. Cette transformation, déjà sensible dans le *Saint Dominique* (1661, musée de Budapest), devient évidente avec le chef-d'œuvre de Carreño, la *Messe de fondation de l'ordre des Trinitaires* (1666, Louvre), toile exécutée pour les moines trinitaires de Pampelune. Dans un espace clair et lumineux, défini suivant les conceptions de Velázquez, les personnages sont harmonieusement groupés ; le recueillement, l'expression extatique des visages surprennent par leur intensité ; les couleurs vives et riches — bleu, rouge, ors bruns —, appliquées avec vigueur, font penser au romantisme polychrome de Delacroix. Carreño réalise dans d'autres toiles de la même période un heureux compromis entre l'exemple de Velázquez, le souvenir de Titien et le style septentrional auquel il demeure attaché : *Sainte Anne* (1669, Prado), l'*Immaculée Conception* (1670, New York, Hispanic Society), l'*Assomption* (musée de Poznań). En 1669, il fut nommé peintre du roi, et en 1671 « pintor de cámara » ; il s'affirma dès lors comme portraitiste. Outre de nombreux portraits de *Charles II enfant* (Berlin, K. M. ; Vienne, coll. Harrach ; Prado), où l'image qu'il a laissée du petit prince débile est saisissante, Carreño a représenté à plusieurs reprises la *Reine Marianne* en costume de veuve (Prado ; Vienne, K. M.). Il a laissé également de prestigieuses effigies de hauts personnages de cour, tels que le *Marquis de Santa Cruz* (Madrid, coll. part.) et l'*Ambassadeur russe Potemkino* (Prado). J. B.

Carriera
Rosalba

peintre italien

(Venise 1675 - id. 1757)

Elle débuta comme miniaturiste, mais se consacra bientôt à l'art du portrait, dans lequel elle excella. Son style régulier est d'une grâce vaporeuse dont l'usage exclusif du pastel facilite le rendu. Les seigneurs vénitiens, insouciants et galants, les étrangers voulant garder le souvenir de ce milieu devinrent bientôt ses meilleurs clients. La peinture de Rosalba fut influencée par celle de Gian Antonio Pellegrini, beau-frère de l'artiste et champion du rococo vénitien avec Ricci et Amigoni. À ce goût appartiennent les couleurs claires et aérées, le *sfumato* des formes, comme effrangées, la sensibilité mondaine et souriante, mais très cordiale et humaine, la grâce poudrée des dames et des chevaliers. Rosalba reçut des commandes du duc de Mecklembourg (1700), de Frédéric IV de Danemark (1709) et de l'Électeur de Saxe (1717). En 1720, elle se rendit à Paris, où elle remporta un succès extraordinaire. Le *Portrait de jeune fille* (Louvre) laisse entrevoir dans la fraîcheur particulière de ses notes psychologiques ce qui rapproche l'artiste du goût français. Mais il faut noter, en revanche, que les portraitistes français ne furent pas insensibles à l'influence de l'artiste vénitienne. En 1723, elle fut à la cour d'Este à Modène, et en 1730 à Vienne. Sa vieillesse fut assombrie, à partir de 1746, par la maladie : la vue affaiblie, elle ne peut plus se consacrer à la peinture.

Parmi les portraits d'hommes les plus remarquables de l'artiste, signalons celui du *Comte Nils Bielke* (1729, Stockholm, Nm), composé avec la légèreté typique de Carriera et selon la manière bien structurée de Fra Galgario, ou celui d'un *Gentilhomme* (Londres, N. G.), très raffiné dans la disposition habile des différents plans. Parmi les portraits féminins se détachent ceux de la *Dan-*

Rosalba Carriera
▼ **Portrait du cardinal de Polignac**
Venise, Galleria dell'Accademia
Phot. Scala

seuse Barberina Campani (Dresde, Gg) et de *Caterina Barbarigo (id.),* noble dame d'une coquetterie distinguée et dont les vêtements sont arrangés selon un jeu complexe de facettes.

Rosalba Carriera est particulièrement bien représentée à Dresde (Gg). La Ca'Rezzonico et l'Accademia de Venise conservent également des ensembles de pastels de l'artiste. M. C. V.

Carrière
Eugène

peintre français
(Gournay, Seine-et-Oise, 1849 - Paris 1906)

Encore enfant, Carrière est placé comme apprenti lithographe à Strasbourg (1864-1867), puis à Saint-Quentin (1868). Impressionné par les pastels de La Tour, puis par les Rubens du Louvre (1869), il entre dans l'atelier de Cabanel aux Beaux-Arts. Prisonnier à Dresde en 1870, Carrière affirme, dès 1871, son socialisme humanitaire dans une lithographie déplorant l'écrasement de la Commune (les *Droits de l'homme*). En 1872 et 1873, il travaille pour Chéret, puis, après son mariage, s'installe à Londres (1877-78), où il découvre Turner. Il est soutenu par les milieux socialistes et symbolistes (portraits lithographiés de *J. Dolent* et de *Verlaine*). Il fonde avec Rodin et Puvis de Chavannes la Société nationale des beaux-arts (1890) et préface, en 1896, le salon de l'Art nouveau. Son œuvre, consacrée à l'évocation attendrie de l'amitié, de l'enfance et de l'amour maternel, se développe presque exclusivement, à partir de 1879 (*Maternité,* musée d'Avignon), dans des scènes intimes (les *Dévideuses,* 1887, Londres, Tate Gal. ; la *Grande Sœur,* Orsay) et des portraits fervents noyés de brumes bistres, aux sinuosités de plus en plus marquées par le Modern Style

Eugène Carrière
Intimité (la Grande Sœur) ▶
Paris, musée d'Orsay
Phot. Musées nationaux

(*Portrait de M. Devillez,* 1887, Orsay *Portrait d'E. de Goncourt,* v. 1892, musée de Pontoise; *Méditation,* v. 1900, musée de Strasbourg). On lui doit aussi des variations sur le thème du *Christ en croix,* de précieuses *Natures mortes* et quelques *Nus* (Orsay). L'atelier libre qu'il ouvre de 1898 à 1903 accueille Matisse, Derain, Puy, Laprade. En 1904, Carrière est le premier président du Salon d'automne. Le musée d'Orsay conserve un bel ensemble de peintures de l'artiste, qui est également fort bien représenté au musée de Strasbourg. G. V.

Castiglione

Giovanni Benedetto, dit il Grechetto

peintre italien

(Gênes v. 1611 ? - Mantoue 1663 ou 1665)

Castiglione demeura à Gênes jusqu'en 1632. Ses maîtres furent alors G. B. Paggi, puis G. A. de Ferrari et aussi Van Dyck (lors de son second séjour à Gênes de 1621 à 1627). Mais c'est plutôt vers les peintres de genre d'origine flamande qu'il se tourne alors et surtout vers un élève de Snyders, Jan Roos (à Gênes de 1614 à 1638). Il lui emprunte ce type de composition présentant des animaux surchargés d'ustensiles divers, qu'il traite d'une manière beaucoup plus large que ne le faisait S. Scorza, évoquant également Aertsen et Beuckelaer. J. Bassano, dont l'œuvre était loin d'être inconnue à Gênes, dut également l'impressionner. Adepte du naturalisme du Nord, il produit alors des scènes animalières à prétexte biblique tel que le *Voyage d'Abraham* (Düsseldorf, K. M.), thèmes qu'il traitera pendant toute sa carrière. C'est aussi l'époque où il exécute des eaux-fortes (têtes enturbannées) marquées par l'étude de celles de Rembrandt, qu'il fut le premier parmi les Italiens à découvrir. C'est donc encore par l'intermédiaire des Nordiques qu'il fut touché par le Caravagisme. Rembrandt devait d'ailleurs rester pour lui, sa vie durant, une source de renouvellement, surtout dans le domaine graphique.

Castiglione quitta Gênes pour Rome en 1632, y faisant deux séjours, le premier de 1632 à 1635, le second de 1647 à 1651. On pense que la période intermédiaire a dû se dérouler à Naples, où il est mentionné en 1635, ainsi que dans diverses villes italiennes, mais surtout à Gênes (v. 1645). Durant son premier séjour romain, il fut en relations avec le cercle de Poussin et de Cassiano dal Pozzo; il n'est pas très éloigné stylistiquement de P. Testa et de P. F. Mola, qui se trouvent à Rome. Il se détacha alors de l'art flamand pour devenir un adepte du néo-vénétianisme de Poussin dans les années 1630-1635, lui empruntant ses thèmes bacchiques et élégiaques. Son répertoire s'élargit, son style se fait plus ordonné et son coloris plus chaud; ses compositions sont allégées et ses dessins plus libres. Il élabore une technique du dessin à l'huile sur papier, héritée sans doute des Flamands et des Vénitiens, lui permettant d'employer des couleurs telles que le vermillon, qu'il est le seul à utiliser alors. Il invente aussi la technique du monotype, consistant à faire un tirage unique à partir de la plaque métallique qui supporte le dessin à l'encre; ces deux procédés autorisant une plus grande liberté et des effets de clair-obscur. De retour à Gênes, il y peignit de grandes compositions religieuses d'un effet baroque accentué : l'*Adoration des bergers* (1645, église S. Luca); *Saint Bernard adorant le Christ en croix* (église S. Martino à Sampierdarena); *Saint Jacques chassant les Maures d'Espagne* (oratoire de S. Giacomo della Marina). L'*Adoration des bergers* témoigne d'un sens certain de l'espace, tandis que dans le *Saint Bernard* apparaît pour la première fois le sentiment de l'extase qu'il développera plus tard dans ses « bozzetti ». La leçon de Rubens devient alors prépondérante, comme le montre le *Saint Jacques chassant les Maures,* directement lié des scènes de chasse rubéniennes.

Durant son second séjour romain (1647-1651), Castiglione ne suit plus Poussin, qui emprunte alors une voie classique et trop intellectuelle pour lui. Par l'intermédiaire de patrons communs, les Raggi et les Fiorenzi, il est en contact avec Bernin et avec P. de Cortone; sous l'influence de ce dernier, il pratique un moment « la grande manière » dans l'*Immaculée* d'Osuno (Minneapolis, Inst. of Arts). Mais la note dominante est celle du fantastique et du pittoresque, qui apparaît dans le *Diogène* (Prado) ou l'*Offrande à Pan* (Gênes, coll. Durazzo). Ces œuvres se placent dans la ligne des recherches bizarres de P. Testa; elles eurent une influence considérable sur S. Rosa.

La dernière partie de la vie de l'artiste, de 1651 à 1665, se déroula surtout à Mantoue, où il est peintre de cour des Gonzague. À la suite d'un voyage à Venise en 1648, sous l'influence des grands Vénitiens et d'un contemporain, Jan Liss, mais surtout au contact de l'art de Fetti, son prédécesseur à la cour de Mantoue, sa touche devint plus libre; s'il continue à traiter des sujets philosophiques et pittoresques, la figure humaine devient le centre d'intérêt principal de ses tableaux (la *Découverte de Cyrus,* Dublin, N. G.). L'influence latente de Bernin et de Rubens apparaît dans des dessins tels que *Moïse recevant les Tables de la Loi* (Windsor Castle), renforçant la tendance baroque déjà sensible à Gênes en 1645. Entre 1659 et 1665, il partage son activité entre Mantoue, Gênes,

Giovanni Benedetto Castiglione
▲ **Les Marchands chassés du Temple**
Paris, musée du Louvre
Phot. Lauros-Giraudon

Parme et Venise, mais en restant toujours au service des Gonzague. Il revient alors aux compositions de sa jeunesse avec souvent un étalement extraordinaire de gibier au premier plan et de petites figures au loin. Mais le Maniérisme a fait place au Baroque, comme le montrent les *Marchands chassés du Temple* (Louvre) ou le *Voyage des enfants d'Israël* (Brera). Un peu comme Bernin et Strozzi, Castiglione termine sa carrière sur une note mystique avec une série de dessins et de « bozzetti » représentant des saints franciscains en extase ou des Christ en croix : il paraît ainsi, à la fin de sa vie, à la tête du mouvement de peinture mystique génois issu de Strozzi et représenté par D. Piola et G. de Ferrari.

Historiquement, Castiglione est une figure significative de la phase de l'art italien qu'ont régénérée Flamands et Hollandais. Adepte du Baroque, il l'exploite à tous les niveaux; parti de la simple virtuosité pour aboutir à l'imagination la plus vive, aussi à l'aise dans le genre rustique que dans la « grande manière », prodigieux dessinateur et graveur, il aura une influence très large au XVIIIe s. sur Ricci, Tiepolo et surtout Fragonard (*Adoration des bergers,* Louvre). S. De.

Cavallini

Pietro

peintre italien
(Rome v. 1250 - ? v. 1350)

On sait par les documents qu'au cours de sa longue carrière il exerça son activité dans les plus importantes églises romaines et napolitaines, exécutant les commandes pour de grands personnages tels que Pietro di Bartolo Stefaneschi, Charles et Robert d'Anjou. Parmi ses œuvres subsistantes, la plus ancienne est, à Rome, la décoration en mosaïque (qui porte son nom) de l'abside de S. Maria in Trastevere (1291), avec 6 épisodes de la *Vie de la Vierge* et la présentation à la Vierge, par saint Pierre, du donateur Stefaneschi. Peu de temps après, Cavallini réalise les fresques de l'église S. Cecilia in Trastevere. La grande scène du *Jugement dernier,* redécouverte en 1901 derrière les stalles du chœur et seule conservée de cet ensemble, constitue certainement son œuvre la plus importante et la plus achevée. À Naples (1308), il travaille pour la famille d'Anjou. La participation de son atelier et surtout de graves altérations successives ne permettent pas de déterminer exactement la part qu'il prit personnellement dans l'exécution d'une fresque du Dôme (chapelle S. Lorenzo, *Arbre de Jessé*) et dans telle ou telle partie de l'immense ensemble des fresques de l'église S. Maria Donnaregina *(Jugement dernier, Apôtres et Prophètes)*. Une grande partie de ses œuvres romaines, mentionnées par Ghiberti et par Vasari, sont perdues, ainsi que la mosaïque exécutée v. 1321 pour la façade de la basilique S. Paolo à Rome et dont il ne reste presque rien.

Cavallini occupe une place de premier plan dans la peinture italienne de la fin du duecento et du début du trecento aux côtés de Giotto, de Cimabue et de Duccio. Formé encore à la culture byzantine, comme il était naturel pour un peintre de sa génération, il n'en a pas assimilé passivement les maniérismes les plus courants ; il a tenté, au contraire, d'en recréer librement les formes les plus hautes et aussi les plus anciennes. En choisissant ce mode d'expression, il suit la voie de la grande peinture romaine du Moyen Âge, jouissant de la même expérience artistique que le « troisième Maître d'Anagni ». Sur ce tronc majeur de l'art romain, il eut le génie de greffer l'apport des expériences les plus hardies de son temps, d'abord celle de Cimabue (à Rome en 1272), puis celle de Giotto. Il est satisfaisant de voir un rapport établi en ce sens entre les deux artistes plutôt que d'adopter la thèse qui désignerait Cavallini comme le « maître romain de Giotto ». Toutefois, dans chacune de ces hypothèses, la confrontation de leurs œuvres révèle la réelle grandeur de Cavallini en face de Giotto. L'ampleur et la solidité formelles données aux figures des fresques de S. Cecilia constituent en effet, par rapport aux mosaïques de S. Maria in Trastevere, un pas en avant qui ne peut s'expliquer sans l'influence de Giotto. Chez Cavallini, la couleur donne à chaque forme son autonomie ; les ombres intenses et pénétrantes mettent les figures en relief et leur confèrent une solennelle placidité. La création d'une réalité physionomique peut exprimer en même temps la ferveur sacrée ou un bonheur humain. Ces caractères, spécifiques de l'art de Cavallini, marquent son œuvre de la plus haute poésie et d'une puissance expressive tout à fait personnelle. Les peintures romaine et napolitaine ainsi que la peinture ombrienne du XIVe s. lui doivent beaucoup.

B. T.

Pietro Cavallini
La Présentation au Temple ▼
Mosaïque
Rome, église Santa Maria in Trastevere
Phot. Fabbri

Bernardo Cavallino
◄ **Moïse sauvé des eaux**
Brunswick, Herzog Anton Ulrich-Museum
Phot. du musée

Cavallino

Bernardo

peintre italien
(Naples 1616 - id. *1656)*

Il fut le plus lyrique et le plus sensible des maîtres napolitains du XVIIe s. et acquit rapidement un style qui influença fortement de très nombreux peintres de l'époque. Nettement marqué à ses débuts par l'œuvre de Massimo Stanzione (la *Rencontre d'Anne et de Joachim,* musée de Budapest, attribuée à tort à Stanzione ; le *Martyre de saint Barthélemy,* Naples, Capodimonte), il reçoit l'enseignement du vieux maître en l'affranchissant de toute tendance académisante. Il l'adapte en fait aux modes de la nouvelle vague caravagesque, suscitée à Naples par le passage de Velázquez et par la diffusion de la culture romaine des « bamboccianti », dont Aniello Falcone s'était fait le propagateur. Dans le petit format, cher au groupe des derniers caravagesques, auquel il réduit les scènes, il reste fidèle, du moins au début, à la thématique de Stanzione et de ses émules : scènes de l'Ancien et du Nouveau Testament (*Abigaïl et David,* Milan, Castello Sforzesco ; *Esther et Assuérus,* Offices ; la *Mort de la Vierge,* musée de Varsovie) ou même scènes mythologiques (l'*Enlèvement d'Europe,* Liverpool, Walker Art Gal.). Ses œuvres, surtout les plus anciennes, offrent une anthologie de citations caravagesques en un format réduit qui implique d'ailleurs un adoucissement pictural des contrastes lumineux et une présentation nettement théâtrale, excluant toute accentuation naturaliste.

Vers 1635-1640, la peinture napolitaine subit l'influence de Van Dyck, dont l'œuvre avait trouvé à Gênes et en Sicile (ainsi qu'en Espagne) un climat propice à sa diffusion. À Naples, la connaissance directe de quelques-unes de ses peintures dut sans doute avoir une action déterminante, ainsi que la présence de l'un de ses disciples (Pietro Novelli, dit Monrealese). Cavallino évolua rapidement dans ce sens. Au violent contraste des ombres et des lumières de ses premières œuvres, il substitue un tissu pictural toujours plus précieux, un élégant chromatisme, des raffinements de pénombre, des accords inhabituels et suggestifs. Son unique œuvre datée de 1645, la *Sainte Cécile* (autref. coll. Wenner ; auj. exposée au Palazzo Vecchio de Florence), permet de situer le départ de ce processus, qui s affirme de plus en plus par la suite. Cavallino éclaircit sa palette et travaille ton sur ton avec les clairs ; le dessin conduit les figures aux limites d'un charme alangui qui porte déjà en lui toute la grâce du XVIIIe s. Cette manière de réagir au nouveau goût par une peinture plus nettement baroque prévaut à Naples entre 1640 et 1650. Les figures isolées, les portraits caractérisés se font plus nombreux; exprimant une nouvelle réalité quotidienne, ils se chargent d'un témoignage sur l'actualité qui n'entrave d'ailleurs pas l'expression lyrique (la *Cantatrice,* Naples, Capodimonte; *Sainte Cécile,* Boston, M. F. A.; *Judith,* chef-d'œuvre de sa maturité, Stockholm, Nm).

Les compositions à nombreuses figures, désormais presque des scènes de genre (deux scènes de la *Jérusalem délivrée,* Munich, Alte Pin.; *Découverte de Moïse* et *Abigaïl,* Brunswick, Herzog Anton Ulrich-Museum), peuvent se situer sur le même plan de recherche, préfigurant les raffinements aristocratiques de la peinture «arcadienne». La peinture napolitaine trouve avec Cavallino, peu avant la grande peste de 1656, l'exaltation lyrique la plus haute pour toute la période de son évolution, qui va du luminisme au naturalisme. À ce moment, pourtant, Cavallino n'est qu'un isolé. En comparaison des réussites du style néo-vénitien et du baroque romain, les recherches intimes, les résonances un peu mystérieuses, les notations de grâce alanguie, qui rendent sa peinture unique et si personnelle, apparaissent pourtant comme archaïques et déjà dépassées. R. C.

Cerano

Giovanni Battista Crespi, dit il

peintre italien

(Cerano? 1575 - Milan 1632)

Ses premières œuvres (*Dernière Cène,* église paroissiale de Cerano; *Madone du gonfalon,* oratorio del Gonfale à Trecate) témoignent d'une culture provinciale lombarde se situant entre la tradition de Gaudenzio Ferrari et celle des écoles de Brescia et de Bergame. On suppose qu'en 1596 un voyage à Rome en compagnie du cardinal Borromée peut avoir révélé à Cerano le point extrême des cultures maniéristes romano-toscanes et nordiques, et surtout l'art de Baroche. Ces influences sont sensibles dans l'*Adoration des mages* (Turin, Gal. Sabauda; en provenance de Mortara), *Saint Michel* (Milan, Castello Sforzesco), le *Mariage mystique de sainte Catherine* (Florence, fondation Longhi).

Cerano domine la scène artistique à Milan de 1600 à 1610, sous la protection du cardinal Frédéric Borromée. Fidèle interprète des idées contre-réformistes du cardinal dans le sens d'une spectaculaire propagande, il peint les vastes toiles de la *Vie* (1602-1603, 4 tableaux) et des *Miracles de saint Charles Borromée* (1610, 6 tableaux) au dôme de Milan. Dans ces immenses «machines», Cerano déploie une étonnante fantaisie chromatique et une richesse d'invention dans les compositions qui traduit sa vision tragique de chroniqueur réaliste. De la même période datent les fresques et les tableaux peints dans l'église S. Maria dei Miracoli, près de S. Celso de Milan. Dans la série des «pale» d'autel où transparaît encore l'influence maniériste, son art atteint son apogée en 1610 : *Pietà* (musée de Novare), *Crucifixion et saints* (Mortara, S. Lorenzo). On décèle dans cette dernière œuvre comme un écho, fort précoce, de la manière de Rubens, qu'il connut peut-être au cours d'un

Cerano (Giovanni Battista Crespi)
◀ **La Messe de saint Grégoire**
Varèse, église San Vittore
Phot. Fabbri

Giacomo Ceruti
▲ **La Lavandière**
Brescia, Pinacoteca Tosio-Martinengo
Phot. Scala

second voyage à Rome. La même année, Cerano préside au décor (gonfalons, ornements liturgiques) des cérémonies de canonisation de saint Charles Borromée. Il peignit quelque temps plus tard la saisissante effigie du *Saint en gloire* (Milan, S. Gottardo).

Après 1610, Cerano, se rapprochant du baroque sévère de Ludovico Carracci et de ses disciples bolonais, exécute plusieurs admirables « pale » de la *Madone avec des saints* (Brera ; chartreuse et dôme de Pavie ; Turin, Gal. Sabauda).

Au cours de la période suivante, son goût s'orientant vers Venise (surtout Tintoret), il utilise des contrastes offerts par une palette riche et par le jeu d'ombres profondes et dramatiques (*Messe de saint Grégoire,* Varese, S. Vittore ; *Baptême de saint Augustin,* 1618, Milan, S. Marco ; *Désobéissance de Jonathas,* Milan, S. Raffaelo ; le *Christ ressuscité et des saints,* 1625, Meda, S. Vittore). Délaissant cette manière néo-vénitienne, Cerano redonne à ses derniers chefs-d'œuvre l'empreinte sombre et sévère de la Contre-Réforme dans le goût bolonais (Ludovico Carracci) et espagnol (*« Pala » de saint Pierre des Pèlerins,* Vienne, K. M. ; *Pietà,* Milan, Monte di Pietà ; *Crucifixion avec des saints,* 1628, séminaire de Venegono).

Longtemps oublié, comme tous les autres « maniéristes » lombards et piémontais du XVIIe s., Cerano est auj. remis à l'honneur. Une grande exposition de l'ensemble de ses œuvres, organisée à Novare en 1964, a clairement montré l'originalité et la force de son art ainsi que son rôle d'initiateur et de chef d'école.

Hors d'Italie, il est représenté, notamment dans les musées de Genève, Vienne, Vitoria (Espagne), Bristol, Varsovie et Francfort. M. R.

Ceruti

Giacomo, dit il Pitocchetto

peintre italien

(Plaisance 1691 - Brescia apr. 1760)

Réhabilité récemment par la critique, il est considéré aujourd'hui comme l'un des plus grands peintres italiens du XVIIIe s. La majeure partie de son œuvre, et la plus connue, est composée de peintures de genre et de portraits d'un réalisme dépouillé et d'une grande intensité psychologique (*Portrait du comte G. M. Fenaroli,* Corneto, Lombardie, coll. du comte Fenaroli; *Portrait d'un jeune homme fumant,* Rome, G.N.; la *Jeune Fille à l'éventail,* Bergame, Accad. Carrara; *Portrait d'une religieuse,* Milan, musée Poldi-Pezzoli; *Portrait d'homme,* musée de Seattle); les peintures de genre sont le plus souvent représentées avec des personnages grandeur nature (différence essentielle par rapport aux «bambocciantI» du XVIIe s.) : scènes de la vie populaire (Brescia, pin. Tosio-Martinengo; Padernello, Lombardie, coll. des comtes Salvadego-Molin), mendiants («pitocchi», d'où le surnom du peintre), représentés seuls (Bergame, coll. Bassi-Rathgeb; Brescia, coll. Nobili-Seccamani; Padernello, coll. des comtes Salvadego-Molin) ou en groupe (Brescia, pin. Tosio-Martinengo; Padernello, coll. des comtes Salvadego-Molin). Ces peintures étaient souvent réunies en séries; l'une d'entre elles, intacte et admirable, est conservée dans cette collection de Padernello. À la différence de tant de «peintres de genre», Ceruti exclut toute tentation de souligner l'anecdotique ou le pittoresque, toute tendance à marquer une supériorité de classe par rapport à la réalité populaire qu'il représente. Son observation de la vie des pauvres gens est toujours d'une totale gravité, l'exécution picturale d'un réalisme rude et insistant, mais jamais vulgaire ni pesant. Une telle attitude à l'époque où dominait le rococo ne pouvait guère flatter le goût dominant et explique en partie le silence qui entoura sa carrière et la rareté des renseignements dont on dispose à son sujet. Citons, cependant, celles de ses œuvres auxquelles se réfère un document ou une date. Le *Portrait du comte Giovanni Maria Fenaroli* (1724, coll. Fenaroli, Corneto, près de Brescia) semble être la plus ancienne. Le talent de l'artiste s'était certainement affirmé à Brescia lorsqu'en 1729 le podestat Andrea Memmo lui commanda 15 «portraits symboliques» pour le Broletto, ancien palais communal dont seul subsiste sans doute un *Portrait équestre de commandant* (Florence, coll. Acton). Le *Portrait du curé de Breno* date de 1732 (coll. part.). En 1734, Ceruti signe un contrat pour les tableaux d'autel de Gandino *(Nativité* et *Mort de la Vierge).* Il est possible que ces tableaux, d'une qualité très médiocre et sans rapports stylistiques avec ses «peintures de genre», aient été l'œuvre d'un autre peintre à qui il aurait pu confier la commande.

La même année, il peint la *Madone au rosaire* pour l'église d'Artogne, près de Brescia. Après l'exécution du *Mendiant* (1737, coll. R. Bassi Rathgeb), il signe un contrat pour les deux «pale» de l'église S. Antonio à Padoue (1738). En 1739, il figure dans la liste des habitants de cette ville et peint deux grands tableaux ovales avec les *Portraits d'un gentilhomme et d'une dame* (Brescia, coll. part.). À Plaisance, en 1743, il exécute le *Portrait d'un condottiere.* Enfin, il reçoit un paiement, en 1757, de l'Ospedale Maggiore de Milan pour le *Portrait du noble Attilio Lampugnani Visconti.* G. P.

Cézanne

Paul

peintre français

(Aix-en-Provence 1839 - id. *1906)*

D'origine aixoise et dauphinoise, ouvrier puis négociant chapelier, le père de Cézanne devient en 1847 banquier, assurant à son fils un avenir dénué de préoccupations financières. De 1852 à 1858, Paul reçoit une solide formation humaniste au collège Bourbon d'Aix. Zola y devient son ami. Ensemble, ils font de longues promenades agitées de rêves et de discussions. Bachelier en 1858, Cézanne entre à la faculté de droit, mais l'échange de lettres qu'il entretient avec Zola l'encourage bientôt à réclamer son indépendance, prétextant une vocation picturale qui semble alors reposer avant tout sur le mirage intellectuel de la capitale. Les *Quatre Saisons* (1860, Paris, Petit Palais) dont il décore le «Jas de Bouffan», maison de campagne que son père vient d'acquérir, témoignent surtout d'une juvénile maladresse. À Paris, en 1861, il fréquente l'académie Suisse, reçoit les conseils de son compatriote Villevieille, mais son inexpérience le décourage : il revient à la banque paternelle pour peu de temps, sa vocation de peintre s'étant définitivement affirmée. De 1862 à 1869, entre Paris et Aix, Cézanne, qui ne connaissait que les caravagesques des églises aixoises et les collections importantes, mais peu actuelles, du musée Granet, assiste au conflit opposant l'éclectisme cultivé et fade des milieux officiels au réalisme révolutionnaire de Courbet, de Manet et des

« refusés » de 1863. Conciliation anachronique de l'art des musées et du modernisme, l'œuvre de Delacroix apparaît alors, à la rétrospective de 1864, comme un ultime vocabulaire où puiser ses justifications. Perméable à ces influences variées, il participe aux réunions du café Guerbois et est ébloui par le lyrisme de Géricault ou de Daumier.

La phase baroque. Cézanne traduit ses débordements et ses angoisses dans ce qu'il appelle sa manière « couillarde ». En une pâte éclatante et boueuse, lourde de noirs épais, brutalement maçonnés, il évoque les scènes de genre érotiques et macabres que lui inspirent les baroques italiens et espagnols ou tel de leurs imitateurs, comme Ribot (l'*Orgie,* 1864-1868, coll. Lecomte ; la *Madeleine,* 1869, Paris, musée d'Orsay ; l'*Autopsie,* 1867-1869, coll. Lecomte). Plus tenus, ses portraits et ses natures mortes témoignent alors d'une force et d'une intensité surprenantes (le *Nègre Scipion,* 1865, musée de São Paulo ; *Portrait d'Emperaire,* 1866, Paris, musée d'Orsay ; la *Pendule au marbre noir,* 1869-1871, Paris, coll. part.). Se trouvant à l'Estaque (1870) au moment où éclate la guerre entre la France et l'Allemagne, Cézanne ignorera le conflit jusqu'à la fin des hostilités. Il y peint sur le motif de nombreux paysages aux plages colorées, audacieusement composés (la *Neige fondante à l'Estaque,* 1870, Zurich, coll. Bührle).

Contacts avec l'Impressionnisme. Prêt à assimiler les recherches des impressionnistes, il s'installe en 1872-73 auprès de Pissarro, à Auvers-sur-Oise, et subit son influence. Humainement détendu auprès de sa compagne, Hortense Fiquet, qui vient de lui donner un fils, et de ses amis Guillaumin, Van Gogh et surtout le docteur Gachet, Cézanne substitue en petites touches beurrées le « ton au modelé », définissant dans des paysages comme la *Maison du pendu* (1873, Paris, musée d'Orsay) ou des natures mortes telles que le *Buffet* du musée de Budapest (1873-1877) un univers personnel fortement animé, mais toujours soumis aux exigences du tableau. Réservant l'analyse psychologique aux autoportraits riches de défiance et de passions (coll. Lecomte, v. 1873-1876 ; Washington, Phillips coll., v. 1877), Cézanne observe simplement la cadence des volumes et des tons dans l'espace pictural. L'assise géométrique de *Madame Cézanne au fauteuil rouge* (1877, Boston, M. F. A.), le dialogue serein de la *Nature morte au vase et aux fruits* du Metropolitan Museum (v. 1877), l'ordonnance des arbres du *Clos des Mathurins* (v. 1877, Moscou, musée Pouchkine) témoignent de préoccupations identiques, que le peintre s'attachera désormais à résoudre. Prétextes à variations rythmiques, les corps résolument déformés de la *Lutte d'amour* (1875-76, Washington, coll. part.)

▲ Paul Cézanne **La Montagne Sainte-Victoire**
Philadelphie, Museum of Art Phot. A. J. Wyatt

rappellent Rubens et Titien, comme les *Baigneurs* et *Baigneuses* qu'il commence dès lors.

En 1874, Cézanne avait participé à la première exposition des impressionnistes chez Nadar ; il présente en 1877 16 toiles et aquarelles à l'exposition impressionniste de la rue Pelletier. Blessé par les ricanements de la presse et du public, il s'abstiendra désormais d'exposer avec ses amis.

La maturité. Instable, l'artiste passe à Paris ; parfois présent au café de la Nouvelle-Athènes, il est plus souvent provincial : chez Zola, à Médan, en 1880 (son père, hostile à sa vie familiale, lui ayant coupé les vivres) ; chez Pissarro, à Pontoise, en 1881 ; avec Renoir à La Roche-Guyon, puis à Marseille, où il rencontre Monticelli, en 1883 ; avec Monet et Renoir à l'Estaque en 1884 ; chez Chocquet, à Hattenville, en 1886.

Période de maturité féconde, où Cézanne, s'écartant des impressionnistes, maîtrisant sa touche, reprend sans cesse le même motif. Soucieux de « faire du Poussin sur nature » en traitant la nature « par le cylindre et par la sphère », il ordonne autour du cristal bleuté de la *Sainte-Victoire* (1885-1887, Londres, N. G. ; Metropolitan Museum) la cadence et l'ondoiement ocre et vert des terres et des pins, morcelle et balance les facettes des murs de *Gardanne* (1886, Merion, Barnes Foundation) et des rochers aixois (1887, Londres, Tate Gal.), anime de réseaux linéaires l'espace opaque de la mer à l'*Estaque* (1882-1885, Metropolitan Museum ; musée d'Orsay ; 1886-1890, Chicago, Art Inst.), dresse dans l'air vibrant l'abstraction du *Grand Baigneur* (1885-1887, New York, M. O. M. A.). L'harmonie légère du *Vase bleu* (1883-1887, Paris, musée d'Orsay) semble conserver la miraculeuse attention des aquarelles où Cézanne indique d'un fin tracé, soutenu d'une touche frêle, le rythme retenu. Très nombreuses (Venturi en signale plus de 400), mais connues d'un cercle restreint de collectionneurs tels que Chocquet, Pellerin, Renoir, Degas ou le comte Camondo, ces aquarelles ne furent guère remarquées avant l'exposition qui leur fut consacrée par Vollard en 1905. Citons seulement quelques exemples remarquables : la *Route* (1883-1887, Chicago, Art Inst.), le *Lac d'Annecy* (1896, Saint Louis, Missouri, City Art Gal.), les *Trois Crânes* (1900-1906, Chicago, Art Inst.), le *Pont des Trois-Sautets* (1906, musée de Cincinnati).

Diffusion de l'œuvre. Irritable et défiant, très isolé depuis 1886, année de la mort de son père et de sa rupture définitive avec Zola, dont *l'Œuvre,* qui le prenait en partie pour modèle, l'avait blessé, Cézanne n'est connu que des rares initiés qui entraient, de 1887 à 1893, chez le père Tanguy ou qui lisaient les textes confidentiels de Huysmans (*la Cravache,* 4 août 1888) et de E. Bernard (*Hommes d'aujourd'hui,* 1892). Mystérieux, l'artiste connaît pourtant quelque notoriété. Conduits par Gauguin, E. Bernard et P. Sérusier, Maurice Denis et les Nabis subissent dès lors profondément son influence ; il peut exposer une toile à l'Exposition universelle de 1889, est invité aux XX, à Bruxelles, en 1890. Les 100 toiles présentées en 1895 par Vollard retiennent vivement l'attention, provoquant une hausse des cours, sensible de 1894 (ventes Druet et Tanguy) à 1899 (vente Chocquet). En 1900, 3 œuvres figurent à l'Exposition universelle, tandis que le musée de Berlin acquiert une toile.

La dernière période. Cézanne exécute alors, avec une sensibilité moins crispée, un ensemble d'œuvres capitales qui opposent au brillant éphémère impressionniste « quelque chose de solide comme l'art des musées ». De l'immuable ampleur de la *Femme à la cafetière* du musée d'Orsay (v. 1890) au jeu dynamique et maîtrisé de compositions complexes telles que le *Mardi gras* (1888, Moscou, musée Pouchkine) ou l'importante série des *Joueurs de cartes,* sans doute inspirée du Le Nain du musée d'Aix (1890-1895, Merion, Barnes Foundation ; Metropolitan Museum ; Londres, Courtauld Inst. ; musée d'Orsay), il s'affirme peintre au-delà du quotidien. Analyse souvent chargée d'émotions, qui noie de pénombres mauves et brunes le charme réfléchi du *Garçon au gilet rouge* (1890-1895, Zurich, coll. Bührle), la gravité inquiète du *Fumeur accoudé* (1890, musée de Mannheim), la présence de *Vollard* (1899, Paris, Petit Palais), l'air gorgé d'harmonies bleues du *Lac d'Annecy* (1896, Londres, Courtauld Inst.).

Sensible à la ferveur des jeunes peintres (E. Bernard, Ch. Camoin viennent le voir ; M. Denis expose aux Indépendants de 1901 son *Hommage à Cézanne*), enfin reconnu au Salon d'automne de 1903, où il expose 33 toiles, Cézanne s'acharne à « réaliser comme les Vénitiens », en un lyrisme plus exalté, les thèmes qui l'obsèdent, reprenant sans cesse ses *Baigneurs* (1900-1905, Merion, Barnes Foundation ; Londres, N. G.), résumés dans l'ample architecture de son chef-d'œuvre, les *Grandes Baigneuses* du Museum of Art de Philadelphie (1898-1905). Au rythme allusif et nerveux du pinceau, l'hallucinante vibration du *Château noir* (1904-1906, Paris, musée Picasso), l'angoisse du *Portrait de Vallier* (1906, Chicago, coll. Block), les ultimes *Sainte-Victoire* (1904-1906, Moscou, musée Pouchkine ; Philadelphie, Museum of Art ; Zurich, coll. Bührle) précèdent de peu sa mort, survenue le 22 octobre 1906.

La vision cézannienne, une fois de plus révélée au Salon d'automne de 1907 (57 toiles), annexée et transformée par les cubistes, adoptée par les fauves, répandue à l'étranger (en Angleterre par les expositions postimpressionnistes organisées en 1912 et 1913 par R. Fry; en Allemagne par l'exposition de *Sonderbund* à Cologne en 1912; en Italie lors de l'exposition romaine *Secessione* de 1913; aux États-Unis par l'exposition de l'*Armory Show* à New York en 1913), apparaissait dès lors et pour longtemps comme le fondement essentiel de toute analyse picturale. L'artiste, dont le catalogue comprend environ 900 peintures et 400 aquarelles, est représenté dans la plupart des grands musées du monde entier, notamment à la Barnes Foundation (Merion, Pennsylvanie), au Metropolitan Museum, au M. O. M. A. de New York et à Paris (Orangerie, donation Walter-Guillaume et musée d'Orsay), ainsi que dans des coll. part. dont la plus importante est la collection Pellerin-Lecomte. G. V.

Chagall

Marc

peintre français d'origine russe
(Vitebsk 1887 - Saint-Paul-de-Vence 1985)

Les débuts à Vitebsk. Issu d'un milieu modeste, il montre de bonne heure des dispositions pour le dessin et fait ses débuts chez un peintre local, Jehouda Penn. En 1907, il se rend à Saint-Pétersbourg et fréquente, outre l'école impériale des Beaux-Arts, le cours d'art moderne que Bakst vient d'ouvrir et qui lui révèle certains aspects de la peinture française. Dès lors Paris l'attire : quand un député, Vinaver, lui propose de l'aider d'une petite subvention et lui laisse le choix d'une résidence à Rome ou à Paris, Chagall se prononce en faveur de cette dernière. Dans les tableaux de cette première période, un talent déjà personnel se fait jour. La vie quotidienne de Vitebsk autant que l'esprit et les rites de la doctrine hassidique (elle mettait l'accent sur la valeur d'une effusion à la fois mystique et physique) inspirent des scènes dont la couleur discrète et la mise en page évoquent parfois celles des Nabis, mais dont l'irréalisme spontané est le caractère majeur de tout l'œuvre de Chagall (le *Mort,* 1908, app. à l'artiste; le *Petit Salon,* 1908, *id.*).

Première période parisienne (1910-1914). Arrivé en août 1910 à Paris, Chagall occupe d'abord un atelier impasse du Maine, puis s'installe en 1912 à la Ruche (2, passage de Dantzig, Paris XVe, rénovée à partir de 1972). Il pénètre rapidement dans le milieu artistique de Paris, fait la connaissance de Delaunay et fréquente les vendredis de Canudo, directeur de la revue *Montjoie,* où il rencontre La Fresnaye, Gleizes, Metzinger, Marcoussis, Lhote, Le Fauconnier (qui le corrigera à l'académie de la Palette). Il se lie également avec Cendrars et Apollinaire, et les deux poètes s'enthousiasment pour sa peinture. À Van Gogh, aux fauves, Chagall demande d'abord une leçon de couleur, pour lui un élément essentiel (l'*Atelier,* 1910; le *Père,* 1910-11, coll. part.); il emprunte pourtant au Cubisme et à la conception luministe de Delaunay une manière nouvelle de présenter les rapports formels. La composition gagne alors en clarté et en dynamisme, le dessin en fermeté : *Moi et le village* (1911, New York, M. O. M. A.) est la première synthèse, sur un thème fréquemment traité, du folklore poétique chagallien et des principes en vigueur à Paris; *À ma fiancée* (1911, musée de Berne) est riche d'un symbolisme érotique fort rare à cette époque dans le milieu parisien. D'autres importants tableaux indiquent peu après une exploitation plus concertée du Cubisme, mais toujours à des fins et par des moyens originaux — teintes saturées soumises au dégradé rapide des valeurs, motifs très solidement construits (*À la Russie, aux ânes et aux autres,* 1911-12, Paris, M. N. A. M.; *Le soldat boit,* 1912-13, New York, Guggenheim Museum). Par l'entremise d'Apollinaire, Chagall rencontre Walden à Paris en 1912, puis expose à Berlin au premier Salon d'automne allemand (1913) et à Der Sturm (juin-juillet 1914).

Seconde période russe (1914-1922). Il est à Vitebsk quand la guerre éclate. Il exécute en 1914-15 plusieurs études de types israélites sur une dominante colorée, tableaux d'une grande expressivité (le *Juif en rose,* 1914, Leningrad, Musée russe). En 1917, d'abord soutenu par le gouvernement révolutionnaire grâce à Lounatcharsky, commissaire du peuple à l'Instruction publique, qu'il avait connu à Paris, il est nommé commissaire des Beaux-Arts de sa province, et, en 1918, une première monographie lui est consacrée; mais l'orientation de la politique artistique le déçoit et il s'oppose à Malevitch : il résilie ses fonctions (1920) et quitte Vitebsk pour Moscou, où il collabore au Théâtre juif en réalisant décors et costumes pour trois pièces de Scholom Aleichem (1921). Les tableaux de cette seconde période russe ne diffèrent pas sensiblement des précédents; ils comprennent une suite de vues de Vitebsk ou de vastes compositions inspirées par son mariage avec Bella (*Autoportrait au verre de vin,* 1917, Paris, M. N. A. M.), mais quelques-uns témoignent d'une brève et singulière résurgence du Cubisme, avec une fidélité inattendue à son esprit (*Paysage cubiste,* 1919, Berne, coll. part.), ou d'expérimentation du travail en pleine pâte (le *Père,* 1921, coll. de l'artiste). Chagall quitte la Russie en 1922.

Marc Chagall
◀ **Moi et le village**
(1911)
New York,
Museum of
Modern Art

Phot. du musée

Le retour en France (1923-1941). Il s'arrête à Berlin (1922-23), où il rencontre Grosz, Hofer, Meidner, Archipenko et s'initie aux divers procédés de la gravure. Il grave alors pour Paul Cassirer les illustrations de son autobiographie, *Mein Leben* (26 eaux-fortes et pointes-sèches, publiées sans texte à Berlin en 1923; la traduction française, *Ma Vie,* sera publiée à Paris en 1931). Cette première expérience de la gravure prélude aux grandes commandes faites par Vollard dès le retour de Chagall à Paris, en septembre 1923 : illustrations pour les *Âmes mortes* de Gogol (118 eaux-fortes, 1924-25), les *Fables* de La Fontaine (100 eaux-fortes, 1926-1931), la *Bible* (105 eaux-fortes, 1931-1939, dont 39 planches reprises et achevées de 1952 à 1956); à l'occasion de cette dernière entreprise, Chagall fit un voyage en Palestine (1931) et alla étudier les gravures de Rembrandt à Amsterdam (1932). Ces ouvrages majeurs, tous trois publiés par Tériade après la Seconde Guerre mondiale, révèlent une intelligence vive de textes fort différents, et l'artiste a subtilement nuancé ses moyens d'expression : verve cocasse et savoureuse pour les *Âmes mortes,* monumentalité atténuée par le clair-obscur pour les protagonistes des *Fables,* stylisation plus libre, mobile, pour évoquer les grands épisodes bibliques. Chagall fut un moment sollicité par les surréalistes, car Breton estimait fort les tableaux d'avant guerre, modèles d'une « explosion lyrique totale », et reçut la visite d'Ernst et d'Eluard; mais cette rencontre fut sans lendemain. Son évolution s'effectuait loin maintenant de la tension conflictuelle caractéristique de ses débuts, et suivant un mode identique au point de vue graphique comme au point de vue pictural : l'élimination des séquelles de l'écriture cubiste aboutit à la fusion des noirs et des blancs d'une part, à l'interpénétration des tons de l'autre. Chagall fait maintenant plus ample connaissance avec la France (séjours en Bretagne, en Auvergne, en Provence, en Savoie) ; le bestiaire familier de Vitebsk s'enrichit de la présence de plus en plus fréquente du poisson et du coq, figurants d'une thématique aux implications symboliques complexes (*Le temps n'a pas de rives,* 1939-1941, New York, M. O. M. A.). Le bouquet prend aussi une importance croissante, rarement pur prétexte aux jeux de la couleur, plus souvent motif privilégié d'une vision heureuse du monde (les *Mariés de la tour Eiffel,* 1928, Paris, coll. part.). Le climat politique de plus en plus troublé lui inspire la *Révolution* (qu'il détruisit) en 1937, année où il obtient la nationalité française. L'année suivante, la *Crucifixion blanche* (Chicago, Art Inst.) inaugure une série plus symbolique et concernant davantage les souffrances du peuple juif. Chagall vit aux États-Unis de 1941 à 1948 ; ce long et douloureux exil (sa femme Bella meurt en 1944) est marqué surtout par les décors et les costumes qu'il exécute pour *Aléko* (1942) et l'*Oiseau de feu* (1945) et par les 13 lithographies en couleurs de l'album *Four Tales from the Arabian Nights.*

Vence (1950-1956) — Saint-Paul (1966). De retour en France, il s'installe à Vence en 1950 ; de nouvelles techniques le sollicitent (céramique et sculpture) et Paris lui inspire une série de tableaux (1953-1956), rêveries poétiques d'une couleur diffuse et cendrée (les *Ponts de la Seine,* 1953, New York, coll. part.). Chagall fut chargé de nombreuses commandes : céramiques et vitraux pour le baptistère d'Assy (1957), décors et costumes pour *Daphnis et Chloé* (1958 ; la suite lithographiée paraît en 1961), vitraux pour la cathédrale de Metz (1960-1968) et pour la synagogue de l'hôpital de Jérusalem (1960-1962), décor du plafond de l'Opéra de Paris (1963-1965), mosaïque pour l'université de Nice (*Histoire d'Ulysse,* 1968) et pour une place de Chicago (les *Quatre Saisons,* 1974), vitrail pour l'église Fraumünster à Zurich, vitraux pour la cathédrale de Reims (1974). Les réalisations graphiques sont importantes : lithos en couleurs et en noir pour *Cirque* (1967), lithos en couleurs pour *Sur la terre des dieux* (1967), diverses eaux-fortes et aquatintes, 24 bois en couleurs pour *Poèmes* (Genève, 1968), monotypes à partir de 1961. En juillet 1973, un musée Chagall a été inauguré à Nice. Il est consacré au « Message biblique » et comprend principalement 17 tableaux et leurs esquisses préparatoires, exécutés de 1954 à 1967, les 39 gouaches inspirées par la Bible en 1931, les 105 planches de la *Bible* gravée (avec les cuivres originaux) et 75 lithographies. L'art de Chagall intègre avec aisance la mobilité affective du fonds slave et judaïque à l'esprit rationnel de l'Occident ; il offre en dernière analyse, avec ses gerbes de fleurs, ses amants blottis dans la nuit bleue ou le demi-jour à l'enseigne du coq ou de la chèvre, l'image d'une réalité réconciliée avec la fable. L'artiste est représenté dans la plupart des grands musées, notamment à Paris (M. N. A. M.), New York (M. O. M. A. et Guggenheim Museum), Philadelphie (Museum of Art), Londres (Tate Gal.), Amsterdam (Stedelijk Museum). M. A. S.

Champaigne ou Champagne

Philippe de

peintre français d'origine flamande
(Bruxelles 1602 - Paris 1674)

Élève, dans sa ville natale, de Jean Bouillon de 1614 à 1618, il travaille en 1618 dans l'atelier du miniaturiste Michel de Bourdeaux et en 1619 dans celui d'un peintre inconnu à Mons, avant de recevoir à Bruxelles, en 1620, l'enseignement du paysagiste Fouquières. Refusant, en 1621, d'aller dans l'atelier de Rubens, il préfère se rendre en Italie pour y achever sa formation et choisit à cet effet non la route d'Allemagne, habituellement suivie par les peintres flamands, mais la route de Paris, où il arrive en 1621.

C'est pour y entrer dans l'atelier de Lallemand, sur les dessins de qui il peint, en 1625, une *Sainte Geneviève implorée par le Corps de Ville* destinée à l'église Sainte-Geneviève-du-Mont, à Paris (auj. à l'église de Montigny-Lemcoup, Seine-et-Marne). Logé au collège de Laon, où habite également Poussin, à qui il donne un paysage de sa main, il contribue, par des paysages également, sous la direction de Nicolas Duchesne, à la décoration du palais du Luxembourg (1622-1626). En 1627, il regagne Bruxelles, et peut-être y serait-il demeuré si Claude Maugis, intendant de Marie de Médicis, ne lui avait offert la succession de Duchesne avec le titre de peintre ordinaire de la reine mère et de valet de chambre du roi, ainsi qu'une pension annuelle de 1 200 livres et un logement au Luxembourg. Séduit par ce travail et par ces avantages, Champaigne revient le 10 janvier 1628 à Paris, où il épousera, le 30 novembre, la fille de Duchesne.

Où en est-il de son art lors de son retour à Paris ? Bien qu'il ne soit pas à proprement parler Flamand, sa formation première se rapproche de celle des peintres flamands. Certains de ses tableaux les plus anciens, les *Trois Âges* de 1627

(Paris, coll. Landry) et la *Petite Fille au faucon* de 1628 (Louvre), le montrent voisin d'un Cornelis de Vos. On pense aux études de têtes de Jordaens en face de celle que conserve de lui le musée de Dijon. Sans doute ce fonds flamand se fera-t-il, au cours des années, de moins en moins apparent ; il ne sera pas renié pour autant : paysagiste, Champaigne n'oubliera jamais la leçon de Fouquières ; portraitiste, il excellera dans le rendu des carnations et des étoffes comme Van Dyck ; peintre sacré et décorateur, il ne dédaignera pas une certaine opulence ; et partout il affectionnera le beau métier sensuel qui était celui des peintres des Pays-Bas méridionaux. Mais son passage par l'atelier de Lallemand l'a frotté au Maniérisme et lui a fait contracter un goût, très français, de l'ordre et du style ainsi que l'amour d'une réflexion et d'une discipline qu'a peut-être développé le commerce de Poussin. Il en résulte un art sinon délibérément éclectique, du moins composite, d'autant que, sans être allé en Italie, Champaigne n'ignore néanmoins ni le Caravagisme, ni le classicisme académisant des Carrache, ni le néo-vénitianisme, ni les recherches baroques, toutes tendances dont on trouve les traces dans les tableaux que Marie de Médicis lui avait fait exécuter, ainsi qu'à son atelier, en 1628-29, pour le carmel du faubourg Saint-Jacques de Paris : la *Nativité* (musée de Lyon), la *Présentation au Temple* (musée de Dijon), la *Résurrection de Lazare* (musée de Grenoble), l'*Assomption* (Gréoux-les-Bains, chapelle de Rousset) et la *Pentecôte* (église de Libourne).

Doté, en janvier 1629, de « lettres de naturalité » et apprécié par la reine mère, il l'est aussi de Louis XIII, qui lui commande, en 1634, une *Réception du duc de Longueville dans l'ordre du Saint-Esprit* (musée de Toulouse). Il semble être également le peintre favori de Richelieu, qui le charge de décorer, v. 1630, au Palais-Cardinal, la galerie des Objets d'art et la galerie des Hommes illustres, tâche qu'il partage avec Vouet. De sa contribution à la décoration de la galerie des Hommes illustres, trois œuvres seulement sont parvenues jusqu'à nous : le *Gaston de Foix* de Versailles, le *Monluc* de la coll. du duc de Montesquiou-Fezensac et le *Louis XIII,* dit *à la Victoire,* du Louvre.

Bien qu'il ait refusé, en 1635, d'aller diriger les travaux de décoration du château de Richelieu, le cardinal ne lui retirera jamais sa faveur, laissera Lemercier lui passer la commande, en 1641, des décorations de l'église de la Sorbonne et posera à plusieurs reprises devant lui (Louvre, Chantilly, Varsovie, Londres).

Peintre officiel de la Cour (le roi le charge, en 1637, de peindre le *Vœu de Louis XIII* du musée de Caen), il est également très apprécié de l'Église. C'est ainsi qu'en 1631-32 il décore de peintures murales le couvent des Filles-du-Calvaire, proche du Luxembourg, et le carmel de la rue Chapon, pour qui il peint également une *Ascension* et une *Pentecôte,* que, v. 1636, il exécute une *Annonciation* (musée de Caen) pour la chapelle de Masle à Notre-Dame de Paris et que, v. 1638, il décore le retable de Saint-Germain-l'Auxerrois d'une *Assomption* (musée de Grenoble) et de deux admirables figures de *Saint Germain* et de *Saint Vincent* (Bruxelles, M. A. A.).

La mort de Richelieu (1642) et celle de Louis XIII (1643) n'arrêtent pas la faveur de Champaigne, que consacre sa participation, en 1645, à la fondation de l'Académie royale de peinture et de sculpture. Il « tire », comme on disait alors, à plusieurs reprises *Louis XIV* (dessin au Louvre) et travaille pour Anne d'Autriche : soit, en 1645, au couvent du Val-de-Grâce, pour lequel il peint en particulier 4 paysages illustrés de scènes tirées des *Pères du désert,* traduits par Arnauld d'Andilly (Louvre, musée de Tours et Mayence, Mittelrheinisches Landesmuseum), soit, en 1646, au Palais-Royal, où il décore l'oratoire de la reine d'un *Mariage de la Vierge* (Londres, Wallace Coll.) et d'une *Annonciation (id.).* Il a également la faveur des « clients » de la Régente et du Premier ministre : ainsi Jacques Tubeuf, qui lui fait exécuter des peintures destinées à sa chapelle dans l'église de l'Oratoire, et Colbert, dont il peint, en 1655, un admirable portrait (Metropolitan Museum). Mais il ne travaille pas seulement pour eux. Il le fait aussi pour leurs adversaires : par exemple, pour le Corps de Ville parisien, qui lui commande en 1648, 1654, 1657 l'effigie collective du prévôt des marchands et des quatre échevins accompagnés du procureur du roi et du greffier ainsi que le portrait individuel de chacun de ces personnages. Le portrait collectif de 1648 se voit auj. au Louvre.

Il est alors un des peintres les plus achalandés de Paris. Le clergé lui demeure fidèle. Il peint en 1648 sa *Présentation au Temple* pour la collégiale Saint-Honoré (Bruxelles, M. A. A.) et en 1657 trois scènes de la légende de saint Gervais et de saint Protais (musée de Lyon et Louvre). Sa réputation gagne même la province : en 1644, il exécute une *Nativité* pour la cathédrale de Rouen (une de ses rares œuvres encore *in situ*) et, peu après, une *Vision de saint Bruno* pour la chartreuse de Gaillon, dont on ne connaît que le dessin préparatoire (Paris, Petit Palais). On peut voir dans cette œuvre une des premières manifestations de l'amitié particulièrement étroite qui ne cessera plus de lier Champaigne avec l'ordre des Chartreux, pour lequel il travaillera à maintes reprises, exécutant, par exemple, pour la chartreuse de Villeneuve-lès-Avignon, une *Visitation* (auj. à l'église de cette ville), pour la Grande-Chartreuse un *Christ en croix* (musée de Grenoble), et un *Enfant Jésus retrouvé au Temple* (musée d'Angers) pour la chartreuse de

▲ Philippe de Champaigne **Portrait d'homme** (1650)
Paris, musée du Louvre Phot. Telarci-Giraudon

Vauvert à Paris, à qui il léguera un *Christ en croix* (Louvre).

Il n'est pas moins apprécié des grands. Bien qu'un nombre considérable de ses portraits soient perdus, nous savons, par la gravure et par les effigies parvenues jusqu'à nous, que toute la haute société française a posé devant lui entre 1642 et 1660 : prélats comme le cardinal de Retz, l'évêque d'Orléans Netz, l'évêque de Comminges Choiseul, l'évêque du Mans Lavardin, l'*Évêque de Bellay Camus* (musée de Gand) ; grands seigneurs comme le duc de Longueville, le comte d'Harcourt, le duc d'Angoulême ; ministres et secrétaires d'État comme Chavigny, Guénégaud, Le Tellier ; parlementaires comme le *Président de Mesmes* (Louvre), *Omer Talon* (Washington, N. G.), *Pomponne de*

Bellièvres (musée d'Aix-en-Provence). Peu de femmes dans cette galerie et peu d'enfants, à l'exception de *Mme Bouthillier* (Louvre) et des *Enfants Montmort* (musée de Reims) ; des artistes, en revanche, et des « intellectuels » comme le poète Voiture, l'architecte *Jacques Lemercier* (Versailles). Ainsi Champaigne put-il s'affirmer comme un des plus grands portraitistes de son siècle et l'un des plus originaux. Ne pratiquant jamais le portrait équestre cher à Van Dyck comme à Velázquez, intériorisant le portrait d'apparat, c'est moins l'apparence physique de ses modèles qu'il veut traduire que leur être, leur être permanent, appréhendé dans son essence et même dans cette participation à l'Idée par quoi l'individu prend place dans une catégorie et devient un représentant de l'« humaine condition ». À cet égard, il est bien le contemporain de Descartes et de Pascal, de La Rochefoucauld et de Retz, des grands « moralistes » français de son siècle.

Cette consécration, comme maître du portrait et de la peinture sacrée, ne faisant que confirmer le succès qu'il s'était acquis dès avant la mort de Richelieu et de Louis XIII, il n'y aurait ainsi guère de nouveautés dans la vie de Champaigne sous le ministère de Mazarin sans trois événements qui se placent entre 1642 et 1646. Le premier — la mort de son fils Claude en 1642 — entraîna le deuxième, l'appel qu'il adresse en 1643 à son neveu Jean-Baptiste de venir de Bruxelles pour travailler à Paris. Bien plus important, le troisième marque le début des relations entre Champaigne et le milieu de Port-Royal. C'est vraisemblablement par Arnauld d'Andilly que ces relations s'établirent v. 1646, date à laquelle il peint le portrait de *Martin de Barcos* (Grande-Bretagne, coll. part.) et celui, posthume, de *Saint-Cyran* (nombreux exemplaires, le plus beau étant celui du musée de Grenoble). À partir de cette date, les rapports sont étroits entre le peintre et le milieu port-royaliste. En 1648, il met ses deux filles en pension à Port-Royal. La même année, il peint pour Port-Royal de Paris une *Cène* (Louvre) à laquelle il donnera, en 1652, une réplique pour Port-Royal des Champs. Un *Saint Bernard* et un *Saint Benoît* (perdus) avaient précédé cette *Cène* à Port-Royal des Champs, où elle sera rejointe, dès avant 1654, par un *Christ mort* (Louvre), puis par un *Bon Pasteur* (musée des Granges) et un *Ecce Homo (id.)*, tandis qu'une *Samaritaine* (musée de Caen), une *Madeleine* (musée de Rennes), un *Saint Jean-Baptiste* (musée de Grenoble) venaient retrouver la *Cène* de 1648 à Port-Royal de Paris. Dotant de frontispices divers livres sortis de plumes jansénistes, il « tire » également quatorze fois les gens de Port-Royal, souvent d'après leurs masques funéraires, quelquefois *ad vivum,* mais alors généralement à leur insu : jamais leur humilité n'eût consenti à ce qu'on les portraiturât. Outre les effigies de *Saint-Cyran* et de *Barcos,* il a laissé : d'après les directeurs de Port-Royal, celles de *Singlin* et de *Sacy ;* d'après les « solitaires », celles d'*Antoine le Maître,* d'*Arnauld d'Andilly* et de *Pontis ;* d'après les religieuses, celles de la *Mère Angélique,* de la *Mère Agnès* et de *Sœur Catherine de Sainte-Suzanne Champaigne,* ces deux portraits étant les études en vue de l'*Ex-Voto* de 1662, par lequel il voulut remercier Dieu de la guérison miraculeuse de sa fille Catherine, le 7 janvier 1662. La galerie port-royaliste de Philippe de Champaigne n'est donc pas très abondante, non plus que les tableaux sacrés peints pour les deux monastères ; mais c'est là qu'il a atteint aux sommets de son art.

Cet art, comment le définir en ces années 1643-1662 ? S'il lui arrive de suivre le mouvement général du Paris de l'époque — celle de La Hyre et de Le Sueur — vers un goût plus épuré, un ordre plus dépouillé, un classicisme plus sévère, il lui arrive aussi de sacrifier encore (ainsi dans les scènes de la *Légende de saint Gervais et de saint Protais*) à ce baroque tempéré qui avait défini sa production v. 1629-30. Avant tout, Champaigne est docile à la destination de l'œuvre à réaliser. Mais on sent bien que, maintenant, les ouvrages où il est le plus à l'aise sont ceux où il donne libre cours à son penchant pour l'austérité, à son sentiment de la spiritualité, voire de la vie contemplative. Comme il ne pouvait guère le faire davantage que dans ceux qu'il destinait à Port-Royal ou aux jansénistes, il n'est pas étonnant que ce soit là qu'il ait livré le meilleur de lui-même. Le sommet de sa peinture sacrée, c'est peut-être ce *Christ mort étendu sur son linceul* (Louvre), dont il est instructif de comparer la noblesse, la réserve et l'intériorité avec l'expressionnisme de celui, si fameux, de Holbein ; et les cimes de sa production de portraitiste, nul doute que ce ne soient ces effigies des religieuses et des directeurs de Port-Royal, l'*Ex-Voto* de 1662 se trouvant au confluent de ces deux veines privilégiées et occupant, de ce fait, la place suprême dans son art.

De cet art, il semble qu'à partir de 1662 la fécondité se tarisse. Sans doute Louis XIV lui commande-t-il une *Réception du duc d'Anjou dans l'ordre du Saint-Esprit* (connue par la réplique qu'en fit Carle Van Loo, au musée de Grenoble) et le charge-t-il, en 1666, ainsi que son neveu, de décorer l'appartement du Grand Dauphin aux Tuileries. Le goût de la jeune Cour n'en semble pas moins se détourner de lui comme du « barbon » Corneille. Homme d'une époque alors révolue, il ne s'accorde guère avec celle qui se crée. Symptômes significatifs, ses conférences à l'Académie sur l'*Éliézer et Rébecca* de Poussin (1666) et sur la *Vierge au lapin* de Titien (1671) lui valent une polémique avec Le Brun et ses fidèles. B. D.

Chardin
Jean-Baptiste Siméon
peintre français
(Paris 1699 - id. 1779)

La carrière de Chardin s'est entièrement déroulée à Paris, entre la rue de Seine, où il est né, les rues Princesse et du Four, où il occupera plusieurs logements, et le Louvre, qu'il habita de 1757 à sa mort.

Élève de Pierre-Jacques Cazes, Chardin entre ensuite dans l'atelier de Noël-Nicolas Coypel. En 1724, il est reçu maître peintre à l'Académie de Saint-Luc. Quatre ans plus tard, il expose place Dauphine plusieurs natures mortes, dont la *Raie* (Louvre). Toujours en 1728, l'Académie lui ouvre ses portes, grâce, semble-t-il, à l'appui bienveillant de Nicolas de Largillière, auteur, actuellement quelque peu méconnu, d'admirables natures mortes. Reçu et agréé le même jour, il offre la *Raie* et le *Buffet* (Louvre) à l'Académie et en suivra dorénavant fidèlement les séances. En 1731, il épouse Marguerite Saintard, avec qui il était fiancé depuis 1720. La même année naît un fils, Pierre-Jean, dont son père voudra, en vain, faire un peintre d'histoire. Malgré ses premiers succès, Chardin est obligé d'accepter des tâches « peu

Jean-Baptiste Siméon Chardin
▼ **Un dessert ou la Brioche** (1763)
Paris, musée du Louvre
Phot. Lauros-Giraudon

satisfaisantes ». Ainsi, Jean-Baptiste Van Loo l'engage-t-il à ses côtés pour la restauration de la galerie François-Ier à Fontainebleau. C'est durant cette même période que Chardin se tourne vers le tableau de figures, la scène de genre à la manière des Hollandais : *Dame cachetant une lettre* (1733, Berlin, Charlottenburg). En 1735, l'artiste perd sa femme. L'inventaire après décès de celle-ci révèle une certaine aisance. En 1737, le Salon, qui n'avait plus eu lieu depuis 1704, sauf en 1725, présente 8 tableaux du peintre. Chardin y exposera fidèlement jusqu'à l'année même de sa mort.

De 1738 environ datent quelques-unes de ses plus charmantes représentations de l'enfance : le *Jeune Homme au violon,* l'*Enfant au toton* (tous deux au Louvre). Il est présenté à Louis XV en 1740 et offre au roi la *Mère laborieuse* et le *Bénédicité* (tous deux auj. au Louvre). En 1744, il épouse en secondes noces Marguerite Pouget, qu'il devait immortaliser par le pastel du Louvre de trente ans postérieur. Ces années marquent l'apogée de sa réputation. Louis XV paie 1 500 livres la *Serinette* (Paris, coll. part.), le seul tableau de l'artiste que le roi ait acquis. Ses collègues de l'Académie, en témoignage de confiance, le chargent officieusement (1755) puis officiellement (1761) de « l'accrochage » des tableaux du Salon. Cette mission, dont il s'acquitte avec humour, lui permet de mettre en valeur les œuvres qu'il aime et d'entrer en contact avec Diderot, qu'il se plaira à guider.

Jusqu'en 1770, la réputation de Chardin dans les genres dont il s'est fait une spécialité est grande et sa vie paisible. Mais, à cette date, J. B. M. Pierre devient le tout-puissant directeur de l'Académie, écartant les protecteurs de Chardin, et les dernières années du peintre sont difficiles. Il démissionne de ses différents postes à l'Académie; la critique s'étonne, certes, devant ce « vieillard infatigable », ce « phénomène pittoresque », et devient sévère. Sa vue baisse, l'obligeant à se tourner vers le portrait au pastel (quatre au Louvre), et Chardin meurt dans une indifférence quasi générale qui devait durer presque un siècle.

« ... Un jour, un artiste faisait grand étalage des moyens qu'il employait pour purifier et perfectionner ses couleurs. M. Chardin, impatient de ce bavardage de la part d'un homme à qui il ne reconnoissoit d'autre talent que celui d'une exécution froide et soignée, lui dit : « Mais qui vous a dit « qu'on peignît avec les couleurs? — Avec quoy « donc ? répliqua l'autre, fort étonné. — On se sert « des couleurs, reprit M. Chardin, mais on peint « avec le sentiment. » C'est ainsi que Cochin parlait de son ami dans une lettre qu'il envoyait, au lendemain de sa mort, à Haillet de Couronne, qui devait prononcer l'éloge funèbre du peintre devant l'académie de Rouen, dont il avait été membre. En effet, c'est ce sentiment qui différencie l'art de Chardin de celui de ses nombreux contemporains, spécialisés comme lui dans ces genres — alors considérés comme mineurs — de la nature morte et de la scène de genre. Chardin a en effet deux registres qu'il pratique tour à tour. Et si, dans la scène de genre, il se tourne de préférence vers les exemples hollandais, qu'il interprétera à sa manière (à une autre échelle et sans chercher par exemple à rendre avec minutie les nuances du satin), dans ses natures mortes (il convient de donner une place à part à l'unique *Bouquet de fleurs* de la N. G. d'Édimbourg), c'est l'exemple d'un Fyt, de ses émules francisés, tel Pieter Boel, ou encore d'un Largillière qui semble avoir guidé ses premiers pas. Pourtant, le problème de l'évolution paraît, en ce qui concerne Chardin, d'importance secondaire. Les natures mortes d'avant 1730 (un bel ensemble au musée de Karlsruhe) se reconnaissent à un faire particulièrement gras, à une mise en page moins équilibrée, à une construction moins rythmée, et les figures de genre des années 40 (la *Pourvoyeuse,* 1739, Louvre; la *Gouvernante,* id., Ottawa, N. G.) sont particulièrement savantes dans la juxtaposition des plans et évitent le détail anecdotique. Mais l'essentiel est ailleurs : peintre de la vie bourgeoise, Chardin est surtout peintre de la « vie silencieuse », des objets les plus familiers comme de leurs usagers. Jamais l'artiste ne sera plus grand toutefois que devant la mort, et l'émotion qui se dégage de toiles comme le *Lapin mort* (musée d'Amiens) ou le *Lièvre au chaudron* (Stockholm, Nm) est obtenue sans aucune concession à l'anecdote ou à l'effet. Un tableau comme la *Serinette* (1752; Paris, coll. part.) est un chef-d'œuvre d'intimisme « hollandais » élégant et bourgeois, traduit à la française, et le *Bocal d'olives* (1760, Louvre) comme la *Brioche* (1763, *id.*) sont des chefs-d'œuvre d'illusion et de vérisme que Diderot admirait déjà : « Vous revoilà donc, grand magicien, avec vos compositions muettes... comme l'air circule autout de ces objets... C'est une vigueur de couleurs incroyable, une harmonie générale, un effet piquant et vrai, de belles masses, une magie de faire à désespérer, un ragoût dans l'assortiment et l'ordonnance; éloignez-vous, approchez-vous, même illusion, point de confusion, point de symétrie non plus parce qu'ici il y a calme et repos. » En 1765, il reçoit commande par le marquis de Marigny de trois dessus-de-porte (deux — *Attributs de la Musique, Attributs des Arts* — sont au Louvre). Enfin les pastels (*Autoportraits* du Louvre de 1771 et de 1775 ainsi que celui non daté, et le *Portrait de son épouse* de 1775, *id.*) terminent cette carrière par une note d'analyse psychologique jusqu'alors absente.

On estime à plus de 200 le nombre de compositions (parfois répétées à de nombreux exemplaires) exécutées par Chardin, ce qui surprend de la part d'un peintre que ses contemporains accusent souvent de « paresse ». Avec plus de 30 tableaux provenant en majeure partie de la collection Lacaze, le Louvre est le musée le plus riche en Chardin. Stockholm, Karlsruhe, Glasgow, le musée Jacquemart-André et, depuis peu, le musée de la Chasse à Paris possèdent, eux aussi, de beaux ensembles d'œuvres de l'artiste. P. R.

Chassériau

Théodore

peintre français

(Sainte-Barbe-de-Samana, Saint-Domingue, 1819 - Paris 1856)

Son père, envoyé de France à Saint-Domingue, redoutant les séditions des Noirs pour sa femme et ses enfants, les installa à Paris en 1822, sous l'égide de son fils aîné. Ce frère, de dix-huit ans plus âgé que le jeune Théodore, encouragea sa vocation artistique extraordinairement précoce et, plus tard, fonctionnaire influent, lui assura le plus intelligent appui.

En 1831, Chassériau entra dans l'atelier d'Ingres, qui, dès la première heure, comprit les dons exceptionnels de cet adolescent, qu'il désira emmener à Rome quand il fut nommé directeur de l'Académie de France en 1834 ; mais la gêne pécuniaire obligea le jeune élève à remettre ce voyage. Il fut alors livré à lui-même, mais, à quinze ans, il était déjà en possession de son métier et lié aux artistes et aux écrivains les plus en vue. Le Salon de 1836 reçut de lui 6 peintures ; 4 d'entre elles — des portraits — sont maintenant au Louvre : la *Mère de l'artiste, Adèle Chassériau, Ernest Chassériau,* le *Peintre Marilhat.* Le succès remporté au Salon de 1839 (*Vénus marine* et *Suzanne au bain,* Louvre) lui valut une commande dont le gain permit son départ pour l'Italie. Il séjourna six mois à Rome et à Naples. De cette époque date le prodigieux *Portrait de Lacordaire* (1840, Louvre). En retrouvant Ingres, il s'aperçut de leur dissension. La morbidesse, le charme ambigu, le frémissement coloré des figures de Chassériau, caractères dus sans doute à ses origines créoles, parurent au maître, autoritaire et partial, autant de traits d'insoumission à sa doctrine. Pourtant, soit que sa formation initiale l'ait marqué de façon indélébile, soit qu'elle ait répondu à une aptitude innée, Chassériau, tout au cours de sa vie, témoigna de sa dette envers Ingres. La *Toilette d'Esther*

Théodore Chassériau
▲ **La Toilette d'Esther** (1841)
Paris, musée du Louvre
Phot. Giraudon

(1842, Louvre), les *Deux Sœurs* (1843, *id.*), *Mlle Cabarrus* (1848, musée de Quimper), le *Tepidarium* (1853, Louvre) montrent une sinuosité linéaire alliée à un statisme antique d'esprit ingresque.

Néanmoins, à partir de 1842, de nouvelles tendances s'affirment dans l'art de Chassériau, un attrait grandissant pour la couleur, pour des formes plus mobiles, pour des sujets empruntés à des auteurs goûtés des romantiques, tel Shakespeare (peintures et lithographies tirées d'*Othello,* 1844). Son voyage en Algérie, en 1846, détermina le choc qui confirma ces inclinations. Son contact avec l'Orient révéla une entente sincère avec la lumière et le mouvement (*Cavaliers arabes emportant leurs morts,* 1850, coll. part.). La critique voulut voir dans cette expression nouvelle une imitation de Delacroix. L'influence de celui-ci fut indéniable, mais le mot *pastiche* ne peut être prononcé. Chassériau, artiste au tempérament complexe, sut marier à l'enseignement reçu un exemple diamétralement opposé, créant un œuvre original. Ce double aspect se fait jour dans ses grandes peintures murales, partie essentielle de sa production. À Paris, il décora une chapelle à Saint-Merri (*Histoire de sainte Marie l'Égyptienne,* 1844), les fonts baptismaux de Saint-Roch (*Saint Philippe baptisant l'eunuque de la reine d'Éthiopie, Saint François-Xavier apôtre des Indes et du Japon,* 1853), l'hémicycle de Saint-Philippe-du-Roule (*Descente de croix,* 1855) et l'escalier de la Cour des comptes (1844-1848), son plus prestigieux ensemble, incendié lors de la Commune (d'importants vestiges dégradés par le feu en subsistent au Louvre : la *Paix,* la *Guerre,* le *Commerce*). De l'art de Chassériau émane une sorte de charme mystérieux, suscité en grande partie par le type féminin que des femmes admirées ou passionnément aimées, la sœur de l'artiste Adèle, Alice Ozy (la *Nymphe endormie* du musée d'Avignon), la princesse Cantacuzène, parmi tant d'autres, lui ont suggéré. Cet art, à la fois noble et voluptueux, fut la source de l'inspiration de deux grands artistes de la seconde moitié du siècle : Puvis de Chavannes et Gustave Moreau. Grâce, en particulier, aux donations d'un neveu de l'artiste, le baron Arthur Chassériau, le Louvre conserve un ensemble considérable de toiles terminées, d'esquisses peintes et de dessins de Chassériau. H. T.

Christus

Petrus

peintre flamand

(mentionné à Bruges à partir de 1444 - Baerle, Brabant, 1473)

On ne possède sur sa vie que les éléments suivants : mentionné à Bruges à partir de 1444, il exécute en 1454 trois copies de la *Vierge miraculeuse* de Cambrai, s'inscrit en 1462 à la confrérie de « l'Arbre sec » avec sa femme. En 1463 et 1467, il décore une bannière pour la procession du Saint Sang et, en 1472, il est juré des peintres. L'origine de son style est un problème non encore résolu. Il était autrefois admis que seule pouvait l'expliquer la plus étroite collaboration avec Jan Van Eyck. Dès lors, on imaginait volontiers en lui un chef d'atelier devenu indépendant seulement après la mort de son maître, dont il était chargé de mener à bien les œuvres inachevées. Cette hypothèse a été reprise récemment à propos des documents qui paraissent concerner la *Vierge au Chartreux* de Jan Van Eyck (New York, Frick Coll.) et la réplique qui en fut faite par Christus (Berlin-Dahlem). La question paraît cependant plus complexe. Si Petrus Christus copie souvent les compositions de Van Eyck ou de son entourage, il emploie une technique moins savante et obtient des effets moins précieux que son aîné, ce qui paraît exclure une formation au sein même de son atelier. Son œuvre est jalonnée de quelques tableaux datés, qui permettent de suivre un temps son évolution. Le *Portrait de moine* (1446, Metropolitan Museum) est remarquable par l'effet de trompe-l'œil : sur le parapet qui, à l'exemple de Van Eyck, ferme la composition au premier plan, le peintre a placé une mouche. Le *Portrait d'Edward Grymestone* (Londres, N.G.), daté de la même année, fait mieux apparaître les orientations de l'artiste : son goût d'une lumière nette, affaiblissant les modelés dans les plans éclairés et les opposant par des lignes sèches aux zones d'ombre. Cette tendance est accusée par une prédilection pour les architectures simples, quasi géométriques. De 1449 date l'important *Saint Éloi* (Metropolitan Museum, coll. Lehman) : sous le prétexte d'évoquer le patron des orfèvres, le peintre décrit une véritable scène de genre, un jeune couple faisant l'achat d'un anneau dans la boutique du saint. Les souvenirs eyckiens sont sensibles notamment dans les jeux de reflets et conduisent même à ne pas exclure l'existence d'un prototype du maître flamand. Ils sont cependant associés à une recherche de volumes simples et de gestes raides qui constituent un élément essentiel du style de Christus. Ils se retrouvent dans la *Nativité* (Washington, N.G., coll. Mellon), qui emprunte à Rogier Van der Weyden le thème de l'arc « diaphragme », motif d'architecture marquant au niveau du panneau une ouverture sur la scène représentée. On les reconnaît également dans la *Déposition de croix* (Bruxelles, M.A.A.), dont il existe cependant une petite version (Metropolitan Museum) dans laquelle ils sont moins marqués. Christus trahit dans ces deux œuvres sa totale incompréhension de l'art de Rogier Van der Weyden : s'il lui emprunte quelques gestes, comme celui de la Madeleine éplorée, l'esprit en a complètement disparu ; le sens du pathétique absent est remplacé par une méditation solennelle et figée. En 1452, Christus signe 2 volets (Berlin-Dahlem), dont l'un reproduit assez fidèlement la *Crucifixion* attribuée à Van Eyck (Metropolitan Museum) : il n'en garde cependant ni la finesse ni la qualité de lumière et souligne les éléments anecdotiques de la composition. Un petit panneau du Staedel. Inst. de Francfort (la *Vierge à l'Enfant assistée des saints Jérôme et François*) porte une date autrefois lue 1417 (ce qui avait donné lieu à des hypothèses variées sur la carrière du peintre), mais qu'il convient de lire 1457. Une *Vierge à l'Enfant assise dans une chambre* (musée de Kansas City) reprend très fidèlement le cadre imaginé par Jan Van Eyck pour la *Naissance de saint Jean-Baptiste (Heures de Milan-Turin),* mais en conférant à l'architecture, par une lumière plus dure, un aspect quasi méridional. L'œuvre la plus populaire du peintre n'est pas datée : le *Portrait de jeune femme*

Petrus Christus
◀ **Portrait d'une jeune femme**
Berlin-Dahlem, Staatliche Museen-Preussischer Kulturbesitz, Gemäldegalerie
Phot. du musée

(Berlin-Dahlem) ; le visage, d'un bel ovale, aux yeux légèrement bridés, traité en volumes simples, revêt un caractère mystérieux particulièrement attachant. Il est mis en valeur par la ligne nette d'un hennin court, retenu sous le menton par un bandeau de velours, et se détache sur un fond brun clair. La *Pietà* (Louvre) est d'un esprit très différent de celle de Bruxelles ; elle reprend la composition d'une enluminure des *Heures de Milan-Turin.* On attribue également à Christus une *Mort de la Vierge* (San Diego, Timken Art Gal.) dont l'art surprenant fait songer à l'Italie ; un voyage de Petrus Christus au-delà des Alpes a souvent été tenu pour probable.

A. Ch.

Cima da Conegliano

Giovanni Battista, dit

peintre italien

(Conegliano v. 1469 - id. v. 1517)

L'histoire de la formation artistique de Cima reste problématique, en l'absence de documents et de références précises. Sa première peinture signée, la *Vierge et l'Enfant entre saint Jacques et saint Jérôme* (1489, musée de Vicence) révèle, par la rigueur volumétrique et la gamme chaude des couleurs, un goût assez proche de celui de Bartolomeo Montagna. Malgré cette influence, Cima établit déjà dans cette œuvre les bases d'un style auquel il restera fidèle. La lumière claire adoucit l'austérité anguleuse des vêtements et la dureté des visages de Montagna, tandis que l'invention de la « pergola » prépare aux fraîches images des futurs paysages de Cima. L'influence de Montagna cesse de se manifester au moment où, certainement avant 1492 (date à laquelle sa présence est attestée à Venise), le peintre provincial, ayant pris contact avec la culture artistique de Venise, rencontre Alvise Vivarini et Giovanni Bellini et est impressionné par la « pala » de S. Cassiano d'Antonello de Messine. Selon Pallucchini (1962), le polyptyque de l'église paroissiale d'Olera est le premier fruit de l'activité vénitienne de Cima, qui va se précisant dans les œuvres suivantes : la *Sainte Conversation* de la Brera et la *Vierge avec des saints* (1493) de la cathédrale de Conegliano, dont la structure suit l'exemple des retables de S. Cassiano d'Antonello (fragment à Vienne, K. M.) et de S. Giobbe de Giovanni Bellini : organisation architecturale complexe, trône s'élevant devant un arrière-plan ouvert, effort pour disposer des figures solides selon un rythme et un ordre qui puissent suggérer le dialogue. Mais la poésie de Cima s'épanouit quand il peut rassembler Vierges et saints dans le paysage des douces collines de Conegliano, à la fois réelles et imaginaires (*Sainte Conversation,* Lisbonne, fondation Gulbenkian). Dans ce dialogue sentimental entre créatures et nature, la lumière réchauffe et polit les personnages du *Baptême du Christ* (1494, Venise, S. Gio-

Cima da Conegliano
▼ **Sainte Conversation**
Lisbonne, Fundação Calouste Gulbenkian
Phot. Giraudon

vanni in Bragora), figures sereines dans l'atmosphère limpide d'un paysage auquel la nostalgie de l'artiste revient sans cesse, faisant couler le Jourdain au milieu des collines trévisanes. La minutie des détails, la limpidité de la lumière, la beauté toute classique des personnages, qui correspondent à une typologie constante dans la production de Cima, se retrouvent dans la *Vierge à l'oranger* (v. 1495, Venise, Accademia), qui offre un des plus beaux paysages peints par l'artiste, celui du château de Salvatore di Collalto.

À l'invention, due à Giovanni Bellini, des « saintes conversations » en plein air correspond l'influence de Carpaccio dans les architectures polychromes de certaines scènes de petit format comme l'*Ambassade du sultan* du musée de Zurich ou le *Miracle de saint Marc* de Berlin-Dahlem. Le tempérament méditatif de Cima, enclin plus à réfléchir sur des thèmes anciens qu'à en inventer de nouveaux, le pousse à composer de nombreuses *Vierges à l'Enfant*, dont la plus réussie est sans doute celle de l'église S. Maria della Consolazione d'Este (Padoue), datée de 1504 : la saine rusticité de Marie éclate dans les timbres violents des rouges, des bleus et des jaunes comme dans le volume monumental de l'image qui se détache avec une force surprenante sur le paysage de l'arrière-plan. On peut aussi dater v. 1505 le *Saint Pierre martyr avec les saints Nicolas et Augustin* de la Brera, aux pures architectures, et la *Vierge entre saint Michel et saint André* (Parme, G. N.), où, parmi les ruines ombragées, sous la lumière chaude de l'après-midi, évoluent des personnages méditatifs et mélancoliques, dont se détache, dans une attitude absorbée, l'élégante silhouette de l'archange Michel. La lumière zénithale immobilise contre le ciel les trois personnages de l'*Incrédulité de saint Thomas* (Venise, Accademia), insérés dans le vaste cadre d'une grande arcade au premier plan, mais en même temps elle paraît dissoudre, dans un horizon exceptionnellement bas, les savoureuses petites silhouettes des personnages qui se déplacent en un fabuleux voyage entre le village juché sur la colline et le calme sous-bois de buissons et de feuillage. C'est déjà l'idylle de Giorgione ; ce rapprochement permet d'ailleurs de suggérer que le sens « géorgique » de la nature et le dialogue muet entre des personnages rêveurs, propres à Cima, aient pu constituer les véritables signes précurseurs des plus hautes visions de Giorgione (Pallucchini, 1962). La modification des proportions et le grand jardin ombragé de la *Nativité* du Carmine, à Venise, confirment les rapports d'inspiration avec le monde giorgionesque ainsi que le choix de nouveaux sujets humanistes et mythologiques. *Endymion dormant* et le *Jugement de Midas* (Parme, G. N.), le *Duel au bord de la mer* (Berlin-Dahlem) et *Bacchus et Ariane* (Milan, musée Poldi-Pezzoli) sont conçus avec une sensibilité chromatique proche du sentiment tonal. Cependant, le langage de Cima, tout en s'inspirant parfois des solutions les plus géniales de ses contemporains, ne se transforme pas et continue de trouver en lui-même la possibilité de se renouveler, ainsi qu'en témoigne le *Saint Pierre en chaire* (1516, Brera), où, délaissant la peinture tonale et les autres nouveautés du cinquecento, il revient à la mise en page du siècle précédent et aux images immobiles d'une beauté toute antique. M. C. V.

Cimabue

Cenni di Pepi, dit

peintre italien

(v. 1240 - apr. 1302)

En même temps que le poète Guido Guinizelli et que le miniaturiste Oderisi da Gubbio, Dante le chante comme le plus grand peintre qui précéda Giotto. D'après la tradition critique florentine (Ghiberti, *Livre d'Antonio Billi*), Cimabue aurait été le maître et l'« inventeur » de Giotto. Au début du xxe s., certains critiques ont mis en doute l'existence même de Cimabue. Cependant, Cenni (Benci-Venni, Benvenuto) di Pepi, dit Cimabue, est bien mentionné à Rome en 1272 et à Pise en 1301, où il travaillait à la mosaïque de l'abside du Dôme (la figure de *Saint Jean-Baptiste* qu'il exécuta a subsisté et a servi de base à la critique moderne pour reconstituer son œuvre). Un document de 1302 atteste son appartenance à la Compagnia dei Piovuti, à Pise également.

Parmi les œuvres liées entre elles par le style qui lui sont attribuées avec la plus grande vraisemblance, la plus ancienne est certainement le *Crucifix* de l'église S. Domenico à Arezzo, qui lui fut restitué par P. Toesca. On peut le dater d'une époque antérieure à celui de Pistoia (1274), peint par Coppo di Marcovaldo et son fils Salerno. Il serait possible qu'il ait même été exécuté avant le séjour de l'artiste à Rome en 1272. La surface émaillée et les draperies finement soulignées d'or révèlent les liens qui le rattachent au byzantinisme « aulique » de son compatriote Coppo di Marcovaldo, tandis que le pathétique raccourci du corps du Christ rappelle l'art de Giunta Pisano, le plus influent peintre pisan à cette époque.

La critique situe peu après le *Crucifix* (en partie détruit en 1967 par l'inondation de Florence) de l'église S. Croce à Florence. Il semble être antérieur

Cimabue
Maestà de Santa Trinita ▲
Florence, Galleria degli Uffizi
Phot. Scala

en tout cas au *Crucifix* de Deodato Orlandi (1288) et même à celui, déjà cité, de Coppo di Marcovaldo (1274). Dans cette œuvre ainsi que dans la grande *Maestà* (Louvre) provenant de l'église S. Francesco à Pise, Cimabue manifeste un profond renouvellement, grâce aux exemples qu'il put suivre à Rome et surtout à Pise dans les œuvres de Nicola Pisano (citoyen pisan depuis 1258). Il tend nettement à se détacher du byzantinisme orthodoxe (ou constantinopolitain) pour tenter, sous l'impulsion des plus forts courants gothiques, de renouer avec l'héritage de la fin de l'Antiquité. Il abandonne la cuirasse rigide des Byzantins pour un traitement plus doux, plus subtil, extrêmement sensible, particulièrement dans les chairs ; aux filaments d'or des étoffes, il substitue des drapés aux plis profonds imitant la sculpture. Par l'animation subtile de ces plis, Cimabue est parvenu à suggérer un effet d'imprécision mouvante, contrastant avec la plastique statique des Byzantins, que l'emploi — surtout à l'origine — d'un chromatisme délicat (bleus, roses, mauves, jaunes pâles) rendait plus sensible à l'œil. Il est possible que Cimabue ait été encouragé dans cette recherche par l'exemple d'un grand contemporain de Nicola Pisano, le Maître de San Martino.

Les fresques du transept de la basilique supérieure S. Francesco à Assise ont aujourd'hui, en raison surtout de leur déplorable état de conservation et de l'altération des coloris, un aspect moins vif. Elles représentent, à la voûte, les *Quatre Évangélistes* et, sur les murs, des *Scènes de la vie de la Vierge,* de la *Mission des apôtres,* de l'*Apocalypse,* des *Anges* et le *Calvaire.* Bien que leur datation soit controversée, de récents travaux permettent, semble-t-il, de situer leur exécution v. 1278-79. Cette hypothèse peut être confirmée par le fait que le pape Nicolas III Orsini assuma personnellement la charge de sénateur de Rome de septembre 1278 à août 1280 : en représentant dans la voûte *Saint Marc* évangéliste, Cimabue semble évoquer cet événement par une vue de Rome avec le Capitole portant quatre armoiries de la famille Orsini. Après les fresques d'Assise et un panneau représentant *Saint François* (musée de S. Maria degli Angeli, près d'Assise), Cimabue paraît désormais le plus grand peintre florentin ; son influence devient déterminante sur le développement de la peinture toscane. Elle est particulièrement ressentie par le principal peintre de Sienne, Duccio (*Madone Rucellai,* 1285, Offices), par Manfredino da Pistoia (fresques de 1292, Gênes, Accad. Ligustica, 1292) et par Corso di Buono, chef de la confrérie des peintres de Florence en 1295 (fresques de Montelupo). La célèbre *Maestà* de S. Trinita (Offices), très proche de l'œuvre de Corso di Buono, offre une mise en page plus large, un rythme pictural plus calme que la *Maestà* de Pise (Louvre). Les autres œuvres attribuées à Cimabue ou à son atelier sont influencées à leur tour par le jeune Duccio, puis par Giotto. Citons la fresque de la basilique inférieure S. Francesco à Assise *(Maestà avec saint François)* et la *Madone en trône avec les saints François et Dominique* (Florence, Pitti, donation Contini-Bonacossi).

Il faut enfin rappeler que Cimabue, qui fut le maître de sa génération, collabora pour la plus grande part au fameux cycle de mosaïques du baptistère de Florence. L'analyse stylistique de cette décoration est rendue difficile par le fait qu'il s'agit d'une traduction dans une autre technique que la peinture et aussi à cause des dommages dont a souffert l'œuvre. Cependant, on peut supposer que Cimabue participa assez longtemps à ce chantier, le reprenant au point où l'avait abandonné Coppo di Marcovaldo (ou un autre artiste de sa génération) et le conduisant, seul ou avec des artistes proches de lui, jusqu'aux dernières histoires, où apparaissent alors deux artistes différents et de culture plus moderne : le premier pouvant s'identifier à Gaddo Gaddi, et le second à l'artiste prégiottesque dit le « Dernier Maître du Baptistère ». G. P.

Claesz

Pieter

peintre néerlandais

(Burgsteinfurt, Westphalie, 1597/98 - Haarlem 1661)

Installé avant 1617 à Haarlem, où il travailla jusqu'à sa mort, Pieter Claesz, qui prit quelquefois le surnom de Berchem, fut le père du peintre Nicolaes Pietersz Berchem, né en 1620. Il est, avec Heda, le maître de l'école harlémoise de nature morte de tendance « monochromiste ». Il peignit quelques *Vanités,* mais surtout des *Déjeuners* et des *Banquets.*

Ses œuvres de jeunesse, exécutées de 1621 à 1630 env. (*Nature morte,* 1624, Rijksmuseum ; *Vanitas,* 1624, Dresde, Gg ; *Nature morte aux instruments de musique,* 1625, Louvre), sont assez proches de Floris Van Dyck et de Nicolaes Gillis ; la vision de haut en bas y est accentuée et les couleurs assez soutenues.

Sa période véritablement « monochrome » s'étend de 1630 à 1640 env. : un des meilleurs exemples en est la *Nature morte* de 1636 (Rotterdam, B. V. B.), plus concentrée et cohérente, où les objets sont davantage liés et où la tonalité générale s'organise autour d'une gamme de gris bruns.

Pieter Claesz
▲ **Nature morte** (1636)
Rotterdam,
musée Boymans - Van Beuningen
Phot. du musée

De 1640 env. jusqu'à sa mort, son style évolue sous l'influence de J. D. de Heem dans un sens plus décoratif et plus monumental, comme le montrent les *Natures mortes* de Bruxelles (1643, M. A. A.), des musées de Strasbourg et de Nantes (1644), de La Haye (1644, Mauritshuis) et de Londres (1649, N. G.). Par le raffinement et l'intimité de ses compositions, Claesz a ouvert, comme Heda, la voie à une nouvelle conception de la nature morte. J. V.

Cleve

Joos Van

peintre flamand

(Clèves ? v. 1484 - Anvers 1540)

On l'a identifié avec le Maître de la Mort de Marie, ainsi appelé à cause de 2 retables (œuvres de ses débuts) représentant ce sujet et conservés à Munich (Alte Pin.) et à Cologne (W. R. M.). Il est franc maître à Anvers en 1511 et doyen de la gilde de Saint-Luc en 1519 et 1525. Il aurait habité Bruges avant de venir à Anvers ; il a subi, en tout cas, l'influence de Memling (la *Vierge et l'Enfant adorés par saint Bernard,* Louvre) et de Gérard David (le *Repos pendant la fuite en Égypte,* Bruxelles, M. A. A. ; la *Mort de la Vierge,* Munich, Alte Pin.). Il n'est pas certain qu'il ait séjourné en Italie, où cependant se trouvent plusieurs de ses œuvres (églises et musée de Gênes notamment). Au reste, certains de ses tableaux révèlent une influence italienne très marquée. Ainsi, le *Retable de saint François* (Louvre), exécuté v. 1530-1535, évoque à la fois l'art de Léonard et celui de Gaudenzio Ferrari. On sait qu'il fut appelé à la cour de France v. 1530 pour exécuter des portraits de François Ier (Philadelphie, Museum of Art, coll. Johnson) et de sa seconde femme, Éléonore de Portugal, et qu'il fit à Londres, en 1536, le *Portrait d'Henri VIII* (Hampton Court). Il est l'un des meilleurs portraitistes du temps, et le naturel plein de distinction de ses figures (*Autoportrait,* Lugano, coll. Thyssen) fait parfois de lui l'égal de Holbein. On lui doit également un grand nombre de tableaux religieux, retables, polyptyques ou panneaux isolés (musées de Berlin-Dahlem, de Bruxelles, de Detroit, de Dresde, de Munich, de Philadelphie, de Prague, Metropolitan Museum). Il fut beaucoup copié, notamment par les élèves de son atelier anversois. J. L.

Clouet

Jean, dit aussi Janet, Jamet, Jeannet, Jehannet ou Jehamet,
peintre probablement d'origine flamande (v. 1485-1490 - probablement 1541).

Jean Clouet (comme Pollet son frère, peintre à la cour de Navarre) venait sans doute des Pays-Bas. Probablement au service de Louis XII, il est cité pour la première fois en 1516 comme peintre de François Ier (avec un traitement de 180 livres, égal à celui de Perréal, de Bourdichon, de Nicolas Belin et de Barthélemy Guéty). Établi d'abord à Tours entre 1521 et 1525, où il se marie avec la fille d'un orfèvre, il s'engage à peindre le 10 mai 1522, à la demande de l'oncle de sa femme, un *Saint Jérôme* pour l'église Saint-Pierre-du-Boile de Tours. En 1523, il donne le modèle de *Quatre Évangélistes d'or* à un brodeur de Paris, où il s'installe probablement v. 1525-1527. Puis, en 1529, il succède à Bourdichon et devient l'égal de Perréal. En 1533, il est peintre et valet de chambre du roi : les comptes le mentionnent plusieurs fois (en 1529, en 1537) et, selon un document de novembre 1541, il est déjà mort à cette date.

Joos Van Cleve
▼ **La Sainte Famille**
(centre de triptyque)
Vienne, Kunsthistorisches Museum
Phot. Meyer

Jean Clouet fut riche et célèbre : en 1539, Clément Marot le proclame l'égal de Michel-Ange. Dans son atelier travaillèrent en particulier Petit-Jean Champion (qui l'aida à partir de 1525 et devint valet de garde-robe du roi) et son fils François Clouet, probablement son collaborateur à ses débuts.

Nous ne connaissons de Jean Clouet aucune œuvre signée : on admet qu'un certain nombre de dessins aux crayons (130 env., principalement au musée Condé de Chantilly), représentant des personnages de la Cour entre 1536 et 1540, dates de la période documentée de sa carrière, peuvent lui être attribués et sont des préparations à des tableaux. Parmi eux figure un crayon représentant *Guillaume Budé* (or, celui-ci atteste que Clouet fit son portrait v. 1536), crayon correspondant au panneau auj. au Metropolitan Museum : ainsi se trouve fondée par analogie l'attribution à Jean Clouet de tout le groupe des dessins de Chantilly et de rares peintures. L. Dimier en admet six : le *Dauphin François* (musée d'Anvers), *Charlotte de France* (Chicago, coll. Epstein); *François Ier* (Louvre), *Claude de Lorraine, duc de Guise* (Florence, Pitti), *Louis de Clèves, comte de Nevers* (Bergame, Accad. Carrara), l'*Homme au Pétrarque* (Hampton Court). Ce bref catalogue est accepté par Ch. Sterling, qui, comme A. Blunt, critique cependant l'attribution du *François Ier* du Louvre (où il décèle la participation de François Clouet) et ajoute deux tableaux à la liste : *Marie d'Assigny, Mme de Canaples* (Édimbourg, N. G.), et l'*Homme aux pièces d'or* (Saint Louis, Missouri, City Art Museum). On y intègre le portrait (perdu) de *Madeleine de France* (autref. coll. Édouard de Rothschild, Paris) et un autre portrait de *Charlotte de France* (Minneapolis, Inst. of Arts). Une gravure de Thévet *(Hommes illustres)* nous conserve le portrait perdu d'*Oronce Finé*. Il faut également mentionner l'attribution au peintre de miniatures dont certains dessins de Chantilly sont des préparations (*Charles de Cossé, comte de Brissac,* Metropolitan Museum), portraits, dans des médaillons circulaires, des Preux, héros de la bataille de Marignan (*Commentaires de la guerre gallique,* Paris, B.N.), qui ont été aussi attribués à Perréal. Le portrait équestre de *François Ier* (Louvre) a été discuté entre Jean et François Clouet.

L'œuvre peint de Jean Clouet, si restreint

aujourd'hui, a dû autrefois être beaucoup plus important. Il consiste exclusivement en portraits, genre dans lequel l'artiste semble s'être spécialisé dès son arrivée à Paris et qui assura son succès. Généralement peints sur des panneaux de petit format, ses modèles sont présentés à mi-corps, selon une formule encore archaïque, les visages éclairés d'une lumière égale, les mains assez gauchement posées au premier plan. Sans jamais renoncer à la formation flamande, surtout sensible dans les débuts, l'art de Jean Clouet, sous l'influence des contacts français (Fouquet, le Maître de Moulins, Perréal) et italiens (Solario, Vinci), évolue vers plus de largeur, de solidité, de vérité et de simplicité. Ses dessins à la sanguine et à la pierre noire, d'une extrême sobriété de moyens, négligeant tous les accessoires pour se concentrer sur l'étude des physionomies, sont étroitement liés à ses peintures. Ce sont souvent des études pour les portraits peints, mais qui furent vite appréciées pour elles-mêmes. Jean Clouet contribua à créer le goût pour le genre des « crayons », dont le succès se prolongea encore en France dans la première moitié du XVIIe s. S. B.

Jean Clouet
▼ **Portrait de Guillaume Budé**
New York, Metropolitan Museum of Art
Phot. du musée

Clouet

François, dit Janet

peintre français

(Tours v. 1505-1510 - Paris 1572)

Fils de Jean Clouet, à qui il succéda comme peintre du roi en 1541, célèbre sous quatre rois, nommé en 1551 commissaire au Châtelet, François, qui reçut à cette date ses lettres de naturalisation, fit une carrière de portraitiste, mais participa aussi aux charges d'un peintre de cour : en 1547 et 1559, lors des funérailles royales, il exécuta les masques mortuaires de François Ier, du Dauphin et de Henri II. Il s'associa pour moitié avec Marc Béchot, sculpteur, et cinq autres peintres pour les funérailles, sacres, couronnements, avec « mômeries, pompes, tournois et autres choses à ce servant ». Son activité est jalonnée par de rares mentions : en 1552, il décora de « lacs, chiffres et croissants » un coffret exécuté par Scibec de Carpi ; en 1568, il est au service de Claude Gouffier et de sa femme, Claude de Beaune. De 1570-1572 datent des paiements pour deux bannières de trompettes du roi et une armure. En 1572, il exécuta pour la reine d'Espagne une miniature de la reine (Élisabeth d'Autriche sans doute). Sa dernière mention montre qu'on le consultait pour les monnaies. Il fut très apprécié par la reine Catherine de Médicis, qui collectionna ses dessins avec prédilection et en offrit 551 à sa petite-fille Chrétienne de Lorraine (en partie auj. à Chantilly, musée Condé). Il est vanté par les poètes, notamment Ronsard, qui décrit une œuvre perdue représentant la maîtresse nue du peintre ; cette mention précieuse permet d'appuyer l'attribution des peintures de genre du type de celle de Washington. François Clouet a été longtemps confondu avec son père, le surnom de « Janet » (qu'ils portèrent tous deux) ayant sans doute contribué à cette erreur.

On ne connaît de lui que 2 tableaux signés : le portrait de son ami et voisin l'apothicaire *Pierre Quthe* (1562, Louvre) et la *Dame au bain* (Washington, N. G.). Un dessin de *Charles IX* qui porte la date de 1566 (Ermitage) a servi de base pour lui attribuer le portrait peint de *Charles IX* (Vienne, K. M.) et une série de dessins (la plupart à Chantilly, musée Condé, et Paris, B. N.). De rares peintures peuvent être rapprochées de ces œuvres certaines, comme *Henri II en pied* (Offices), et d'excellentes répliques d'atelier. Selon les anciens auteurs, François Clouet fut aussi un remarquable miniaturiste : on lui a attribué le *François Ier à cheval* du Louvre et l'*Henri II à cheval* des Offices ; mais ces

François Clouet
Dame au bain ▶
Washington,
National
Gallery of Art
Phot. du musée

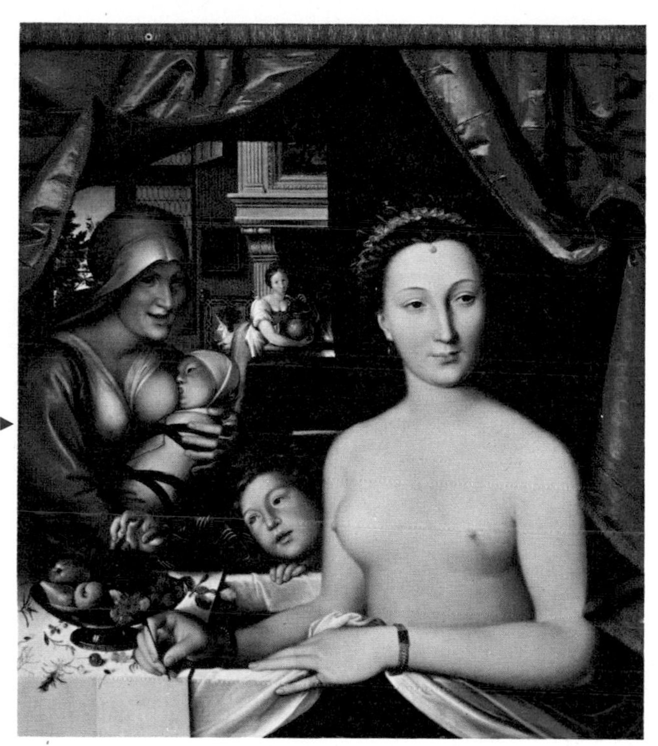

portraits équestres ont parfois aussi été attribués à Jean Clouet.

Comme le prouvent plusieurs mentions et la *Dame au bain* (Washington, N. G.), François Clouet, à la différence de son père, ne fut pas uniquement portraitiste ; il est probablement l'auteur du *Bain de Diane* (musée de Rouen), dont l'importance et le succès nous sont attestés par plusieurs répliques. Il fut peut-être aussi l'inventeur de certaines scènes de genre, comme la *Scène de comédie* (dite *le Malade imaginaire*) ou les *Enfants se plaignant à l'Amour,* gravées avec son nom (Janet ou Genet) et éditées par Le Blon. À ce groupe d'œuvres à sujets profanes se rattachent aussi des compositions comme la *Belle et le billet,* connue par plusieurs exemplaires (France, coll. part. ; Lugano, coll. Thyssen). Son influence est visible sur un certain nombre d'œuvres restées anonymes, dont les plus célèbres sont la *Sabina Poppea* (Genève, musée Rath) et les *Femmes au bain* du Louvre.

Formé par son père, François Clouet collabora sans doute avec lui à ses débuts : Ch. Sterling a pensé déceler des traces de cette collaboration dans le *François Ier* du Louvre, traditionnellement attribué à Jean et dont les mains auraient été peintes par François. Ce dernier va rapidement évoluer vers un art plus savant et plus complexe que celui de son père, témoignant d'influences diverses, italiennes, néerlandaises et allemandes. Ses portraits peints, d'une extrême finesse et d'une grande distinction, non sans froideur, sont d'admirables exemples de l'art de cour en France au XVIe s. et de sa société raffinée (*Élisabeth d'Autriche,* Louvre). Les dessins de François Clouet n'ont plus la simplicité de ceux de son père, ni leur économie de moyens : il se sert d'un métier plus riche, d'une technique plus complexe pour décrire minutieusement ses modèles, sans jamais, cependant, distraire l'attention du caractère des physionomies (*Marguerite de France enfant,* Chantilly, musée Condé). Son influence fut énorme en France et même à l'étranger, dans le domaine du portrait comme dans celui de la scène de genre. Il dirigea un atelier où travaillèrent des artistes auj. très mal connus (Jacques Patin, fils de Jean, qui fut collaborateur de Jean Clouet, et Simon le Roy). S. B.

Coello

Claudio

peintre espagnol d'origine portugaise (Madrid 1642 - id. 1693)

Il débute dans l'atelier de F. Rizi, puis fait un voyage à Rome, qu'atteste la signature d'un dessin. À son retour, il devient l'un des peintres les plus importants de l'école madrilène. Ami de Carreño, qui lui facilite l'accès aux collections royales, il y étudie les maîtres vénitiens et flamands, qui influencent d'une façon décisive ses premières séries de grands tableaux d'autel et l'occupent jusqu'à son entrée à la Cour (*Annonciation,* 1668, Madrid, couvent de S. Placido). Décorateur à la détrempe et peintre de fresques, il travaille beaucoup en collaboration avec Jiménez Donoso (sacristie de la cathédrale de Tolède, 1671). En 1680, il décore les arcs dressés en l'honneur de l'entrée de la reine Marie-Louise d'Orléans et, en 1683, est nommé peintre du roi. En 1684, il exécute les décorations murales de l'église de la Mantería à Saragosse et, à son retour, les scènes mythologiques de la galerie de la reine à l'Alcázar (aujourd'hui perdues). À la mort de Francisco Rizi (1685), il se charge du grand tableau que celui-ci préparait pour l'Escorial — et qui est son chef-d'œuvre (signé en 1690 avec le titre de « pintor de camara ») —, la *Sagrada Forma,* montrant la relique de la sainte hostie de Gorrum présentée à Charles II. L'année même de sa mort, il exécute le grand *Martyre de saint Étienne* pour l'église S. Esteban de Salamanque.

Dernière figure marquante du Baroque espagnol, Claudio Coello est un artiste de formation complexe. Grand coloriste, il aime les tons chauds et raffinés des Vénitiens. Il possède un sens dynamique de la composition tout à fait baroque et, en même temps, une conception équilibrée de la réalité qui, donnant sérieux et vérité à ses personnages, font de lui un excellent portraitiste. Décorateur (peintures murales de la Manteria, Saragosse), il est l'héritier de la tradition italienne et, dans la *Sagrada Forma* de l'Escorial, son souci d'espace, de perspective et d'atmosphère est proche de celui de Velázquez. Ses meilleures exécutions, aux touches fluides, légères et mesurées, procèdent aussi de la leçon de ce dernier : *Vierge et l'Enfant adorés par saint Louis* (Prado).

Claudio Coello
▲ **La Sagrada Forma** (1690)
Escorial, sacristie
Phot. Oronoz

Parmi ses autres œuvres, on peut encore citer le *Triomphe de saint Augustin* (1664, Prado), le *Retable de sainte Gertrude* et celui des *Saints Benoît et Scholastique* (Madrid, couvent de S. Plácido), le *Martyre de saint Jean l'Évangéliste* (église de Torrejon de Ardoz, près de Madrid), l'*Apparition de la Vierge à saint Dominique* (Madrid, acad. S. Fernando), le *Miracle de saint Pierre d'Alcantara* (Munich, Alte Pin.), la *Sainte Famille* (musée de Budapest). A. E. P. S.

Cole

Thomas

peintre américain

(Bolton-le-Moor, Lancashire, 1801 - Catskill, New York, 1848)

Sa famille émigra d'Angleterre en 1819 à Philadelphie, puis à Steubenville, dans l'Ohio. Cole travailla d'abord chez un graveur sur bois de Philadelphie; ayant rejoint sa famille, il apprit ensuite les rudiments de la peinture auprès d'un portraitiste allemand nommé Stein. Vers 1822, il exécuta des portraits, sans grand succès, et travailla à quelques peintures religieuses. L'année suivante, de nouveau à Philadelphie, il fréquenta la Pennsylvania Academy of Fine Arts et eut sans doute connaissance, à ce moment, des paysages de Doughty et de Thomas Birch. Il s'établit peu après à New York et, après avoir effectué un voyage sur les bords de l'Hudson, exposa quelques peintures qui firent rapidement sa réputation : Trumbull en acheta une et prévint William Dunlap et Asher B. Durand de sa découverte. De cette époque date le *Dernier des Mohicans* (1827, 2 versions : Hartford, Wadsworth Atheneum, et Cooperstown, New York State Historical Association), inspiré du roman de Fenimore Cooper, qui venait d'être publié. En 1829, il s'embarqua pour l'Europe, où il resta deux ans. Il exposa sans succès à Londres (Royal Academy et British Institution), visita Paris et l'Italie, séjournant longuement à Florence. Ce voyage eut une grande importance pour sa carrière. L'étude directe des maîtres anciens lui permit d'améliorer sa palette, et l'iconographie de ses tableaux se transforma. Outre de grands paysages panoramiques dans lesquels il se veut l'émule de Lorrain ou de Turner (*The Oxbow,* 1836, Metropolitan Museum ; le *Rêve de l'Arcadie,* 1838, Saint Louis, City Art Museum), il exécuta des œuvres à sujets fantastiques (la *Coupe de Titan,* 1833, Metropolitan Museum) et philosophico historiques (le *Cours de l'Empire,* 5 tableaux, 1836, New York Historical Society ; le *Voyage de la vie,* 4 tableaux, Washington, N. G. ; le *Songe de l'architecte,* 1840, Toledo, Ohio, Museum of Art). Déçu par le manque d'attention portée à ces œuvres, Cole retourna en Europe en 1841-42 et voyagea en France, en Grèce, en Suisse et en Italie. Il en revint encore plus désireux de créer des peintures religieuses, se convertit et vécut jusqu'à la fin de sa vie dans l'isolement des Catskill. Il y réalisa des toiles telles que la *Vue d'un lac américain* (1844, Detroit, Inst. of Arts), la *Croix dans le désert* (1845, Louvre), la *Vision* (1848, New York, Brooklyn Museum). Ces dernières œuvres, qui correspondent à une redécouverte du paysage américain, illustrent les théories que Cole avait exprimées dès 1841 dans un

Thomas Cole
The Oxbow (Le Connecticut ▼ près de Northampton) [1836]
New York, Metropolitan Museum
Phot. Fabbri

écrit poétique, *Lecture on American Scenery.* Cole est le principal représentant du romantisme américain en même temps que le fondateur de l'Hudson River School. Il est représenté principalement dans les musées américains, à New York (Metropolitan Museum et New York Historical Society) ainsi qu'à Washington, Baltimore, Chicago, Detroit, Hartford, Cleveland, Providence. S. C. et J. P. M.

Coninxloo

Gillis III Van

peintre flamand

(Anvers ? 1544 - Amsterdam 1607)

C'est l'un des plus importants précurseurs du paysage baroque néerlandais. Il fut, avant 1559, l'élève de P. Coecke Van Aelst, puis, plus tard, celui de L. Kroes et de G. Mostaert. Vers 1565, il fit un voyage en France, séjournant notamment à Paris et à Orléans. En 1570, il est de retour à Anvers, qu'il quitte en 1585 à cause de ses convictions protestantes. Il se rend d'abord à Frankenthal et, en 1593, à Amsterdam, où il devait se fixer. On ne connaît de cet artiste que peu de tableaux et de dessins signés ou monogrammés. Cependant, une série de gravures d'après son œuvre par N. de Bruyn et Visscher permettent de se faire une idée plus complète de sa conception de l'art, qui évolue chronologiquement. Le *Jugement de Midas* (1558, Dresde, Gg) peut être considéré comme le plus représentatif de toute une série de tableaux exécutés soit à Anvers, soit à Frankenthal et où l'artiste se montre l'héritier des paysagistes flamands du XVIe s. À partir de 1588, il se révèle l'élève des peintres vénéto-flamands, sans doute par l'intermédiaire de Paul Franck. Par la suite, ses tableaux perdent tout caractère naïf ou romantique et les paysages boisés, peints de 1598 à 1605, marquent l'aboutissement d'un style qui tend à donner au site une valeur sensible particulière (*Sous-bois,* Vaduz, coll. de Liechtenstein ; musée de Strasbourg ; Vienne, K. M.). L'œuvre de Van Coninxloo annonce, d'une part, les paysages hollandais du XVIIe s. par son souci de la tonalité générale et, d'autre part, les paysages baroques flamands par l'ampleur de la vision et son caractère décoratif. La plupart des paysagistes flamands de la génération du peintre ont subi son influence ; non seulement ses élèves, P. Schoubroeck, D. Vinckboons, A. Govaerts, H. Seghers, mais encore F. Van Valckenborch, H. V. Jos, Ch. de Keuninck, K. Van Mander, D. Van Alsloot, J. Bruegel de Velours, E. Van de Velde et, dans une certaine mesure, R. Savery. J. L.

Conrad de Soest

peintre allemand

(Dortmund v. 1370 - id. apr. 1422)

Maître de l'école westphalienne dont l'activité s'exerça à Dortmund, Conrad de Soest donne une excellente idée de l'évolution de la peinture alle-

Gillis Van Coninxloo
◄ **Sous-bois**
Vienne,
Kunsthistorisches
Museum
Phot. Meyer

Conrad de Soest
La Crucifixion ▲
(partie centrale du *Retable de la Passion*)
Bad Wildungen, Pfarrkirche
Phot. Fabbri

mande v. 1400 et de sa réceptivité au « style international » alors pratiqué en Occident. Né à Dortmund aux environs de 1370, il y contracte, en 1394, un mariage qui atteste sa qualité de citoyen de cette ville. Son nom est d'ailleurs mentionné de nouveau dans les registres en 1413 et en 1422. Toutefois, bien que nous possédions plus de témoignages de son existence que de celle de la plupart des artistes contemporains, les indications précises sont rares. Des œuvres conservées, la plus ancienne semble être le panneau de *Saint Nicolas* (église Saint-Nicolas de Soest), vraisemblablement antérieur à 1400. On y voit saint Nicolas siégeant sur un trône, ayant à sa gauche saint Jean-Baptiste et sainte Catherine, et à sa droite saint Jean l'Évangéliste et sainte Barbe. Ainsi que le révèlent la sécheresse du drapé et l'architecture encore maladroite du trône, Conrad demeure profondément attaché à la tradition westphalienne des décennies précédentes. Par la suite, bien que de plus en plus inféodé à l'art de la cour de Bourgogne, il ne reniera jamais complètement la peinture traditionnelle de sa province. Si le panneau de *Saint Nicolas* ne permet pas encore d'affirmer qu'il ait visité les foyers artistiques franco-flamands, les œuvres ultérieures ne laissent subsister aucun doute à ce sujet. La facture, qui a perdu sa rigidité, est devenue plus soignée et plus élégante ; les costumes aux draperies souples, les visages d'une retenue tout aristocratique sont rehaussés d'un coloris d'une étonnante subtilité.

Un exemple précoce de cette nouvelle conception est fourni par le panneau représentant *Saint Paul* (avec *Saint Rainold* au revers) conservé à Munich (Alte Pin.). Il s'agit du volet droit d'un autel portatif commandé, immédiatement après 1400, par une famille patricienne de Dortmund, du nom de Berswordt.

À cette phase stylistique se rattache également l'œuvre majeure du peintre, le retable du maître-autel de l'église de Bad Wildungen, toujours en place. Une inscription mentionne le nom du maître et c'est la première fois en Allemagne que l'auteur d'une œuvre d'art est ainsi désigné. L'inscription comporte en outre une date dont la lecture, rendue difficile par le mauvais état de conservation du dernier chiffre, ne permet pas de dire s'il s'agit de 1400 ou de 1404. Ce retable monumental mesure, ouvert, 7,60 m. Les volets extérieurs, sur lesquels apparaît l'inscription, s'ornent de quatre grandes figures de *Saints*. À l'intérieur, 12 panneaux et une grande image centrale racontent la vie et la passion du Christ, depuis l'*Annonciation* jusqu'à la *Descente du Saint-Esprit* et au *Christ-Juge* trônant dans la mandorle. Une particularité mérite attention : alors que les quatre scènes qui occupent le volet gauche forment un tout, l'histoire se poursuit sur une double rangée allant du panneau médian au volet droit et interrompue dans sa continuité chronologique par l'image centrale représentant le Calvaire. Si les différentes scènes sont d'une qualité inégale, et si certains détails dénoncent la main d'un aide ou révèlent un travail d'atelier, le retable n'en atteint pas moins, dans l'ensemble, à une perfection et à une finesse d'exécution fort rares en Allemagne. L'ordonnance du retable de la Passion en une image centrale encadrée, de part et d'autre, de 6 tableautins correspond parfaitement à la tradition westphalienne, comme permet d'en juger la comparaison avec l'autel de Netze (près de Bad Wildungen), qui date de 1370 env. Par opposition à ce retable encore imprégné du style médiéval allemand du XIIIe s., l'œuvre de Conrad de Soest, née de sa confrontation avec la peinture « moderne » franco-flamande, témoigne de l'originalité du maître. Le retable de Wildungen, qui allie le langage de son pays natal à l'esthétique de la cour de Bourgogne, constitue l'une des expressions les plus parfaites du Gothique international en Allemagne. Le refus du réel émanant de cette peinture résulte de l'extrême délicatesse de la facture et de l'habileté de l'artiste à sublimer la réalité. Dans leurs gracieux costumes de brocart et de soie aux riches ornements, les personnages semblent issus d'un monde féerique. Légers, voire fortuits, attitudes et mouvements ne laissent rien transparaître de la rigueur qui a présidé à leur ordonnance. Les visages revêtent une expression de préciosité, les gestes des mains sont affectés. Soucieux de précision, le langage formel accentue les détails. Le coloris, aux gradations subtiles, a la minutie de l'enluminure. Une prédilection pour les lignes gracieuses, les drapés souples, les parures somptueuses et les costumes à la mode, un goût pour les traits annonçant les scènes de genre ou les natures mortes, tout ce qui, enfin, confère au tableau vie et brillant caractérisent l'écriture de Conrad. L'esprit dont elle est imprégnée et diverses composantes telles que le décor architectural ou la représentation des collines, des arbres et des buissons trahissent la réceptivité de l'artiste à la peinture occidentale. La figuration de l'espace que Maître Francke devait emprunter dix ans plus tard à l'enluminure, enrichissant ainsi la peinture d'une de ses acquisitions essentielles, n'est encore qu'allusive chez Conrad. L'architecture, en effet, encadre et ordonne plus qu'elle ne suggère la profondeur. Les étroites bandes de sol demeurent assujetties aux figures, qui, seules, leur confèrent un sens et une portée. De même, les frêles silhouettes éthérées accusent non un sens plastique, mais le souci d'un art ornemental sans épaisseur qui contraste avec la facture du retable de Sainte Barbe exécuté quelques années plus tard par Maître Francke.

Les vestiges d'une œuvre tardive, le grand retable de Notre-Dame de Dortmund, qui date de 1420 env. *(in situ)*, constituent le plus brillant témoignage de l'évolution artistique de Conrad de Soest. Ce retable fut démonté au XVIIIe s., ses panneaux rognés et insérés dans un cadre baroque. Du panneau central représentant la *Mort de la Vierge* et réduit aux deux cinquièmes de son format initial, seul subsiste le groupe principal. Les volets qui portent la *Nativité* et l'*Adoration des mages* ont été sauvegardés aux trois quarts. Ces vestiges suffisent à révéler le chemin parcouru par l'artiste depuis l'exécution de l'autel de Wildungen. Les formes ont gagné en ampleur et en fermeté, la composition est plus rigoureuse et plus dépouillée, les personnages se parent d'une majesté nouvelle. Dans les scènes ordonnées de façon symétrique, le peintre renonce au décor architectural et au paysage, et réduit les accessoires au minimum. C'est sur les figures agrandies que se concentre désormais l'attention. Plus larges et plus puissantes, elles prennent possession de la surface. Les riches costumes des rois, les visages et les gestes laissent certes transparaître le goût de l'artiste pour une finesse caractéristique de la miniature, mais la limpidité, la sérénité et la rigueur demeurent son souci majeur. Aucun mouvement brusque ne vient interrompre cette solennelle placidité, et le coloris rayonne d'un éclat surnaturel.

Les tableaux de Conrad de Soest n'ont pas seulement influencé longtemps et en profondeur la peinture westphalienne, mais leur rayonnement fut sensible dans toute l'Allemagne du Nord, jusqu'à Cologne. L'emprise de l'artiste n'a de comparable que celle qu'exerceront cent ans plus tard Schongauer et Dürer. M. W. B.

Constable

John

peintre anglais

(East Bergholt, Suffolk, 1776 - Londres 1837)

Parmi les paysagistes anglais, il n'a d'égal que Turner, dont il diffère pourtant profondément, car il s'inspire essentiellement de son paysage natal plus qu'il ne cherche la grandeur dans la multiplicité des sujets. Le temps qu'il fallut pour que son génie fût reconnu et l'évolution laborieuse de son art le distinguent également de Turner.

Ses premières œuvres furent si peu concluantes qu'il débuta dans le métier de meunier, qui était celui de son père ; encouragé par l'amateur d'art sir George Beaumont et par le peintre Farington, il décida pourtant de se lancer dans la carrière artistique. En 1799, il suivit les cours de la Royal Academy ; il tira cependant plus de fruit de son étude personnelle du paysage anglais au XVIIIe s. et du paysage classique, comme en témoigne le *Vallon de Dedham* (1802, Londres, V. A. M.), qui rappelle par certains côtés la toile de Claude Lorrain *Agar et l'ange* (Londres, N. G.). En 1802, année où il expose pour la première fois à la Royal Academy, découvrant les limites qu'imposait à son œuvre un travail trop fidèle à la tradition, il écrivait à un ami : « Pendant deux ans, j'ai cherché à faire des tableaux et j'ai trouvé une vérité d'emprunt... Je vais bientôt revenir à East Bergholt, où je travaillerai sans relâche d'après nature... et je tendrai vers la représentation simple et authentique des scènes qui m'intéresseront... il y a place pour un peintre naturel *(natural painter)*. » Au cours des années suivantes, il continua avec persévérance l'étude directe de la nature, à l'exception de quelques essais, comme portraitiste et peintre religieux, faits à contrecœur et pour vivre, ainsi que des aquarelles à la manière de Girtin, exécutées en 1806 lors de l'unique séjour qu'il fit dans le Lake District. Il prit l'habitude de faire directement ses esquisses à l'huile et, en 1811, il s'était familiarisé avec ce genre, dans lequel il acquit une grande maîtrise en appliquant la peinture sur un fond rouge ; il soulignait ainsi l'individualité de chaque objet sans perdre de vue l'unité générale, comme en témoigne *Écluse et cottages sur la Stour* (v. 1811, Londres, V. A. M.). Pourtant, les toiles terminées restaient davantage dans la tradition des paysages composés, comme c'est le cas du *Vallon de Dedham* (1811, coll. part.) ; aussi travailla-t-il, pendant les années suivantes, à rendre dans ses œuvres plus importantes ce qu'il y avait d'instantané dans l'atmosphère, et d'intime dans la composition de ses esquisses. Son idylle avec Marie Bicknell (qu'il épousa en 1816 contre la volonté de ses parents) l'affectant beaucoup, il vécut longtemps à East Bergholt. Deux livres d'esquisses datés de 1813 et 1814, et parvenus jusqu'à nous, révèlent un sens aigu de l'observation des phénomènes naturels, manifeste dans ses « portraits » d'arbres et ses études de feuillage et d'instruments aratoires.

Sa *Construction de bateaux près de Flatford Mill* (1814, Londres, V. A. M.), exécutée en grande partie en plein air, fut la première réussite dans la recherche d'une expression franche pour les tableaux de vastes dimensions, réussite qui le conduisit à la série célèbre des grands paysages présentés à la Royal Academy : le *Moulin de Flatford* (1817, Londres, N. G.), le *Cheval blanc* (1819, New York, Frick Coll.), le *Moulin de Dedham* (1820, Londres, V. A. M.), la *Charrette de foin* (1821, Londres, N. G.), *Vue de la Stour* (1822, coll. part.), le *Cheval sautant* (1825, Londres, Royal Academy). Toutes ces toiles ont pour cadre les bords de la Stour, dans le voisinage de la maison du peintre ; plusieurs furent précédées d'esquisses et d'études de composition exécutées au cours des années précédentes, tels le *Cheval sautant* (1824-25, Londres, V. A. M.) ou la *Charrette de foin,* tirée d'une étude de la *Maison de Willy Lot* (v. 1810-1815, Londres, V. A. M.). De manière générale, ces tableaux étaient toujours le fruit d'une longue préparation, comportant une esquisse à l'échelle, pour être sûr de retenir tout ce qu'il y avait de vérité dans l'atmosphère et d'instantané dans la composition, et présentant les personnages livrés à leurs occupations habituelles plutôt que savamment groupés. Constable acquit grâce à ces œuvres une certaine réputation et, en 1819, fut nommé A. R. A. C'est en France, cependant, que son œuvre reçut l'accueil le plus enthousiaste. Géricault ayant vu la *Charrette de foin* à la Royal Academy en 1821, l'œuvre fut expédiée en France par le marchand de tableaux Arrowsmith, pour figurer au Salon de 1824, où elle valut à son auteur une médaille d'or. Les romantiques français, surtout Delacroix, en admirèrent la fraîcheur et l'éclat.

C'est à la même époque que Constable reçut sa première commande importante. Depuis 1797, il était l'ami de la famille Fisher, chez laquelle il avait séjourné plusieurs fois à Salisbury. L'aîné des Fisher, évêque de Salisbury, lui commanda une vue de la *Cathédrale de Salisbury* (1823, Londres, V. A. M.), dont il existe, comme pour beaucoup des grandes peintures, plusieurs versions. Le caractère pittoresque de cette œuvre ne s'accorde pas tout à fait avec la ligne générale de son évolution, alors qu'il tendait vers une connaissance plus scientifique des phénomènes de la nature. En 1821-22, il fit à Hampstead (qu'il fréquentait depuis 1819) une série d'études de nuages, notant l'heure et la date exacte de l'exécution, et souvent même le temps qu'il faisait. Il les fit peut-être sous l'influence de la classification des nuages qui venait d'être dressée par le météorologiste Luke Howard ; de toute évidence, l'artiste tenait ses études pour un net progrès dans la connaissance de la source de la lumière, qui détermine l'aspect des choses. « On m'a souvent conseillé, écrit-il à John Fisher en 1821, de considérer mon ciel comme une toile blanche tendue derrière les objets. Il est certain que si le ciel est envahissant, à l'exemple des miens, ce n'est pas bon ; mais si le ciel s'efface, à l'encontre des miens, c'est pire. Le ciel est la source de la lumière dans la nature et gouverne toute chose. » En 1824, un séjour à Brighton, nécessité par la santé déficiente de sa femme, le poussa à étudier encore davantage les changements atmosphériques et ce qu'il appelle le « chiaroscuro de la nature », c'est-à-dire les gradations de tons de la lumière naturelle. À la recherche de cet effet, il adopta plusieurs procédés qui lui attirèrent des critiques sévères, comme celui de couvrir sa toile de taches blanches pour rendre le scintillement des feuilles mouillées et de la rosée, et celui de l'usage de pinceaux plus gros ou du couteau à palette pour obtenir une matière plus variée, comme dans le *Château de Hadleigh* (1829, New York, Mellon Coll.). Il fut élu R.A. en 1829, mais, cette même année, il perdit sa femme, et la dépression qui suivit, au terme de ce mariage exceptionnellement heureux, obscurcit ses der-

nières années. Son travail se fit plus élémentaire, comme dans la *Cathédrale de Salisbury vue à travers champs* (1831, coll. part.), et sa technique fut quelquefois trop compliquée. De 1829 à 1833, Constable surveilla l'exécution des remarquables estampes à la manière noire gravées par David Lucas d'après ses œuvres, en partie pour rivaliser avec le *Liber studiorum* de Turner, et qui contribuèrent à accroître sa popularité. En 1833, il commença à donner des cours à la Royal Academy sur l'histoire du paysage, qui révèlent une connaissance approfondie de l'œuvre de ses prédécesseurs et qui sont très précieux pour comprendre sa conception de l'art. Dans sa maturité, il s'était fixé comme but de représenter sans artifice la campagne « symbolisant le phénomène naturel dans sa signification la plus pure ». Cependant, ce naturalisme n'était en aucune façon dénué de sentiment, et sa sensibilité vis-à-vis du sujet transparaît dans la fidélité aux sites auxquels il était personnellement attaché : la campagne qu'il connaissait depuis son enfance et les endroits où vivaient ses amis. Comme le poète Wordsworth, qu'il rencontra en 1806, il croyait en l'étude de la nature et de la vie humble, mais toujours en pensant à ce qu'elles impliquaient. Son œuvre n'eut guère de prolongement en Angleterre. Condamnée par Ruskin, elle est fort éloignée de l'attitude de Turner ou des préraphaélites envers la nature. Constable exerça en revanche une influence réelle en France, où il poussa les romantiques à rechercher une plus grande liberté d'exécution et où, un peu plus tard, il joua un rôle important dans la formation des peintres de Barbizon. Il est un précurseur direct de l'Impressionnisme. W. V.

John Constable
◀ **Le Cheval sautant** (1824-25)
Londres,
Victoria and Albert Museum
Phot. Fabbri

Copley
John Singleton

peintre américain
(Boston 1738 - Londres 1815)

Autodidacte, il est le premier artiste de réputation internationale né sur le sol américain. Dès 1755, il s'imposait comme portraitiste dans les

John Singleton Copley
Portrait ▶
de Mrs Ezekiel Goldthwait
(1770-71)
Boston,
Museum of Fine Arts
Phot. du musée

Coppo di Marcovaldo
▲ **La Vierge et l'Enfant sur un trône avec deux anges**
Orvieto, église San Martino ai Servi
Phot. Fabbri

milieux bourgeois de Boston, sa ville natale. Sa renommée lui valut d'être appelé à New York et à Philadelphie en 1771-72. Avec une remarquable intuition, il adapta le style des peintres anglais — qu'il ne connaissait que par les gravures — à la représentation de la société puritaine de l'Est. Plutôt maladroits dans la disposition des personnages, ses portraits révèlent une acuité d'observation rare, qui se traduit par un réalisme méticuleux et une grande probité de métier (*Mrs Sylvanus Bourne,* Metropolitan Museum).

Le caractère provincial du style de Copley disparut à son arrivée à Londres en 1774. Il assimila rapidement la technique moelleuse et enveloppée de ses contemporains, notamment de Reynolds. Suivant l'exemple de son contemporain Benjamin West, il pratiqua également la peinture d'histoire. Trois de ses compositions historiques doivent être citées : *Brook Watson et le requin* (1778, plusieurs versions, notamment à Londres, Christ's Hospital ; Detroit, Inst. of Arts), où il transforme un fait divers en événement héroïque ; la *Mort de Chatham* (1780, Londres, Tate Gal.) et la *Mort du major Peirson* (1783, *id.*) ; il y donne des exemples convaincants de l'application des théories néo-classiques à l'illustration des faits de l'histoire contemporaine. Avec West, il contribua à créer ainsi le genre de la peinture d'histoire en Angleterre. Son succès fut tel qu'il succéda à Reynolds en 1792 comme président de la Royal Academy.

La partie la plus appréciée et la plus populaire de son œuvre est pourtant constituée par ses portraits américains. Il est représenté dans de nombreux musées américains, notamment à Boston (M. F. A.) ainsi qu'à Londres (Tate Gal.). S. C.

Coppo di Marcovaldo

peintre italien
(Florence, actif entre 1250 et 1275)

Quelques documents établissent certains faits de son existence : en 1260, il prend part à la bataille de Montaperti et est emmené en captivité à Sienne ; l'année suivante, il signe la *Madone* de l'église des Servi à Sienne ; en 1274, avec son fils Salerno, il peint la *Croix* du dôme de Pistoia. On lui a attribué, en outre, deux importants tableaux qui auraient été exécutés, à peu près, à la même époque que la *Madone* de Sienne : la *Croix* peinte du musée de S. Gimignano et la *Madone* de l'église S. Martino ai Servi d'Orvieto. Plus récemment, on a rapproché de ce groupe d'œuvres, en raison d'une extraordinaire similitude d'expression, l'*Enfer,* mosaïque du baptistère de Florence.

Coppo continua, mais avec encore plus de vigueur, l'accentuation plastique, déjà nette à Florence chez des artistes tels que le Maître de Vico l'Abate ou le Maître du San Francesco Bardi. Tandis que son contemporain Cimabue emprunte ses modèles à la période classique et la plus poétique de l'art byzantin, Coppo fonde son langage sur les formules de la dernière vague du byzantinisme tardif, dont il exaspère l'expression dramatique en en accentuant le linéarisme. Ce n'est que dans le *Crucifix* de Pistoia, œuvre tardive, au plasticisme relativement moins véhément, que transparaît l'influence de Cimabue. Le séjour prolongé de Coppo à Sienne fut certainement un des facteurs les plus importants qui favorisèrent l'éclosion de l'école siennoise. B. T.

Corinth

Lovis

peintre allemand

(Tapiau, Prusse-Orientale, 1858 - Zandvoort, Hollande, 1925)

Il entre en 1876 à l'académie de peinture de Königsberg et continue sa formation à celle de Munich (1880-1884). Après un voyage en Hollande et à Anvers (1884), il part pour Paris (1884-1887), où il est élève de Bouguereau à l'académie Julian et exécute de nombreuses études de nu (1885). Il est alors sollicité par diverses acceptions, allant du réalisme du XVIIe s. flamingo-hollandais (Hals) à Courbet, Manet et Bastien-Lepage. Après un long séjour à Munich (1891-1900), il s'installe à Berlin, où il joue un rôle important à la Sécession, dont il devient président en 1911. Jusque vers cette date, Corinth reste fidèle à un réalisme puissant et pathétique, qui interfère par moments avec la nostalgie classique de la fin du XIXe s., exploité dans un œuvre très varié : compositions religieuses (*Descente de croix,* 1906, musée de Leipzig) et bibliques *(Salomé,* 1899, *id.),* scènes de genre déjà aux confins de l'Expressionnisme, traduites par une touche et un coloris résultant d'une synthèse originale de Hals et de l'Impressionnisme (thème de l'*Abattoir,* 1892 et 1893, Stuttgart, Staatsgal.), nus d'une robuste sensualité, voisine de celle d'un Courbet (1899, musée de Brême; 1906, musée de Hambourg), portraits et autoportraits (1901, musée de Winterthur).

Lovis Corinth
Le Christ rouge (1922) ▼
Munich, Bayerische Staatsgemäldesammlungen, Neue Pinakothek
Phot. Lauros-Giraudon

Une grave maladie, en 1911-12, précipita l'évolution de sa vision. La fougue et la puissance de l'exécution, comme en une sorte de création spontanée, tendent fréquemment à la destruction du motif, en particulier dans la série de paysages, souvent construits sur une dominante de bleus et de verts, que lui inspire entre 1918 et 1925 la région de Walchensee, en Bavière (1921, musée de Sarrebruck; *Pâques à Walchensee,* 1922, New York, coll. part.). Hostile à l'Expressionnisme, la simplification de la surface en aplats le tenta rarement (*Italienne à la chaise jaune,* 1913, New York, coll. part.). Corinth donna pourtant des gages à l'Expressionnisme — moins dans ses autoportraits, d'une belle décision (1918, Cologne, W.R.M.; 1921, musée d'Ulm), que dans quelques œuvres tardives comme le *Christ rouge* (1922, Munich, Neue Pin.), le portrait de *Bernt Grönvold* (1923, musée de Brême). Les dernières peintures associent paradoxalement à leur aspect monumental une certaine dissolution de la structure formelle par l'éclatement de la touche (*Suzanne et les vieillards,* 1923, musée de Hanovre; *Ecce Homo,* 1925, musée de Bâle). Avec Lieberman et Slevogt, Corinth est le représentant le plus caractéristique de l'« Impressionnisme allemand ». Ses œuvres figurent dans les musées suisses et allemands; le M.N.A.M. de Paris conserve le *Portrait de Meier-Graefe* (1917). Si l'œuvre peint compte près de 1 000 numéros, l'œuvre gravé comprend aussi plus de 900 pièces, surtout pointes-sèches et lithographies, entreprises à partir de 1891. Le trait rapide, aigu, mêlé, restitue le sujet, qui émerge d'une riche orchestration de gris *(Suzanne au bain,* 1920, pointe-sèche; la *Barque de Dante,* 1921-22, *id.,* d'après Delacroix; *Amants dans un paysage,* 1923, *id.),* tandis que le lithographe procède par frottis dynamiques (la *Mort de*

Corneille de Lyon
▲ **Portrait de Béatrice Pacheco**
Versailles, Musée national du château
Phot. Lauros-Giraudon

Jésus, 1923) ; le XVIe s. lui a inspiré plusieurs cycles lithographiés *(Luther, Ann Boleyn, Götz von Berlichingen)*. M. A. S.

Corneille de Lyon

peintre français d'origine néerlandaise
(La Haye v. 1500/1510 - Lyon v. 1574)

Originaire de La Haye, Corneille de Lyon fut ainsi surnommé à cause de sa longue résidence dans cette ville, où il vivait sans doute depuis un certain temps quand le poète Jean Second vint le voir en 1534. Corneille est mentionné comme peintre du Dauphin, le futur Henri II ; naturalisé en 1547, il porte, en 1551, le titre de peintre et valet de chambre du roi. Sa dernière mention à Lyon date de 1574 ; il a dû mourir peu après.

Le portrait de *Pierre Aymeric* (Louvre), qui porte au revers une inscription selon laquelle il fut peint en 1533 par Corneille de La Haye, peut servir de base pour l'attribution d'un grand nombre de portraits.

On ignore ses débuts. La technique et le caractère de ses tableaux font penser qu'il s'est formé en Flandre. H. Bouchot a reconstitué son œuvre à partir des peintures qui lui étaient attribuées dans la coll. de Roger de Gaignières (1642-1715). Quelques-unes ont été retrouvées à Versailles *(Mme de Pompadour de la maison des Cars ; Beatrice Pacheco)*, à Chantilly *(Madame de Lansac)*, au Louvre *(Charles de La Rochefoucauld, comte de Randan ; Jacques Bertaut)*. On y a ajouté certains tableaux portant au revers le cachet de Colbert de Torcy, qui vendit pour le roi, en 1715, la coll. Gaignières (*Charles de Cossé-Brissac*, Metropolitan Museum). Par comparaison, on peut attribuer à Corneille de rares peintures : le *Portrait présumé de Clément Marot* (Louvre). Ses œuvres, peintes sur fond bleu ou vert, d'une exécution minutieuse et d'un style raffiné, sont toujours de petites dimensions (portraits en buste de la noblesse et de l'élite françaises entre 1530 et 1570). Elles eurent une vogue attestée par des mentions anciennes et l'existence de nombreuses copies. Corneille de Lyon eut un atelier prospère où l'aidèrent son fils, Corneille, et sa fille, elle-même renommée comme un excellent peintre. Son influence est sensible sur certains artistes (comme le Maître de Rieux-Châteauneuf) et paraît avoir eu un rayonnement international. On ne peut lui attribuer avec certitude aucun dessin. S. B.

Cornelisz

Cornelis, dit Cornelisz Van Haarlem
peintre néerlandais
(Haarlem 1562 - id. 1638)

Il est, avec Van Mander et Hendrick Goltzius, l'un des plus brillants représentants du maniérisme harlémois. Fils de Cornelis Thomasz, il est l'élève de Pieter Pietersz Aertsen à Haarlem en 1573 ; en 1579, il voyage en France, où, tout comme Wtewael, il a pu subir l'influence de l'école de Fontainebleau. À Anvers, il reste quelque temps dans l'atelier de Gillis Coignet. En 1583, il s'installe à Haarlem, au moment même de la grande poussée maniériste dont Spranger est l'instigateur. Dès 1585, il commence à peindre ses premières œuvres ; c'est de cette époque que date la *Charité* (musée de Valenciennes), longuement décrite et louée par Van Mander, où son style souple est encore influencé par l'école de Fontainebleau. Une ou deux années plus tard commence sa période proprement maniériste, avec le *Baptême du Christ* (1588, Louvre) et *Suzanne et les vieillards* (musée de Nuremberg), dont l'allongement et la tension dépassent Spranger, qui inspirera Cornelisz. En 1589, il peint la *Famille de Noé* (musée de Quimper), surprenante étude de nus boursouflés parodiant la grande sculpture antique et, en particulier, l'Apollon du Belvédère. Le *Massacre des Innocents* (1591, Haarlem, musée Frans Hals) est le type même de la peinture maniériste, violente jusqu'à l'outrance, visant à créer un véritable choc visuel. De 1593 datent les *Noces de Thétis et Pélée* (Haarlem, musée Frans Hals), hommage à Spranger, mais aussi influencées par les nus d'Abraham Bloemaert.

Vers cette date, son style s'assagit et tend à un académisme plus harmonieux, manifeste dans le *Baptême du Christ* (1593, Utrecht, Centraal Museum), où le calme formel et la gamme de couleurs à la vénitienne évoquent, par exemple, l'œuvre d'un Dirck Barendsz. On retrouve ce maniérisme apaisé dans *Adam et Ève au Paradis* et surtout dans la *Bethsabée* de 1594 (Rijksmuseum), une des œuvres maîtresses de l'artiste. En 1596, une curieuse *Nature morte dans la cuisine* (Linz, coll. part.), œuvre exceptionnelle chez Cornelisz, est à rapprocher d'Aertsen. La même année, il peint le *Jardin d'amour* (Berlin, château de Grünewald), composition sensuelle mais idéalisée, point de départ du style d'un Esaias Van de Velde et des peintres de la société galante de Haarlem et d'Amsterdam (Dirck Hals, Buytewech). Après 1600, il se plut à représenter maintes scènes de genre, mythologiques ou bibliques, caractérisées par des figures féminines et masculines aux visages ronds et aplatis, aux courbes onduleuses, se détachant à mi-corps sur fond sombre ou placées dans un paysage (*Vénus et Adonis,* 1614, musée de Caen ; la *Corruption des hommes avant le déluge,* 1615, musée de Toulouse). Il continua aussi à exécuter des scènes religieuses comme le *Christ et ses enfants* (1633, Haarlem, musée Frans Hals) et des *Assemblées de dieux et de déesses* mollement réunis sous des arbres (*Cérès, Bacchus, Vénus et l'Amour,* 1624, musée de Lille). J. V.

Cornelius
Peter von

peintre allemand
(Düsseldorf 1783 - Berlin 1867)

Après avoir fait ses études de 1795 à 1809 à l'académie de Düsseldorf, où il subit d'abord l'influence de l'école de David, puis celle des primitifs allemands, Cornelius s'installa à Francfort jusqu'en 1811. C'est là qu'il commence un cycle de dessins consacré au *Faust* de Goethe et terminé en 1816. En 1811, il part pour Rome et adhère au groupe des Nazaréens, au sein duquel il jouera bientôt avec Overbeck un rôle prépondérant. Dans son style, alors imprégné de l'art de Raphaël et de Michel-Ange, fusionnent l'idéal nazaréen et un classicisme inspiré de Carstens (les *Vierges sages et les vierges folles,* Düsseldorf, K. M.). De 1816 à 1818, il collabore avec les Nazaréens aux fresques de la Casa Bartholdy, demeure du consul général de Prusse à Rome (*Joseph reconnu par ses frères,* Berlin-Est, N. G.), et, en 1817, à celle de la villa du marquis Massimo, où il exécute une esquisse de plafond inspirée du *Paradis* de Dante. En 1819, il

Cornelisz
Van Haarlem
◀ **Les Noces de Thétis et Pélée**
(1593)
Haarlem,
musée Frans Hals
Phot. du musée

Peter von Cornelius
◀ **Les Vierges sages et les vierges folles**
Düsseldorf, Kunstmuseum
Phot. Fabbri

est appelé par le prince Louis de Bavière à Munich pour décorer la glyptothèque, où il traite des sujets inspirés d'Hésiode et d'Homère. De 1830 à 1840, il exécute des fresques dans l'église Saint-Louis de Munich, notamment la plus grande (existante encore actuellement) : le *Jugement dernier.* Directeur de l'académie de Düsseldorf (1821-1825), puis de l'académie de Munich (1825-1841), il exerce une influence profonde et est considéré comme le représentant de la peinture d'histoire idéaliste, caractérisée par des tendances à la fois chrétiennes et humanistes. En 1840, Cornelius est appelé par Frédéric-Guillaume IV de Prusse à Berlin ; il exécute alors des esquisses (Berlin, N. G.) pour des fresques destinées à la décoration d'une sépulture des Hohenzollern, le Campo-Santo, qui ne furent jamais réalisées : les *Quatre Cavaliers de l'Apocalypse,* influencés par Dürer et les œuvres de Phidias, qu'il vit à Londres. Même si son influence sur ses contemporains fut fortement combattue, à partir de 1840 env., par les progrès du Réalisme, on lui doit une tentative de résurrection de l'art monumental par la fresque, qui est à l'origine de l'art « colossal » allemand de la fin du XIXe s. Il eut de grands admirateurs en France, comme Ingres, Gérard et Delacroix. H. B. S. et L. A. W.

Corot

Jean-Baptiste, Camille

peintre français

(Paris 1796 - id. 1875)

Il naquit dans une famille aisée de petite bourgeoisie parisienne. Son père, d'abord perruquier, vendait du drap ; sa mère, modiste, tenait une boutique bien achalandée, rue du Bac. Tous deux projetaient une carrière négociante pour leur fils, mais il y manifesta une telle répugnance et ses débuts y furent si malheureux qu'en 1822 ils accédèrent à ses vœux et lui consentirent une modeste rente pour qu'il se consacre à sa vocation de peintre. Corot demanda conseil à un contemporain, Michallon, le premier lauréat du prix de Rome de paysage historique, institué en 1817. Celui-ci l'entraîna sur le motif, l'invitant à peindre ce qu'il voyait. La mort de Michallon mit vite fin à ces leçons. Corot s'adressa alors au maître du défunt, J.-V. Bertin. Il apprit de ce dernier, formé à l'école néo-classique, la science de l'agencement de quelques-uns de ses paysages historiques, où survit un souvenir de Poussin. Mais, en disciple de P. H. de Valenciennes, Bertin, lui aussi, l'encouragea à travailler dans la nature. A. Robaut, l'ami et l'historiographe de Corot, nous a gardé le souvenir d'une quarantaine d'études des années d'apprentissage : paysages et figures qui préludent à tout l'œuvre.

En 1825, il partit pour l'Italie, où il demeura trois ans. À Rome soufflait un esprit nouveau parmi les paysagistes venus de toute l'Europe. Nordiques, Allemands, Britanniques et Russes (Tchédrine) s'efforçaient de rompre avec l'académisme en étudiant en plein air. Par les rues et les campagnes, ils recréaient dans l'éclat de la lumière méditerranéenne, à la faveur de l'harmonieuse ordonnance de la nature, un art classique et réaliste sans recours aux maîtres d'autrefois. Corot vécut dans l'émulation du groupe des Français auprès d'Aligny, Bodinier, Ed. Bertin, Léopold Robert. Il ne vit, au cours de ce premier séjour, ni Michel-Ange ni Raphaël. Il ne faut déduire de ce manque de curiosité — si surprenant — ni ostentation délibérée ni mépris, mais une indifférence profonde aux exemples du passé. Cette confiance en son instinct n'a pas trahi Corot, de qui Millet a pu dire : « C'est enfin la peinture spontanément trouvée. » Déjà, les premières études italiennes sont, par leur autorité, des tableaux aboutis. Si l'artiste s'appliqua à en tirer des peintures plus « nobles » destinées à plaire au traditionaliste jury du Salon, ce ne fut pas pour un mieux. Le *Pont de Narni* (Salon de 1827, Ottawa, N. G.) ne montre plus la fraîcheur de vision, l'émotion de la touche qui témoignent dans les études peintes sur le motif de la maîtrise que l'Italie révéla chez Corot. Si la critique avait connu plus tôt ces petites vues, le *Colisée*, la *Promenade du Poussin*, la *Trinité des monts* (1826-1828, Louvre), ou encore ces figures d'Italiens prestement brossées, elle se fut montrée moins sévère. Mais comment, avant 1830, proposer aux officiels des ouvrages aussi libres ?

Perpétuel itinérant, l'artiste ne cessa de voyager. Il parcourut Normandie, Bretagne, Bourgogne, Morvan, Auvergne, Saintonge, Picardie, Provence, prolongeant son incessante pérégrination jusqu'en Suisse, aux Pays-Bas, à Londres. Il hanta les environs de Paris (il habitait une partie de l'année à Ville-d'Avray) et revit l'Italie à deux reprises. Partout il peignit avec la notion (qui sera essentielle aux impressionnistes) que la lumière crée la vie (*Cathédrale de Chartres,* 1830, Louvre ; *Saint-Paterne d'Orléans,* 1843, musée de Strasbourg ; le *Moulin de Saint-Nicolas-lès-Arras,* 1874, Louvre). Il travailla aussi à Barbizon et fut sensible, comme les artistes qui s'y rassemblaient, à l'influence des

Jean-Baptiste Camille Corot
Le Beffroi de Douai ▶
(1871)
Paris, musée du Louvre
Phot. Lauros-Giraudon

peintres hollandais du XVIIe s., bien qu'elle soit tempérée chez lui par la révélation italienne et par son indépendance d'esprit. La *Forêt de Fontainebleau* (1831, Washington, N. G.), la *Vue de Soissons* (1833, Otterlo, Kröller-Müller), le *Port de Rouen* (1834, musée de Rouen) en attestent. Pourtant ces toiles expriment un sentiment autre que celles des paysagistes de Barbizon. Alors qu'un Rousseau chargea sa peinture d'intentions philosophiques, Corot traduisit une nature sereine en lui conférant avec sa sensibilité « naïve » plus d'âme que d'« intelligence ». L'Italie lui apprit la puissance créatrice de la lumière, les ciels d'Île-de-France lui enseignèrent sa modulation, exprimée dans un chromatisme nacré qui argente aussi bien les peintures rapportées du deuxième voyage en Italie, en 1834 (vues de Volterra, de Florence, de Venise), que les études faites à Avignon en 1836 (Louvre ; Londres, N. G. ; La Haye, musée Mesdag). Il mena jusqu'à sa perfection un art qui suscite une atmosphère par les variations subtiles d'une tonalité. Combien de chefs-d'œuvre en marquent les étapes : le *Port de La Rochelle* (1852, New Haven, Yale University Art Gal.), la *Cathédrale de Mantes* (v. 1868, musée de Reims), le *Beffroi de Douai* (1871, Louvre), l'*Intérieur de la cathédrale de Sens* (1874, Louvre) d'un Corot presque octogénaire. Ce n'est pas seulement la science des valeurs qui insuffle la vie à ces paysages immuables ignorant la torpeur, mais la variété de la technique : empâtements, glacis, frottis alternent sur une même toile.

Après 1835, la notoriété de Corot s'établit non pas avec ses esquisses, qui pour beaucoup ont le plus d'attraits, mais avec ses envois aux Salons. Ce sont des compositions élaborées montrant de vastes paysages animés de figures bibliques ou mythologiques : *Silène* (1838, États-Unis, coll. part.), la *Fuite en Égypte* (1840, église de Rosny), *Homère et les bergers* (1845, musée de Saint-Lô), *Destruction de Sodome* (1857, Metropolitan Museum), *Macbeth et les sorcières* (1859, Londres, Wallace Coll.), ou encore des paysages d'évocation peuplés de nymphes, *Souvenirs* de Ville-d'Avray ou d'Italie, plus nombreux encore après le troisième voyage dans la péninsule en 1843. On a trop décrié cet aspect de l'œuvre qui assura le succès du peintre. Sans doute, beaucoup de ces tableaux aux brumes irisées n'atteignent pas à la plénitude du *Souvenir de Mortefontaine* (1864, Louvre) ; certains ne sont que de grisâtres brouillards, à la touche amollie, d'une suavité confinant à la mièvrerie. Il faut abstraire ceux qui ont mal vieilli, rongés par le bitume, ceux qui se multiplièrent par l'exigence de la commande, toujours satisfaite non par cupidité, mais pour emplir un gousset ouvert à toutes les générosités. On conçoit l'intransigeance de la critique à l'égard de cette production commerciale encore avilie par la foule des imitateurs, voire des faussaires, féconds en « Corot pour petites bourses ». Bien des critiques, pourtant, comprirent son génie. Un des premiers, Baudelaire le reconnut. Delacroix l'admira, encore que l'homme le déroutât par sa candeur et qu'il ne semble pas qu'il ait vu une part capitale de son œuvre, les figures.

De tout temps l'artiste s'intéressa à la figure et plus précisément à la femme : nus chastes ou troublants (*Marietta,* 1843, Petit Palais ; *Nymphe couchée,* v. 1856, musée de Genève), qui acheminent au chef-d'œuvre de la *Toilette* (1859, Paris, coll. part.), Italiennes au costume coloré ébauchées sur le vif, portraits de ses proches, émouvants de vérité naïve (*Claire Sennegon,* 1838, Louvre) ou de tendresse nostalgique recélant quelque secret regret (la *Dame en bleu,* 1874, Louvre), figures de fantaisie, nymphes ou Orientales issues de songe, au curieux travestissement, à la parure à la fois simple et recherchée (la *Lecture interrompue,* 1868, Chicago, Art Inst.; la *Jeune Grecque,* v. 1869, Metropolitan Museum ; *Jeunes Filles de Sparte,* v. 1869, New York, Brooklyn Museum ; *Algérienne couchée,* v. 1873, Rijksmuseum), qui trouvent leur couronnement avec la *Femme à la perle* (v. 1869, Louvre).

Bien que Corot ne fût pas un « dessinateur » à proprement parler, il laissa 600 dessins environ (dont un très grand nombre sont conservés au Louvre), de technique et de caractère différents. Tantôt fin et souple réseau à la mine de plomb, disséquant feuilles et branches, analysant la structure du sol (*Civita Castellana,* 1827, Louvre), tantôt masses violemment contrastées au fusain (*Macbeth,* 1859, Ordrupgaard Samling, près de Copenhague), ils sont généralement des notes ou des indications en vue de tableaux. Certains, au contraire, constituent des œuvres abouties, portraits (la *Petite Fille au béret,* 1831, musée de Lille) ou figures (*Fillette accroupie,* v. 1838, Louvre). Corot vint tard à l'estampe ; il y fut un maître. On lui doit une quinzaine d'eaux-fortes et autant de lithographies, paysages pour la plupart. Son œuvre est plus riche en clichés-verre (près de 70), exécutés à partir de 1853 suivant le procédé nouveau mis au point par ses amis d'Arras, les photographes Grandguillaume et Cuvelier et le peintre Dutilleux (la B. N. de Paris en conserve 32 plaques).

L'œuvre de Corot a été catalogué par A. Robaut et publié en 1905 par E. Moreau-Nélaton. Près de 2 500 peintures sont dénombrées dans cet ouvrage. Il faut leur ajouter environ 400 pièces authentiques, découvertes depuis le début de ce siècle. Cet œuvre, déjà abondant, est abusivement grossi. Des attributions complaisantes et lucratives ont introduit sous le nom de Corot des ouvrages d'Aligny, de Bodinier, de Bertin ou de Marilhat, en usant de leur contemporanéité et de leur appartenance à une même esthétique. Des mains criminelles ont même effacé une signature, travestissant ainsi certains de leurs tableaux en Corot non signés (par exemple, *Villeneuve-lès-Avignon* du musée de Reims, rendu depuis peu à Marilhat). Le marché est encombré de copies, exécutées en toute bonne foi à Arras par les amis du maître, Dutilleux et Desavary, et par ses élèves (Français, Lapito, Poirot, Prévost...), dont on contesta parfois la sincérité. Copies qui facilitèrent bien des escroqueries. Enfin, la liste des faussaires, déjà longue, est sans doute loin d'être close.

Peu d'artistes ont, à l'égal de Corot, attisé le goût des collectionneurs pour les séries. Certaines de ces collections ont abouti intégralement dans les musées. Le Louvre, qui possède 125 peintures de Corot, accueillit les collections Thomy Thiery, Moreau-Nélaton, Chauchard. Le musée de Reims, le plus riche musée de province en Corot, reçut plusieurs collections rémoises. Les tableaux de Corot se répartissent dans le monde entier. S'il n'est guère de musées qui n'en possèdent, la concentration la plus importante, tant par le nombre que par la qualité, se trouve en Amérique dans les collections publiques aussi bien que privées.

Corot ne ressortit à aucune école. Héritier du XVIIIe s. par une touche précieuse à la Watteau, héritier du classicisme par la sobriété de sa composition, il est romantique par un lyrisme que sa pudeur garde de l'héroïsme et du drame; il est réaliste par la véracité de ses paysages et de ses portraits, qu'atténue sa propension au rêve. La prédominance de son génie éclate aujourd'hui; pourtant son influence fut moindre qu'on le suppose. Homme réservé, fuyant la doctrine, il borna son enseignement à des exemples et des conseils dont les confidents furent souvent des peintres modestes, amis dévoués ou même plagiaires que sa mansuétude toléra. Il ouvrit la voie à une mode en créant un genre dont on s'engoua (de là de nombreux suiveurs, dont Trouillebert demeure le plus valable), mais il ne marqua pas la génération de peintres lui succédant. Sa place est unique dans la peinture française. Baudelaire avait décelé ce caractère d'exception quand il qualifia son œuvre « miracle du cœur et de l'esprit ». H. T.

Corrège

Antonio Allegri, dit il Correggio

peintre italien

(Correggio, près de Parme, 1489? - id. 1534)

Les débuts de Corrège. C'est en 1510 que commencent la Renaissance parmesane et sans doute le début de l'activité de Corrège, bien que sa première œuvre documentée, le *Retable de saint François* (Dresde, Gg), ne remonte qu'à 1514-15. Les chroniqueurs locaux, suivis par A. Venturi, ont fait de Corrège un élève de F. Bianchi Ferrari. En réalité, l'influence dominante de sa jeunesse fut celle de Mantegna, lorsqu'il travaillait à Mantoue à l'église S. Andrea, peignant les évangélistes dans la chapelle funéraire de Mantegna et, un peu plus tard, les deux fresques de la *Sainte Famille* et de la *Déposition* sous le porche. D'autres œuvres des années 1510-1512 (le *Mariage mystique de sainte Catherine,* Washington, N.G.; la *Vierge à l'Enfant avec sainte Élisabeth,* Philadelphie, Museum of Art, coll. Johnson; le *Mariage mystique de sainte Catherine,* Detroit, Inst. of Arts, la *Madone à l'Enfant avec deux anges musiciens,* Offices) révèlent déjà une tendresse traduite par le clair-obscur, qui adoucit la dureté de la ligne mantegnesque. Vers 1513-14, il peint des « nocturnes » étranges et déjà maniéristes : la *Judith et sa servante* (musée de Strasbourg) et la *Nativité* (Brera), encore dans le sillage de Mantegna, mais aussi très proches de Dosso Dossi, présent à Mantoue en 1512; le contact avec Dossi apparaît davantage dans la *Sainte Famille* de la coll. Orombelli Barbo de Milan. Enfin, la *Madone de saint François* (1514, Dresde, Gg), tout en rappelant la *Madone de la Victoire* de Mantegna (Louvre) ou les œuvres de Costa de la période mantouane, ainsi que les compositions des grands Ferrarais, surtout Ercole, échappe à l'emprise du quattrocento et montre une respiration plus large et une plus grande douceur.

Le rapprochement de Corrège avec le milieu prémaniériste émilien (Aspertini, Pirri, Dossi, Mazzolino, Garofalo) et lombard (œuvre de Leombruno au palais ducal de Mantoue) correspondit à une première évolution, évidente dans l'*Adoration des mages* (v. 1516-1518, Brera). Le rythme équilibré des œuvres précédentes fait place à une composition dynamique, aux couleurs vibrantes. Libéré des formes mantouanes, Corrège créa dans ce style quelques-uns de ses chefs-d'œuvre : la *Madone Campori* (Modène, Pin. Estense), les *Quatre Saints* (Metropolitan Museum), la *Vierge dite « la Zingara »* (Naples, Capodimonte), le *Repos pendant la fuite en Égypte* (Offices), la *Madone d'Albinea* (v. 1517, connue seulement par des copies, dont celle de la G.N. de Parme). Mais le peintre fut également ouvert à toutes les suggestions, comme celle de Beccafumi par l'intermédiaire de M. A. Anselmi, qui, venant de Sienne, arrive alors à Parme. Ainsi s'expliquent, dans l'*Adoration des mages* de la Brera, le goût du mouvement et certains motifs comme le groupe d'anges; on retrouve ces inflexions siennoises dans les *Saintes Familles* du musée d'Orléans, de l'Art Inst. de Chicago et de Hampton Court. À l'étroit dans les formules de la tradition locale, il est touché par Léonard de Vinci, comme le montrent le *Christ jeune* (Washington, N.G., coll. Kress) et la *Vierge à l'Enfant avec saint Jean enfant* (Milan, Castello Sforzesco) ou celle du Prado. Enfin, l'artiste ressentit le besoin de faire le voyage de Rome.

La Camera di S. Paolo (1519). De 1517 à 1520, on ne connaît pas d'œuvres documentées de Corrège; ce sont les années de son séjour à Rome (longtemps nié, mais mis en évidence par Longhi), au cours duquel il trouva un style personnel, abandonnant, selon la phrase de Mengs, « la manière sèche de ses maîtres (Mantegna) pour le style grandiose et noble qu'il suivit désormais »; il adopta alors un classicisme vivant, d'esprit naturaliste, acquis au contact de Raphaël et de Michel-Ange, ce que permet de constater la décoration du petit réfectoire du couvent des religieuses bénédictines de S. Paolo à Parme (connu sous le nom de Camera di S. Paolo, 1519). C'est une pièce carrée, de taille moyenne, dont les murs étaient tendus de tapisseries, tandis que la hotte de la cheminée montrait, peinte à fresque, *Diane sur son char.* Au-dessus d'une frise en trompe l'œil, à la base de la voûte, s'ouvrent 16 lunettes en grisaille (4 par paroi) ornées de sculptures feintes et formant un véritable antiquarium d'humaniste : *Bellone opposée aux Trois Grâces, la Fortune et la Vertu, les Parques et le temple de Jupiter, Vesta et le Génie,* symbole des quatre éléments de la vie. Éclairées par une lumière artificielle qui semble venir du foyer de la cheminée, ces figures, d'une tonalité rose doré, allongent leurs ombres violacées sur le fond courbe de la niche. De ces lunettes partent les 16 tranches concaves de la voûte, sorte de tonnelle formée de 16 roseaux qui se rejoignent au centre, liés par un nœud de rubans terminés par des grappes de fruits; la lumière du jour surgit des oculi percés dans le treillage, où apparaissent des putti joyeux. Cette « Camera » reflète la culture raffinée de l'abbesse Giovanna da Piacenza, conseillée par le poète-humaniste Giorgio Anselmi : c'est aussi l'allégorie de la lutte et de la victoire de l'abbesse, s'identifiant à Diane, pour rester indépendante à l'égard de la clôture imposée par le pape. De nombreuses réminiscences mantegnesques apparaissent dans cette œuvre (la tonnelle, les oculi), et surtout le souvenir de Raphaël à la salle de Psyché, à la Farnesina dont le paganisme souriant et l'antiquité vivante furent à la base de l'évolution de Corrège. Il a trouvé, grâce à Raphaël, son langage propre, d'un classicisme profane et chaleureux, éloigné de tout souci de monumentalité et où les problèmes spatiaux sont résolus en termes de lumière. Au-delà de ces influences, la Camera di S. Paolo demeure la production d'un rêve poétique, évoqué pour la première fois par Corrège avec une fraîcheur qu'il ne retrouvera plus, et qui sera une source d'inspiration pour Parmesan, peu après, à la « Stufetta » de Fontanellato.

Corrège
Danaé ▶
Rome, Galleria Borghese
Phot. Scala

Les fresques de S. Giovanni Evangelista (1520-1523). En 1520, Corrège reçoit la commande de la décoration (documentée du 26 juillet 1520 au 23 janvier 1524) de l'église S. Giovanni Evangelista

de Parme. Il orna successivement la coupole, l'abside (1522-23) — démolie en 1587 pour être agrandie et dont la décoration fut répétée par Cesare Aretusi —, les intrados des arcs de la coupole, la frise de la nef principale (exécutée sur ses dessins par Rondani et d'autres) et, enfin, la frise le long du chœur (1523-24). Il semble bien que ce soit l'artiste lui-même qui ait conçu l'architecture de la coupole (A. C. Quintavalle), en fonction de la peinture. Sur le tambour en camaïeu ocre sont figurés les *Symboles des évangélistes,* reliés par des guirlandes. On pense ici à Raphaël, mais aussi à Foppa et à Léonard, à qui sont empruntés le goût des ombres transparentes et une fluidité nouvelle.

Dans la coupole est représentée la *Vision de saint Jean l'Évangéliste à Patmos.* Saint Jean tend le visage vers la vision du Christ qui descend dans une gloire de lumière ; les onze apôtres assistent à la scène, assis sur des nuages soutenus par des putti. Dépourvue de toute trame architecturale, la scène est structurée par les cercles des nuages et rythmée par les figures des apôtres, groupés deux par deux. Corrège montre ici une science hardie de la perspective et de l'anatomie, apprise auprès de Mantegna et de Michel-Ange, ainsi qu'un goût de l'atmosphère hérité de Léonard et des Vénitiens. Il donne également le modèle des structures de coupoles baroques dont s'inspirera Lanfranco. Dans chaque pendentif, un docteur et un évangéliste, assis sur des nuages, s'animent dans une discussion passionnée. Sur les intrados des arcs de la coupole ont été peintes un peu plus tard 8 figures monochromes de l'Ancien Testament.

Après l'achèvement de la coupole, Corrège représente dans le cul-de-four de l'abside, sur un fond de festons de fleurs et de fruits mantegnesques, le *Couronnement de la Vierge avec des saints et des anges.* Il ne subsiste de cette œuvre, détruite cinquante ans plus tard, que la partie centrale : le *Christ et la Vierge couronnée* (auj. à Parme, G. N.) et 3 têtes d'anges (Londres, N. G.).

La « Fixaria », frise courant le long de la nef principale (1522-1524), présente deux thèmes principaux : le *Sacrifice païen* et le *Sacrifice hébreu.* Elle fut peu estimée jusqu'à ce que M. A. E. Popham eût mis en lumière 15 études dessinées de Corrège pour cette œuvre (Francfort, Staedel. Inst. ; British Museum ; Rotterdam, B. V. B., et Louvre) et en eût montré la qualité, bien que Rondani en fût l'exécutant. En revanche, la frise le long du chœur est l'œuvre du maître lui-même (1523-24), et elle conclut le thème de la nef en présentant le *Sacrifice chrétien,* symbole de l'eucharistie.

Il faut aussi mentionner la lunette, dans le transept gauche, représentant *Saint Jean l'Évangéliste écrivant l'Évangile,* réminiscence de la lunette de Sebastiano del Piombo dans la salle de Galatée à la Farnesina.

Les tableaux peints vers 1524-1526. Durant les années 1524-1526 (entre la coupole de S. Giovanni et celle de la cathédrale), Corrège exécute un grand nombre de tableaux révélateurs d'une nette évolution stylistique : le rythme devient frénétique, la couleur forte, les sentiments exacerbés. Ces œuvres, qui annoncent le Baroque, furent prisées par les artistes du XVIIe s., surtout la *Déposition* et le *Martyre de saint Placide et de sainte Flavie* (Parme, G. N.), qui appartiennent respectivement au début et à la fin de cette période intermédiaire. L'étude psychologique, le caractère pathétique, la composition décentrée de la *Déposition* étaient bien propres à plaire à Annibal Carrache, qui la copia. De ces années datent nombre de chefs-d'œuvre du maître : le *Noli me tangere* (Prado), la *Vierge adorant l'Enfant* (Offices), l'*Ecce Homo* (Londres, N. G.), la *Vierge au panier (id.),* le *Mariage mystique de sainte Catherine* (Louvre), qui présente une composition circulaire à laquelle correspond une couleur vive et contrastée, ainsi que deux œuvres mythologiques, l'*Éducation de l'Amour* (Londres, N. G.) et *Jupiter et Antiope* (Louvre), où le rythme est donné non plus par l'agitation des figures, mais par les taches de lumière. La *Madone de saint Sébastien* (v. 1525, Dresde, Gg) montre une composition « da sotto in su », inspirée de l'*Assomption* des Frari de Titien et des enchaînements rythmiques que l'on retrouve dans la décoration de la voûte du chœur de S. Giovanni Evangelista. Ces œuvres annonciatrices de la Contre-Réforme, tant en peinture qu'en sculpture (Bernin), sont autant de pensées préparatoires à la grande œuvre décorative que sera la fresque de la coupole de la cathédrale.

Les fresques du Dôme (1526-1529). En 1522, alors qu'il travaillait encore à S. Giovanni Evangelista, Corrège reçut la commande de la décoration du chœur, de la coupole et des arcs voisins de la cathédrale de Parme. De cette vaste entreprise, il n'a exécuté, de 1526 à 1529, qu'une partie : les fresques de la coupole *(Assomption de la Vierge),* des pendentifs représentant les quatre saints protecteurs de la ville (saint Jean-Baptiste, saint Hilaire, saint Thomas apôtre et saint Bernard) et des arcs doubleaux figurant des mimes et des danseuses en monochrome. C'est sans doute par dépit devant l'incompréhension locale qu'il n'exécuta pas la décoration du chœur et de l'abside, qui fut confiée à sa mort à Giorgio Gandino del Grano (1535), puis, à la disparition de ce dernier (1538), à Girolamo Mazzola Bedoli. La décoration de la coupole de la cathédrale marque le point culminant de l'activité de Corrège ; elle est la suite logique des recherches faites à la Camera di S. Paolo et à S. Giovanni Evangelista. Cependant, le problème à résoudre était différent, en raison des proportions imposantes de la coupole, fort profonde, à base octogonale percée de 8 oculi. Corrège parvint à suggérer un espace infini et lumineux, en liant intimement tambour et coupole par un thème et une couleur unifiés, et en estompant les arêtes : le tambour prend l'aspect d'une balustrade devant laquelle se tiennent les grandes figures des apôtres debout, tout entiers tournés vers le ciel. Mais sur la terre, symbolisée par le bord du parapet, se déroulent les *Funérailles de la Vierge,* tandis que, sans solution de continuité entre le tambour et la calotte, un tourbillon d'anges élève la Vierge au ciel, entraînant avec elle des saints et des personnages bibliques jusqu'à saint Michel, qui descend à sa rencontre. Par la forme concentrique donnée à l'ensemble, en dépit de sa section octogonale, cette coupole annonce le grand décor plafonnant baroque et montre l'évolution suivie depuis S. Giovanni Evangelista : d'une évocation du ciel par des têtes de chérubins à une savante concentration d'anges et de saints en mouvement.

Les tableaux de la dernière période. Cette recherche rythmique où les corps sont en mouvement dans la lumière se retrouve dans les peintures religieuses ou mythologiques qu'il exécuta parallèlement : la *Madone de saint Jérôme* (1527-28, Parme, G.N.), appelée parfois le *Jour;* l'*Adoration des bergers* ou la *Nuit* (1530, Dresde, Gg), œuvres construites sur des jeux d'obliques et de lumières ; la *Vierge à l'écuelle* (1529-30, Parme, G.N.) ; 2 détrempes représentant *Saint Joseph* et un *Dévot* (Naples, G.N.); enfin la *Madone de saint Georges* (1531-32, Dresde, Gg). À partir de 1530, Corrège fut chargé par le duc de Mantoue, Federico Gonzague, de représenter la série des *Amours de Jupiter* pour l'empereur Charles Quint (*Danaé,* Rome, Gal. Borghese; *Léda,* Berlin-Dahlem). C'est aussi à cette époque qu'il peignit « a tempera » les 2 allégories du *Vice* et de la *Vertu* pour le studiolo d'Isabelle d'Este (Louvre). Dans toutes ces œuvres, on retrouve des motifs et des formes inaugurés à la coupole du Dôme et dans lesquels triomphe une ligne ondoyante alliée à la couleur.

Les dessins. L'œuvre dessiné de Corrège a été catalogué en 1957 par M. A. E. Popham, et il comprend 91 numéros (24 au Louvre) ; ce sont surtout des études préparatoires à la sanguine pour les tableaux ou les grandes décorations.

La « fortune critique » de Corrège. La « Fortuna critica » de Corrège remonte à la biographie de Vasari (1550, revue en 1568), qui est à l'origine du mythe de Corrège, génie solitaire et autochtone, en marge du courant principal de la Renaissance sous le prétexte qu'il ne savait pas dessiner et qu'il n'avait pas eu de contacts avec la culture toscano-romaine. En dépit de l'admiration de tous les artistes baroques, ce ne fut qu'au XVIIIe s. qu'on considéra son œuvre d'un point de vue plus objectif : Mengs retrouva en Corrège cette alliance de la « grâce » et des « règles », de la « grâce » et du « dessin » que prônaient les néo-classiques. Les romantiques firent preuve d'un même enthousiasme, mettant l'accent sur le côté le plus ambigu et sensuel de Corrège. Il plana ensuite une sorte de discrédit, soit d'ordre moral, soit qu'on le considérât plus comme un grand décorateur que comme un peintre (Kugler, Burckhardt, Springer, Strzygowski). Enfin vint l'époque des grandes monographies fondées sur des études historiques : Meyer (1871), Ricci (1896, revue en 1930), Thode (1898), Venturi (1926), mettant surtout l'accent sur la « grâce féminine », très appréciée au XVIIIe s., que sut exprimer l'artiste. Mais ce n'est qu'avec la mise au point de R. Longhi (1956) que l'on peut saisir la nature réelle de la formation complexe de Corrège et sa place dans la Renaissance italienne et parmesane. S. De.

Cossa

Francesco del

peintre italien

(Ferrare v. 1436 - Bologne v. 1478)

On connaît Cossa par une série de documents se référant à des œuvres soit conservées, soit perdues. La première de ces mentions (1456) concerne une commande pour une *Déposition* à fresque, auj. disparue, pour le dôme de Ferrare. En 1462, on le trouve à Bologne, où il exécute le carton d'un vitrail pour l'église de S. Giovanni in Monte, représentant la *Vierge en trône avec des anges.* En 1469, il est à Ferrare, occupé à la décoration murale du palais de Schifanoia ; en effet, dans une supplique célèbre adressée au duc Borso d'Este, il déclare alors avoir exécuté 3 compartiments de cette décoration, avec les allégories des mois de *Mars, Avril* et *Mai.* Dans sa supplique, l'artiste se plaint d'un salaire trop bas pour la qualité de l'œuvre et pour la considération dont il jouit déjà. Le duc restant inflexible, Cossa abandonna pour toujours sa ville natale pour tenter sa chance à Bologne. En 1472, on sait qu'il s'occupe de la réfection d'une ancienne *Madone aux anges,* peinte à fresque dans l'église S. Maria del Baraccano ; en 1473, il exécute les dessins d'un *Saint Petrone* et d'un *Saint Ambroise,* réalisés en marqueterie par Agostino de Marchi da Crema, dans les 2 stalles centrales du chœur de S. Petronio ; en 1474, il peint la grande « tempera », autref. au Palazzo dei Mercanti, avec la *Vierge en trône entre les saints Petrone et Jean l'Évangéliste* (auj. Bologne, P.N.). Il meurt de la peste v. 1477-78, alors qu'il était occupé aux fresques de la chapelle Garganelli dans l'église de S. Pietro, qui furent complétées ensuite par Ercole de'Roberti et détruites lors de la rénovation de l'édifice au XVIIe s.

Pour analyser le style de Cossa et sa formation, il faut rappeler qu'après le séjour de Tura à Padoue l'art des Ferrarais avait subi un tournant décisif. Aux influences de Venise, du Gothique international et des débuts de la Renaissance, qui avaient déjà marqué Ferrare, s'était ajouté l'âpre langage de Mantegna ; le génie subtil et inventif de Tura avait opéré la fusion de ces éléments. Il faut retenir dans ce contexte l'hypothèse de R. Longhi, qui attribue à la jeunesse de Cossa, v. 1460, la *Pietà avec saint François* (Paris, musée Jacquemart-André), de même que la *Sainte Justine avec un donateur* (Madison University, coll. Kress). On voit déjà dans ces œuvres comment Cossa a su adapter le graphisme exacerbé d'origine padouane à la sévérité monumentale et mesurée de Piero della Francesca et d'Alberti. On sait en effet que ceux-ci avaient été, dix ans auparavant, à Ferrare et à Rimini, les protagonistes d'un art épris d'idéal et d'harmonie, qui devait porter ses fruits dans la région avec Cossa, les Lendinara, Bonascia, les Erri, Marco Zoppo et Roberti. C'est la marque de cette influence qui distingue Cossa de Tura et qui le rapprocherait plutôt, par analogie, de certains Florentins du type de Lippi et de Castagno, comme en témoigne le vitrail de 1467 à S. Giovanni in Monte et aussi celui, plus tardif, de la *Vierge à l'Enfant* du musée Jacquemart-André (Paris). Dans la *Vierge à l'Enfant avec des anges* (Washington, N. G.), on perçoit déjà la fermeté et la solennité que l'artiste a su emprunter à Piero della Francesca.

Dans la décoration du palais Schifanoia, Cossa révèle désormais sa parfaite maturité et l'autorité de sa personnalité : les compartiments de *Mars* et d'*Avril* lui reviennent entièrement ; dans le mois de *Mai,* on remarque l'intervention de collaborateurs. Chaque compartiment est divisé en trois bandes horizontales superposées : en haut est représenté le char de triomphe de la divinité patronne du mois, entouré de groupes de figures allégoriques ; dans la bande médiane paraissent les signes du zodiaque et les personnifications des trois décades du mois ; en bas, ce sont des scènes de la vie citadine et des représentations de la vie de

Francesco del Cossa
▼ **Le Mois de mars : le Triomphe de Minerve ; le Bélier**
Ferrare, palais Schifanoia, salle des Mois
Phot. Scala

cour, où figure le duc Borso entouré de cavaliers et de courtisans. Il faut très probablement attribuer la conception iconographique de tout ce complexe à Pellegrino Priscani, professeur d'astronomie à Ferrare et historien de la maison d'Este. Mais, au-delà de la signification symbolique, le peintre a su magistralement évoquer le sens de la vie humaine, en même temps qu'illustrer la chronique quotidienne du duc et de ses sujets, sur un ton de fête convenant parfaitement à la décoration d'un lieu de « délices ».

Le second et définitif séjour de Cossa à Bologne s'ouvre probablement avec l'*Annonciation* (Dresde, Gg; prédelle avec la *Nativité*), peinte pour l'église de l'Observanza. On y décèle la suggestion la plus claire de Piero della Francesca dans la manière dont Cossa a su construire l'espace grâce à la perspective et à la lumière, tandis que les caractères ferrarais de son art ressortent avec une lucidité et une finesse prodigieuses dans la disposition des drapés et dans les parties décoratives. Après ses travaux à l'église del Baraccano, Cossa entreprit le polyptyque Griffoni pour l'église de S. Petronio, auj. démembré. Au centre se trouvait *Saint Vincent Ferrier* (Londres, N. G.) entouré par *Saint Pierre* et par *Saint Jean l'Évangéliste* (Brera) ; la *Crucifixion* et 2 panneaux avec *Saint Florian* et *Sainte Lucie* (Washington, N. G.) étaient situés au registre supérieur, ainsi que 2 petits panneaux circulaires avec l'*Ange* et la *Vierge de l'Annonciation* (Gazzada, fondation Cagnola). La prédelle du retable, exécutée par Ercole de'Roberti *(Miracles de saint Vincent Ferrier)*, est au Vatican. Ce grand polyptyque, malgré la complexité de sa structure, montre une unité de conception solennelle et neuve ; il précède de peu la grande tempera de 1474, exécutée pour le Palazzo dei Mercanti (*Madone et saints*, Bologne, P. N.). Là, Cossa a exprimé, avec une puissance toute rustique, les caractères les plus authentiques de son art, allant au cœur des choses et parvenant à une interprétation vraie, physique des formes plastiques. À son second séjour bolonais appartient également un *Portrait d'homme* (Lugano, coll. Thyssen). R. R.

Cotman

John Sell

peintre anglais

(Norwich 1782 - Londres 1842)

Il arrive à Londres en 1798, où il travaille pour l'éditeur Ackermann, puis chez le Dr Monro, grâce auquel il devient un personnage en vue parmi les

John Sell Cotman
L'Étang à l'ombre ▲
Édimbourg, National Gallery of Scotland
Phot. Fabbri

aquarellistes du cercle de Girtin. De 1800 à 1805, à la suite de plusieurs voyages dans le pays de Galles et le Yorkshire, il acquiert progressivement un style très personnel, utilisant de simples lavis par teintes plates sur des surfaces presque géométriques (*Chirck Aqueduck*, v. 1804, Londres, V. A. M.; *Greta Bridge*, 1805, British Museum). Il expose à la Royal Academy de 1800 à 1806, mais en 1807, de retour à Norwich, il n'expose plus qu'à la Norwich Society, dont il devient président en 1811. En 1812, il s'installe à Yarmouth, où Dawson Turner encourage son goût pour les antiquités; il publia ses gravures sur les antiquités de Norfolk (1817-18) et de Normandie (1822), consécutives aux séjours qu'il fit dans ces régions en 1817, 1818 et 1820. Entre-temps, il s'efforce de donner à son style très analytique un tour plus pictural, se servant de bleus intenses, et il commence à pratiquer de plus en plus souvent la peinture à l'huile (*The Drop Gate*, 1826, Londres, Tate Gal.). En 1834, il revient à Londres pour enseigner le dessin à King's College.

Son œuvre se rapproche alors davantage de celle de Turner, et il ajoute à son médium un mélange de farine et de pâte de riz pour lui donner une densité que l'on ne trouve pas dans ses aquarelles précédentes : *Tempête sur la plage de Yarmouth* (1830, Norwich, Castle Museum) ; *Paysage rocheux ; Coucher de soleil* et le *Lac* (Londres, V.A.M.). Bien qu'au début de sa carrière il ait été considéré comme l'un des maîtres de l'aquarelle en Angleterre, il perdit, mais moins qu'on ne l'a prétendu, la faveur du public. Aujourd'hui, ce sont cependant ses premières œuvres qui sont les plus estimées, car elles s'apparentent à des tendances modernes telles que le Cubisme. Il est représenté à Édimbourg (N.G.), à Leeds (City Art Gal.), à Londres (British Museum, N.G., Tate Gal., V.A.M.). Le musée de Norwich possède une importante collection de dessins et d'aquarelles de l'artiste. W. V.

Courbet

Gustave

peintre français

(Ornans 1819 - La Tour de Peilz, Suisse, 1877)

Il naquit dans une famille aisée d'agriculteurs francs-comtois, où sa vocation artistique s'éveilla de bonne heure. Après avoir reçu quelques rudiments de son art à l'école de dessin de Besançon, il partit pour Paris en 1839 afin de se consacrer à la peinture. Il travailla à l'académie Suisse d'après le modèle vivant et copia les maîtres au Louvre. Il s'adressa à ceux qui l'attiraient par l'éclat de leurs couleurs et la richesse de leur matière picturale : Véronèse, Velázquez, Zurbarán, manifestant pour Hals et Rembrandt une prédilection qui s'affermit au cours de son voyage aux Pays-Bas en 1846. Dès ses débuts, il aborda des genres très différents : paysages de sa Franche-Comté natale, compositions (*Loth et ses filles,* v. 1841, Japon, coll. part.), allégories (la *Nuit de Walpurgis,* v. 1841, Salon de 1848, détruite peu après). Mais les portraits illustrent le mieux ses premières années, effigies de ses proches et surtout autoportraits dont la prestigieuse galerie jalonna sa carrière. Il apparut au Salon en 1844 avec l'un d'eux, l'*Homme au chien* (1842, Paris, Petit Palais), bientôt suivi par l'*Homme blessé* (1844, Louvre), les *Amants heureux dans la campagne* (Salon de 1846, musée de Lyon), l'*Homme à la pipe* (1846, musée de Montpellier). Plus que d'un naïf narcissisme, cette inclination à se représenter témoigne d'un lyrisme révélant chez le peintre ce romantisme qu'il honnit et qui rencontra dans cette recherche de soi une parfaite

Gustave Courbet
Les Demoiselles des bords de la Seine ▶
(1856-57)
Paris, musée du Petit Palais
Phot. Lauros-Giraudon

expression. Romantiques également sont les figures féminines de sa jeunesse, parfois inspirées par les écrits de Victor Hugo ou de George Sand, tel le *Nu allongé* (v. 1841, Boston, M.F.A.), ou poétiquement transposées de la réalité (le *Hamac,* Salon de 1845, Winterthur, coll. Oskar Reinhart). Courbet, devenu résolument réaliste, n'oublia pas complètement ce romantisme initial : l'éclatante parure des *Demoiselles des bords de la Seine* (1856, Paris, Petit Palais), qui défie la mode, suggère un monde féerique, qui est celui de la

Dame de Francfort (1858, Cologne, W. R. M.) et du *Treillis* (1863, Toledo, Ohio, Museum of Art).

Les premiers manifestes. L'année 1946 marqua un tournant dans la carrière de Courbet. Convié en Hollande par un ami, il y reçut de Rembrandt le choc qui détermina l'orientation définitive de son art. La *Ronde de nuit* et la *Leçon d'anatomie* lui révélèrent les moyens de parvenir à son idéal de réalisme. À son retour, il donna l'*Après-dînée à Ornans* (vaste peinture que l'État acquit au Salon de 1849, auj. au musée de Lille). On pressent dans ce tableau, en dépit de ce qu'il doit à l'exemple des Pays-Bas, le souffle de la réalité vécue qui anima les deux chefs-d'œuvre entrepris cette même année : les *Casseurs de pierres* (détruits au musée de Dresde au cours de la Seconde Guerre mondiale) et l'*Enterrement à Ornans* (Louvre), cet événement pictural, scandale du Salon de 1850, qui inaugura les querelles suscitées par le peintre. Ses admirateurs eux-mêmes, tel Delacroix, regrettèrent qu'il mît la puissance de son métier au service de la vulgarité. Néanmoins, dans cette composition, Courbet haussa jusqu'à une universalité historique la laideur du quotidien. Il insuffla à des personnages qui lui étaient connus (chacun peut être nommé), à une scène villageoise et familière, une grandeur et une noblesse monumentales. Un même sentiment empreint le *Retour de la foire des paysans de Flagey* (1850, musée de Besançon) et les *Cribleuses* (1854, musée de Nantes). Sa famille lui fournit les modèles de ces peintures, qui dépassent la scène de genre pour fixer un instant historiquement vécu. *L'incendie* (1851 Paris, Petit Palais), immense tableau inachevé et seule scène urbaine de Courbet, est également une œuvre magistrale, sorte de réponse moderne à la *Ronde de nuit* de Rembrandt.

Le champion du réalisme. Mais le public, déjà offusqué par le prosaïsme de ses sujets, cria à l'indécence devant le réalisme de ses nus. La croupe trop véridique des *Baigneuses* (musée de Montpellier) suscita un véritable tollé au Salon de 1853. Par leur souci de vérité, les paysages de Courbet se placent parmi les plus grands d'un siècle pourtant si fécond dans ce genre. Portraitiste fidèle de la nature, il fut le génial interprète de la clarté si particulière de la Franche-Comté (les *Demoiselles dans la campagne,* 1852, Metropolitan Museum), de la sèche lumière méridionale, connue à Montpellier en 1854 à l'occasion d'un premier séjour chez son protecteur, le collectionneur Bruyas. Il immortalisa cette visite avec la *Rencontre* ou *la Fortune saluant le génie,* dite aussi *Bonjour, monsieur Courbet!* (musée de Montpellier). À ce moment il découvrit la mer, dont il laissa de si concrètes images (la *Mer à Palavas,* musée de Sète) et qu'il retrouva à partir de 1865 sur les côtes de la Manche (Trouville, Étretat), traduisant d'une touche robuste ses vagues et ses remous (la *Vague,* 1870, Louvre; la *Mer,* 1870, Berlin, N.G.). Dans l'intention de le présenter à l'Exposition universelle de 1855, Courbet conçut l'*Atelier* (Louvre). Par cette magistrale composition, paradoxalement sous-titrée *Allégorie réelle,* il se fit peintre d'histoire non seulement d'un événement, mais d'une philosophie. Il voulut symboliser à l'aide de personnages véridiques ses amitiés et ses idéaux, ses réprobations et ses haines, mariant ses sentiments d'homme et ses penchants de peintre. Portraits, natures mortes, paysages illuminés par la présence d'un des plus beaux nus féminins de la peinture française composent cette somme. Mais le jury repoussa l'œuvre ainsi que l'*Enterrement à Ornans* proposé avec elle. Courbet releva le défi et construisit aux abords de l'Exposition un baraquement appelé *Pavillon du Réalisme.* Il y présenta une *Exhibition de quarante tableaux...,* publiant dans le catalogue le « Manifeste du Réalisme » ; parmi les huées, les sarcasmes et les encouragements, il fut consacré maître du mouvement. Chaque Salon ensuite fut un prétexte de combat. Les étapes les plus marquantes furent : en 1857, les *Demoiselles des bords de la Seine* (Paris, Petit Palais) ; en 1861, le *Cerf forcé* (musée de Marseille), témoignant de son génie à peindre la tragédie des scènes de chasse ; en 1866, la *Remise de chevreuils* (Louvre); en 1869, l'*Hallali du cerf* (musée de Besançon) ; en 1870, enfin, la *Falaise d'Étretat* (Louvre), qui allie à la limpide luminosité de l'atmosphère le massif truellage des roches. Sa vie parisienne fut entrecoupée de nombreux déplacements. Hormis de fréquents séjours à Ornans, il voyagea en France et à l'étranger. Il retourna chez Bruyas à Montpellier, connut en 1858 cinq mois d'un périple triomphal en Allemagne et, en 1862, il rapporta d'une randonnée en Saintonge ses plus belles natures mortes de fleurs et de fruits. Les côtes normandes l'attirèrent à partir de 1865 ; il y peignit, cette année, la *Jeune Fille aux mouettes* (New York, coll. part.), l'éclatant tableau des *Jeunes Anglaises devant la fenêtre* (Copenhague, N.C.G.) ainsi que des baigneuses d'un accent tout moderne (la *Dame au podoscaphe,* 1865, Paris, coll. part.) ou encore classique (*Baigneuse,* 1868, Metropolitan Museum). C'est au cours de la même époque, entre 1864 et 1870, qu'il peignit ses plus beaux nus, dont la sensualité directe n'exclut ni la poésie ni l'émotion, malgré la hardiesse de certaines présentations (la *Femme au perroquet,* Metropolitan Museum ; les *Dormeuses,* 1866, Paris, Petit Palais), à peu près contemporaines du *Bain turc* d'Ingres (1863).

Les dernières années. Un pavillon installé au pont de l'Alma reçut en 1867 une exposition comportant une centaine de ses œuvres. Il fut alors au faîte de la gloire et, quand survint la guerre de 1870, sa renommée était assurée. Cette victoire si bravement conquise s'effondra après la Commune. La IIIe République l'accusa faussement de complicité avec les insurgés qui renversèrent la colonne Vendôme et le condamna, à l'issue d'un procès haineux, à la ruine et à l'exil. Sa jactance, les jalousies suscitées firent oublier la dette de la France à son égard. Usant en effet de ses amitiés au sein de la Commune, il contribua à sauver le Louvre de l'incendie des Tuileries.

Incarcéré à Sainte-Pélagie, il peignit un dernier *Autoportrait* (musée d'Ornans) et des natures mortes. Puis, contraint de s'expatrier en 1873, il fut accueilli par la Suisse. Dépossédé de ses biens, amoindri par les souffrances morales et physiques, son génie s'affaiblit rapidement. Courbet fut la victime de son goût de la bravade. Par ses audaces, son mépris des conventions, il outra les opinions plus adroitement exprimées par ses amis : Baudelaire, Castagnary, Duranty, Vallès et surtout Proudhon, qui exerça sur lui une si profonde influence et dont il honora la mémoire en 1865 par le saisissant portrait du Petit Palais *Proudhon et ses enfants*. Ses provocations attisèrent la vindicte des jaloux. Si le « Manifeste du Réalisme » fut brandi comme une profession de foi, sa première intention était de combattre le Romantisme et l'Académisme. Si Courbet prôna un art « vrai » destiné aux masses prolétaires, il ne faut pas grossir son désir propagandiste. Avant d'être prosélyte, il fut peintre, traduisant dans un sentiment plébéien ce que lui offrit son propre univers. Il fut séduit par la pensée généreuse et révolutionnaire du socialisme, mais manifesta dans son engagement plus d'ingénuité que de fanatisme. La révolution apportée par Courbet dans l'art de peindre ne se borna pas à un choix de thèmes empruntés à la vie quotidienne ; il y ajouta un métier nouveau. Héritier du réalisme de Géricault, il ne pratiqua pas sa manière fougueuse et emportée. Sa touche, massive, solide, évoque le labeur de l'ouvrier et donne à sa peinture une présence concrète. Son génie, la rectitude de son dessin et de ses compositions, la sûreté de son œil et de sa main, sa science des gris et des demi-teintes le garderont presque toujours de la vulgarité. Courbet échangea avec ses contemporains, assidûment fréquentés (Corot, les peintres de Barbizon, Boudin, plus tard Manet, Jongkind et Whistler), les notions luministes qui ouvrirent la voie à l'Impressionnisme, mais son influence se limita en France à un renouvellement de vision et de sources d'inspiration. Son faire énergique n'eut pas de successeurs directs. À l'étranger, au contraire, Répine en Russie, De Groux, Meunier en Belgique et surtout l'Allemand Leibl comprirent sa leçon. Courbet est représenté en France, principalement à Paris (Louvre, Orsay et Petit Palais), à Montpellier, Besançon, Caen, Lille, et dans d'importants musées étrangers (Metropolitan Museum, Winterthur, Cologne, Budapest, Zurich, Berne). Un musée Courbet a été créé dans la maison natale du peintre à Ornans. H. T.

Jacques Courtois **Autoportrait** ▲
Florence, Galleria degli Uffizi
Phot. Fabbri

Courtois

Jacques, dit le Bourguignon

peintre français

(Saint-Hippolyte, Doubs, 1621 - Rome 1676)

Arrivé vers l'âge de quinze ans en Italie, Courtois y fera toute sa carrière. Un temps soldat dans les troupes espagnoles, il étudie ensuite la peinture sous des maîtres obscurs, passe à Bologne, où il rencontre le Guide et l'Albane, à Florence, où il travaille avec Asselyn, puis à Sienne, où les sources le disent élève d'Astolfo Petrazzi. Vers 1640, il arrive à Rome, où il peint à fresque un plafond au couvent de S. Croce in Gerusalemme. Il fréquente le milieu des « Bamboccianti » ; sous l'influence de Cerquozzi et probablement de Salvatore Rosa, dont la première *Bataille* connue est datée 1637, Courtois se spécialise dans la peinture de batailles, dont il deviendra le plus célèbre représentant en Europe, alors que son frère Guillaume, dans l'orbite de Pierre de Cortone, se consacrera plutôt à la peinture religieuse.

Bien que la chronologie soit peu sûre (Courtois n'a presque jamais signé ou daté ses œuvres), ses premiers tableaux connus (Rome, Gal. Doria Pamphili et Gal. Capitoline) le montrent très proche des Bamboccianti comme Van Laer, Miel ou Cerquozzi, peignant avec timidité et précision, dans des mises en page traditionnelles où le groupe principal est placé sur un premier plan surélevé et la bataille reléguée au fond. Dans les années 1650, Courtois voyage ; il est employé à deux reprises (1652 et 1656-57) par Mathias de Médicis, gouverneur de

Sienne (4 grandes *Batailles,* Florence, Pitti), séjourne à Fribourg (1654-55), à Venise (peintures pour le palais Sagredo, en partie conservées dans la coll. Derby et à la Gg de Dresde). De retour à Rome, il entre dans l'ordre des Jésuites (décembre 1657) et continue à peindre des œuvres religieuses (fresques au Collegio Romano, 1658-1660 ; *Martyre des quarante pères jésuites,* Rome, Quirinal) et surtout des batailles, d'un format souvent important et librement exécutées (plusieurs à Munich, Alte Pin.). On lui doit la formule nouvelle du genre : au lieu des vues à vol d'oiseau minutieusement topographiques, au lieu des combats en frise, que la Renaissance avait empruntés aux bas-reliefs antiques et qu'affectionnaient encore A. Falcone et même S. Rosa, c'est une escarmouche de cavalerie à l'intérieur de laquelle le spectateur est entraîné. Courtois excelle à placer ces combats dans de larges paysages où la fumée des pistolets se fond dans des nuages délicatement colorés, qui peuvent même devenir le véritable sujet du tableau (*Paysage avec voyageurs,* Vaduz, coll. de Liechtenstein). Il est aussi l'auteur de quelques estampes, de beaux dessins à la plume et au lavis de bistre (Louvre, British Museum, presque tous signés d'une croix). Si le nom de Courtois, à cause de son influence sur le développement du genre en France (Joseph Parrocel) et en Italie (Monti, Simonini), est facilement accolé à toute peinture de bataille, ses œuvres authentiques sont d'une haute qualité et justifient l'immense réputation qu'il eut de son temps et qu'attestent encore ses biographes du XVIIIe s., Pascoli et Dezallier d'Argenville. A. S.

Cousin

Jean, dit le Père ou le Vieux

peintre français

(Sens v. 1490 - id. v. 1560)

Après des débuts assez modestes comme géomètre expert dans sa ville natale, Cousin est cité, à partir de 1530, pour des travaux de peinture (abbaye de Vauluisant) et comme auteur de vitraux (cathédrale de Sens). Vers 1538, il vient à Paris, où sa fortune lui permet d'exercer une carrière indépendante. Il travaille pour les lissiers et les verriers : tapisseries de la *Vie de sainte Geneviève* pour Sainte-Geneviève-du-Mont (1541, perdues) ; tapisseries de *Saint Mammès* (1543, pour le cardinal de Givry), dont 3 subsistent encore à Langres

▼ Jean Cousin **Eva Prima Pandora**
Paris, musée du Louvre
Phot. Lauros-Giraudon

(cathédrale) et à Paris (Louvre); cartons pour les vitraux de la chapelle de l'hôpital des Orfèvres. Il grave également (la *Mise au tombeau; Sainte Famille,* 1544, auj. perdue). D'autres gravures lui ont été attribuées (ou à son fils), comme la *Conversion de saint Paul.* Enfin, la gravure de Delaune *Moïse montrant au peuple le serpent d'airain,* les gravures du Maître I. V. *(Homme nu à cheval)* et surtout celles du Maître H. *(Mausolée, Jupiter et Antiope)* contribuent à élargir l'idée qu'on se faisait jusqu'ici de sa personnalité. En 1549, Cousin participe, avec Jean Goujon, à l'entrée d'Henri II à Paris, ornant un des arcs de triomphe d'une *Pandore* dont il reprend le thème dans une peinture, l'*Eva Prima Pandora* (Louvre). Dès cette époque, sa renommée a dépassé les frontières, et Vasari le mentionne avec éloges dans la première édition des *Vite* (1550). Cousin fit également œuvre d'illustrateur (*Orus Apollo,* 1543; *Livre des coutumes de Sens,* 1556). Il termine en 1558 un *Livre de perspective,* somme de ses recherches, qui paraîtra en 1560, date probable de sa mort.

En dehors de l'*Eva Prima Pandora,* on ne lui attribue que de rares peintures (la *Charité,* musée de Montpellier) ou dessins (la *Mise au tombeau,* Édimbourg, N.G.; *Martyre d'un saint,* Paris, B.N.). On lui donne traditionnellement les portraits de la famille Bouvier, sur lesquels il est difficile de se prononcer (*Jean II, Étienne II Bouvier* et *Marie Cousin,* coll. part.).

Célèbre dès son vivant, Jean Cousin a toujours été considéré comme l'une des figures éminentes de la Renaissance française. Marqué par l'école romaine et les graveurs nordiques, il a subi aussi l'influence de l'école de Fontainebleau et plus spécialement de Rosso, dont il assimila le style avec originalité et grandeur. Sa personnalité reste cependant encore difficile à distinguer de celle de son fils **Jean Cousin le Jeune,** qui fut peintre et graveur comme lui. En 1563, puis en 1564, il est appelé à Sens pour l'*Entrée de Charles IX,* avec Nicolas Couste (qui sera aussi le collaborateur de Caron). À cette époque, Cousin travaille au château de Fleurigny. Il donne les dessins du *Livre de Fortune* (1568), publie le *Livre de pourtraicture* (1571), peut-être d'après les recherches de son père. Delaune grave son *Serpent d'airain* et Gaultier la *Forge de Vulcain* (1581). Il a certainement donné beaucoup de dessins aux graveurs : *Métamorphoses d'Ovide* (1570-1574), *Épîtres d'Ovide* (1571-1580), *Fables d'Ésope* (1582). On ne peut lui attribuer que de rares peintures : le *Jugement dernier* (Louvre), venant des Minimes de Vincennes, gravé sous son nom, et, peut-être, 2 des portraits des Bouvier attribués traditionnellement à son père (*Jean III Bouvier* et *Savinienne de Bornes,* coll. part.). Ses dessins (Albertina, Louvre, Ermitage), très proches de ceux de Delaune, transforment d'une façon maniérée et précieuse l'exemple de son père.

S. B.

Thomas Couture **Le Fou** ▲
Rouen, musée des Beaux-Arts
Phot. Lauros-Giraudon

Couture
Thomas
peintre français
(Senlis, Oise, 1815 - Villiers-le-Bel, Seine-et-Oise, 1879)

Il entra dans l'atelier de Gros en 1830 et, à la mort de ce dernier, devint l'élève de Paul Delaroche. S'il remporta le prix de Rome en 1837, il ne connut le succès que plus tard avec la *Soif de l'or* (1845, musée de Toulouse) pour être définitivement consacré au Salon de 1847 avec les *Romains de la décadence* (Louvre). De ses maîtres directs, il apprit un dessin consciencieux, mais il demanda bien davantage aux Anciens, les démarquant, de son aveu même. C'est ainsi que les 2 *Portraits d'Alfred Bruyas* (musée de Montpellier) commandés en 1850 furent exécutés suivant « les données de Titien » pour l'un et « les données de Van Dyck » pour l'autre. Couture ne sut pas élaborer un style vraiment personnel de cet éclectisme qui fut une des caractéristiques de l'art du second Empire, tout au contraire de son élève Manet, dont le génie s'alimenta à des sources aussi diverses. Couture emprunta à ses prédécesseurs des effets et usa de procédés faciles, empâtements, cernes colorés, touches lumineuses qui entraînèrent une facture pesante. Il fut accusé d'un faire prétentieux. Auteur de vastes compositions et décorateur (Paris, chapelle de Saint-Eustache), il exprima plus de sincérité dans ses œuvres de petit format (le *Fou,* musée de Rouen) et de vigueur dans ses études. Il est représenté dans de nombreux musées français, particulièrement dans ceux de Beauvais (l'*Enrôlement des volontaires,* 1848), Dijon (musée Magnin), Lyon, Senlis, Strasbourg, ainsi qu'au château de Compiègne, qui conserve une belle série d'études pour le *Baptême du prince impérial* (1856), qui ne fut jamais terminé. H. T.

Coypel
Antoine

peintre français
(Paris 1661 - id. 1722)

Il fut l'élève très précoce de Noël Coypel, son père. Celui-ci l'emmène avec lui à Rome, où il dirige l'Académie de France de 1673 à 1675. Le jeune Antoine fait figure d'enfant prodige (il aurait étonné Bernin et Carlo Maratta) tout en étudiant Raphaël, Carrache, les antiques et, sur le chemin du retour, Corrège (dont il se souviendra toute sa vie), Titien et Véronèse. Ses premières œuvres sont malheureusement perdues, notamment celles dont il orna l'église de l'Assomption, aux côtés de La Fosse. Toutefois, la *Conception de la Vierge,* connue par une gravure de Tardieu, montre une virtuosité illusionniste stupéfiante pour un artiste qui n'avait pas vingt ans. On conserve en revanche son morceau de réception à l'Académie en 1681, une *Allégorie des victoires* (de Louis XIV) [musée de Montpellier; une autre *Allégorie* de style et de date très proches est à Versailles], dans laquelle son style est parfaitement formé, caractérisé par l'abondance des figures plus ou moins désarticulées et fortement expressives, un coloris chaud, un dessin de virtuose. L'influence de son père — notamment dans un certain arbitraire des formes, l'aspect métallique des draperies — et surtout de Le Brun dans la recherche systématique de l'expression des passions durera toute sa vie. Antoine Coypel recevra de nombreuses commandes du roi, pour Marly, Trianon, Meudon, Versailles, mais surtout des ducs d'Orléans, dont il devient premier peintre. Autour de 1690-1692, alors qu'il dessine les médailles de la vie du roi, son style pictural est fortement marqué par Rubens (*Démocrite,* Louvre; *Baptême du Christ,* église de Saint-Riquier). Il peint ensuite ses œuvres les plus célèbres, gravées et souvent copiées, mais perdues, *Bacchus et Ariane* et le *Triomphe de Galatée,* qui ouvrent la voie à tout l'art aimable du XVIIIe s. par leur grâce un peu appliquée. Dans le même style, on conserve notamment la *Diane au bain* (musée d'Épinal) ou le *Silène barbouillé de mûres,* peint en 1701 pour

▼ Antoine Coypel **La Mort de Didon**
Montpellier, musée Fabre
Phot. O'Sughrue

Meudon (musée de Reims). Dans les années 1695-1697, il peint une importante série de tableaux sur des sujets de l'Ancien Testament (qu'il reprendra en grand format autour de 1710 pour en faire des cartons de tapisserie), dont la composition se fait plus lisible et ordonnée : *Esther et Assuérus, Athalie chassée du temple* (Louvre), *Sacrifice de Jephté* (musée de Dijon), *Suzanne justifiée* (Prado). À la même veine, rajeunissant la tradition classique par le charme des visages et la gaieté du coloris, se rattache l'*Éliézer et Rébecca* peint pour le roi en 1701 (Louvre). À la fin de sa vie, outre de grands tableaux, perdus, pour Notre-Dame, Coypel peint deux cartons de tapisserie tirés de *l'Iliade : Colère d'Achille* et *Adieux d'Hector et Andromaque* (musée de Tours).

Encore et surtout, Antoine Coypel a été un grand décorateur. Si l'hostilité du surintendant Hardouin-Mansart, ennemi personnel de son père, le fait tenir à l'écart du chantier des Invalides, il prend une éclatante revanche en décorant la galerie d'Énée au Palais-Royal. D'abord la voûte (1703-1705), dont le souvenir est conservé par la gravure et par une belle esquisse de la partie centrale (musée d'Angers), entreprise grandiose qui, au-delà des galeries à l'illusionnisme timide de Versailles, renouvelle la tradition illustrée au milieu du XVIIe s. par Perrier et Le Brun en associant percées fictives, tableaux rapportés et ensembles d'ornements. De 1714 à 1717, il décore les murs de grands tableaux inspirés de *l'Énéide* (plusieurs en mauvais état au Louvre ; *Énée et Anchise* et *Mort de Didon* au musée de Montpellier ; *Énée et Achate apparaissent à Didon*, musée d'Arras), qui unissent coloris rubénien et grâce corrégesque en une synthèse éloquente. Entre-temps (1709), il orne la voûte de la chapelle du château de Versailles d'une vaste composition qui tire le parti le plus intelligent d'une architecture peu commode. Là encore, percées fictives et ornements en trompe l'œil forment un ensemble digne des décors romains de Gaulli, que Coypel a sans doute admirés. Il devient directeur de l'Académie, premier peintre du roi en 1716 (grâce à quoi le Louvre conserve plusieurs centaines de ses admirables dessins, souvent aux trois crayons) et est anobli en 1717. Peintre lettré, il publiera en 1721 d'intéressants *Discours* sur son art ; son intérêt pour le théâtre deviendra une véritable passion chez son fils, le peintre Charles-Antoine Coypel, dont l'art, à bien des égards, prolonge le sien.

A. S.

Cozens
John Robert
peintre anglais
(Londres 1752 - id. 1799)

Sa première exposition eut lieu en 1767, mais la seule œuvre qu'il ait exposée à la Royal Academy

John Robert Cozens
Le Lac d'Albano et Castel Gandolfo ▶
(1783-1788)
Aquarelle
Londres, Tate Gallery
Phot. du musée

fut une peinture à l'huile : *Passage des Alpes par Hannibal* (1776), dont l'influence marqua le jeune Turner. Cozens partit pour l'Italie en 1776, en compagnie de l'écrivain Richard Payne Knight, et commença à peindre des sites alpins. Il séjourna à Rome (1778) et revint à Londres en 1779. Sa *Vue de l'Etna depuis la grotta del Capro* (1777, British Museum) est le souvenir le plus frappant de ce voyage italien. Peu de temps après, Cozens se lia avec l'ami intime de son père, le romantique William Beckford, grâce auquel il retourna en Italie en juin 1782. Il a laissé de ce séjour plusieurs toiles grandioses représentant les lacs italiens et la campagne romaine près du lac de Nemi : *Lac de Nemi* (v. 1783-1788, Londres, Tate Gal. ; Manchester University, Whitworth Art Gal.), *Lac d'Albano et Castel Gandolfo* (v. 1783-1788, Londres, Tate Gal.). C'est à la vue de ces œuvres que Constable déclara qu'il était « le plus grand génie qui eût jamais touché au paysage ». Cozens revint en Angleterre en 1783. En 1794, il donna des signes de déséquilibre mental : le Dr Monro et sir George Beaumont, protecteur célèbre de Constable, prirent alors soin de lui.

Girtin et Turner, lors d'un séjour chez le Dr Monro, découvrirent l'œuvre de Cozens, qui les influença fortement. John-Robert reprit plusieurs des idées de son père et bannit du paysage à la fois le rendu topographique et le pittoresque. Sa peinture, dans la tradition du paysage européen, ne dérivait pas simplement de celle de Claude Lorrain ou de Gaspard Dughet ; elle exprime un sentiment de solitude et de paix, manifeste dans ces paysages suisses et italiens baignés d'un calme vespéral.

John-Robert et son père, Alexander Cozens, appartiennent à l'« école méridionale » du paysage anglais par leur prédilection à emprunter leurs sujets au Midi européen.

L'artiste est représenté à Londres, au V. A. M. (30 œuvres), à la Tate Gal. (5 aquarelles), au British Museum (24 dessins de son voyage en Suisse en 1776), et dans les musées de Birmingham, de Leeds, de Manchester. J. N. S.

Cranach l'Ancien

Lucas

peintre allemand

(Cranach 1472 - Weimar 1553)

Le peintre Lucas, ainsi qu'il est mentionné dans les anciens documents, doit son nom à la ville de Franconie dont il est originaire. Ses débuts ne sont pas connus ; les premières œuvres qui nous sont parvenues sont chargées de réminiscences de l'*Apocalypse* de Dürer (1498) ; elles ont été exécutées à Vienne immédiatement après 1500. On peut dater des env. de 1501 une *Crucifixion* (Vienne, K. M.) et 2 panneaux d'autel représentant *Saint Valentin* et la *Stigmatisation de saint François* (Vienne, Akademie), suivis, en 1502, d'un panneau avec un *Saint Jérôme pénitent* et de 3 gravures sur bois : 2 *Crucifixions* et un *Saint Étienne,* daté. Toutes ces œuvres révèlent une prédilection pour les expressions grimaçantes, les formes osseuses et un goût très vif pour l'élément végétal ; ce penchant se manifeste soit par la prédominance du paysage, soit, comme dans le *Saint Étienne,* par une bordure composée de deux arbres chargés de dragons et d'anges servant d'encadrement. Le dynamisme de ces compositions est particulièrement frappant dans une gravure sur bois, le *Christ au mont des Oliviers,* exécutée v. 1503 (pièce unique, Metropolitan Museum), et dans la *Crucifixion* de 1503 (Munich, Alte Pin.), où les croix, par leur situation, sont intégrées au paysage beaucoup plus qu'elles ne le seraient dans une ordonnance frontale, procédé qui souligne l'aspect humain et tragique de l'événement aux dépens de sa signification rédemptrice. Les rapports étroits de Cranach avec les humanistes de Vienne sont mis en lumière par le double *Portrait de l'humaniste viennois Cuspinian et de sa femme* (Winterthur, coll. Oskar Reinhart), exécuté v. 1502-1503, ainsi que par le double portrait du recteur de l'université de Vienne *Johann Reuss* (1503, musée de Nuremberg) et celui de sa femme (Berlin-Dahlem); enfin, par une série de dessins représentant les *Mois,* commande du Dr Fuchswagen exécutée d'après le modèle antique du *Filokalus* de Vienne (Vienne, B. N.). La représentation de ces modèles dans la nature est bien significative de cette école. Le *Repos pendant la fuite en Égypte* (v. 1504, Berlin-Dahlem) — vraisemblablement un des derniers tableaux exécutés en Autriche — est célèbre par le charme de son paysage idyllique. Appelé en 1504 par Frédéric le Sage à Wittenberg, Cranach y vécut près de cinquante ans comme peintre de la Cour au service des trois Électeurs. Il acquit à Wittenberg une grande notoriété, fut bourgmestre en 1537 et 1540, entretint des relations d'amitié avec Luther et Melanchton, ce qui ne l'empêcha pas cependant d'exécuter des commandes pour le cardinal Albrecht von Brandenburg, un des grands mécènes de ce temps. On constate une évolution en comparant l'œuvre la plus ancienne de l'époque wittenbergeoise, le *Retable de sainte Catherine,* de 1506 (Dresde, Gg), avec un panneau du même thème découvert récemment (Budapest, coll. part.), qui peut être daté de la fin du séjour en Autriche. Ici, les figures plastiques, dynamiques et agressives du panneau de Budapest ont fait place à des personnages circonspects et sans relief ; l'élan qui caractérisait les premières œuvres a disparu. Dans le domaine de la gravure — par exemple dans le *Saint Antoine* de 1506 —, le style de ses débuts se maintiendra plus longtemps, mais les traits que nous venons de signaler dans le *Retable de sainte Catherine* de Dresde se préciseront peu à peu. Un voyage dans les Pays-Bas augmentera considérablement son répertoire de motifs, mais aura peu d'influence sur son style. Pendant les années qui suivirent, la manière que Cranach avait trouvée à Wittenberg — et qui, non sans raison, avait été considérée comme un appauvrissement de son art — ne changera plus guère. Il oubliera alors complètement la préoccupation dominante de sa jeunesse — l'intégration des figures dans un ensemble —, et ses recherches s'orienteront vers un but entièrement différent. Dans le *Retable de la Sainte Parenté* de 1511 (Vienne, Akademie), les figures qui se détachent sur un fond sobre d'architecture se présentent isolément. Cette tendance à l'isolement est encore plus nettement soulignée dans un retable daté de 1526 où Cranach paraphrase la gravure magistrale de Dürer, représentant le *Cardinal Albrecht von Brandenburg en saint Jérôme dans son studio* (Sarasota, Ringling Museum). Le rendu de l'atmosphère qui enveloppe toute chose et fait le charme de la gravure de Dürer est totalement éliminé du tableau de Cranach, où chaque figure et chaque objet sont nettement délimités. A cela s'ajoute une plus vaste perspective, qui permet d'isoler les figures en les éparpillant. Le paysage même — autrefois espace vital pour la figure humaine — joue maintenant un rôle de décor. Ce trait sera particulièrement sensible dans les tableaux à l'horizon élevé, comme dans la *Chasse au cerf* de 1529 (Vienne, K. M.). Cette tendance à l'isolement est manifeste dans ses nombreuses *Vénus* et *Lucrèce* qui se détachent sur un fond sombre et rappellent dans leur présentation les *Vénus* de Botticelli. C'est surtout sous le règne de Jean le Constant (1526-1532) que des figures de femmes nues et des sujets mytholo-

Lucas Cranach (détail)
La Nymphe de la fontaine (1518) ▼
Leipzig, Museum der Bildenden Künste
Phot. Gerhard Reinhold

giques (maintenant répartis dans tous les musées du monde, notamment au Louvre) lui furent demandés, alors que sa production antérieure consiste essentiellement en œuvres religieuses — retables (celui de Torgau, un des plus importants, de Francfort, Staedel. Inst.) et madones. Quant au portrait, il joua dès le début dans la carrière du peintre un rôle prépondérant. C'est à Cranach que revient le mérite de nous avoir transmis non seulement les effigies des Électeurs de Saxe (*Frédéric le Sage,* v. 1519-20, Zurich, Kunsthaus) et d'autres personnalités princières (suite du musée de Reims), mais encore celle de *Martin Luther* (musée de Berne), dont il a laissé de nombreux portraits, qu'il divulgua aussi par la gravure sur bois et sur cuivre. Les visages aux traits rigoureusement dessinés se détachent de façon décorative sur un fond le plus souvent uniforme et sous un éclairage homogène. C'est grâce aussi à ses relations avec Luther que devait échoir en partage à Cranach de traduire en images les sujets les plus importants de la nouvelle doctrine. S'il ne s'agit pas toujours d'œuvres très marquantes, comme pourrait le laisser espérer l'illustration didactique de sujets théologiques, on peut considérer le *Péché originel* et la *Rédemption* comme les premières codifications de l'iconographie protestante, dont le rayonnement fut très grand. Le catalogue des œuvres de Cranach comprend 400 numéros, ce qui implique l'activité d'un atelier où l'on avait coutume de varier toujours légèrement les figures des répliques demandées par de nombreux clients, si bien que jamais un exemplaire n'était exactement semblable à l'autre. Le changement constaté à partir de 1509 dans la signature de l'artiste (le dragon aux ailes relevées se transforme en dragon aux ailes déployées) a été différemment interprété. L'hypothèse selon laquelle Cranach se serait, à partir de cette date, retiré de son atelier pour en laisser la succession à son fils Lucas le Jeune ne paraît pas justifiée par les œuvres connues, exécutées après 1537. Il n'existe pas de rupture de style entre les tableaux peints avant et après cette date. L'*Autoportrait* (Offices) réalisé en 1550, c'est-à-dire trois ans avant sa mort, témoigne de la force créatrice intacte de l'artiste. A. R.

Crespi

Giuseppe Maria

peintre italien

(Bologne 1665 - id. 1747)

Il se forma auprès de D. M. Canuti, puis dans l'atelier de Cignani (1684-1686). Pendant deux autres années, il fut en rapport étroit avec G. A. Burrini, qui contribua certainement à l'orienter vers l'étude de la peinture vénitienne. Il séjourna deux fois à Venise et visita également Parme, Urbino et Pesaro. Les gloires de la tradition locale eurent également un rôle considérable dans sa formation, tel l'art de Ludovic Carrache et celui de Guerchin, qu'il s'exerça même à copier. Sa première œuvre datable est le tableau d'autel de l'église de Bergantino (Rovigo), de 1688, auquel fait suite, de façon tout à fait cohérente, la toile de 1690 représentant *Saint Antoine abbé tenté par les démons* (Bologne, S. Nicola degli Albari), baroque dans sa mise en page scénographique, mais reposant sur des qualités picturales certaines.

Le chef-d'œuvre de ces années est la décoration à fresque de deux salles du palais Pepoli Campogrande de Bologne (1691) : là, tout pathétique dans les gestes ou les expressions, toute violence luministe se sont apaisés dans cette version humaine et profondément cordiale de thèmes mythologiques pourtant assez contraignants *(Hercule sur le char tiré par les heures* et le *Banquet des dieux).* Le réalisme de certains détails est le signe d'une attitude nettement opposée aux tendances classicisantes de l'école bolonaise, représentées à cette époque par Cignani, Franceschini et Creti.

Durant la dernière décennie du seicento, Crespi peignit des chefs-d'œuvre tels que la *Jeune Fille à la tourterelle* (Birmingham, City Museum) ou la *Musicienne* (Boston, M. F. A.), d'un naturalisme tout à fait direct. Au début du XVIIIe s., il peint pour le prince Eugène de Savoie l'*Éducation d'Achille* (Vienne, K. M.), œuvre dont on peut rapprocher d'autres peintures importantes telles qu'*Énée, Charon et la Sibylle (id.), Tarquin et Lucrèce* (Washington, N. G.), *Les Troyennes aveuglent Polymnestor* (Bruxelles, M. A. A.) et le tableau d'autel représentant l'*Extase de sainte Marguerite* (Cortone, musée diocésain), exécuté sur la commande du prince Ferdinand de Toscane. Crespi offrit à ce dernier, en 1708, le *Massacre des Innocents* (Offices), peint deux ans auparavant, et, en échange, il reçut l'hospitalité à la cour de Florence. En 1709, l'artiste fut de nouveau l'hôte, avec sa famille, de Ferdinand de Toscane, qui le reçut pendant six mois dans sa villa de Pratolino. C'est là qu'il exécuta la célèbre *Foire de Poggio a Caiano* (Offices), qui témoigne non seulement de souvenirs bassanesques, mais aussi de l'intérêt de Crespi pour la peinture de genre hollandaise, qu'il avait pu étudier dans les collections médicéennes. Si la *Foire* est une « tranche de vie » d'une grande habileté scénique, la série des *Sacrements* (Dresde, Gg), peinte v. 1712 pour le cardinal Ottoboni, révèle une méditation sur l'art de Rembrandt. Cet ensemble de 7 toiles est le chef-d'œuvre de Crespi et l'une des

Giuseppe Maria Crespi
◀ **La Confirmation**
Dresde,
Staatliche
Kunstsammlungen,
Gemäldegalerie
Phot. Gerhard Reinhold

réussites majeures de la peinture italienne du XVIIIe s. Dans cet esprit d'adhésion intime à la réalité est également conçu le trompe-l'œil des *Livres de musique* (Bologne, conservatoire de musique). Les *Scènes de la vie d'une cantatrice* et celles de *Bertoldo*, respectivement illustrées par le tableau de la *Puce* (plusieurs exemplaires : un aux Offices, un au Louvre) et par les petites peintures sur cuivre de la Gal. Doria Pamphili à Rome, dénotent de nouveau son goût pour le genre où il est passé maître (la *Laveuse de vaisselle,* Florence, Pitti, donation Contini-Bonacossi ; la *Masure,* Bologne, P. N.). Il transmit ce goût à des artistes tels que Piazzetta et Pietro Longhi, qui passèrent quelque temps dans son atelier à Bologne.

Son activité tardive fut surtout consacrée à l'exécution de nombreux tableaux religieux (la *Vierge et l'Enfant avec trois saints,* 1722, cathédrale de Sarzana ; 1728-29, Bergame, S. Paolo d'Argon), aux coloris plus ternes et à la facture plus lourde. Mais il peignit encore quelques œuvres de grande importance, telles que les tableaux pour le cardinal Ruffo (*David et Abigaïl, Moïse sauvé des eaux,* Rome, palais de Venise), l'admirable *Confession de la reine de Bohême* (Turin, Gal. Sabauda) et le *Portrait du cardinal Lambertini* (Vatican), dernier exemple d'une série de portraits singulièrement pénétrants : le *Porteur de lettres* (musée de Karlsruhe), le *Général Pallfy* (Dresde, Gg), une *Famille,* le *Chasseur* (Bologne, P. N.). R. R.

Crivelli

Carlo

peintre italien

(Venise v. 1430-1435 - Ascoli 1493-1500)

La première date concernant Carlo Crivelli, fils d'un certain Jacopo, Vénitien et peintre également, est celle de 1457, lors d'une condamnation à Venise pour adultère. On ne sait rien de sa formation, dont on déduit toutefois l'orientation initiale par les caractères de sa première œuvre signée, la *Vierge de la Passion* (Vérone, Castel Vecchio), qui, par son goût inventif, révèle tous les éléments formels et décoratifs de l'ardente culture padouane du milieu du xve s., culture propre à Squarcione et à son école, mais déjà tournée vers ces nouveautés de la Renaissance qui, importées en Vénétie par les Toscans (Donatello, Lippi), avaient déterminé la révélation de la personnalité de Mantegna.

Après quelques années passées à Zara (en 1465 il était citoyen de la ville), le peintre retourne en 1468 dans les Marches, où il signe et date le *Polyptyque* de l'église S. Silvestro de Massa Fermana et où, travaillant dans les différents centres de la région, il restera jusqu'à sa mort. L'isolement culturel où il se trouve dans cette région (où il ressent cependant quelques reflets de l'école de Ferrare et des échos de l'influence flamande apportée à la cour des Este par Rogier Van der Weyden) le conduit à approfondir et à faire évoluer la stimulante leçon des Padouans grâce à un système d'introspection original, singulièrement imprégné tout à la fois de l'esprit du Gothique tardif et de celui de la Renaissance.

Crivelli a laissé dans les Marches de nombreux polyptyques. La reconstruction de certains d'entre eux, auj. démembrés, a été suggérée par la critique récente. Tel est le cas du polyptyque de Porto S. Giorgio, divisé entre la N. G. de Londres *(Saints Pierre et Paul),* celle de Washington (*Madone,* panneau central), le Gardner Museum de Boston *(Saint Georges et le dragon),* l'Inst. of Arts de Detroit *(Pietà),* les musées de Tulsa *(Deux Saints)* et de Cracovie *(Deux Saints).* La structure de ces compositions, de goût gothique, et l'usage constant du fond or, qui traduit une tendance quelque peu archaïque du peintre, s'accompagnent d'un sentiment formel tout à fait « moderne », en accord avec la vision de la Renaissance qui se manifeste dans le relief nettement plastique donné aux figures et dans une volonté très claire de situer ces dernières dans l'espace à travers une recherche rigoureuse de la perspective : les diverses *Scènes de la Passion* de la savoureuse prédelle du polyptyque de Massa Fermana, le montrent bien.

Il est difficile d'établir une chronologie précise pour la suite des *Vierges* de Crivelli, depuis le chef-d'œuvre du musée de Corridonia jusqu'aux *Madones* de Bergame (Accad. Carrara), d'Ancône (Museo Civico), œuvre sans doute de jeunesse, du musée de San Diego, du Metropolitan Museum ; seule la *Vierge,* fragment d'un polyptyque du musée de Macerata, est datée (1470).

Le langage de l'artiste atteint sa véritable maturité dans le grand *Retable* à trois étages de la cathédrale d'Ascoli (1473), resté intact. Le raffinement de la modulation plastique, le rythme anguleux des compositions, les minutieuses descriptions élaborées avec une graphie suraiguë et un goût plein de fantaisie pour les situations paradoxales, l'élégance fastueuse des vêtements et jusqu'à la mimique si précieuse des mains (on en voit un autre exemple dans la *Sainte Madeleine* du Rijksmuseum) font de ce retable un chef-d'œuvre. Le *Triptyque* de Montefiore dell'Aso (église S. Lucia), récemment attribué entièrement à Crivelli et faisant partie d'un polyptyque de reconstruction problématique (en feraient également partie la *Vierge,* panneau central, et le *Saint François* du M. A. A. de Bruxelles, la *Pietà* de la N. G. de Londres et une série de *Saints* constituant la prédelle et dispersés en particulier entre les musées de Detroit, de Williamstown, d'Honolulu), est une autre œuvre fort importante dans l'évolution du peintre.

Ces grandes réussites marquent aussi la limite des possibilités expressives de l'artiste, limite à laquelle succède un recul stylistique dans le sens d'une peinture plus maniérée et plus décorative, soutenue toutefois par un style toujours extrêmement raffiné ; la *Vierge à la bougie* de la Brera (apr. 1490), centre d'un polyptyque jadis dans la cathédrale de Camerino, dont faisaient partie les *Saints* auj. conservés à Venise (Accademia), en est le parfait exemple. La dernière œuvre connue de Crivelli est le *Couronnement de la Vierge* (1493, autref. église des Franciscains à Fabriano, auj. Brera), composition extrêmement dense et d'une décoration chargée, avec une lunette figurant la *Pietà ;* à l'expressionnisme flamboyant qui marque les versions précédentes du même sujet (*Pietà* de Detroit et de Londres déjà citées ; *Pietà* du Metropolitan Museum, du Museum of Art de Philadelphie et du M. F. A. de Boston) succède ici une note sentimentale plus alanguie ; on remarque des fragments fort saisissants de vraie « nature morte ». Parmi les autres œuvres importantes de la deuxième partie de la carrière de Crivelli, on peut encore citer les deux retables de la N. G. de Londres, provenant de S. Domenico d'Ascoli, autrefois réunis en un seul polyptyque sous le nom de *Retable Demidov* (l'un d'eux est daté de 1476),

Carlo Crivelli
▲ **Retable (la Vierge et l'Enfant ; Saints ; Pietà)**
[1473]
Ascoli Piceno, cathédrale de Sant'Emidio
Phot. Fabbri

le *Saint Jacques de la Marche* (1477, Louvre), la *Madone* du musée de Budapest, le triptyque venant du dôme de Camerino (1482, Brera, pinacles partagés entre le Staedel. Inst. de Francfort et la coll. Abegg-Stockar de Zurich), la célèbre *Annonciation* venant de l'Annunziata d'Ascoli (1486, Londres, N. G.), le *Bienheureux Gabriele Ferretti en*

John Crome
◀ **Carrières d'ardoise**
(1802-1805)
Londres,
Tate Gallery
Phot. du musée

extase (autref. à S. Francesco d'Ancona) et le *Retable Odoni* (autref. à S. Francesco de Matelica) du même musée, enfin la *Remise des clefs à saint Pierre* (1488) de Berlin-Dahlem. F. Z. B.

Crome
John

peintre anglais
(Norwich, comté de Norfolk, 1768 - id. *1821)*

Il joua un rôle capital dans le développement de l'école de Norwich, dont il demeura le membre le plus important. Apprenti chez un peintre d'enseignes, il semble s'être formé seul en faisant des copies de paysages hollandais ou anglais appartenant aux collections locales. En 1792, il devient professeur de dessin dans une famille de la région et l'accompagne lors de plusieurs voyages dans le Lake District et le Derbyshire. En 1803, il est membre fondateur de la « Norwich Society of Artists », dont il devient président en 1808. Il se rend à Paris en 1814 pour voir le musée Napoléon.

Bien que difficile à suivre dans le détail, son développement artistique se fait lentement et reste sous la dépendance étroite de ses prédécesseurs. L'influence des maîtres anglais, comme Wilson et Gainsborough, semble dominer ses premières œuvres (*Carrières d'ardoise,* v. 1802-1805, Londres, Tate Gal.), mais d'autres, comme le *Four à chaux* (v. 1805, coll. part.), marquent son intérêt pour les modèles hollandais. Dans ses paysages du Norfolk natal, il essaie souvent de retrouver la lumière qui règne dans les tableaux d'Hobbema et de Ruisdael : *Bois de Marlingford* (1815, Port Sunlight, Lady Lever Art Gal.), *Port de Yarmouth* (av. 1812, Londres, Tate Gal.) ; cependant, à la fin de sa vie, il parvient à une maîtrise et à une conception de l'atmosphère qui lui sont propres, comme dans le *Chêne de Pozingland* (v. 1818-1820, *id.*). Ce fut un artiste inégal, mais dont les meilleures œuvres sont de très haute qualité. Il est bien représenté à Londres (N.G. ; Tate Gal. ; V.A.M. : la *Route ombragée*) et au musée de Norwich (*Boulevard des Italiens à Paris,* 1814). W. V.

Cuyp
Aelbert

peintre néerlandais
(Dordrecht 1620 - id. *1691)*

Notable de la ville de Dordrecht, il y occupa à plusieurs reprises les fonctions de « régent ». Il a peint surtout des paysages, mais aussi des scènes bibliques, des natures mortes avec des oiseaux et des portraits (Rijksmuseum, Louvre). La diversité des genres qu'il pratiqua s'explique par le fait qu'il vivait dans une petite ville de province où les habitants, comme ce fut le cas dans les grandes villes hollandaises au XVIIe s., ne pouvaient recourir à des peintres spécialisés dans chaque genre. Il en était de même pour Hendrick ten Over, qui demeurait à Zwolle, localité encore plus isolée.

Les sources écrites ne révèlent pas que Cuyp ait jamais quitté la ville de Dordrecht. Cependant, il a peint des vues de Delft, de Nimègue (coll. du duc de Bedford, Woburn Abbey; Indianapolis, Herron Art Museum) et d'Utrecht, ce qui laisse supposer qu'il s'est déplacé. Son père, Jacob Gerritsz, s'était formé chez Abraham Bloemaert, à Utrecht; l'influence du style utrechtois étant évidente chez son fils, celui-ci doit aussi avoir vécu assez longtemps à Utrecht, probablement de 1645 à 1650 (comme pourrait en témoigner le *Paysage de la région d'Utrecht* du musée de Strasbourg). Il débuta en peignant à grandes touches des paysages peu compliqués, d'un coloris jaune-brun très nuancé, selon un procédé étroitement apparenté à celui de Jan Van Goyen, qui, v. 1640, jouissait d'une grande vogue en Hollande. Peu après, Cuyp se mit à modeler plus subtilement les animaux et les plantes de ses tableaux, et l'effet naturel de la lumière solaire commença à attirer son attention. Son œuvre offre alors bien des analogies avec les représentations de volailles du peintre utrechtois Gijsbert d'Hondecoeter. L'importance donnée à la lumière naturelle était d'ailleurs une tradition depuis Cornelis Van Poelenburgh, qui avait voyagé en Italie et qui y avait élaboré une technique nouvelle pour rendre la clarté vive et chaude du Midi. Son influence indirecte sur Cuyp est évidente au cours de cette période. Cuyp a été surtout un grand admirateur de Jan Both, rentré à Utrecht en 1641 après un voyage en Italie. Il lui emprunte ce ton chaud et doré de ses tableaux, les points lumineux qui éclairent les troncs d'arbre et les tiges des plantes.

Si, auparavant, Cuyp composait ses paysages à l'aide de petits motifs, dès lors, suivant l'exemple de Both, il donne un rythme plus ample à sa composition en y introduisant de hautes collines et de grands arbres. Cependant, sa touche est plus large, plus décorative que celle de Both, et chez lui les détails sont moins fins. Ses personnages (souvent des portraits) et ses animaux, aux proportions exagérées, sont assez lourds et présentent des traits hypertrophiés. En même temps, ils sont caractérisés par une immobilité qui donne à ses tableaux un calme monumental. La perspective accentue encore cet effet massif des animaux et des personnages : le peintre se place en contrebas et obliquement devant ses sujets, qui détachent sur le ciel leurs silhouettes robustes. Ses meilleurs paysages rayonnent de soleil et il en émane une fluidité sereine. Le plus souvent, il prend comme

Aelbert Cuyp
Vue de Nimègue ▼
Woburn Abbey, collection marquis de Tavistock
Phot. Fabbri

sujets des sites vallonnés où figurent des bergers et des animaux (Louvre et Cologne, W. R. M.), mais il a peint de la même manière une série de vues de rivières lentes, telle la Meuse à Dordrecht (Metropolitan Museum ; Toledo, Ohio, Museum of Art ; Londres, N. G. et Wallace Coll.), et quelques paysages d'hiver.

Après 1650, Cuyp n'a guère daté ses œuvres et ne semble pas avoir beaucoup évolué. Si l'on se réfère aux costumes de ses personnages, on peut présumer qu'après 1670 il a cessé, ou presque, de peindre. On constate des différences sensibles de qualité dans sa production. Ses toiles se trouvent presque toutes en Angleterre, où Cuyp fut redécouvert à partir de 1750, après avoir été oublié pendant une centaine d'années ; c'est alors que d'habiles marchands les recherchèrent en Hollande, pour les vendre en Angleterre (importantes séries dans des coll. part. et à Londres, N. G. et Wallace Coll.). À la suite de ce regain d'intérêt, bien des tableaux étrangers au style de Cuyp lui ont été attribués et portent même sa signature. A. Bl.

Dahl

Johan Christian Clausen

peintre norvégien

(Bergen 1788 - Dresde 1857)

Il reçut à Bergen une formation artisanale, puis, en 1811, se rendit à Copenhague et s'inscrivit à l'académie des beaux-arts, où il fut marqué par les artistes danois J. Juel et C. W. Eckersberg, les anciens paysagistes hollandais (Ruisdael, Everdingen, Hobbema et Jan Both) ainsi que par les dessins de Claude Lorrain. Il se manifesta tout d'abord en une suite de paysages danois (1814). Fixé à Dresde en 1818, il devint membre de l'académie des beaux-arts en 1820 et professeur en 1824 (*Vue de Dresde,* Dresde, Gg ; *Vue d'une fenêtre sur le château de Pillnitz,* 1823, Essen, Folkwang Museum). Il se lia d'amitié avec G. D. Friedrich, dont les premiers paysages romantiques lui laissèrent une forte impression. Au cours d'un séjour en Italie (1820-21), il exécuta de nombreuses études d'après nature, fraîches et spontanées, dans lesquelles il se montre attentif à rendre fidèlement la lumière et l'atmosphère. En 1826, Dahl accomplit son premier voyage d'études dans son pays natal et découvrit la Norvège de l'Est et ses montagnes ; il décida d'entreprendre la description de son pays en une longue suite de tableaux de grand format, valables par leur objectivité, la richesse du détail et leur effet dramatique : *Naufrage sur la côte norvégienne* (1832, Oslo, Ng), la *Cascade de Helle* (1838, *id.*), *Bouleau dans la tempête* (1849, Bergen, Billedgalleri). Il devint ainsi le fondateur d'un nouveau style et le professeur d'une lignée d'élèves tels que Thomas Fearnley. L'influence de son école atteignit aussi la peinture de paysage allemande et danoise. Le recueil de planches dessinées d'églises norvégiennes en bois, constitué à partir de son œuvre, témoigne de son vif intérêt pour le passé culturel norvégien. Ses paysages nordiques sont principalement conservés dans les musées d'Oslo, de Copenhague, de Berlin, de Hambourg. L. Ø.

Johan Christian Dahl **Vue de Dresde au clair de lune** ▶ (1839) Dresde, Staatliche Kunstsammlungen, Gemäldegalerie
Phot. Gerhard Reinhold

Salvador Dalí
Prémonition de la guerre civile (1936) ▲
Philadelphie, Museum of Art,
collection Louise et Walter Arensberg

Dalí
Salvador

peintre espagnol
(Figueras, Catalogne, 1904)

Génie protéiforme, en proie à cette mobilité catalane qui se retrouve chez Picasso et chez Miró, Dalí manifeste très tôt son agilité intellectuelle en subissant, entre 1920 et 1925, les tentations simultanées de l'Académisme (il se forme aux Beaux-Arts de Madrid et gardera toujours une grande habileté de praticien), du réalisme hollandais et espagnol, du Futurisme, du Cubisme et du réalisme cubisant de l'après-guerre (*Jeune Fille assise, vue de dos,* 1925, Madrid, M. E. A. C.). Sa vocation pour un art de l'inconscient s'éveille à la lecture passionnée de Freud et lui fait d'abord pratiquer la « peinture métaphysique ». Sa première exposition se tient à Barcelone, gal. Dalmau, en novembre 1925. Il peint à cette époque des compositions où apparaît déjà l'obsession des paysages marins de son enfance, qui ne l'abandonnera plus (*Femme devant les rochers,* 1926, Milan, coll. part.). À Paris en 1927, puis en 1928, il rencontre Picasso et Breton. Il est alors prêt à se joindre au groupe surréaliste, qui a élaboré des idées voisines, et, selon Breton, il s'y « insinue » en 1929. Il rencontre ainsi Gala Eluard, qui va devenir sa compagne et son inspiratrice.

Dalí met au service du mouvement une publicité ingénieuse et bruyante. Une exposition à la galerie Goemans, en 1929, présente ses œuvres surréalistes (l'*Énigme du désir, Ma mère, ma mère, ma mère,* 1929, Zurich, coll. part.), illustrant sa théorie de la « paranoïa critique », qu'il expose dans son livre *la Femme visible* (1930). Il s'agit, à la suite d'une tradition illustrée par Botticelli, Piero di Cosimo, Vinci (qui l'avait formulée dans le *Traité de la peinture*) et, plus récemment, par le « tachisme » romantique et par les frottages de Max Ernst, de représenter des images suscitées par de libres associations d'idées à partir de formes données par le hasard, signifiantes ou non. De là ces peintures où, sous l'apparence de trompe-l'œil minutieux, les objets s'allongent (montres molles), se dissolvent, pourrissent, se métamorphosent en d'autres objets, ou encore ces interprétations incongrues de tableaux célèbres, comme l'*Angélus* de Millet, où le chapeau de l'homme dissimule, selon Dalí, un sexe en érection. Il y a là une gymnastique intellectuelle qui ne va pas sans complaisance et où les limites du jeu ne sont d'ailleurs pas spécifiées. Malgré le reniement de Breton en 1934, provoqué par le comportement du peintre, l'art de Dalí relève bien de l'esthétique surréaliste, dont il partage la poésie du dépaysement, l'humour, l'initiative laissée à l'imagination (*Persistance de la mémoire,* 1931, New York, M. O. M. A.; *Prémonition de la guerre civile,* 1936, Philadelphie, Museum of Art). Il est même abusif d'en nier l'originalité : sous une technique que Dalí rapproche lui-même, avec une fierté provocatrice, de celle de Meissonier, les thèmes obsessionnels révèlent un univers intime cohérent, sous le signe de l'érotisme, du sadisme, de la scatologie, de la putréfaction. Les influences de Chirico, d'Ernst, de Tanguy sont assimilées avec une horreur avouée de la simplicité, sous le signe du Modern Style (celui de son compatriote Gaudi), dont Dalí célèbre « la beauté terrifiante et comestible » — tous caractères que l'on reconnaît dans ses créations extrapicturales, comme ses poèmes et ses films (en collaboration avec Buñuel : *Un chien andalou,* 1928; *l'Âge d'or,* 1930).

En 1936, Dalí affecte un retour spectaculaire au « classicisme » italien, qui couronne sa rupture avec le Surréalisme historique. De 1940 à 1948, il vit aux États-Unis. De retour en Espagne, il s'installe à Port Lligat, en Catalogne. Il épouse religieusement Gala en 1958. Puisant à toutes les sources — réalisme néerlandais et baroque italien (*Christ de Saint-Jean-de-la-Croix,* 1951, Glasgow, Art Gal.), aussi bien qu'Action Painting et Pop'Art —, il déploie un génie publicitaire pour créer et entretenir son mythe personnel (jusque dans son personnage physique) et, à force d'inventions et d'acrobaties, d'avances aux gens du monde, de compromissions avec les puissances politiques et religieuses, il finit par s'imposer aux yeux du public comme l'authentique représentant du Surréalisme (la *Pêche au thon,* 1966-67, Marseille, fondation Paul Ricard). Vie et œuvre se confondent alors dans une imposture générale qui pourrait bien être aussi une œuvre d'art digne de forcer sinon l'approbation, du moins une attention moins sceptique. Le B. V. B. de Rotterdam a consacré à Dalí une vaste rétrospective (novembre 1970 - janvier 1971). Un musée Dalí, dont le peintre fut lui-même le promoteur, a été créé en 1974 à Figueras, sa ville natale et un autre musée, à Cleveland, abrite depuis 1971 la coll. Reynold Morse. Il est représenté dans des musées européens et américains, notamment à Bâle, Londres, Glasgow, Paris, Chicago, Cleveland, Hartford, New York (Metropolitan Museum et M. O. M. A.), Philadelphie, Washington. P. Ge.

Daniele da Volterra

Daniele Ricciarelli, dit

peintre italien

(Volterra v. 1509 - Rome 1566)

La réhabilitation de cet artiste, considéré autrefois comme un imitateur servile de Michel-Ange et connu surtout pour avoir couvert les nudités du *Jugement dernier* de la Sixtine (d'où son surnom de « braghettone »), est récente. Sa formation demeure encore problématique. D'après Vasari, il aurait été à Sienne l'élève de Peruzzi et de Sodoma; la fresque de la *Justice* (Volterra, Pin.), qu'on lui attribue en raison de la signature qui y figure, semblerait confirmer cette hypothèse. Mais il y a une indéniable rupture entre la qualité médiocre de cette œuvre et la production de Daniele lors de son arrivée à Rome, v. 1536-37, où la maturité de son style s'impose aussitôt dans les travaux importants, qui, d'ailleurs, auraient été difficilement confiés à un peintre sans renom et de formation provinciale.

Des doutes ont donc été formulés sur la fresque de Volterra ainsi que sur le récit de Vasari, et on a proposé l'hypothèse d'un précédent séjour romain de l'artiste. On en retrouverait les traces dans une *Vierge à l'Enfant* (Fiesole, coll. part.) qui illustrerait plus heureusement son activité de jeunesse. Quoi qu'il en soit, la décoration du palais Maffei à Volterra, sa première œuvre documentée, en 1535, étant perdue, la reconstitution de sa carrière sort du domaine des conjectures avec la décoration de la salle du premier étage du Palazzo Massimo à Rome, une frise en fresque et stuc conçue dans l'esprit de l'école de Raphaël et qui, dans sa recherche d'une claire définition de l'espace, se rattache notamment aux réalisations de Perino del Vaga. À cette même période, entre 1535 et 1540, appartiennent aussi, sans doute, deux panneaux avec le *Martyre de saint Jean l'Évangéliste* et la *Décollation de saint Jean-Baptiste* (musée de Douai) et un *Saint Paul* (Volterra, coll. Inghirami). Le conflit entre les leçons raphaélesques et michélangelesques, problème clé du milieu romain de ce moment, devint singulièrement plus aigu avec l'apparition du *Jugement dernier* sur le mur du fond de la Sixtine. La réponse donnée par

Daniele da Volterra
▲ **Déposition de croix**
Rome, église de la Trinité-des-Monts,
Phot. Scala

Daniele à ce problème — avec la décoration à fresque de la chapelle Orsini à la Trinité-des-Monts (v. 1543-1545), dont seule subsiste l'admirable *Déposition,* mais que nous connaissons par la description de Vasari, des gravures et un dessin particulièrement révélateur (musée de Hambourg) — fut parmi les plus heureuses. Daniele avait déjà montré son adhésion à la conception spatiale du *Jugement* dans les deux *Apôtres* peints à fresque en l'église de S. Marcello; ici, en l'adoptant de nouveau et sur une plus vaste échelle, avec ses implications formelles et spirituelles hautement dramatiques, à l'intérieur d'un vigoureux décor en stuc, il conféra à ce dernier élément une fonction nouvelle, celle de limite volontairement posée à la force expansive de la composition; limite structurale à laquelle correspond, au niveau de l'image, un accent classique non dépourvu de précieuses subtilités, dont l'inspiration raphaélesque et périnesque est évidente. Le stuc devait acquérir une importance de plus en plus grande dans la conception décorative de Daniele et atteindre, dans la frise de la salle d'angle, au premier étage du palais Farnèse (v. 1545-1550), des résultats analogues à ceux de l'école de Fontainebleau, qui permettent de supposer un contact avec Primatice, lors de son séjour à Rome en 1540. Dans sa peinture, par ailleurs, il s'éloigne de Michel-Ange et affirme un langage personnel, tendre et imagé, tendant à l'abstraction formelle, que l'on retrouve, plus prononcée, dans les fresques de la chapelle della Rovere à la Trinité-des-Monts (1548-1553) et dans la *Décollation de saint Jean-Baptiste* (Turin, Gal. Sabauda), qui leur est contemporaine. Les dernières peintures de l'artiste, de plus en plus intéressé par les stucs (*Sala Regia,* 1547-1549, et *Atrio del torso* au Vatican, 1551-52) et qui, en 1557, décida de se consacrer exclusivement à la sculpture, trahissent un nouveau rapprochement avec l'art de Michel-Ange, s'exprimant soit sous la forme de simples citations dans un contexte stylistique différent (*David et Goliath,* Fontainebleau), soit par une reprise plus substantielle de la conception de la chapelle Pauline dans des œuvres comme *Élie dans le désert* et la *Vierge à l'Enfant avec le petit saint Jean et sainte Barbe* (Sienne, Casa Pannochiaschi d'Elci, v. 1550). G. R. C.

Daumier

Honoré

peintre français
(Marseille 1808 - Valmondois 1879)

Fils d'un vitrier de Marseille, il arriva enfant à Paris; son père, se croyant des dons littéraires, venait y tenter fortune. Daumier manifesta tôt des aptitudes pour le dessin et, après avoir été saute-ruisseau, puis commis de librairie, il convainquit les siens de sa vocation. En 1822, il devint l'élève d'Alexandre Lenoir, qui lui inculqua son amour de l'antique et sa dévotion pour Titien et Rubens. Il préféra vite un travail solitaire à l'académie Suisse et au Louvre, où il dessina d'après les sculptures grecques et copia les maîtres, habitude qu'il garda sa vie durant. Il gagnait son pain chez un lithographe quand le polémiste Philippon, fondateur de la *Caricature,* l'engagea. Un dessin, *Gargantua* (1831), raillant Louis-Philippe, lui valut six mois de prison et une célébrité qui s'affirma en 1834 avec *Enfoncé La Fayette,* le *Ventre législatif* et la *Rue Transnonain.* Ces trois œuvres recèlent déjà tout son art de dessinateur : un trait cursif engendrant

Honoré Daumier
▲ **Le Drame**
Munich, Bayerische Staatsgemäldesammlungen, Neue Pinakothek
Phot. Blauel

un volume, une science de la composition par masses due à son instinct de sculpteur, qui le conduisit souvent à modeler ses figures avant de les dessiner ou de les peindre. Son esprit y réside aussi : une intelligence du grotesque dénuée d'acrimonie, une pudeur devant l'outrance qui sublima l'horreur de la *Rue Transnonain.* La loi de censure de 1835 le contraignit à taire ses opinions républicaines. Il entreprit alors et poursuivit jusqu'à la fin de sa vie son immense œuvre de lithographe, composé de près de 4000 pièces, parues pour la plupart dans le *Charivari,* où, soit au travers de célèbres séries (*Robert Macaire,* 1836-1838; les *Baigneurs,* 1839; les *Dieux de l'Olympe,* 1841; les *Gens de justice,* 1845-1848; *Locataires et propriétaires,* 1848), soit par des dessins indépendants groupés sous les titres d'*Actualités* ou de *Tout ce qu'on voudra,* il stigmatisa les fripons, moqua les bourgeois ou, avec une bonhomie avoisinant la tendresse, taquina les humbles.

Le premier tableau où se révéla son génie de peintre est la *République* (1848, Louvre). Cette esquisse répondait au concours institué par le nouveau gouvernement; retenue par le jury, elle resta pourtant sans lendemain. Daumier témoigna toujours de son besoin de contact avec la vie, et l'allégorie ne l'inspira guère. À l'aide de thèmes peu variés, avocats, scènes de rue et de chemin de fer, saltimbanques, amateurs et artistes (l'*Amateur d'estampes,* Paris, Petit Palais), il pénétra avec un sens divinatoire l'homme et sa condition au-delà du réalisme et de l'individu. Dans ce sentiment, il traita quelques sujets religieux (*Nous voulons Barabbas,* v. 1850, Essen, Folkwang Museum) et ceux que la mythologie ou les fables de La Fontaine lui offrirent. Ses deux sculptures fameuses *Émigrants* (1848, Louvre) et *Ratapoil* (1850, *id.*) concrétisent chacune sa double tentation de peintre classique et baroque. Il fut classique par sa retenue, l'ordonnance mesurée de ses mises en page, où se retrouve souvent le parti pris d'une composition en frise : les *Joueurs d'échecs* (v. 1863, Paris, Petit Palais), l'*Attente à la gare* (v. 1863, musée de Lyon), la *Parade* (v. 1866, Bucarest, musée Simu) et tant d'autres, dont le chef-d'œuvre est le *Wagon de IIIe classe* (v. 1862, Metropolitan Museum). Il fut baroque par ce qu'il hérita de Rubens, c'est-à-dire le sens de la couleur et d'un rythme endiablé (*Nymphes poursuivies,* v. 1848, musée de Montréal ; le *Meunier, son fils et l'âne,* v. 1849, Glasgow Art Gal. ; *Silène,* v. 1849, musée de Calais), par son goût des contrastes lumineux, qui l'incita à rendre les éclairages artificiels des salles de spectacles (le *Drame,* v. 1859, Munich, Neue Pin.), par son goût des oppositions de volumes, d'une pâte généreuse aux tons sourds, se détachant sur un fond clair. Il accentua ainsi la puissance plastique de la figure installée devant un décor suggéré (la *Blanchisseuse,* v. 1863, Orsay ; l'*Homme à la corde,* v. 1858-1860, Boston, M. F. A.). À cette dualité de tendances s'ajouta parfois un caractère visionnaire qui rapprocha Daumier de Goya et exprima son lyrisme, dont il empreint ses souvenirs de théâtre (*Crispin et Scapin,* v. 1860, Orsay) et ses *Don Quichotte* (Orsay ; Munich, Neue Pin. ; Otterlo, Kröller-Müller ; Metropolitan Museum). Sa technique picturale fut infiniment variée. Sa touche tantôt grasse, tantôt fluide ou même flochetée évolua sans cesse. Cette diversité nous paraît encore accrue par le fait que nombre de ses peintures (quelque 300 numéros) restèrent inachevées.

Daumier fut admiré sans réserve par les romantiques, Delacroix, Préault, les assidus de l'hôtel Pimodan, les peintres de Barbizon, Millet en particulier. Il fut loué par la critique (Baudelaire, Banville), mais il demeura mal compris du public. Il vécut sans gloire et mourut aveugle dans une quasi-misère malgré l'aide fraternelle de Corot. Étroitement suivi par les dessinateurs de son temps (Gavarni, Cham le démarquèrent souvent), son influence de peintre fut immense. Elle s'exerça directement sur ses contemporains et sur la génération suivante, Manet, Degas, Monet, Toulouse-Lautrec, Van Gogh, et les derniers échos de l'art de Daumier retentissent de nos jours, avec des sons différents, chez les fauves, les expressionnistes allemands, chez Soutine et chez Picasso. H. T.

David

Gérard

peintre flamand

(Oudewater v. 1460/1465 - Bruges 1523)

Il est reçu maître à Bruges en 1484. On ignore les conditions de sa formation, mais il paraît certain qu'il connut l'art des maîtres de Haarlem et particulièrement de Gérard de Saint-Jean, dont on trouve l'influence des figures solennelles et puissantes dans ses premières œuvres. Il en reprend les éléments essentiels comme l'esprit dans plusieurs versions d'une *Nativité* (musée de Budapest ; Metropolitan Museum) et une *Adoration des mages* (Bruxelles, M. A. A.). Dans le triptyque de la *Mise en croix* (Londres, N. G. ; volets au musée d'Anvers), on décèle l'influence de Bouts et de Gérard de Saint-Jean. Bien accueilli à Bruges, David est chargé de fonctions dans le cadre de la confrérie des peintres et épouse, après 1496, Cornélie Cnoop, fille du doyen de la confrérie des orfèvres. En 1498, il achève, pour l'hôtel de ville de Bruges, 2 tableaux consacrés à des exemples de justice (*Jugement de Cambyse, Châtiment de Sisamnès,* musée de Bruges) : la concentration de l'intérêt sur les personnages dressés côte à côte en un rythme solennel est d'une force surprenante, qui se retrouve dans les tableaux d'autel : le *Mariage mystique de sainte Catherine* (Londres, N. G.) et la *Vierge entre les vierges* (musée de Rouen). Pourtant, son style s'assouplit pour traduire des visages féminins, encore imprégnés d'une grâce enfantine qui lui est propre. Dans 3 autres œuvres, le *Chanoine Bernardin Salviati et trois saints* (v. 1501-1502, Londres, N. G.), le *Baptême du Christ* (v. 1507 ?, musée de Bruges) et les volets extérieurs d'un triptyque de la *Nativité* (Mauritshuis), apparaissent de larges paysages : ils doivent à Gérard de Saint-Jean l'importance accordée au feuillé des arbres. En particulier, les volets du Mauritshuis sont consacrés uniquement au paysage qui, sans horizon lointain, s'ouvre sur une clairière. Les œuvres de la maturité de David, la *Crucifixion* (Berlin-Dahlem), les *Noces de Cana* (Louvre), sont caractérisées par un type humain bien reconnaissable aux corps râblés, aux visages ronds, surtout ceux des femmes, inscrits en volumes très fermes dans un espace nettement défini. Il emprunte souvent des schémas de composition à ses aînés :

Gérard David
◀ **Le Baptême du Christ**
(triptyque
de *Jean des Trompes*)
Bruges,
musée communal
Phot. Scala

Van der Goes (*Adoration des mages,* Munich, Alte Pin.), Bouts (*Déposition de croix,* New York, Frick Coll.). Une commande destinée à l'abbaye de la Cervara, en Ligurie (1506), qui laisserait supposer un éventuel voyage du peintre en Italie, le conduit à réaliser un retable de type italien, construit autour de grandes figures plastiques (panneaux dispersés entre le Palazzo Bianco de Gênes, le Metropolitan Museum et le Louvre).

Dans la dernière période de son activité, David crée des compositions très populaires, un peu sentimentales, répétées en de nombreux exemplaires par lui-même et son atelier. La *Vierge à la soupe au lait* (meilleur exemplaire au Mauritshuis) s'inscrit dans la tradition familière hollandaise, ainsi que la *Fuite en Égypte* avec la Vierge allaitant (Metropolitan Museum) et des petits panneaux comme celui du *Christ prenant congé de sa mère (id.).* La tradition veut que Gérard David soit l'auteur d'enluminures : il en est très peu pourtant qui puissent lui être attribuées (*Livre d'heures d'Isabelle d'Espagne,* British Museum ; *Livre d'heures* à l'Escorial). Le musée de Bruges conserve le plus grand ensemble de son œuvre.

A. Ch.

David

Jacques Louis

peintre français
(Paris 1748 - Bruxelles 1825)

En 1757, à la mort de son père, le marchand mercier Maurice David, Jacques Louis est élevé par son oncle Jacques Buron et orienté vers l'architecture. Mais, rêvant de devenir peintre, le jeune homme obtient finalement de son tuteur de suivre sa vocation, et, après avoir fréquenté l'académie de Saint-Luc, il suit à partir de 1766 les cours de Vien. Ayant présenté au concours du prix de Rome, en 1771, le *Combat de Minerve et de Mars* (Louvre), il ne remporte que le deuxième prix et devra attendre plusieurs années avant d'obtenir la mention tant convoitée. Après quelques échecs qui faillirent le pousser au suicide, c'est en 1774 que le premier prix lui revient enfin pour son tableau *Érasistrate découvrant la maladie d'Antiochus* (Paris, E. N. B. A.). L'année suivante, l'artiste part pour Rome en compagnie de Vien, nouvellement nommé directeur de l'Académie de France.

Les cinq années passées dans la Ville Éternelle vont être décisives pour l'évolution de sa carrière. Ayant quitté Paris avec la conviction que l'antique ne le séduirait pas, il est frappé sur place par la grandeur de cette civilisation et se trouve, en outre, plongé dans le grand mouvement néo-antique et initié, par l'intermédiaire de Peyron, Giraud, Quatremère de Quincy, aux théories nouvelles propagées par Mengs et l'archéologue Winckelmann. Abandonnant momentanément la peinture pour le dessin, David se met alors à étudier les monuments de l'ancienne Rome ainsi que les toiles des grands maîtres, et l'on peut suivre dans ses carnets de croquis (Louvre ; Cambridge, Mass., Fogg Art Museum ; Stockholm, Nm) l'évolution de ses idées esthétiques. Peu nombreuses sont les peintures que l'on connaît de cette période. La plus importante, réalisée au retour d'un voyage à Naples pour le Lazaret de Marseille, *Saint Roch intercédant auprès de la Vierge pour la guérison des pestiférés* (1780, musée de Marseille), illustre la rupture avec l'enseignement de Boucher, avec qui David était apparenté par sa mère, et même avec celui de Vien ; le réalisme des figures du premier plan, l'expression des visages annoncent les recherches de Gros dans les *Pestiférés de Jaffa* (Louvre).

La plus ambitieuse, sans doute, est l'œuvre récemment retrouvée illustrant un passage de *l'Iliade,* les *Funérailles de Patrocle* (Dublin, N. G.), toile encore chargée de réminiscences baroques, mais construite selon des rythmes plus sages.

Lorsqu'il revient en France en 1780, l'artiste a acquis non seulement un répertoire inépuisable de formes et de sujets, mais une maturité et une expérience qui se révèlent dans le tableau exposé au Salon de 1781, *Bélisaire reconnu par un soldat* (musée de Lille), puis, deux ans plus tard, dans son morceau de réception à l'Académie, *la Douleur et les regrets d'Andromaque sur le corps d'Hector* (Louvre). Sa réputation allant en grandissant, il ouvre un atelier où très vite les élèves — et parmi ceux-ci Girodet, Fabre, Wicar, Drouais — se pressent. En 1784, ayant reçu de M. d'Angiviller la commande d'un tableau et choisissant de traiter le *Serment des Horaces* (Louvre), David repart pour Rome afin d'exécuter sa toile dans une atmosphère « antique ». Exposée à Rome avant d'être envoyée au Salon de 1785, la composition — dans laquelle s'affirment la primauté de la ligne et du statisme sur la couleur et le mouvement ainsi que le retour à un humanisme classique — remporte un triomphe éclatant et est acclamée comme le manifeste accompli de la nouvelle école. Fidèle à la formule des *Horaces,* un sujet antique à peu de personnages, David expose en 1787 la *Mort de Socrate* (Metropolitan Museum), puis en 1789 *Les licteurs rapportent à Brutus le corps de ses fils* (Louvre) et les *Amours de Pâris et d'Hélène (id.).*

La Révolution survient, qui le fait basculer directement de l'histoire dans l'actualité. Militant

Louis David, **L'Enlèvement des Sabines** (1799) ▼
Paris, musée du Louvre
Phot. Lauros-Giraudon

passionné, il met son art et sa personne au service de la nation. Successivement député à la Convention, membre du Comité de sûreté générale, grand ordonnateur des fêtes et des cérémonies révolutionnaires, son activité s'exerce dans tous les domaines. Lorsqu'il prend ses pinceaux, c'est pour illustrer certains épisodes de ce temps, tragiques (*Marat assassiné,* 1793, Bruxelles, M. A. M. ; *Mort du jeune Bara,* 1794, musée d'Avignon) ou héroïques (le *Serment du Jeu de paume,* tableau qui ne fut pas achevé), avec une force et une vérité que l'on retrouve dans ses portraits intenses et directs de parents, d'amis ou de personnalités admirées. La franchise d'observation, la sûreté de la facture qui caractérisaient déjà le *Portrait du comte Potocki* (1780, musée de Varsovie) et les premières effigies des familles Buron ou Sedaine révèlent que l'artiste, échappant aux contraintes esthétiques et à l'emprise de l'Antiquité, sait exalter pour le portrait le meilleur de ses dons. Et son incomparable technique triomphe dans les figures bien connues de *Lavoisier et sa femme* (1788. New York. Metropolitan Museum), de la *Marquise d'Orvilliers* (1790, Louvre), de *Madame Trudaine* (v. 1790-91, *id.*), de *Madame de Pastoret* (Chicago, Art Inst.) ou de *Monsieur* et *Madame Sériziat* (1795, Louvre), qui se détachent avec une simplicité monumentale sur un fond neutre.

Accusé de haute trahison après la mort de Robespierre (1794), David est à deux reprises incarcéré au palais du Luxembourg, transformé en prison ; outre la *Vue du Luxembourg,* son seul paysage peint, il y conçoit les *Sabines* (Louvre), qu'il terminera en 1799 et qui témoigne de son désir d'atteindre à une perfection stylistique plus grande, à l'imitation des Grecs. L'année suivante, il entreprend, sans toutefois l'achever, le *Portrait de Juliette Récamier* (Louvre), à demi étendue sur un lit de repos de forme antique et dont la souple tunique blanche tranche délicatement sur les frottis gris et bruns du mur et du parquet.

La rencontre avec Bonaparte, dont il fixe les traits dans une brillante esquisse (v. 1797-98, Louvre) et l'image héroïque dans le *Portrait équestre de Bonaparte au mont Saint-Bernard* (1800, versions à Malmaison, Versailles et Berlin, Charlottenburg), devait arracher le peintre à la fiction antique, le restituer à l'histoire contemporaine. Nommé premier peintre de l'Empereur en décembre 1804, David est chargé de commémorer les scènes principales des fêtes du couronnement. Sur les 4 compositions prévues, 2 seront exécutées : le *Sacre* (1805-1810, Louvre) et la *Distribution des aigles* (1810, Versailles) ; les 2 autres, l'*Intronisation* et l'*Arrivée à l'Hôtel de Ville,* ne sont connues que par des dessins (Louvre ; musée de Lille). Époque glorieuse mais sans lendemain, car l'artiste, malgré une renommée désormais internationale, devant l'insuccès de ses démarches pour prendre la direction des Beaux-Arts et obtenir la place que Le Brun occupait deux siècles auparavant auprès de Louis XIV, abandonne les travaux et le monde officiels. Il reprend, dès 1813, le *Léonidas* (Louvre ; commencé en 1802, le tableau avait été interrompu par les commandes impériales) que l'Empereur ira admirer à son retour de l'île d'Elbe en mars 1815. Certains portraits officiels de cette époque comptent parmi les plus remarquables de son œuvre : le *Comte François de Nantes* (1811, Paris, musée Jacquemart-André), *Napoléon* (1812, Washington, N. G.), *Madame David* (1813, *id.*).

À la Restauration, David, qui était resté fidèle à Napoléon, préfère s'exiler en Belgique plutôt que de solliciter sa grâce auprès de Louis XVIII. Accueilli avec enthousiasme par ses anciens élèves belges, il ouvre un atelier à Bruxelles et consacre les dernières années de sa vie à peindre, dans une facture qui révèle un alanguissement certain de ses théories, des sujets galants inspirés de la mythologie ou de la littérature antiques (l'*Amour et Psyché,* 1817, musée de Cleveland ; *Télémaque et Eucharis,* 1818, coll. part. ; *Mars désarmé par Vénus et les Grâces,* 1824, Bruxelles, M. A. M.), ne s'interrompant que pour exécuter des portraits dont la sobriété et la franchise le placent dans la grande lignée des portraitistes français de Fouquet à Cézanne (*Monsieur et Madame Mongez,* 1812, Louvre ; *Sieyès,* 1817, Cambridge, Mass., Fogg Art Museum ; *Comte de Turenne,* Copenhague, N. C. G. ; *Comtesse Daru,* 1820, New York, Frick Coll.) ainsi que la réplique du *Sacre* (1821, Versailles) avec l'aide de son élève et collaborateur Georges Rouget. Il meurt à Bruxelles le 2 décembre 1825, entouré de respect et de vénération.

Grand peintre d'histoire, remarquable portraitiste, David tient une place primordiale dans l'évolution de la peinture du XIXe s. qui ne s'expliquerait pas sans les résonances profondes de son art et les réactions qu'il provoqua. Tour à tour admiré et décrié, proclamé par son entourage le rénovateur de la peinture française, par Delacroix « le père de la peinture moderne », mais aussi accusé d'avoir favorisé par ses idées le pire des académismes, il nous apparaît auj. comme un maître puissant. Son art, direct et volontaire, uni et divers, sa science du dessin et de la composition, sa puissance de vision exercèrent une influence profonde sur tous les artistes. S'il a transmis aux classiques (à Ingres et à ses élèves) des idées, un langage, un sens de la beauté formelle, il a communiqué aux romantiques, par l'intermédiaire de Gros, le souffle épique qui leur permettra de concevoir d'immenses toiles ou de vastes décorations. En ce sens, son œuvre continue de poser un problème non résolu. Car elle reflète bien ce « singulier mélange de réalisme et d'idéal » dont parlera plus tard Delacroix. Tout en considérant que l'Antiquité est « la grande école des peintres modernes », David observe la nature avec une intensité rarement atteinte jusque-là. Ne voir en lui que le principal tenant d'un art fait de pillage est donc une injustice, de même que l'accuser de n'avoir créé que de grands dessins coloriés.

Bien au contraire, ses qualités picturales ont ouvert la voie à une nouvelle façon de traduire la pensée, en peinture. Et maints détails du *Marat* ou du *Sacre* (pour ne citer que les plus éclatants) révèlent une luminosité vibrante, une capacité de saisir les modifications colorées de la lumière sur les objets. « Peindre vrai et juste du premier coup », ne pas « s'habituer à laisser aller sa main et s'abandonner aux couleurs en disant : je reprendrai cela plus tard », tels sont les préceptes fondamentaux que David enseigna à ses élèves ; un amour du travail bien fait, une virtuosité technique qui se cache et ne laisse rien au hasard sont peut-être, avec un sentiment profond de la réalité, les qualités essentielles de ce peintre qui sut mettre ses dons exceptionnels au service d'une érudition patiemment acquise. A. C. S.

Davis
Stuart

peintre américain
(Philadelphie 1894 - New York 1964)

Il quitta l'école à seize ans pour travailler, sous la direction de Robert Henri, à New York (1910-1913), assimilant ainsi l'apport du groupe des « Eight » au début de sa carrière. L'Armory Show, dans lequel il exposa 5 aquarelles, alors qu'il n'avait que dix-neuf ans, joua un rôle considérable sur son développement futur en le mettant en contact avec l'avant-garde française, et plus particulièrement avec Marcel Duchamp et Francis Picabia, dont le travail et l'activité à New York lui apprirent que tout sujet pouvait donner prétexte à une œuvre d'art. Il fait sa première exposition personnelle en 1917 à New York, Sheridan Square Gal. En 1921, Davis imagina *Lucky Strike* (New York, M. O. M. A.) d'après le paquet de cigarettes du même nom, sans doute le premier exemple de « design » commercial introduit dans l'art de conception traditionnelle aux U. S. A. De 1920 à 1930 env., Davis cherche à intégrer dans une composi-

▼ Stuart Davis, **Egg beater nº 2** (1927)
New York,
Whitney Museum of American Art
Phot. du musée

tion abstraite un coloris vif et des thèmes empruntés à la vie quotidienne (série des *Fouets à œufs, « Egg beaters »*, 1927-28). Il put enfin, en 1928, se rendre à Paris et, à son retour à New York, en 1930, il était en possession d'un métier personnel dans lequel sujets, événements, paysages, signes et symboles abstraits sont intimement liés (*Place Pasdeloup,* 1928, New York, Whitney Museum ; la *Boutique du barbier,* 1930, U.S.A., coll. part.). Il inventa un extraordinaire amalgame d'objets rappelant les natures mortes en trompe l'œil du XIXe s. américain (William Harnett, John Petto) et qui annoncent le Pop'Art des années 60 (*Nature morte « Little Giant »,* 1950, Richmond, Virginie, M. F. A.). En même temps, il joua un rôle actif dans l'évolution de la peinture contemporaine et continua à étendre la gamme et l'intensité de sa couleur, accueillant de plus en plus d'idiomes américains, comme le jazz, dans une thématique des plus complexes. Davis est considéré comme le pionnier par excellence de l'art abstrait américain. Il est représenté à New York (M. O. M. A., Guggenheim Museum et Whitney Museum), à Washington (Phillips Coll.), à Cambridge (Mass., Fogg Art Museum), à Harvard University, aux musées de San Francisco et de Baltimore, à l'université d'Iowa (School of Art Gal.), à Minneapolis (Walker Art Center), à Philadelphie (Museum of Art et Pennsylvania Academy of Fine Arts) et à Richmond (Virginie, M. F. A.). D. R.

Decamps

Alexandre Gabriel

peintre français

(Paris 1803 - Fontainebleau 1860)

Après quelques mois dans l'atelier d'Abel de Pujol, il préféra travailler seul, notant des types et des scènes pittoresques et copiant les maîtres au Louvre. Il connut ses premiers succès avec des dessins et des lithographies satiriques (le *Pieu Monarque*). Sa réputation d'orientaliste naquit au Salon de 1831. Trois ans auparavant, il avait accompagné le peintre Garneray en Orient. Demeuré une année près de Smyrne, il rapporta un fonds considérable de documents. Il y puisa, sa vie durant, les scènes orientalisantes et les paysages « Souvenirs de Turquie » qui assurèrent son immense popularité. L'orientalisme étant au goût du jour, Decamps sut en donner une version plaisante, qui, si elle ne se parait pas du génie d'un Delacroix, n'en montrait pas les outrances et rassurait une clientèle qui sacrifiait à la mode sans s'aventurer (*Enfants turcs près d'une fontaine,* Chantilly, musée Condé). Néanmoins, il put témoigner des qualités de fougue et du sens visionnaire des plus grands romantiques comme l'attestent la *Défaite des Cimbres* (1833, Louvre), ou la suite des dessins de l'*Histoire de Samson* (1845, musée de Lyon et coll. part.). Son style évolua peu. Il fit appel à un répertoire restreint de figures et de sites,

Alexandre Decamps
▼ **La Défaite des Cimbres** (1833)
Paris, musée du Louvre
Phot. Giraudon

n'évitant ni les redites ni le procédé, évoquant la lumière d'Orient par un contraste trop répété d'ombres brunes et de surfaces violemment éclairées. Mais sa touche généreuse, son sens de la vie marquent les autres aspects de son œuvre tout aussi féconds. Il fut peintre animalier et peintre de genre, mariant ces deux manières dans des « singeries », véritables fables en peinture. Le Salon de 1855 fut un triomphe pour lui. Peu après, Decamps se fixa dans la forêt de Fontainebleau. Il reprit contact avec la nature, peignant des paysages souvent animés de chasseurs qui participent de l'école de Barbizon (la *Battue en plaine,* Louvre). La Wallace Coll. de Londres possède un ensemble capital de son œuvre, ainsi que le Louvre et le musée Condé de Chantilly. H. T.

De Chirico

Giorgio

peintre italien

(Volos, Thessalie, 1888 - Rome 1978)

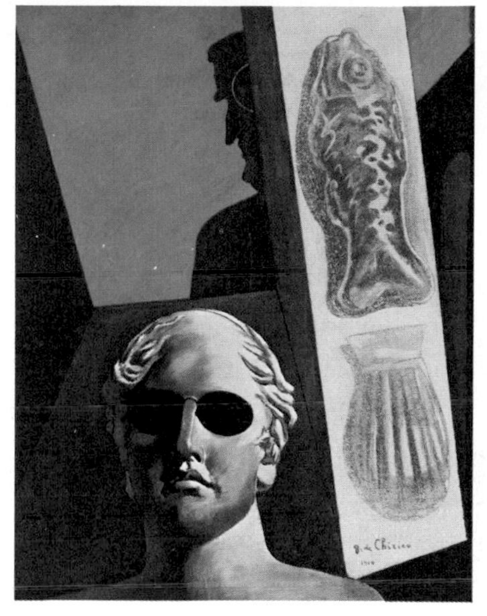

Giorgio De Chirico
Portrait prémonitoire ▲
de Guillaume Apollinaire (1914)
Paris, Musée national d'Art moderne

Phot. Lauros-Giraudon

Né en Grèce de parents italiens, il étudie d'abord à l'Académie d'Athènes ; mais c'est à Munich, entre 1906 et 1909, que s'effectue sa véritable formation artistique. Son œuvre repose sur le culte de l'Antiquité classique et de la mythologie érudite et sur la culture figurative et philosophique allemande. La peinture de Böcklin, en particulier, eut une influence déterminante sur son développement. À Paris (1911-1914), De Chirico fait la connaissance d'Apollinaire (*Portrait prémonitoire de Guillaume Apollinaire,* 1914, Paris, M. N. A. M.) et de Picasso, qui le mettent en rapport avec l'avant-garde artistique et littéraire.

La peinture métaphysique, dont De Chirico fut l'un des principaux instigateurs, est née officiellement en 1915. Avant cette date, ses tableaux, traduisant une « réalité solide et exacte » traditionnelle, en opposition avec tous les mouvements d'avant-garde, exprimaient déjà une dimension introspective et imaginaire. C'est alors qu'il donne ses premières « Places d'Italie », compositions emblématiques dont les décors architecturaux empruntent leurs espaces déserts aux places à arcades de Ferrare et de Turin (*Mystère et mélancolie d'une rue,* 1914, New Canaan, Connect., coll. Stanley Resor). La réalité minutieusement analysée, l'espace clair et figé inséré dans une perspective classique renaissante deviennent, par l'effet d'une transposition fantastique, l'expression d'une surréalité onirique. C'est dans cet espace désert qu'apparaît le « mannequin », personnage clé de la peinture métaphysique. Durant cette période, outre les « Places d'Italie », De Chirico peint la suite des *Muses inquiétantes* (1916, Milan, coll. Mattioli), *Hector et Andromaque* (1917, *id.*) et le *Grand intérieur Métaphysique* (1917, Rome, coll. part.). Après 1919, il adopte une attitude nettement polémique contre l'« esprit moderne » et retourne à la tradition et à une peinture délibérément classique ; les références littéraires, l'évocation des ruines romaines et de la Grande-Grèce lui sont prétexte à exercer une ironie intellectualiste et à mettre en évidence une exécution traduisant soit la somptuosité emphatique d'une peinture « romantique », soit la précision obsessionnelle de la forme. Dans ses œuvres les plus tardives, il reprend les thèmes de sa période métaphysique : le mannequin, la mythologie, mais aussi une symbolique surréaliste plus évidente, points de repère d'un univers clos auxquels se réfère son inépuisable activité. On y retrouve l'ironie et le détachement qui lui sont propres, mais aussi une redondance de plus en plus sensible de la forme. Après 1968, De Chirico s'intéressa aussi à la sculpture, transposant dans un métal patiné, poli et précieux le même répertoire iconographique.

La première exposition du peintre, qui se fixa à Rome en 1938, eut lieu en 1936, à New York et fut suivie de nombreuses autres manifestations à Paris et à Rome. Des rétrospectives lui furent consacrées : aux Biennales de Venise de 1948 et de 1956, au Palazzo Reale de Milan en 1970 à Paris (musée Marmottan en 1975 et M. N. A. M. en 1982). Parallèlement, De Chirico déploie une activité scénographique et littéraire (*Hebdomeros,* Paris, 1929; *Mémoires de ma vie,* Rome, 1945).

Ses œuvres sont conservées dans nombre de musées, notamment à Chicago (Art Inst.), Rome (G. A. M.), Stockholm (Nm), Hambourg, New York (M. O. M. A.), Paris (M. N. A. M.), et dans de nombreuses coll. part. italiennes (Milan : coll. Jucker, Jesi, Toninelli, Mattioli), françaises et anglaises (Londres, coll. R. Penrose). L. M.

De Ferrari

Gregorio

peintre italien

(Porto Maurizio 1647 - Gênes 1726)

Arrivé à Gênes v. 1665, il entra dans l'atelier de Domenico Fiasella, mais subit en réalité l'influence des œuvres de Valerio Castello. À la mort de Fiasella, en 1669, il se rendit à Parme, où il resta jusqu'en 1673, étudiant et copiant Corrège (*Copie de la coupole du dôme de Parme,* Gênes, Accad. Ligustica) et montrant déjà son goût pour les couleurs claires, les formes légères et les draperies tourbillonnantes, qui annoncent nettement le XVIIIe s. Il est probable qu'il se trouvait à Parme en même temps que Baciccio, qui dut lui faire connaître les nouveautés romaines et lui inspirer cet usage des touches lumineuses que l'on n'expliquerait pas sans son intermédiaire. Gregorio de Ferrari, lorsqu'il cède ainsi aux suggestions de Baciccio et à l'art de Puget (présent à Gênes en 1666-67), subit d'ailleurs une orientation analogue à celle des scupteurs de la génération 1660-1670 (les Schiaffino, les Parodi).

De retour à Gênes en 1673, il travailla auprès de son ami Domenico Piola, dont il épousa la fille (1674) et dont il marquera profondément l'art; en 1674, il peignit ainsi à S. Siro la fresque de la *Gloire de S. Andrea Avellino,* beaucoup plus lumineuse et proche de Corrège que la composition voisine due à Piola, encore très inspirée de la manière de G. B. Carlone. Il produisit aussi à cette époque des tableaux d'autel où sa dette à l'égard de Parme est évidente et où il définit son style prérococo, caractérisé par des tons pastel et une atmosphère tendre : le *Repos pendant la fuite en Égypte* (1676, commandé par les théatins de Sampierdarena, auj. à Gênes, S. Siro); *Tobie donnant la sépulture aux cadavres* (Gênes, Oratorio della Morte ed Orazione); *Extase de saint François* (Gênes, S. Siro).

Bientôt, il applique ce style à la grande décoration à fresque des palais génois : au palais Cambiaso Centurione, à Fossatello (1684), il représente les allégories des *Arts libéraux* et de la *Gloire militaire,* alliant étroitement stucs et fresques, utilisant les guirlandes de fleurs à l'imitation de B. Guidobono; au palais Balbi, à Zerbino (devenu ensuite palais Groppalo), il peint le *Temps,* les *Saisons* et la *Salle des Ruines,* où il se libère de la tutelle stylistique de Carlone et de Piola. De la même époque datent les fresques du palais Balbi Senarega (plafonds avec les *Scènes de la vie d'Hercule, Céphale et l'Aurore, Triomphes*), où avaient travaillé V. Castello, Fiasella et Piola, rencontre qui permet de suivre la transformation du goût survenue depuis 1650 : il revient à Gregorio d'avoir assimilé la poésie raffinée du maniérisme émilien et d'en avoir donné une version qui annonce le XVIIIe s. Chez lui, point de recherches scénographiques, mais une luminosité chromatique riche en jaunes et en bleus. Les décorations qui annoncent le mieux le style fleuri du XVIIIe s. français sont celles qu'il exécuta au Palazzo Rosso après 1690 (le *Printemps,* l'*Été*) et surtout au palais Granello *(Amour et Psyché* et *Neptune et Amphitrite).* On sait qu'il travailla à Turin (*Triomphe d'un guerrier,* Palais royal), sur la Riviera et à Marseille.

Au cours de ces dernières années, il donna une traduction rococo des sculptures tardives de Bernin dans des tableaux tels que la *Mort de sainte Scolastique* (Gênes, S. Stefano) et tenta des recherches nouvelles (*Allégorie musicale,* Madrid, musée Lazaro Galdiano). Dans la dernière décoration qu'il exécuta, avec l'aide de son fils Lorenzo et de Francesco Costa, à l'église S. Camillo (S. Croce) de Portoria, il fut le premier à introduire la conception unitaire de l'ornementation de la coupole et de la voûte du chœur.

Maître le plus original de la tendance décorative à Gênes, il instaura un style riche de la leçon de Puget, stimulé par l'exemple de Castiglione et réalisant une interprétation prérococo de Corrège. Il illustre un moment du renouveau de la culture génoise, où peinture et sculpture s'enrichissent mutuellement; la vie artistique était alors concentrée à la Casa Piola, véritable académie à partir de 1650, dont la collection de peintures (auj. à Gênes, Palazzo Bianco) témoigne des rapports culturels qui s'y nouèrent.

Certains peintres français du XVIIIe s. comprirent

Gregorio De Ferrari
◄ **Allégorie de l'Été**
Fresque du salon de l'Été
Gênes, Palazzo Rosso
Phot. Fabbri

et assimilèrent son art, en particulier Fragonard, qui put voir deux de ses œuvres *(Saint Nicolas de Tolentino ; Assomption)* à Grasse, sa ville natale, et fut enthousiasmé, lors de son voyage en Italie (1773), par sa visite au Palazzo Balbi. Les galeries des Palazzi Bianco et Rosso, à Gênes, conservent plusieurs toiles importantes de Gregorio de Ferrari, ainsi qu'un bel ensemble de dessins. S. De.

Degas

Hilaire Germain Edgar de Gas, dit

peintre français

(Paris 1834 - id. 1917)

Issu d'une famille appartenant à la grande bourgeoisie bancaire, il fit d'abord de sérieuses études classiques, puis entra en 1855 dans l'atelier de Lamothe, où se perpétuait l'enseignement d'Ingres et de Flandrin.

Ses premières œuvres (1853-1859) furent des autoportraits et des portraits de famille qui montrent déjà de grandes qualités de simplicité (*René de Gas à l'encrier,* 1855, Northampton, Smith College, Museum of Art). Le jeune artiste séjourna ensuite en Italie (1856-1860), où il découvrit et copia avec ferveur les œuvres des maîtres florentins. À son retour à Paris, Degas exécuta plusieurs toiles de sujets historiques : *Petites Filles spartiates provoquant des garçons* (1860, Londres, N. G.), *Sémiramis construisant Babylone* (1861, Paris, musée d'Orsay), *Scène de guerre au Moyen Âge* (1865, *id.*), dont le style reste très traditionnel. On conserve les séries de dessins préparatoires qu'il réalisa pour ces toiles, études de draperies et de nus dont le graphisme est déjà sûr et vigoureux *(Femme nue debout,* 1865, *id.).* Degas prouvait ainsi combien il avait compris la leçon essentielle d'Ingres, qu'il considéra toute sa vie comme le plus grand peintre contemporain.

C'est à Ingres qu'il se référait encore dans les remarquables portraits de famille et d'amis qu'il peignit de 1858 à 1870 : il y associait, comme le faisait le maître, le sens de la réalité et la conception du Beau idéal. Le *Portrait de la famille Bellelli* (1860-1882, Paris, musée d'Orsay), en particulier, est une composition habile mais rigoureuse, au dessin ingriste et à la couleur raffinée. Les études qu'il fit, au pastel ou à l'essence, pour les différents personnages sont parmi les plus harmonieuses de son œuvre. Son *Portrait de Thérèse de Gas, duchesse Morbilli* (v. 1863, *id.*), et celui d'une *Jeune Femme* fine et sérieuse, qui est peut-être Giulia Bellelli (1867, *id.*), sont des toiles d'une profondeur psychologique délicate et d'un charme certain.

Degas pouvait alors être considéré comme l'un des espoirs de la grande peinture officielle. Mais son goût du réalisme, l'influence des théories de Louis-Émile Duranty sur le rendu du réel, son intérêt pour la « modernité baudelairienne » et pour les sujets inédits allaient le pousser sur les champs de courses et dans les coulisses de théâtre. Son milieu social, ses amitiés musicales lui avaient fait découvrir ces mondes factices et colorés. Il s'attacha désormais à en observer les aspects insolites. Vers 1860-1862, il peignit ses premiers chevaux de course : pur-sang à la robe satinée, casaques vives des jockeys, fébrilité du pesage (*Aux courses en province,* 1870-1873, Boston, M. F. A.). Très vite il s'intéressa à la danse et à l'opéra. Il exécuta le *Portrait de Mlle Fiocre dans le ballet de « la Source »* (1866-1868, musée de Brooklyn), curieuse toile, presque symboliste, où chante le turquoise acide de la robe de la danseuse, puis, en 1872, le *Foyer de la danse à l'Opéra* (Paris, musée d'Orsay), aux accords atténués de bleu-gris et de jaune. C'est durant cette période qu'apparurent des effets nouveaux de mises en page originales, souvent décentrées : l'*Orchestre de l'Opéra* (1868-69, *id.*). Il y mêlait en outre les éléments furtifs d'un japonisme alors à la mode (la *Femme aux chrysanthèmes,* 1865, Metropolitan Museum).

Après un voyage avec son frère René dans la famille de sa mère, à La Nouvelle-Orléans, il peignit son *Bureau de coton* (1873, musée de Pau), où s'affirment ses recherches réalistes. Degas rencontra au Louvre Édouard Manet, dont il partageait les goûts bourgeois et les admirations artistiques. Ils s'intéressèrent ensemble à certains thèmes naturalistes, mais Degas refusa avec acharnement le culte de la campagne, la nécessité du plein-air et du travail sur le motif. S'il fréquentait le café Guerbois jusqu'en 1870, puis le café de la Nouvelle-Athènes, s'il y retrouvait avec plaisir Manet, Zola et Cézanne, il ne partageait pas réellement l'esthétique du mouvement impressionniste. Non seulement il rejetait leur esclavage du plein air, mais il refusait l'observation obsédante des changements de la lumière pour s'attacher à l'étude du mouvement et à la traduction de l'instantané. Cependant, il fit psychologiquement cause commune avec les impressionnistes et présenta 10 toiles à la première exposition du groupe, en 1874, chez le photographe Nadar. Et bien qu'il ne fût pas exclu du Salon officiel, il continua d'exposer régulièrement à leurs côtés jusqu'en 1886, date après laquelle il réserva toute sa production à ses marchands fidèles, en particulier à Durand-Ruel. Cet art exigeant traduit, certes, une remarquable perspicacité de l'impression fugitive, et il est en ce sens impressionniste, mais c'est aussi un art réfléchi, construit, épris de perfection et par là profondément indépendant. Degas s'intéressait avant tout à la ligne : ses dessins, rapides, précis, révèlent sa rare habileté et son sens du mouvement analysé et projeté d'un seul coup de crayon (le Louvre possède de passionnantes séries d'études, et la B. N. de Paris plusieurs cahiers de croquis). Pour rompre l'immobilisme de ses toiles, il inventait des cadrages décentrés, remontait la ligne d'horizon, renversait la perspective ou fixait la scène dans un espace découpé arbitrairement comme un trou de serrure ou un objectif photographique. Il s'était d'ailleurs adonné souvent à la photographie, sans s'en être inspiré picturalement autant qu'on a voulu le dire. Mais il aimait faire jouer sur ces compositions fragmentaires la lumière artificielle d'éclairages éblouissants qui soulignent les formes. Dans ses huiles et ses pastels, plus nombreux après 1880, les tons sont éclatants : bleus sourds, roses et oranges opulents; les plans monochromes vibrent grâce à quelques touches de couleurs pures qui les raniment. Degas, inquiet, probe, cherchait sans cesse, reprenant inlassablement chaque pose, chaque thème. Il rejetait le Symbolisme, qui est évasion, et l'esthétisme de l'Art nouveau, qu'il trouvait décadent. Très orgueilleux, il dédaignait d'ailleurs les avis extérieurs, conseils ou compliments, ne se fiant qu'à son jugement, et renonçait volontairement aux honneurs officiels pour écarter tout risque de compromission. Son caractère, difficile, intransigeant, s'était assombri, en 1878, après la faillite qui devait ruiner sa famille. Il paya les dettes, mais, gêné financièrement, devint plus pessimiste et irascible que jamais. Ce misanthrope ressentit pourtant de vives sympathies pour Manet ou Gustave Moreau et de profondes amitiés pour les Halévy, les Rouart, Évariste de Valernes et surtout le sculpteur Albert Bartholomé. Très sensible au chagrin de ses proches, ce bourru fut pour Bartholomé un ami secourable au moment de la mort de son épouse, Périe de Fleury, une des rares femmes devant lesquelles Degas oublia sa misogynie farouche. Cependant, parfois, cet esprit pénétrant, ce causeur cultivé et caustique, ce fin poète était dominé par sa hargne agressive, et l'amitié ne résistait pas aux dissensions politiques. Degas, réactionnaire, fanatique du passé, des

▲ Edgar Degas, **La Classe de danse** (1874)
Paris, musée d'Orsay
Phot. Giraudon

traditions, de l'armée, se brouilla avec les Halévy au sujet de l'Affaire Dreyfus.

Lucide et ironique, il fut un observateur cruel du quotidien : ses célèbres danseuses sont avant tout des créatures aériennes, enfantines, transfigurées par les lumières phosphorescentes de la rampe (*Répétition de ballet sur la scène,* 1874, Paris, musée d'Orsay) ; elles sont des arabesques colorées en suspens, mais elles sont aussi des petits rats abêtis et épuisés par la monotonie des répétitions, des silhouettes au repos, s'étirant, ajustant leur chausson ou leur corsage avec des gestes gauches, des pieds de canard et des museaux chiffonnés (*Danseuses dans les coulisses,* 1890-1895, Saint Louis, Missouri, City Art Gal.).

Degas, en effet, ne recherchait pas dans le ballet la grâce séduisante. Il s'attachait de préférence aux positions absurdes et aux équilibres invraisemblables. Son regard était plus impitoyable encore lorsqu'il se posait sur la femme à sa toilette. Il l'observait longuement, dans son tub, sortant de sa baignoire, se savonnant, se frictionnant, s'essuyant la nuque, la jambe ou le torse (le *Bain,* v. 1890, Chicago, Art Inst.). Il la détaillait avec mépris, alors qu'elle pouvait se croire seule, animale, accroupie, grotesquement occupée à des soins intimes ou se grattant. Mais cette grenouille grasse et vulgaire, Degas la décrivait avec force et véracité : il zébrait de lumière les croupes rondes, il caressait les chairs bleuies, il mêlait les tons violents de pastel, le rose crevette, l'abricot, le vert (la *Sortie de bain,* 1885, New York, M. O. M. A.). Et ses femmes qui se peignent déroulaient des chevelures fauves ruisselantes (*Femme se coiffant,* 1887-1890, Paris, musée d'Orsay). La vision de Degas n'était guère plus indulgente quand il regardait les femmes du peuple ou le monde des cafés et des beuglants. Il traitait là des thèmes chers à Zola, mais il n'était pas un réaliste à la manière de Courbet. Ses *Repasseuses au travail* (1884, *id.*), ses blanchisseuses et ses couturières, sa jeune modiste couchée sur la table pour façonner un chapeau ne suggèrent ni leçon de morale ni manifeste politique. Ces œuvres évoquent seulement, de façon magistrale, un instant de leur vie populaire. Degas s'y révèle toujours compositeur hardi et coloriste violent, comme le prouvent les trois chapeaux de *Chez la modiste* (1882, Metropolitan Museum) se détachant sur le mur orange. En 1876, il peignit l'*Absinthe* (Paris, musée d'Orsay), ce portrait de Marcellin Desboutin et de l'actrice Ellen Andrée, attablés au café de la Nouvelle-Athènes, l'air hagard, immobilisés dans leur détresse. Ce fut le seul tableau « misérabiliste » de sa carrière. Cette toile fut très vivement critiquée à Paris et à Londres, où elle fut exposée en 1893. Ses *Femmes à la terrasse d'un café, le soir* (1877, *id.*) avancent leur visage simiesque sur le fond clignotant du boulevard. La même utilisation du flou se retrouve dans le *Café-concert des Ambassadeurs* (1876-77, musée de Lyon), où, seule parmi les lampions, se détache la chanteuse. Degas s'intéressa aussi au cirque, aux fièvres de la Bourse, aux cocottes et même aux bordels dans une suite de monotypes cyniques, presque expressionnistes (la *Fête de la patronne*). Comme son délicat *Au Luxembourg* (1876-1880, musée de Montpellier), quelques jolies études (Louvre) nous montrent que ce bourgeois parisien aimait aussi le paysage : il en délaissait les détails pour n'en exprimer que la poésie et le calme méditatif. Il exécuta en 1869, au pastel, une série de marines dépouillées, puis v. 1890 des monotypes de vallons et de prairies qu'il réalisa de mémoire d'après les paysages découverts lors d'un voyage en Bourgogne avec Bartholomé.

Lorsque sa vue baissa, Degas dut renoncer au dessin et à la gravure. Ses pastels devinrent plus audacieux, plus rutilants. Il modela les formes par la couleur, simplifiant la composition, striant sa toile de hachures fiévreuses d'un bleu, d'un rose ou d'un jaune intenses. Son infirmité lui fit ainsi pressentir les accents effrénés et les ombres colorées des fauves (*Danseuses,* 1899, Toledo, Ohio, Museum of Art). Quand sa cécité fut presque complète, Degas, isolé et amer, s'enferma farouchement dans sa solitude, mais il se consacra à la sculpture, qu'il pratiquait depuis 1881. L'art de Degas, sans cesse renouvelé, d'un réalisme novateur, influença fortement ses contemporains : Toulouse-Lautrec, qu'il défendit à ses débuts, lui emprunta son goût du dessin et son observation âpre de la vie parisienne. Les réalistes académiques, français ou belges, reprirent ses thèmes et, parfois, comme Besnard ou Boldini, ses recherches de coloris flamboyant. Mais ce seront surtout les Nabis, et parmi eux Bonnard, qui comprendront son intimisme aux tons crus et le transposeront en un monde plus heureux. La plus grande partie de cet œuvre considérable (plus de 2 000 peintures et pastels) se trouve actuellement conservée au Louvre, au musée d'Orsay et dans les principaux musées des États-Unis, où l'ensemble du Metropolitan Museum est particulièrement important. T. B.

De Kooning

Willem

peintre américain d'origine néerlandaise
(Rotterdam 1904)

Il quitta l'école à douze ans et entra comme apprenti dans une affaire commerciale d'artistes et de décorateurs. Il suivit des cours du soir, de 1916 à 1925, à l'Academie voor Beeldende Kunsten en Technische. En 1924, il étudia en Belgique et, en 1926, émigra aux États-Unis, où il travailla comme peintre en bâtiment et décorateur. Il avait acquis une connaissance à la fois vaste et précise de l'abstraction européenne, et, au cours des années 30, il s'exprima en différents styles. Dans les projets qu'il élabora pour le « Federal Art Projects », il fit preuve d'une connaissance approfondie de Picasso — supérieure à celle de tous les autres artistes américains de l'époque, Arshile Gorky excepté. Cette influence dépassa l'imitation servile au cours des années 30 et atteignit une compréhension véritable de la structure cubiste. Vers 1940, Gorky et De Kooning, qui admiraient au même titre la peinture ancienne, travaillèrent dans le même atelier. Tous deux s'intéressaient à la forme humaine autant qu'à l'Abstraction, et De Kooning a constamment fait alterner dans son œuvre les deux expressions, bien qu'il semble s'être récemment fixé sur une peinture plus identifiable, où la femme est un motif privilégié (*Woman Acabonic,* 1966, New York, Whitney Museum). De Kooning dut attendre 1948 pour exposer seul à New York (gal. Egan), mais, depuis plusieurs années déjà, il était considéré comme l'un des chefs de la nouvelle école, jouissant d'une grande réputation parmi les artistes. Moins influencé par le Surréalisme que certains peintres notoires de sa génération, son art repose sur une étonnante tension picturale, où les formes, figures et fonds s'interpénètrent étroitement et où les repères figuratifs ne sont pas situés explicitement dans l'espace. Sa peinture à la fin des années 40 et jusqu'en 1955 se caractérisait par sa vigueur expressive. Le pinceau balayait la toile, laissant des traînées et des éclaboussures de couleur. Au cours de cette exécution agressive, les formes elles-mêmes se désagrégeaient : *Gotham News* (1955-56, Buffalo, Albright-Knox Art Gal.), *Easter Monday* (1956, Metropolitan Museum). De cette manière, le travail semble toujours en cours, car les traces puissantes de création et de destruction sont toujours visibles, même quand l'œuvre est achevée. L'impression résultant d'une lutte constante fait désormais partie du mythe de l'« Action Painting », dont il fut l'un des représentants les plus caractéristiques. Le style et le format des peintures de De Kooning, abstraites comme *Door to the River* (1960, New York, Whitney Museum) ou Figuratives *(Woman, I,* 1950-1952, New York, M.O.M.A. ; *Woman, II,* 1952, *id.),* ont exercé une influence primordiale sur bien des peintres plus jeunes qui représentèrent la seconde génération d'expressionnistes abstraits (Norman Bluhm, Joan Mitchell, Alfred Leslie, Michael Goldberg). Depuis 1963, l'art de De Kooning s'assagit et devient parfois lyrique et poétique, et la Figuration l'a emporté sur l'Abstraction. Le thème de la figure humaine, où la femme occupe toujours une place importante, est le plus fréquemment traité (la *Guardia in Paper Hat,* 1972, appartenant à l'artiste). En 1984, une rétrospective de l'œuvre de De Kooning a été présentée à Berlin-Ouest et au M. N. A. M. de Paris. D. R.

▼ Willem De Kooning, **Woman, II** (1952)
New York, Museum of Modern Art,
don de Mrs J. Rockefeller 3rd
Phot. Ph. F. G. Mayer

Delacroix

Eugène

peintre français

(Charenton, Saint-Maurice, 1798 - Paris 1863)

Légalement inscrit sur les registres de la mairie de Charenton comme le quatrième enfant de

Victoire Œben — descendante de la famille des Riesener — et de Charles Delacroix, Eugène Delacroix serait, en fait, le fils naturel de Talleyrand, et cette filiation expliquerait la protection qui facilita la carrière du jeune artiste.

Les débuts. Orphelin à l'âge de seize ans, Delacroix reçoit une bonne formation classique au lycée Impérial (actuel lycée Louis-le-Grand) avant d'entrer, en 1816, sur les conseils de son oncle, le peintre Henri Riesener, dans l'atelier de Guérin. L'année suivante, il est à l'École des Beaux-Arts; plutôt hostile à l'académisme professé par son maître, il est avant tout conscient de l'impulsion nouvelle donnée à la peinture par Gros et Géricault. Si ses premières œuvres (*Vierge des moissons,* 1819, église d'Orcemont; *Vierge du Sacré-Cœur,* 1821, cathédrale d'Ajaccio) sont encore à l'imitation des maîtres italiens de la Renaissance et du XVIIe s., la *Barque de Dante* (Louvre), exposée au Salon de 1822 et acquise par l'État, révèle d'autres inspirations, notamment celle du *Radeau de la Méduse* de Géricault. Diversement accueillie par la critique, l'œuvre trouve auprès d'Adolphe Thiers un chaleureux soutien. Cette même année, le 3 septembre, il commence son *Journal* au Louroux (Indre-et-Loire), où il passe ses vacances auprès de son frère, Charles-Henry.

Les « Massacres de Scio ». En 1824, Delacroix, qui désormais va participer régulièrement au Salon, expose les *Massacres de Scio* (Louvre). Cette grande composition, inspirée par la lutte des Grecs contre les Turcs, le classe parmi les peintres romantiques, en opposition aux classiques, groupés autour d'Ingres, qui expose au même Salon le *Vœu de Louis XIII* (cathédrale de Montauban). Devenu ainsi, malgré lui, le chef de la nouvelle école, Delacroix fait un séjour en Angleterre de mai à août 1825. Déjà familiarisé, par l'intermédiaire de ses amis Fielding, avec l'art de Constable et de Bonington, il approfondit à Londres sa connaissance de la peinture et de l'aquarelle anglaises, assouplit sa technique et assiste à plusieurs reprises à des représentations de Shakespeare, qui le passionnent. Ultérieurement, les sujets shakespeariens lui inspireront très fréquemment, jusqu'à la fin de sa vie, des peintures (*Cléopâtre et le paysan,* 1839, États-Unis, The William Ackland Memorial Art Center; *Hamlet,* 1839, Louvre; la *Mort d'Ophélie,* 1844, *id.*; *Desdémone maudite par son père,* 1852, musée de Reims), des gravures (suite d'*Hamlet,* 1843) et des dessins. C'est encore à Londres qu'il va découvrir une autre source de sujets dramatiques en assistant à un opéra inspiré du *Faust* de Goethe. Et la suite de 17 lithographies qu'il exécutera l'année

▲ Eugène Delacroix, **Les Femmes d'Alger dans leur appartement** (1834)
Paris, musée du Louvre
Phot. Lauros-Giraudon

suivante lui vaudra, de la part de Goethe lui-même, de vifs éloges.

L'épanouissement. À son retour, l'artiste expose au Salon de 1827 la *Mort de Sardanapale* (Louvre), tirée en partie de la tragédie de Byron et dont l'audace déchaîne la violence des critiques. Tout en travaillant assidûment — portraits, compositions historiques (*Bataille de Poitiers,* 1830, Louvre; *Bataille de Nancy,* 1831, musée de Nancy), sujets littéraires (l'*Assassinat de l'évêque de Liège,* 1831, Louvre) —, Delacroix mène à cette époque une vie très mondaine, fréquentant dans les salons parisiens Stendhal, Mérimée, Dumas et, bientôt, George Sand, dont il appréciera vivement la personnalité et qu'il représentera debout, derrière Chopin improvisant au piano (1838, Louvre et Ordrupgaard Samling, près de Copenhague). L'été, il séjourne à Valmont, chez ses cousins Bataille, où il fera, en 1834, ses premiers et uniques essais de décoration à fresque.

L'envoi au Salon de 1831 de la *Liberté guidant le peuple* (Louvre), écho des journées révolutionnaires de 1830, qui résume et conclut souverainement sa jeunesse romantique, l'affirme comme le successeur de Gros et de Géricault, mais avec un registre plus large : doué d'un souffle épique puissant, Delacroix, dans ce chef-d'œuvre, transforme le fait historique en épopée.

Le Maroc. L'année 1832 marque un tournant décisif dans sa carrière; sur la recommandation de Mlle Mars, le peintre fait la connaissance du comte Charles de Mornay, qui est chargé de mission auprès du sultan du Maroc, Muley-Abd-Er-Rhaman, et qui l'attache à son ambassade. Partie de Toulon le 11 janvier 1832, la mission arrive à Tanger le 25 du même mois. Grâce aux carnets de voyage (3 au Louvre, 1 à Chantilly) et à la *Correspondance* de l'artiste, on peut suivre presque au jour le jour ce voyage au Maroc, à Alger et en Espagne, au cours duquel il a la révélation non seulement de l'Antiquité classique, mais de la magie des couleurs et de la lumière. Et les multiples croquis dont il emplit ses carnets lui constituent pour l'avenir un précieux répertoire.

Les grandes décorations et les tableaux de Salon. Le retour de Delacroix en France coïncide avec une période d'activité intense. Entraîné dans un programme continu de décorations murales qui ne prend fin qu'à la veille de sa mort, le maître mène ces travaux de front avec l'exécution de tableaux de plus en plus nombreux. Tout en travaillant, assisté par certains de ses élèves (Andrieu, Lassalle-Bordes), aux décorations que lui commande Thiers pour le salon du Roi et la bibliothèque du palais Bourbon (1833-1838; 1838-1847), puis pour la bibliothèque du palais du Luxembourg (1840-1846), Delacroix ne cesse, en effet, d'exposer au Salon. Et les souvenirs du Maroc, qui hantent son esprit, lui font alors créer certaines de ses œuvres les plus importantes, où la fougue romantique des débuts est abandonnée au profit d'une composition sereine et équilibrée : les *Femmes d'Alger* (1834, Louvre); *Noce juive dans le Maroc* (1841, *id.*); le *Sultan du Maroc* (1845, Toulouse, musée des Augustins); *Comédiens ou bouffons arabes* (1848, musée de Tours); les *Convulsionnaires de Tanger* (v. 1836-1838, États-Unis, coll. part.). La même synthèse entre le lyrisme de l'imagination et l'interprétation classique apparaît dans les œuvres historiques réalisées à cette époque, dont la plus émouvante est sans doute l'*Entrée des croisés à Constantinople* (1841, Louvre). Par ailleurs, l'étude de la nature offre au peintre, à partir de l'année 1842, de nouveaux sujets d'inspiration : bouquets de fleurs — réalisés pour la plupart à Nohant, chez George Sand —, paysages de montagnes ou de forêts, marines révèlent une observation aiguë jointe à une sensibilité frémissante annonçant celle des impressionnistes (la *Mer vue des hauteurs de Dieppe,* 1852, Paris, Louvre). Enfin, l'étude des animaux et plus spécialement des fauves l'entraîne à peindre, entre 1848 et 1861, de nombreuses chasses au tigre ou aux lions, prétextes à de multiples variations de formes ou de couleurs (*Chasse aux lions,* esquisse, Paris, musée d'Orsay).

Les dernières années. Les dix dernières années de la vie de Delacroix sont marquées par l'exécution de 3 importants ensembles décoratifs : le plafond central de la galerie d'Apollon au Louvre (1850), le salon de la Paix à l'Hôtel de Ville de Paris — malheureusement détruit dans un incendie en 1871 (esquisse du plafond, musée Carnavalet) — et la chapelle des Saints-Anges à l'église Saint-Sulpice. Souffrant d'une laryngite tuberculeuse, l'artiste, qui triomphe en 1855 à l'Exposition universelle avec 42 toiles, dont plusieurs nouvelles (*Chasse aux lions,* musée de Bordeaux), vit maintenant à l'écart du monde officiel. Élu le 10 janvier 1857 à l'Institut, après sept candidatures malheureuses, Delacroix expose pour la dernière fois au Salon en 1859 (*Ovide en exil chez les Scythes,* Londres, N.G.; *Herminie chez les bergers,* Stockholm, Nm) et se consacre presque exclusivement à la décoration de Saint-Sulpice, qu'il termine en 1861, au prix d'un effort surhumain. Des 2 grandes compositions qui ornent les murs latéraux de la chapelle — *Héliodore chassé du Temple,* la *Lutte de Jacob avec l'ange* — la seconde peut être considérée comme le testament spirituel de l'artiste, qui ne peindra plus, désormais, que quelques toiles. Le 13 août 1863, Delacroix meurt dans son appartement du 6, place de Furstenberg, qu'il occupait, à proximité de Saint-Sulpice, depuis 1857. L'année suivante, en 1864, une grande vente disperse, comme il l'avait demandé, tout le fonds de son atelier.

Dernier grand maître issu de la Renaissance par son goût pour les vastes compositions historiques, mythologiques, religieuses ou littéraires et par son sens profondément décoratif, dérivé du XVIe s. italien et renouvelé, Delacroix est aussi, comme l'a noté Baudelaire, le premier des Modernes. Ses recherches dans le domaine des couleurs et de leurs complémentaires, sa touche « en flochetage » préludent aux études des impressionnistes, tout comme son tachisme et ses violences de tons annoncent la peinture fauve, expressionniste ou même abstraite. De la *Barque de Dante* aux décorations de Saint-Sulpice, des inspirations diverses et une technique éprouvée peu à peu s'unissent pour créer une seule œuvre, aux masques multiples, expression même du génie de son auteur. Son œuvre plastique n'existerait pas, il resterait encore le critique d'art, l'écrivain, l'auteur d'un *Journal* qui contient un témoignage important sur toute la condition humaine. M. S.

Delaunay

Robert

peintre français

(Paris 1885 - Montpellier 1941)

L'aventure esthétique qui mena Robert Delaunay de Gauguin et Cézanne à l'Abstraction, dont il fut l'un des pionniers, est, sans nul doute, l'une des plus représentatives de l'évolution de l'art contemporain.

La période « destructive ». Robert Delaunay fut d'abord touché par l'Impressionnisme, puis par la période bretonne de Gauguin. Il subit ensuite, en 1906, une forte influence du Néo-Impressionnisme, mais c'est la leçon de Cézanne qui devait donner l'impulsion décisive à son esprit créateur en l'amenant, notamment, à poser le délicat problème de la non-coïncidence entre le volume et la couleur, un des problèmes clé du Cubisme qu'il résolut de manière très personnelle, en particulier dans son célèbre *Autoportrait* de 1909 (Paris, M. N. A. M.). Son cubisme fut, au demeurant, extrêmement original. Dès 1906, il avait entouré les motifs les plus éclairés d'une sorte de halo lumineux. Dans la série des *Saint-Séverin* (1909-10, New York, Guggenheim Museum; Philadelphie, Museum of Art; Minneapolis, Walker Art Center; Stockholm, Nm), qui ouvre sa période cubiste, la lumière incurve les lignes des piliers et brise celles de la voûte et du sol. Ce processus de désintégration de la forme s'accentue encore dans les nombreuses *Tour Eiffel* que l'artiste peint entre 1909 et 1911 (New York, Guggenheim Museum; musée de Bâle). Le schéma constructif traditionnel du tableau est alors définitivement désarticulé. Sous l'action dissolvante de la lumière qui fuse de partout, l'image descriptive éclate en fragments distincts, obéissant à des perspectives différentes et parfois opposées. Aussi la composition ne consiste-t-elle plus désormais à agencer les divers éléments figuratifs de manière harmonieuse, mais à obtenir une synthèse d'éléments formels juxtaposés, à laquelle l'indépendance relative des parties apporte un caractère de mobilité inconnu jusqu'alors.

Delaunay s'était d'ailleurs rapidement convaincu que le dessin linéaire était un héritage de l'esthétique classique et que tout retour à la ligne devait fatalement ramener à un état d'esprit descriptif, erreur qu'il dénonçait chez les autres cubistes, dont les toiles *analytiques* lui semblaient « peintes avec des toiles d'araignées ». C'est pourquoi, après l'avoir brisée, il s'efforce de la faire disparaître totalement. Dans les *Villes* de 1910-11 (Paris, M. N. A. M.), il revient à la touche divisée de sa période néo-impressionniste, qui lui permet de délimiter les formes sans recourir au dessin, puis, dans ses paysages de Laon, du début de 1912, il adopte une technique essentiellement chromatique, qu'il n'abandonnera plus. Désormais, en effet, la forme est donnée par la seule juxtaposition des plages colorées, et l'espace rendu uniquement par les différences de tonalité des couleurs à l'exclusion de tout tracé linéaire. L'immense toile de la *Ville de Paris* (1909-1912, *id.*) résume et clôt cette période que Delaunay appelait sa « période destructive ».

La période constructive. L'Orphisme. C'est en 1912, avec la série des *Fenêtres* (musée de Grenoble; Philadelphie, Museum of Art), qu'il eut « l'idée d'une peinture qui — disait-il — ne tiendrait techniquement que de la couleur, des contrastes de couleurs, mais se développant dans le temps et se percevant simultanément, d'un seul coup ». Aucun artiste en France, même chez les fauves, n'avait encore osé faire de la couleur l'unique objet de la peinture, et c'est ce que Delaunay voulait exprimer lorsqu'il affirmait que la couleur avait toujours été considérée avant lui comme un « coloriage ». Pour lui, au contraire, elle pouvait se suffire à elle-même. Désormais, elle remplace tous les autres moyens picturaux — dessin, volume, pers-

Robert Delaunay
▲ **Hommage à Blériot** (1914)
Bâle, Kunstmuseum

Phot. Hans Hinz

pective, clair-obscur. Non que le but auquel ces moyens permettaient d'atteindre soit lui-même totalement aboli, mais c'est par la couleur que Delaunay comptait y arriver. C'est elle qui donne à la fois la forme, la profondeur, la composition et même le sujet. Et c'est en cela que réside le caractère révolutionnaire de son œuvre, car, ainsi qu'il aimait à le répéter, « pour vraiment créer une expression nouvelle, il faut des moyens entièrement nouveaux ». Dans les *Fenêtres,* l'espace n'est plus rendu par la perspective linéaire ou aérienne, mais par des contrastes de couleurs qui créent une profondeur délivrée de tout recours, même voilé, au clair-obscur. Avec le *Disque* (1912, Meriden, Conn., coll. Burton G. Tremaine) et la série des *Formes circulaires* (1912-13, New York, M. O. M. A. ; Amsterdam, Stedelijk Museum), Delaunay découvre une autre qualité de la couleur : son pouvoir dynamique. Il remarque, en effet, qu'en juxtaposant les couleurs il obtient des vibrations plus ou moins rapides selon leur voisinage, leur intensité, leur superficie, et qu'il peut donc créer des mouvements, les contrôler à son gré, les faire entrer en composition. Ce qui distingue son dynamisme de celui des futuristes, c'est qu'il ne s'agit pas d'une description du mouvement, mais d'une mobilité purement physique des couleurs.

Très personnelle également est sa conception de l'Abstraction. Si le *Disque* et les *Formes circulaires* sont des œuvres entièrement non-figuratives qui le classent indubitablement parmi les pionniers de la peinture abstraite, sa conception, toutefois, n'a rien de systématique. Ce qui est important à ses yeux, en effet, ce n'est pas que le tableau soit délivré de toute référence visuelle à la nature extérieure, mais que sa technique soit « anti-descriptive ». C'est le cas dans l'*Équipe de Cardiff* de 1912-13 (Paris, M. A. M. de la Ville) et l'*Hommage à Blériot* de 1914 (Paris, M. N. A. M. ; musée de Grenoble), dont les sujets n'ont qu'une importance subsidiaire, mais dont la technique marque un net progrès dans la maîtrise de la couleur. Les contrastes sont plus expressifs, les rythmes s'enchaînent sans solution de continuité. Dans l'*Hommage à Blériot*, enfin, les rythmes hélicoïdaux des *Formes circulaires* se transforment en disques, disposition formelle permettant une meilleure utilisation des contrastes et une plus grande continuité dans l'expression du mouvement.

L'apport de Sonia Delaunay. Le rôle joué par Sonia Delaunay (1885-1979) dans l'instauration de ce nouvel art ne saurait être négligé. Elle avait d'abord épousé Wilhelm Uhde. Lors de son mariage avec Robert en 1910, la double influence de Gauguin et de Van Gogh l'avait menée à un Fauvisme d'un chromatisme extrêmement violent et saturé typiquement slave. Alors que son mari traversait justement une crise de relative austérité chromatique, elle ne cessa de rester fidèle à la couleur pure, et sa passion inaltérable pour celle-ci ne fut certes pas étrangère à l'évolution décisive subie par Robert en 1912, évolution à laquelle elle s'associa du reste aussitôt et tout naturellement. Si, pour sa part, elle n'hésite pas à appliquer la technique simultanée au domaine de la vie courante — tissus, broderies, reliures et surtout vêtements —, elle peint aussi quelques œuvres maîtresses, comme le *Bal Bullier* (1913, Paris, M. N. A. M.) ou les *Prismes électriques* (1914, *id.*), et tente un passionnant essai de synthèse entre la poésie et la peinture avec l'illustration de la *Prose du Transsibérien* de Blaise Cendrars (1913, *id.*).

La période ibérique et l'après-guerre. En Espagne et au Portugal, où les Delaunay se trouvent pendant la guerre, Robert s'attache surtout à appliquer sa nouvelle technique à la représentation du corps humain *(Femmes nues lisant)* ou des objets usuels (*Natures mortes portugaises,* Baltimore, Museum of Art ; Paris, M. N. A. M. ; musée de Montpellier), et approfondit ce qu'il appelle des « dissonances », c'est-à-dire des rapports de couleurs à vibrations rapides, cependant que Sonia exécute dans le même esprit des paysages et des natures mortes.

Encore qu'elle soit jalonnée par des œuvres admirables comme le *Manège de cochons* (1922, Paris, M. N. A. M.), l'*Équipe de Cardiff* (1922-23, coll. part.) et la série des *Coureurs* (1924-1930, coll. part.), la production des années 20 correspond chez Delaunay à une phase d'assimilation, parfois aussi d'hésitation, au cours de laquelle il perfectionne son langage sans toutefois progresser plus avant dans sa voie. C'est en revanche la grande période décorative de Sonia, qui, de 1921 à 1933, lance la mode d'avant-garde à Paris, notamment lors de l'Exposition internationale des Arts décoratifs de 1925, où la *Boutique simultanée* qu'elle présente avec le couturier Jacques Heim connaît un succès mondial.

La seconde période abstraite. C'est en 1930 que s'ouvre la seconde grande époque de création de l'art de Delaunay. Il s'attaque de nouveau cette année-là au problème des *Formes circulaires* (1930-31, New York, Guggenheim Museum ; Zurich, Kunsthaus et coll. Dr Fr. Meyer ; Paris, gal. Louis Carré), qu'il reprend avec une technique perfectionnée et un dynamisme accru, mais c'est avec les magnifiques tableaux de la *Joie de vivre* (1930-31, Ottawa, N. G. ; Paris, coll. Sonia Delaunay) qu'il trouve vraiment la solution qu'il cherchait. Ayant constaté que dans les *Formes circulaires* « les éléments colorés contrastaient bien, mais qu'ils n'étaient pas fermés », il arrive en effet à une disposition formelle permettant une limitation et une concentration plastiques réelles de la composition : les disques. Désormais, il est en possession totale de son métier et libre de s'exprimer comme il l'entend. Agençant les couleurs dans leur « sens giratoire », il crée des *Rythmes* (1930-1937, Paris, M. N. A. M. ; musée de Grenoble ; Liège, coll. Fernand Graindorge ; Paris, coll. Sonia Delaunay) au sens presque musical du mot, puis des *Rythmes sans fin* (1933-34, Paris, coll. Sonia Delaunay, M. N. A. M., gal. Louis Carré), dans lesquels les rythmes s'enchaînent en s'interpénétrant de part et d'autre d'une ligne médiane, et des *Rythmes-Hélices* (1934-1936, Paris, coll. Sonia Delaunay), dans lesquels ceux-ci se développent en un mouvement volontairement hélicoïdal.

Vers un art monumental. Delaunay fut le premier à avoir conscience du caractère monumental de ces œuvres. « Je crois — expliquait-il aux quelques amis et disciples qu'il réunit durant l'hiver de 1938-39 — « qu'on peut passer d'un tableau à un autre et à un troisième et que cela constitue un ensemble ; et je crois que cela nous mène à l'architecture. Ce type de peinture, en effet, ne démolit pas l'architecture, parce que vous pouvez très bien le faire jouer sur un mur. » Dès 1930, d'autre part, il avait commencé à exécuter des *Rythmes* et *Reliefs* (1930-1936, Paris, coll. Sonia Delaunay), pour lesquels il avait été amené à utiliser et même à créer de nouvelles matières, dont une des propriétés était justement de parfaitement résister aux agents atmosphériques. Cette propriété, jointe au fait que ces reliefs respectaient toujours le plan, semblait destiner Delaunay à évoluer fatalement vers l'art monumental. En lui confiant la décoration de deux palais, les organisateurs de l'Exposition universelle de 1937 lui donnèrent la possibilité de réaliser ce rêve : l'intégration de son art à l'architecture. Les immenses panneaux et reliefs qu'il exécuta alors sont les premiers témoignages d'un art entièrement nouveau, brisant les limites restreintes du tableau de chevalet et conçu en fonction d'une synthèse générale des arts plastiques. C'est dans le même esprit monumental d'ailleurs que furent créées ses dernières œuvres, le grand *Rythme circulaire* (1937, New York, Guggenheim Museum) et les trois *Rythmes 1938* du M. N. A. M. de Paris, qui constituent en quelque sorte son testament spirituel. La maladie qui devait l'emporter trois ans plus tard l'empêcha en effet d'aller plus loin.

Bien que la mort l'ait fauché en pleine maturité, Delaunay n'en avait pas moins déjà posé, de concert avec sa femme, les bases d'une conception picturale radicalement différente de celle qui était en vigueur depuis la Renaissance. C'est parce qu'ils eurent le courage de faire table rase de tous les moyens passés et de tous les modes de pensée traditionnels qu'ils purent confier à la couleur un rôle polyvalent absolu. Or, c'est par celle-ci et par elle seule qu'ils réussirent à imposer une interprétation positive inédite de l'espace, étroitement lié au temps, et d'un dynamisme physique de la matière, entièrement accordée dans son domaine spécifique à la pensée scientifique contemporaine. Le M. N. A. M. de Paris a recu en 1964 un don important de Charles et Sonia Delaunay. Robert Delaunay est représenté aussi au M. A. M. de la Ville de Paris, au M. O. M. A. de New York, au Museum of Art de Philadelphie et dans la plupart des grands musées d'art moderne. G. H.

Denis
Maurice

peintre français
(Granville 1870 - Saint-Germain-en-Laye 1943)

Entré à dix-sept ans à l'académie Julian pour préparer l'École des Beaux-Arts, il participe, dès le mois d'octobre de l'année suivante (1888), à la formation du groupe des Nabis. Paul Sérusier, qui venait de passer l'été auprès de Gauguin en Bretagne, en avait rapporté le fameux *Talisman* (petit tableau exécuté sous la direction de Gauguin, anc. coll. Denis) et répandait dans le groupe les idées esthétiques du maître de Pont-Aven. C'est pourtant Maurice Denis, le plus jeune de tous, mais le plus doué pour la spéculation et l'expression littéraire, qui publie le premier manifeste du style nabi, dérivé des idées de Pont-Aven : *Définition du Néo-Traditionnisme* (Art et critique, août 1890), où il énonce, notamment, la formule si fameuse dans

Maurice Denis, **Les Muses** (1893) ▶
Paris, musée d'Orsay,

l'histoire de la peinture moderne : « Se rappeler qu'un tableau, avant d'être un cheval de bataille, une femme nue ou une quelconque anecdote, est essentiellement une surface plane recouverte de couleurs en un certain ordre assemblées. »

L'artiste justifie bien à cette époque le surnom, que lui donnent ses amis, de « Nabi aux belles icônes », par le caractère simplifié et légèrement archaïsant de sa peinture ; d'une part, il se réfère en effet moins aux Japonais (comme le fait alors Bonnard, par exemple) qu'aux « primitifs » italiens, particulièrement à Fra Angelico, et, d'autre part, il manifeste une prédilection pour les thèmes religieux et pour l'exaltation de la famille chrétienne (il aura huit enfants de ses deux épouses successives) : le *Mystère catholique* (1889, Suisse, coll. Poncet), la *Procession* (1892, New York, coll. A. G. Altschul), le *Matin de Pâques* (1893, Rouen, coll. part.), *Visite à l'accouchée* (1895, Paris, coll. part.), les *Pèlerins d'Emmaüs* (1895, Saint-Germain-en-Laye, Prieuré). Il prend souvent pour modèle son épouse (*Marthe au piano,* 1891, *id.*) et sa famille (*Sinite Parvulos,* 1900, Neuss, Clemens Sels Museum). Ces images intimes, teintées souvent d'un humour tendre, comptent, jusqu'à la fin de sa vie, parmi les plus heureuses de son œuvre.

Après une courte période divisionniste, il adopte une peinture claire, sans modelé, aux rythmes onduleux qui l'apparentent à l'Art nouveau. Il exécute parallèlement des illustrations de caractère symboliste pour *Sagesse* de Verlaine (1889), *le Voyage d'Urien* de Gide (30 lithos, 1893), l'*Imitation de Jésus-Christ* (115 bois édités par Vollard en 1903), ainsi que ses premiers grands panneaux décoratifs : les *Muses* (1893, Paris, musée d'Orsay). Ses voyages en Italie (1895-1898 et 1907) renforcent son admiration pour la Renaissance, qui dépouillera sa peinture de son caractère nabi et Art nouveau pour le conduire, à partir de 1898, dans de vastes compositions décoratives comme celles du Théâtre des Champs-Élysées (1913), à un style de tradition classique. Il a fondé en 1919, avec Rouault et Desvallières, les ateliers d'Art sacré. Excellent critique, ses articles ont été réunis sous des titres qui en définissent bien les directions esthétiques : *Théories, Du symbolisme et de Gauguin vers un nouvel ordre classique* (1912), *Nouvelles Théories sur l'art moderne, sur l'Art sacré* (1922), *Charmes et leçons de l'Italie* (1933), *Histoire de l'art religieux* (1939). Les 3 tomes de son journal ont été édités entre 1957 et 1959 à Paris. Le musée d'Orsay de Paris conserve plusieurs de ses tableaux, notamment l'*Hommage à Cézanne* (1900).

Parmi les nombreuses décorations murales qui lui sont dues, on peut citer celles des églises (chapelle de la Sainte-Croix au Vésinet, 1898 ; chapelle du Prieuré ; Saint-Louis de Vincennes ; chapelle des Franciscaines de Rouen ; chapelle de la Clarté à Perros-Guirec ; le Sacré-Cœur de Saint-Ouen ; Saint-Martin de Vienne ; l'église du Saint-Esprit à Paris ; monastère de Lapoutroie en Alsace ; basilique de Thonon), celles des hôtels particuliers (H. Lerolle, Mme Chausson, D. Cochin, M. Rouché, M. Mutzenbecker à Wiesbaden ; S. Morosoff à Moscou [*Histoire de Psyché,* 1908, Ermitage], G. Thomas, Ch. Stern, le prince de Wagram, M. Kapferer), celles de bâtiments publics (Paris, Petit Palais, Sénat, palais de Chaillot ; lycée Claude-Bernard à Auteuil ; Genève, B. I. T., palais de la S. D. N.).

Son dernier ouvrage illustré, l'*Annonce faite à Marie* de Claudel, commencé en 1926, fut édité en 1943.

Un musée comprenant un ensemble capital d'œuvres données par ses enfants a été créé en 1980 au Prieuré, à Saint-Germain-en-Laye, où il demeura et travailla longtemps. F. C.

Derain

André

peintre français

(Chatou 1880 - Chambourcy 1954)

Ses parents, commerçants, le destinaient à une carrière d'ingénieur, mais sa vocation se décida très tôt. À dix-neuf ans, il fréquente l'académie Carrière et se consacre à la peinture, encouragé par son ami Vlaminck, rencontré en 1900. Ils louent ensemble la même année, dans l'île de Chatou, un atelier qui deviendra l'un des foyers du Fauvisme. Bientôt, ces deux hommes dissemblables prennent des directions différentes : Vlaminck se proclame « tout instinct », tandis que la nature exigeante et inquiète de Derain l'entraîne vers la réflexion et la culture, en particulier vers l'art des musées. C'est en effet au Louvre que, venu exécuter des copies avec Linaret et Puy, Derain attire l'attention de Matisse par la liberté et la force de ses interprétations. Un long service militaire (1900-1904) limite beaucoup sa production, mais lui fait échanger avec Vlaminck une intéressante correspondance. En 1904, Matisse réussit à persuader les parents de Derain de laisser leur fils se consacrer définitivement à la peinture. De cette année datent, en particulier, les *Péniches au Pecq* (Paris, M. N. A. M.), peintes vigoureusement, avec des couleurs pures et violentes. Derain passe à Collioure l'été de 1905 en compagnie de Matisse. Sa technique, aux larges touches carrées, rappelle celle de Matisse, qui n'avait pas totalement abandonné le Divisionnisme, mais elle possède un lyrisme coloré et une facture décidée non encore atteints. Ses paysages seront exposés dans la fameuse « cage aux fauves » du Salon d'automne suivant (*Collioure,* Troyes, musée d'Art moderne, coll. Lévy). Ambroise Vollard, que Matisse lui avait présenté, achète à Derain toute sa production et lui suggère d'aller à Londres, où il peindra en 1905 et en 1906 les toiles célèbres de Hyde Park et la flamboyante série des quais de la Tamise (Saint-Tropez, musée de l'Annonciade). À partir de 1907, le réseau des amitiés et des influences se dessine différemment ; Derain quitte Chatou et s'éloigne de Vlaminck, pour s'installer à Montmartre, rue de Tourlaque, près du Bateau-Lavoir et de ses nouveaux amis, Braque, Max Jacob, Apollinaire, Van Dongen, Picasso. Sans sacrifier tout à fait la couleur, dont il avait tiré à Chatou, à Collioure et à Londres les effets les plus intenses, il s'en détache, comme le fait Braque à la même époque. S'il ne va pas jusqu'à adhérer au Cubisme, Derain, néanmoins, structure désormais ses toiles de plus en plus fortement, jusque v. 1910, dans ses paysages de Cassis (Troyes, musée d'Art moderne, coll. Lévy) ou dans ses *Baigneuses* (1908, New York, M. O. M. A.), probablement issues des *Demoiselles d'Avignon* de Picasso. Avec le *Pont de Cagnes* (Washington, N. G.) ou *Vue de Cadaquès* (1910, musée de Bâle), on peut évoquer Cézanne. Bientôt, l'œuvre de Derain trahit des expériences diverses : la peinture italienne et flamande du XVe s. (*À travers la fenêtre,* v. 1912, New York, M. O. M. A.), l'imagerie populaire (le *Chevalier X,* 1914, Ermitage), la peinture médiévale (les *Buveurs,* 1913, Tōkyō, musée Kabutoya).

André Derain
▲ **Hyde Park** (1907)
Troyes, musée d'Art moderne,
Collection Pierre Lévy

Au cours de la quinzaine d'années qui suivit une guerre qui non seulement avait dispersé tout le groupe des jeunes peintres, mais avait exacerbé chez les critiques et dans le public une sensibilité nationale et traditionaliste, Derain fait figure de « plus grand peintre français vivant », de « régulateur ». Il est loué par Salmon, Apollinaire, Élie Faure, Clive Bell pour son éclectisme, trait dominant de son art dont on lui fait plutôt grief aujourd'hui. La culture des musées est, en effet, de plus en plus sensible dans les solutions picturales et dans la technique de Derain : ses nus rappellent tantôt Courbet, tantôt Renoir; ses paysages, tantôt Corot (la *Basilique de Saint-Maximin,* Paris, musée d'Orsay), tantôt l'école de Barbizon, ou même Magnasco (les *Bacchantes,* 1954, Troyes, musée d'art moderne, coll. Lévy). Ses portraits, souvent d'exécution très brillante, évoquent, selon le type du modèle, Byzance, Venise, la peinture espagnole ou Ingres.

C'est l'art du spectacle qui lui inspire désormais, indirectement ou directement, la part la plus personnelle de son œuvre, qu'il s'agisse de l'impressionnant *Pierrot et Arlequin* (1924, Paris, donation Walter-Guillaume) ou de ses décors et costumes de ballets pour la *Boutique fantasque* pour Diaghilev (1919), *Jack in the Box* d'Erik Satie (1926), *Mam'zelle Angot* (1947) ou *le Barbier de Séville* (1953) pour Aix-en-Provence.

Derain fut également un excellent illustrateur, gravant généralement sur bois, technique qu'il pratiqua à partir de 1906 : *l'Enchanteur pourrissant* d'Apollinaire (1909), *Œuvres burlesques et mystiques du frère Matorel mort au couvent de Barcelone* de Max Jacob (1912), le *Mont-de-Piété* d'André Breton (1916) et *Héliogabale* d'Antonin Artaud (1934). Le retour de Derain aux valeurs traditionnelles après une brillante période fauve coïncide avec la création, par ses amis Braque et Picasso, du Cubisme, dont le refus contribua peut-être à entraîner les ambitions de Derain dans une autre direction. Depuis, son œuvre est un témoignage souvent brillant et convaincant d'un artiste infiniment doué et intelligent, mais que ses doutes, son besoin de références et sa volonté de créer un nouveau classicisme français ont délibérément maintenu à contre-courant.

Il est représenté dans la plupart des grands musées du monde ainsi que dans de nombreuses coll. part., dont la plus importante, la coll. Pierre Lévy, a été donnée aux musées nationaux pour le musée d'Art moderne de Troyes. F. C.

Desportes

Alexandre François

peintre français

(Champigneulles 1661 - Paris 1743)

De famille modeste, il vient encore enfant à Paris, où il devient l'élève de Nicasius Bernaert, spécialiste flamand de la peinture d'animaux dans la tradition d'un Snyders. Les débuts de Desportes sont assez lents : il collabore avec Audran, notamment pour la décoration (détruite) du château d'Anet. En tant que portraitiste, il séjourne en Pologne en 1695-96; il est alors rappelé pour devenir peintre animalier à la Cour. Reçu à l'Académie en 1699 (*Autoportrait en chasseur,* Louvre), il participe à la décoration de la Ménagerie (tableaux déposés à l'Assemblée nationale), à celle de Marly (2 toiles au Louvre), à celle de Meudon et représente en série les chasses du roi et les chiens de sa meute. Très apprécié en Angleterre, il s'y rend en 1712, et son œuvre a laissé des traces dans la peinture anglaise du XVIIIe s. En France, son succès continue auprès du Régent et de Louis XV : il travaille pour la Muette (1717, tableaux aux musées de Grenoble et de Lyon), les Tuileries (1720), les petits cabinets de Versailles (1729), Compiègne (1738-39), enfin Choisy (1742). En même temps, il donne des dessins et des cartons pour la Savonnerie (feuilles de paravent, tapis) et

Alexandre-François Desportes
Paysage ▶
Compiègne, Musée national du château
Phot. Telarci-Giraudon

les Gobelins (tenture des « Nouvelles Indes », 1736-1741). Il travailla aussi pour des particuliers, comme les Pâris, le conseiller Glucq (1725-26, tableaux dispersés dans les musées de Rennes, Senlis, Fontainebleau et au Louvre). Desportes est également l'auteur de natures mortes où les fruits, les fleurs exotiques, le gibier, traités avec minutie et des couleurs montées, s'accompagnent d'orfèvreries précieuses, dans une mise en page un peu solennelle. Cette intense activité s'appuie sur des études d'après nature heureusement conservées (manufacture de Sèvres, en partie déposées à Compiègne, aux musées de la chasse de Gien, de Senlis et de Paris) et qui sont peut-être la part la plus fascinante de son œuvre. On y trouve non seulement des études d'animaux, mais des paysages réalistes d'une sensibilité toute moderne. Ce que l'art de Desportes a parfois d'un peu pompeux est en effet toujours racheté par un sens très flamand du réel, qui se traduit aussi bien dans les fonds de paysage que dans le rendu riche et précis de la matière, pelage et plumes des animaux ou épiderme chatoyant des fleurs et des fruits. A. S.

Dix

Otto

peintre allemand

(Untermhaus 1891 - Hemmenhofen 1969)

Il se forma d'abord chez un décorateur de Gera (1905-1909), puis à l'école des Arts décoratifs de Dresde (1910-1914). Il suivit dans ses premières œuvres la tradition allemande des XVe-XVIe s., subit l'influence du groupe Die Brücke et plus encore celle du Futurisme, de 1914 à 1919. Comme les autres artistes de sa génération, il fut profondément marqué par la guerre — dont il a laissé maints témoignages (env. 600 dessins, aquarelles, gouaches) et à laquelle il prit part (fronts russe et français, 1914-1919) —, puis par le climat politique, confus et violent, de l'Allemagne après l'armistice. Les tableaux de 1920 reflètent cette situation et sont un étonnant amalgame de technique dadaïste (collages; il participe à la grande exposition du club dada à Berlin en 1920) et d'Expressionnisme à deux dimensions (la *Barricade;* les *Mutilés de guerre,* disparus; les *Joueurs de skats mutilés jouant aux cartes,* coll. part.; la *Rue de Prague à Dresde,* Stuttgart, Staatsgal.; *Marchand d'allumettes I, id.*). La même année se fait jour le style le plus caractéristique de Dix, essentiellement graphique, relevé par une couleur froide et stridente,

Otto Dix
▲ **Portrait d'Ukarski**
Düsseldorf, Kunstmuseum

Phot. du musée

en accord avec la tradition expressive et ambiguë du XVIe s. (Baldung, Dürer, Cranach, Grünewald), qu'il applique à traiter des thèmes contemporains : évocation d'une horreur fantastique de la *Tranchée* (1920-1923, disparue apr. 1938), portraits saturés de présence (l'*Urologue-dermatologue Koch,* 1921, Cologne, W.R.M.; *Sylvia von Harden,* 1926, Paris, M.N.A.M.; les *Parents de l'artiste,* 1924, musée de Hanovre), satire de la ville moderne (la *Grande Ville,* 1927, Stuttgart, Gal. der Stadt), observation directe de situations humaines brutes (*Femme enceinte,* 1930-31), bébés (*Nouveau-né tenu dans les mains,* 1927, coll. part.). L'œuvre gravé (premier bois en 1913; belle série de bois en 1919 : le *Cri*) culmine dans les eaux-fortes des années 20 : suites sur les *Filles* et les *Artistes du cirque* (1922), et, surtout, les 50 pièces de la *Guerre,* d'une vérité et d'une intensité exceptionnelles (1923-24; éditées en 1924 à Berlin, pleinement révélées en 1961). Dix adopta les techniques anciennes : détrempe et glacis en peinture, pointe d'argent pour le dessin, à laquelle il doit de très belles pages (études de nouveau-né, son fils Ursus, 1927; plantes très durériennes, nus, paysages). À juste titre considéré comme le principal chef de file de la « Neue Sachlichkeit » (« Nouvelle Objectivité », première exposition à Mannheim en 1925), l'artiste abandonna quelque peu cet esprit, après 1930, au profit d'un relatif adoucissement, même dans le thème de la *Guerre* (4 panneaux à Dresde, Gg, 1929-1932), et d'emprunts de plus en plus nets aux maîtres anciens (thèmes de la tentation de saint Antoine, de saint Christophe, de la Vanité), où se distinguent les nus, d'une étrange poésie cranachienne (peintures et pointes-d'argent), les paysages, surtout dessinés (*Paysage idéal du Hegau,* 1934, Aix-la-Chapelle, coll. part.). À partir de 1946, il pratiqua une manière d'Expressionnisme tardif, plus souple et pictural. Professeur à l'Académie de Dresde de 1927 à 1933, il s'était retiré en 1936 à Hemmenhofen, sur les bords du lac de Constance. Dix a laissé de la société allemande avant le nazisme la représentation la plus saisissante. Cette vision, à la fois impartiale, non engagée et d'une vérité parfois à peine supportable, a été mieux comprise au moment des diverses réactions figuratives, face au subjectivisme de l'abstraction des années 45 à 60, et il est significatif que Dix, comme Bacon plus tard, se soit souvent référé à la philosophie de Nietzsche. L'artiste est surtout représenté dans les musées allemands, ainsi qu'à New York (M. O. M. A.). M. A. S.

Carlo Dolci
▼ **Saint André adorant sa croix** (1646)
Florence, Palazzo Pitti
Phot. Scala

Dolci

Carlo

peintre italien
(Florence 1616 - id. 1686)

Très jeune, v. 1632, il débute avec des portraits naturalistes. Influencé ensuite par son maître, Jacopo Vignali (*Fra Ainolfo dei Bardi,* Florence, Pitti), il se consacre à une peinture religieuse d'inspiration pathétique. Il y paraît partagé entre de vagues intentions naturalistes et le souvenir du « beau idéal » du cinquecento toscan. À en juger par le nombre de répliques et les variantes de ses tableaux, ses œuvres les plus appréciées datent de cette époque. Ce sont aussi celles qui témoignent le plus d'un piétisme facile et conventionnel (*Saint André adorant sa croix,* 1646, Florence, Pitti). Aux environs de 1650, Dolci s'oriente vers une nouvelle manière, compacte et brillante, avec des subtilités et un goût de la précision qui reflètent le goût flamand et hollandais, introduit à la cour toscane par l'œuvre d'artistes comme Jan Van Mieris. Tout en continuant, sauf de rares exceptions, à traiter des sujets sacrés et en retombant souvent dans la représentation extatique de saints et de saintes, il se prend à mettre l'accent sur les détails du décor, les meubles, les étoffes, sur la matière des choses, obtenant de très beaux effets d'animation figurative, renforcés encore par un choix raffiné des couleurs (*Sainte Cécile,* Ermitage; *Salomé,* Glasgow, Art Gal.; Dresde, Gg; la *Vision de saint Louis de Toulouse,* Florence, Pitti). S'il fut contraint de faire certaines concessions à ses acheteurs dévots — parmi lesquels le grand-duc Cosme III —, qui lui assuraient de substantiels revenus, sa vitalité et son originalité restèrent malgré tout remarquables jusque v. 1675. À cette époque, son caractère ombrageux et mélancolique s'aggravant avec les années, il se replie sur lui-même et ne peint presque plus. L'arrivée à Florence, en 1682, du Napolitain Luca Giordano, rayonnant de gloire et de joie de vivre, le trouble au point de le conduire à la mort. E. B.

Domenico Veneziano
▲ **La Vierge et l'Enfant avec quatre saints**
(« Pala de Santa Lucia de' Magnoli »)
Florence, Galleria degli Uffizi
Phot. Scala

Domenico Veneziano

Domenico di Bartolomeo, dit

peintre italien
(Venise ? 1405 ? - Florence 1461)

La première mention de Domenico Veneziano remonte à 1438, date à laquelle, alors qu'il peignait à Pérouse une salle du palais Baglioni (auj. disparue), il écrivit à Pierre de Médicis pour lui demander de travailler à Florence. Avant cette date, on ignore tout de lui, et le problème de sa formation et de sa première activité est fort discuté. Domenico s'adresse à Pierre de Médicis sur un ton à la fois déférent et familier (comme s'il connaissait déjà son correspondant), et montre une très bonne connaissance de la peinture florentine du temps : il sait, par exemple, que Filippo Lippi est alors occupé à peindre le retable Barbadori (Louvre) et que Fra Angelico est chargé de nombreuses commandes, et il espère que Cosme de Médicis lui confiera l'exécution d'un retable. On remarquera que Domenico pouvait, certes, avoir connu les Médicis en Vénétie (où Cosme avait séjourné lors de son exil, en 1433-34) et que ses renseignements sur l'activité florentine pouvaient être parvenus en

Ombrie à la suite de l'installation, en 1437, du retable de Fra Angelico à S. Domenico de Pérouse. Mais on notera aussi que l'artiste pouvait fort bien avoir connu les Médicis à Florence même et avoir eu un contact direct avec le milieu florentin grâce à un séjour précédent dans la ville. Cette hypothèse n'est pas contredite par l'examen de la plus ancienne des œuvres qui lui sont attribuées, le tondo avec l'*Adoration des mages* (v. 1435, Berlin-Dahlem). Cette peinture, qui provient certainement de Florence, révèle à la fois, parfaitement intégrés, le monde féerique du Gothique tardif et la nouvelle construction en perspective de la Renaissance. Veneziano avait pu assimiler les éléments les plus archaïques de sa culture à Venise, où le Gothique était encore vivace et où Pisanello avait peint, en 1419, ses fresques du palais des Doges. Mais la sûreté avec laquelle, dans le tondo de Berlin, les prés et les montagnes, les routes et les châteaux sont articulés en profondeur, selon les règles de la perspective, et les personnages plantés sur le sol ne s'explique pas sans une connaissance directe des recherches florentines, à travers l'œuvre de Fra Angelico (l'hypothèse est de R. Longhi). Une autre hypothèse sur les premières années de Domenico Veneziano a été formulée par C. Brandi, qui suggère que le peintre a séjourné à Rome av. 1438, aux côtés de Masolino, qui peignait alors les fresques de S. Clemente et qui lui aurait transmis son coloris tendre et lumineux. Enfin, M. Salmi propose de lire dans un ordre inverse la carrière de l'artiste, en considérant le tondo de Berlin comme une œuvre plutôt tardive, une sorte de retour à des formes gothiques après la perspective dépouillée et rigoureuse du *Tabernacle de'Carnesecchi* (Londres, N. G.) et la plasticité de la *Vierge* conservée au musée de Bucarest. Telles sont les différentes solutions proposées pour résoudre le problème fondamental concernant les débuts de Domenico Veneziano et l'*Adoration des mages* de Berlin-Dahlem.

Les œuvres qui nous sont parvenues et que l'on reconnaît comme étant de la main de Domenico Veneziano sont rares, les deux cycles de fresques, attestés et datés, de Pérouse et de S. Egidio à Florence (ils ont été commencés un an après la lettre de Pérouse) ayant été détruits. Il reste le *Tabernacle de'Carnesecchi* (déjà cité, qui est signé, avec la *Vierge à l'Enfant*), les *Vierges à l'Enfant* de Settignano (coll. Berenson) et de Washington (N. G.), le retable signé peint pour S. Lucia de'Magnoli (Offices; la *Vierge et l'Enfant avec les saints François, Jean-Baptiste, Zanobie et Lucie*), témoignage le plus important qui subsiste de son activité florentine. La prédelle de ce retable est auj. dispersée entre la N. G. de Washington *(Stigmatisation de saint François, Saint Jean au désert)*, le Fitzwilliam Museum de Cambridge *(Annonciation, Miracle de saint Zanobie)* et Berlin-Dahlem *(Martyre de sainte Lucie)*. Un de ses derniers travaux est sans doute la fresque représentant *Saint François et saint Jean-Baptiste,* détachée des murs de S. Croce à Florence (musée de l'Œuvre de la même église).

Domenico Veneziano ne jouit pas d'une grande renommée à Florence, car il y apparut au moment où la peinture, avec Filippo Lippi et Andrea del Castagno, recherchait de plus en plus la tension graphique et un dessin accusé, sacrifiant ces effets chromatiques que le Vénitien recherchait tant. Que l'on regarde, par exemple, le retable de S. Lucia de'Magnoli et les panneaux de sa prédelle, où l'architecture est une marqueterie de vert, de rose et de blanc, où les figures sont des zones de rouge, de gris, de bleu ciel : la ligne qui les définit n'est que la limite de taches de couleur. Sans doute le peintre se laissa-t-il pourtant imprégner pendant ses dernières années par le milieu florentin des années postérieures à 1450, comme en témoigne, par exemple, sa fresque de S. Croce représentant *Saint François et saint Jean-Baptiste,* dont le dessin paraît plus aigu et marqué.

Ainsi l'influence de Domenico Veneziano sur la culture de son temps — dont il fut incontestablement l'une des plus fortes personnalités — est-elle moins sensible, à Florence, sur le courant principal mené par Filippo Lippi et Andrea del Castagno (bien que ce dernier, dans ses premières fresques de S. Apollonia, semble touché par l'univers lumineux de Domenico) que sur l'œuvre de personnalités plus modestes, comme Giovanni di Francesco et Baldovinetti, ou que sur celle de certains auteurs anonymes de « cassoni » qui s'inspirèrent de son « style narratif orné » : style que nous connaissons uniquement par le tondo de Berlin, mais qui devait aussi se déployer sans doute sur les murs de S. Egidio (d'après ce que nous en savons par la description de Vasari) ou sur les « cassoni » que l'artiste ne dédaigna pas de peindre, comme celui, auj. perdu, qu'il exécuta pour les noces Parenti-Strozzi.

Sa présence à Pérouse fut, d'autre part, déterminante pour des maîtres comme Boccati, Bonfigli et le jeune Pérugin. Toutefois, son élève le plus direct et le plus grand fut certainement Piero della Francesca, qui, tout jeune, le seconda sur le chantier de S. Egidio et qui lui emprunta la radieuse pureté de sa couleur.

Domenico Veneziano mourut pauvre, en 1461. S'il ne fut pas tué par trahison par Andrea del Castagno, jaloux de son talent, comme l'affirme Vasari, cette légende (Andrea étant mort de la peste quatre ans avant Domenico) témoigne, dans ses excès mêmes, du peu de renommée et de sympathie dont avait joui le peintre dans un milieu désormais étranger à son univers poétique. M. B.

Dominiquin
La Chasse de Diane (1616) ▲
Rome, Galleria Borghese
Phot. Lauros-Giraudon

Dominiquin

Domenico Zampieri,
dit il Domenichino
peintre italien
(Bologne 1581 - Naples 1641)

Après un court apprentissage auprès du maniériste Calvaert, qui le marqua fort peu, il passa à l'académie des Carrache, où il se distingua rapidement comme un dessinateur remarquable. Il travaille alors avec les Carrache à la décoration de l'oratoire de S. Colombano *(Mise au tombeau)*. Peu après, il se rend à Rome pour étudier dans le milieu classicisant dominé par Annibal Carrache et collabore avec ce dernier à de nombreux travaux (palais Farnèse : *Jeune Fille à la licorne, Narcisse*).

Bien qu'il fût conduit à adopter assez tôt une peinture monumentale à sujets nobles, il s'adonna également toute sa vie à la peinture de paysage, le plus souvent en de petites toiles témoignant d'une fraîche observation du réel et d'un sens profond de la beauté de la nature. Ces œuvres, difficiles à dater, trouvent d'ailleurs un écho, tout au long de la carrière de l'artiste, dans le fond de paysage de nombreuses « pale » d'autels. Les plus beaux exemples de paysages sont le *Gué* (Rome, Gal. Doria Pamphili), *Saint Jérôme* (Glasgow, Art Gal.), le *Baptême dans le fleuve* (Cambridge, Fitzwilliam Museum), les deux *Histoires d'Hercule,* la *Fuite en Égypte* et *Herminie chez les bergers* (tous les quatre au Louvre).

Le premier succès public de Dominiquin, une fresque relatant la *Flagellation de saint André,* peinte dans l'oratoire S. Andrea à S. Gregorio al Celio, fut exécuté en 1608 (en concurrence avec Guido Reni, qui travaillait à la décoration du mur opposé). Viennent ensuite ses deux chefs-d'œuvre : la décoration à fresque de la chapelle Saint-Nil à l'abbaye de Grottaferrata (Latium) et celle de la chapelle Polet, dédiée à sainte Cécile, à Saint-Louis-des-Français (Rome).

Avant d'achever la *Vie de sainte Cécile* (1614), il avait commencé une « pala » d'autel avec la *Der-*

nière Communion de saint Jérôme (Vatican). Cette œuvre présente un chromatisme brillant, inusité chez un artiste qui, sauf pour ses paysages, se soumettait habituellement à la rigueur des normes classicisantes élaborées sur l'exemple de l'Antiquité et de Raphaël. Cette même force picturale, particulière à ce moment de son évolution, se retrouve dans les deux grandes fresques de Saint-Louis-des-Français. Dans le cadre d'une mise en scène calculée sur les modèles fameux de Raphaël, Dominiquin offre ici de vibrantes observations naturalistes, révélant un artiste plus proche de la vie et de la réalité que des images idéales issues des théories de la Beauté qu'il avait lui-même élaborées et que développait alors Gian Battista Agucchi.

Au cours des années suivantes, Dominiquin finit par adhérer sans restrictions aux normes classiques, au risque même d'étouffer son inspiration la plus originale sous des réminiscences trop intellectuelles.

De sa meilleure veine créatrice, inspirée par la poétique du Beau idéal, sont nées les fresques mythologiques de la villa Aldobrandini de Frascati (1615-16, Londres, N. G.), la *Chasse de Diane* (1616, Rome, Gal. Borghese) et les fresques de la voûte du chœur de S. Andrea della Valle (*Scènes de la vie de saint André,* 1622-1627). Mais, durant cette période, Dominiquin donne également de nombreuses œuvres qui ne peuvent se situer sur le même plan et reflètent en outre les atteintes d'une crise personnelle qui se révéla sans remède. Il séjourna quelque temps à Fano, plus longtemps à Bologne, enfin à Rome, où le pape Grégoire XV, son concitoyen, l'avait nommé architecte pontifical (1621) et lui avait procuré la commande de la décoration de S. Andrea della Valle. La mort prématurée de Grégoire XV et l'ascension de peintres beaucoup plus « modernes », comme Lanfranco et Pietro da Cortona, laissèrent Dominiquin, auteur pourtant d'œuvres qui comptent parmi les plus importantes du temps, fort isolé et peu apprécié à Rome. Il doit alors quitter cette ville pour se rendre à Naples, où il s'installe en 1630 après avoir accepté la commande de la décoration de la chapelle S. Gennaro, au Dôme. Après un séjour peu heureux, tant sur le plan personnel que sur le plan artistique, il mourut sans avoir achevé cette œuvre et sans avoir obtenu l'estime des peintres napolitains. E. B.

Dosso Dossi

Giovanni di Lutero, dit

peintre italien

(Ferrare v. 1489 - id. 1542)

La véritable patrie de Dosso fut Ferrare, où il tint entre 1522 et 1540 un rôle capital à la cour d'Alphonse Ier et d'Hercule II d'Este. L'Arioste le célébra dans son *Orlando furioso.* Selon Vasari, c'est de Costa, l'artiste le plus réputé en Émilie

Dosso Dossi
Le Départ des Argonautes
Washington, National Gallery of Art
Phot. Fabbri

v. 1500, qu'il reçut son premier enseignement; mais, assez vite, à la suite de plusieurs voyages à Venise, il se situa comme disciple de Giorgione, aux côtés de Palma le Vieux ou de Titien, avec qui il se rendit à Mantoue (1519) et admira les peintures de Mantegna pour le *Studiolo* d'Isabelle d'Este. Au cours de ces années, tout son effort tendit à effacer progressivement ses liens avec l'Émilie et à assimiler l'art vénitien. En raison des recherches de clair-obscur, de dynamisme dans la composition, ses *Saintes Conversations* (Philadelphie, Museum of Art, coll. Johnson; Rome, Gal. Capitoline) sont comparables aux œuvres équivalentes de Titien et de Cariani. Plus éclectique, sa *Bacchanale* du château Saint-Ange à Rome dénote des références à l'Antiquité et aux modèles romains, Michel-Ange et Raphaël. Le goût des peintures de petites dimensions prédomine durant cette période. Dosso, qui adopta presque exclusivement l'huile, est un coloriste raffiné chez qui les verts et les ors ont un éclat particulier. Sa fantaisie imaginative et son idéalisme s'expriment dans de nombreuses peintures mythologiques, telles que sa *Mélissa* (ou *Circé* [?], Rome, Gal. Borghese), le *Départ des Argonautes* (Washington, N.G.), les *Scènes de l'Énéide* (Ottawa, N.G., et Birmingham, Barber Inst. of Arts), *Jupiter et Mercure* (Vienne, K.M.), qui révèlent un idéal poétique proche de celui de Giorgione.

À partir de 1522 et de la *Madone avec saint Georges et saint Michel* pour le maître-autel du dôme de Modène (Pin. Estense), première œuvre documentée avec certitude, Dosso s'écarte de la production contemporaine de Titien, par exemple, aux Frari, et laisse davantage s'exprimer un sens lyrique de la nature et une fantaisie bien personnels, tout en accentuant un style ample, plus influencé par le goût romain. Le *Saint Jérôme* (Vienne, K.M.) est la seule œuvre signée du peintre. De nouvelles recherches sur la disposition des formes dans l'espace et des effets de texture apparaissent dans les portraits, d'un réalisme toujours direct : *Portrait d'homme* (Louvre). Dosso se distingua également comme fresquiste, notamment au palais de Trente (1532, Camera del Camin Nero), où il s'inspira des *Sibylles* de la Sixtine, et dans les villas autour de Ferrare, décorées sur l'initiative d'Hercule II (villas Belvedere, Belriguardo). En 1530-31, il termina le grand polyptyque de *Saint André* à Ferrare, laissé inachevé par Garofalo, devenu aveugle (P.N.). La dernière phase de son activité picturale s'ouvre avec la grande *Immaculée Conception* (1532, peinte pour Modène, Dresde, Gg, détruite pendant la guerre). L'artiste s'aligne alors sur les recherches maniéristes, qui se généralisent en Italie centrale : sa palette s'assombrit et le contenu métaphysique de sa peinture, qu'envahissent d'étranges figures, s'intensifie (*Saint Côme et saint Damien,* Rome, Gal. Borghese). Mais il continue à peindre des compositions allégoriques ou mythologiques qui accordent une large place aux paysages fantastiques (*Apollon et Daphné,* Rome, Gal. Borghese; *Circé,* Washington, N.G.; *Diane et Callisto,* Rome, Gal. Borghese). Un important voyage à Pesaro, où l'artiste laissa à la Camera delle Cariatide (Villa Imperiale) une décoration exquise, pourrait se placer en 1537-38.

Le rôle de Dosso s'amenuise considérablement au profit de son frère Battista dans ces dernières années. La dernière mention documentée le concernant atteste sa présence à Venise en 1542.

Avec Parmesan, Dosso Dossi domina l'art de la *maniera* en Émilie. Girolamo da Carpi et Nicolò dell'Abate furent les deux plus grands bénéficiaires de cette double influence. À Crémone, l'audience de l'artiste fut considérable auprès de paysagistes plus jeunes comme les frères Campi, Camillo Boccaccino, Sofonisba Anguissola. Giulio Romano lui-même n'aurait pas échappé à l'attrait des paysages fantastiques de Dosso. C. M. G.

Dou

Gerrit

peintre néerlandais
(Leyde 1613 - id. *1675)*

Fils d'un peintre verrier, après un stage chez le graveur Dolendo, puis chez le peintre verrier Pieter Couwenhorn, il travailla auprès de son père avant d'entrer à quinze ans dans l'atelier de Rembrandt (leurs deux maisons étaient fort proches). Il y resta jusqu'au départ de ce dernier pour Amsterdam en 1631-32. Tout comme Lievens et Joris Van Vliet — les deux autres élèves de Rembrandt pendant la période leydoise —, ses débuts sont entièrement dominés par l'enseignement du maître, dont il pastiche littéralement les œuvres : mêmes modèles, mêmes poses et même peinture de genre minutieuse, rendue encore plus pittoresque par le charme du clair-obscur.

Citons ainsi les tableaux représentant le père de Rembrandt, souvent déguisé en guerrier, en Oriental, en astronome (musée de Kassel; Ermitage), la mère de Rembrandt, parfois en train de lire la Bible (Kassel, Rijksmuseum, Berlin-Dahlem, Gg de Dresde, Louvre), le peintre au travail (*Portrait de Rembrandt devant son chevalet,* Boston, M.F.A.), de saints ermites en prière (Munich, Alte Pin.; Dresde, Gg; Londres, Wallace Coll.; Rijksmuseum). À l'aide d'une palette sombre, d'une technique encore sobre quoique déjà fort réaliste et

Gerrit Dou
◄ **La Jeune Mère**
La Haye, Mauritshuis
Phot. du musée

précise, Dou est parfaitement à l'aise dans le traitement des détails et des accessoires.

Après le départ de Rembrandt, il conquiert assez vite son originalité en renonçant peu à peu au portrait, et il se concentre sur une peinture de genre traitée avec une minutie et un perfectionnisme toujours plus poussés, qui allaient faire son immense célébrité. C'est ainsi qu'en 1641 déjà, le diplomate suédois Spiering allouait une riche pension annuelle à Dou pour se réserver le premier choix de ses ouvrages. En 1648, Dou entre à la gilde de Saint-Luc à Leyde; en 1660, les États de Hollande lui achètent trois de ses tableaux (dont la *Jeune Mère* du Mauritshuis) pour les offrir à Charles II en séjour à La Haye. Indépendamment de la littérature élogieuse contemporaine, qui le compare volontiers à Xeuxis ou à Parrhasios, l'un des plus intéressants témoignages du succès du peintre reste cette véritable exposition permanente de 29 de ses tableaux, appartenant au fameux collectionneur Jan de Bye, ouverte en 1665 dans la maison du peintre Hannot (sans doute l'une des premières expositions au sens moderne du mot). L'on y voyait certains des plus célèbres Dou, comme la *Femme hydropique* et le *Trompette* du Louvre, le *Cellier* de Dresde (Gg), l'*École du soir* du Rijksmuseum. Il est à peine besoin d'insister sur l'extrême hausse de prix que connurent les tableaux de Dou de son vivant et surtout aux XVIIIe et XIXe s. : telle *Cuisinière* du musée de Karlsruhe passa, entre 1706 et 1768, de 770 à 6 220 florins, au moment où un Vermeer se vendait 26 florins en 1745.

Dans cette deuxième période de Dou, si éloignée de l'art de Rembrandt et où la polychromie se fait plus vive, avec une facture toujours plus nette et plus lisse — d'où une indéniable froideur qui compromet nombre de ses toiles —, on doit noter l'extraordinaire succès du thème de la niche, d'origine rembranesque d'ailleurs, mais vite devenu chez Dou un pur poncif destiné à faciliter une exécution en trompe l'œil. Par soumission à la mode, les niches sont souvent ornées d'un bas-relief de Duquesnoy *(Putti jouant avec des boucs),* qui est là pour donner une note classico-moderne, et l'école de Dou — notamment les Mieris — exploitera ce thème de la niche. Le plus souvent, Dou y loge une femme occupée à des tâches ménagères (cuisinière, récureuse, marchande, fileuse) ou, parfois, un médecin — prétextes à autant de variations sur des natures mortes de détails, où se révèle peut-être le véritable génie de l'artiste (volets de la *Femme hydropique,* Louvre; ceux du *Cellier* de Dresde, Gg) et qui témoignent d'un exceptionnel don pour la nature morte, mais qu'il a trop rarement cultivé pour lui-même. Parmi d'innombrables exemples de ces paysannes d'un rustique très sophistiqué — caractéristique de la préciosité de l'époque — vues en buste dans une niche, citons celles de Vienne (K.M.), de Londres (Buckingham Palace et N.G.), de Cambridge, de Turin, du Louvre, de Schwerin. L'autre grande spécialité de Dou, elle aussi d'origine rembranesque, mais singulièrement déviée vers un pur artifice de virtuosité, est le clair-obscur obtenu au moyen d'une chandelle. Dou en a tiré un pittoresque facile, qui met en valeur une facture nette, parfaite et lisse, surtout dans les reflets rougeâtres et les dégradés d'ombre. Le plus célèbre de ces effets de lumière, où triomphera un Schalcken après Dou, reste l'*École du soir* (Rijksmuseum). De bons clairs-obscurs de Dou se trouvent encore dans les musées de Dresde (la *Cueilleuse de raisins*), de Munich, de Leyde (l'*Astronome*), de Bruxelles (le *Dessinateur*), de Cologne.

Finesse excessive, facture lisse et froide, technique trop savante et illusionniste, sujets de genre rustique insignifiants et aggravant par là le manque d'esprit d'une peinture réaliste à recettes, tout l'art de Dou porte en germe les symptômes de la décadence dont la peinture néerlandaise va être affligée à la fin du XVIIe s. et tout au long du XVIIIe. Aussi bien l'importance historique du peintre est-elle considérable, et le grand nombre de ses élèves et imitateurs suffit à en porter témoignage : on citera ainsi Metsu et Frans Van Mieris I, les plus doués, puis, à partir de 1660, Slingelandt, Schalcken, Dominicus Van Tol, neveu de Dou, Maton, Naiveu, Carel de Moor. Par ailleurs, des artistes comme Gaesbeck, Brekelenkam, Staveren, Spreeuven, Pieter Leermans, Abraham de Pape ont tous profité des avis et des conseils, sinon des leçons, de Dou. Il lui revient la gloire d'avoir vraiment fondé l'école leydoise de la peinture « fine ».

Jadis trop prisé, on aurait aujourd'hui tendance à le déprécier injustement. On peut toujours être sensible aux prodigieuses qualités d'exécution de la *Femme hydropique,* à un métier parfait qui trouve en lui-même sa poésie lorsqu'il reste intelligent et mesuré, comme dans ce chef-d'œuvre de réalisme à la fois poétique et familier qu'est la *Jeune Mère* du Mauritshuis. J. F.

Jean Dubuffet
Pierre de Vie ▶
Zurich, Kunsthaus
Phot. Fabbri

Dubuffet

Jean

peintre français
(Le Havre 1908 - Paris 1985)

Issu d'une famille de négociants en vins, il fait ses études au lycée du Havre, se passionne pour le dessin et s'inscrit en 1916 à l'école des beaux-arts de cette ville. À Paris, en 1918, il fréquente durant six mois l'académie Julian, puis décide de travailler seul. Également sollicité par la littérature, la

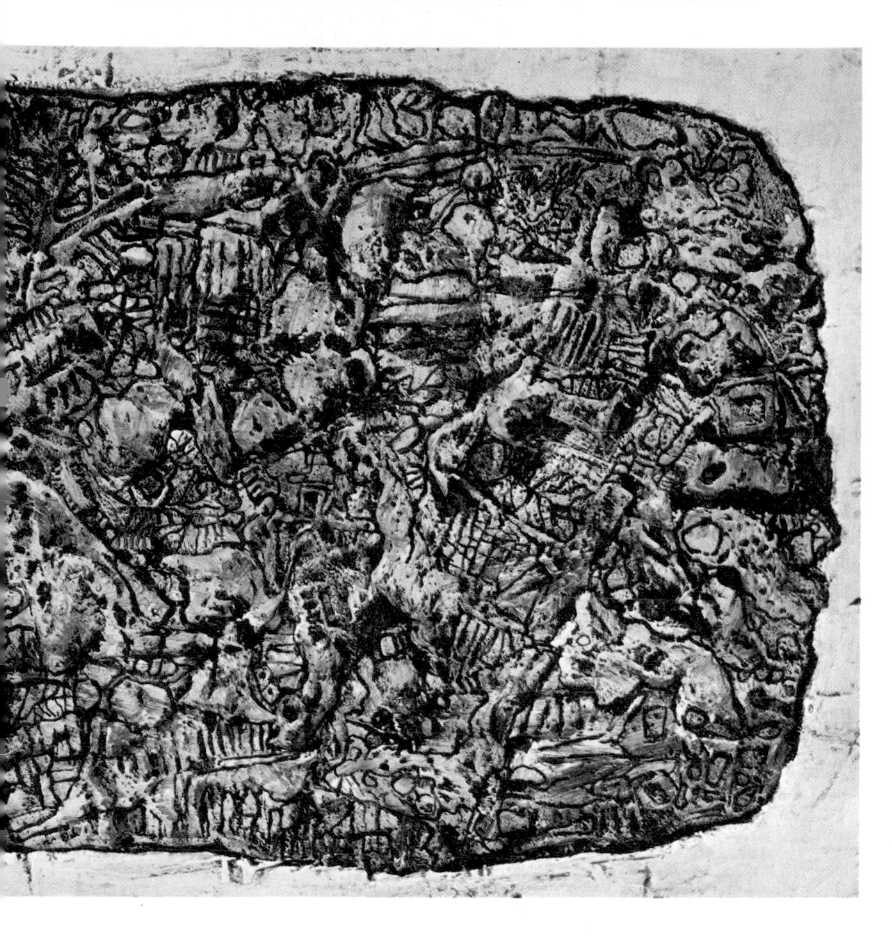

musique, les langues étrangères, Dubuffet cherche sa voie et acquiert la conviction que l'art occidental meurt sous le foisonnement des références, plus ou moins académiques : la peinture de l'après-guerre est, en effet, une réaction contre les audaces du début du siècle. Il se consacre donc au commerce à partir de 1925, s'installe à Bercy (1930) et ne revient à la peinture qu'en 1933. Deux ans plus tard, à la recherche d'une expression inédite, il sculpte des marionnettes et modèle des masques d'après des empreintes de visages. Il renonce pour la seconde fois à la peinture en 1937 et, seulement cinq ans plus tard, choisit définitivement une carrière artistique. Les premiers témoignages du travail de Dubuffet, entre 1920 et 1936 (dessins, portraits, études diverses), révèlent surtout un graphisme incisif et un sens aigu du caractère que voile la banalité des apparences.

Cet autodidacte quadragénaire va renouveler dès sa première exposition, en 1944 (gal. Drouin, place Vendôme), le vocabulaire « figuratif », en portant simplement sur le spectacle de la vie un regard non prévenu, d'une candeur barbare *(Mirobolus, Macadam et Cie, Hautes Pâtes).* Aperçus du métro parisien (les *Dessous de la capitale*), portraits (1947) et nus (*Corps de dames,* 1950) suscitèrent tour à tour le scandale et le jugement réprobateur de presque toute la critique, en raison de la verve féroce, destructrice, qui s'y donnait cours, tout en conservant à l'image une intégrité paradoxale, de très haute tension (*Fautrier araignée au front,* 1947, New York, coll. part. ; l'*Oursonne,* 1950, coll. part.), œuvres peintes dans une gamme brune, terreuse, à l'exception de celles, d'un coloriage brutal, qui furent exécutées au Sahara (trois séjours de 1947 à 1949, notamment à El Golea). Mais cette production exigeait aussi un renouvellement technique, l'élection par l'artiste de matériaux insolites, peu nobles, voire « décriés » (cambouis, gravier), et le mélange de différents médiums (peinture laquée et à l'huile) afin de provoquer de fertiles rencontres. L'attention qu'il porte aux textures naturelles (vieux murs, ornières, rouilles et décrépitudes diverses) amène Dubuffet à composer d'étranges paysages « du mental », ou « texturologies » pures, monochromes et denses, d'une saturante proximité avec la matière (*Sols et terrains,* 1952 ; *Pâtes battues,* 1953), où s'impriment des signes rudimentaires, traces d'une présence humaine balbutiante et déjà tenace ; les émouvantes *Petites Statues de la vie précaire* (1954) — où interviennent le mâchefer, le débris d'éponge, le vieux journal, le tampon Gex — relèvent d'une quête analogue, ainsi que les « assemblages d'empreintes » (à partir de *Petits Tableaux d'ailes de papillons,* en 1953) ; l'on y surprend l'artiste, selon ses propres mots, en posture de « célébration » devant les témoins fossilisés d'une geste hagarde et millénaire, linéaments de rocs, poussières de feuilles. Un séjour en Auvergne (été de 1954) est à l'origine d'une suite d'études de vaches, dans laquelle la rassurante placidité inhérente au thème le cède à une turbulence grotesque et inquiétante (la *Belle Fessue,* États-Unis, coll. part.). Après s'être adonné à des recherches lithographiques (*Phénomènes,* 1958), Dubuffet inventorie le thème, peu exploité jusqu'à lui, des *Barbes,* dont il décrit et chante les avatars avec un nostalgique attendrissement (la *Fleur de barbe,* dessins à l'encre de Chine, 1960, puis gouaches et peintures intitulées *As-tu cueilli la fleur de barbe ?*).

Parallèles à cette déconcertante et allègre fécondité, les expositions de l'« art brut » (la première tenue à Paris en 1949) indiquent sinon les sources, du moins les voies d'expression que Dubuffet a seules, entre toutes, retenues : le dessin d'enfant, ignorant qu'il dessine pour l'édification des adultes, le graffiti anonyme des murailles lépreuses, le griffonnage burlesque, obscène — révélateur d'une nostalgie fruste et lancinante — des parois de vespasienne ou des cabines de bains publics, l'œuvre authentiquement naïve de l'artiste involontaire (maçon, coiffeur, ébéniste), peignant, dessinant ou sculptant parce que..., celle, également, des aliénés de toutes catégories. Il est significatif qu'une des entreprises les plus cohérentes et méditées de l'art contemporain ait pour caution avouée ces différents travaux, dont les auteurs témoignent avec éclat en faveur de cet « état sauvage » du regard, superbement défini par André Breton (1928). À partir de 1962, Dubuffet a présenté en plusieurs expositions le cycle de l'*Hourloupe* (1967, Paris, gal. Claude Bernard et Jeanne Bûcher ; 1971, *id.,* gal. Jeanne Bûcher). Il s'agit d'une mise en forme apparemment plus rationnelle que naguère, et l'expression le cède à la lecture d'une imagerie complexe, puzzle bariolé où s'inscrivent de grands motifs familiers (escaliers, cafetières, personnages au chien, bicyclette : *Bicyclette 2,* 1972, coll. part.). L'artiste a ensuite appliqué la même esthétique à des projets d'architecture rompant délibérément avec le rationalisme, toujours plus ou moins en vigueur dans cette discipline, et à des sculptures réalisées en polyester (*Bidon l'Esbroufe,* 1967, New York, Guggenheim Museum), en époxy, en tôle peinte au polyuréthane (*Don Coucoubazar,* 1972-73, Paris, gal. Jeanne Bûcher).

Écrivain d'une verve poétique et drue, Dubuffet a donné de sa méthode le meilleur commentaire (*Mémoire pour le développement de mes travaux à partir de 1952,* dans « Rétrospective Jean Dubuffet », Paris 1960-61), dans un style où la définition, souvent humoristique, est toujours d'une surprenante justesse. L'œuvre entière de Dubuffet se situe dans la lignée royale de cette esthétique de la trouvaille créatrice, qui, de Picasso à certains surréalistes (Ernst, Masson), donne l'idée la plus exhaustive de l'art d'aujourd'hui, quand la lucidité investigatrice dévoile, à son propre émerveillement, une contrée vierge : « Je suis toujours à la limite du barbouillage le plus immonde et misérable et du petit miracle » (dans Michel Ragon, *Dubuffet,* 1958).

Le musée des Arts décoratifs de Paris a bénéficié en 1967 d'une importante donation de l'artiste, qui a publié en 1968 *Asphyxiante Culture.* Entre 1960 et 1962, en compagnie d'Asger Jorn, Dubuffet a réalisé des enregistrements musicaux, véritables compositions de timbres engendrées par des instruments classiques, exotiques ou très primitifs.

M. A. S.

Duccio di Buoninsegna

peintre italien
(Sienne v. 1260 - id. *1318-19)*

Le problème des débuts de Duccio. Le premier document qui le concerne date de 1278 et porte sur la décoration de douze coffres-forts de la Commune ; l'année suivante, il est payé pour avoir peint une couverture de la « Biccherna ». Mais ces documents ne nous apprennent rien sur la première formation de l'artiste, qui, peu d'années après, prouvera sa très haute culture et le prestige dont il jouissait lorsqu'il sera chargé d'exécuter en 1285 la *Maestà (Madone Rucellai)* pour la compagnie des Laudesi à S. Maria Novella de Florence. Le langage savant de cette œuvre, qui n'a que des liens insignifiants avec la vieille culture siennoise, de goût byzantin, inaugure en effet une tradition tout à fait nouvelle pour cette ville, sinon pour Florence, désormais dominée par la culture de Cimabue. C'est d'ailleurs en remarquant les rapports de Duccio avec l'art de Cimabue que la critique moderne a reconnu dans un séjour auprès du maître florentin la source de l'affranchissement de Duccio vis-à-vis de l'archaïque tradition siennoise du XIIIe s. Devant formuler une hypothèse plausible sur les mystérieux débuts de Duccio, certains historiens ont ainsi suggéré d'y deviner un moment d'équilibre assez instable entre plusieurs tendances : de sévères notions byzantines à l'arrière-plan, l'influence de la tendance expressive prononcée et de la technique orientale de Coppo di Marcovaldo (à Sienne en 1261), enfin les premiers reflets de l'art de Cimabue antérieur aux fresques de la basilique d'Assise. On a même supposé, de façon hypothétique, l'attribution à Duccio, v. 1280, de quelques œuvres (*Crucifix,* Florence, Palazzo Vecchio et Carmine). Pour confirmer les rapports du jeune artiste avec Cimabue, on a, d'autre part, reconnu la présence de Duccio parmi les peintres qui exécutèrent, très vraisemblablement sous la direction de Cimabue, les *Scènes de l'Ancien Testament* dans la basilique supérieure d'Assise : les restes de la *Crucifixion* et l'une des figures d'*Anges* du transept sont les parties qui paraissent les plus convaincantes pour confirmer cette identification (Longhi), qui semble aussi fort plausible sur le plan chronologique, si l'on admet que les œuvres en question correspondent à l'activité de Duccio durant les années qui précèdent 1285, date de la *Madone Rucellai.* Antérieure est la *Madone avec l'Enfant,* autrefois à Crevole (Sienne, Opera del Duomo), image pathétique et d'une grande noblesse, où l'influence de Cimabue, propre à ces premières années de Duccio, est encore transposée dans l'atmosphère classicisante créée par la persistance des souvenirs byzantins.

La « Madone Rucellai ». Ces mêmes souvenirs subsistent, mais plus cachés, dans la grande *Maestà* (dite aussi *Madone Rucellai*), exécutée en 1285 pour la compagnie des Laudesi (Offices), où les anciens schémas, interprétés avec une sorte de vibrante concentration intérieure, se fondent dans l'élégance de la nouvelle sensibilité gothique. La force plastique de Cimabue acquiert la légèreté propre aux ivoires sculptés; elle se voit adoucie par un chromatisme resplendissant, plus vrai, et pourtant empreint d'un fort accent d'Antiquité classique. La *Madone Rucellai* marque ainsi le triomphe d'une conception classicisante du renouvellement gothique de la peinture toscane. L'écho des courants français les plus avancés tout comme le langage florentin, qui naissait alors grâce à Giotto et qui se fondait sur une construction rationnelle de l'espace et des volumes, seront interprétés par Duccio et par ses élèves selon une élégance formelle abstraite, unissant la préciosité antiquisante des couleurs à la conception harmonieuse des lignes et des rythmes.

On remarquera que cette première maturité stylistique de Duccio ne manqua pas d'avoir une certaine influence sur Cimabue lui-même. Le désaccord des critiques sur l'attribution à l'un ou à l'autre peintre de quelques œuvres de signification plus grande (*Madone à l'Enfant* de Castelfiorentino; *Flagellation* de la Frick Coll. à New York; *Maestà* de l'église des Servi à Bologne) en est la preuve.

De la « Madone Rucellai » à la « Maestà » (1285-1308). De ces années, encore proches de 1285, quelques œuvres indiscutables de Duccio paraissent fort significatives, comme la petite *Maestà* (musée de Berne), la minuscule *Madone des Franciscains* (Sienne, P. N.) et le dessin pour le vitrail du chœur de la cathédrale de Sienne, datant de 1288 d'après les documents.

Les spécialistes, par contre, ne se sont pas encore entendus (ou bien ils n'ont pas encore manifesté leur position à l'égard de ces propositions récentes) sur l'attribution à Duccio lui-même d'un certain nombre d'œuvres : la *Madone sur un trône* de la Gal. Sabauda de Turin, le petit triptyque avec la *Madone et l'Enfant sur un trône* et des *Scènes de la vie du Christ et de saint François,* malheureusement abîmé (Cambridge, Mass., Fogg Art Museum), le *Crucifix* du château de Bracciano, la *Madone à l'Enfant* de Buonconvento (Sienne), la *Madone et l'Enfant,* nº 583 de Sienne (P. N.).

La critique retrouve l'unanimité à l'égard des œuvres qui annoncent désormais la conclusion magistrale de la carrière de Duccio, la grande *Maestà* peinte pour le maître-autel de la cathédrale de Sienne. De quelques années antérieures à cette œuvre paraissent ainsi la *Madone à l'Enfant* de la coll. Stoclet, à Bruxelles, le triptyque avec la *Madone et deux saints* de la N. G. de Londres et la *Madone à l'Enfant* de la G. N. de Pérouse. On reconnaît généralement quelque intervention de l'atelier dans l'exécution du polyptyque nº 28 de la P. N. de Sienne et dans les triptyques, pourtant fort beaux (avec une *Crucifixion* sur le panneau central), du M. F. A. de Boston et de Buckingham Palace.

La « Maestà » (1308-1311). On sait qu'en 1302 Duccio avait exécuté une *Maestà* pour la chapelle à l'intérieur du Palazzo Pubblico. Le souvenir de cette œuvre, auj. perdue, doit se retrouver dans de nombreuses *Maestà* du cercle de Duccio, dont la pensée s'y trouve certainement reflétée. Par contre, la *Maestà* de la cathédrale (Sienne, Opera del Duomo), pour laquelle un contrat fut rédigé le 9 octobre 1308, est conservée presque intacte dans sa mise en page grandiose.

Le tableau fut transféré solennellement de l'atelier du peintre à la cathédrale le 9 juin 1311. Il était peint sur les deux faces et complété d'une prédelle et d'un couronnement. En 1506, le tableau fut enlevé du maître-autel de l'église, et les deux faces de la peinture furent ultérieurement séparées, ce qui entraîna la dispersion de quelques panneaux de la prédelle et du couronnement, auj. repérés en grande partie dans plusieurs collections et musées (Londres, N. G. ; New York, Frick Coll. ; Washington, N. G. ; Fort Worth, Texas, Art Center Museum ; Lugano, coll. Thyssen).

C'est en repensant aux sources anciennes de son inspiration que Duccio composa, sur la face antérieure, la foule céleste qui entoure la *Madone à l'Enfant,* alors que, sur la face postérieure, il conçut, dans une succession serrée, les scènes de la *Passion du Christ.* Ici, mieux qu'ailleurs, on peut évaluer l'assimilation méditée et personnelle des expériences que la peinture florentine contemporaine tentait pour définir l'espace, assimilation qui prouve l'attention détachée que Duccio portait à l'art de Giotto. L'esprit de sa peinture ne change pas pour autant ; il reste hésitant entre la nostalgie d'une civilisation aulique et sacrée et le goût d'une narration animée et dramatique propre au langage gothique et quotidien.

La dernière période. La seule œuvre qui témoigne de la dernière période, obscure, de l'activité de Duccio (qui mourut entre 1318 et 1319) est un polyptyque avec la *Madone et des saints* (Sienne, P. N., n° 47), où la figure de la Vierge, d'une simplicité et d'une ampleur toutes monumentales, révèle l'intelligence toujours vive du maître à l'égard d'une culture nouvelle qui, désormais, tout en le devançant, lui rend honneur. C. V.

Les élèves de Duccio. Dès 1290, Duccio, véritable fondateur de l'école siennoise, exerça une profonde influence sur un grand nombre d'artistes qui se formèrent dans son atelier, collaborant parfois à ses travaux. Parmi ses élèves les plus proches et les plus doués, on peut citer le Maître de Badia a Isola, actif certainement dès avant 1300, le Maître de Citta di Castello, puis Ugolino et Segna (dont les fils Niccolo et Francesco illustrèrent, tard dans le siècle, le style « ducciesque ») ainsi que l'auteur de la remarquable *Maestà* de Massa Marittima. Il faut également rappeler tout ce que, à leurs débuts, des maîtres tels que Simone Martini (*Maestà* du Palazzo Pubblico de Sienne) et Pietro Lorenzetti (*Maestà* de Cortone) durent à l'exemple de Duccio. S. R.

Duccio
◄ **Le Christ devant Anne.**
Le Reniement de saint Pierre
(panneau de la Maestà) [1308-1311]
Sienne, Museo dell'Opera del Duomo
Phot. Scala

Duchamp

Marcel

peintre américain d'origine française
(Blainville, Eure, 1887 - Neuilly-sur-Seine 1968)

Cet artiste, dont le génie s'est exercé à détruire l'art de son milieu, est né dans une famille bourgeoise (son père était notaire), qui devait compter deux autres grands artistes : ses frères Jacques Villon et Raymond Duchamp-Villon. Il commence à peindre en 1902 (*Chapelle de Blainville,* Philadelphie, Museum of Art, coll. Arensberg), étudie à l'académie Julian (1904-1905) et exécute des paysages et des portraits influencés par le Néo-Impressionnisme et par les Nabis *(Portrait d'Yvonne Duchamp,* 1909, New York, coll. part. ; *Maison rouge dans les pommiers,* 1908, *id.).* Il donne aussi des vignettes, dans le style de Lautrec et des humoristes « fin de siècle », pour *le Courrier français* et *le Rire* (1905-1910), et, jusqu'en 1910, sous l'influence de Cézanne et des fauves, continue à peindre dans une manière assez moderne, sans agressivité ni audace profondes (*Nu aux bas noirs,* 1910, New York, coll. part.).

Cependant, à Puteaux, chez ses frères, qui fréquentent Gleizes, La Fresnaye, Kupka, il se montre bientôt attentif à la leçon du Cubisme, à travers celle de la Section d'or. Sous cette influence, il exécute en 1911 des œuvres où, aux schématisations et aux perspectives multiples du Cubisme, s'ajoute une recherche personnelle du mouvement (*Dulcinea, Sonate, Yvonne et Magdeleine déchiquetées,* Philadelphie, Museum of Art, coll. Arensberg ; *Joueurs d'échecs,* Paris, M. N. A. M.). S'est-il inspiré des futuristes ? De récents travaux (D. Fédit) ont prouvé que les peintres de Puteaux connaissaient fort bien leur esthétique et que, dès 1910, 1909 peut-être, Kupka

Marcel Duchamp
La Mariée mise à nu par ses célibataires, même ▶
(1915-1923)
Philadelphie, Museum of Art, collection Louise et Walter Arensberg

Phot. Wyatt

exécutait des séries de figures en mouvement que Duchamp n'a pu ignorer (Paris, M. N. A. M.). En effet, son premier *Nu descendant un escalier* date de 1911 (Philadelphie, Museum of Art, coll. Arensberg) et sera suivi, en 1912, d'une série d'œuvres capitales, consacrées à l'expression du mouvement, où Duchamp assimile l'influence du Futurisme, de la « chronophotographie » et de Kupka. Dans ces camaïeux de couleurs brunes s'opposent et s'enchevêtrent des figures immobiles et « vites », pareilles à des machines, d'où l'humour n'est pas absent (le *Roi et la reine entourés de nus vites, Vierge, Mariée,* Philadelphie, *id.*). Ces recherches sont inséparables de celles de Picabia, qui peignait, vers la même époque, des tableaux dynamiques à la limite de l'abstraction (*Danses à la source, id.; Udnie, jeune fille américaine,* 1913, Paris, M. N. A. M.).

En 1913, Duchamp tourne brusquement le dos à ses recherches artistiques pour élaborer à loisir, sous forme de « notes de travail », un système tout personnel, que domine une méditation à la fois grave et farfelue sur les sciences exactes. De cette activité philosophique résultent les *Stoppages-Étalon* (New York, M.O.M.A.). Ces objets à demi scientifiques annoncent ses « ready-mades », dont le premier, une *Roue de bicyclette* juchée sur un tabouret (Neuilly, coll. Mme Duchamp), est exécuté la même année. Suivront, entre autres, le *Porte-bouteilles (id.), Apolinere enameled* (1916-17, Philadelphie, *id.*), *L.H.O.O.Q.* (Paris, coll. part), version moustachue de la *Joconde* (1919), autant de variantes du « readymade » : simple, « aidé », « rectifié », « imité », « imité-rectifié » ou « servi », selon le degré d'intervention de l'artiste dans ces éléments « tout prêts », au gré d'un hasard quelque peu sollicité par l'humour.

D'autre part, dès 1913, Duchamp commence à concevoir la célèbre peinture sur verre, la *Mariée mise à nu par ses célibataires, même* (1915-1923, Philadelphie, *id.*), qui est son grand œuvre. Il exprime dans cet étonnant monument une pure et absurde gratuité, et sa philosophie de l'amour et du désir. Selon Robert Lebel « plan d'une machine à aimer », la *Mariée*, par sa disposition même (le symbole féminin dans la partie supérieure, les symboles masculins au-dessous), exprime la difficulté originelle de l'accord charnel, dans lequel la femme, par sa puissance imaginative, est toujours au-delà, et l'homme, rivé par son instinct, en deçà. Les dérisoires neuf « moules mâlics », célibataires, témoignent férocement de cette impuissance (le prêtre, le livreur de grand magasin, le gendarme, le cuirassier, l'agent de police, le croque-mort, le larbin, le garçon de café, le chef de gare), tandis que la « broyeuse de chocolat », en bas, à droite, est l'image du plaisir solitaire du célibataire « qui broie son chocolat tout seul ». Une seconde version de la *Mariée* a été exécutée en 1961 par Duchamp et Ulf Linde (Stockholm, Moderna Museet; 3e version, 1966, Londres, Tate Gal.).

Le public de l'« Armory Show » de 1913 a fait un succès de scandale au *Nu descendant un escalier*. De 1915 à 1918, en compagnie de Picabia, Duchamp, installé à New York, y implante ce qui sera l'esprit du mouvement dada. En 1917, *Fountain* (3e version, Milan, gal. Schwarz), ready-made particulièrement agressif (un urinoir), suscite un scandale retentissant. En 1918, Duchamp exécute sa toute dernière peinture, dont le titre, *Tu m'* (New Haven, Yale University Art Gal.), est un adieu significatif à l'art. Invité au Salon dada à Paris en juin 1920, il répond par un télégramme : « Pode bal ». Entre Paris et New York, il va désormais se consacrer au « grand verre » de la *Mariée*, à une parcimonieuse « production » de ready-mades (*Optique de précision*, 1920) et surtout au jeu d'échecs, sa passion, qu'il enseignera pour vivre. Cependant sa gloire grandit; les surréalistes le considèrent comme un des leurs; ils célèbrent sa rupture avec l'art et son choix de l'expérience vécue, diffusant bruyamment ses propos, dont Duchamp n'est pourtant guère prodigue. Plus que son œuvre, sa vie est donnée comme un exemple de parfaite rigueur morale. On reconnaît dans ses objets absurdes l'authentique poésie de l'« humour noir » et derrière ses thèmes une métaphysique cohérente. Tant de ferveur et d'ingéniosité ne détourna d'ailleurs pas Duchamp de la vie qu'il s'était choisie. Malgré son constant appui au Surréalisme, il ne revint jamais sur ses postulats. En 1967-68, il a pourtant exécuté des dessins et des gravures d'un érotisme humoristique, composés de détails d'œuvres célèbres : le *Baiser*, le *Bain turc*, la *Femme aux bas blancs* de Courbet; d'autres reviennent au thème de la *Mariée* ou à celui de l'amour. En 1938 était parue la première édition de la *Boîte en valise*, contenant, sous forme miniaturisée, ses principales œuvres (un exemplaire au M.N.A.M.). Philosophe égaré un moment dans les arts plastiques, Duchamp a adopté un mode d'existence voué à l'exercice de la première vertu philosophique : la liberté. Presque toute son œuvre est réunie au Museum of Art de Philadelphie grâce au legs Arensberg, fait en 1950. P. Ge.

Dufy
Raoul

peintre français
(Le Havre 1877 - Forcalquier 1953)

Son enfance se passe au Havre, dans une famille très musicienne, ce qui expliquera le choix de nombreux thèmes de son œuvre. Dès quatorze ans, il doit travailler dans une maison d'importation, mais suit, à partir de 1892, les cours du soir du peintre Lhuillier à l'école municipale des beaux-arts du Havre, où il rencontre Othon Friesz. Ses premières admirations vont à Boudin, découvert au musée local, et à Delacroix, dont la *Justice de Trajan* (musée de Rouen) lui « fut une révélation et certainement une des impressions les plus violentes » de sa vie.

En 1900, trois ans après Friesz, Dufy obtient une bourse municipale pour aller travailler à Paris. Inscrit à l'E.N.B.A. (atelier Bonnat), il s'intéresse surtout aux impressionnistes, en particulier à Manet, Monet, Pissarro, qui l'influencent, et aux post-impressionnistes, surtout à Lautrec, dont le trait incisif l'enthousiasme. Il commence à obtenir un certain succès, que son nouveau style, de 1904 à 1906 env., va provisoirement diminuer.

Pendant cette période, Dufy et son ami Marquet

Raoul Dufy
Les Trois Ombrelles (1906) ▲
Houston, collection particulière

travaillent, côte à côte et dans des styles voisins, à Fécamp, à Trouville et au Havre. La *Rue pavoisée* et les *Affiches à Trouville* (1906, Paris, M. N. A. M.) ou les *Trois Ombrelles* (1906, Houston, coll. part.) sont, par la touche, la couleur et les thèmes, des toiles fauves, mais d'une sensibilité encore impressionniste. Dufy date lui-même de 1905, avec la découverte au Salon d'automne de *Luxe, calme et volupté,* de Matisse, sa propre évolution vers une peinture nouvelle : « Le réalisme impressionniste perdit pour moi son charme, à la contemplation du miracle de l'imagination traduite dans le dessin et la couleur. » *Jeanne dans les fleurs* (1907, musée du Havre) trahit une nette influence de Matisse; puis la grande rétrospective Cézanne (1907), le voyage fait avec Braque à l'Estaque l'année suivante renforcent chez lui un besoin de structure qui ne l'entraîne pourtant pas jusqu'au Cubisme (*Arbres à l'Estaque,* 1908, Paris, M. N. A. M.). La grande vivacité de couleurs jointe à un graphisme net de la *Dame en rose* (1908, *id.*) fait également penser à Van Gogh et n'est pas sans évoquer l'Expressionnisme allemand, vraiment connu de l'artiste l'année suivante au cours du voyage fait avec Friesz à Munich.

Autour de 1909, l'art de Dufy s'allège, s'empreint de grâce et d'humour, avec déjà quelque agrément décoratif dans l'agencement des taches et des silhouettes (le *Bois de Boulogne,* 1909, musée de Nice; le *Jardin abandonné,* 1913, Paris, M. N. A. M.).

Après avoir illustré de bois gravés plusieurs livres de ses amis poètes (*Bestiaire d'Orphée* d'Apollinaire, 1910), Dufy s'intéresse à l'art décoratif; il fonde avec l'aide du couturier Paul Poiret (1911) une entreprise de décoration de textiles, dessine des tissus (de 1912 à 1930) pour la maison

Bianchini-Ferrier. En 1920, il exécute avec Fauconnet les décors du *Bœuf sur le toit* (texte de J. Cocteau, musique de D. Milhaud); enfin, il s'affirme décorateur autant que peintre en exposant régulièrement, à partir de 1921, au Salon des Artistes décorateurs, en exécutant des fontaines et des projets de piscines avec le céramiste Artigas ou en décorant (1925) les trois célèbres péniches de Poiret : *Amours, Délices* et *Orgues*.

Après la guerre, à partir des grandes compositions de *Vence* en 1919 (musées de Chicago et de Nice), la peinture de Dufy s'épanouit dans son style définitif. Il superpose désormais, selon une formule à laquelle il restera attaché, un dessin vif, baroquisant et comme « bouclé » d'arabesques, à des « plages » de couleurs pures délimitées avec un arbitraire apparent, le trait et la couleur étant parfaitement autonomes. D'où le choix des thèmes où il peut opposer un foumillement mouvementé, traduit par le graphisme, à une unité ambiante assurée par ses aplats de couleurs vives : tout ce qui est mouvement ponctué sur un espace calme, pelouse, plan d'eau, canotiers sur la Marne (*Régates à Cowes*, 1930, anc. coll. Louis Carré; *Nogent, pont rose et chemin de fer*, v. 1933, musée du Havre), champ de courses (les *Courses*, 1935, coll. Agha Khan). Après la guerre, il abandonne la gravure sur bois pour la lithographie et pratique de plus en plus l'aquarelle; en 1935, il adopte un nouveau médium : les couleurs mises au point par le chimiste Maroger, qui lui permettent d'obtenir la légèreté et la fraîcheur de l'aquarelle. L'aboutissement de ces années de recherches décoratives est, en 1937, la *Fée Électricité*, décoration gigantesque pour un pavillon de l'Exposition internationale, où la fantaisie dans le détail, imprévue dans un sujet sévère, se tempère de rigueur dans la composition générale (Paris, M. A. M. de la Ville).

À la fin de sa vie, Dufy tend vers un plus grand dépouillement, où son enjouement s'enrichit d'une intensité nouvelle : la série des « Ateliers » (1942), des toiles presque monochromes (la *Console jaune*, 1947, anc. coll. Louis Carré; le *Violon rouge*, 1948, Paris, coll. part.). En 1952, un an avant sa mort, il reçoit le Grand Prix international de peinture à la XXVIe Biennale de Venise. On ne saurait omettre dans sa longue carrière ce qui, pour beaucoup, semble constituer le meilleur de son œuvre : ses dessins à la plume et au crayon gras, où se déploient sa fermeté, sa concision, sa vivacité et son humour (un grand nombre au M. N. A. M. de Paris). Dufy fut, entre les deux guerres, le « reporter » visuel amusé des spectacles offerts par un monde pacifié et jouisseur, tantôt naturel (champs de blé, moutonnement des vagues), tantôt mondain (plages, régates, ports, salle de concert). F. C.

Dughet

Gaspard, dit le Guaspre ou Gaspard Poussin

peintre français

(Rome 1615 - id. 1675)

À Rome, en 1630, Poussin épouse Anne Dughet, fille d'un pâtissier français établi en Italie et sœur

Gaspard Dughet, **Vue de Tivoli** ▼
Londres, National Gallery
Phot. du musée

de Gaspard. Celui-ci partagera de 1631 à 1635 le domicile de son beau-frère, qui, sans doute, l'initia à la peinture. Poussin, voyant la passion du jeune homme pour la nature et la chasse, l'orienta vers l'étude du paysage. Vers 1650, Dughet entreprend les fresques de S. Martino al Monte à Rome, et, à partir de cette date, sa réputation s'établit. Il travaille dorénavant pour le roi d'Espagne, le duc de Toscane, les Doria et les Colonna (les Galeries Doria et Colonna à Rome conservent toujours d'importantes séries de paysages de l'artiste). Mais, dès avant cette période, si l'on accepte de confondre sa première activité avec celle du « Maître aux Bouleaux argentés », Dughet s'affirme comme un rénovateur d'un genre que les grands Bolonais, Poussin et Claude Lorrain avaient hautement illustré. S'il semble s'être limité au seul paysage, Dughet a su en exploiter toutes les ressources, utilisant tour à tour toutes les techniques : huile, tempera, gouache, fresque, ainsi qu'une admirable suite de dessins, soit à la pierre noire (Düsseldorf), soit au lavis (ceux-ci fréquemment confondus avec ceux de son beau-frère).

Romantique de tempérament, Dughet peindra une nature plus sauvage, moins ordonnée, moins ensoleillée, mais plus sensible aux variations du temps et des saisons que celles de Claude Lorrain et de Poussin (*Tempête,* Londres, coll. Denis Mahon). Si la discussion sur la nationalité de l'artiste est quelque peu vaine et s'il est encore trop tôt dans l'état actuel des recherches pour se faire une idée précise de l'évolution de son style, la réhabilitation de l'œuvre de Dughet, oublié pendant plus d'un siècle, est aujourd'hui effective. Ses œuvres, souvent comparées à celles de son plus illustre rival, Salvatore Rosa, seront fréquemment imitées et recherchées, particulièrement des « connaisseurs » anglais du XVIIIe s., ce qui explique leur abondance dans les collections et les musées britanniques (Oxford, Liverpool, Londres). P. R.

Dürer

Albrecht

peintre allemand

(Nuremberg 1471 - id. 1528)

Universelle par sa signification et par l'étendue de sa portée, l'œuvre de Dürer s'inscrit historiquement à l'intérieur d'un processus culturel et social révolutionnaire, au moment de transition décisif entre les sociétés féodales chancelantes et l'universalisme bourgeois, ouvert, au moins pour une élite, à l'idéalisme de la Renaissance italienne. Or, cette évolution, qui avait été, au sud des Alpes, le fruit d'une maturation régulière et progressive, prit, dans les pays germaniques, le caractère d'un affrontement intellectuel et politique violent dont on ne voyait la solution que dans une série de ruptures radicales avec le passé. C'est au cœur de ces conflits, dont la Réforme et la guerre des paysans seront les moments forts, que Dürer réalise la synthèse, pratiquement unique dans l'histoire de l'art, des principes de la Renaissance et d'un langage plastique très élaboré, croisement complexe d'influences rhénanes et néerlandaises. Ainsi, non sans ambiguïté, il demeure l'ultime représentant de la génération gothique flamboyante dont il est issu, tandis qu'il projette sur son temps et dans l'avenir le génie humaniste d'une pensée qui le définit comme « le premier artiste moderne du nord des Alpes » (L. Grote).

Années de formation. La famille Dürer était originaire de Hongrie, où le grand-père d'Albrecht, puis son père avaient pratiqué le métier d'orfèvre ; celui-ci, après un séjour aux Pays-Bas, s'était fixé en 1455 à Nuremberg. Selon toute vraisemblance, c'est dans la tradition artisanale de l'atelier paternel que le jeune Dürer acquit les premiers éléments de sa formation. Apprentissage capital pour le développement ultérieur de l'artiste comme dessinateur et graveur. C'est en effet son œuvre graphique qui, plus que sa peinture, dont le volume demeure assez restreint, lui valut de son vivant un renom international, tandis qu'au XVIe s. l'Europe entière copiera ses innombrables dessins, bois et cuivres gravés. Le premier témoignage artistique que nous conservons de lui, un *Autoportrait* à la pointe d'argent (1484, Albertina), apporte d'ailleurs l'éclatante démonstration de sa précocité dans ces techniques. En 1486, après avoir difficilement fléchi la volonté de son père, Dürer commence son apprentissage de peintre dans l'atelier de Michael Wolgemut, disciple de Hans Pleydenwurff, qui avait été l'un des ardents propagateurs de l'art des Pays-Bas, notamment de celui de Van Eyck, en Allemagne. Les quelques peintures que le jeune Albrecht exécute à ce moment, quoique interprétées dans un sens plutôt décoratif, portent la marque du style monumental de son maître (le *Cimetière de Saint-Jean,* aquarelle et gouache, v. 1489, musée de Brême).

Compagnonnage. Au printemps de 1490, son apprentissage terminé, Dürer quitte Nuremberg

Albrecht Dürer
Autoportrait ▶
(1498) [détail]
Madrid, Museo Nacional del Prado Phot. Fabbri

382

pour effectuer un tour de compagnon de quatre années. Les informations faisant défaut, nous ne pouvons qu'émettre des hypothèses sur les étapes de ce voyage. E. Panofsky suggère que le jeune maître dut hésiter entre Colmar, d'où rayonnait la renommée universelle de Schongauer, et la région de Francfort et de Mayence, où, semble-t-il, travaillait le non moins célèbre mais mystérieux « Maître du Livre de raison ». Cependant, l'interprétation des documents et l'analyse stylistique des œuvres de cette époque (influence de Gérard de Saint-Jean et de Dirk Bouts) laissent entendre que Dürer aurait poursuivi son périple jusqu'aux Pays-Bas pour y étudier les œuvres de ceux dans la tradition desquels il avait été éduqué : Van Eyck et Van der Weyden. Il revient sur ses pas au printemps de 1492 et s'arrête à Colmar. Les trois frères de Schongauer, mort l'année précédente, le reçoivent aimablement et le recommandent à leur quatrième frère, Georg, qui habite Bâle. Là, grâce également aux recommandations de son parrain, le célèbre éditeur Anton Koberger, Dürer est introduit dans les milieux humanistes, où il est agréé immédiatement et où il se lie d'amitié avec Johannes Amerbach. L'activité que poursuit Dürer durant ces années de voyage est surtout graphique : dessins et projets de xylographies où s'amalgament les influences du métier souverain de Schongauer et de la liberté d'invention du Maître du Livre de raison. *Saint Jérôme guérissant le lion* (1492), frontispice de l'édition des lettres de saint Jérôme, par Nicolas Kessler, est la seule gravure certifiée de cette époque, mais il est probable qu'il travailla à l'illustration d'autres éditions, comme le *Térence* d'Amerbach ou la *Nef des fous* de Bergmann von Olpe. De cette époque date également son premier *Autoportrait* peint (1492, Louvre), chef-d'œuvre d'introspection aiguë, analyse lucide et sans passion de son propre génie : « Mon destin progressera selon l'Ordre Suprême », inscrit-il au-dessus de sa tête.

Le premier voyage italien. En 1493, il est à Strasbourg, puis, l'année suivante, de nouveau à Nuremberg, où il épouse la fille du patricien Hans Frey avant de repartir, pour Venise cette fois. Ce second voyage prend, en raison de la formation qu'il avait reçue jusqu'alors, une résonance tout à fait exceptionnelle. En effet, pour la plupart des contemporains de Dürer, les sources vives de l'art demeuraient Bruges ou Gand, la Renaissance étant en général considérée comme un mouvement exclusivement italien, n'offrant aux artistes allemands qu'un stock de motifs décoratifs empruntés à l'Antiquité. Dürer y verra, en revanche, le lieu d'un véritable renouveau de la pensée et de la vision artistique, et il se lancera avec passion dans l'étude de la vie et de l'art vénitiens, croquant sur le vif, fréquentant les ateliers, copiant Mantegna, Credi, Pollaiolo, Carpaccio, Bellini, assimilant peu à peu les nouvelles conceptions esthétiques, notamment dans le domaine de la perspective et du traitement du nu. Mais, alors même que son intérêt s'éveillait aux théories artistiques, il témoignait d'une curiosité prononcée pour les choses de la nature, curiosité sous-jacente à l'ensemble de son œuvre et qu'il sublimera à la fin de sa carrière. Ainsi il réalise, principalement durant son voyage de retour, une série de vues autonomes des paysages qu'il traverse (Italie du Nord, Tyrol) : le *Wehlschpirg* (1495, Oxford, Ashmolean Museum), le *Col alpin* (*id.*, Escorial), l'*Étang dans la forêt* (*id.*, British Museum), la *Vue d'Arco* (*id.*, Louvre). Ces aquarelles fraîches et libres, émouvantes par leur modernité, leur cohérence, l'utilisation expressive des couleurs, sont à rapprocher, par leur vision concrète et leur expérience directe de la nature, opposées aux conceptions traditionnelles purement abstraites, d'études telles que le *Crabe* (v. 1495, Rotterdam, B.V.B.), la *Grande Touffe de gazon* (1503, Albertina) ou la *Corneille bleue* (1512, *id.*).

La maturité. En 1495, Dürer est de retour à Nuremberg et, grâce au mécénat de Frédéric le Sage, une période d'intense productivité s'ouvre devant lui. Sur le plan stylistique, il réalise alors la fusion entre les leçons italiennes et l'apprentissage dans la tradition germano-flamande, tandis que, du point de vue iconographique, il fait preuve d'éclectisme : le portrait humaniste et son message anthropocentriste, les thèmes bibliques, les allégories philosophiques, les scènes de genre, les satires... À côté d'une impressionnante série de gravures, parmi lesquelles le cycle de l'*Apocalypse* brille comme l'une des merveilles de l'art allemand, il réalise jusqu'en 1500 une douzaine de peintures. Le premier polyptyque, commande de Frédéric, fut conçu par Dürer, mais exécuté par des assistants (les *Sept Douleurs,* 1496, Dresde, Gg, et *Mater Dolorosa, id.,* Munich, Alte Pin.) ; le second, connu sous le nom de *Retable de Wittenberg* (1496-97, Dresde, Gg), est entièrement de la main du maître. Pour la *Vierge en adoration devant l'Enfant,* Dürer emprunte le schéma des nativités flamandes, tandis que la précision du modelé, les éléments de nature morte au premier plan et la perspective architecturale dépouillée de l'arrière-plan évoquent Mantegna ou Squarcione ; l'ensemble de la composition, au dessin dur sans rigidité et aux tonalités sourdes, dégage une atmosphère de piété grave qui n'est pas sans parenté, ainsi que l'indique Panofsky, avec les *Pietà* de Giovanni Bellini. Les panneaux latéraux *(Saint Antoine* et *Saint Sébastien),* plus tardifs (v. 1504), sont stylistiquement plus souples, mais leur réalisme ainsi que la chair abondante des putti contrastent avec l'élévation spirituelle du panneau central. Conjointement à ces retables, Dürer fit le *Portrait de Frédéric le Sage* (1496, Berlin-Dahlem). Tout élément décoratif ou descriptif est abandonné au profit de la pénétration psychologique, le dépouillement formel devenant le seul véhicule expressif de la tension intérieure du personnage. Par rapport à cette pièce maîtresse, le portrait d'*Oswolt Krel* (1499, Munich, Alte Pin.) marque un certain retour en arrière : multiplication des éléments de composition, ouverture sur une perspective de paysage, mise en valeur un peu emphatique du personnage et construction traditionnelle fondée sur le contraste complémentaire rouge-vert. Dans l'intervalle, Dürer avait réalisé quelques portraits *(Portrait de son père, Catherine Fürleger)* dont nous ne connaissons que les répliques, ainsi que la *Madone Haller* (v. 1497, Washington, N. G.) à la façon des *Madones* de Giovanni Bellini. Cinq ans après l'*Autoportrait* du Louvre, il reprend l'étude de sa propre figure (*Autoportrait,* 1498, Prado) et l'on mesure, dans le port altier, un brin orgueilleux, dans l'élégance guindée du vêtement et dans la composition savante de l'attitude et du décor, tout le chemin parcouru par celui qui, à vingt-sept ans, commence d'être reconnu comme le plus grand créateur de sa génération. De deux ans postérieur, l'*Autoportrait* de Munich (1500, Alte Pin.) est bien plus troublant et son mystère ne sera probablement jamais élucidé. Dürer s'y représente frontalement comme une sorte de Christ surgi des ténèbres dans un dépouillement monumental, avec les longues tresses dorées qui provoquaient les sarcasmes des Vénitiens, tombant symétriquement sur les épaules. Identification du génie de l'artiste au génie créateur divin, profession de foi dans le classicisme de la Renaissance, monument idéalisé à sa propre gloire ?

Le problème reste entier. La dernière œuvre de cette triomphale époque de jeunesse est une *Déploration sur le Christ mort* (v. 1500, Munich, Alte Pin.). Encore empreinte de la gravité austère de Wolgemut, cette composition transcende ce que son schéma pourrait avoir d'archaïque ou d'étriqué, en ouvrant au-dessus de l'anatomie du Christ et de l'ordonnance pyramidale des personnages le paysage idéal d'une Jérusalem cosmique.

Les chefs-d'œuvre et le second voyage italien. Au cours de ces années et surtout à partir de 1500, l'intérêt de Dürer pour les fondements rationnels de l'art va grandissant. Son premier voyage italien lui avait fait prendre conscience de l'impossibilité d'une création artistique totale sans connaissances théoriques : la rencontre de Jacopo de' Barbari et la découverte, en 1503, des dessins de Léonard lui en donneront la confirmation. C'est dans cet état d'esprit qu'il réalise, entre 1502 et 1504, le fameux *Retable Paumgartner* (Munich, Alte Pin.). Le panneau central porte une *Nativité* conçue selon les normes gothiques traditionnelles, mais, pour la première fois, Dürer rationalise la construction du décor en lui appliquant très rigoureusement les lois de la perspective. De même, les sévères volets latéraux, portraits de Lucas et Stéphane Paumgartner en saint Georges et saint Eustache, sont le fruit de savantes études de proportions. Plus remarquable encore est l'*Adoration des mages*, peinte en 1504 pour Frédéric le Sage (Offices) et dans laquelle l'étude de la perspective et des proportions est menée avec une précision difficilement surpassable, la direction du point de fuite étant orientée diagonalement, selon un mouvement qui sera caractéristique de l'art baroque. Par la composition savante des contrastes et le dialogue naturel des personnages avec leur environnement, Dürer dépasse cette espèce de chaleur mystique qui imprégnait la *Déploration sur le Christ mort* ou, plus encore, le *Retable Paumgartner* et parvient ici à une synthèse limpide qui évoque irrésistiblement Léonard.

À l'automne de 1505, il reprend la route de Venise, fuyant la peste qui sévit dans sa ville natale, mais aussi parce qu'il ressent l'impérieuse nécessité d'aller travailler sa couleur dans la ville des peintres par excellence. Sa renommée de dessinateur-graveur l'y avait précédé, et il fut reçu comme un seigneur dans les milieux culturels et politiques vénitiens. Seuls les peintres, à l'exception de Giovanni Bellini, lui manifestèrent de la jalousie, voire une franche hostilité. Souffrant de voir ceux-là même qui copiaient ses motifs graphiques le critiquer sur le plan du coloris, Dürer leur lance une sorte de défi avec la première commande qu'il reçoit en arrivant : la *Fête du Rosaire* pour l'église de la colonie allemande (1506, musée de Prague), œuvre qui, en constituant l'achèvement et la synthèse de son évolution antérieure, est sans doute l'ouvrage majeur de sa carrière. La composition, encore une fois, dérive très largement des « sacre conversazioni » de Bellini, mais Dürer substitue au côté solennel, angélique et méditatif des représentations traditionnelles de ce thème une atmosphère d'effervescence, ordonnée, comme dans les compositions de Stephan Lochner, autour de la pyramide centrale — Vierge, pape et empereur — et équilibrée poétiquement par le paysage éthéré ouvert à l'arrière-plan. Plus encore que la structure, c'est ici la couleur qui donne à la composition son ordre suprême. Traitée souplement, toute en modelés flexibles et en suggestions lumineuses, elle réalise le contraste et l'unité profonde de son éclat « vénitien » et du lyrisme grandiose, hérité des peintres rhénans du XVe s., qui commande le cérémonial de la scène. À côté de ce chef-d'œuvre, d'autres pièces, de moindre ampleur mais non de moindre qualité, retiennent l'attention. Mentionnons : la *Vierge au serin* (1506, Berlin-Dahlem), témoignage de l'attention que portait Dürer au problème de la couleur-lumière ainsi que de l'ascendant qu'avait sur lui Giovanni Bellini ; *Jésus parmi les docteurs* (1506, Lugano, coll. Thyssen), contraste expressif entre la beauté juvénile du Christ et la vieillesse parfois caricaturale des docteurs ; la *Jeune Vénitienne* (1505, Vienne, K. M.), inachevée, mais d'une délicatesse et d'une chaleur de ton évocatrices de Carpaccio ; enfin un portrait en clair-obscur sur fond marin lumineux, la *Femme à la mer* (v. 1507, Berlin-Dahlem). Sur le plan théorique, ce second séjour à Venise fut d'une importance capitale. Ayant découvert la puissance autonome de la couleur et son pouvoir d'expression, Dürer chercha à élaborer une couleur absolue, transcendant ce que le « chiaroscuro » vénitien conservait à ses yeux de trop particulier, de même qu'il s'efforçait, à l'aide d'Euclide, de Vitruve et de nombreuses études du corps humain, de percer le secret mathématique de l'idéal formel classique. Point culminant de ces recherches, l'*Adam et Ève* du Prado (1507), qui peut être considéré, dans son incomparable harmonie abstraite, comme la synthèse durérienne de l'idéal de beauté.

Le mécénat de Maximilien Ier, le voyage aux Pays-Bas, le testament spirituel. De retour à Nuremberg, il exécute un retable sur un thème très populaire en Allemagne à cette époque, le *Martyre des Dix Mille* (1508, Vienne, K. M.), puis une *Adoration de la Sainte-Trinité* (1511, *id.*). Ces œuvres ont en commun une composition fondée sur la multiplication des personnages et, notamment dans la *Sainte-Trinité*, sur la construction sphérique — copernicienne — de l'espace, ce qui leur donne un caractère visionnaire annonciateur d'Altdorfer, de Bruegel, de Tintoret et des maîtres du Baroque. Elles ne marquent cependant pas un progrès notable dans l'évolution de Dürer. En effet, en dehors du climat vénitien, il a tendance à revenir au support graphique des œuvres antérieures, et ses couleurs perdent un peu de leur éclat et de leur souplesse. D'ailleurs, à partir de 1510, il se consacra surtout à la gravure, qu'il considérait comme une « hygiène » par rapport à la peinture. C'est alors que paraissent la *Grande* et la *Petite Passion*, la *Vie de la Vierge*, puis, en 1513-14, ses chefs-d'œuvre, le *Chevalier, la Mort et le Diable* et la *Mélancolie*. Ayant trouvé, dès 1512, un nouveau mécène en la personne de l'empereur Maximilien Ier, il sera chargé par le Petit Conseil de Nuremberg de fréquentes missions diplomatiques. C'est ainsi qu'il assiste en 1518 à la diète d'Augsbourg et exécute à cette occasion un certain nombre de portraits dans la grande tradition augsbourgeoise (*Maximilien Ier*, 1519, Vienne, K. M.). *Sainte Anne, la Vierge et l'Enfant* (1519, Metropolitan Museum) est l'œuvre la plus remarquable de cette période pauvre en peintures, mais elle est très intéressante, car, avec sa composition délicate en tonalités blanches assourdies, elle engage Dürer sur une voie maniériste qui s'était déjà manifestée à partir du « style décoratif » (Panofsky) de *Saint Philippe* et de *Saint Jacques* (1516, Offices). La mort de Maximilien et la perspective de difficultés financières le conduiront en 1520 à la cour de Charles Quint pour faire renouveler sa rente. Il restera presque une année aux Pays-Bas, rencontrant Charles Quint, Marguerite d'Autriche, Christian II, mais surtout Érasme, Quentin Metsys, Patinir, Lucas de Leyde, B. Van Orley, et étudiera les maîtres flamands, les Van Eyck à Gand, Van der Weyden et Van der Goes à Bruxelles, la *Madone* de Michel-Ange à Bruges.

Cependant, son activité créatrice se ralentit. La mort de Maximilien marquait la fin de la « grande époque » de Dürer, que l'explosion de la Réforme (v. 1519), puis de la guerre des paysans, en 1525, acheva de bouleverser ; « Dürer est en mauvaise forme », note alors son ami Pirkheimer. Il avait pris parti pour Luther et, lorsque lui parvint la fausse nouvelle de l'assassinat du grand réformateur, il mit tous ses espoirs en Érasme, non sans trembler pour l'avenir : dans sa *Vision de rêve* (aquarelle, 1525, Vienne, K. M.), l'humanité est emportée par les flots d'un second déluge. Son travail, dès lors, se ressentira profondément de cet état d'esprit et il sera l'un des premiers apôtres de l'art selon la théologie simple et austère des Réformés. « Lorsque j'étais jeune, confie-t-il à Melanchton, je gravai des œuvres variées et nouvelles ; maintenant [...] je commence à considérer la nature dans sa pureté originelle et à comprendre que l'expression suprême de l'art est la simplicité. » Dans cette perspective, sa dernière œuvre monumentale, les *Quatre Apôtres* (1526, Munich, Alte Pin.), prend une valeur de testament spirituel. Ensemble, les quatre personnages incarnent l'homme, ses âges et ses humeurs : au volet gauche, Jean, jeune et sanguin, accompagné de Pierre, flegmatique, le dos courbé par les ans ; à droite, le bouillant Marc avec Paul, grave et inébranlable. La couleur, toute en modulations plastiques, complète le message ésotérique de l'œuvre par un contraste entre les accords complémentaires chauds, rouge-vert, bleu or, et les tonalités froides, blanc et gris-bleu. Apparitions intemporelles, ces figures sont, dans l'intensité de leur présence spirituelle, à la fois l'incarnation, les piliers et les garants d'une foi et d'une morale nouvelles, de cet idéal universel et profondément naturel qui fut celui du maître de Nuremberg.

Dürer est l'auteur d'un certain nombre de traités théoriques conçus à partir de 1512-13 et mis au

Antoon Van Dyck
▲ **Portrait de Charles Ier à la chasse**
Paris, musée du Louvre
Phot. Giraudon

point durant les dernières années de sa vie : *Instruction pour mesurer à la règle et au compas*, paru en 1525, *Traité sur les fortifications* (1527) et *les Quatre Livres des proportions du corps humain*, publiés six mois après sa mort. Ces ouvrages, que Panofsky compare en importance à la Bible de Luther, devaient faire partie d'une encyclopédie théorique de l'art qui se serait intitulée *Nourriture des apprentis peintres* et dont l'objet était de donner un ordre, fondé sur l'ordre universel de la nature, à la pratique, à la connaissance et à la signification de l'art. B. Z.

Dyck

Anthonis Van

peintre flamand
(Anvers 1599 - Londres 1641)

Formation artistique de Van Dyck : première période anversoise. Issu d'une famille bourgeoise d'Anvers, Van Dyck, âgé de huit ans, perd sa mère. Dès octobre 1609, il entre en apprentissage chez le peintre Hendrick Van Balen. Il aurait quitté ce maître à l'âge de seize ou dix-sept ans. L'éclosion si prompte de son talent a pour cadre privilégié Anvers, où rayonne l'art de Rubens, son aîné. Le

11 février 1618, Van Dyck est reçu maître à la corporation de Saint-Luc, à Anvers. Il peut alors accepter des commandes à son nom. C'est vers cette date qu'il devient l'assistant, mais non l'élève, de Rubens, et cette collaboration enrichira son art. Ses premières œuvres, de 1616 à 1618 env., une série de *Bustes d'apôtres* (Dresde, Gg ; musée de Besançon), une *Tête d'homme* (musée d'Aix-en-Provence), une *Étude de tête* (Louvre), procèdent surtout de l'esthétique réaliste caravagesque par la vigueur de leur facture en larges touches, les chairs brunes ou rouges, les rehauts de lumière. Cette production de jeunesse présente alors des affinités avec celle de Jordaens, à côté de qui il travaille dans l'atelier de Rubens. Ce dernier peignait alors des esquisses d'après lesquelles Van Dyck exécuta la *Bacchanale* (Berlin-Dahlem), *Saint Ambroise et l'empereur Théodose* (Londres, N. G.) ; le *Portrait de Jacqueline Van Caestre* (Bruxelles, M. A. A.), longtemps attribué à Rubens, prouve l'ascendant considérable de ce dernier sur son jeune collaborateur. Cependant, parallèlement à ses travaux d'assistant, Van Dyck poursuit sa propre carrière : son *Saint Martin partageant son manteau* (église de Saventhem), le *Martyre de saint Sébastien* (Louvre), par l'amenuisement et l'idéalisation des formes, s'opposent à la violence exaltée des puissantes masses de Rubens. Van Dyck commence alors sa carrière de portraitiste. Son *Portrait de famille* (Ermitage) présente, dans l'ordonnance des figures, le traitement des collerettes et des étoffes, des analogies avec la tradition flamande. Dès 1618-1620, son génie s'affirme : pour la première fois le visage humain échappe à toute forme stylistique traditionnelle en s'individualisant au maximum ; par contre, les attitudes, les cadres que remplissent les personnages procèdent d'un idéal de beauté, d'un goût nouveau pour la pompe et l'apparat qui se retrouvent dans tous ses portraits : son *Cornelis Van der Geest* (Londres, N. G.), ses *Autoportraits* (Ermitage ; Munich, Alte Pin.), son portrait de *Snyders* (New York, Frick Coll.) témoignent de cette dualité. En 1621, Van Dyck se rend pour quelques mois à la cour d'Angleterre, où le comte d'Arundel a préparé sa venue. Malgré un versement de 100 livres que lui fait le roi, il ne paraît pas avoir connu le succès, car le portraitiste Jan Mytens jouissait alors des faveurs de la Cour. Il retourne à Anvers à la fin de février 1621 et, le 3 octobre de la même année, entreprend un long voyage en Italie.

Période italienne. Le 20 novembre 1621, Van Dyck arrive à Gênes. L'année suivante, il s'embarque pour Rome, où il est reçu par le cardinal Bentivoglio. Au mois d'août 1622, il réside à Venise. Il visite tous les grands foyers artistiques : Rome, Florence, Palerme au printemps de 1624 ; il se rend même à Marseille. Mais, de 1623 à 1627, il fait de Gênes son point d'attache, devient le portraitiste de l'aristocratie et reçoit aussi de nombreuses commandes de décoration d'églises. L'Italie approfondit son goût instinctif de l'harmonie linéaire et ses dons de coloriste. Les grands modèles vénitiens l'influencent surtout. *Suzanne et les vieillards* (Munich, Alte Pin.) ainsi que le *Denier de César* (Gênes, Gal. di Palazzo Bianco) s'inspirent des compositions de Titien. Les *Trois Âges de l'homme* (musée de Vicence) reprennent probablement une œuvre de Giorgione auj. perdue. Van Dyck subit parallèlement l'ascendant de l'école de Bologne. La *Vierge au rosaire* (Palerme, oratoire du Rosaire) prolonge l'esthétique de l'école des Carrache. La *Sainte Famille* (Turin, Gal. Sabauda) offre l'harmonie classique d'un Corrège. L'originalité de Van Dyck est plus grande dans son *Christ en croix avec saint François et saint Bernard et un donateur* de l'église S. Michele près de Rapallo. Le sentiment religieux en est alangui, un peu dévot, sensuel aussi parfois, tandis qu'une facture brillante, un coloris soutenu exaltent des formes flexibles et élégantes annonçant déjà le goût rococo. Mais le portraitiste renouvelle pendant cette période les modèles d'apparat, peints à Gênes quinze ans plus tôt par Rubens. Dans le *Portrait d'une dame génoise et de sa fille* (Bruxelles, M. A. A.) ou le portrait équestre d'*Antonio Giulio Brignole Sale* (Gênes, Gal. di Palazzo Rosso), il apporte le raffinement et la recherche d'idéal que réclamait alors l'aristocratie de Gênes : s'écartant de tout réalisme, il réduit considérablement les proportions des têtes de ses modèles, allongeant ainsi leur silhouette : la *Marquise Balbi* (Washington, N. G.), la présumée *Marquise Doria* (Louvre), *Paolina Adorno* (Gênes, Gal. di Palazzo Rosso). Van Dyck coloriste fut particulièrement divers ; ainsi dans le portrait de la *Marquise Cattaneo* (Washington, N. G.) dominent un noir bistre et un brun composé de rouge, de noir et d'or, tandis que de puissants accords de rouge vif éclairent le *Portrait du cardinal Bentivoglio,* peint à Rome en 1623 (Florence, Pitti).

Son influence fut prolongée à Gênes par Strozzi et Valerio Castello, et à Palerme par Pietro Novelli. En quittant l'Italie, le peintre flamand donnait au seicento les plus grands modèles du portrait.

C'est pendant ce séjour en Italie, ainsi que dans sa première période anversoise, que Van Dyck réalisa le plus grand nombre de ses dessins. Beaucoup sont des études préparatoires pour les grandes compositions ; le musée de Hambourg possède les dessins pour l'*Arrestation du Christ* (Prado) ; d'autres dessins sont des études d'après Rubens, telles les *Souffrances de Job* (Louvre), d'après Titien (un carnet entier de croquis, coll. du duc de Devonshire). Tous se caractérisent par leur fougue baroque; ce sont des esquisses rapides exécutées à main levée, à la plume et au pinceau encré : les lignes s'y chevauchent et s'y cherchent nerveusement (*Adam et Ève chassés du Paradis,* musée d'Anvers; *Martyre de sainte Catherine,* Paris, E. N. B. A.). Van Dyck dessina moins par la suite et préféra aux études à la plume et au pinceau celles qui sont exécutées à la craie.

Seconde période anversoise. Vers la fin de l'année 1627, il est de retour à Anvers, où il recevra pendant cinq années des commandes considérables. Dans ses portraits, il s'adapte aux exigences de la bourgeoisie; ses effigies de *Pierre Stevens* (1627, Mauritshuis), de *Snyders et sa femme* (musée de Kassel) diffèrent de celles de l'aristocratie italienne; elles renouent avec la tradition flamande, où le modèle, représenté à mi-corps, conserve plus de réserve et de simplicité psychologique. Van Dyck porte également toute son attention sur la coloration chaude des visages d'*Anne Wake* (Mauritshuis) ou de *Martin Pepjin* (1632, musée d'Anvers). Sa facture gagne alors beaucoup en légèreté, en finesse et en unité dans les portraits de *J. de Waele* (Munich, Alte Pin.), de *Jean de Montfort* (Vienne, K. M.).

Il s'assura un succès européen par la publication d'un recueil de gravures, *Iconographie de Van Dyck,* dont il prépara les dessins et les grisailles, destiné à répandre les portraits des hommes illustres de son temps. Quatre-vingts planches gravées par Vorsterman, Bolswert, Pontius parurent en 1636. Un second tirage plus complet parut en 1645, après la mort du peintre. Dans cette seconde série, Van Dyck ne grava lui-même qu'une vingtaine d'eaux-fortes, certains portraits d'artistes, parmi lesquels ceux de Lucas Vorsterman, de Joos de Momper, de Jan Snellinck, ainsi que son propre autoportrait.

La peinture religieuse tient, à partir de 1628, une place importante dans son œuvre; elle figure dans les églises d'Anvers, Malines, Gand, Courtrai, Termonde. La grâce alanguie de son *Adoration des bergers* (église N.-D. de Termonde), l'*Extase* un peu fade de saint Augustin (église Saint-Augustin d'Anvers), l'expression de la douleur par trop spectaculaire de son *Christ sur les genoux de la Vierge* (Bruxelles, M. A. A.) expriment un profond sentiment religieux, mais leur esthétique baroque nous touche moins aujourd'hui. Néanmoins, l'art religieux de Van Dyck est considérable par l'élégance des proportions et la vérité (*Vierge aux donateurs,* Louvre), par la beauté de la ligne infléchie du corps de *Saint Sébastien* (Munich, Alte Pin.) et plus encore par la délicatesse de coloris et la légèreté de facture de la *Fuite en Égypte (id.).* Deux tableaux mythologiques, *Renaud et Armide,* commandé en 1629 par Endymion Porter, agent de Charles Ier d'Angleterre (deux versions, Louvre et Baltimore, Museum of Art), et *Cupidon et Psyché* (Hampton Court), peint à Londres, assurèrent le succès de Van Dyck à la cour de Charles Ier. Leur atmosphère poétique, la grâce et l'élégance des attitudes, le coloris clair et riche influenceront les peintres français du XVIIIe s., comme Lemoyne, Coypel, Boucher.

Période anglaise. Le 1er avril 1632, Van Dyck arrive à Londres sur l'invitation de sir Kenelm Digby. Le 5 juillet de la même année, il est pensionné par le roi au titre de « principal peintre ordinaire de Leurs Majestés » et créé chevalier. Sa carrière londonienne fut interrompue par deux voyages en Flandres : à Bruxelles, en 1634, il portraiturait le *Cardinal-Infant Ferdinand* (Prado), nouveau gouverneur des Flandres, ainsi que des personnages de la Cour, comme le *Marquis de Moncada* (Louvre) et le *Prince Thomas de Savoie* (Turin, Gal. Sabauda). Il réalise encore, en 1634, la *Pietà* de Munich (Alte Pin.) et probablement le tableau de groupe des *Magistrats de Bruxelles,* commandé en 1628 (détruit en 1695, esquisse conservée à Paris, E. N. B. A.). À son retour à Londres, en 1635, il projetait de décorer d'une suite de tapisseries les murs de la salle des Banquets de Whitehall, dont Rubens avait auparavant peint le plafond. Les cartons de Van Dyck avaient été consacrés aux cérémonies de l'ordre de la Jarretière, mais les difficultés du trésor royal firent abandonner ce projet en 1638.

Il quitta Londres une seconde fois en 1640, année de son mariage avec une Anglaise, Marie Ruthven. Il se rendit à Anvers, où Rubens venait de mourir, et à Paris. De retour à Londres au début de 1641, il tombe gravement malade et il meurt le 9 décembre 1641. Il fut inhumé dans le chœur de la cathédrale Saint-Paul, où le roi fit placer une épitaphe.

Dans son hôtel de Blackfriars, Van Dyck s'était consacré presque exclusivement au portrait. Sa production, de quelque 400 tableaux entre 1632 et 1641, présente des inégalités et parfois des négligences de facture. Son atelier exécute de nombreuses répliques, systématise certains effets, peint les costumes et les draperies. On a parlé même d'une décadence du style de Van Dyck à Londres, mais la critique d'aujourd'hui est revenue sur ce jugement. En fait, c'est pendant cette période que le portraitiste crée ses chefs-d'œuvre : son portrait équestre de *Charles Ier* (Londres, N. G.), celui de *Charles Ier à la chasse* (Louvre), où le souverain est placé dans un monde idéal, harmonieusement uni à un grand paysage à la flamande dont la légèreté rappelle ses aquarelles de vallées et de vues boisées contemporaines (British Museum; coll. du

Thomas Eakins
▲ **Max Schmitt à l'aviron** (1871)
New York,
Metropolitan Museum of Art
Phot. Fabbri

duc de Devonshire). Les portraits de *Robert Rich, comte de Warwick* (1635, Metropolitan Museum), du *Comte de Strafford* (1636, coll. de lord Egremont), de *George Digby et William Russell* (coll. Spencer), où le geste maniéré, le flot d'une draperie, la pâleur d'un jaune safran, l'éclat d'un gris argenté ou celui d'un vermillon éclairent l'état d'âme des modèles, préfigurent le Romantisme, ainsi que les minces visages allongés de *James Stuart, duc de Lenox* (Metropolitan Museum), de la *Comtesse de Bedford* (v. 1640, coll. de lord Egremont) et de *John et Bernard Stuart* (Londres, coll. Mountbatten).

Les audaces de sa facture, maintenant très libre, sa science du groupement des figures dans les *Portraits des enfants de Charles Ier* (Turin, Gal. Sabauda) ou du *Prince Guillaume II et sa jeune épouse* (Rijksmuseum), dernier tableau de 1641, sa virtuosité dans le rendu des satins et des étoffes exerceront un immense prestige sur les portraitistes anglais (P. Lely, Dobson, Greenhill et Kneller) et flamands (Hanneman et G. Coques).

L'art de Van Dyck inspirera les peintres français du XVIIIe s., mais marquera surtout d'une façon indélébile Reynolds et Gainsborough, chefs de file de l'école anglaise du XVIIIe s. P. H. P.

Eakins
Thomas

peintre américain
(Philadelphie 1844 - id. 1916)

Il entra en 1861 à la Pennsylvania Academy of the Fine Arts et suivit également des cours d'anatomie au Jefferson Medical College. En 1866, il va compléter sa formation en France, entre dans l'atelier de Gérôme, où il pratique avec assiduité le dessin. Un séjour en Espagne (1869-70) lui révèle Velázquez et Ribera et confirme sa propre conception du Réalisme. Il ne quittera plus Philadelphie après son retour (1870) et sera par excellence l'interprète de la classe urbaine moyenne par ses portraits, ses scènes d'intérieur et de plein air (*Max Schmitt à l'aviron,* 1871, Metropolitan Museum). Il considérait la peinture comme un document scientifique, proche des mathématiques, dont il aimait l'exercice, et de la photo, qu'il pratiquait beaucoup (études de nus masculins en plein air, posant et en mouvement). La *Clinique du docteur Gross* (1875, Philadelphie, Jefferson Medical College) est un témoignage sur le drame de la science luttant contre la maladie et la mort. Les scènes de plein air, précises et lumineuses, sont consacrées souvent aux courses d'aviron disputées sur la Schuylkill River (la *Course des frères Biglin,* Washington, N. G.), ainsi qu'à la baignade, aux nageurs nus (*The Swimming Hole,* 1883, Fort Worth, Texas, Art Center Museum). Il manifesta aussi son intérêt pour la boxe et l'atmosphère du ring (*Entre deux rounds,* 1899, Philadelphie, Museum of Art) et pour la condition sociale des Noirs (la *Chasse au râle,* New Haven, Yale University Art Gal.). Ses portraits constituent une part importante de son œuvre ; leur vérité et leur qualité les rendent parfois dignes de ceux de Courbet. Un des plus célèbres est celui de son illustre contemporain et ami *Walt Whitman* (1887, Philadelphie, Pennsylvania Academy of Fine Arts), qu'il photographia également. Professeur à l'Académie, il en devint directeur en 1882. Eakins est, avec Homer, le principal représentant du réalisme américain et il retint l'attention des « Pop Artists » des années 60. La plupart de ses œuvres se trouvent au Museum of Art de Philadelphie, au Metropolitan Museum, à la Corcoran Gal. de Washington, au Brooklyn Museum de New York et à l'Art Center Museum de Fort Worth (Texas). S. R.

Eckersberg

Christoffer Wilhelm

peintre danois

(Blaakro, Jutland-Sud, 1783 - Copenhague 1853)

Formé à l'Académie de Copenhague, il fut influencé par le Néo-Classicisme français pendant son séjour à Paris (1810-1813), où il étudia sous la direction de David (septembre 1811 - juin 1813). Sa correspondance et son journal sont une précieuse source d'information sur la personnalité et l'enseignement de celui-ci. Il exécute alors des compositions historiques comme *Agar et Ismaël dans le désert* (1812-13, Nivagaard Samling). Il se montre attentif aux valeurs dans certaines études d'après le modèle vivant (*Étude de nu,* 1813, Copenhague, S. M. f. K.). Paris et ses environs lui inspirent aussi des vues délicates : l'*Orée du bois de Boulogne* (1812, Copenhague, C. L. Davids Samling), les *Environs de Meudon* et le *Pont Royal* (1813, Copenhague, S. M. f. K.). À Rome, où il séjourne à partir de 1813, il prend contact avec son compatriote Thorvaldsen, dont il fait un portrait monumental (1814, Copenhague, Académie royale des Beaux-Arts), et peint le *Portrait d'une jeune femme,* autrefois dit « d'Anna Magnani » (1814, Copenhague, Hirschsprungske Samling), ainsi que des tableaux d'histoire *(Alcyone,* 1813, Copenhague, S. M. f. K. ; le *Passage de la mer Rouge,* 1813-1816, *id.)* et surtout une belle série de vues de Rome et de ses environs, exécutées en partie sur le motif et caractérisées par un dessin précis, un luminisme raffiné et des tonalités très claires (*Vue de la Voie sacrée,* Copenhague, N. C. G. ; *Vue prise du Colisée,* la *Villa Borghèse,* la *Villa Albani, Fontana Acetosa,* Copenhague, S. M. f. K. ; la *Place Saint-Pierre,* le *Colisée,* Copenhague, musée Thorvaldsen ; la *Colonnade de Saint-Pierre,* Copenhague, C. L. Davids Samling). Après Valenciennes et avant Corot, il se classe parmi les interprètes les plus délicats du paysage romain. Il s'inspire aussi parfois de la vie populaire italienne (*Devant la Porte sainte à Saint-Pierre,* 1814-15, Nivagaard Samling ; *Carnaval romain,* 1814, Copenhague, S. M. f. K.), qu'il décrit avec un goût très sûr. L'habitude des compositions clairement et fermement structurées qu'il avait apprises chez David — jointe à un sens inné des valeurs lumineuses et à une vraie sincérité face au réel — l'a ainsi conduit à la mise au point d'un style, pour le paysage et le portrait, qui sera celui de l'âge d'or danois.

De retour à Copenhague en 1816, il devient membre de l'Académie, puis professeur et reçoit

Christoffer Wilhelm Eckersberg
Femme au miroir ▼
Copenhague, Hirschsprungske Samling
Phot. Hans Petersen

v. 1828 la commande de tableaux illustrant l'histoire danoise pour le palais de Christiansborg, tâche qui contrarie quelque peu sa nature. En revanche, dans ses nus (*Femme au miroir,* Copenhague, Hirschsprungske Samling) et ses portraits *(le Baron et la baronne Billebrahe,* 1817, Copenhague, N.C.G; *Madame Lovenskjold et sa fille,* 1817, Copenhague, S.M.f.K.; la *Famille Nathanson,* 1818, *id.; Émilie Henriette Massmann,* 1820, *id.*; les *Sœurs Nathanson,* 1820, *id.),* il affirme un classicisme d'une stricte élégance. Il a laissé d'admirables paysages de la campagne et des côtes danoises, lumineux et toujours construits avec une netteté qui n'exclut pas un discret lyrisme. Il se fit une spécialité des vues de ports et de bateaux, qu'il détailla avec une précision attestant sa parfaite connaissance de la construction des voiliers et de la navigation (Copenhague, S.M.f.K. et Hirschsprungske Samling; Louvre). Théoricien, il publia des ouvrages sur la perspective (1833-1841). L'influence de son enseignement fut décisive sur la formation de Wilhem Bendz, de Constantin Hansen et de Christen Købke. H. B. et S. R.

Elsheimer

Adam

peintre allemand
(Francfort 1578 - Rome 1610)

Formé entre 1593 et 1598 dans l'atelier du peintre de Francfort Philip Uffenbach, il quitte sa ville natale et, par Munich, se rend à Venise, où il travaille quelque temps avec Hans Rottenhammer. Il semble surtout avoir été impressionné par les œuvres de Titien, de Véronèse et de Tintoret, dont on retrouve notamment l'influence dans la gamme lumineuse en trois couleurs — bleu-jaune-rouge — du petit tableau sur cuivre de 1599, la *Sainte Famille avec des anges* (Berlin-Dahlem), ou le *Sacrifice de saint Paul à Lystre* (1599, Francfort, Staedel. Inst.). Mais Elsheimer s'inspirera aussi, tant du point de vue du style que de la technique, des travaux de petit maître de Rottenhammer, qui, lui aussi, aimait à peindre sur cuivre.

En 1600, il se fixe à Rome, où il résidera jusqu'à sa mort. Le paysage avec de petites figures mythologiques représentant l'*Éducation de Bacchus* (Francfort, Staedel. Inst.), qui appartient à sa première période romaine, reste — malgré les motifs des environs de Rome peints à l'arrière-plan — encore entièrement soumis à la conception maniériste du paysage illustrée à la fin du XVIe s. par les Hollandais de Frankenthal, ville voisine de Francfort. La surface du tableau, toutefois, n'est pas envahie par les épaisses frondaisons des arbres et diffère en cela des paysages de forêts des maîtres de Frankenthal, dont le schéma de composition avait été introduit par Paul Bril à Rome, où Elsheimer le connut et se lia intimement avec lui. Au centre du tableau, le feuillage d'un groupe d'arbres éclairés par le soleil se profile délicatement sur le gris des nuages et laisse le regard se poser librement sur l'horizon bas et lumineux.

Les innovations de Caravage, emprise directe de la réalité, oppositions fortement contrastées de lumière et d'ombre, retinrent ensuite son attention. La monumentalité des paysages d'un Annibal Carrache et les paysages peuplés de figures anecdotiques de Dominiquin lui donnèrent aussi la possibilité d'abandonner la conception néerlandaise du paysage de la fin du XVIe s. pour se rallier à l'optique nouvelle du paysage italien.

Bien qu'Elsheimer ait continué de peindre des tableaux de très petites dimensions, la composition leur conféra une ampleur monumentale comparable à celle de la grande peinture baroque italienne. Son célèbre paysage l'*Aurore* (Brunswick, Herzog Anton Ulrich-Museum) est un mélange d'idéal romantique, de réalité idyllique et d'une technique délicate qui rappelle la miniature dans une conception plus large. Ce chef-d'œuvre du paysage allemand a été peint peu de temps avant la mort d'Elsheimer. Les contrastes de lumière et d'ombre, le dégradé des plans et des valeurs jusqu'aux lointains qui se perdent dans une atmosphère imprécise d'un gris-bleu vaporeux sont des éléments qui relèvent de l'art baroque. Structure formelle réduite à des éléments de composition extrêmement simples, éclat d'une ambiance matinale, limpidité de l'atmosphère, lumière qui perce à travers les nuages s'unissent pour donner à cette œuvre minuscule une monumentalité toute nouvelle. Cette simplicité, ce rendu d'un sentiment fervent de la nature diffèrent de la grandiose ordonnance décorative du paysage héroïque d'un Carrache ou d'un Poussin et annoncent le paysage d'un Rembrandt ou d'un Claude Lorrain. De même, l'effet nocturne de *Philémon et Baucis* (Dresde, Gg) — première peinture d'intérieur au sens moderne du mot — fait du peintre le précurseur des intimistes de l'école hollandaise. Elsheimer traite ici un thème des *Métamorphoses* d'Ovide. Plus que les apprêts du repas du soir dans un pauvre intérieur villageois, il s'agit d'un monde fabuleux où hommes et dieux, unis par un sentiment d'intime compréhension, sympathisent. Il faudra attendre cinquante ans, avec l'œuvre tardive d'un Rembrandt, qui a connu cet ouvrage, pour que ce thème soit traité semblablement comme une apparition poétique et visionnaire du divin.

Parmi les autres œuvres importantes d'Elshei-

Adam Elsheimer
Scène de sacrifice antique, dit Il Contento ▲
Édimbourg, National Gallery of Scotland
Phot. Tom Scott

mer, on peut citer des paysages animés de figures (*Apollon et Coronis,* coll. de lord Methuen, Corsham Court, Grande-Bretagne ; *Tobie et l'ange,* Francfort, Historisches Museum), avec quelquefois d'étonnants effets d'éclairage lunaire (la *Fuite en Égypte,* 1609, Munich, Alte Pin.), des scènes d'intérieur éclairées artificiellement (*Judith,* Londres, Apsley House) et des compositions mythologiques ou sacrées groupant de très nombreuses figures (*Martyre de saint Laurent,* Londres, N. G. ; *Martyre de saint Étienne,* Édimbourg, N. G. ; *Glorification de la croix,* Francfort, Staedel. Inst. ; le *Baptême du Christ,* Londres, N. G. ; *Scène de sacrifice antique,* dit *Il Contento,* Édimbourg, N. G.), d'un accent touchant parfois au fantastique (*Incendie de Troie,* Munich, Alte Pin. ; *Naufrage de saint Paul,* Londres N. G.). Signalons en outre que le Staedel. Institut de Francfort conserve un bel ensemble de tableaux de l'artiste.

Elsheimer fut aussi un remarquable dessinateur. Ses études de figures, d'un réalisme intense, ont servi de modèle à Rembrandt, qui, probablement, en possédait un grand nombre. Comme pour ses peintures, il est difficile d'identifier les sites de ses dessins de paysages, faits le plus souvent au lavis dans une technique très picturale ; leurs contours, légèrement indiqués, d'un métier large, dénotent une écriture souverainement habile. Il n'y faut pas chercher une traduction réaliste, mais une image composée, idéale, créée par le groupement de différents motifs et formulée dans l'esprit du baroque de façon parfaitement harmonieuse. Ses paysages à la gouache, gris foncé avec rehauts de blanc et quelques taches de couleurs, décèlent une maîtrise complète du rendu de l'espace qui ne se retrouve que dans l'œuvre tardive de Rembrandt.

L'art d'Elsheimer n'eut pour adeptes en Allemagne que des artistes secondaires : Johann König et Thomas von Hagelstein. Ce fut chez les meilleurs représentants de la peinture baroque qu'il trouva ses admirateurs. Rubens fit ainsi partie à Rome de son entourage. Rembrandt fut initié à son œuvre par l'intermédiaire de Hendrik Goudt — disciple d'Elsheimer pour son clair-obscur — et par son maître Pieter Lastmann. C'est encore Elsheimer qui prépara la vision spatiale d'un Claude Lorrain et des paysages « romanistes » venus des Pays-Bas (Poelenburgh, Pynas, Breenbergh, Uyttenbroeck). Son influence sur Saraceni est certaine. Dans une lettre envoyée à Rome par Rubens à l'occasion de sa mort, on peut lire : « Selon moi, il n'eut jamais son pareil dans le domaine des petites figures, du paysage et de tant d'autres sujets. » G. A.

Engebrechtsz
Cornelis

peintre néerlandais

(Leyde 1468 - id. 1533)

Il se forma sans doute dans l'atelier de Colijn de Coter, qui travaillait à Anvers dans la tradition des grands maîtres du XVe s.

Une de ses premières œuvres, le tondo de l'*Homme de douleur* (1500-1505, musée d'Aix-en-Provence), par son calme et son émotion retenue, reste tributaire, à travers Colijn de Coter, de l'art de Van der Weyden ; mais, dès 1508, le style calligraphique et raffiné du Gothique tardif se fait sentir dans le triptyque de la *Crucifixion* (musée de Leyde), dont les volets représentent le *Serpent d'airain* (à droite) et le *Sacrifice d'Abraham* (à gauche). Des œuvres comme la *Déploration du Christ* (musée de Gand ; Munich, Alte Pin.), le triptyque de la *Descente de croix* (v. 1512, musée

Cornelis Engebrechtsz
▼ **Le Christ quittant sa mère**
Amsterdam, Rijksmuseum
Phot. du musée

de Leyde et Rijksmuseum), par l'exaspération des plis et des contours, par les coloris rares et précieux, relèvent du Gothique tardif. Le point culminant de ce « style maniériste » est le tableau représentant *Constantin et sainte Hélène* (Munich, Alte Pin.), où les formes étirées et élégantes, les détails des vêtements ou de l'armure, s'accordant avec des couleurs recherchées (bleus, oranges, violets), donnent à l'œuvre une tension exaspérée. Citons encore la *Descente de croix* (Munich, Alte Pin.), la *Sainte Famille* (musée de Sigmaringen), le *Christ chez Lazare* (Rotterdam, B. V. B.), le *Christ quittant sa mère (id.)*, le *Calvaire* (musée d'Anvers) et trois œuvres où le paysage tient une place assez importante : *Marie et l'Enfant* (Londres, N. G.), l'*Histoire du capitaine syrien Naaman* (Vienne, K. M.) et le *Sermon sur la montagne* (Berlin-Dahlem).

Cornelis Engebrechtsz est l'un des ultimes représentants du « maniérisme » gothique tardif : l'importance de son atelier, où travaillèrent, outre ses trois fils, Lucas de Leyde et Aertgen, fit de Leyde un foyer maniériste rival d'Anvers. Ce peintre précieux, dont le style exaspéré et graphique cherchait les effets et les oppositions de couleurs, achève une époque ; c'est son élève, Lucas de Leyde, qui ouvrira la voie au nouveau style. J. V.

Ensor

James

peintre belge

(Ostende 1860 - id. 1949)

Né d'un père anglais et d'une mère flamande, il montre de bonne heure de grandes dispositions pour le dessin, et deux peintres ostendais lui donnent des leçons. Dès l'âge de quinze ans, Ensor exécute (sur carton et à l'essence) de petites vues des environs de la ville, remarquables par la justesse des notations et leur sensibilité à l'atmosphère (la *Plaine flamande,* 1876, Bruxelles, coll. part.). De 1877 à 1880, il fréquente l'Académie de Bruxelles, où il profite surtout des conseils de son directeur, Jean Portaels, l'introducteur de l'orientalisme en Belgique. Si l'enseignement officiel ne lui convient guère, Ensor étudie attentivement les maîtres anciens, fait de multiples croquis d'après Hals, Rembrandt, Goya, Callot et, plus près de lui, Turner, Daumier, Manet. En 1879, il inaugure sa « période sombre » (jusqu'en 1882 environ), notamment avec trois *Autoportraits* de format très réduit, où l'acuité inquiète de l'observation est servie, paradoxalement, par un métier dru, aux empâtements travaillés au couteau (Bruxelles et Gand, coll. part.). Certain impressionnisme, tel qu'en Belgique on le pratique, en accordant aux valeurs dégradées plus d'importance qu'à la couleur claire proprement dite, allège pourtant les « intérieurs bourgeois » inspirés par la vie quotidienne d'Ostende (la *Dame en bleu,* 1881, Bruxelles, M. A. M. ; l'*Après-midi à Ostende,* 1881, musée d'Anvers). Le même réalisme et la franche maîtrise de l'exécution caractérisent les natures mortes contemporaines (le *Flacon bleu,* 1880, Bruxelles, coll. part.) et les tableaux de types ostendais un peu plus tardifs (le *Rameur,* 1883, musée d'Anvers) et que reprendra Permeke. L'éclaircissement de la palette, acquis en 1882, s'accompagne d'une évolution rapide de l'esprit de l'œuvre. Ensor, qui souffre de la médiocrité du milieu ostendais (« Abominable prurigo d'idiotisme, tel est l'esprit de la population », dans *les Écrits de James Ensor,* Bruxelles, 1944), trouve refuge et compréhension à Bruxelles auprès d'Ernest et de Mariette Rousseau, qui seront ses premiers collectionneurs. Il expose d'abord, non sans difficulté, dans différents cercles d'art bruxellois (la Chrysalide, l'Essor), puis en 1884 il est membre fondateur du groupe des Vingt, qui n'accueillera pas toujours sans réticence ses envois. Car les masques — ceux du carnaval d'Ostende, auquel il aime prendre part, et que la boutique que tiennent ses parents lui a montrés dès son enfance — occupent désormais, avec leurs implications psychologiques et esthétiques, une place de choix dans la thématique ensorienne. Le masque apparaît en 1879 comme une scène isolée du carnaval (*Masque regardant un nègre bateleur,* coll. part.), mais les tableaux les plus significatifs s'échelonnent entre 1887 et 1891. Le masque a pour corollaire le squelette, faisant souvent lui-même office de travesti (*Masques se disputant un pendu,* 1891, musée d'Anvers) ou évidence inéluctable du destin humain : *Squelette regardant des chinoiseries* (1885, Bruxelles, coll. part.), chef-d'œuvre dont l'humour macabre et insolite est absorbé par l'alacrité du faire, la délicatesse du coloris. Entre 1887 et 1890 environ, les scènes religieuses comptent parmi les plus audacieuses, par la riche sonorité des timbres (*Tentation de saint Antoine,* 1887, New York, M. O. M. A.), l'irréalisme du graphisme et l'espace mouvant qui les rassemble (la *Chute des anges rebelles,* 1889, musée d'Anvers ; le *Christ calmant les eaux,* 1891, Ostende, musée Ensor). L'*Entrée du Christ à Bruxelles* (1888, musée d'Anvers), somme ensorienne par excellence et que les Vingt refusèrent, ne mêle en revanche à sa virulence satirique aucune séduction. L'œuvre associe le masque au thème religieux ; exécutée à Ostende, elle fut précédée par six grandes études au fusain (1885-86), intitulées *les Auréoles du Christ ou les*

sensibilités de la lumière. Le tableau est le développement de la troisième « auréole », la *Vive et Rayonnante Entrée à Jérusalem* (1885, musée de Gand), et le propos initial, quelque peu mystique et symboliste, s'est considérablement transformé. Ensor règle en quelque manière ses comptes avec la société dans laquelle il est contraint de vivre, sous le couvert d'une « moralité » à la flamande, illustrée au XVIe s. par Bosch, Bruegel et les maniéristes, et dans laquelle le thème biblique concourt à la satire sociale. La frêle et minuscule figure du Christ est un ultime éclat de sérénité qu'entraîne la houle énorme de la foule, dont les visages distincts, au premier plan, ont tous des allures de masques, symbole de l'hypocrisie. La texture rugueuse et le coloris discordant du masque de carnaval ont de même permis à l'artiste d'innover et d'annexer au domaine de l'art des dissonances harmoniques et des outrances expressives rares. « Le masque me dit, écrit Ensor, fraîcheur de tons, expression suraiguë, décor somptueux, grands gestes inattendus, mouvements désordonnés, exquise turbulence » *(op. cit.).* Nombre des meilleurs tableaux d'Ensor après 1888 se situent dans la descendance de l'*Entrée du Christ* (l'*Intrigue,* 1890, musée d'Anvers ; l'*Homme de douleur,* 1899, Gand, coll. part.), œuvre trop exceptionnelle pour faire école en Belgique et dont on retrouve seulement quelque peu et tardivement la verve exubérante chez Van den Berghe.

Au cours de cette période féconde, Ensor n'abandonne pas pour autant le paysage (vues de la plage et du port d'Ostende) ni la nature morte, traités dans une gamme très claire où le blanc est richement utilisé (les *Barques échouées,* 1892, Bruxelles, coll. part.). L'œuvre du dessinateur et de l'aquafortiste (premières eaux-fortes en 1886) ne le cède en rien à cette époque à celle du peintre et elle exploite autant la ligne que les effets d'ombre et de lumière, parfois très rembranesques. On rencontre, interprétés par la gravure, à moins qu'elle n'ait elle-même inspiré une toile, les sujets

James Ensor
◄ **L'Entrée du Christ à Bruxelles**
(1888)
Anvers, Musées royaux des Beaux-Arts
Phot. Lauros-Giraudon, © by S. P. A. D. E. M., Paris, 1976

mêmes des tableaux, des compositions originales (la *Cathédrale,* eau-forte, 1886 et 1896), des notations intimistes (le *Réverbère,* eau-forte, 1888). Les effets de foule, rendus avec humour par un trait rapide et cursif, triomphent dans la *Bataille des éperons d'or* (eau-forte, 1895) et les *Bains à Ostende* (eau-forte, 1899). Les autoportraits d'Ensor, peints, dessinés et gravés, témoignent d'une obsession du moi qui admet l'intention parodique (*Ensor au chapeau fleuri,* 1883, Ostende, musée Ensor), le saugrenu, le burlesque macabre (*Mon Portrait en 1960,* eau-forte où il se représente réduit à l'état de squelette). Cette fertilité dans l'invention et la sûreté de main qui lui donnait corps ne purent se prolonger beaucoup après 1900. Il reste à Ensor, qui a réalisé l'essentiel de son œuvre en moins de vingt ans, encore un demi-siècle à vivre. L'effervescence de sa création semble l'avoir dépossédé du pouvoir de régénération même qui la caractérisait : désormais, « systématiquement il s'adonne à l'autoplagiat » (P. Haesaerts, dans *James Ensor,* Bruxelles, 1957). Les vues d'Ostende se succèdent, toujours soumises à une tonalité très pâle (*Port d'Ostende au crépuscule par temps d'orage,* 1933, Paris, coll. part.), et il reprend parfois des tableaux de la période sombre, sans le même bonheur. Fait baron en 1929, Ensor vit à Ostende entouré d'une considération tardive, dont il ne surestime pas la valeur, et se livre souvent à de longues improvisations au piano ; il cesse de peindre plusieurs années avant sa mort. Lui, dont le génie doit peu à ses contemporains, n'aura guère de descendance. Bien qu'Ensor soit précurseur du Surréalisme (il partage avec lui le goût de l'objet étrange, fascinant) autant que de l'Expressionnisme, l'évolution de ces deux courants importants de la peinture belge et européenne suivra des voies sensiblement différentes de celles qu'il avait ouvertes. L'œuvre gravé, de 1886 à 1922, comprend 138 numéros, auxquels s'ajoutent deux suites de lithos : *Scènes de la vie du Christ* (31 lithos, 1921) et la *Gamme d'amour* (22 lithos, 1929). Ensor est bien représenté dans les musées belges (Anvers, Bruxelles et Ostende), ainsi qu'à New York (M. O. M. A.), à Paris (*Dame en détresse,* 1882, Orsay) et dans d'importantes collections particulières. M. A. S.

Ernst
Max

peintre français d'origine allemande (Brühl, Rhénanie, 1891 - Paris 1976)

Son œuvre est à la fois l'un des plus personnels de l'art moderne et l'un des plus nettement inscrits dans le cours de son histoire. Par sa place à la proue du mouvement dada et du Surréalisme, Ernst est un des pionniers de la « Nouvelle Réalité », et ce par la grâce de sa seule imagination, dans ce qu'elle a d'irréductiblement singulier. Dès son adolescence, la lecture des romantiques lui fait découvrir le trésor de l'imagination germanique, tandis que l'amitié de Macke, qu'il rencontre à Bonn, l'initie à l'Expressionnisme. Il découvre Van Gogh, Kandinsky, d'autres maîtres de l'art moderne, et ses premiers tableaux subissent à la fois toutes ces influences. Les gravures contemporaines (1911-12), sur lino, s'apparentent à celles de Die Brücke. Il expose en 1913 au premier Salon d'automne allemand, organisé par Walden à Berlin, et la même année à Bonn et à Cologne parmi les « expressionnistes rhénans ». Mobilisé pendant la guerre, il peut cependant peindre (*Bataille de poissons,* 1917, aquarelle, coll. part.). La guerre l'entraîne dans une crise de nihilisme, traversée de

Max Ernst
La Ville entière (1935-36) ▲
Zurich, Kunsthaus

Phot. Walter Dräyer

soubresauts, et c'est alors qu'il fait la découverte, capitale pour l'évolution de son style, du mouvement dada. Il retrouve en 1919 à Cologne Hans Arp, qu'il avait connu en 1914, et ils fondent ensemble avec Baargeld la célèbre « Centrale W/3 » ; son activité, d'abord politique, devient purement artistique. Tandis que le dadaïsme colonais poursuit sa carrière, Ernst élabore, outre les 8 lithographies de *Fiat modes, pereat ars* (1919), où des mannequins évoluent dans des décors à la Chirico, une technique personnelle du collage fondée sur la « rencontre fortuite de deux réalités distinctes sur un plan non convenant », dont les premiers témoignages sont les « fatagagas » (*Fa*brication de *ta*bleaux *ga*rantis *ga*zométriques), dont il partage la paternité avec Arp (*Laocoon,* 1920, coll. part.). Enfin, quand en 1920 Dada disparaît brutalement de Cologne, Ernst se rend à Paris sur l'invitation de Breton et il expose à la gal. Au Sans Pareil en mai 1921. Les tableaux des premières années 20 s'éloignent de Chirico et annoncent les grandes voies du Surréalisme (l'*Éléphant Célèbes,* 1921, Londres, coll. part. ; *Seestück,* 1921, Paris, coll. part. ; *Œdipus Rex,* 1922, *id.*). Les collages des mêmes années sont réalisés à partir de coupures de catalogues d'achat par correspondance, d'encyclopédies techniques, d'illustrations de Jules Verne, de photographies diverses et d'interventions graphiques (les *Pléiades,* 1921, coll. part.). Tandis que Dada se désagrège sous la poussée du Surréalisme, Ernst traverse lui-même une crise de conscience. Très lié avec Breton, Eluard, Desnos, Péret (le *Rendez-vous des amis,* 1922, Cologne, W. R. M.), il évolue, en même temps que les autres membres du groupe, vers une exploration de l'inconscient plus méthodique que celle de Dada. Ses thèmes se précisent : un cosmos figé — astres, mer immobile, villes, forêts minérales (la *Grande Forêt,* 1927, musée de Bâle), fleurs fossilisées — dans lequel le thème de l'oiseau introduit un dynamisme significatif du désir de liberté et d'expansion de l'artiste (*Aux 100 000 colombes,* 1925, Paris, coll. part.), thèmes du vent aussi (la *Mariée du vent,* 1926, coll. part.), du feu, de l'amour (*Une nuit d'amour,* 1927, coll. part.). Sa technique, enrichie par le procédé du frottage mis au point en 1925 (feuilles de papier posées sur les lames d'un plancher et frottées de mine de plomb, puis extension du procédé à d'autres objets), excelle à représenter cet univers massif, dans lequel Ernst ne se lasse pas de découvrir des associations analogiques (le *Fleuve Amour,* 1925, frottage, Houston, The Menil Family Coll. ; le *Start du châtaignier,* 1925, frottage, Zurich, coll. part.). Cette technique, cet univers vont désormais s'approfondir plus que se diversifier. Romans-collages (la

Femme 100 têtes, 1929; *Une semaine de bonté,* 1934), frottages (*Histoire naturelle,* 1926), empreintes, photomontages explorent et accouplent, au gré de l'imagination, des éléments incompatibles, dont le rapprochement incongru suscite une poésie troublante (*La femme 100 têtes ouvre sa manche auguste,* collage, 1929, Houston, The Menil Family Coll.). Les peintures, de leur côté, poursuivent avec plus d'ampleur et de gravité l'expression de l'univers imaginaire de Max Ernst, dont la poésie visionnaire rejoint la grande tradition onirique du romantisme allemand (*Vieillard, femme et fleur,* 1923, New York, M. O. M. A.; *Vision provoquée par l'aspect nocturne de la porte Saint-Denis,* 1927, Bruxelles, coll. part.; *Monument aux oiseaux,* 1927, coll. part.; le *Nageur aveugle,* 1934, États-Unis, coll. part.; la *Ville entière,* 1935-36, Zurich, Kunsthaus; *Barbares marchant vers l'ouest,* 1935, coll. part.). Tandis que la guerre approche, l'anxiété imprègne de plus en plus son œuvre.

Ernst sculpte et peint de grandes compositions où la vie semble paralysée (*Un peu de calme,* 1939, coll. part.; l'*Europe après la pluie II,* 1940-1942, Hartford, Wadsworth Atheneum). Enfin, en rupture de ban avec les surréalistes depuis 1938, il émigre en Amérique (1941). Établi à New York, il exerce une vive influence sur les jeunes peintres américains, auxquels il semble bien avoir, avec Masson, fait découvrir la technique du « dripping », qu'adopteront Pollock et ses épigones (l'*Œil du silence,* 1943-44, Saint Louis, Missouri, Washington University Gal. of Art; la *Planète affolée,* 1942, musée de Tel-Aviv; *Tête d'homme intriguée par le vol d'une mouche non euclidienne,* 1947, coll. part.).

Il rencontre en 1943 Dorothea Tanning : c'est le début d'une période apaisée d'une grande fécondité. En 1946, ils s'installent à Sedona, dans les montagnes de l'Arizona; ils ne reviendront définitivement en France qu'en 1955. Dans un recueillement actif, Max Ernst exécute alors d'obscures et poétiques compositions sculptées ou peintes, où le thème du couple souverain (le *Roi jouant avec la Reine,* 1944, coll. part.) se mêle à ses ténèbres familières et aux réminiscences de son enfance rhénane (la *Nuit rhénane,* 1944, Paris, coll. part.). Depuis son retour en France (1953), il réside soit à Paris, soit à Huismes, en Touraine, continuant à produire abondamment, toujours habité par la même ferveur poétique (*Pour une école de harengs,* 1965, Paris, coll. part.; *Configurations,* collages et frottages, 1974). Son œuvre, un des plus illustres du XXe s., est représenté dans la plupart des grands musées européens et américains et surtout dans d'importantes collections particulières (Venise, fondation Peggy Guggenheim; Houston, The Menil Family). P. Ge.

Evenepoel

Henri

peintre belge

(Nice 1872 - Paris 1899)

Il suivit d'abord les cours du soir de l'Académie de Saint-Josse, puis s'inscrivit à l'Académie de Bruxelles, dans une classe d'art décoratif, et c'est un enseignement analogue qu'il reçut dans l'atelier de Galland, quand il vint à Paris en octobre 1892, avant d'entrer chez Gustave Moreau, où il rencontra Matisse et Rouault. Pour des organismes belges, il crée plusieurs affiches en 1894, mais l'existence quotidienne de Paris le fascine, comme en témoignent de multiples croquis où les études de caractère sont fréquentes, et il a chez Durand-Ruel la révélation de Manet, dont l'influence, sensible dès l'*Homme en rouge* (1894, Bruxelles, M. A. M.), est encore trop flagrante dans l'*Espagnol à Paris* (1899, musée de Gand). Des tableaux tels que le *Caveau du Soleil d'or* (1896, Bruxelles, coll.

Henri Evenepoel, **L'Espagnol à Paris** (1899) ▼
Gand, musée des Beaux-Arts
Phot. du musée

part.), le *Café d'Harcourt* (1897, Francfort, Staedel. Inst.) se situent entre les impressionnistes (évocation de l'atmosphère collective) et Lautrec (acuité expressive des types), si la vigueur de l'exécution est toute septentrionale. Cette attention spontanée pour la vie immédiate explique la prédilection d'Evenepoel pour le portrait, et ceux qu'il a laissés de sa cousine Louise (qu'il aima d'un amour partagé) et de ses deux enfants sont au nombre des meilleurs (la *Dame au chapeau blanc,* 1897, Londres, coll. part.). Evenepoel s'exprime au moyen d'une palette généralement assourdie, aux tonalités très rapprochées (le *Noyé du pont des Arts,* 1895, musée d'Ixelles) jusqu'à son séjour en Algérie (fin de 1897 - début de 1898), décidé pour rétablir une santé déjà chancelante autant que pour l'éloigner de sa cousine. Les paysages, les scènes de mœurs peints à Blida et à Tipaza se distinguent par leur coloris plus chaud et le dessin plus net des figures ; la simplification de la mise en page ainsi que l'économie des accords chromatiques annoncent même parfois les audaces des fauves (*Femmes au narguilé,* 1898, Gand, coll. part.). L'artiste retire de cette brève expérience une aisance nouvelle, que l'on retrouve dans la *Promenade du dimanche* (1899, musée de Liège) et les derniers portraits, toujours sobrement construits, mais d'une facture plus onctueuse, admettant, en contrepoint délicat à la gamme des ocres et des noirs, la plage d'un bleu tendre, la note d'un rose ou d'un or légers (*Henriette au grand chapeau,* 1899, Bruxelles, M. A. M.). Evenepoel disparaît à vingt-sept ans et laisse une œuvre de qualité déjà très égale à partir de 1897. Son goût de l'observation directe, réaliste à la manière du Nord, est nuancé par un vif intérêt pour les modes de composition inédits (inspirés notamment par la photographie) qui le lie étroitement à son époque. Surtout, sa tendresse pour les êtres et sa sollicitude pour les aspects les plus fugitifs de la vie font de lui un frère spirituel de Bonnard et de Vuillard. Il est représenté dans la plupart des musées belges ainsi qu'à Paris (*Portrait de Milcendeau,* 1899, musée d'Orsay). M. A. S.

Eyck

Jan Van

peintre flamand

(? v. 1390/1400 - Bruges 1441)

Les premières mentions de Jan Van Eyck sont celles de son paiement au service du duc Jean de Bavière de 1422 à 1424. On situe, sans certitude absolue, son lieu de naissance à Maaseick, village de la vallée de la Meuse relevant du diocèse de Liège.

Les « Heures de Milan-Turin ». Ses œuvres connues les plus anciennes paraissent être les enluminures de quelques feuillets des *Heures de Milan-Turin,* exécutées pour le duc Guillaume IV de Bavière avant 1417 ou plus vraisemblablement pour le duc Jean entre 1422 et 1424 (*Baiser de Judas, Saint Julien et sainte Marthe en barque,* la *Prière d'un prince souverain,* autref. à Turin, B. N., détruits ; *Naissance de saint Jean-Baptiste, Messe des morts,* Turin, Museo Civico). Si l'esprit général de ces compositions relève d'une conception réaliste, la ligne des figures et le raffinement du coloris marquent la persistance des traditions du style international. S'il faut retenir pour œuvre de Jan Van Eyck les feuillets regroupés sous l'initiale G. par Hulin de Loo dans son analyse du manuscrit, il faut surtout remarquer la précision et la délicatesse de la notation des effets lumineux.

Jan Van Eyck, valet de chambre de Philippe le Bon. À partir de mai 1425, on retrouve le peintre, en qualité de valet de chambre, au service du duc Philippe le Bon, qu'il ne quittera plus jusqu'à sa mort. De 1426 à 1429, il est installé à Lille. En 1426, il accomplit par deux fois des voyages secrets, peut-être pour exécuter des portraits de quelque princesse que le duc, veuf, envisageait de prendre pour épouse. Du 19 octobre 1428 à Noël 1429, il participe à l'ambassade qui se rend à Lisbonne pour conclure le mariage de Philippe le Bon avec Isabelle de Portugal. Après 1429, il s'installe, semble-t-il, à Bruges, où il acquiert une maison en 1431.

De son service auprès du duc de Bourgogne, on connaît peu de chose, sinon qu'il travailla en 1433 au palais du Coudenberg à Bruxelles. De ses débuts semble dater la *Vierge dans l'église* (Berlin-Dahlem), qui évoque un intérieur éclairé d'une lumière aussi précieuse et immatérielle que celle des feuillets de Turin.

L'« Agneau mystique ». La première date qui jalonne sa production artistique est celle de l'achèvement de l'*Agneau mystique* : 1432. L'étendue surprenante du programme a conduit le peintre à

Jan Van Eyck
Le Christ entre la Vierge et saint Jean ▶
L'Agneau mystique
(partie centrale du polyptyque de saint Bavon) [1432]
Gand, cathédrale Saint-Bavon
Phot. Giraudon

adopter des formules assez différentes. Les panneaux inférieurs, à l'intérieur du retable, présentent des personnages de porportions assez réduites dans un large paysage : ils se rattachent encore au style des enluminures et sont d'ailleurs peut-être dus à la collaboration du peintre avec son frère Hubert. En revanche, dans les panneaux supérieurs figurent des personnages à peu près en demi-grandeur dont l'ampleur des formes est très différente de celles des précédents. Les plus étonnants d'entre eux sont Adam et Ève, qui constituent les premiers nus monumentaux de la peinture du nord de l'Europe. L'extérieur du polyptyque révèle par son souci de cohésion une unité certaine de conception : la proportion des panneaux d'un étage à l'autre est très équilibrée et répond à une préoccupation monumentale. Les figures des donateurs, *Jodocus Vydt* et sa femme *Élisabeth Borluut,* s'inscrivent en silhouettes puissantes sous les arcades où ils prient, tandis que l'*Annonciation* est évoquée au second registre dans un intérieur qui s'ouvre par une fenêtre sur une place médiévale. L'ensemble de ces panneaux est harmonisé dans une gamme beaucoup plus sourde que celle de l'intérieur, qui rappelle la grisaille et leur confère un caractère plus sculptural et décoratif.

Les œuvres datées. À partir de 1432 se succèdent des œuvres datées : *Portrait de Tymotheos* (1432, Londres, N.G.), identifié avec le musicien Gilles Binchois; l'*Homme au turban rouge* (1433, *id.*), dont le visage seul émerge de l'ombre et dans lequel, en l'absence de mains pour le situer dans l'espace, on a voulu voir soit un autoportrait, soit l'effigie du beau-frère du peintre, en vertu de sa ressemblance avec *Marguerite Van Eyck* (musée de Bruges). La même date (1433) figure sur un petit panneau d'une *Vierge à l'Enfant* (Melbourne, N.G.) qui s'est révélé n'être qu'une réplique ancienne d'un original perdu. De 1434 date l'un des chefs-d'œuvre du peintre, le portrait de *Giovanni Arnolfini et de sa femme* (Londres, N.G.) : si les deux personnages s'inscrivent au premier plan en silhouettes solennelles, derrière eux se déploie un intérieur précieux que la lumière anime de mille feux en jouant sur les glaces et sur les cuivres. Au-dessus d'un miroir situé derrière le couple, qu'il reflète de dos, on peut lire : « Johannes de Eyck fuit hic » (« Jan Van Eyck fut ici »), et l'on distingue effectivement dans ce même miroir une troisième silhouette, celle d'un homme, le peintre, qui se situerait théoriquement à la place du spectateur, à l'entrée de la pièce : détail caractéristique d'une attitude foncièrement réaliste, voire d'une prédilection pour le trompe-l'œil. En 1436, Van Eyck exécute le portrait d'un orfèvre de Bruges, *Jean de Leeuw* (Vienne, K.M.), et surtout la *Vierge du chanoine Van der Paele* (musée de Bruges), le plus grand tableau de l'artiste après l'*Agneau mystique.* Malgré la solennité de la scène, située dans une église, le dignitaire est présenté avec un réalisme teinté d'un humour discret. En 1437, deux œuvres de petit format évoquent un monde microscopique : la *Sainte Barbe* (musée d'Anvers), inachevée, décrit, derrière la sainte, d'une finesse encore gothique, l'animation d'un chantier où s'édifie la tour, attribut du personnage; un petit triptyque (la *Vierge et l'Enfant entre saint Michel* [présentant un donateur] *et sainte Catherine,* Dresde, Gg) transpose dans un monde en miniature l'esprit de la *Vierge du chanoine Van der Paele.* L'année 1439 est celle de deux œuvres très différentes par leur destination. L'une est le *Portrait de Marguerite Van Eyck* (musée de Bruges), peinte en demi-figure, posant sévèrement derrière un cadre de marbre, et d'une singulière présence humaine. L'autre, la *Vierge à la fontaine* (musée d'Anvers), est de la veine des œuvres de petit format : un monde précieux et cristallin entoure la fine silhouette de la Vierge. Enfin, c'est probablement en 1440-41 que Jan Van Eyck travaille à la *Madone de Nicolas Van Maelbecke* (Grande-Bretagne, coll. part.), laissée inachevée et destinée à l'église Saint-Martin d'Ypres.

Autres œuvres certaines. À côté de ces œuvres, datées par une inscription sur le cadre original, souvent associée à la devise « AAC IXΛH XAN » (« als ich kan », comme je peux), il faut citer quelques tableaux importants plus difficiles à situer. L'*Annonciation* dans une église (Washington, N.G., autref. à l'Ermitage) est peut-être l'une des œuvres les plus anciennes de l'artiste. Elle offre des rapports certains avec l'*Agneau mystique,* mais est d'un style plus archaïque. Le surprenant *Portrait de cardinal* (Vienne, K.M.), dont on conserve également un dessin préparatoire précis (Dresde, cabinet des Dessins), ne peut plus être identifié avec le cardinal Albergati, comme le voulait la tradition. Le *Portrait de Baudoin de Lannoy* (Berlin-Dahlem), présenté en « roi de la flèche », est postérieur à 1431. La *Vierge à l'Enfant,* provenant des collections du duc de Lucques (Francfort, Staedel. Inst.), est voisine du style de l'*Agneau mystique.* Enfin, la *Madone du chancelier Rolin* (Louvre), peinte pour le conseiller du duc de Bourgogne et destinée à sa chapelle de la cathédrale d'Autun, pourrait dater d'environ 1430. Entre la Vierge et le donateur, au travers d'une triple arcade, apparaît un paysage urbain singulièrement précis : si les détails essentiels sont empruntés à Liège, le peintre n'a pas hésité à modifier par l'imagination certains aspects de son modèle. La *Madone au chartreux* (New York, Frick Coll.) pose quelques problèmes; son identification proposée avec une œuvre commandée par le prieur Jan Vos est possible, mais il est moins probable que le tableau puisse dater seulement de la nomination du moine comme prieur à Bruges en 1441. Quelques autres tableaux sont d'attribution moins certaine. C'est le cas de 2 volets consacrés à la *Crucifixion* et au *Jugement dernier* (Metropolitan Museum), qui présentent un art plus illustratif et plus archaïque que la plupart des œuvres sûres. C'est peut-être aussi le cas de 2 versions d'un *Saint François stigmatisé* (Philadelphie, Museum of Art, coll. Johnson, et Turin, Gal. Sabauda). C'est surtout celui d'un *Saint Jérôme dans sa cellule* (Detroit, Inst. of Arts), qui est daté de 1442, année postérieure à la mort de l'artiste.

On tient enfin souvent pour des copies d'œuvres perdues de Jan Van Eyck un *Portement de croix* (musée de Budapest) et un dessin d'une *Adoration des mages* (Berlin-Dahlem), l'un et l'autre témoins probables d'œuvres de jeunesse. On croit savoir également que Jan Van Eyck est l'inventeur de deux importantes compositions fondamentales pour la naissance et le développement d'une peinture profane en Europe, connues seulement aujourd'hui par des descriptions ou des interprétations tardives : une *Femme à sa toilette* et un *Marchand faisant ses comptes*.

La technique eyckienne. Si le problème se pose de distinguer l'art de Jan Van Eyck de celui de son frère Hubert, la technique eyckienne est également énigmatique. Les textes du XVIe s. faisaient honneur au peintre de l'invention de la peinture à l'huile. L'usage de ce médium était en fait connu antérieurement, mais Jan Van Eyck semble bien en avoir généralisé l'emploi. Sa méthode reste très personnelle et paraît fondée sur la superposition de couches picturales de natures différentes, jouant entre elles par transparence.

Le problème Hubert Van Eyck. Un quatrain, dont l'authenticité a souvent été mise en doute et qui se lit sur le cadre de l'*Agneau mystique,* assure que le retable a été commencé par Hubert Van Eyck et achevé, après sa mort, par son frère Jan. Quelques mentions des archives gantoises en 1425 et 1426 paraissent concerner le même personnage, dont le texte de l'épitaphe est également connu par un relevé de Mark Van Vaernewyck (1568). La pauvreté de ces documents a autorisé une hypothèse audacieuse (Karl Voll et Emile Renders) qui a obtenu une audience très large et selon laquelle le peintre ne serait qu'une créature de légende, imaginée sans doute pour attribuer à un Gantois une part importante de l'exécution du retable. Malgré l'attrait d'une conception aussi radicale, il paraît difficile de nier l'existence des mentions d'archives comme d'une tradition très ancienne, puisque, dès 1517, Antonio de Beatis signalait la collaboration des deux maîtres au retable de Gand. Il reste, en revanche, très difficile de discerner la part que prit Hubert Van Eyck à l'exécution de l'*Agneau mystique;* elle a fait l'objet d'hypothèses très variées, dont aucune n'est concluante. Toutes s'accordent cependant pour voir dans le panneau inférieur du centre (l'*Adoration de l'Agneau*) la part essentielle du travail de Hubert, même s'il faut admettre qu'il a fait l'objet de remaniements postérieurs, dus en partie à son frère Jan. Si l'on tend à renoncer à lui attribuer certaines enluminures du *Livre d'heures de Milan-Turin,* on le tient souvent pour l'auteur de 2 peintures : les *Trois Marie au tombeau* (Rotterdam, B. V. B.) et l'*Annonciation* (Metropolitan Museum, coll. Friedsam). Son art apparaît alors comme lié encore au style international, qui marque la fluidité des figures élégantes de ces œuvres, où l'on décèle également un réalisme précis qui analyse le monde dans sa complexité et surtout sa richesse. Néanmoins, ces données ne distinguent cet art de celui de Jan Van Eyck que par des nuances, et l'on peut comprendre la tentation d'accréditer la thèse qui réduit Hubert à une figure légendaire. A. Ch.

Fabritius

Carel

peintre néerlandais

(Midden-Beemster 1622 - Delft 1654)

Le nom de Fabritius n'apparaît qu'à partir de 1641 et s'applique à la première formation de menuisier (« timmerman ») de Carel et de son frère Barent. Quant à la mention, dans un document de 1616, du surnom de Fabritius, déjà porté par leur père, Pieter Carelsz, il s'agit d'une adjonction postérieure, car il était maître d'école. Il pratiquait également la peinture, comme l'atteste un document de 1620, et il est probable qu'il fut leur premier maître. Après son mariage, en septembre 1641, Carel s'installa à Amsterdam et fut l'élève de Rembrandt en même temps que Hoogstraten, donc v. 1642. Veuf en 1643, il est signalé par un document (l'inventaire des biens de sa femme, où sont mentionnés divers tableaux qui sont peut-être de sa main) comme peintre et habitant d'Amsterdam. Son passage chez Rembrandt aura été assez court : on le retrouve la même année à Midden-Beemster, où il demeure jusqu'en 1650 (il ne se rend qu'épisodiquement à Amsterdam en 1647-48), date de son deuxième mariage avec une habitante de Delft, où sa présence est attestée dès 1651 et confirmée en 1652 par son inscription à la gilde de

Carel Fabritius
◄ **Le Chardonneret** (1654)
La Haye, Mauritshuis
Phot. Scala

Saint-Luc. On sait qu'il devait périr le 12 octobre 1654 dans la tragique explosion d'une poudrière qui ravagea toute la cité — accident souvent évoqué dans des peintures du temps, notamment celles de Vosmaer et surtout d'Egbert Van der Poel, qui s'en fit une spécialité (exemples à la N. G. de Londres, au Rijksmuseum, au musée du Prinsenhof de Delft).

Déjà célèbre en son temps et trop tôt disparu, il reste à Carel Fabritius la grande gloire d'avoir été sinon le maître direct (on n'en a pas de preuves), du moins l'inspirateur décisif de Vermeer, comme l'observe déjà si justement un contemporain, Arnold Bon, dans un quatrain souvent cité. Rien de plus vermérien en effet que le chef-d'œuvre ultime de Carel, son *Chardonneret* de 1654 (Mauritshuis, tableau provenant de la coll. de Thoré-Bürger). L'oiseau se détache sur un fond crémeux d'une luminosité intense, à la différence du procédé rembranesque, qui valorise la lumière par l'ombre et l'en fait surgir. Vermérien aussi ce goût du trompe-l'œil — le *Chardonneret* était en fait destiné à recouvrir un autre tableau — et des perspectives illusionnistes chères à toute peinture d'intérieur. À défaut de boîtes optiques comme celle de Hoogstraten (Londres, N. G.) — attribuées à Fabritius par plusieurs inventaires du XVIIe s. même, mais demeurées introuvables —, la curieuse *Vue de Delft* de 1652 *(id.),* avec son double point de fuite et son premier plan saillant sur la gauche, suffirait à prouver l'intérêt de Carel pour ce genre de problèmes. Malheureusement, notre exacte évaluation du rôle de l'artiste sera toujours limitée par l'extrême rareté de ses œuvres. En fait, on en connaît surtout de tardives, comme la *Sentinelle* du musée de Schwerin (1654), le *Chardonneret* (Mauritshuis), un puissant *Portrait d'homme* cuirassé en buste et se détachant sur un ciel clair (1654, Londres, N. G.), spécialement intéressant par sa libre adaptation d'un thème rembranesque, mais on ne possède pas la preuve qu'il s'agisse d'un autoportrait. Des années 1640, on peut dater quelques œuvres encore fortement marquées par la leçon coloriste de Rembrandt, comme la *Résurrection de Lazare* du musée de Varsovie et le *Martyre de saint Jean-Baptiste* du Rijksmuseum, avec des effets de matière assez voisins de ceux des débuts de Flinck. On mesure ainsi ce que Carel aura pu emprunter à Rembrandt : un goût de la matière épaisse, un riche coloris exaltant les accents locaux par de vigoureux aplats, une liberté de facture qui permettra les effets de granulation chers à un Vermeer, autant de procédés qui culminent dans ce tableau clé qu'est le saisissant *Autoportrait* du musée de Rotterdam (v. 1650 ?), à la fois si rembranesque par le négligé et si caractéristique de Fabritius par cette large technique prévermérienne. Le reste de l'œuvre est essentiellement constitué par des têtes de vieillards, exercice très en vogue dans l'atelier de Rembrandt (divers exemples au Louvre, au Mauritshuis, au musée de Groningue). J. F.

Fantin-Latour

Henri

peintre français

(Grenoble 1836 - Buré, Orne, 1904)

Il reçut un premier enseignement de son père, qui avait connu un renom de portraitiste à Grenoble. Venu enfant à Paris avec sa famille, il entra en 1851 dans l'atelier de Lecoq de Boisbaudran, mais c'est au Louvre qu'il découvrit ses maîtres en Titien, Véronèse, Van Dyck et Watteau. Son amitié avec Whistler l'entraîna en Angleterre, où sa notoriété s'établit rapidement et où il effectua quatre séjours entre 1859 et 1881, en y poursuivant des échanges avec les Préraphaélites, et plus précisément Rossetti.

Son premier envoi au Salon en 1859 fut écarté (*Autoportrait,* musée de Grenoble). Il connut une meilleure fortune en 1861, mais, après un nouvel échec en 1863, participa au « Salon des refusés ». À partir de 1864, il figura à chaque Salon. Fantin se révéla d'abord par ses portraits : portraits individuels (*Édouard Manet,* 1867, Chicago, Art Inst. ; *Madame Fantin-Latour,* 1877, musée de Grenoble),

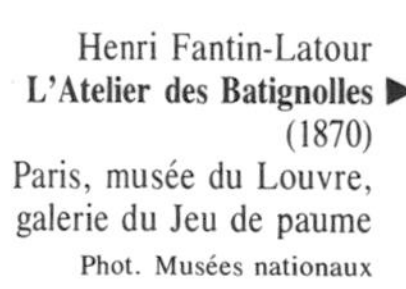

Henri Fantin-Latour
L'Atelier des Batignolles ▶
(1870)
Paris, musée du Louvre,
galerie du Jeu de paume
Phot. Musées nationaux

doubles portraits (les *Deux Sœurs,* 1859, musée d'Anvers; *Monsieur et madame Edwards,* 1875, Londres, N. G. ; la *Lecture,* 1877, musée de Lyon) et portraits collectifs, qui restent les plus célèbres et qui, par leur groupement, évoquent ceux de la Hollande du XVIIe s. Ils sont aujourd'hui réunis au musée d'Orsay : l'*Hommage à Delacroix* (1864), l'*Atelier des Batignolles* (1870), *Un coin de table* (1872), *Autour du piano* (1885) montrent l'image véridique d'artistes et d'écrivains.

Mais l'art de Fantin trouva deux autres formes d'expression : la nature morte et la composition poétique. Les natures mortes témoignent, comme les portraits, d'un sentiment réaliste. Il s'attache à les rendre d'un pinceau minutieux, en serrant la forme des fleurs, des fruits et des objets, placés dans une lumière claire et subtile. La *Nature morte des fiançailles* (1869, musée de Grenoble) est sans doute le plus émouvant de ces tableaux. À l'opposé, il créa dans ses compositions un monde irréel et féerique peuplé de nymphes vêtues de voiles, qui prolongea le souvenir de Prud'hon en y mêlant une influence préraphaélite. La majeure partie de ces œuvres fut suscitée par sa passion pour la musique. Fantin emprunta ses thèmes à Schumann, à Wagner, à Berlioz et voulut magnifier ce dernier dans l'allégorie du musée de Grenoble, l'*Anniversaire* (1876). C'est également son engouement pour l'opéra qui inspira ses importantes séries de lithographies, plus spécialement vouées à Berlioz et à Wagner.

Si Fantin fut étroitement lié avec les impressionnistes, qu'il retrouvait au café Guerbois et qu'il admirait, il se dissocia de leur mouvement par un métier traditionnel, une réserve, une recherche psychologique dans ses portraits, un dessin précis dans ses natures mortes, un goût des noirs et des gris, des harmonies sombres. Il fut aux côtés de Carrière un des derniers « intimistes ». H. T.

Fattori

Giovanni

peintre italien

(Livourne 1825 - Florence 1908)

Il étudie d'abord à Livourne, puis à Florence (1846-1848) auprès de Giuseppe Bezzuoli, portraitiste et peintre d'histoire de tendance romantique. Cette formation le marquera longtemps (*Marie Stuart au camp de Crookstone,* 1859, Florence, G. A. M.), même après l'époque où il commença à fréquenter, au café Michel-Ange, le cercle des premiers « macchiaioli », auquel il n'adhéra, poussé par Giovanni Costa, qu'après 1859. Dans son tableau *le Camp italien après la bataille de Magenta* (1861-62, Florence, G. A. M.), avec lequel il remporta le concours Ricasoli, les résultats de ses plus récentes recherches se manifestent. Toutefois, sa nouvelle manière, fondée sur le contraste des zones de couleurs claires et sombres rendant le schéma des masses, est mieux adaptée à ses tableaux de petites dimensions. D'abord traitées comme des esquisses, ces peintures deviennent ensuite des œuvres indépendantes, conçues pour elles-mêmes (les *Soldats français,* 1859, Crema, coll. part.). Parallèlement à l'exécution de ses grands tableaux de bataille *(Bataille de Montebello,* 1862, musée de Livourne ; *Assaut à la Madone delle Scoperte,* 1864, *id.),* Fattori réalisa aussi une importante série de petits formats, souvent étirés

Giovanni Fattori
La Rotonde des bains Palmieri (1866) ▼
Florence, Galleria d'Arte Moderna
Phot. Fabbri

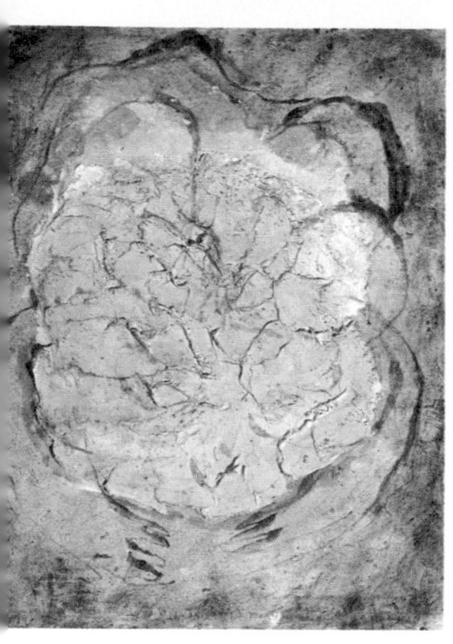

Jean Fautrier
▲ **La Toute Jeune Fille** (1942)
Sceaux, musée de l'Ile-de-France

en longueur, proportion soulignée par un jeu de bandes de couleurs contrastées. C'est avec ces œuvres que le peintre trouve ses meilleurs accents, riches d'un discret lyrisme (*Cabanon en bord de mer,* Florence, coll. part. ; la *Rotonde des bains Palmieri,* 1866, Florence, G. A. M. ; *Pinède à Castiglioncello,* Milan, coll. part. ; la *Meule,* musée de Livourne ; *Madame Martinelli à Castiglioncello, id. ; Repos,* 1887, Brera).

Il fut nommé professeur à l'Académie de Florence en 1869. Au cours des décennies suivantes, il continua à peindre des tableaux militaires (*Bataille de Custoza,* 1876-1880, Florence, G. A. M.) et des scènes rustiques (le *Marquage des taureaux,* Gênes, coll. part.). Son langage pictural est alors marqué par une accentuation de la construction graphique, à laquelle s'ajoutera, un peu plus tard, une tendance sentimentale propre au vérisme social (l'*Estafette,* 1882 ; le *Cheval mort,* 1903). Il laissa également des portraits (*Portrait de sa première femme,* 1864, Rome, G. A. M. ; *Diego Martelli à Castiglioncello,* Milan, coll. Jucker ; *Portrait de sa belle-fille,* 1889, Florence, G. A. M.), qui rappellent parfois les modèles de Bezzuoli, ainsi qu'une importante production de gravures qui contribuèrent à le faire considérer comme la plus forte personnalité du mouvement des « macchiaioli ». La G. A. M. de Florence conserve un bel ensemble de ses œuvres, dont on peut également voir des exemples au musée de Livourne. A. M. M.

Fautrier

Jean

peintre français
(Paris 1898 - Châtenay-Malabry 1964)

Après la mort de son père, il suivit sa mère à Londres et fut admis, à quatorze ans, à la Royal Academy, où il eut Sickert comme professeur. À sa formation anglaise il doit sans doute le goût des procédés graphiques, aquarelle et pastel surtout, qui accompagnent, devancent souvent l'œuvre peint. Mobilisé en 1917, il revint en France ; gazé et réformé, il se fixa après la guerre à Paris. Il fit en 1921 la connaissance de Jeanne Castel, dont le soutien lui fut durablement acquis, et exécuta ses premiers tableaux la même année. Jusqu'en 1930, il exposa assez régulièrement au Salon d'automne (1922), au Salon des Tuileries (1924), plus fréquemment dans des galeries, chez Fabre, Zborowski, Paul Guillaume, avec qui il fut en contrat, Bernheim-Jeune, Jeanne Castel. Ses débuts (1921-1925) s'accomplirent sous le signe d'une réaction anticubiste marquée par Derain surtout (nus, portraits, natures mortes), tandis que des scènes de mœurs (filles au bordel, aquarelles, sanguines) révèlent des affinités avec Dignimont et Carco. De fréquents voyages dans des contrées peu sophistiquées (Tyrol, 1921 ; Bretagne ; Causses, 1925 ; Port-Cros, 1928 ; Alpes françaises et Chamonix souvent) stimulèrent une évolution rapide dès 1926 en faveur d'une expression très allusive : glaciers et lacs, gris et froids (1925-26), natures mortes, fleurs, nus, paysages, évoqués dans une gamme très sombre (nus noirs de 1926), relevée de gris et d'ocre (la *Jolie Fille,* 1927, Paris, M. A. M. de la Ville). Un dessin incisif, comme un trait gravé, anime souvent l'effet de matière, notamment dans les grandes natures mortes, qui sont, avec celles de Soutine, les plus originales de cette période (le *Sanglier,* 1926-27, Paris, M. N. A. M. et M. A. M. de la Ville). En 1928, Fautrier exécute pour *l'Enfer* de Dante des lithographies d'une liberté d'interprétation inédite, préludant, avec les petits pastels et les paysages contemporains, aux pratiques de la peinture dite « informelle » (le *Maquis,* 1928, Paris, coll. part.). Après 1930, l'artiste délaisse progressivement la peinture à l'huile sur toile : un support de papier marouflé reçoit un enduit épais relevé d'un graphisme léger et de teintes claires à l'encre, à l'aquarelle ou au pastel. Après une longue période d'activité réduite et de retraite dans les Alpes (Val-d'Isère, Tignes), c'est dans cette technique que fut réalisée la série des *Otages* (1943), exposée en 1945 à la gal. Drouin à Paris et qui fit la célébrité de l'artiste. Elle fut aussi le point de départ de variations nouvelles sur le paysage, l'objet (1955, gal. Rive droite), le nu (1956, *id.*), toujours privilégié. Désormais, la réalité qu'implique le thème est à la fois niée et mise en évidence par un réseau de subtils échanges entre le descriptif et le suggéré (*Petit Casier,* 1958, coll. part.). L'œuvre gravé, entrepris à partir de 1923, s'est surtout développé après 1940 (suite des petits nus, eaux-fortes, 1941). Fautrier est également l'auteur de sculptures, d'illustrations pour *Madame Edwarda* et *Alleluiah* de G. Bataille (1947), *Lespugue* de R. Ganzo (1941), et il a mis au point un procédé de reproduction, les « originaux multiples », exposés à Paris en 1950 et 1953, à New York en 1956. Il est surtout représenté à Paris (M. A. M. de la Ville et M. N. A. M.), au musée de l'Île-de-France à Sceaux, au musée de Grenoble, au M. O. M. A. de New York. M. A. S.

Feininger

Lyonel

peintre américain

(New York 1871 - id. 1956)

Il reçoit de ses parents une première formation de violoniste : ayant, en 1887, gagné l'Allemagne afin d'achever ses études musicales, il découvre sa vocation de peintre et abandonne la musique. Il étudie à Hambourg, à Berlin, à l'académie Colarossi de Paris et débute en 1893 à Berlin comme caricaturiste dans des publications satiriques telles que les *Lustige Blätter* ou le *Harper's Young People.* Revenu à Paris en 1906, il publie des bandes dessinées dans le *Chicago Tribune,* puis découvre le Cubisme. Il va dès lors abandonner le dessin pour la peinture. En 1911, il entre en contact avec Robert Delaunay, qui aura sur son développement une influence décisive.

Durant ces premières années, son art s'inspire d'une sorte de Modern'Style international où l'on rencontre aussi bien la manière de Beardsley que celles de Lautrec ou de Steinlen : allongement des figures, japonaiseries, mise en valeur musicale sinon littéraire de la ligne et des accords dissonants (l'*Impatiente,* 1907, New York, coll. Mrs Feininger ; l'*Émeute,* 1910, New York, M. O. M. A.). En 1912, il rencontre les peintres de Die Brücke et se lie avec Schmidt-Rottluff. Avec Marc, Klee et Kandinsky, il participe en 1913 aux manifestations du Blaue Reiter à Munich et à Berlin. Libéré désormais de l'anecdote et du motif littéraire, son art s'imprègne du romantisme futuriste. L'analyse cubiste est spiritualisée en une « atmosphère » plastique où formes et espaces s'interpénètrent et se dissolvent dans le dynamisme des couleurs (le *Bateau à aubes,* 1913, Detroit, Inst. of Arts ; *Autoportrait,* 1915, University of Houston). Sa première exposition personnelle a lieu dans la galerie Der Sturm (Berlin) en 1917. De 1919 à 1933, il enseigne la peinture et la gravure au Bauhaus à Weimar et à Dessau. Pendant l'hiver de 1918-19, il taille plus de cent planches sur bois. Cette discipline influera sur l'organisation spatiale, bientôt simplifiée (*Gravure sur bois,* 1918, Grande-Bretagne, York, coll. T. H. ; *Promenade,* 1918, New York, M. O. M. A.). Puis les larges masses noires et les rares lignes, courtes et irrégulières, font place à de véritables réseaux de lignes parallèles ou convergentes qui suffisent à créer les volumes (*Cathédrale du socialisme,* pour le premier Manifeste du Bauhaus, 1919). Directeur de l'atelier de gravure au Bauhaus (1919-1924), il y publie plusieurs séries de planches (dont *Zwölf Holzschnitte,* 1923) et de très nombreuses cartes postales. Il fonde en 1924 avec Kandinsky, Klee et Jawlensky le groupe éphémère Die Blauen Vier (« les Quatre Bleus »), héritier du Blaue Reiter. Les thèmes architecturaux font place à des séries de marines, de vues campagnardes ou urbaines, alors que la structure subtile et savante des plans subit une stylisation qui la réduit aux horizontales : le *Vapeur « Odin »* (1924, musée de Halle), série des *Gelmeroda* (1926, Essen, Folkwang Museum), *Kolberg* (1930, *id.*). Le Bauhaus ayant été fermé en 1933 et Feininger mis au rang des peintres « dégénérés », ce dernier retourne en 1937 aux États-Unis, où la célébrité l'avait précédé.

Dans les œuvres américaines, l'architecture reprend quelque importance, notamment dans la série des *Manhattan* (New York, M. O. M. A.), mais elle est toujours traitée poétiquement ; la forme se désincarne afin qu'à travers l'apparence s'ébauche une signification spirituelle qui, en général, peut se résumer à une prise de conscience de l'insignifiance humaine face à la nature. Attiré par la technique de la lithogravure, Feininger exécute de nombreux paysages (*Dorfkirche,* 1954 ; *Manhattan II,* 1951, Lugano, coll. Ketterer) où des taches de couleurs aux frontières imprécises couvrent une construction très dense de lignes fines et toujours droites. Pratiquement inconnu en France, il a joui, depuis son retour aux États-Unis, d'un vif renom. Il est représenté dans les musées allemands (Essen ;

Lyonel Feininger
◀ **Umpferstedt I** (1914)
Düsseldorf,
Kunstsammlung Nordrhein-Westfalen

Phot. du musée

Hambourg ; Cologne ; Munich, Neue Pin.), dans les musées américains (New York, Guggenheim Museum et M. O. M. A. ; Philadelphie ; Detroit ; Minneapolis ; Saint Louis, Washington University, Gal. of Art) et au M. N. A. M. de Paris. B. Z. et E. M.

Fernández
Alejo
peintre espagnol
(Cordoue v. 1475 - Séville 1545)

Cet artiste vraisemblablement d'origine germanique (un document mentionne « Maestro Alexo, pintor alemán ») domine l'école andalouse du premier tiers du XVIe s. Gendre du peintre cordouan Pedro Fernández, il réside jusqu'en 1508 à Cordoue ; de cette période datent le *Christ à la colonne* (musée de Cordoue) et le triptyque de la *Cène* (Saragosse, basilique del Pilar), qui témoignent de recherches nouvelles, situant les personnages dans de vastes perspectives architecturales. Cette étape semble s'achever avec l'installation du peintre à Séville, où l'appelèrent les chanoines de la cathédrale et où il se fixa définitivement. L'étude de la figure humaine l'emporte sur la traduction de l'espace dans sa première grande œuvre : le retable de la cathédrale *(Rencontre à la Porte Dorée, Nativité de la Vierge, Adoration des mages, Présentation au Temple),* où des réminiscences gothiques se manifestent dans les sources d'inspiration (gravure de Schongauer pour l'*Adoration des mages*), dans la richesse du décor et la minutie des détails. Comme ses contemporains castillans, Fernández puise son inspiration à des sources flamandes et italiennes ; le traitement des draperies et de certains visages présente des affinités avec le style de Quentin Metsys et des maniéristes anversois, et aussi avec les peintres de la dernière génération du quattrocento. On a remarqué le caractère « bramantesque » de certaines de ses architectures figurées (*Flagellation du Christ,* Prado). Les commandes affluent à l'atelier de Fernández, qui compose des retables selon une nouvelle ordonnance, groupant les divers personnages, précédemment juxtaposés, autour d'une figuration centrale (1520, Séville, retable de la chapelle de Maese Rodrigo ; Marchena, retable de l'église S. Juan). Le thème favori de l'artiste est la Vierge à l'Enfant, toujours empreinte de douce mélancolie (*Vierge à la rose,* Séville, église S. Ana ; *Vierge allaitant,* couvent de Villasana de Mena). La technique soignée de ses premières peintures ne se retrouve pas dans les œuvres de la fin de sa vie, où le dessin moins sûr, les proportions et les attitudes souvent incorrectes trahissent l'intervention de collaborateurs (*Pietà,* 1527, cathédrale de Séville). La *Vierge des navigateurs* (v. 1535, Alcázar de Séville), abritant sous son ample manteau navigateurs, marchands et capitaines, reprend le thème médiéval de la Vierge de miséricorde, renouvelé par l'épopée des conquistadores. A. C.

Alejo Fernández
▼ **La Vierge des navigateurs**
Séville, Alcázar
Phot. Salmer

Ferrari

Gaudenzio

peintre italien

(Valduggia, Piémont, v. 1475 - Milan 1546)

Il ne reste de sa toute première activité que deux anges d'une fresque peinte dans la chapelle du Saint-Sépulcre au sanctuaire du Sacro Monte à Varallo et une *Crucifixion* sur panneau (musée de Varallo). Un voyage qui le conduit à Florence, en Ombrie et à Rome a sur lui une influence décisive. En 1507, il peint les fresques de la chapelle S. Margherita à l'église S. Maria delle Grazie à Varallo ; entre 1500 et 1510 env., il exécute également les fresques des parois latérales. L'éclectisme de la *Dispute* met en évidence l'influence de Pérugin et de Luini ainsi que de nettes réminiscences de l'architecture de Bramante et des gravures de Dürer. Entre ces deux extrêmes, Gaudenzio apporte sa manière propre à « mieux peindre les âmes que les corps » (Lanzi) et dont l'intention psychologique est encore actuelle. Il peint à la même époque les panneaux avec *Sainte Anne* et *Saint Joachim* (Turin, Gal. Sabauda). En 1511, il exécute une « pala », fleurie, peinte à fresque, pour la collégiale d'Arona ; puis, en 1513, il travaille au cycle principal de fresques de l'église S. Maria delle Grazie à Varallo, contant la vie du Christ en vingt et un épisodes. Il travaille à partir d'une implantation apparemment archaïque dans laquelle il insère des éléments renaissants et maniéristes (nocturnes et paysages décrits en accents passionnés), constituant ainsi une tradition qui se transmettra intacte jusqu'à Morazzone et Tanzio da Varallo au XVIIe s. Cette manière est évidente dans le polyptyque et la prédelle de l'église S. Gaudenzio à Novare (1514-15). Dans la grande chapelle du Calvaire du Sacro Monte, il exécute l'*Adoration de l'Enfant Jésus* (auj. à Sarasota, Ringling Museum), la *Crucifixion* ainsi que la fresque du *Cortège des mages* (1526-1528), à partir de laquelle la critique moderne (G. Testori) a pu reconnaître en lui un sculpteur.

Le thème populaire apparaît dans les œuvres

qu'il a laissées à Vercelli : la *Madone aux oranges* (ou *à l'oranger,* 1528) et les fresques de l'église S. Cristoforo (1520/1530-1531/32) avec les *Histoires de Madeleine et de la Vierge.* La coupole de Saronno (1534), les « pale » de Cannobio et de la Brera, la *Nativité* de la collection Contini-Bonacossi, la *Cène* de l'église de la Passion à Milan marquent l'ultime évolution d'un vigoureux et authentique langage maniériste dont se réclamera toute une école. Des tapisseries furent également créées d'après ses cartons et ses dessins (auj. à Turin, Accad. Albertina). Gaudenzio Ferrari eut ses plus fidèles disciples en Bernardino Lanino et en Girolamo Giovenone. A. G.

Fetti

Domenico

peintre italien

(Rome v. 1589 - Venise 1623)

La première partie de sa courte carrière se déroula à Rome, où il avait été protégé par le cardinal Ferdinando Gonzaga, qui, devenu duc de Mantoue, l'appela à sa cour au début de 1614 et lui confia plusieurs commandes et la charge d'inspecteur de sa galerie. Envoyé par le duc à Venise, en 1621, pour acheter des tableaux, il s'y réfugia après un bref retour à Mantoue, en 1622, à la suite d'un incident avec un noble mantouan. Il mourut encore fort jeune, à Venise, le 4 avril de l'année suivante, victime de « fièvres malignes » ou, selon Baglione, des suites de « dérèglements ».

Il s'était formé à Rome, à l'école de Cigoli (l'*Ecce Homo,* Offices, en témoigne), mais, attiré par Caravage, il s'intéressa surtout à l'interprétation néo-vénitienne que Borgianni donnait du Caravagisme. Il sut deviner en Rubens (à Rome au début du siècle) non seulement le grand baroque, mais aussi l'admirateur des Vénitiens. Ces impulsions furent déterminantes pour l'orientation de Fetti, qui, bien que n'étant pas vénitien, sut s'intégrer à l'histoire de cette culture pendant son court séjour dans la république, assimilant l'héritage du XVIe s. vénitien et contribuant au renouvellement de cette peinture au XVIIe s.

Il est difficile de suivre chronologiquement l'évolution du style du peintre pendant sa courte carrière, car ses œuvres — pas plus les grands tableaux religieux que ceux de petit format (*Paraboles,* qui ont fait sa renommée, et scènes mythologiques) — sont très rarement datées.

Dans la grande toile de la *Multiplication du pain et des poissons* (Mantoue, Palais ducal), probablement peinte à Mantoue à son retour de Venise en 1621, l'artiste montre sa connaissance de la grande peinture vénitienne du XVIe s. et, particulièrement, de Tintoret, tandis que l'interprétation naturaliste du récit évangélique, avec des accents d'une réalité populaire caractéristique du XVIIe s., porte la marque du Caravagisme. Cependant, le système expressif de Fetti est incontestablement nouveau et indépendant de toute contrainte culturelle. Son pinceau vibrant, léger et son chromatisme savoureux et lumineux poursuivent l'évocation d'un univers poétique et fantasque qui s'inspire à la fois d'un réalisme pittoresque et des visions nées d'une imagination inquiète et presque romantique. C'est le monde de la pensive *Mélancolie* (Louvre ; Venise, Accademia), tout à la fois triste et florissante dans la lumière livide, de l'arrogant *David (id.)* et des nombreuses et célèbres *Paraboles.* Citons la *Drachme perdue* (Florence, Pitti ;

Gaudenzio Ferrari
◄ **Scènes de la vie de la Vierge**
Fresque de la chapelle della Madonna
Vercelli, église San Cristoforo
Phot. Fabbri

Dresde, Gg), le *Vigneron* et le *Fils prodigue* (Dresde, Gg ; musée de Caen ; Londres, coll. Seilern), le *Bon Samaritain* (musée de San Diego et Boston, M. F. A.), la *Perle* (Dresde, Gg ; musées de Kansas City et de Caen). Il s'agit là d'un ensemble de chefs-d'œuvre ; le goût de l'anecdote savoureuse, à la manière des « peintres de genre » nordiques, rappelle la sensibilité de Bassano, mais annonce celle des Bamboccianti. Ces œuvres paraissent toutefois nourries d'un sentiment d'inquiétude, malgré le brio de la couleur, dont la clarté lumineuse suggère l'exemple de Véronèse. Certains épisodes d'un réalisme dramatique n'évoquent-ils pas Bruegel (les *Aveugles* de Dresde, Gg, et de Birmingham, Barber Inst. of Arts) ? Conçue selon la tradition vénitienne du XVIe s., la *Fuite en Égypte* (Vienne, K. M.) présente des analogies avec l'art de Tintoret, la luminosité de Véronèse et, d'une façon toute nouvelle, avec la conception du paysage d'un Elsheimer. Les épisodes mythologiques du K. M. de Vienne *(Andromède et Persée, Héro et Léandre,* le *Triomphe de Galatée),* œuvres exquises et qui prouvent avec éclat le rôle essentiel que Fetti occupe non seulement sur la scène vénitienne, mais sur celle, plus vaste, du baroque italien, témoignent d'une veine plus élégiaque et d'une couleur plus rare qui annoncent le XVIIIe s. F. Z. B.

Domenico Fetti
Héro et Léandre ▲
Vienne, Kunsthistorisches Museum
Phot. Meyer

Feuerbach

Anselm

peintre allemand
(Speyer 1829 - Venise 1880)

De 1845 à 1848, il étudia à l'Académie de Düsseldorf, où il fut l'élève de Lessing, de Sohn, de Schadow et de Schirmer, puis fréquenta à Munich l'atelier de Kaulbach. Il séjourna en 1850 à Anvers et de 1851 à 1854 à Paris. Il subit alors l'influence de Courbet et surtout celle de Couture, comme en témoigne par son coloris et sa technique sa première œuvre, *Hafis devant une auberge* (1852, musée de Mannheim). Après avoir séjourné à Karlsruhe, il part en 1855 pour Venise, où il s'imprègne de l'art de Palma, de Titien, de Véronèse ; de là, il se rend à Florence, puis à Rome, où s'affirme son style pathétique et solennel. Influencé par la Renaissance italienne, il peint des scènes inspirées de la vie et des œuvres de Dante, de l'Arioste, de Pétrarque et de Shakespeare, des compositions à thèmes bibliques, des sujets empruntés à la mythologie grecque et des tableaux de figures sans prétentions littéraires. Il exécute de 1861 à 1865 de nombreux portraits de son modèle romain Nanna Risi, qui correspond à son idéal de beauté mélancolique et sévère (la *Joueuse de mandoline,* 1865, musée de Hambourg). Les principales œuvres de son séjour romain, qui se prolongea jusqu'en 1873, sont : *Iphigénie* (1862 et 1871, musée de Darmstadt ; Stuttgart, Staatsgal.), la *Pietà*

▲ Anselm Feuerbach, **Iphigénie** (1871)
Stuttgart, Staatsgalerie
Phot. du musée

(1863, Munich, Schackgal.), *Hafis à la fontaine* (1866, *id.*), *Médée* (1870, Munich, Neue Pin.), le *Banquet de Platon* (1869 et 1873, musée de Karlsruhe et Berlin, N. G.) et le *Combat des amazones* (1873, Nuremberg, Städtische Kunstsammlungen). De 1873 à 1876, il enseigne à l'Académie de Vienne et décore des plafonds pour cet édifice. Il séjourne ensuite à Nuremberg et à Venise. Sous l'influence de la Renaissance vénitienne, il peint en 1878 le *Concert* (autref. à Berlin, N. G., auj. détruit). Outre ses tableaux d'histoire, il a peint des paysages, des portraits et des *Autoportraits* (musée de Karlsruhe, 1852 et 1878).

Le but de ses efforts était d'opposer à la peinture d'histoire, souvent banale à cette époque, des œuvres d'une signification plus haute, répondant à sa conception austère, mais qui, toutefois, manquaient souvent de vie. Coloriste doué, il limitera volontairement sa palette à peu de tons, froids en général, pour donner au dessin la prédominance, et préparera l'exécution de ses œuvres de grand format les plus marquantes par des études d'un dessin extraordinairement poussé. Son art est marqué par sa culture humaniste, qui donne une profonde signification au contenu littéraire de ses œuvres, que contrebalance cependant un sens aigu de la forme. Feuerbach fut peu compris par ses contemporains et n'eut pratiquement pas de continuateurs. H. B. S.

Flegel

Georg

peintre allemand

(Olmütz, Moravie, 1566 - Francfort-sur-le-Main 1636)

Après avoir travaillé comme apprenti dans l'atelier du peintre flamand ambulant Lucas Van Valckenborch, il est actif à Francfort. Il fut, au tournant du XVIIe s., le premier artiste allemand à se consacrer avec les peintres de Haarlem et d'Anvers à l'émancipation de la nature morte. Ces choses inanimées — fruits, bocaux, coupes, victuailles —, conçues depuis le XVe s. comme les éléments épars d'un tableau, vont être appelées à une vie propre, et leur représentation élevée au rang d'un genre.

Georg Flegel, **Nature morte** ▼
Francfort, Historisches Museum
Phot. du musée

La plus grande partie des œuvres de Flegel, non datées, ont été exécutées entre les années 1610 et 1635. Son grand *Repas servi* (musée de Spire) est un excellent exemple de ce type de tableau que l'on a désigné sous le nom de « Déjeuner », où la distribution ancienne, isolée, des éléments est remplacée par une synthèse. Ce monde des choses tactiles, représenté avec une austère exactitude, sera appelé, par l'effet de la transposition artistique, à évoquer l'harmonie universelle. Ces victuailles, si vite périssables, ces fruits, ces fleurs seront souvent, dans les œuvres tardives de Flegel (1635-1638), fondus dans la tonalité brunâtre d'un éclairage de chandelle (*Cuisine éclairée à la chandelle,* musée de Karlsruhe). La lumière de la chandelle, si vite éteinte, évoque comme un motif de Vanités le caractère éphémère des choses terrestres. Flegel — avec ses aquarelles et ses miniatures (Berlin-Dahlem), où fruits, plantes, insectes sont rendus avec une précision minutieuse — fut le promoteur de ces collections botaniques si appréciées aux XVIIe et XVIIIe s. On trouve les tableaux de cet artiste (une trentaine) dans les musées suivants : Bâle, Bruxelles (M. A. A.), Cologne (W. R. M.), Darmstadt, Francfort (Historisches Museum), Gotha, Karlsruhe, Munich (Alte Pin.), New York (Metropolitan Museum), Nuremberg, Paris (Louvre et musée des Arts décoratifs), Prague, Stuttgart (Staatsgal.), ainsi que dans des coll. part. G. A.

Floris

Frans, dit Floris de Vriendt

peintre flamand

(Anvers entre 1516 et 1520 - id. 1570)

Fils du sculpteur Cornelis Floris, il devint en 1538 l'élève de Lambert Lombard à Liège et, en 1540, s'inscrivit comme maître à la gilde d'Anvers. Vers 1541, il partit pour Rome, où il fut profondément impressionné par le *Jugement dernier* de Michel-Ange, d'après lequel il fit de nombreux dessins, et étudia l'œuvre de Tintoret, de Vasari, de Daniele da Volterra, de Salviati et de Zuccaro, autant que les antiques. De retour à Anvers, il connut un succès énorme et acquit bientôt une fortune considérable qui lui permit de se faire construire une demeure somptueuse, de style italien. Devenu le principal représentant du romanisme à Anvers, Floris peignit avec virtuosité des sujets religieux, des compositions mythologiques, des portraits et dirigea un atelier florissant fréquenté par plus de cent élèves. Considéré par ses contemporains comme un novateur important, il eut une grande influence sur son entourage. En réalité, ce peintre doué et habile n'a souvent créé que des œuvres assez superficielles. Il ne devenait vraiment créateur inspiré qu'au moment où, oubliant ses recherches de style, il se laissait entraîner par la réalité impérative de ses modèles, qui rendait à ses œuvres verve et spontanéité (*Saintes Familles,* musée de Douai et Bruxelles, M. A. A.).

Dès le début de sa carrière, Floris voulut s'imposer par ses connaissances apportées d'Italie. Ses premiers tableaux signés et datés remontent à 1547 : triptyque avec *Cinq Saints* (Rome, coll. part.), où se reflètent des influences vénitiennes ; *Vénus et Mars pris dans le filet de Vulcain* (Berlin-Dahlem). Dans ce dernier tableau, Floris s'est inspiré du style de Lucas de Leyde. La *Chute des anges rebelles* du musée d'Anvers, commandée par la gilde des escrimeurs de la ville, porte un monogramme et la date 1554. L'artiste a essayé ici d'égaler le style héroïque et monumental de Michel-Ange, sans vraiment rendre vivants les mouvements et les formes, qu'il a voulus grandioses. En 1554 également, fut exécuté le triptyque avec le *Calvaire* de l'église d'Arnstadt. La *Joueuse de harpe* (1555, Bucarest, coll. part.) et le *Saint Luc* (1556, musée d'Anvers) ne se distinguent guère des productions courantes et soignées de l'époque. Dans tous ces tableaux, où il renie quelque peu la tradition flamande dans son besoin de couleurs intenses et son lien très sûr avec la réalité, Floris ne parvient guère à s'affirmer. Son vrai talent se manifeste en deux portraits signés de 1558 qui forment pendants : la *Dame âgée* (musée de Caen) et le *Fauconnier* (Brunswick, Herzog Anton Ulrich-Museum). Contrairement à la conception des portraits contemporains, où les personnages sont représentés dans une pose raide et conventionnelle, Floris a su capter d'une façon directe et magistrale l'exactitude de la physionomie, la mobilité de l'expression du visage, la sensation de l'instantané et le charme d'une présence vivante libérée de toutes conventions. La sincérité émouvante de ces chefs-d'œuvre ne se retrouve pas dans l'*Adam et Ève* (1560, Offices) ni dans le *Banquet des dieux marins* du Nm de Stockholm, qui porte un monogramme et la date 1561. Ce dernier tableau ne diffère pas sensiblement de l'*Assemblée des dieux,* peinte en 1550 et conservée au musée d'Anvers. La volonté de l'artiste d'égaler les Italiens dans ces sortes de compositions n'aboutit pas toujours à un résultat satisfaisant : il ne parvient guère à créer une impression d'espace ni à établir un rythme synthétique liant les groupes divers de sa composition. Également laborieux paraît le *Jugement dernier* de 1565 (Vienne, K. M.). Une version plus grande de ce thème figure dans

Frans Floris
◀ **Le Fauconnier** (1558)
Brunswick,
Herzog Anton Ulrich-Museum
Phot. Fabbri

un triptyque du M. A. A. de Bruxelles signé d'un monogramme et daté 1566. L'*Adoration des mages* (Bruxelles, M. A. A.), inachevée à la mort du peintre, a été reprise par son élève Hiëronymus Francken et porte les monogrammes des deux peintres ainsi que la date 1571. Vu à travers ses œuvres sûres, le style de Floris ne semble pas avoir évolué d'une façon remarquable. D'autre part, l'enthousiasme de Van Mander et de ses contemporains ne peut être partagé sans réserve devant les tableaux de ce peintre virtuose que trahit en général sa facilité.

W. L.

Foppa

Vincenzo

peintre italien

(Brescia v. 1427/1430 - id. v. 1515/16)

Il est le premier représentant de la Renaissance lombarde, à laquelle il donnera un caractère propre qui se maintiendra encore au siècle suivant.

La *Vierge du buisson* (v. 1450-1455, Settignano, coll. Berenson) trahit encore l'influence du Gothique international et singulièrement de Michelino da Besozzo, mais on y reconnaît déjà une relative unité chromatique créée par l'éclairage naturel. Les *Trois Crucifiés* (1456, Bergame, Accad. Carrara) sont placés sous un arc classique vu en perspective, à la manière de Mantegna, mais le fond du paysage est encore d'une fantaisie toute gothique ; au goût padouan se joignent ainsi des échos de Filippo Lippi et de Jacopo Bellini. Les deux *Madones* du Castello Sforzesco de Milan, dont la mise en page est aussi nettement influencée par celles de Mantegna, doivent dater de la même période. En revanche, le beau *Saint Jérôme* (Bergame, Accad. Carrara), parfois situé immédiatement après les *Trois Crucifiés,* doit être postérieur et dater de la maturité de l'artiste. La « lumière naturelle », typique de Foppa, a remplacé ici la lumière abstraite, diffuse, de la peinture florentine. L'œuvre doit dater de l'époque (1462-1464) où Foppa commence les fresques de la chapelle Portinari de S. Eustorgio de Milan, auxquelles il travaille jusqu'en 1468. Sur les lunettes en haut des murs, il représenta quatre *Scènes de la vie de saint*

Pierre martyr; au-dessus de l'autel, l'*Assomption* et l'*Annonciation ;* au-dessus de l'entrée, des *Anges ;* à la voûte, les quatre *Pères de l'Église* sur les pendentifs, et huit *Apôtres* vus à travers des oculi en trompe l'œil. Ces fresques révèlent le passage d'une structure de composition solennelle d'origine padouane et strictement fidèle aux règles toscanes de la perspective à une conception extraordinairement libre de l'espace naturaliste, conception qui deviendra typique de l'art lombard. L'aboutissement de cette évolution se fait jour dans les *Scènes de la vie de saint Pierre martyr,* exécutées en dernier. On peut sans doute déceler dans la représentation du bois, où a lieu le martyre du saint, la trace des contacts avec l'art flamand, peut-être intervenus lors du voyage de l'artiste à Gênes (1461), où l'influence néerlandaise s'exerçait avec force.

De cette période remarquable doivent dater la *Madone* de Berlin-Dahlem et celle du musée de Raleigh (coll. Kress), où l'on voit l'influence de Giovanni Bellini se substituer à celle de Mantegna.

Les fresques à la voûte de la chapelle Averoldi au Carmine de Brescia (les *Évangélistes* et les *Pères de l'Église*), peintes en 1475, le grand polyptyque (la *Vierge aux anges,* avec huit *Saints* sur deux rangs et la *Stigmatisation de saint François*) peint pour S. Maria delle Grazie de Bergame (auj. Brera), la *Nativité* de l'église de Chiesanuova près de Brescia (volets avec *Saint Jean-Baptiste* et *Sainte Apollonie,* Genève, coll. part.) consacrent la pleine maturité de l'artiste. Celui-ci donne à son naturalisme un ton d'austérité très particulier. En réalisant un accord intime entre des couleurs locales sourdes et l'éclairage naturel, il crée la tonalité grise qui lui est propre, qu'exalte les dorures des encadrements complexes de ces retables. Ce type de polyptyque architecturé sera utilisé jusqu'à Gaudenzio Ferrari par tous les peintres lombards. Ce genre de retable monumental triomphe avec le *Polyptyque Fornari* du musée de Savone (1489) et le polyptyque (1490) du maître-autel de la cathédrale de la même ville (Oratoire de S. Maria di Castello), qui attestent l'influence de Foppa, sensible d'ailleurs auparavant, sur les peintres de Nice.

Les retables de Savone témoignent d'un certain goût archaïsant. Ils sont postérieurs au moment où Foppa eut des contacts avec Bramante, dont la présence en Lombardie est attestée dès 1477. Cette influence aboutit à une monumentalité qui se fait jour dans les fresques autref. à S. Maria di Brera et auj. à la Brera (*Pietà, Martyre de saint Sébastien ;* la *Madone entre les deux saints Jean,* datée de 1485) ; la magnificence des ors réapparaît dans une *Annonciation* d'une coll. part. de Milan. On peut sans doute situer à la même période un vitrail du dôme de Milan attribué à Foppa par C.L. Ragghianti.

Vincenzo Foppa
Le Calvaire (1456) ▲
Bergame, Accademia Carrara
Phot. Scala

Les œuvres tardives de Foppa (l'*Adoration des mages,* Londres, N.G. ; la bannière d'Orzinovi avec d'un côté la *Vierge et deux saints* et de l'autre *Saint Sébastien entre saint Roch et saint Georges,* 1514, Brescia, Pin. Tosio Martinengo ; les fresques inédites avec des *Scènes de la vie de la Vierge* dans un oratoire à Vigevano) manifestent un refus presque provocant de toute expérience léonardesque. Foppa reste fidèle à cette tradition rustique et archaïsante de la Lombardie, qui sera reprise avec bonheur à Brescia par Moretto et, d'une certaine façon, par Savoldo. Sa profonde conscience artistique lui aura ainsi permis d'introduire en Lombardie le sens humain et spatial de la Renaissance et aussi de créer une sensibilité aux problèmes du luminisme propre aux artistes lombards et qui subsistera. M. R.

Fouquet

Jean

peintre français

(Tours v. 1420 - id. 1477/1481)

Le plus grand peintre français du XVe s., célébré pendant cent ans, puis oublié jusqu'au siècle dernier, n'est connu que par de rares documents ; sa biographie repose sur des renseignements discontinus, allusifs, d'interprétation parfois embarrassante. Un seul ouvrage est attesté par une inscription du temps comme étant de la main de Fouquet : le manuscrit enluminé des *Antiquités judaïques*. À partir de là, l'œuvre du peintre a été reconstituée par rapprochements stylistiques, et sa chronologie est difficile à établir avec certitude.

Documents. La carrière se reconstruit autour de quelques jalons documentaires. On l'a dit fils d'un prêtre et lui-même clerc : rien n'est moins sûr. On sait par divers témoignages qu'il fait, encore jeune, un voyage en Italie : entre 1444 et 1446, il peint à Rome le portrait du pape Eugène IV, qui suscite l'admiration des Italiens. Il n'est pas sûr qu'en 1448 il soit déjà de retour à Tours, comme on l'a cru. En 1461, il est chargé de peindre l'effigie mortuaire de Charles VII et de préparer l'entrée solennelle de Louis XI à Tours. Le testament de l'archevêque Jean Bernard (1463) stipule la commande à Fouquet d'un retable de l'*Assomption* pour l'église de Candes (Indre-et-Loire). Fouquet reçoit le paiement, en 1470, de panneaux d'armoiries pour l'ordre de Saint-Michel, nouvellement créé, et, en 1472 et 1474, de deux livres d'heures pour Marie de Clèves et Philippe de Commines. Il présente en 1474 à Louis XI un « patron » pour son futur tombeau et porte en 1475 le titre de peintre du roi. En 1476, il participe à la décoration pour l'entrée à Tours du roi de Portugal Alphonse V. Il est mentionné comme encore vivant en 1478 et comme défunt en 1481. On sait en outre qu'il avait deux fils, Louis et François, peintres comme lui.

Œuvres de jeunesse. On ignore où et comment Fouquet s'est formé, à Tours, à Bourges ou à Paris, et sous l'influence des œuvres du Maître de Boucicaut, en tout cas dans un milieu d'esprit encore gothique : il sera le premier peintre à faire pénétrer les idées de la Renaissance dans l'art français. Il apparaît brusquement comme un peintre considéré avec le portrait du pape Eugène IV et de deux de ses proches, peint à Rome v. 1446 (connu par une gravure du pape seul). L'importance de cette commande passée à un artiste étranger laisse à penser que Fouquet avait déjà fait ses preuves comme peintre officiel. Il paraît donc raisonnable de situer avant le voyage d'Italie le *Portrait de Charles VII, roi de France* (Louvre), dont la conception encore gothique, la disposition archaïque dans un espace resserré et le style exempt de toute influence italienne s'accordent mieux avec une date précoce. Ces deux premiers ouvrages montrent que Fouquet connaissait les portraits flamands contemporains, dont il adopte la présentation de trois quarts et imite le réalisme analytique ; mais, à l'interprétation vivante et sensible du portrait, il joint déjà le souci du volume arrondi et de l'autorité monumentale, qui sera pendant toute sa carrière le caractère fondamental de son esthétique et qu'il a dû acquérir, selon Focillon, au contact de la grande statuaire gothique française.

Le retour d'Italie : les « Heures d'Étienne Chevalier ». À son retour d'Italie, Fouquet s'installe à Tours, où il va désormais travailler pour la ville, la cour et les fonctionnaires du royaume. Les *Heures d'Étienne Chevalier,* trésorier de France, ont été peintes av. 1461, sans doute peu après son retour, car elles portent de façon éclatante la marque de son expérience italienne. Elles ont été démembrées : il en reste 47 feuillets dispersés (dont 40 au musée Condé de Chantilly). D'Italie, Fouquet rapporte non seulement le nouveau répertoire ornemental de la Renaissance, mais surtout une passion, inédite en France, pour l'espace à trois dimensions et le jeu des volumes dans cet espace : il montre une compréhension en profondeur de l'art florentin de l'époque — celui de Masolino, de Masaccio, de Domenico Veneziano, de Fra Angelico —, dont il avait de grands exemples à Rome, mais qu'il a dû étudier aussi à Florence même. Ces recherches étaient conformes à ses propres préoccupations : il apprend en Italie la force de construction de la perspective linéaire — qu'il ne se souciera d'ailleurs pas d'appliquer scientifiquement — et des volumes simplifiés dans une composition strictement ordonnée. Mais ces découvertes intellectuelles ne contrecarrent pas son attachement aux qualités sensibles du réel ; il choisit comme décor des sites tourangeaux ou des monuments parisiens, il tient à rendre l'exactitude du geste quotidien chez les personnages, l'atmosphère intime des intérieurs, la perspective aérienne des paysages. Ces caractères s'accentueront à mesure que s'atténuera la rigueur des souvenirs italiens.

Ces *Heures* durent connaître une grande célébrité, car de nombreux livres d'heures de Fouquet (*Heures Robertet,* New York, Pierpont Morgan Library) ou d'artistes qui ont subi son influence, comme Jean Colombe (*Heures de Laval,* Paris, B. N.), en recopient littéralement certaines compositions.

De 1455 datent 4 pages récemment découvertes (coll. part., U. S. A.) des *Heures de Simon de Varye,* démembrées : portrait en diptyque du donateur devant la Vierge, 2 décors héraldiques de blasons et devises tenus par des jeunes filles et un lévrier.

Les tableaux (v. 1450-1465). De la même époque date le *Diptyque de Melun,* diptyque votif commandé par le même Étienne Chevalier pour l'église de sa ville natale et, selon la tradition, en mémoire d'Agnès Sorel († 1450), dont la Vierge reproduirait les traits (*Étienne Chevalier avec saint Étienne,* Berlin-Dahlem ; la *Vierge entourée d'anges,* musée d'Anvers). Le cadre du diptyque était orné de médaillons d'émail doré : le *Portrait de l'artiste* (Louvre), premier autoportrait connu d'un peintre français et première expression d'une technique nouvelle, le camaïeu d'or, est sans doute l'un d'eux. La *Pietà de Nouans* (église de Nouans, Indre-et-Loire), grand retable d'autel, peut-être exécutée avec l'aide de l'atelier, doit être contemporaine ; la date en est discutée, mais l'insistance sur l'aspect sculptural et lisse des volumes engage à placer la *Pietà* dans la même période que le *Diptyque.* Le portrait de *Guillaume Jouvenel des Ursins,* chancelier de France (Louvre), à la fois portrait au modelé sensible et, sur son fond doré et armorié, effigie symbolique de la réussite sociale, doit se situer v. 1460 ou 1465 d'après le style moins délibérément sculptural, l'âge et le costume du modèle (dessin préparatoire à Berlin, cabinet des Estampes).

Les miniatures (v. 1460-1475). Le reste de l'œuvre de Fouquet se compose essentiellement de manuscrits enluminés, où l'atelier aide parfois le maître. *Des cas des nobles hommes et femmes de Boccace* (bibl. de Munich), copié en 1458 et peint pour Laurent Girard, contrôleur général des finances, a été exécuté avec la collaboration de l'atelier, sauf le grand frontispice représentant le lit de justice tenu à Vendôme en 1458, qui est l'un des chefs-d'œuvre de mise en page de Fouquet. Les *Grandes Chroniques de France* (Paris, B. N.) ne portent plus aucune indication de date ou de destinataire ; il s'agit peut-être d'un exemplaire copié pour Charles VII en 1459 ; le style de l'illustration situe l'ouvrage près du *Boccace,* autour de 1460 : petits tableaux historiques, souvent traités en deux épisodes juxtaposés, d'une atmosphère moins subtile que dans les *Heures d'Étienne Chevalier,* mais où s'affirme un sens de la majesté de l'histoire qui annonce les grandes œuvres de la fin de la carrière. Vers 1470, Fouquet peint pour Louis XI le frontispice des *Statuts de l'ordre de Saint-Michel* (Paris, B. N.), chef-d'œuvre de finesse dans le coloris au service d'un sentiment profond de la grandeur officielle. De la dernière partie de sa vie, sans doute entre 1470 et 1475, datent quatre pages d'une *Histoire ancienne,* de destinataire inconnu (Louvre), et surtout les *Antiquités judaïques* (Paris, B. N.), manuscrit du duc de Berry laissé inachevé et que Fouquet termine pour Jacques d'Armagnac v. 1465. Fouquet peint là d'immenses tableaux d'histoire en miniature, réduisant l'échelle des personnages pour fondre les individus dans les foules et en peupler des paysages infinis ; des tons amortis, une atmosphère cendrée contribuent à élargir et à unifier les compositions. Dans ces dernières œuvres, à l'étude du caractère monumental de la figure humaine s'ajoute l'intérêt pour les mouvements de masse, qui donnent une ampleur inusitée à la narration des grands moments historiques : Fouquet est le seul peintre de son époque à avoir de l'histoire une vision épique, à la mesure de la grandeur de la Bible et de l'Antiquité.

De nombreuses autres miniatures — surtout de livres d'heures — sont attribuées à Fouquet ; de qualité moindre, d'esprit souvent différent, elles sont plutôt l'œuvre de son atelier ou d'artistes inconnus formés à son contact, peut-être de ses fils (Paris, B. N. ; San Marino, Huntington Library ; Univ. de Reading ; Vienne, B. N. ; bibl. de La Haye). Cependant, à part cette influence immédiate, perceptible dans la rondeur du volume, le modelé en hachures d'or, le choix du décor, le type de mise en page à double registre ou l'emprunt de compositions, Fouquet n'a pas eu de vrais disciples ni de continuateurs : la leçon de la Renaissance, dont il était en France le véritable précurseur, y était encore prématurée. Ses successeurs, Bourdichon ou Colombe, loin de comprendre le rythme large de compositions où s'équilibrent l'homme et la nature, ne gardent de son art qu'une image vidée de substance ; Fouquet reste le seul peintre classique du XVe s. au nord des Alpes. N. R.

Jean Fouquet, **La Conversion de saint Paul** ▶
Enluminure du *Livre d'heures d'Étienne Chevalier*
Chantilly, musée Condé
Phot. Giraudon

QVID

Fragonard

Jean Honoré

peintre français
(Grasse 1732 - Paris 1806)

Considéré comme l'un des grands maîtres du XVIIIe s. européen et le représentant d'un certain « esprit français », atteignant sur le marché international les cotes les plus élevées, Fragonard a vu ses œuvres vulgarisées à l'infini par la gravure et le chromo. Mais cette gloire ne date que du milieu du XIXe s. (étude des frères Goncourt, 1865). D'abord encensé par ses contemporains, Fragonard fut vite critiqué par eux, puis quasiment oublié (fin du XVIIIe, première moitié du XIXe s.). De sorte que les légendes sont venues recomposer sur le modèle des œuvres une biographie livrée aux vulgarisateurs : les amours avec la Guimard, danseuse à la mode, avec les sœurs Colombe, actrices du Théâtre-Italien, avec Marguerite Gérard, belle-sœur de l'artiste, qui occupent l'essentiel des vies romancées, semblent de pure invention. En même temps, le catalogue (qui varie largement d'un auteur à l'autre) s'est gonflé de multiples copies et de la production de plusieurs contemporains plus ou moins oubliés (Taraval). Il faut ramener le peintre et son œuvre aux éléments sûrs ; on s'aperçoit alors que Fragonard n'est pas simplement l'incarnation séduisante et quelque peu fade de l'esprit « rococo » : il exprime avec une sensibilité exceptionnelle les recherches et les hésitations de ce demi-siècle de peinture qui va du Versailles de Louis XV au Paris napoléonien.

Les apprentissages (v. 1746-1761). Né en 1732 à Grasse, dans une famille modeste, mais à son aise, Fragonard se retrouve à Paris dès l'âge de six à sept ans. C'est abusivement qu'on a fait de lui un « peintre provençal » : le Midi lui a donné le physique (petit homme brun, trapu et qui devient vite chauve et replet) et le tempérament (vif, jovial et foncièrement sociable), mais la formation est toute parisienne. Destiné à devenir clerc de notaire, l'enfant s'éprend de la peinture, se voit repoussé de l'atelier de Boucher, écourte chez Chardin un apprentissage qui semble avoir laissé peu de traces, revient chez Boucher, qui, cette fois, pressent son génie, fait de lui son élève favori, le pousse au concours de Rome (premier prix, 1752). Fragonard entre alors à l'École des élèves protégés, dirigée par Carle Van Loo, où il peut, avant de gagner l'Italie, compléter une culture peut-être négligée (1753-1756). Durant cette période de jeunesse (soit avant vingt-quatre ans) ont été placées quantité d'œuvres d'une inspiration artificielle, d'un style très proche de Boucher et déjà très sûr (env. 90 numéros sur 545 dans le catalogue Wildenstein, 1960). En fait, les œuvres certaines, le *Jéroboam sacrifiant aux idoles* présenté pour le concours de Rome (1752, Paris, E.N.B.A.), le *Lavement des pieds* commandé par la confrérie du Saint-Sacrement de Grasse (1754-55 ; demeuré à la cathédrale), montrent un effort scolaire vers la « grande manière », un style brillant mais sage, hésitant entre les maîtres contemporains et les modèles du XVIIe s. Les collections parisiennes durent permettre dès ce temps la connaissance des écoles du Nord (Rembrandt notamment : copie de

Jean Honoré Fragonard, **La Fête à Saint-Cloud** ▲
Paris, Banque de France
Phot. Larousse

la *Sainte Famille Crozat*), mais la personnalité semble encore mal se dégager.

Ce sera le résultat des années italiennes. Fragonard est accueilli (fin de 1756) à l'Académie de France par Natoire, d'abord inquiet, puis séduit au point de le laisser prolonger son séjour jusqu'en 1761. Désemparé par les premiers contacts, le jeune peintre a tôt fait de choisir ses modèles. Il est aidé par deux amitiés décisives : celle d'Hubert Robert, à Rome depuis deux ans déjà, et celle de l'abbé de Saint-Non, jeune et riche amateur, qui arrive en 1759, lui voue aussitôt une admiration passionnée, l'emmène travailler à Tivoli (1760), puis à Naples (hiver de 1760-61) et l'accompagne dans le retour à Paris par Bologne, Venise et Gênes. Des leçons cherchées auprès des maîtres les plus divers — des Carrache à Véronèse, de Solimena à Tiepolo — témoignera une belle série d'eaux-fortes publiée au retour (1764). Ces années enthousiastes comptent parmi les plus fécondes : paysages sensibles, construits sur d'habiles contrastes de valeurs (le *Petit Parc,* v. 1760, Londres, Wallace Coll.), parfois animés d'un mouvement dramatique (l'*Orage,* 1759, Louvre), scènes de genre complexes, conduites avec un « fa presto » désinvolte, mais où la bambochade est mise en scène à la manière de la « grande peinture » (la *Lessive,* Saint Louis, Missouri, City Art Gal. ; la *Famille italienne,* Metropolitan Museum). Les principaux thèmes se dégagent, le pinceau a désormais acquis toute sa promptitude et sa sûreté.

La seconde période parisienne (1761-1773). Revenu à Paris en septembre 1761, patronné par Saint-Non, Fragonard est accueilli comme un peintre accompli : son morceau d'agrément à l'Académie (*Corésus et Callirhoé,* Louvre), longuement médité (esquisse au musée d'Angers), est exalté par Diderot (Salon de 1765) et acquis par le roi. Il obtient une commande pour les Gobelins (non exécutée), un atelier au Louvre. Il épouse en 1768 une jeune fille de vingt-deux ans, Marie-Anne Gérard, venue elle-même de Grasse et pratiquant la peinture : union solide et heureuse, quoi qu'on en ait écrit. Pourtant, la carrière prend une inflexion inattendue : Fragonard se détourne des honneurs de l'Académie, ne peint pas le morceau de réception demandé, abandonne assez vite la « peinture d'histoire » et la grande décoration (*Projet de plafond,* musée de Besançon), au profit des tableaux de cabinet, que les amateurs couvrent aussitôt d'or : sujets piquants comme l'*Escarpolette* (1767, Londres, Wallace Coll.), scènes de genre aimables ou galantes qui continuent directement Boucher, paysages où Fragonard se retourne volontiers vers les leçons nordiques (*Paysage aux laveuses,* musée de Grasse). Le pinceau atteint le paroxysme de la vitesse et de la liberté avec les portraits dits « de fantaisie » (une quinzaine, peints vers 1769, dont 8 auj. au Louvre, parmi lesquels l'*Étude,* la *Musique, Diderot*) et les 2 pendants inspirés par l'histoire de *Renaud et Armide* (Paris, coll. Veil-Picard). Tous ces prestiges se résument et s'exaltent dans les 4 grands panneaux commandés par Mme du Barry pour le pavillon de Louveciennes, qui marquent le sommet de la carrière (1770-1773, New York, Frick Coll.).

Le succès est immense : mais déjà cet art apparaît dépassé. Dans ces mêmes années s'affirme à Paris la tendance au Néo-Classicisme, et le groupe des jeunes peintres fidèles au « goût moderne » est très attaqué. À peine installée, la décoration de Louveciennes est raillée dans un violent pamphlet (*Dialogues sur la peinture,* attribué à Renou) qui la dénonce comme l'exemple même du « tartouillis » en vogue auprès des ignorants : retirés (et repris par l'artiste), les panneaux sont remplacés par 4 compositions de Vien. Fragonard semble durement touché par les critiques. Son ami le financier Bergeret l'emmène avec sa femme pour une lointaine randonnée (1773-74) dans le midi de la France, puis en Italie (séjours à Rome et à Naples) avec retour par l'Autriche : c'est l'occasion d'une série de sanguines et de lavis (études de paysages ou de types populaires) qui comptent parmi les plus belles pages de l'œuvre dessiné.

La troisième période parisienne (1774-1806). Avec le retour à Paris (fin de 1774) commence une période de plus de trente années (la moitié de la carrière) qui demeure très mal connue. La célébrité va diminuant à mesure que s'impose la nouvelle génération, et la Révolution lui portera le coup fatal. D'abord favorable aux idées nouvelles (*Au génie de Franklin,* gravé par Marguerite Gérard, 1778), Fragonard semble ensuite plus réservé. Durement frappé par la mort de sa fille Rosalie (octobre 1788), il quittera même un temps Paris pour Grasse (1790-91). Les événements réduisent à peu de chose sa fortune, qui était devenue considérable, et sa clientèle est exilée ou ruinée. Fragonard échappe pourtant à la misère grâce à son ancien élève David et à ses connaissances d'expert : il obtient poste et traitement de conservateur au Museum (le futur Louvre ; 1793-1800). S'il n'a plus d'amateurs, les œuvres de sa belle-sœur et élève Marguerite Gérard sont de plus en plus appréciées, et la réputation de son fils Evariste, formé sous David, va croissant. Entouré de sa famille et de quelques amis fidèles, « bon papa Frago » semble survivre à l'Ancien Régime sans trop d'amertume ; il meurt après une brève maladie le 22 août 1806.

La production de ces longues années demeure à reconstituer. Une bonne part a disparu : et l'on a trop tendance à y glisser les portraits d'enfants de Marie-Anne ou les tableaux de genre de Marguerite Gérard. Les critiques essuyées, le second séjour italien et l'évolution du goût parisien semblent avoir profondément touché le tempérament sensible de Fragonard, le poussant à renouveler entièrement son style et son registre poétique. Sa couleur s'allège, cherche des harmonies dorées ou argentées qui vont jusqu'au camaïeu. Sa technique, sans perdre une liberté toujours plus sûre, revient parfois vers un métier plus strict, qui tantôt se tourne vers les Nordiques et annonce Boilly (le *Baiser dérobé,* av. 1788, Ermitage), tantôt semble se souvenir de Le Sueur (la *Fontaine d'amour,* av. 1785, Londres, Wallace Coll.) et conduit à David. Son inspiration le porte moins vers l'héroïsme à la romaine que vers le langage allégorique (l'*Hommage rendu par les Éléments à la Nature,* 1780, détruit) et surtout les évocations élégiaques, où peut continuer à se manifester son goût pour le paysage et pour les sujets amoureux. La sensibilité du temps s'y reflète avec une expression très personnelle, des philosophies en vogue jusqu'à la sentimentalité à la Greuze ou à la Rousseau (*Dites donc s'il vous plaît,* Londres, Wallace Coll.).

Il s'y mêle des accents mélancoliques (le *Chiffre, id.*), passionnés (le *Verrou,* Louvre; l'*Invocation à l'Amour,* esquisse, *id.*) ou érotiques (le *Sacrifice de la rose,* coll. part.) qui n'ont guère d'équivalent que dans la poésie d'un Parny ou d'un Chénier et qui introduisent directement, par-delà l'art davidien, au Romantisme. L'affirmation autoritaire du Néo-Classicisme, soutenue par la personnalité même de David et par les événements politiques, ne doit pas empêcher de reconnaître l'importance de ces développements, demeurés sans grande audience, mais qui de plus en plus apparaissent indispensables au tableau d'une période complexe entre toutes.

Cette longue carrière apparaît ainsi l'une des plus riches du siècle : et du même coup se révèle la personnalité d'un génie trop souvent réduit aux proportions du « chérubin de la peinture érotique » (les Goncourt). L'inspiration va de la grande peinture à la scène de genre, en passant par les tableaux religieux, mal connus encore (la *Visitation,* esquisse, coll. part.). Elle sait traduire toutes les nuances du paysage comme de la grâce féminine. Si, par une inclination naturelle, Fragonard (comme précédemment Rubens, comme après lui Renoir ou Bonnard) ignore la moitié sombre de la vie, vieillesse, tragédie et remords, son art n'en est pas moins capable de rejoindre celui des grands visionnaires (*Vivat adhuc Amor,* lavis, Albertina). Ce peintre qu'on dit frivole dissimule sous la gaieté la richesse exceptionnelle de sa sensibilité et de sa réflexion. Mais, de l'improvisation piquante (la *Gimblette,* Paris, coll. Veil-Picard) ou de la bluette un peu fade (la *Leçon de musique,* Louvre), il passe sans peine à la plus haute veine lyrique dès qu'il évoque la richesse profuse de la nature (le thème du parc à demi sauvage, approfondi depuis les vues de Tivoli jusqu'à la *Fête à Rambouillet* de la fondation Gulbenkian, à Lisbonne, et à l'admirable *Fête à Saint-Cloud* de la Banque de France, à Paris) et surtout lorsqu'il interroge les diverses faces de l'amour. Érotisme spirituel (le *Feu aux poudres,* Louvre), épisodes galants (l'*Escarpolette*), ivresse du plaisir (l'*Instant désiré,* Paris, coll. Veil-Picard), mais aussi surprises de l'adolescence (l'*Enjeu perdu,* av. 1761, Metropolitan Museum; esquisse à l'Ermitage), plénitude de l'amour partagé (la *Famille heureuse,* Paris, coll. Veil-Picard), rêverie élégiaque (le *Chiffre*) et ferveurs romantiques (le *Serment à l'Amour,* gravé par Mathieu en 1786), qui parfois s'élèvent jusqu'à une sorte de symbolisme lucrécien (la *Fontaine d'amour*) : cette quête insistante, plus diverse et plus riche que celle d'aucun artiste ou d'aucun auteur du temps, unique dans l'histoire de la peinture, suffirait pour placer Fragonard parmi les grands poètes de la tradition occidentale. J. T.

Francesco di Giorgio Martini

peintre italien
(Sienne 1439 - id. 1501)

Il fut le condisciple de Neroccio di Landi chez Vecchietta, qui lui enseigna les fondements des trois arts renouvelés à la lumière des découvertes florentines. Toutefois, dans son œuvre picturale, il demeura davantage attaché à des formules archaïsantes, alliant les élégances graphiques de Filippo Lippi et de Verrocchio à un goût du rythme qui offre un accent de maniérisme néo-gothique. En revanche, il ordonne ses architectures avec une exquise mesure; son admiration pour Alberti ne lui fait pas oublier les principes rationalistes de Piero della Francesca ou de Brunelleschi. Enfin, dans ses rares et admirables sculptures, il unit en une remarquable synthèse un impressionnisme plastique déclaré et la tradition florentine de Donatello et de Pollaiolo.

Ses œuvres peintes et ses dessins se situent à la limite de la stylisation la plus raffinée de caractère nettement abstrait. Son grand *Couronnement de la Vierge,* peint pour Monteoliveto Maggiore en 1472 (Sienne, P. N.), présente une construction complexe, édifiée dans un espace exigu, mais où transparaît l'application des idées de miniaturiste de Liberale da Verona ou de Girolamo da Cremona, qui travaillaient alors à Sienne. Son *Adoration de l'Enfant par la Sainte Famille, saint Bernard et saint Thomas d'Aquin,* de 1475 *(id.),* est influencée en revanche par les idées développées dans l'entourage de Verrocchio à Florence et dénote même une connaissance des premiers exemples de Vinci et de Botticelli. La même année, sa collaboration d'atelier avec Neroccio prend fin. Sa petite *Annonciation (id.),* élégante et calligraphique, est probablement un peu antérieure.

Dans les années qui suivent, il voyage de ville en ville (Lucques, Naples, Capoue, Rome, Milan, Pavie), mais réside en particulier à Urbino, où, dès 1477, il est au service de Federico da Montefeltro. Son activité picturale diminue alors (en 1484, il est nommé *singularis architector* et, à partir de 1489, il n'est plus mentionné que comme sculpteur, architecte et ingénieur), au point qu'il montre un vrai changement de manière lorsqu'il revient à la peinture. Dans *Scipion l'Africain* (Florence, Bargello) et dans la *Nativité* (Sienne, S. Domenico), peinte certainement à la fin du siècle, on discerne en effet l'influence directe de Filippino Lippi et de Piero di Cosimo.

▲ Francesco di Giorgio Martini, **Nativité**
Sienne, église San Domenico
Phot. Fabbri

Si Francesco di Giorgio eut peu d'effet sur ses contemporains par son art pictural, son rôle de représentant de la culture universaliste de la Renaissance toscane ne doit pas être mésestimé, car il transmit à des artistes comme Peruzzi les secrets spirituels d'un classicisme intimement senti plutôt qu'appris par une étude rigoureuse de l'antique. Outre les œuvres citées, on peut signaler que Francesco di Giorgio a peint également des *Madones à l'Enfant* à mi-corps (Avignon, Petit Palais), souvent entourées de *Saints* (Sienne, P. N. ; Boston, M. F. A. ; Cambridge, Mass., Fogg Art Museum ; Lugano, coll. Thyssen ; musée de Coral Gables, fonds Kress), une *Adoration de l'Enfant* (Metropolitan Museum), dont la partie supérieure *(Dieu le Père et des anges)* est à Washington (N. G.), et une *Allégorie de la Fidélité* (Los Angeles, Norton Simon Foundation). On lui doit aussi des enluminures dans des *Codex* (musée de l'Osservanza, près de Sienne ; cathédrale de Chiusi) et la peinture d'une tablette de la Biccherna (1467, Sienne, Archives). Il peignit quelques « cassoni » mythologiques, mais les plus célèbres de ceux qui lui étaient attribués naguère (*Enlèvement d'Europe,* Louvre ; *Joueurs d'échecs,* Metropolitan Museum) sont aujourd'hui donnés à Liberale da Verona ou à Girolamo da Cremona. S. R.

Francis
Sam
peintre américain
(San Mateo, Californie, 1923)

Après des études de médecine et de psychologie à l'université de Berkeley, il est mobilisé dans l'aviation de 1943 à 1945. Blessé et hospitalisé, il commença de s'intéresser à la peinture à l'instigation d'un ami, David Parks, professeur à l'école des beaux-arts de San Francisco, et exposa pour la première fois dans cette ville en 1948. En 1950, il se rend à Paris, où il réside longtemps en dehors de fréquents séjours à New York et en Californie et de voyages autour du monde de 1957 à 1959, qui le mènent au Mexique, en Inde, au Siam, à Hongkong et au Japon, où il s'arrête plusieurs fois pour travailler. Il retourna aux États-Unis en 1961 et s'installa en 1962 à Santa Monica, en Californie.

Sam Francis a fait, avec succès, de nombreuses expositions à l'étranger, non seulement à New York (1956, Martha Jackson Gal.), mais aussi à Londres (1957, Gimpel Fils Gal.), à Tōkyō, à Ōsaka et en Suisse, où il a exécuté en 1956 un important triptyque mural pour la Kunsthalle de Bâle, avant que la Kunsthalle de Berne lui consacre une grande exposition personnelle en 1960, un an après celle qui avait été présentée à la Kunsthalle de Düsseldorf. C'est à Paris pourtant que Sam Francis avait d'abord été connu et estimé; dès 1952, la gal. Nina Dausset lui avait organisé sa première exposition, que deux autres devaient suivre bientôt à la gal. Rive droite, la première préfacée par Georges Duthuit en 1955 et la seconde en 1956 sous l'égide de Michel Tapié, qui, dans *Un art autre,* avait déjà situé Sam Francis parmi les « signifiants de l'informel », auxquel il apportait, après Pollock, une nouvelle dimension spatiale à l'échelle américaine. C'est en effet le sentiment de l'espace, lieu d'épanchement de la lumière, qui conditionne l'expression « tachiste » de Sam Francis, lequel a précisé pour lui-même que « l'espace, c'est la couleur » et reconnu dans ce sens l'importance de l'exemple de Monet et de Matisse. Par de larges et vigoureuses taches de couleurs, claires ou foncées, il module la surface des grands formats, qu'il travaille volontiers, pour créer des espaces mouvants imprégnés d'une vie intense. Dans ses « bleus » (1967-68), il a distendu de plus en plus les intervalles séparant les taches de couleurs, qu'il repousse vers les bords de la toile pour faire éclater la « forme ouverte » du blanc. Ses œuvres sont conservées dans de nombreux musées américains (notamment à New York, M.O.M.A. et Guggenheim Museum) ainsi qu'à Londres (Tate Gal.), à Paris (M.N.A.M.) et à Zurich (Kunsthaus).

R. V. G.

Francke
dit Maître Francke
peintre allemand
(actif à Hambourg
pendant la première moitié du XVe s.)

C'est un des représentants les plus originaux du Gothique international allemand. Il réinterprète les formes d'un style courtois dans le sens d'un expressionnisme religieux, où il traduit directement ses méditations sur la Passion ou la vie des saints. On ne possède sur lui que très peu de documents :

Sam Francis, **Shining Dark** (1958) ▼
New York, the Solomon R. Guggenheim Museum
Phot. Fabbri

c'est un moine dominicain — ce qui explique que son nom ne figure sur aucun registre municipal — originaire de Zutphen en Gueldre, où il serait né v. 1380-1390; il peint pour la cathédrale de Münster 2 panneaux de la Vierge et de saint Jean-Baptiste, sans doute av. 1420 (détruits); en 1424, il passe contrat d'un retable pour l'église Saint-Jean de Hambourg avec la confrérie des Englandfahrer, retable conservé et qui a permis le regroupement stylistique du reste de son œuvre; puis, sa célébrité se répandant autour de la Baltique dans les villes affiliées à la Hanse, il peint en 1429 un retable pour la confrérie des Têtes-Noires de Reval en Estonie (détruit).

Son œuvre se compose de 2 tableaux représentant l'*Homme de douleur* (musées de Leipzig et de Hambourg) et de 2 grands retables à volets : le *Retable de sainte Barbe* (musée d'Helsinki), sans doute exécuté pour la cathédrale du port hanséatique d'Abo en Finlande, comporte un intérieur sculpté probablement dans l'atelier du peintre, ou sur ses dessins, et des doubles volets peints avec 8 scènes de la vie de sainte Barbe; du *Retable des « Englandfahrer »,* dit « retable de saint Thomas Becket » (musée de Hambourg), incomplètement conservé, il subsiste un fragment du panneau central peint *(Crucifixion)* et, des doubles volets, 4 *Scènes de la Passion* sur fond d'or, 2 *Scènes de l'enfance du Christ* et 2 *Scènes de l'histoire de saint Thomas Becket* sur fond rouge étoilé.

On a considéré, depuis B. Martens (1929) et Stange (1938), le *Retable de sainte Barbe* comme un ouvrage des débuts du peintre, qui se serait formé au contact intime de la miniature française, dans un esprit ouvert au monde extérieur, et s'en serait détourné ensuite dans le *Retable de saint Thomas* pour se limiter à l'essentiel et exprimer, avec des moyens réduits, une vision subjective personnelle. Mais il convient de préférer une chronologie différente qui donne une plus juste idée d'un peintre médiéval évoluant vers le réalisme sous les diverses influences artistiques de son époque.

Il semble que son origine gueldroise ait été déterminante dans son œuvre : il trouvait là un répertoire iconographique particulier et surtout un climat d'expressionnisme mystique traduit artistiquement dans un récit simplifié et efficace. En outre, il subit en Gueldre l'influence du style gothique international franco-flamand, largement importé grâce à la duchesse Marie de Gueldre, princesse française; il emprunte aux manuscrits des environs de 1410, connus directement ou par des recueils de modèles, des motifs de détail ou des formules de composition. Son goût de l'expressivité par les formes simples et d'un espace plat réduit au jeu des personnages le rapproche des premières œuvres des frères Limbourg *(Belles*

Maître Francke, **La Poursuite de sainte Barbe** ▲
(panneau du *Retable de sainte Barbe*)
Helsinki, Nationalmuseum
Phot. Giraudon

Heures). En Westphalie, il apprend la version allemande du Gothique international, particulièrement devant le *Retable de Wildungen* de Conrad de Soest, à qui il emprunte la composition de sa *Crucifixion* et les types des visages, des mains et des plis. De cette époque datent l'*Homme de douleurs* de Leipzig (v. 1420), le *Retable de saint Thomas* (1424), que l'ignorance de l'anatomie et du modelé, les plis fluides, la calligraphie, la composition sans profondeur obligent à placer tôt dans la carrière du peintre. Puis il perfectionne sa connaissance des conquêtes de la peinture occidentale; le *Retable de sainte Barbe* (v. 1430-1435) et l'*Homme de douleur* de Hambourg (v. 1435-1440) montrent un goût nouveau pour le volume, le modelé, les plis gonflés et lourds, les paysages mieux structurés en profondeur.

La carrière de Francke se situe ainsi à mi-chemin du Gothique international tardif et du futur réalisme. Peintre régional, monacal et d'une inspiration toute personnelle, il n'a pas fait école ; cependant, plusieurs retables en Basse-Allemagne ou dans des villes hanséatiques rappellent ses formes, ses motifs, son mode de récit expressif et ramassé, et les prolongent, comme chez Johann Koerbecke, dans le courant réaliste au-delà du milieu du xve s. N. R.

Friedrich

Caspar David

peintre allemand

(Greifswald 1774 - Dresde 1840)

Après avoir fait ses études de 1794 à 1798 à l'Académie des beaux-arts de Copenhague, où il connaît les œuvres d'Abildgaard, Friedrich s'installe à Dresde. Il y fréquenta le poète Ludwig Tieck et les peintres Carus, Runge, Kersting et Dahl. C'est avec ses grands dessins à la sépia, d'une technique précise, représentant surtout des sites de l'île de Rügen, qu'il remporte ses premiers succès (musée de Hambourg ; Albertina ; musée de Weimar). Il fut peu marqué par les influences extérieures. Ses profondes réflexions sur la nature, une observation scrupuleuse de la réalité lui permettent de trouver son originalité propre. Il retourne à différentes reprises dans son pays natal, en 1801, 1802 et 1806, et crée à ce contact un style de paysage qui lui est personnel. Vers cette époque, il commence à utiliser aussi la technique de l'huile (*Brume,* Vienne, K. M. ; *Dolmen dans la neige,* Dresde, Gg). Dans son *Tableau d'autel de Tetschen* (la *Croix sur la montagne,* 1808, *id.*), il recourt au paysage pour traduire son émotion religieuse. Le *Moine sur le rivage* (1809, Berlin, Charlottenburg) est l'expres-

Caspar David Friedrich
L'Abbaye dans un bois (1809) ▼
Berlin, Charlottenburg,
Staatliche Schlösser und Gärten
Phot. Anders

sion la plus parfaite de sa conception transcendante du paysage. L'*Abbaye dans une forêt* (1809, *id.*) et le *Paysage dans les monts des Géants* (1811, *id.*) comptent parmi les œuvres les plus marquantes de cette période. De nouveaux voyages sur les bords de la Baltique en 1809, puis en 1810 aux monts des Géants, et dans le Harz en 1811 enrichissent son répertoire de motifs. Il transpose dans ses paysages de montagne les formes que lui ont inspirées les rivages de bord de mer. Parmi les paysages de cette période, on peut citer l'*Arc-en-ciel* (Essen, Folkwang Museum), le *Paysage du mont des Géants* (Moscou, musée Pouchkine), le *Matin au mont des Géants* (Berlin, Charlottenburg).

Pendant la période suivante, sa recherche de l'universalité limite l'expression de sa fantaisie et de son langage formel. Mais on constate une nouvelle évolution à la suite de deux voyages sur les bords de la Baltique en 1815 et 1818 (la *Croix sur le rivage, id.; Navires au port,* Potsdam, Sans-Souci). Il s'inspire plus étroitement de la nature et choisit des motifs idylliques; son coloris s'enrichit. À partir de 1820, il exécute, en même temps que des paysages de bord de mer et de petite montagne, quelques compositions de haute montagne d'après des études faites par des amis artistes (C. G. Carus, A. Heinrich), tels le *Watzmann* (1824, Berlin, N. G.) et *Haute Montagne* (détruit, autref. à Berlin, N. G.). Friedrich a également peint des vues de la *Mer polaire,* dont une seule (la *Mer de glace,* 1823, conservée au musée de Hambourg) nous est parvenue. Vers 1825, les paysages mélancoliques reprennent une importance dominante dans sa production. Pendant sa période tardive, son écriture devient plus souple et son coloris plus intense. En 1835, il eut une attaque d'apoplexie à la suite de laquelle il ne produisit plus que des dessins.

Chez Friedrich, la conception de la nature n'est soumise ni à la description littérale ni à l'idéalisation de la réalité vivante. Les motifs naturalistes sont considérés comme les hiéroglyphes d'une révélation divine. Ainsi, les montagnes sont le symbole de Dieu, les rochers représentent la foi, les sapins la foule des croyants. Ce langage des signes est généralement développé à partir d'une observation de la nature immuable et relève peu de la symbolique traditionnelle. Le paysage du fond est le reflet de l'au-delà, et le premier plan en grande partie plongé dans les ténèbres symbolise le monde terrestre. Les figures de dos, fréquentes dans les tableaux de Friedrich, personnifient l'homme religieux, qui considère son existence comme une préparation à la vie éternelle (le *Voyageur devant la mer de nuages,* musée de Hambourg; *Deux Hommes regardant la lune,* Dresde, Gg; *Jeune Fille à l'aube,* Essen, Folkwang Museum; *Sur le voilier,* Ermitage; les *Deux Sœurs au balcon, id.; Lever de la lune sur la mer, id.* et Berlin, N. G.; *Jeune Fille à la fenêtre,* Berlin, N. G.). Nombreuses, les allusions à la mort ont une valeur positive; elles sont une condition nécessaire pour signifier la transcendance. Si ses peintures à l'huile sont pour la plupart des paysages composés — synthèses de motifs pris sur le vif —, ses aquarelles sont, par contre, des études directes de la nature, et ses dessins — exception faite de ceux qu'il exécuta à la sépia — sont presque uniquement des copies d'après nature.

Les paysages de Friedrich, d'une haute spiritualité et d'une sensibilité si riche, furent appréciés du public dès les débuts du XIXe s.; le *Tableau d'autel de Tetschen,* cependant, et le *Moine sur le rivage* rencontrèrent une vive opposition. La notoriété du peintre atteignit son apogée en 1810, lorsque la maison de Prusse fit l'acquisition de certaines de ses œuvres. En 1816, il fut nommé membre de l'Académie de Dresde, et en 1824 professeur extraordinaire. Cependant, à l'exception de Carus, Blechen et Dahl, Friedrich eut peu d'influence sur ses contemporains. Sa conception symbolique de l'art ne pouvait s'accorder avec le prosaïsme de l'époque Biedermeier. Redécouvert au début du XXe s., il apparaît aujourd'hui comme le plus grand paysagiste allemand du XIXe s. Il est représenté dans la plupart des musées allemands, surtout à Berlin (N. G. et Charlottenburg), Dresde et Hambourg, qui possèdent d'importants ensembles d'œuvres de l'artiste, ainsi qu'à Brême, Essen, Karlsruhe, Hanovre, Leipzig (les *Âges de la vie,* 1835), Kiel, Cologne et Munich. On peut aussi voir de ses œuvres à Vienne, à Leningrad, à Moscou, à Winterthur *(Côtes rocheuses à Rügen),* à Oslo, à Prague (la *Mer du Nord à la lumière de la lune*) ainsi qu'au Louvre (l'*Arbre aux corbeaux*). H. B. S.

Furini

Francesco

peintre italien

(Florence 1603 - id. 1646)

Il se forma dans le milieu académique de Biliverti et de Matteo Rosselli, et sa formation fut complétée par un voyage à Rome (où il retrouva son compatriote Giovanni da San Giovanni) et un autre à Venise. Il reçut la prêtrise en 1633 sans abandonner pour autant la peinture, qu'il pratiqua dans sa paroisse de S. Ansano in Mugello. Mais la riche clientèle qu'il s'était assurée en peignant de préférence des toiles à sujets mythologiques (*Mort d'Adonis,* musée de Budapest; *Hylas et*

Francesco Furini
◀ **Loth et ses filles**
Madrid, Museo nacional del Prado
Phot. Salmer

les nymphes, Florence, Pitti) ou religieux (*Adam et Ève, id.; Loth et ses filles,* Prado; *Madeleine,* Vienne, K.M.; *Sainte Lucie,* Rome, Gal. Spada), où dominait le nu féminin dans des poses langoureuses, le convainquit assez rapidement de retourner à Florence. La peinture de Furini, alanguie et enveloppée de vapeurs bleutées, ne se situe pas dans le courant du réalisme toscan de son époque, plus appliqué que vraiment original, mais demeure l'expression d'un idéalisme sophistiqué imprégné d'érotisme. Outre quelques tableaux d'église et les peintures déjà citées, l'œuvre de Furini comprend 2 fresques peintes en 1636 pour le Museo degli Argenti du palais Pitti, à la gloire de Laurent le Magnifique, et une série de dessins d'une grande sensibilité (Offices, cabinet des Dessins). E. B.

Füssli ou Fuseli

Johann Heinrich

peintre suisse

(Zurich 1741 - Londres 1825)

Par son père, Johann Kaspar Füssli, peintre, auteur d'une *Histoire des meilleurs peintres en Suisse* et possesseur d'une collection de dessins allemands et suisses, le jeune Füssli est introduit dans le milieu littéraire et artistique de Zurich. Il se lie avec Bodmer, qui lui fait découvrir Shakespeare, Milton, les Nibelungen de Wieland, et il fait la connaissance de Winckelmann et de Lavater. Sa carrière artistique débute par des dessins exécutés d'après les œuvres de la collection de son père; il illustre un *Till Eulenspiegel* qui révèle son goût pour la caricature et l'outrance.

En 1764, il part pour Londres et devient l'ami de Reynolds. De ce séjour, il retient deux influences : l'une classique, issue de Winckelmann, dont il traduit les *Pensées sur l'imitation,* et l'autre romantique, acquise au contact des œuvres poétiques, de Milton en particulier. Sur les conseils de Reynolds, il se rend à Rome en 1770. Les fresques de Michel-Ange l'enthousiasment plus que l'étude des antiques, et il copie deux prophètes de la Sixtine (*Album romain,* British Museum). C'est en voyant le plafond de la Sixtine qu'il conçoit le projet de peindre un cycle de Shakespeare, qu'il réalisera plus tard. Toutefois, 16 tableaux d'après Shakespeare, aujourd'hui disparus, dataient de cette période romaine. Il rencontre le peintre danois Abildgaard et le sculpteur suédois Sergel; son influence sur ces deux artistes aura un retentissement considérable sur le développement de l'art néo-classique scandinave. De retour à Zurich, il peint *Füssli en conversation avec Bodmer* (1779, Zurich, Kunsthaus), où son talent de portraitiste s'apparente à celui de Reynolds.

En 1779, il se rend pour la seconde fois à Londres et y restera jusqu'à sa mort. Avec le *Cauchemar* de 1781 (Detroit, Inst. of Arts; autres versions : Stafford, coll. du comte d'Harrowby et Francfort, musée Goethe), Füssli, avant la publication des eaux-fortes de Goya, ouvre la voie au rêve et au fantastique et devient le précurseur du Surréalisme. De 1786 à 1800, il réalise 2 cycles de tableaux d'après Shakespeare et Milton, inaugurant la peinture d'histoire en Angleterre. Il illustre, pour la Shakespeare Gallery de Boydell, en une série de 9 toiles, des épisodes sublimes et dramatiques de *Macbeth,* la *Tempête* et le *Roi Lear* qui annoncent le Romantisme. La Milton Gallery de Londres s'ouvre en 1799 en présentant 40 de ses œuvres d'inspiration tragique et pessimiste. Malgré le peu de succès que remporte cette manifestation, Füssli peint encore 7 tableaux en 1800. À partir de 1799, il est nommé professeur de peinture à la Royal Academy, où il avait été reçu en 1790 (*Thor*

Johann Heinrich Füssli
▲ **Le Cauchemar**
Francfort, Goethemuseum
Phot. Fabbri

luttant contre le serpent Midgard, Londres, Royal Academy) et où il enseigne pendant plus de vingt ans et publie ses conférences sur la peinture. Il exécute, en 1814, 1817 et 1820, des tableaux du *Chant des Nibelungen* et participe aux expositions de l'Académie. Les dernières œuvres de sa vie sont surtout des tableaux mythologiques, d'inspiration romantique. Son influence sur William Blake fut déterminante pour la formation de ce peintre anglais, qui devint son ami dès 1787. Les deux artistes respectent dans leurs dessins les principes classiques de composition, mais les effets de clair-obscur sont plus marqués chez Füssli ; ils partagent le même goût pour le fantastique et l'irréel. Leurs héros semblent évoluer dans un monde chaotique animé par le rêve et se distinguent par la violence de leurs mouvements et la fureur de leurs élans. Les sources d'inspiration de Füssli remontent aux poètes antiques, à Dante et aux grands dramaturges allemands et anglais. La femme y tient une place considérable : elle apparaît soit sous les traits d'une magicienne ou d'un être fantastique, soit sous la forme séduisante d'une actrice de théâtre un peu sophistiquée. Et le génie de Füssli réside moins dans la composition un peu froide ou dans la couleur de ses tableaux que dans cette imagination picturale d'une liberté absolue dont se sont réclamés les romantiques et, plus tard, les surréalistes. Füssli est particulièrement bien représenté à la Tate Gal. de Londres, dans les musées de Bâle, de Lucerne, de Winterthur et surtout au Kunsthaus de Zurich, qui conserve un ensemble considérable de tableaux et de dessins. Parmi les autres musées conservant de ses peintures, citons le Louvre (*Lady Macbeth,* 1783), le musée Goethe à Francfort *(Kate devenue folle)* et la Gg de Dresde *(Béatrice, Héro et Ursula).* E. R.

Fyt

Johannes ou Jan

peintre flamand

(Anvers 1611 - id. 1661)

Après Snyders, Daniel Seghers et Bruegel de Velours, Fyt est le principal représentant flamand de la peinture de fleurs et de natures mortes au XVIIe s. Moins décoratif et plus varié que Snyders tout en usant de formats moins considérables, plus attaché encore aux vertus d'un lyrisme proprement pictural, exécutant virtuose dans le maniement à la fois souple, forme et précis des frottis, des valeureux contrastes d'ombre et de lumière, des tons brun chaud, illusionniste fascinant qui aime jouer sur les effets de la matérialité et de la plasticité sculpturale des choses, metteur en scène émouvant qui aime déployer la dramaturgie de ses motifs sur un fond de ciel nuageux et vibrant, Fyt apporte à ces motifs tout traditionnels que sont devenus le trophée de chasse, les amas de gibier surveillés par des chiens, le dessert, les festons de fleurs et de fruits, les basses-cours une instabilité et une générosité typiquement baroques, une sorte de pathos vigoureux et peu intellectuel à la Courbet (en cela, Fyt s'éloigne bien du rubénisme latent de Snyders, qui reste sensible à la leçon dynamique du grand peintre d'histoire). Mais d'une telle qualité de peintre que l'humilité presque monotone des sujets s'en trouve rehaussée jusqu'au grand art. Fyt, face à Snyders, a au moins la même importance que Van Dyck et Jordaens confrontés à Rubens. Aussi bien se rapproche-t-il davantage, notamment par son sens du clair-obscur, son refus des tons clairs et son réalisme illusionniste, des maîtres hollandais (Heem, Beyeren, Weenix) et préface-t-il nombre de peintres du XVIIIe s. français, tels que les grands animaliers Desportes et Oudry, mais surtout un Chardin (à cet égard, on ne saurait trop insister sur une filiation directe Flandres-France par le truchement de cet élève de Fyt qui finit sa carrière à Paris, Pieter Boel, dont certains tableaux sont absolument « préchardinesques »).

D'abord élève à Anvers vers 1621-22 d'un certain Hans Van den Berch, Fyt entre ensuite dans l'atelier de Snyders, auquel il doit l'essentiel de sa formation et de son orientation artistique, même s'il se développe à partir des mêmes schémas en réaction contre l'opulent et sage Snyders aux ordonnances toujours clairement graphiques et aux harmonies de tons vifs, mais clairs. En 1629-30, Fyt, avec l'appui financier de Snyders, devient

Johannes Fyt, **Repas d'aigles** ▼
Anvers, Musées royaux des Beaux-Arts
Phot. du musée

maître, puis voyage : on le trouve ainsi à Paris en 1633-1639 et ensuite en Italie, notamment à Venise et à Rome, où il semble s'être affilié à la Bent (sous les surnoms de Goudvink, Goedhart, Glaucus). En 1641, sa présence est documentée à Anvers, et il semble n'avoir guère quitté cette ville, où il se marie tardivement, en 1654. Son nom est souvent cité dans les archives anversoises à cause de nombreux procès intentés par lui. Célèbre et fortement prisé dès son vivant, Fyt eut pourtant peu d'élèves, sinon de nombreux suiveurs et imitateurs : citons entre autres Jacques de Kerckhoven, Jeroom Pickaert et surtout Pieter Boel, le plus doué des épigones de Fyt avec David de Coninck ; dans cet ordre d'idées, un Allemand, peintre de chasse comme Ruthart, doit bien plus à Fyt qu'à Snyders. En revanche, à l'instar de tant de ses confrères flamands, Fyt a souvent collaboré avec des peintres de figures comme Erasmus Quellinus (œuvre de 1644 à Londres, Wallace Coll. ; autres exemples au musée d'Anvers et à Berlin-Dahlem), Schut, Jordaens, Willeboirts Boschaerts (tableaux de 1644 au musée de Dessau et de 1650 à Vienne, K. M.).

À travers une production relativement variée (parmi ses thèmes favoris, des aigles et des chiens de chasse toujours évoqués avec un réalisme insistant et littéral qui est bien typique de Fyt, sans oublier quelques vases de fleurs et des fruits, un peu plus rares : 3 exemples de 1660 dans les musées de Wörlitz et de Mosigkau et dans la coll. Buys à Rotterdam) et nombreuse (plus de 160 tableaux signés avec des dates échelonnées de 1641 à 1661 et au moins autant d'attribués avec certitude), il est difficile de discerner une nette évolution stylistique, qui n'est d'ailleurs guère le fait des peintres spécialistes de natures mortes et de fleurs. Fyt est bien sûr représenté dans la plupart des grands musées du monde (Vienne, Prado, Munich, Londres, Dresde, Milan, Leningrad, Paris, San Francisco, Budapest). Parmi ses chefs-d'œuvre et comme tableaux les plus caractéristiques, on citera le grand *Repas d'aigles* (musée d'Anvers), avec un large et efficace fond de paysage, l'opulente *Charrette à chiens* (Bruxelles, M. A. A.), le fastueux *Paon mort* (Rotterdam, B. V. B.), le *Chat surveillant des oiseaux morts* (Brera), d'un effet luministe et intime à la Chardin, le tumultueux *Combat d'un coq et d'un dindon* (Bruxelles, M. A. A.), d'une facture presque trop écrite. Mais, à côté de trop de toiles à grands spectacle et ramage, le meilleur exemple étant *Fruits et animaux* (Vienne, K. M.), la production de Fyt abonde en délicieuses petites natures à motif simple : un chat blotti, un lapin ou des oiseaux morts, des champignons (Bruxelles, M. A. A.), quelques fleurs laissées sur une tranche de pierre, sur un fond brun sombre chaud, dans un clair-obscur velouté, où s'annonce toute la quiétude poétique concentrée, toute la magie réaliste de Chardin (bons exemples au M. A. A. de Bruxelles et au Mauritshuis). À signaler encore une belle rareté avec l'étude de *Deux Chevaux vus de face dans un paysage,* à Brunswick (Herzog Anton Ulrich-Museum). Plus encore que le graveur très alerte doit être célébré aussi le dessinateur, surtout connu par la très belle série de nerveux dessins à la pierre noire et à la craie sur papier de couleur conservés à l'Ermitage (ainsi qu'une étude de *Chien* au musée d'Anvers, d'ailleurs de provenance russe elle aussi), d'une étourdissante technique picturale qui a parfois engendré de significatives confusions avec Oudry et qui affirme superbement le talent si librement indépendant et si tranché de Johannes Fyt. J. F.

Gainsborough

Thomas

peintre anglais

(Sudbury, Suffolk, 1727 - Londres 1788)

Fils d'un drapier, il manifesta très tôt son talent de dessinateur et son penchant pour les paysages néerlandais qu'il avait dû voir dans le Suffolk et dans les salles de vente londoniennes. Il arriva à Londres pour la première fois en 1740, où il paraît s'être formé en fréquentant les ateliers d'artistes plutôt qu'en suivant un apprentissage régulier. Il reçut probablement des leçons d'Hubert Gravelot, professeur de dessin à la Saint-Martin's Lane Academy, et subit également l'influence de l'associé de Gravelot, Francis Hayman, qui enseignait la peinture à cette même académie. On peut classer ses premières œuvres en deux catégories : d'une part les paysages influencés par les Néerlandais, surtout Jacob Ruisdael et Wynants, et enrichis par l'étude de la nature ; d'autre part les groupes de petits personnages, le plus souvent des couples, avec la nature pour cadre et rappelant les « Conversation pieces » anglaises et le style rococo français vu à travers Gravelot et Hayman. Ces œuvres offrent un grand charme, non sans une certaine raideur due à un talent qui a encore quelque chose d'« amateur ». Parmi les exemples de ces tableaux, on peut citer : le *Couple* (v. 1746, Louvre), *Cornard Wood* (1748, Londres, N. G.) et *Mr et Mrs Andrews* (v. 1748, *id.*), dont l'arrière-plan de paysage est le plus naturaliste qu'un Anglais ait jamais peint avant Constable.

En 1746, Gainsborough épousa Margaret Burr, qui lui donna deux filles ; il les a représentées encore enfants, v. 1750, dans 3 œuvres char-

Thomas Gainsborough
◀ **Portrait de Mary, comtesse Howe**
Londres, Kenwood, Iveagh Bequest
Phot. du musée

mantes, peintes à la manière d'esquisses (Londres, N. G. et V. A. M.). Il revint à Sudbury aux environs de 1748, s'installant peu après à Ipswich, ville voisine, où il vécut jusqu'à son départ pour Bath. En 1755, il exécuta sa première commande importante pour le duc de Bedford, 2 paysages qui devaient servir de dessus de cheminée : *Paysan avec deux chevaux* et *Bûcheron courtisant une laitière* (Woburn Abbey). Ce sont des idylles champêtres qui rappellent Boucher, mais qui dénotent aussi un esprit d'observation plein d'acuité et de sensibilité. Il exécuta à la même époque des portraits à mi-corps, grandeur nature, de personnages importants du Suffolk, qui témoignent d'un talent grandissant.

Lors de son installation à Bath, en 1759, il entra en contact avec les cercles élégants et s'adonna dès lors aux portraits en pied grandeur nature, qui constituèrent désormais la source principale de ses revenus. Il peignit des paysages pour son propre plaisir. Bien qu'il s'inspirât au départ de dessins d'après nature, il les composait selon sa propre imagination, prenant pour modèles des rochers, de la mousse, des morceaux de verre et des branches amenés dans son atelier. Ces paysages reflètent la vie campagnarde de l'époque, nullement la poésie classique, et sont animés d'un souffle pittoresque et champêtre ; leur style et leur facture dénotent l'influence du rococo (*Paysans se rendant au marché,* v. 1769, Englefield Green, Surrey, Royal Holloway College). Le style des portraits de Bath révèle une élégance et une assurance nouvellement acquises au contact des tableaux de Van

Dyck qu'il pouvait voir dans les demeures des environs. Plus encore que la plupart des peintres anglais, Gainsborough aimait à situer ses modèles dans le cadre d'un paysage; contrairement à Reynolds, son rival, il préférait le costume contemporain au vêtement classique, détestait l'allégorie et n'avait jamais recours à des aides, semble-t-il, pour exécuter les draperies. Le costume, selon lui, faisait partie de la ressemblance du sujet, qu'il savait d'ailleurs rendre avec un rare bonheur. Les portraits de la période de Bath — palpitant d'une vie trop exquise pour être réelle, magnifiquement peints avec beaucoup d'aisance et des chatoiements de tissu, sophistiqués dans le style, mais familiers dans les poses — reflètent une société qui avait le culte de l'élégance et des manières, bien qu'elle ait été légèrement choquée par l'interprétation quelque peu désinvolte qu'en donnait Gainsborough. On le voit dans le portrait de *Lady Alston* (v. 1765, Louvre), de la *Comtesse Howe* (v. 1765, Londres, Kenwood), du *Duc* et de la *Duchesse de Montagu* (1768, coll. Duke of Buccleuch), du fameux *Blue Boy* (« Master Jonathan Buttall », 1770, San Marino, Californie, H. E. Huntington Art Gal.).

À partir de 1761, Gainsborough exposa à la Society of Artists, nouvellement créée à Londres; en 1768, seul artiste vivant en province alors invité, il devint membre fondateur de la Royal Academy et envoya 2 portraits et 1 paysage à la première exposition organisée par l'Académie en 1769. En 1774, il s'établit à Londres, louant une partie de Schomberg House, Pall Mall, où il vécut jusqu'à sa mort. Le style de sa période londonienne continue celui de Bath, plus large cependant, plus grandiose et parfois plus sombre (*Mrs Graham,* 1777, Édimbourg, N. G.; l'hautboïste *Johann Fischer,* mari de la fille de l'artiste, 1780, Londres, Buckingham Palace). L'influence de Rubens se marqua également, surtout dans ses paysages (*l'Abreuvoir,* 1777, Londres, N. G.). Peu de temps après son installation à Londres, il expérimenta l'éclairage artificiel utilisé par P. J. de Loutherbourg, exécutant sous son influence une série de petits paysages sur verre (v. 1783) qui devaient être enchâssés dans une boîte et éclairés derrière par une chandelle. En 1781, il devint le protégé de George III et de la reine Caroline (dont les portraits et ceux des membres de la famille royale sont à Windsor Castle), auprès de qui il succéda à Ramsay comme portraitiste favori. À partir de 1777, il fut soutenu dans la presse par le révérend Henry Bate (plus tard sir Henry Bate-Dudley). Mais la presse et le public furent en général déroutés par l'aspect inachevé de ses portraits et demeurèrent indifférents à ses paysages jusqu'à sa dernière période. En 1784, il se brouilla finalement avec la Royal Academy, qui avait refusé de présenter ses toiles sous un jour favorable à leur brillante exécution. Dès lors, il organisa une exposition annuelle de ses œuvres à Schomberg House.

Parmi les portraits de sa dernière période, on peut citer *Mrs « Perdita » Robinson* (Londres, Wallace Coll.), *Mrs Siddons* (Londres, N. G.), *Mrs Sheridan* (1783, Washington, N. G.), *Mr and Mrs Hallett* (la « Promenade du matin », 1785, Londres, N. G.).

Vers la fin de sa vie, Gainsborough s'essaya à de nouveaux genres avec les « scènes imaginaires », sorte de peinture de genre portraiturant un ou plusieurs personnages dans un cadre champêtre sous des titres comme la *Jeune Porchère* (1782, Castle Howard, Yorkshire, coll. George Howard) ou les *Moissonneurs* (1787, Metropolitan Museum). Ces scènes de la vie champêtre, réalisées avec pittoresque, furent les plus populaires de son œuvre à la fin de sa vie et même pour la génération postérieure. Vers la même époque, Gainsborough s'adonna à un nouveau genre, celui des marines. Il subit de nouvelles influences, entre autres celles de Murillo, de Watteau, de Gaspard Dughet (dans ses paysages de montagne) et de Snyders. À partir de 1772, son neveu, Gainsborough Dupont, fut le seul élève qu'on lui connût et qui continuât à peindre le portrait à la manière de son oncle, qui, par ailleurs, n'eut pratiquement pas d'influence après sa mort; mais ses paysages, contrairement à ce qui s'était passé de son vivant, rencontrèrent un large succès.

Gainsborough, de caractère gai, impulsif, se révéla charmant écrivain dans sa correspondance. Il aimait la musique et préférait la compagnie d'acteurs ou de musiciens à celle d'hommes de lettres. En tant qu'artiste, il se fiait plus à sa spontanéité qu'à l'étude ou à la réflexion. Les sources de son inspiration étaient françaises, flamandes et néerlandaises plutôt que classiques ou italiennes; à une époque où le voyage en Italie s'imposait à tout peintre de l'Europe du Nord, son attachement à l'Angleterre est révélateur. Il est le peintre anglais le plus proche de l'idéal français de la « sensibilité ». Le meilleur hommage qui lui ait été rendu reste le quatorzième discours prononcé après sa mort par Reynolds, qui lui était en tout point opposé. M. K.

Gallego

Fernando

peintre espagnol
(actif dans la région
de Salamanque de 1468 à 1507)

Il est le plus original des créateurs du style hispano-flamand, à côté de Bermejo, mais on ignore la date de sa naissance, celle de sa mort et

Fernando Gallego
Pietà avec donateurs ▶
Madrid,
Museo nacional del Prado
Phot. Salmer

le lieu de sa formation. Cependant, son œuvre est bien connu grâce aux études récentes de la critique. En 1468, Gallego travaille à la cathédrale de Plasencia, puis, en 1473, il peint 6 retables (perdus) pour la cathédrale de Coria. Entre 1478 et 1490, il travaille à l'église de S. Lorenzo (Toro) et à la bibliothèque de l'université de Salamanque et au retable de Ciudad Rodrigo. Il commence en 1495 le grand retable de la cathédrale de Zamora (auj. démonté dans l'église d'Arcenillas), collabore en 1507 à la décoration de la tribune de l'université de Salamanque et dut mourir peu de temps après. Sa renommée dans la «Tierra de Campos» était si grande qu'on lui attribua des copies ou des œuvres flamandes anciennes. Ce serait le cas de la *Vierge à la mouche* à la collégiale de Toro et du triptyque du musée de Cadix. Certains critiques estiment d'après la facture de l'artiste que celui-ci fit un voyage en Flandre, alors que, pour d'autres historiens, cette influence passe par l'intermédiaire de Jorge Inglés. Les types rappellent ceux de Bouts, mais la sécheresse et la force expressive du Castillan sont loin de l'atmosphère de rêve du peintre flamand. On peut également déceler par le sentiment dramatique et la manière particulière de draper les étoffes une certaine influence de Conrad Witz. Cependant, chez le peintre espagnol demeure toujours un goût pour les types régionaux et le paysage de sa province. Dans ses premières œuvres, il tend à allonger les figures et casse durement les plis des étoffes, mais emploie l'or sans excès. Ces caractères, de même que la richesse du coloris, s'atténuent au cours des années. Dans sa production ultime, la technique est moins soignée et plus réaliste.

Sa première œuvre semble être le *Retable de saint Ildefonse* de la cathédrale de Zamora. On a pensé qu'il avait été peint v. 1466, mais la relation entre ce retable et les gravures de Schongauer le situent plutôt v. 1480. Le triptyque de la cathédrale de Salamanque (la *Vierge, saint Christophe et saint André*) doit être de la même période. La décoration de la voûte de l'université de Salamanque est spécialement intéressante par ses thèmes, empruntés à la mythologie classique *(Signes du zodiaque, Hercule)* et exécutés à l'huile et à la détrempe. Gallego prête plus d'attention à l'aspect décoratif dans le grand retable de la cathédrale de Ciudad Rodrigo, auj. en grande partie au musée de l'University of Arizona à Tucson (coll. Kress). Le *Retable* de S. Lorenzo de Toro peut être daté de 1492, à en juger par les écussons de *Béatrice de Fonseca;* le panneau central se trouve auj. au Prado. Le *Retable d'Arcenillas* est une œuvre déjà tardive, où certaines des faiblesses font supposer la participation des élèves de Gallego. Le *Retable de sainte Catherine* de la cathédrale de Salamanque serait une œuvre personnelle de Gallego, ainsi que les adjonctions faites au grand retable de Dello Delli dans cette cathédrale. Pour certains critiques, ce seraient au contraire les œuvres d'un certain Francisco Gallego, frère de Fernando, mentionné en 1500 comme doreur et auteur d'un retable représentant sainte Catherine. Il est possible, cependant, qu'il s'agisse de la même personnalité qui s'exprime suivant plusieurs manières. D'autres œuvres sont également dignes d'intérêt, comme la *Vierge de pitié,* la *Crucifixion* du Prado, le *Saint Pierre* du musée de Dijon et les retables de Peñaranda, Villaflores et Cantelpino, répartis dans des collections particulières. M. D. P.

Gauguin

Paul

peintre français

(Paris 1848 - Atuana, îles Marquises, 1903)

Il est né pendant les journées révolutionnaires de juin 1848. Son père, obscur journaliste libéral, s'exile après le coup d'État de 1851 et meurt à Panamá, tandis que sa famille rejoint Lima, au Pérou. Sa mère, fille d'une saint-simonienne exaltée, Flora Tristan, a des ascendances péruviennes nobles. Marqué, dès l'enfance, par le caractère messianique et fantasque de son milieu familial, Gauguin gardera des souvenirs étranges et somptueux de son séjour chez l'oncle de Lima, Don Pio de Tristan y Moscoso. Revenu à Orléans en 1855, il entretient, écolier, des rêves d'évasion et s'engage de 1865 à 1871 comme pilotin dans la marine marchande, naviguant d'Amérique du Sud en Scandinavie. Poussé par son tuteur G. Arosa, Gauguin commence en 1871 une brillante carrière chez l'agent de change Bertin. Il épouse en 1873 une Danoise, Mette Gad.

Les débuts. Arosa collectionne la peinture avec goût ; son exemple, l'amitié de Pissarro encouragent Gauguin à acheter, surtout entre 1879 et 1882, des tableaux impressionnistes (Jongkind, Manet [*Vue de Hollande,* pastel, auj. au Museum of Art de Philadelphie], Pissarro, Guillaumin, Cézanne, Renoir, Degas, Mary Cassatt), puis à peindre et à sculpter en amateur : modelage et taille directe chez le praticien Bouillot, tableaux dans le goût de Bonvin et de Lépine (la *Seine au pont d'Iéna,* 1875, Orsay) ; il présente dès 1876 une toile au Salon officiel. Bientôt influencé par Pissarro, il expose avec les impressionnistes de

1880 à 1882, recueillant en 1881 l'approbation enthousiaste de Huysmans pour un *Nu* solide et réaliste (Copenhague, N. C. G.). Ces succès encourageants et la crise financière le conduisent à abandonner en 1883 les affaires pour se consacrer entièrement à la peinture. Pendant deux ans, de Rouen à Copenhague, Gauguin cherche un équilibre illusoire qui aboutit, avec le retour à Paris en juin 1885, au naufrage de sa vie familiale et à la misère. Il présente cependant à la huitième exposition impressionniste, en 1886, 19 toiles où son originalité s'affirme déjà dans les inquiétantes harmonies de ses paysages.

Premier séjour à Pont-Aven. — La Martinique. Après un séjour d'été à Pont-Aven, où il a rencontré E. Bernard et Ch. Laval, Gauguin revient à Paris, réalise chez Chaplet des céramiques aux intéressantes simplifications et rencontre Van Gogh. Le voyage de 1887, à la Martinique, en compagnie de Laval, lui révèle la valeur synthétique des couleurs et ravive les influences concomitantes de Cézanne et de Degas.

Deuxième séjour à Pont-Aven (1888). Il peut à son retour et lors de son deuxième séjour à Pont-Aven, en 1888, apporter son génie et son autorité aux différentes recherches entreprises au même moment par Anquetin et Bernard, sous l'influence de Puvis de Chavannes et l'exemple des estampes japonaises. Moment décisif pour Gauguin, qui, à quarante ans, élabore un style original en intégrant le Cloisonnisme et le Symbolisme de ses amis à son expérience de la couleur. La « simplicité rustique et superstitieuse » de la *Vision après le sermon* (1888, Édimbourg, N. G.) ou l'harmonie écarlate de la *Fête Gloannec* (musée d'Orléans) témoignent dès lors de sa prééminence.

Arles et Van Gogh. Gauguin retrempe dans le Symbolisme diffusé par Aurier ses prétentions rédemptrices et partage avec Van Gogh ses utopies phalanstériennes, bientôt déçues par leur ren-

Paul Gauguin
D'où venons-nous ? Que sommes-nous ? ▼
Où allons-nous ? (1897)
Boston, Museum of Fine Arts
Phot. du musée

contre dramatique à Arles, d'octobre à décembre 1888. Au-delà des oppositions de tempéraments, Gauguin s'affirme, comme le montre sa vue « composée » des *Alyscamps* (Paris, musée d'Orsay), avant tout classique, soucieux d'équilibre et d'harmonie. À Paris, il réalise de nombreuses céramiques aux curieux décors anthropomorphes et exécute sous l'influence de Bernard une série de 11 lithographies.

Troisième séjour à Pont-Aven. — Le Pouldu. Une exposition particulière organisée par Théo Van Gogh chez Boussod et Valadon en novembre 1888, puis la participation aux expositions collectives du Cercle Volpini pendant l'Exposition universelle et à celles des Vingt, à Bruxelles, révèlent, malgré l'indifférence et les sarcasmes, la place de Gauguin dans le groupe artificiellement nommé « école de Pont-Aven ». Une vitalité intacte, l'absence de E. Bernard, l'accord de disciples plus modestes renforcent la liberté et la confiance manifestées par Gauguin dans les œuvres peintes à Pont-Aven, puis au Pouldu en 1889 et 1890. C'est avec aisance qu'il assimile désormais les leçons de Cézanne (*Portrait de Marie Derrien,* Chicago, Art Inst.) ou celles des arts primitifs, fréquentés depuis l'enfance et retrouvés dans l'art breton (*Christ jaune,* Buffalo, Albright-Knox Art Gal.), unissant le mysticisme de plus en plus égocentrique (*Christ au jardin des Oliviers,* musée de Palm Beach) au goût du barbare et de l'étrange (*Nirvana,* Hartford, Wadsworth Atheneum). Gauguin s'intéresse à toutes les techniques, retrouve dans le bois sculpté la force des bas-reliefs primitifs (*Soyez amoureuses et vous serez heureuses,* Boston, M. F. A.). Revenu à Paris, il devient l'artiste recherché des réunions littéraires du café Voltaire. Il peint alors une grande toile symbolique aux inquiétantes résonances sensuelles, la *Perte du pucelage* (Norfolk, Chrysler Museum) et, soutenu par ses amis, prépare son premier exil tahitien.

Premier voyage à Tahiti (1891-1893). Le succès relatif d'une vente aux enchères, le 23 février 1891, lui permet de s'embarquer le 4 avril après avoir reçu en un banquet amical l'hommage des symbolistes. Son unique eau-forte, gravée avant son départ, est un portrait de Mallarmé. Ébloui par la beauté des indigènes et des paysages polynésiens, Gauguin retrouve d'emblée à Tahiti les larges rythmes classiques des bas-reliefs égyptiens (*Te Matete,* musée de Bâle), la tendre spiritualité des primitifs italiens (*la orana Maria,* Metropolitan Museum) et les aplats contournés des estampes japonaises (*Pastorales tahitiennes,* Moscou, musée Pouchkine), qu'il utilise avec une suprême liberté plastique et chromatique (*Siesta,* 1894, New York, coll. Haupt). Exaltant la luxuriance des couleurs tropicales, il confère souvent à leur ténébreuse incandescence le symbolisme mystérieux des mythes païens (la *Lune et la Terre,* New York, M. O. M. A.) et des terreurs superstitieuses et sensuelles (*L'esprit des morts veille,* New York, coll. Goodyear). Au jour le jour, l'artiste consigne impressions et documents dans plusieurs récits illustrés : l'*Ancien culte mahorie* et *Noa Noa* (Louvre), qui, revu par Charles Morice, sera publié dans *la Revue blanche* en 1897.

Retour en France (1893-1895). De nouveau sans ressources matérielles, Gauguin revient en France de 1893 à 1895 ; déprimé par l'isolement, cultivant avec ostentation et mépris un exotisme désormais artificiel, il expose chez Durand-Ruel, n'obtenant qu'un succès de curiosité. Les toiles qu'il peint alors sont un rappel agressif et nostalgique de son expérience tahitienne et des méfaits de la civilisation (*Annah la Javanaise,* Zurich, Kunsthaus ; *Mahana no Atua,* Chicago, Art Inst.). Gauguin retourne au Pouldu et à Pont-Aven, où, blessé dans une rixe, il est contraint à l'immobilité. Il réalise alors un étonnant ensemble de gravures sur bois où il exprime l'effroi silencieux des cultes tahitiens dans une technique contrastée et précise renouvelée des xylographies primitives.

Second séjour à Tahiti (1895-1903). Après une lamentable liquidation de son atelier en salle des ventes, Gauguin regagne Tahiti en mars 1895. Solitaire, endetté, malade, dépressif, il traverse dès son retour une terrible crise, aggravée par la mort de sa fille Aline. Les inquiétudes de la destinée humaine, un besoin encore accru de solidité plastique et de rythmes classiques marquent plus que jamais son art (*Nevermore,* 1897, Londres, Courtauld Inst. ; *Maternité,* v. 1896, New York, coll. Rockefeller). Avant son suicide manqué de février 1898, il exécute une large composition, *D'où venons-nous ? où sommes-nous ? où allons-nous ?* (1897, Boston, M. F. A.), testament pictural où « le hâtif disparaît et la vie surgit » dans la somptuosité d'une matière austère. À partir de 1898, régulièrement soutenu par Vollard, puis par quelques fidèles amateurs tels que Fayet, Gauguin retrouve une certaine aisance matérielle, constamment compromise par la lutte procédurière contre les autorités civiles et religieuses de l'île. Il exprime son messianisme de persécuté agressif dans deux feuilles, les *Guêpes* et le *Sourire,* « journal sérieux » illustré de gravures sur bois, et dans les bois gravés qui ornent sa case, « la Maison du jouir » (musée d'Orsay ; Boston, M. F. A.). Peints en 1899, les *Seins aux fleurs rouges* (Metropolitan Museum) et les *Trois Tahitiens* (Édimbourg, N. G.) témoignent encore du charme secret et étrange de ses larges volumes. Après son installation en 1901 à Atuana, dans l'île marquisienne de Hiva Oa, Gauguin, de plus en plus affaibli, accentue en touches vibrantes le profond raffinement de ses accords verts, violets et roses (*Et l'or de leur corps,* 1901, musée d'Orsay; l'*Appel,* 1902, musée de Cleveland; *Chevaux sur la plage,* 1902, Paris, coll. Niarchos). Pendant ces dernières années, il écrit beaucoup : lettres à ses amis, étude sur *l'Esprit moderne et le catholicisme* et *Avant et après,* importante méditation anecdotique et romancée sur sa vie et sur son œuvre. Il meurt à Atuana le 8 mai 1903.

L'influence de Gauguin. Divulguée par les expositions organisées après sa mort, son influence ne tarda pas à s'étendre au delà du cercle des artistes qui l'avaient côtoyé à Pont-Aven ou des Nabis, qui, à l'académie Ranson, avaient reçu son message par l'intermédiaire de Sérusier. Les œuvres de Willumsen au Danemark, de Munch en Norvège, de Modersohn Becker en Allemagne, de Hodler en Suisse, de Noñell en Espagne et du Picasso des époques rose et bleue annoncent les emprunts encore plus significatifs de fauves et de cubistes français comme Derain, Dufy et La Fresnaye ou d'expressionnistes allemands tels que Jawlensky, Mueller, Pechstein ou Kirchner.

Gauguin est représenté dans tous les grands musées. Le Louvre (Jeu de paume) conserve un bel ensemble du maître. Un musée Gauguin a été inauguré à Tahiti en 1965; il contient de nombreux documents sur la vie et l'œuvre de l'artiste. G. V.

Gentile da Fabriano

peintre italien
(Fabriano v. 1370 - Rome 1427)

Faute de documents, sa formation a suscité des hypothèses contradictoires; l'opinion la plus vraisemblable porte à penser qu'il a été formé dans le milieu raffiné des peintres et des miniaturistes d'Orvieto. Ses premières œuvres connues proviennent de Fabriano, dans les Marches, sa ville natale; elles présentent cependant certains éléments du Nord, et notamment lombards, qui laissent supposer un précédent séjour de Gentile en Lombardie vers la fin du XIVe s. Son œuvre la plus ancienne, la *Madone avec saint Nicolas et sainte Catherine* (Berlin-Dahlem), conçue comme une « Sainte Conversation » où, dans les arbres d'un jardin, fleurissent en quelque sorte des anges musiciens, rappelle par bien des aspects, notamment la grâce aristocratique de sainte Catherine, certaines inventions de la miniature lombarde.

Un document de 1408 enregistre la présence de Gentile à Venise, où il peint un retable, auj. perdu; en 1409, il exécute l'importante fresque, également perdue, de la salle du Grand Conseil au Palais ducal de Venise : cette décoration eut certainement une influence déterminante sur la formation des peintres de Vénétie, surtout Pisanello et Jacopo Bellini. Probablement v. 1410, il exécute le polyptyque de l'église des Mineurs observants de Valle Romita, près de Fabriano (auj. à la Brera). Le panneau central représente le *Couronnement de la Vierge;* le groupe qui s'élève sur un fond d'or précieusement drapé dans les rythmes linéaires infiniment fluides des vêtements acquiert une signification héraldique. Dans les panneaux latéraux (les *Saints Jérôme, François, Madeleine* et *Dominique*), le luxe du fond d'or semble se transmettre aux 4 figures de saints, théologiens mélancoliques ou sainte aristocratique qui paraissent évoluer doucement sur les prés parsemés de fleurs, richement vêtues dans une gamme de teintes denses et hardiment mariées. De même, les 4 scènes *(Saint Jean au désert; Supplice de saint Pierre martyr; Saint Thomas d'Aquin; Saint François recevant les stigmates)* du registre supérieur, qui se déroulent au milieu de jardins ceints de petits murs, offrent des descriptions d'un réalisme raffiné où se mêlent des jeux d'ombres portées et de lumière oblique. Le précieux panneau de *Saint François recevant les stigmates* (Crenna di Gallarate, coll. Carminati) est interprété d'une manière analogue; la lumière baigne le flanc de la montagne, s'accroche aux arbres et projette la silhouette du compagnon du saint sur le sol dans un audacieux effet lumineux.

Entre 1414 et 1419, Gentile est à Brescia pour décorer une chapelle, auj. détruite, dans le palais médiéval du Broletto. La critique situe vers la même époque la *Madone* de Pise (M. N.) et celle de Washington (N. G.); toutes deux déploient un grand luxe d'étoffes, de brocarts, de bordures d'or et sont peintes avec une technique d'une extraordinaire délicatesse.

Après un séjour à Fabriano (1420), Gentile rejoint Florence (1422); l'année suivante, il exécute, pour Palla Strozzi, la célèbre *Adoration des mages* (Offices). Le commettant, l'homme le plus riche de la Florence d'alors, semble avoir eu l'intention d'offrir aux Florentins le retable le plus fastueux qu'ils aient jamais vu, dans lequel Gentile dispense largement des richesses décoratives et vestimentaires dans un réalisme passionné. La représentation des sujets n'est pas étagée en profondeur, mais traitée en oblique et dans le sens vertical. Le premier plan et le plan du fond ne sont rattachés entre eux que par le thème continu de la

Gentile da Fabriano **La Fuite ▶ en Égypte** (panneau de la prédelle du retable de l'*Adoration des mages*) [1422] Florence, Galleria degli Uffizi
Phot. Fabbri

longue colonne des cavaliers qui part du mont où apparaît l'étoile pour s'arrêter aux pieds de la Vierge, comme pour un hommage féodal et chevaleresque. Ce n'est pas une procession religieuse, mais plutôt un fastueux cortège profane où courtisans, pages et chasseurs animent des scènes courtoises de tournois ou de chasse, accompagnés d'animaux (faucons, guépards, lévriers, singes). Cette foule grouillante et aux couleurs un peu fanées fait contraste avec les personnages richement habillés de brocart du premier plan et avec les reliefs d'or de l'ornementation. Le spectacle varié de la réalité est traduit méticuleusement jusqu'à l'extrême finesse de l'épiderme, obtenue grâce à une technique très précise, qui, par de légers coups de pinceau, atteint à un véritable « pointillisme », dans une atmosphère crépusculaire et nocturne. Le luminisme domine aussi dans les merveilleuses scènes de la prédelle (celle de droite, avec la *Présentation au Temple,* se trouve au Louvre), dans la *Fuite en Égypte* (le paysage) et la *Nativité* (effets de lumière nocturne). Par l'effet d'une heureuse invention, les petits pilastres du polyptyque ont été transformés en espaliers couverts d'une profusion de fleurs dont l'exactitude descriptive représente une des premières interprétations de véritable « nature morte » et dont l'inspiration remonte probablement aux manuscrits lombards.

À Florence en 1425, Gentile signe et date une autre œuvre importante, le *Polyptyque Quaratesi,* peint pour l'église S. Niccolò Oltrarno, auj. réparti entre la coll. royale anglaise (la *Madone avec des anges*), les Offices *(Sainte Madeleine, Saints NIcolas, Jean-Baptiste, Georges),* le Vatican (la prédelle, avec 4 *Scènes de la vie de saint Nicolas*) et la N. G. de Washington (le 5ᵉ panneau de la prédelle). La *Madone en trône,* au centre, a une monumentalité très différente, presque déjà celle de la nouvelle forme florentine, telle que la laisse apparaître l'étonnant panneau avec la *Madone et les saints Laurent et Julien* (New York, Frick Coll.). Mais ces signes formels restent marginaux. Ce qui prévaut dans le *polyptyque Quaratesi,* c'est l'exquise tapisserie du fond, la splendide dalmatique brodée de *Saint Nicolas,* l'élégance mondaine de *Saint Georges* chevalier (Offices) et surtout les surprenants détails descriptifs de la prédelle, que déjà Vasari jugeait l'une des plus belles choses de Gentile : l'impression romantique offerte par la mer dans le *Miracle de saint Nicolas* (Vatican), la faible pénombre de l'église dans les *Pèlerins sur la tombe de saint Nicolas* (Washington, N. G.).

Les œuvres exécutées par Gentile entre 1425 et 1426 à Sienne *(Madone de' Notai)* sont perdues, ainsi que les fresques qu'il peint en 1427 à Rome, à Saint-Jean-de-Latran ; il ne reste rien de sa dernière activité, sauf la *Madone* (Velletri, cathédrale), très endommagée, provenant de Rome et exécutée en 1427. L'œuvre de Gentile compte parmi les plus hautes expressions du style gothique international, comparable par certains aspects à l'art des frères Limbourg et aux recherches de lumière de Van Eyck. Voyageur infatigable, expérimentateur passionné des différentes traditions picturales qu'il connut dans les plus grands centres italiens et qu'il assimila avec génie, Gentile da Fabriano reste le héraut de cette société aristocratique et cultivée,

de cette civilité exquise et décadente de l'« automne du Moyen Âge ». Jusqu'à la fin de sa vie, il centre ses recherches sur son monde crépusculaire, non pas par esprit rétrograde, mais par choix conscient d'artiste. Certainement, cet univers qui lui était propre ne pouvait laisser une empreinte significative à Florence, qui ressentait déjà les effets novateurs de l'art de Masaccio. On ne peut pourtant pas oublier la très grande admiration dont Gentile fut l'objet dans les milieux florentins. Un siècle plus tard, Michel-Ange, comme le rapporte Vasari, disait que « dans la peinture il avait eu la main semblable à son nom ». L'influence la plus forte de Gentile s'exerça dans le Nord, où la peinture de Pisanello, de Jacopo Bellini et de Giambono ne pourrait s'expliquer sans son exemple. L. C. V.

Gentileschi

Orazio

peintre italien
(Pise 1563 - Londres 1639)

De sa première éducation toscane auprès de son demi-frère Aurelio Lomi, maniériste tardif, il garda le goût des draperies raffinées, des formes nettes et de la couleur froide, et une certaine réserve vis-à-vis d'un réalisme trop populaire. C'est ainsi qu'à Rome, de 1585 à 1620, il fut l'un des rares peut-être, avec Carlo Saraceni, à entrer en contact direct avec Caravage et l'un des premiers à en assimiler la leçon, parallèlement à Borgianni et à Manfredi. Mais il ne montra toujours qu'un naturalisme modéré, s'inspirant des œuvres de jeunesse du maître, telles que le *Repos pendant la fuite en Égypte* ou la *Madeleine* (Rome, Gal. Doria Pamphili), encore anecdotiques et colorées, baignées d'une lumière froide et restant de tradition lombarde. Il garda un fond de culture toscane, bien visible dans ses premières œuvres : la *Circoncision* (fresque, 1593, Rome, Sainte-Marie-Majeure), *Saint Thadée* (v. 1600, Saint-Jean-de-Latran) ou encore le *Baptême du Christ* de Sainte-Marie-de-la-Paix, la *Circoncision* de l'église du Gesù d'Ancône et l'*Assomption* de l'église des Cappuccini de Turin, d'un caravagisme mitigé. Autour de 1600, il travailla aussi à de vastes décorations, en collaboration avec Agostino Tassi, au palais du Quirinal et à la Loggetta du palais Rospigliosi à Montecavallo (1611-12). Des œuvres telles que *Saint François et l'ange* (Rome, G.N.), *David* (Rome, Gal. Spada), la *Vierge et l'Enfant* (Cambridge, Fogg Art Museum), *Judith* (Hartford, Wadsworth Atheneum), généralement datées de cette même période, marquent nettement un rapprochement avec les mises en page, le naturalisme et le luminisme de Caravage.

Il trouva un style tout à fait personnel lors de séjours dans les Marches (v. 1613 - v. 1619), décorant la chapelle du Crucifix (fresques avec des *Scènes de la Passion*) à la cathédrale de S. Venanzo à Fabriano et peignant des tableaux d'autel pour la même église *(Crucifixion),* pour S. Benedetto *(Saint Charles Borromée)* et pour S. Domenico *(Madone du Rosaire).* Il crée alors certaines de ses œuvres les plus subtiles : le *Mariage mystique*

▲ Orazio Gentileschi, **La Joueuse de luth**
Washington, National Gallery of Art
Phot. Fabbri

de sainte Catherine (Urbino, G.N.), la *Vierge à l'Enfant avec sainte Claire et un ange* (av. 1616, *id.*), peut-être aussi l'admirable *Sainte Cécile avec Valère et Tiburce* de la Brera. Puis, en 1621, il se rendit à Gênes, où il exécuta toute une série d'œuvres, pour la plupart auj. disparues (telles les fresques de la loggia de Sampierdarena et des tableaux pour les palais génois), dont il reste la *Danaé* du musée de Cleveland et l'*Annonciation* de l'église de S. Siro.

L'*Annonciation* (Turin, Gal. Sabauda) exécutée en 1623 à Gênes pour Charles-Emmanuel de Savoie, courtoise et patricienne, toute en valeurs et en blancs lumineux, enveloppés d'une lumière diffuse, est une sorte de conclusion de l'activité de Gentileschi en Italie, contemporaine de la floraison du caravagisme « manfrédien » et « honthorstien » à Rome. Sans doute faut-il situer à la même période la poétique *Joueuse de luth* de Washington (N.G.), chef-d'œuvre de Gentileschi, version aristocratique des musiques populaires du Caravagisme. Après son passage à Gênes et peut-être un arrêt à Turin, Gentileschi se rend en France. Lors de son séjour à Paris (1624-25), il fut au service de Marie de Médicis, peignant pour le palais du Luxembourg de grandes allégories (telle *la Félicité publique triomphant des dangers,* Louvre) et une *Diane* (musée de Nantes) ; il exerça alors une influence directe sur les peintres français, parmi lesquels Jean Monier, Louis Le Nain, La Hyre et Philippe de Champaigne, et également sur les artistes hollandais venant visiter le Luxembourg, tels que J.G. Van Bronckhorst, qui transmit le caravagisme nuancé de Gentileschi à son élève Caesar Van Everdingen. Mis en compétition, à Paris, avec Rubens, qui peignait la *Vie de Marie de Médicis* au Luxembourg, et devant le succès que remportaient les peintures de G. Baglione, il préféra quitter Paris et accepta l'invitation à la cour de Charles Ier, à Londres, où il resta jusqu'à sa mort. La période londonienne (1629-1639) est l'époque de grandes décorations pour le roi et le duc de Buckingham, auj. perdues (au palais de Greenwich, à Yorkhouse, à Somerset House, à Marlborough House), et des répétitions de thèmes déjà exploités en Italie ou en France, tels le *Repos pendant la fuite en Égypte* (1626, Vienne, K.M.; Louvre; Birmingham, City Museum), *Madeleine pénitente* (Vienne, K.M.), *Loth et ses filles* (Ottawa, N.G.; Berlin-Dahlem). Une de ses dernières œuvres fut le *Moïse sauvé des eaux,* au Prado, peint pour Philippe IV d'Espagne en 1633 (réplique peinte pour Charles Ier, à Castle Howard), scène de plein air dont le raffinement extrême pose le problème des relations entre Van Dyck, alors présent à Londres, et l'artiste. L'œuvre de Gentileschi n'a en fait rien de baroque, mais elle revêt plutôt un aspect postmaniériste, s'intéressant peu aux mouvements des formes vivantes, mais rendant la solidité des corps et la qualité des choses par un jeu de valeurs et de subtiles transitions de lumière. C'est la peinture de la nouvelle bourgeoisie, aussi éloignée de l'intellectualisme classique d'un Poussin que du naturalisme brutal des œuvres tardives de Caravage; il est caractéristique qu'il faille se retourner vers la Hollande du milieu du XVIIe s., vers l'école d'Utrecht, Ter Borch et Vermeer pour lui trouver quelque équivalence. Par ses séjours en France et en Angleterre, par la nature même de sa peinture, Gentileschi a été l'un des principaux propagateurs du Caravagisme en Europe, dont il donnait une version adoucie. S. De.

Gérard

François

peintre français

(Rome 1770 - Paris 1837)

Fils d'une Italienne et d'un intendant du cardinal de Bernis, ambassadeur de France près du Saint-Siège, il vécut ses douze premières années à Rome. Dès 1782, ayant suivi sa famille à Paris, il exerça ses dons de dessinateur chez le sculpteur Pajou, puis, en 1784, chez le peintre Brenet. Mais, gagné par l'enthousiasme que suscita le *Serment des Horaces* au Salon de 1785, il entra dans l'atelier de David (1786) pour se consacrer à la peinture. C'est son condisciple Girodet qui remporta devant lui le prix de Rome de 1789. À une époque où les troubles révolutionnaires favorisaient peu l'activité artistique, Gérard subvint aux besoins de sa famille en dessinant les illustrations du *Virgile* et du *Racine* édités par les frères Didot. Il remporta son premier succès au Salon de 1795, pour lequel il peignit un *Bélisaire portant son guide piqué par un serpent.* Le miniaturiste J.-B. Isabey s'étant chargé de vendre le tableau, Gérard le remercia en le peignant avec sa fille et son chien : la mise en place simple et originale s'harmonise avec la sincérité chaleureuse qui émane de ce portrait (1795, Louvre). Les louanges furent moins unanimes pour *Psyché et l'Amour* (Salon de 1798, *id.*), où, sous prétexte de pureté, l'artiste tombe dans la froideur marmoréenne et la mièvrerie du style «léché». De la même époque datent les premiers portraits qui, par leur élégance et leur finesse psychologique, firent la célébrité du peintre : *La Révellière-Lépeaux* (1797, musée d'Angers), la *Comtesse Regnault de Saint-Jean-d'Angély* (1798,

François Gérard
Portrait de Mme Récamier (1805) ▼
Paris, musée Carnavalet
Phot. Giraudon

Louvre), dont l'attitude et la grâce sont à l'image des portraits de la Renaissance italienne. Son interprétation originale du style davidien donne souvent la mesure de sa personnalité : le *Modèle* (v. 1800, Washington, N. G.).

Gérard ne connut vraiment le succès qu'à partir de 1800, quand Bonaparte lui confia des commandes. Il ne fit pas seulement le portrait de l'*Empereur en costume de sacre* (1805, une version à Versailles, une autre à Malmaison), mais fut le portraitiste attitré de la famille impériale, le peintre des dignitaires de l'Empire et des souverains étrangers. Le musée de Versailles acquit à la vente de son atelier 84 petites esquisses représentant un grand nombre de ces personnages, dont les collections privées gardent encore souvent les portraits. La souplesse des lignes et la richesse des coloris, la variété des décors cherchant à évoquer le cadre de vie de chacun permettent d'échapper à la rigidité des effigies officielles; on peut citer *Joséphine à Malmaison* (1802, Malmaison), *Madame Mère* (1803, Versailles), *Murat* (1805, *id.*), la *Reine Julie et ses filles* (1807; réplique dans la coll. du prince Napoléon). Moins officiel, mais non moins célèbre est le portrait de *Madame Récamier* (1805, Paris, musée Carnavalet), destiné à remplacer celui que David n'avait pu achever (Louvre). Les commandes reçues par Gérard ne sont pas limitées à ce seul genre; il fait aussi des décorations pour les résidences impériales; entre 1800 et 1801, il peint pour le Salon doré de Malmaison l'illustration d'un poème d'Ossian en pendant à celle dont est chargé Girodet : comme celle-ci, vibrante d'« angoisse passionnée » et d'atmosphère lunaire, elle est pourtant moins étrange, car plus clairement organisée et sans allusion contemporaine (toutes deux ont repris leur place primitive, la toile de Gérard étant une réplique de l'original perdu). Puis, pour conserver au palais des Tuileries le souvenir de la *Victoire d'Austerlitz,* l'Empereur demande à son peintre un plafond (Salon de 1810), qui, au retour des Bourbons, est transféré dans la galerie des Batailles de Versailles, tandis que son encadrement de figures allégoriques vient au Louvre : équilibre de la composition et rayonnement de la lumière confèrent à l'œuvre une grandeur solennelle.

La chute de l'Empire n'a pas de conséquence sur la carrière de Gérard, qui, présenté à Louis XVIII par Talleyrand, fait le *Portrait en pied du roi* (1814, Versailles), dont il devient le premier peintre (1817) avant de recevoir le titre de baron (1819). Tous les souverains que les événements de 1814 amenèrent à Paris voulurent se faire portraiturer par lui : *Alexandre Ier de Russie, Frédéric-Guillaume III de Prusse* (esquisses à Versailles), si bien que les contemporains l'appelèrent « le peintre des rois et le roi des peintres ». En outre, le prince Auguste de Prusse lui commanda le célèbre *Corinne au cap Misène* (1819, Salon de 1822, musée de Lyon), hommage apparent à Mme de Staël, mais hommage déguisé à Mme Récamier, à qui il offrit le tableau. Parallèlement, Gérard continua pour les commandes royales son œuvre d'historien, peignant pour Louis XVIII l'*Entrée de Henri IV à Paris* (1817, Versailles); par référence au précédent historique, ce sujet noble, émaillé de pittoresque, célèbre le retour des Bourbons. En pendant, il peignit pour Charles X le *Sacre de 1825 à Reims* (1829, *id.*), qui n'est qu'une monotone galerie de personnalités. Illustrant le renouveau du sentiment religieux suscité par les milieux royalistes, il peint une *Sainte Thérèse* (1827, Paris, infirmerie Sainte-Thérèse) qui suscite l'admiration de Chateaubriand. Vers 1820, un certain déclin s'observe dans l'œuvre du portraitiste : le modelé perd parfois de sa fermeté, le style devient plus onctueux, à la manière des Anglais : *Lady Jersey* (1819) et surtout la *Comtesse de Laborde* (1823), dont les esquisses sont à Versailles. Handicapé par une santé et une vue déficientes, Gérard ne produisit plus souvent sous Louis-Philippe que des œuvres mineures. Le classicisme avait d'ailleurs épuisé sa sève, et, si l'artiste s'était assuré la constante collaboration de Mlle Godefroid pour exécuter ses innombrables commandes, il n'avait pas formé de disciples. Il avait toutefois encouragé les débuts de quelques artistes : Ary Scheffer, Léopold Robert, Ingres même, qui fréquentèrent sa maison; car, pendant plus de trente ans, Gérard tint un Salon où se cotoyèrent les gens du monde, les savants, les artistes, parmi lesquels les musiciens avaient une place de choix. Sa brillante clientèle fut à l'origine de ce rendez-vous, resté aussi célèbre que son œuvre.

F. M.

Gérard de Saint-Jean

Geertgen tot Sint Jans

peintre néerlandais

(actif dans la seconde moitié du XVe s.)

Le témoignage de Van Mander (1604) constitue l'essentiel de nos connaissances sur ce peintre, né à Leyde, disparu à l'âge de vingt-huit ans. Formé à Haarlem par Aelbert Van Ouwater, il vécut au couvent des chevaliers de Saint-Jean de cette ville en qualité d'hôte. Les dates exactes de son activité n'ont pu être déterminées : elles sont certainement postérieures à 1460 et antérieures à 1495. Son principal tableau était un grand triptyque destiné à la chapelle du couvent qui l'abritait. Un seul volet

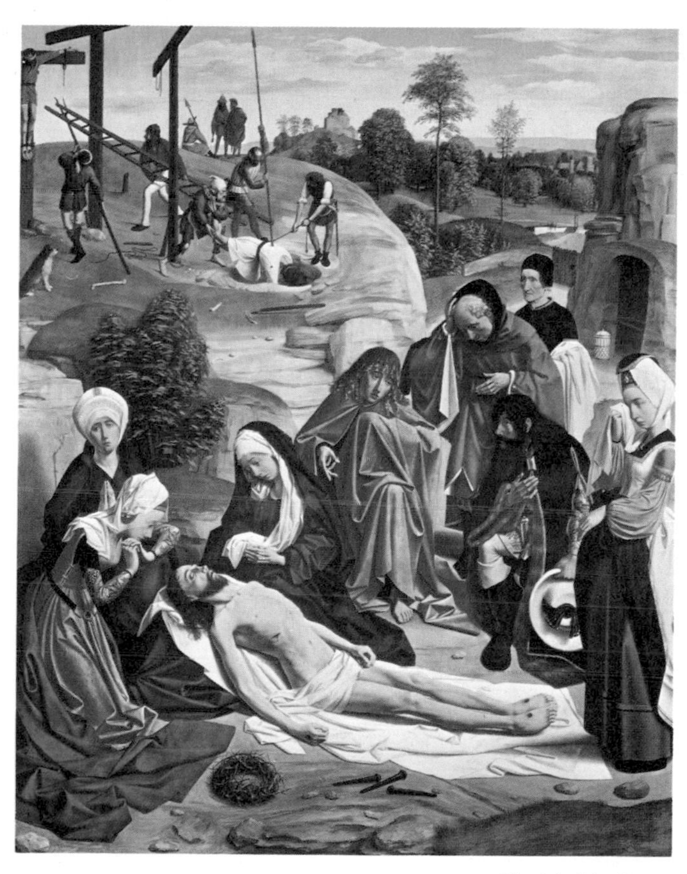

Gérard de Saint-Jean
Lamentation sur le Christ mort ▲
Vienne, Kunsthistorisches Museum
Phot. Meyer

échappa aux destructions des luttes religieuses du XVIe s. et a permis le regroupement de son œuvre (Vienne, K. M.). Sur la face interne est représentée la *Lamentation sur le Christ mort.* Une composition rigoureuse, dont le statisme est accentué par un modelé anguleux qui donne aux figures l'aspect de sculptures en bois confère à l'ensemble une solennité austère. La scène principale est entourée d'un paysage rythmé par des arbres au feuillé précis inscrit en arcs de cercle quasi concentriques. Au revers, une curieuse scène illustre l'*Histoire des reliques de saint Jean-Baptiste :* derrière le tombeau du saint, des hommes qui dérobent quelques ossements et qui ne sont autres que des chevaliers de Saint-Jean. Chacun d'entre eux est certainement un portrait, et leur réunion constitue le premier portrait collectif connu en Hollande, maillon initial d'une chaîne riche en œuvres variées. Le tableau le plus proche de ce volet est une *Résurrection de Lazare* (Louvre), qui reprend quelques détails de la *Résurrection de Lazare* d'Ouwater (Berlin-Dahlem), mais en situant la scène en plein air dans un large paysage parsemé d'arbres et de plans d'eau. Un triptyque de l'*Adoration des mages* (musée de Prague), malheureusement mutilé, est également voisin de ces deux œuvres, mais révèle un art moins consommé, d'inspiration plus juvénile. L'arrière-plan y est pittoresquement animé par l'agitation de la suite des Rois mages. Sur les volets, les donateurs sont présentés par des saints guerriers : une variante du saint Bavon se retrouve dans un petit panneau de l'Ermitage. Quatre autres petits panneaux constituent avec les précédents le meilleur de l'œuvre de Gérard de Saint-Jean. L'*Adoration des mages* du musée de Cleveland reprend le thème de Prague en accentuant le ton dramatique : toute l'attention porte sur les visages des personnages, rudes dans leur expression plastique, mais traduisant d'une manière très expressive leurs sentiments. Le *Saint Jean-Baptiste dans le désert* (Berlin-Dahlem) est un chef-d'œuvre surprenant : la figure paysanne du saint perdu dans sa prière annonce par son attitude la *Mélancolie* de Dürer, mais avec plus de simple rudesse. Autour de lui s'épanouit un luxuriant paysage, le plus beau peint par l'artiste, qui s'inscrit encore dans la tradition eyckienne par le rendu précis des herbes du sol, sensible également dans les arbres. Les grandes zones vertes sont coupées de surfaces d'eau traitées en miroir précieux. Le *Christ de douleur* (Utrecht, Musée archiépiscopal) est évoqué en volumes ligneux qui servent admirablement la gravité du thème. Le corps du Christ couvert de plaies sanguinolentes est une vision rare en peinture et d'une intensité déjà expressionniste. Un panneau constituant un petit retable portatif (Milan, Ambrosienne) évoque la *Vierge à l'Enfant* en une composition proche des modèles de Bouts. Enfin, la *Nativité* (Londres, N.G.) est l'une des premières expressions nocturnes de ce thème. L'enfant couché dans une auge est la source lumineuse de l'ensemble. La parenté de ces différentes œuvres avec l'art de Van der Goes a souvent été évoquée. Si certains traits communs peuvent être relevés, Gérard de Saint-Jean n'apporte pourtant jamais un sentiment aussi dramatiquement inquiet. Une méditation presque sereine, même lorsqu'elle est passionnée, anime chaque œuvre. D'autres tableaux ont également pu être attribués au peintre des Johannites. Deux *Adorations des mages* (Rijksmuseum et Winterthur, coll. Oskar Reinhart) sont d'un art plus fruste et plus hésitant que celle de Prague. Une curieuse *Parenté de sainte Anne* (Rijksmuseum) rassemble une singulière famille dans une église gothique. La *Vierge à l'Enfant* de Berlin-Dahlem développe à une échelle monumentale le petit panneau de l'Ambrosienne sans en garder la fraîcheur naïve. Beaucoup plus éloignés du style des œuvres principales sont encore un *Arbre de Jessé* (Rijksmuseum), autrefois donné à Mostaert, et une curieuse évocation de la *Vierge de l'Apocalypse* (Rotterdam, B.V.B.), cernée d'une gloire d'anges musiciens comme émergeant de la nuit sous l'effet d'un violent éclairage. A. Ch.

Géricault

Théodore

peintre français

(Rouen 1791 - Paris 1824)

Formation. Il passa son enfance à Rouen, dans l'atmosphère troublée de la Révolution, et perdit sa mère à l'âge de dix ans. Son père, qui avait fait fortune dans le commerce du tabac, ne contraria point son goût pour la peinture et put lui éviter la conscription. Géricault eut très vite la passion du cheval, thème majeur de son œuvre ; il monte dans la propriété familiale de Mortain (Manche) et chez son oncle Caruel, près de Versailles, où se trouvent les écuries impériales. De 1808 à 1812 env., après ses études au lycée Impérial (Louis-le-Grand), s'étend une période de formation d'abord dans l'atelier de Carle Vernet, réputé pour ses études de chevaux et où il se lie avec son fils Horace, puis chez Guérin, qui l'initie aux principes, à la technique de David et reconnaît son originalité. Très éclectique, le programme de travail de Géricault à cette époque permet en grande partie de comprendre son évolution : études d'après l'antique, la nature et les maîtres. Il fréquente surtout avec assiduité le Louvre, où la collection Borghèse est entrée en 1808, exécute de nombreuses copies (32 selon Clément) d'après les peintres les plus divers (Titien, Rubens, Caravage, Jouvenet, Van Dyck, Prud'hon, S. Rosa).

Paris (1812-1816). Après ces trois années de travail intense et solitaire, les études de chevaux (à Versailles) et les thèmes militaires, reflets directs des événements, vont principalement occuper l'artiste jusqu'en 1816. L'*Officier de chasseurs à cheval chargeant* (Louvre, esquisses au musée de Rouen et au Louvre), exposé au Salon de 1812, est le premier tableau qui signale Géricault à l'attention de ses contemporains. D'un format monumental pour une seule figure, parti exceptionnel en son temps, il doit à Rubens certains effets techniques, à Gros la position même du cheval, mais révèle un sens affirmé du relief plastique et un pinceau inventif dans le maniement de la pâte. Deux ans plus tard, le *Cuirassier blessé quittant le champ de bataille* (Louvre, esquisse au Louvre ; plus grande version à New York, Brooklyn Museum) n'est pas seulement l'antithèse thématique du tableau de 1812, au moment de la chute de l'Empire ; il montre une exécution fort différente, moins savoureuse, avec de grandes surfaces plates qui rappellent encore Gros, par exemple dans la *Bataille d'Eylau.* Entre les deux compositions prennent place de petites études de soldats d'une facture empâtée et vigoureuse (Vienne, K. M.), ou des effigies dont le relief et la simplification annoncent déjà Courbet : *Portrait d'un officier de carabiniers* (musée de Rouen). La *Retraite de Russie* (New York, coll. part.) frappe l'imagination de l'artiste de manière durable, et le thème de l'épreuve, de la décomposition et de la mort s'impose dès lors dans son œuvre (*Charrette avec des blessés,* Londres, coll. part.), mais le petit tableau de la *Mort d'Hippolyte* (musée de Montpellier), où l'influence de Girodet paraît nette, avoue des préoccupations classiques nouvelles, prélude au voyage en Italie, de même que 3 grands paysages exécutés pour la maison d'un ami à Villers-Cotterêts (Norfolk, Chrysler Museum, Munich, Neue Pin., et Paris, Petit Palais) et le *Déluge* d'après Poussin (Louvre).

Séjour italien (1816-1817). À Florence, puis à Rome, Géricault fut surtout retenu par Michel-Ange — intérêt qui annonce l'admiration que la génération suivante allait éprouver pour le maître florentin —, mais aussi par Raphaël pour la clarté et l'équilibre de sa composition. Il connut Ingres à Rome et apprécia fort ses dessins. La production italienne de Géricault comprend elle-même des dessins d'un classicisme très châtié, assimilation intelligente des schémas du XVIIe s., quelques scènes érotiques d'une puissante franchise et les différentes versions de la *Course des chevaux barbes,* vue à Rome au printemps de 1817, étapes pour une grande composition qui ne vit pas le jour ; la version de Baltimore (W. A. G.), peut-être la première, est la plus novatrice avec son rendu synthétique et ses effets de foule contemporaine qui évoquent Goya et annoncent Daumier. Celle du musée de Rouen, *Cheval arrêté par des esclaves,* abandonne la vérité de l'événement au profit d'un pur rythme plastique ; le tableau du Louvre, peut-être la dernière pensée de l'artiste, associe un solide volume architectural, sur lequel se détachent en relief fort les hommes et les bêtes, à une allusion discrète aux spectateurs (étude très proche, mais inversée, au musée de Lille). Ces différents ouvrages sont exécutés au moyen d'une palette de plus en plus discrète, le souci de la forme et de la composition étant primordial.

Paris (1817-1820). Géricault revint en France à l'automne de 1817, au bout d'un an de séjour seulement, qu'il estime lui-même suffisant, fait significatif de la relative désaffection que va connaître jusqu'à la fin du XIXe s. le traditionnel voyage en Italie. Il regagne rue des Martyrs l'atelier qu'il occupe depuis 1813, et son activité est fort diverse avant la claustration qu'exigera la réalisation du *Radeau de la Méduse.*

Dénonçant le romantisme littéraire, « cette sensibilité qu'excitent seulement les vents, les orages et les clairs de lune », il va chercher de plus en plus son inspiration dans le fait contemporain. Le *Domptage de taureaux* (Cambridge, Mass., Fogg Art Museum), inspiré par le sacrifice de Mithra (dessin au Louvre) et peint sans doute peu de temps après le retour à Paris, est encore imprégné de l'atmosphère romaine. Géricault dessine et peint à l'aquarelle des chats et des chiens ainsi que les animaux observés au Jardin des Plantes (la ménagerie avait été créée en 1794), accompagné parfois par ses cadets Delacroix et Barye ; il fait des portraits d'enfants de ses amis. Surtout, il pratique, un des premiers en France avec Gros, la lithographie, dont le dessin, d'abord timide, rappelle la régularité des tailles d'un cuivre. Outre les 7 pierres consacrées à l'armée napoléonienne, initiative hardie en pleine Restauration, les plus intéressantes sont les *Chevaux se battant dans une écurie,* œuvre riche en gris bien modulés, et le *Combat de boxe,* révélateur du vif intérêt de Géricault pour le problème noir (l'esclavage ne sera définitivement aboli en France qu'en 1848). Sans doute inspiré par des gravures anglaises, les « sporting prints », qu'il a pu voir chez C. Vernet — et l'on boxait dans l'atelier d'Horace, voisin du sien —, Géricault oppose, déjà, un pugiliste noir à un pugiliste blanc. C'est probablement en France le premier document sur ce sport, pratiqué alors à poings nus et qui devait tant retenir l'attention des artistes au début du XXe s. L'assassinat de Fualdès à Rodez et le procès qui s'ensuivit (1817) ramenèrent Géricault au problème de la grande composition sur un fait divers. Les dessins qu'il a laissés (États-Unis, coll. part. ; un au musée de Lille), où les acteurs du drame sont nus, restitués dans un style tout classique, généralisateur, ne furent pas poussés plus loin par l'artiste dès que l'imagerie populaire exploita cette affaire, jamais élucidée. Le scandale du naufrage de la *Méduse* lui offrit au même moment une autre occasion qu'il ne laissa point passer. Le *Radeau de la Méduse* (1819, esquisses à Rouen et au Louvre) est dans la carrière de Géricault la dernière œuvre achevée où sa culture classique l'ait finalement emporté, comme dans la *Course des chevaux barbes,* sur la représentation « moderne » et réaliste de la scène. Géricault termina le *Radeau de la Méduse* dans un atelier du faubourg du Roule, près de l'hôpital Beaujon, dont la fréquentation lui permit d'exécuter nombre d'études de cadavres et de membres de suppliciés d'un saisissant relief (Louvre ; Stockholm, Nm. ; musée de Bayonne), destinées à davantage mettre en évidence l'effroyable réalité des conditions de la survie sur le radeau. En dépit de ce souci de réalisme, cette grande toile frappe par sa santé toute classique et la variété des réminiscences qu'on y décèle : la sculpture antique, Michel-Ange, Caravage, les Bolonais. L'œuvre fut accueillie avec réserve, par l'ambiguïté même de son dessein et de ses effets, et l'on y vit trop facilement une critique de l'opposition libérale contre l'incurie du gouvernement menant la France à la ruine. Après le demi-échec de la présentation du tableau, le gouvernement commanda au peintre un *Sacré Cœur de Jésus,* mais celui-ci abandonna la commande à Delacroix. Très affecté par l'accueil fait à son grand tableau, Géricault se retire quelque temps à Féricy, près de Fontainebleau, où il fréquente un milieu différent (le sociologue Brunet, le psychiatre Georget, médecin à la Salpêtrière), qui va orienter ses préoccupations à la fin de sa carrière.

Séjour en Angleterre (printemps de 1820-décembre 1821). Le voyage en Angleterre, en compagnie de Brunet et du lithographe Charlet, eut pour but l'exposition, couronnée de succès, du *Radeau de la Méduse* à l'Egyptian Hall de Londres, puis à Dublin. Géricault prend en Angleterre une conscience aiguë de l'évolution du monde contemporain, en même temps que l'objectivité nouvelle devant la nature de peintres anglais comme Constable le frappe. Les dix-huit mois env. de son séjour sont marqués par le retour à la lithographie — sur des scènes de la vie quotidienne prises sur le vif et publiées à Londres même —, au thème du sport (dessins de boxeurs, de trapézistes), et c'est une gravure de Rosenberg (1816) d'après un tableau de Pollard qui est à l'origine du *Derby d'Epsom* (1821, Louvre, études au Louvre et au musée de Bayonne), œuvre qui annonce directement Degas. Mais les études de chevaux de labour ou tirant la charrette de charbon (musée de Mannheim et Philadelphie, Museum of Art) constituent une suite plus cohérente, remarquable par la densité de l'atmosphère, le relief des formes, plus picturales que naguère, et la mise en évidence du dernier avatar du cheval, devenu, au terme d'une rapide évolution, strictement utilitaire.

Paris (1821-1824). La visite de Géricault à David, exilé à Bruxelles, avant son retour à Paris, n'est point certaine ; elle confirmerait l'estime en laquelle il tenait le vieux maître pour sa technique et la plasticité de son style. Les dernières œuvres parisiennes se signalent par un resserrement de l'effet de lumière, trop dispersée en Angleterre, pensait Géricault, économie dont témoigne le *Four à plâtre* (Louvre). Il tente de remédier aussi à ce défaut dans les lithographies éditées à des fins surtout lucratives, le peintre, menant grand train, ayant à peu près entièrement dispersé sa fortune. À côté des études dessinées sur des thèmes historiques contemporains, projets pour de vastes toiles non exécutées (*Ouverture des portes de l'Inquisition,* Paris, coll. part. ; la *Traite des Noirs,* musée de Bayonne), de quelques portraits individuels (*Louise Vernet enfant,* Louvre ; *Portrait*

d'un Noir, musée de Chalon-sur-Saône) et de scènes de tempête (Bruxelles, M. A. M.), il laisse comme ultime témoignage les 5 portraits d'aliénés (Gand, Winterthur, Springfield, Lyon, Louvre), exécutés à l'instigation de Georget probablement pour faciliter les démonstrations du docteur, tant ses descriptions cliniques s'appliquent aux modèles de Géricault. Cinq autres tableaux auraient existé, d'après Clément, mais le *Vendéen* du Louvre, techniquement proche des aliénés, ne semble pas faire partie de la série. Le réalisme scientifique dont fait preuve Géricault est tout à fait exceptionnel, et la génération suivante ne parviendra point à cette rencontre si délicate entre l'objectivité supérieure et la profondeur de l'investigation. Techniquement, ces tableaux diffèrent des précédents et font la liaison entre le métier de David et celui de

Théodore Géricault
Le Radeau de la Méduse (1819) ▼
Paris, musée du Louvre
Phot. Giraudon

Manet et de Cézanne, avec leurs fonds largement brossés et les touches claires, peu empâtées mais nettes, colorées mais en demi-teintes qui modèlent la forme (*Monomane de l'envie,* musée de Lyon). Mal soignée, une chute de cheval survenue à la barrière de Montmartre devait mettre fin aux jours de l'artiste. Mais les complications sont dues sans doute à une maladie vénérienne, fort redoutée à l'époque, et Géricault n'était point toujours difficile sur la qualité de ses conquêtes : « Nous deux, X., nous aimons les grosses fesses. » L'année 1823-24 fut une longue agonie. La vente de l'atelier, peu après sa mort, dispersa bien des œuvres, difficiles à retrouver et à restituer dans une carrière qui couvre à peine une douzaine d'années et dont 3 tableaux seulement avaient été exposés. Celle-ci embrasse pourtant la complexité de la fin de l'Ancien Régime et de l'Empire et ouvre sur la peinture comme sur la civilisation du XIXe s. les perspectives les plus variées. Le Louvre et le musée de Rouen représentent en France l'artiste de la manière la plus homogène. Dessins et recueils d'esquisses sont conservés nombreux au Louvre, à Bayonne, à Chicago (Art Inst.), à Zurich (Kunsthaus). M. A. S.

Ghirlandaio

Domenico Bigordi, dit

peintre italien

(Florence 1449 - id. 1494)

Vasari affirme, mais sans que son assertion soit confirmée par des documents, que Domenico doit son surnom à son père, orfèvre très habile à exécuter les guirlandes des coiffures des fillettes florentines. Également orfèvre, toujours d'après Vasari, il passa rapidement à la peinture sous la direction de Baldovinetti. Mais, dès les toutes premières œuvres qui lui sont unanimement attribuées — fresque avec *Sainte Barbe, saint Jérôme et saint Antoine abbé* dans la petite église paroissiale de Cercina, près de Florence (v. 1470) et fresque de l'église d'Ognissanti à Florence (1473) [la *Madone de miséricorde avec la famille Vespucci et le Christ mort*] —, il fait preuve d'un éclectisme hardi, se révélant un expérimentateur de tous les grands courants de la peinture florentine, de Verrocchio aux œuvres de la vieillesse de Lippi et même jusqu'à Masaccio. La clarté de la fresque de Cercina, qui rappelle la lumière de Baldovinetti, et les portraits qui sont figurés dans la fresque d'Ognissanti sont caractéristiques de ses premières recherches. En dépit des repeints, on peut déjà reconnaître dans ces portraits des membres de la grande bourgeoisie florentine un don d'observation attentive, qui lui vaudra d'être le maître le plus renommé et le plus recherché de la fin du XVe s.

Son chef-d'œuvre de jeunesse est constitué par les deux fresques avec les *Scènes de la vie de Sainte Fina* dans la collégiale de S. Gimignano, qu'il termina en 1475. Dans l'ordonnance de ces deux scènes, Ghirlandaio dévoile sa profonde maîtrise de narrateur : son récit est alerte et savamment composé (la mort de la sainte dans la chambre nue ; les funérailles se déroulant sur le fond des tours de S. Gimignano). Il y manifeste surtout sa faculté de saisir d'un trait réussi — bien que parfois superficiel — le caractère des personnages (assistants du convoi funèbre, distraits ou émus, attentifs ou souriants). Grâce à ces qualités, il devint le maître favori de la riche bourgeoisie banquière et marchande.

Ghirlandaio exécute à fresque, en 1480, la *Dernière Cène* pour le réfectoire d'Ognissanti, et l'admirable *Saint Jérôme à l'étude* de l'église d'Ognissanti ainsi que quelques « pale » d'autel. Il se rend ensuite à Rome (1481) pour peindre, avec de nombreux aides, plusieurs fresques (l'*Appel de saint Pierre et de saint André ;* 12 *Papes*) à la chapelle Sixtine. À son retour à Florence, v. 1483, il peint deux « pale » d'autel : la *Madone avec les saints Denis l'Aréopagite, Dominique, Clément et Thomas d'Aquin* pour Monticelli (Offices) et la *Madone avec les saints Michel, Juste, Zénobe et Raphaël* pour l'église S. Giusto (Offices ; prédelle partagée entre la N. G. de Londres, l'Inst. of Arts de Detroit et le Metropolitan Museum). En même temps, il fait de nouveau œuvre de fresquiste en 1483, avec ses frères, au Palazzo Vecchio de Florence (salle des Lys).

Dans ses retables, la matière picturale est lumineuse et compacte, et le rendu des détails attentif et analytique ; la composition, bien organisée, devient, autour des personnages centraux, de plus en plus complexe (par rapport au simple agencement de ses premières œuvres du même genre) ; le dessin est parfait. Ces qualités sont souvent affaiblies par les nombreuses interventions des aides dans les œuvres exécutées « en équipe » par l'atelier très actif du maître.

Ghirlandaio peint ses deux plus importants cycles de fresques pour les familles Sassetti et Tornabuoni : les *Scènes de la vie de saint François* dans la chapelle Sassetti à S. Trinita (1483-1485) et les *Scènes de la vie de la Vierge,* pour Giovanni Tornabuoni, dans le chœur de S. Maria Novella à Florence (1486-1490). Ces œuvres offrent l'immense intérêt d'être le reflet fidèle des coutumes florentines de la fin du XVe s. : Ghirlandaio mêle la vie religieuse à la vie publique, la fait intervenir dans les palais, la campagne florentine ; ses per-

Domenico Ghirlandaio
La Naissance de la Vierge (1486-1490) ▲
Fresque du chœur
Florence, église Santa Maria Novella
Phot. Giraudon

sonnages sont vêtus à la mode contemporaine et ont les traits de ses clients.

L'*Adoration des bergers* (1485), destinée à l'autel de la chapelle Sassetti à S. Trinita, est particulièrement significative dans l'œuvre de Ghirlandaio : on y décèle pour la première fois à Florence l'influence de la « pala » Portinari, de Hugo Van der Goes, récemment arrivée, influence surtout sensible dans le réalisme aigu des bergers.

Les principales œuvres de Ghirlandaio sont ensuite : le tondo de l'*Adoration des mages* (1487, Offices), la « pala » de l'*Adoration des mages* pour l'église de l'hôpital des Innocents (dont le contrat stipulait qu'elle devait être entièrement l'œuvre du maître et pour laquelle, cependant, l'intervention de nombreux aides est confirmée par des documents), la belle *Visitation* de S. Maria Maddalena dei Pazzi (1491, Louvre), qui fut, d'après Vasari, achevée par ses deux frères, David et Benedetto. Parmi ses portraits (outre les figures contemporaines de ses « pale » et de ses fresques traitées en portraits incisifs), on peut citer celui dit de *Lucrezia Tornabuoni* (1488, Lugano, coll. Thyssen), celui du *Vieillard avec un enfant* (Louvre), celui dit de *Francesco Sassetti avec son fils* (Metropolitan Museum). M. B.

Ghislandi

Vittore dit Fra Galgario

peintre italien

(Bergame 1655 - id. *1745)*

Parmi les grands portraitistes du settecento européen, il représente, en face du portrait de cour français, une manière originale qui lie la tradition naturaliste lombarde au goût « néo-rembranesque » de l'Europe centrale. Élève, à Bergame, de Giacomo Cotta et de Bartolomeo Bianchini, il se forma à Venise, où il séjourna, une première fois, pendant treize ans (1675-1688), en se consacrant, selon son élève et biographe F. M. Tassi (*Le Vite de' pittori, scultori e architetti bergamaschi,* publiées à Ber-

Vittore Ghislandi
▲ **Portrait d'un jeune dessinateur**
Bergame, Accademia Carrara
Phot. Scala

game en 1793), « à faire de très grandes études personnelles d'après les œuvres de Titien et de Paolo Veronese ». Une deuxième fois, pour une période presque aussi longue (1693-1705), il travailla à Venise, en tant qu'élève et collaborateur, dans l'atelier de Sebastiano Bombelli. On fait remonter à cette période vénitienne sa rencontre avec la peinture de portrait de l'Europe centrale, représentée par le Bohémien Johann Kupeczky, à Venise à partir de 1687 (et définitivement de retour à Vienne seulement en 1709). Son orientation vers le type de portrait rembranesque pratiqué en Europe centrale dut être confirmée, en ces mêmes années, par la connaissance et la fréquentation de Salomon Adler, mort à Milan en janvier 1709. Ce n'est toutefois qu'à partir de 1705 (*Portrait de Cecilia Colleoni,* Bergame, coll. Colleoni), après le retour définitif de l'artiste à Bergame (dans le couvent de Galgario, dont il allait prendre le nom), qu'il nous est donné de suivre dans ses œuvres le résultat de ces longues études. On voit désormais comment Ghislandi associe la « peinture en pâte » et « sans contour » de la grande tradition chromatique vénitienne à la recherche d'effets « naturels » puisés dans la tradition locale de Bergame et plus généralement de la Lombardie. Il n'est donc pas étonnant que Ghislandi ait été à ce point qualifié pour comprendre la signification profonde de Rembrandt : non sa leçon d'évasion picturale, mais une vision plus vraie et une technique « préimpressionniste », attentive aux valeurs de la matière. On sait d'ailleurs qu'il exécuta une copie de l'*Autoportrait* de Rembrandt des Offices, achetée par Auguste III pour Dresde en 1742.

Le *Portrait du docteur Bernardi Bolognese* (Bergame, coll. Bernardi) et le *Portrait du comte Secco Suardi* (Bergame, Accad. Carrara) remontent à 1717. À partir de 1732, selon F. M. Tassi, « l'artiste commença à peindre avec son annulaire toutes les carnations, ce qu'il continua de faire jusqu'à sa mort, et jamais plus, pour faire les carnations, il ne se servit du pinceau, sauf en quelque partie secondaire ou pour donner les dernières retouches ; et de cette manière il a fait de très belles têtes, empâtées (« pastose ») comme l'on n'en a jamais vues, quoique faites entièrement par des touches, amenant à son extrême et cohérente conclusion technique et stylistique sa propre façon de concevoir la peinture ». Son *Autoportrait* (Bergame, Accad. Carrara) est daté de 1737, année à laquelle remonte aussi le remaniement, selon cette nouvelle technique, du visage de *Francesco Maria Bruntino (id.),* qui, pour la simplicité de sa construction et sa force de pénétration psychologique, peut être considéré comme un *unicum* du portrait « bourgeois » dans la première moitié du XVIIIe s. Il n'est d'ailleurs pas un cas isolé dans le parcours du peintre lombard, dont la galerie de portraits, trop riche pour être ici mentionnée en entier, comporte d'autres nombreux chefs-d'œuvre, depuis le portrait d'*Isabelle Camozzi de' Gherardi* (Costa di Mezzate, coll. des comtes Camozzi-Vertua) jusqu'à celui du *Jeune Homme au tricorne* (Milan, musée Poldi-Pezzoli), de celui de *Bartolomeo Albani, député de la ville de Bergame* (Milan, coll. Beltrami) à celui du *Padre G. B. Pecorari degli Ambiveri* (1738, Bergame, coll. Suardi), où le type de portrait de cour du XVIIIe s. cède le pas à une nouvelle conception de la représentation, qui établit un rapport humain d'égalité entre le peintre et le sujet portraituré, Ghislandi se plaçant alors au seuil de la peinture « plébéienne » que pratiquera Giacomo Ceruti. Les meilleurs portraits de Ghislandi, à quelques exceptions près (Venise, Accademia ; Raleigh, North Carolina Museum ; musée de Lyon ; Washington, N.G. ; musée de Budapest), sont encore pour une bonne part conservés en Lombardie, à l'Accad. Carrara de Bergame surtout, à la Brera et au musée Poldi-Pezzoli de Milan, ainsi que dans de nombreuses coll. part. de la région. G. P.

Alberto Giacometti
▲ **Diego** (1951)
Zurich, Kunsthaus

Giacometti
Alberto

sculpteur et peintre suisse
(Stampa, Grisons, 1901 - Coire, id., *1966)*

Fils du peintre Giovanni Giacometti, il fréquenta l'école des Arts et Métiers de Genève. Après un séjour d'une année en Italie (1920-21), où Cimabue, Giotto et Tintoret le frappent, il gagne Paris (1922) et étudie chez Archipenko et Bourdelle. Dès 1925, il partage son atelier avec son frère Diego, qui, surtout après 1935, lui servira de modèle. Il passe la Seconde Guerre mondiale à Genève et, en 1949, épouse Annette Arm. Après une première période, où sa peinture se rattache au Néo-Impressionnisme (*Rome,* aquarelle, 1921), il se rallie quelque temps (1925-1928) au Cubisme, puis, en 1930, au Surréalisme (*Femme,* 1926, Zurich, Kunsthaus). Mais la puissance et l'originalité de son tempérament lui rendirent l'orthodoxie surréaliste rapidement intolérable. Aussi, dès 1935, s'ouvre une période de huit années de recherches centrées principalement sur la représentation de la figure humaine, presque exclusivement en sculpture. Dès 1945, Giacometti revient de façon constante aux expressions picturale et graphique : dessins (*Coin d'atelier,* crayon, 1957), lithographies et eaux-fortes (*Nu aux fleurs,* 1960, Maeght éd.), illustrations d'André Breton (l'*Air de l'eau*), de Georges Bataille *(Histoire de rats),* de René Char *(Poèmes des deux années),* d'Éluard, de Genet et enfin une importante série de peintures (*Isaku Yanaihara,* 1958, Paris, gal. Claude Bernard) et les très nombreux portraits d'Annette et de Diego. Monochromes — gris sur gris — dominés par les éléments linéaires qui articulent l'espace, ses dessins et ses peintures prolongent et aident à définir son œuvre de sculpteur. Comme lorsqu'il crée dans trois dimensions, Giacometti organise et construit le dialogue dépouillé de la figure et de l'espace dans une relation qui tend à l'absolue vérité et à l'unicité du sujet. Son œuvre se manifeste comme une totalité qui met en cause le sens même de notre existence : ces innombrables personnages, têtes, bustes, qui nous percent de leur regard intense au point que l'on craint de les approcher, surgissent dans leur immédiateté comme un cri désespéré, comme l'expression la plus humaine d'un monde qui se disloque, entraînant avec lui une humanité décharnée, déjà pourrissante. L'artiste est représenté à New York (M. O. M. A.), Pittsburgh (Carnegie Inst.), Paris (M. N. A. M., *Portrait de Yanaihara,* 1956), Detroit (Inst. of Arts), Saint-Paul-de-Vence (fondation Maeght), Zurich (fondation Giacometti) et dans des coll. part. L'Orangerie des Tuileries à Paris lui a consacré une importante rétrospective d'octobre 1969 à janvier 1970. B. Z.

Giordano
Luca

peintre italien
(Naples 1634 - id. *1705)*

Cet artiste exceptionnellement fécond, qui jouit en son temps d'un renom international, est souvent considéré, de nos jours, comme un peintre aux solutions faciles, agréable mais superficiel, prêt aux emprunts sinon à la copie, trop rapide dans l'exécution de ses œuvres. Ce jugement, qui se ressent encore en partie de la condamnation dont l'art baroque fit l'objet pendant une très longue période, n'est pas dépourvu de tout fondement si on l'applique à l'ensemble de l'œuvre de Luca

Giordano, à ses innombrables peintures de chevalet et à ses immenses fresques en Italie et en Espagne (son œuvre comporte certainement plusieurs milliers de peintures ; il est peu de musées de quelque importance qui n'en conservent pas). Néanmoins, si l'on tient compte de la pratique, courante à son époque, de recourir aux aides d'atelier ainsi que des inévitables inégalités auxquelles ne peut échapper un artiste, même génial, submergé par les sollicitations et les commandes, et si, par conséquent, l'on s'attache à ses œuvres les plus représentatives entièrement de sa main, sa personnalité apparaît comme l'une des plus sensibles du XVIIe s. européen.

La jeunesse. Formé, selon les sources anciennes, sur le modèle de Ribera, Giordano semble avoir abordé tout de suite la peinture avec le sentiment qu'il restait à Naples de vieux problèmes non résolus. Le groupe d'œuvres (comme les portraits de *Philosophes* conservés aux musées de Hambourg et de Vienne, K. M.) qui a pu être réuni autour de son nom avant sa première activité documentée (qui remonte à 1653) révèle en effet son souci de reprendre en considération les différents éléments qui avaient provoqué à Naples, v. 1635, la crise du naturalisme d'origine caravagesque. Ce besoin de revivre l'expérience des autres, avant d'innover, sera capital tout au long de la carrière de Giordano. C'est ainsi que, ayant commencé à suivre la voie qui avait mené Ribera vieillissant à adapter aux principes du baroque son rude caravagisme, il ne tarda pas à entreprendre le voyage de Rome, pour remonter ensuite jusqu'à Venise, où il laissa quelques tableaux d'autel et où il étudia en particulier Véronèse. De retour à Naples, il exécuta en 1654 pour l'église de S. Pietro ad Aram 2 toiles, *Scènes de la vie de saint Pierre,* dont les fonds s'inspirent effectivement du grand Vénitien et qui représentent, en général, un retour à la « maniera grande » du XVIe s., point de départ de la peinture baroque. On retrouve les mêmes caractéristiques dans le *Saint Nicolas de Bari* de l'église de S. Brigida et dans les 2 toiles de 1658 destinées à l'église S. Agostino degli Scalzi, où l'influence vénitienne domine, transformée toutefois par une touche plus fluide et par d'intenses accents luministes. On y décèle également l'étude de l'œuvre de Mattia Preti et un rapprochement avec Rubens, déjà sensible dans la *Sainte Lucie conduite au martyre* (1657, Milan, coll. Canessa). Après avoir adopté ensuite une manière plus claire et une liberté picturale comparable à celle de Pierre de Cortone (*Sainte Famille,* v. 1660, Aurora, New York, Wells College), il revint au classicisme des Carrache et de Poussin, visible dans l'agencement équilibré et la plus grande importance accordée au dessin dans les 2 tableaux d'autel *(Fuite en Égypte, Massacre des Innocents)* de l'église de S. Teresa à Chiaia (1664).

▼ Luca Giordano, **Le Songe de Salomon**
Madrid, Museo nacional del Prado
Phot. Salmer

La maturité. La jeunesse de Luca Giordano, marquée d'innombrables hésitations sur la voie qui devait l'amener à la décoration baroque, finit par aboutir, après un nouveau voyage à Venise (où il signa l'*Assomption de la Vierge* à la Salute) et à Florence en 1667, à une adhésion consciente au style de Pierre de Cortone, dont l'artiste adopte surtout la tendresse et la grâce des formes, la douceur de l'éclairage (*Vierge du Rosaire,* 1672, Crispano, église paroissiale). Vers 1674, de nouveau à Venise, il peint les 2 tableaux d'autel (la *Nativité de la Vierge* et la *Présentation de Marie au Temple*) pour l'église de la Salute, dont le succès immédiat confirme son renom. Peu après, il entreprend les grandes décorations à fresque, dans lesquelles il se réalisera le mieux. C'est dans le cycle destiné à l'église de S. Gregorio Armeno à Naples (terminé en 1679) qu'il est possible de percevoir, pour la première fois, cette heureuse veine poétique, cette tendre humanité dégagée de tout effet emphatique qui distinguera toujours Luca Giordano des autres grands décorateurs italiens contemporains : Pierre de Cortone, Lanfranco ou Baciccio; loin de méconnaître ces derniers, il adopte même leur technique et, le cas échéant, leur manière, mais son langage, au lieu de tomber dans un éclectisme érudit, reste d'une fraîcheur et d'une spontanéité incomparables. À Florence, d'ailleurs, où il est appelé en 1680 pour peindre le dôme de la chapelle Orsini au Carmine, il surprend par un retour soudain à la peinture vénitienne (et plus précisément à J. Bassano), dicté sans doute par un besoin de retrouver le réel et de l'exprimer dans une facture dense et luministe (le *Christ et la Madeleine,* Florence, coll. Corsini; *Pastorale,* Bologne, P.N.). En outre, pouvant méditer à son aise sur l'œuvre de Pierre de Cortone au palais Pitti, il la comprend dans son aspect le moins frappant mais le plus profond, qui consiste à rendre vraisemblable le fantastique. De ces expériences naît cette grande fable lumineuse qu'est la décoration à fresque de la galerie et de la bibliothèque du palais Medici Riccardi (1682-83), où les thèmes de l'*Apothéose de la vie humaine* et de la *Vie de la pensée* sont réalisés, en dépit d'un programme allégorique, symbolique et mythologique rigidement établi, avec une parfaite liberté d'invention, dans une composition unitaire, à la fois audacieuse et équilibrée. L'année 1684, date du retour de Giordano à Naples, marque une nouvelle période de recherche dans différentes directions : l'étude de la lumière berninesque (tableau d'autel du Rosariello alla Pigna, v. 1687), un rapprochement plus net avec Lanfranco, un retour au Classicisme soutenu par l'intérêt pour des peintres français comme Le Brun et Mignard, enfin la découverte, v. 1689, d'un nouveau style personnel très synthétique, s'exprimant par des touches rapides et une lumière en éclairs (toiles pour Marie Louise d'Orléans, à la Casita de l'Escorial et au musée de S. Martino à Naples).

Le séjour en Espagne; les dernières œuvres napolitaines. Luca Giordano se rendit à la cour d'Espagne en 1692. Les grandes décorations qu'il y exécuta pour Charles II jouèrent un rôle considérable dans le développement de l'art espagnol du siècle suivant, d'autant plus que, grâce à sa sensibilité, il sut recueillir dans son œuvre les aspects les plus modernes de l'art de Velázquez, se faisant ainsi en quelque sorte l'héritier de la grande peinture espagnole du XVIIe s. Il accomplit par ailleurs un remarquable effort de synthèse des différentes orientations dans lesquelles il avait vu s'acheminer, depuis le début de son activité, l'art italien, répondant en cela au goût de Charles II, mais obéissant aussi à sa propre exigence de faire de l'éclectisme une force expressive originale. Entre 1692 et 1694, il décora à fresque la voûte de l'Escalera et celle de l'église de l'Escorial. Dans la première, qui célèbre la gloire de saint Laurent au-dessus d'une frise avec la bataille de Saint-Quentin, l'abandon de toute plasticité des formes en faveur d'un «tachisme» lumineux et chromatique crée des effets d'une prodigieuse légèreté. Dans la seconde, aux images tourbillonnantes des petites coupoles des autels s'oppose la construction statique du système décoratif de la voûte à arêtes, où les personnages se concentrent à la base de la composition, alors que, verticale, la lumière tombe à flots, donnant aux couleurs tantôt des reflets dorés, tantôt des transparences précieuses. Les fresques pour le Buen Retiro et le palais de la reine mère ainsi que les toiles pour le palais d'Aranjuez (v. 1696-97) sont perdues. De la décoration du Cason du Buen Retiro (v. 1697) avec l'*Allégorie de la Toison d'or,* il ne reste que la voûte, mais à l'origine les murs étaient recouverts de fausses tapisseries, et l'ensemble, inspiré sans doute de la décoration mauresque, devait paraître féerique. Le même parti décoratif, adopté dans l'église de l'Escorial, intervient dans la voûte de la sacristie de la cathédrale de Tolède (1697-98); en revanche, on y décèle un retour aux formes plastiques et à un chromatisme intense, dont la contrepartie est représentée par la décoration de la Real Capilla de l'Alcazar, auj. perdue, mais illustrée par des «bozzetti» (Naples, coll. part.) essentiellement antinaturalistes, riches en motifs ornementaux proches du «grand goût» français. Le dernier travail espagnol de Luca Giordano fut la décoration de l'église de Saint-Antoine-des-Portugais (1700), dont les «bozzetti» préparatoires (Londres, N.G., Auckland Art Gal.; Dijon, musée Magnin) semblent préfigurer le style de Goya dans la concision et la puissance expressive du signe. Cette modernité, qui marque la capacité de renouvellement du peintre jusqu'à la fin de sa vie, réapparaît dans les œuvres exécutées après son retour à Naples en 1702, dans lesquelles ses précédentes expériences dans le domaine de l'expression aboutissent à une poésie purement imaginative, tantôt préromantique (toiles pour S. Maria Egiziaca et pour S. Maria Donna Regina; *Décollation de S. Gennaro* pour l'église romaine de S. Spirito dei Napoletani; fresques pour la sacristie de S. Brigida), tantôt lumineuse et fraîche, comme le sera par la suite la meilleure peinture rococo (fresque avec le *Triomphe de Judith* dans la chapelle du Trésor au couvent de S. Martino, de 1704). G. R. C.

Giorgione

Giorgio da Castelfranco, dit

peintre italien

(Castelfranco Veneto 1477/78 - Venise 1510)

On sait peu de chose sur la vie de ce peintre, dont on ignore même le véritable nom (ses contemporains l'appelaient Zorzi, et il ne devint Giorgione, le « grand Georges », qu'à partir de 1548 avec le *Dialogo della pittura* de Paolo Pino) et la date de naissance (Vasari la situe en 1477 dans la première édition des *Vite* et en 1478 dans la seconde). En 1507, il peint une toile (auj. perdue) pour le Palais ducal et, en 1508, il est payé pour les fresques du Fondaco dei Tedeschi. Une lettre du 25 octobre 1510 d'Isabelle d'Este à Taddeo Albano prouve que la marquise a été informée de la mort de Giorgione, et la réponse d'Albano, le 7 novembre, la confirme : « Ledit Zorzi est mort d'épuisement autant que de la peste. » Aux dires de Vasari, Giorgione, homme courtois, épris de conversations élégantes et de musique, fréquentait à Venise les milieux raffinés et cultivés, mais assez fermés, des Vendramin, Marcello, Venier, Contarini.

Reconstituer et classer la production artistique du maître, dont la carrière fut si brève, sont une tâche non moins ardue; les notices de Marcantonio Michiel, qui de 1525 à 1543 répertoria les œuvres qu'il avait vues à Venise, ont été une aide fondamentale pour les historiens. Mais ce n'est qu'au XIXe s. (avec Cavalcaselle et Morelli) et surtout de nos jours (Lionello Venturi, Fiocco, Longhi, Pallucchini) que l'historiographie a réussi à libérer la personnalité artistique de Giorgione du mythe romanesque qui l'entourait; ce qui ne signifie d'ailleurs pas que les problèmes soient tous résolus, ni que les spécialistes soient d'accord sur l'œuvre du maître.

On pense cependant généralement que les œuvres suivantes appartiennent à sa première période : *Sainte Famille,* dite « Madone Benson » (Washington, N. G.), *Sainte Conversation,* la *Vierge et l'Enfant avec sainte Catherine et saint Jean-Baptiste,* Venise, Accademia), *Adoration des bergers* (Washington, N. G.; anc. coll. Allendale). Ces tableaux montrent le peintre encore lié au langage du quattrocento, à celui de Giovanni Bellini surtout, mais aussi à celui de Cima. On y remarque également une certaine influence de Dürer et d'autres artistes nordiques. Mais déjà Giorgione s'intéresse plus qu'eux au paysage, si profond et si ample dans l'*Adoration* Allendale. Une lumière nouvelle enveloppe cette scène, tandis que le groupe des figures — décentré vers la droite et dégageant ainsi le paysage — émerge et se dissout dans l'ombre profonde de la grotte.

Ces caractères de la première manière giorgionesque se précisent dans le contenu et dans le style de la *Judith* (Ermitage); la figure, au rythme souple et contrôlé, marquée par la culture d'Ombrie et d'Émilie, et teintée de réminiscences léonardesques, se situe dans un espace limité, au premier plan, qui s'ouvre et s'étend ensuite jusqu'à la ligne estompée d'un horizon rose-orangé. L'union de la figure avec le paysage est réalisée par la lumière qui baigne les couleurs et les pénètre, construisant et révélant les formes qui s'interpénètrent en se fondant dans une poussière d'or.

Le *Portrait de jeune homme* (Berlin-Dahlem) rappelle Antonello par sa pose de trois quarts et Giovanni Bellini par le motif du parapet, mais ici la lumière ne définit plus, comme chez ces deux maîtres, des zones denses de couleur : elle devient elle-même le rose lilas infiniment raffiné du vêtement, l'ovale du visage rêveur, la chevelure brune gonflée. L'*Enfant à la flèche* (Vienne, K. M.) émerge au contraire de la pénombre à la manière de Léonard, mais avec plus d'abandon dans le passage des formes imprégnées de lumière.

L'influence ombro-émilienne se manifeste de nouveau dans la formule de composition du fameux tableau d'autel de Castelfranco figurant la *Vierge et l'Enfant avec saint Libéral et saint François* (église S. Liberale), l'une des rares œuvres de Giorgione acceptées par tous les historiens. Au vieux schéma bellinien, Giorgione substitue ici le motif nouveau de la Vierge placée sur un trône très élevé se détachant sur un fond de paysage étendu. La composition s'organise sur deux plans : dans le premier, les deux saints, dont

Giorgione
La Tempête ▶
Venise, Galleria dell'Accademia
Phot. Garanger-Giraudon

la présentation est aussi d'inspiration émilienne, sont debout sur un pavement quadrillé en perspective; une tenture de velours rouge, servant de fond au trône où siège, inaccessible, la Vierge, sépare ce premier plan du second, où s'étend le paysage. L'image de la Vierge, vêtue de vert et enveloppée d'un manteau pourpre, est à la fois le sommet de la composition et son épisode sublime. Dans le visage d'une pureté toute hellénique comme dans le vêtement, la lumière acquiert une résonance très chaude, qui semble accentuer la séparation du personnage divin de ceux des saints, recueillis dans une contemplation solitaire. Le paysage, une campagne silencieuse avec un village et des collines, baigne dans la même lumière dorée. Commandé par Tuzio Costanzo en mémoire de son fils Matteo († 1504), le tableau n'a évidemment aucune intention narrative : les figures vivent leur vie méditative personnelle, unies cependant par cet accord de couleur et de lumière, ici froid ou éteint, là doux ou brillant, qui est le vrai élément coordinateur de la composition.

De 1506 (comme l'indique une inscription au dos du tableau) date le portrait dit « de Laura » (Vienne, K. M.). Son exécution simple, d'une grande puissance synthétique, démontre que Giorgione s'est maintenant libéré de toutes les influences et de la « timidité géniale » qui caractérisaient ses premières œuvres. La plénitude de sa maturité artistique s'épanouit dans la *Tempête* (Venise, Accademia). La toile, de format modeste, représente un ruisseau, quelques ruines, des arbres et, plus loin, un village sous un ciel orageux zébré des lueurs de la foudre; à gauche un jeune soldat debout, à droite une femme nue tenant son enfant. Sans chercher les allusions culturelles et les sous-entendus littéraires qui ont certainement poussé Giorgione vers ce thème nouveau, on peut affirmer que le véritable protagoniste de l'*Orage* est la nature, avec ses phénomènes spontanés et son renouvellement perpétuel et inquiétant, dont l'homme fait partie au point d'en être seulement l'un des aspects changeants, l'homme que le frisson de l'ouragan menaçant ne distrait pas de son perpétuel colloque avec lui-même.

La *Vierge lisant* (Oxford, Ashmolean Museum) répond au contraire à une exigence monumentale : elle se présente en effet comme un bloc inscrit dans un large triangle animé de rouge, de turquin et de jaune, mais très douce et murée dans un secret qui emplit l'atmosphère de silence. Des fresques peintes en 1508 sur la façade du Fondaco dei Tedeschi, qui comportaient des figures et des éléments décoratifs, ne subsistent plus auj. que des lambeaux de figures à peine lisibles. Mais une de celles-ci, une *Femme nue* (Venise, Accademia), permet de penser qu'elles obéissaient aux mêmes exigences de monumentalité et de coloration vive.

À propos des *Trois Philosophes* (Vienne, K. M.), il a été souvent question des courants philosophiques du début du cinquecento et des tendances prédominantes de l'université de Padoue, que Giorgione connaissait certainement. Le critique A. Ferriguto (1953) voit dans ce tableau les trois phases successives de l'aristotélisme. Grandioses et solennels, les trois savants se tiennent immobiles dans un décor composé d'une anfractuosité de rocher, d'un arbuste au léger feuillage naissant, d'un arbre dépouillé se découpant sur le ciel pur et d'un buisson touffu, rappels symboliques des trois âges de la vie de l'homme. Et sur tout cela pèse le silence mystérieux de qui attend la réponse à une question urgente et redoutable, vibre la spiritualité nouvelle qui peut naître d'un thème non plus religieux mais profane et triomphe l'esprit cosmique découvert et restauré par l'humanisme néo-platonicien.

On retrouve la synthèse nature-figure dans la *Vénus endormie* (Dresde, Gg), dans la ligne ondulée et très pure du nu qu'accompagne la courbe molle des collines. La jeune fille est endormie au sein du paysage, dont elle est un élément, baignée dans la lumière du couchant, qui adoucit les rythmes de son corps chaste et en réchauffe les chairs. Titien, qui, à cette époque, est déjà l'élève de Giorgione, a rompu ce silence en ajoutant au paysage un groupe de maisons et sans doute, au premier plan, la draperie aux reflets argentés. À partir de ce moment, il est de plus en plus difficile de déterminer la part de collaboration de Titien. Le *Concert champêtre* (Louvre) offre un des exemples les plus frappants d'attribution longuement controversée. Pour de nombreux historiens, l'œuvre, comme la *Femme adultère* de Glasgow (Art Gal.), doit être du seul Titien. Pourtant le fluide mystérieux qui lie les musiciens absorbés et les deux belles indifférentes au paysage alangui sous le soleil couchant d'une journée trop chaude ne peut être que giorgionesque, comme du reste la palette sobre des rouges et des jaunes, et la transparence de la matière picturale obtenue par des glacis. Tout au plus peut-on admettre que Titien a terminé une œuvre laissée inachevée par Giorgione; cette intervention éventuelle expliquerait la densité et la richesse plus appuyée de la pâte chromatique.

De ses débuts, chargés d'influences et de suggestions culturelles, au dépassement de celles-ci grâce à une imagination créatrice capable de les libérer de toute l'emprise académique, Giorgione a formulé un nouveau langage. Pour compenser peut-être la brièveté de sa vie et la rareté de ses œuvres, ce langage a eu d'innombrables filiations; et même si elles diluèrent ou transformèrent le sens original de la poésie du maître, elles marquèrent cependant la naissance de la peinture moderne.

M. C. V.

Parmi les artistes qui subirent une influence directe et déterminante de Giorgione, il faut au moins mentionner, outre Titien et sans doute le vieux Giovanni Bellini lui-même, Catena, Sebastiano del Piombo, Palma Vecchio, Cariani, Romanino, Savoldo, Pordenone et Dosso Dossi.

D'autre part, il n'est pas inutile de rappeler que les tableaux suivants sont également attribués à Giorgione par certains historiens : l'*Adoration des mages* (Londres, N.G.), l'*Épreuve de Moïse* et le *Jugement de Salomon* (en partie seulement; Offices), la *Vierge à l'Enfant dans un paysage* (Ermitage), la *Vieille* (Venise, Accademia), *Paysage,* dit *« Il Tramonto »* (Londres, N.G.), le *Chanteur* et le *Flûtiste* (Rome, Gal. Borghese). S. R.

Giotto di Bondone

peintre italien
(Colle di Vespignano 1266/67 ?- Florence 1337)

Il est considéré depuis toujours comme le rénovateur, en Italie et en Europe, de la peinture qu'il orienta dans le sens du réalisme. Son activité coïncide presque exactement avec la période de la plus grande expansion économique et urbaine que connut Florence, et l'on peut voir en lui l'artiste favori de la nouvelle classe « populaire » (c'est-à-dire bourgeoise) qui dominait alors la ville.

La formation. Giotto naquit, probablement, peu av. 1267 (date consacrée par l'usage) à Colle, fraction de la commune de Vespignano, près de Vicchio di Mugello, dans une famille paysanne, selon la tradition. Cimabue l'aurait « découvert » alors qu'il dessinait les brebis de son troupeau sur un rocher. Il est probable que sa famille s'installa en ville, comme le firent beaucoup d'autres familles en ces années-là, plaçant leur fils dans l'atelier d'un maître local. Son style n'est pas incompatible avec le fait que ce dernier puisse être effectivement Cimabue. À la suite de celui-ci, Giotto aurait pu se rendre pour la première fois à Rome (v. 1280), puis tout de suite après à Assise, villes qui seront rapidement le champ de ses expériences artistiques les plus marquantes.

La controverse sur les fresques d'Assise. La critique est fort divisée sur la reconstitution de son activité de jeunesse. La thèse la plus ancienne (Riccobaldo Ferrarese, Ghiberti, Vasari), qui voit en lui l'auteur des fresques de la basilique supérieure de Saint-François à Assise, longtemps combattue, a gagné récemment de nouveaux défenseurs. Ceux-ci trouvent une confirmation de leur opinion dans la tradition (qui remonte à Ghiberti) attribuant à Giotto la *Vierge à l'Enfant* de l'église de S. Giorgio alla Costa (Florence), dont personne n'ose nier le rapport stylistique avec les fresques d'Assise, et surtout dans la signature « Opus Iocti Florentini », que porte le tableau du Louvre. Les scènes peintes sur ce tableau *(Stigmatisation de saint François, Songe d'Innocent III, Confirmation de la règle, Prédication aux oiseaux)* reprennent avec des variantes infimes, mais fort intelligentes, quatre des scènes d'Assise. On attend toujours, de la part des critiques qui s'opposent à l'attribution à Giotto du cycle d'Assise, une explication convaincante du fait que Giotto eût pu signer les inventions d'un autre artiste. Le grand *Crucifix* de S. Maria Novella (Florence), qu'un document de 1312 attribue déjà à Giotto, est le chef-d'œuvre florentin de cette première période controversée. Dans cette œuvre, sans doute exécutée v. 1290, l'artiste emploie une manière totalement nouvelle, majestueuse mais en même temps moderne et humaine dans la représentation du Christ mort. Il rompt définitivement avec la tradition du pathétisme byzantin, encore bien vivante dans les *Crucifix* symboliques de son maître Cimabue.

Au cours de cette période, Giotto s'affirme et l'influence de son nouveau style, bien que ne représentant encore qu'un courant minoritaire (en effet, en 1295, le chef de la confrérie des peintres est un cimabuesque d'étroite observance, Corso di Buono), commence à se faire sentir dans la peinture florentine (Maestro di Varlungo, Maestro di San Gaggio, Ultimo Maestro del Battistero). Vers 1287 probablement, Giotto épouse Ciuta (Ricevuta) di Lapo del Pela. Il aura d'elle quatre fils (dont Francesco, peintre sans grande renommée, qui est inscrit à la confrérie en 1341) et quatre filles, dont l'aînée, Caterina, épousera un peintre, Rico di Lapo, et sera la mère du célèbre Stefano, père à son tour de Giotto le Jeune, dit Giottino.

Simultanément à l'exécution des *Histoires de l'Ancien et du Nouveau Testament* et des *Scènes de la vie de saint François* (Assise, S. Francesco, basilique supérieure), à laquelle des aides participèrent largement, Giotto va connaître une activité romaine dont il ne reste malheureusement pas d'œuvres indiscutablement autographes. Mais on peut démontrer son influence sur la peinture locale de l'époque (Maestro di Vescovio, Magister Conxolus, Cavallini), et, du cycle de fresques exécuté sous sa direction à l'occasion du premier jubilé (1300), il subsiste cependant un fragment en mauvais état (*Boniface VIII instituant le jubilé,* Rome, Saint-Jean-de-Latran).

Giotto en Italie du Nord : Rimini et Padoue. À ce moment de sa carrière, Giotto a plus de trente ans. Maître pleinement affirmé, il dispose d'un atelier nombreux et a atteint une certaine prospérité financière (ses propriétés à Florence sont mentionnées dans des documents de 1301 et de 1304). On peut désormais dire, avec Dante : « Cimabue croyait être le premier dans le domaine de la peinture, mais désormais c'est Giotto qui en a la renommée. » Ce jugement est confirmé par le fait que Giotto fut le premier peintre toscan à travailler dans l'Italie du Nord, à Rimini et à Padoue, comme le mentionne Riccobaldo Ferrarese (1312).

La présence de Giotto à Rimini eut une immense répercussion sur l'école locale. De son passage dans cette ville, il ne reste toutefois qu'un splendide mais fragmentaire *Crucifix* (Rimini, S. Francesco), certainement antérieur à 1309. Mais de son séjour padouan a subsisté dans la chapelle votive d'Enrico Scrovegni le cycle de fresques avec les *Scènes de la vie de la Vierge* et les *Scènes de la vie du Christ,* les *Allégories des vices et des vertus,* le *Jugement dernier,* unanimement considéré comme l'œuvre majeure de Giotto et celle dans laquelle il laissa le moins de place aux interventions de ses collaborateurs. Des confrontations stylistiques et l'étude de certains documents ont permis de situer la date d'exécution de ce chef-d'œuvre de l'art italien entre 1303 et 1305.

Par la puissance plastique des figures, la tridimensionnalité des architectures et des objets aux savants raccourcis, l'extraordinaire sûreté de la construction spatiale anticipant sur les recherches perspectives du quattrocento, la sobriété et l'intensité dramatique de la narration des histoires sacrées, Giotto donne un caractère absolu et décisif à la rupture qu'il opéra avec la séculaire tradition byzantine et prend une place tout à fait singulière dans le grand courant de la culture gothique occidentale. En même temps, une utilisation nouvelle de l'éclairage chromatique annonce à Padoue l'abandon progressif par Giotto de l'âpre plasticité qui se manifestait dans le cycle d'Assise. Ici s'amorce un enrichissement graduel de la couleur qui aboutira à la peinture douce et « unie », libre et raffinée de la période tardive.

La maturité. À partir de 1311, des documents de plus en plus nombreux attestent la présence à Florence de Giotto (1314, 1318, 1320, 1325, 1326, 1327), qui s'emploie activement à l'administration de ses biens. C'est ainsi qu'en 1314 il n'intente pas moins de six procès contre des débiteurs retardataires ou insolvables. En 1327, il est inscrit à la corporation des *Medici e speziali,* qui, à partir de cette date, accueille également les peintres. L'année suivante, Giotto est à Naples, au service du roi Robert d'Anjou.

Chronologie des œuvres de maturité. Pour établir la chronologie des nombreuses œuvres sorties de l'atelier de Giotto entre 1305 (chapelle des Scrovegni) et 1328 (séjour napolitain), la critique ne dispose pas de dates sûres. Mais la recherche d'une cohérence plausible dans le développement stylistique et les confrontations avec la peinture de l'époque amènent à proposer, d'une manière tout à fait hypothétique, le déroulement suivant :

— 1303-1305 env. : *Crucifix* (Rimini, S. Francesco) ; *Madone en majesté entre des anges et des saints* (Offices, provenant de l'église d'Ognissanti) ;

— 1308-1310 env. : *Scènes de la vie de Lazare et de Marie-Madeleine* (fresques, Assise, S. Francesco, basilique inférieure, chapelle de la Madeleine) ;

— 1309-1310 env. : polyptyque avec la *Madone à l'Enfant entre les saints Eugène, Miniato, Zanobi et Crescentius ;* au revers l'*Annonciation avec les saintes Reparata et Madeleine et les saints Jean-Baptiste et Nicolas* (Florence, S. Maria del Fiore, provenant de l'ancienne cathédrale, S. Reparata) ;

— 1310 env. : *Dormition de la Vierge* (Berlin-Dahlem, provenant de l'église d'Ognissanti) ;

— 1310-1320 env. : *Scènes de l'enfance du Christ* et quatre *Allégories franciscaines* (Assise, S. Francesco, basilique inférieure, voûtes du transept droit et de la croisée du transept), où Giotto expérimente pour la première fois la peinture à sec sur le mur, qu'il emploie (v. 1313), de préférence à la fresque traditionnelle, dans les *Scènes de la vie de saint Jean-Baptiste et de saint Jean l'Évangéliste* (Florence, S. Croce, chapelle Peruzzi), célèbres au point d'avoir été encore étudiées par Michel-Ange dans sa jeunesse ;

— 1315-1320 env. : polyptyque avec le *Christ bénissant* entre la *Vierge, Saint Jean l'Évangéliste, Saint Jean-Baptiste* et *Saint François* (Raleigh, North Carolina Museum ; provenant peut-être de l'autel de la chapelle Peruzzi) ; polyptyque avec la *Madone à l'Enfant* entre *Saints Étienne, Jean l'Évangéliste, François* (?) et *Laurent* (Washington, N. G. ; Florence, musée Horne ; Chaalis, musée Jacquemart-André) et 8 panneaux avec des *Scènes de la vie du Christ* qui faisaient peut-être à l'origine partie du même ensemble (Boston, Gardner Museum ; Metropolitan Museum ; Londres, N.G. ; Florence, coll. Berenson ; Munich, Alte Pin.) ;

— 1320-1325 env. : le *Christ en trône,* le *Martyre de saint Pierre,* la *Décollation de saint Paul,* portant au revers *Saint Pierre en chaire entre les saints Jacques, Paul, André* et *Jean l'Évangéliste* (*Polyptyque Stefaneschi,* Vatican, autref. sur le maître-autel de Saint-Pierre).

Dans les fresques des *Scènes de la vie de saint*

Giotto, **Lamentation sur le corps du Christ** ▲
Fresque. Padoue (Arena), chapelle Scrovegni
Phot. Scala

François (fresques, Florence, S. Croce, chapelle Bardi), Giotto traite certains thèmes d'Assise, et ces reprises permettent de mesurer le long chemin parcouru par l'artiste en trente ans d'activité.

1328 env. : polyptyque avec la *Madone à l'Enfant en trône* entre les *Saints Pierre, Gabriel, Michel* et *Paul* (Bologne, P.N., autref. sur le grand autel de S. Maria degli Angeli, signé « Opus magistri Iocti de Florentia »).

Le problème de l'atelier. La critique a depuis longtemps observé que ces œuvres, qui reflètent dans une certaine mesure l'évolution des conceptions de Giotto, ne peuvent être considérées comme absolument homogènes et démontrent au contraire que le maître employait souvent des aides, auxquels il laissait, selon les circonstances, une plus ou moins grande autonomie.

Définir l'œuvre de Giotto lui-même dépend donc dans une large mesure de l'identification de ses aides et de la part qu'ils prirent dans la production de l'atelier. Inversement, l'authentification des œuvres exécutées par Giotto lui-même permet de dégager la participation de ses élèves. On comprend pourquoi cela reste un des points les plus controversés, bien que l'on puisse certifier auj. que les œuvres postpadouanes différentes de celles-ci ne doivent pas nécessairement être attribuées à l'intervention de quelque élève. Il faut d'abord admettre une évolution du maître lui-même et la contribution originale qu'il apporta ultérieurement au cours nouveau de la peinture florentine dans le sens d'un gothique plus aristocratique et d'une plus grande richesse chromatique. D'autre part, nous ne pouvons pas ne pas attribuer à Giotto lui-même, car il les appliqua dès ses débuts (depuis la dernière décennie du XIIIe s.), les extraordinaires idées d'espace et d'architecture en perspective qui apparaissent précisément aussi dans les plus discutées de ses œuvres, depuis les fresques du transept d'Assise jusqu'au *Polyptyque Stefaneschi.*

L'aide de Giotto dont la personnalité était la plus affirmée a été diversement dénommé par la critique : « Maestro oblungo » (A. Venturi), « Maestro del Polittico Stefaneschi » (R. Offner, M. Meiss), « Maestro del Polittico di S. Reparata » (R. Longhi) ou « Parente di Giotto » (G. Previtali). On peut encore rapprocher de lui d'autres œuvres d'une grande qualité qui sont parfois attribuées à Giotto lui-même : le grand *Crucifix* de l'église d'Ognissanti, le diptyque avec la *Crucifixion* et la *Madone à l'Enfant en trône entre des saints et des vertus* (musée de Strasbourg ; New York, coll. Wildenstein), la *Crucifixion* de Berlin-Dahlem et les fresques des *Miracles de saint François après sa mort* (Assise, S. Francesco, basilique inférieure, transept droit).

Giotto au service de Robert d'Anjou. De 1328 à 1333, Giotto travaille au service de la Cour napolitaine, avec de nombreux élèves. Il ne subsiste pratiquement rien des œuvres exécutées au cours de cette période, mais certains restes de l'activité de son atelier permettent de percevoir également à Naples le développement des tendances qui paraissaient dans le *Polyptyque Stefaneschi* et les fresques de la chapelle Bardi, vers un chromatisme plus raffiné et un goût gothicisant et aristocratique. Il s'agit d'un fragment d'une grande fresque avec une *Lamentation du Christ mort* (Naples, S. Chiara, chœur des Clarisses), proche surtout des fresques du transept d'Assise, d'une autre fresque avec la *Mensa del Signore* (*Multiplication des pains et des poissons en présence de saint François et de sainte Claire,* Naples, couvent de S. Chiara, salle capitulaire), qui reflètent nettement l'art du « Parente di Giotto », et surtout d'intéressantes têtes de *Saints* et d'*Hommes illustres* qui apparaissent dans les ébrasements des fenêtres de la chapelle de S. Barbara au Castel Nuovo (Naples). Dans ces fresques, la discontinuité stylistique indique clairement la présence de différents aides, parmi lesquels on a justement distingué un autre grand peintre florentin, Maso di Banco. Ici, comme ailleurs, les signes de la première activité de Taddeo Gaddi, que la tradition désigne comme l'héritier le plus direct de l'art giottesque, sont moins certains.

Dernière période florentine. De retour à Florence, Giotto est nommé maître d'œuvre pour les travaux de S. Reparata et surintendant des murs et des fortifications de la commune (12 avr. 1334). Parmi les œuvres sorties de son atelier à cette époque, le grand polyptyque à 5 panneaux avec le *Couronnement de la Vierge,* signé sur la prédelle « Opus magistri Iocti » (Florence, S. Croce, chapelle Baroncelli), est celle qui a fait le plus penser au style de jeunesse de Taddeo Gaddi.

Maître d'œuvre du Dôme, Giotto dirige les premiers travaux relatifs à l'érection du célèbre campanile (commencé le 18 juill. 1334) qui portera désormais son nom. Entre cette date et celle de sa mort (8 janv. 1337), il fit un séjour à Milan, où il travailla pour Azzone Visconti. Les peintures exécutées en cette occasion ont toutes été perdues, mais il est évident que sa présence est sensible dans l'œuvre des peintres lombards au cours des années suivantes.

La dernière œuvre entreprise par son atelier, et que Giotto ne put voir achevée, fut les fresques des *Scènes de la vie de Madeleine,* le *Paradis* (avec le célèbre portrait de Dante) et l'*Enfer* (Florence, Bargello, chapelle du podestat). Malgré leur mauvais état de conservation, on peut reconnaître, à travers l'excellente exécution des différents membres de l'atelier, les dernières grandes idées du créateur de la peinture italienne.

L'influence de Giotto en Italie. À sa mort, Giotto laissait l'art italien dans une situation fort différente de celle où il l'avait trouvé. Le célèbre jugement de Cennini selon lequel Giotto aurait fait passer « l'art de peindre du grec au latin » en le conduisant au « moderne » est à prendre au pied de la lettre, dans la mesure où le passage de la culture figurative italienne du monde médiéval-byzantin (« grec ») à celui du gothique occidental (« latin ») fut favorisé, plus que par tout autre facteur singulier, par la connaissance des œuvres de Giotto.

C'est ce qui s'est produit, nous l'avons signalé, à

Rome, en Ombrie (passage des artistes de la génération du Maestro di San Francesco à celle du Maestro di Cesi et du Maestro del Farneto), en Romagne (Giuliano da Rimini, Giovanni da Rimini, Pietro da Rimini) et également, quoique de manière plus complexe, dans l'Italie du Nord (Maestro dei Fissiraga à Lodi, Maestro delle Santa Faustina e Liberata et Maestro di Sant' Abbondio à Côme). C'est évidemment ce qui s'est surtout produit en Toscane, où l'on ne peut expliquer le passage à Sienne de la culture de Duccio à celle des frères Lorenzetti sans rappeler le séjour de ces deux derniers à Florence et leur rapport avec Giotto et les personnalités exceptionnelles de son atelier. En d'autres villes de Toscane (S. Gimignano, Pise, Arezzo), le langage giottesque fut apporté par des artistes moins importants, mais qui eurent, de Memmo di Filippuccio à Buonamico Buffalmaco, la chance de bien connaître les œuvres de Giotto. Ce renouvellement ne touche pas seulement la peinture, puisque, en ce qui concerne la sculpture, qui avait pourtant connu la révolution précoce de Nicola Pisano et d'Arnolfo di Cambio, se fait jour, dès le début du XIVe s., une évolution. À l'influence du pathétisme passionné de Giovanni Pisano se substitue, pour les artistes les plus modernes, une curiosité nouvelle pour une interprétation plus classiquement mesurée et plus solide du « gothique » : c'est le cas du Siennois Tino di Camaino et surtout du grand Andrea Pisano, qui, selon la tradition, exécuta d'après les dessins de Giotto lui-même les bas-reliefs du campanile de Florence (v. 1335-1343). G. P.

Giovannetti

Matteo

peintre italien
(documenté de 1322 à 1368)

Principal peintre de l'« école d'Avignon » du XIVe s., il est né à Viterbe, d'où sa famille était originaire, et un document de 1336 rappelle encore sa présence dans cette ville, où il était alors prieur de l'église S. Martino. Il est mentionné pour la première fois en Avignon en 1343, où il fait partie de l'équipe de peintres italiens et français engagés pour la décoration de fresques de la tour de la Garde-Robe au Palais des Papes. Les sujets sont des scènes de chasse et de pêche traitées dans l'esprit du naturalisme gothique français, tels que les descriptions des tapisseries d'Arras permettent de les définir. Toutefois, l'interprétation de ces sujets présente un sentiment de l'espace propre à la culture italienne, qui s'était déjà implantée en Provence grâce à des artistes toscans et siennois comme le Maître du Codex de saint Georges, le Maître des Panneaux d'Aix et surtout Simone Martini, en qui l'on peut voir les précédents spirituels directs de notre peintre. Mais, dans la fraîcheur naturelle de ces célèbres fresques, il est bien difficile de déterminer la part revenant à Matteo Giovannetti, qui cependant y travailla. Sa forte personnalité artistique apparaît beaucoup plus clairement dans les fresques de la chapelle Saint-Martial (1344-45), au Palais des Papes, qu'il exécuta seul ou avec une intervention négligeable d'assistants. La conservation de ces peintures compense un peu la perte de celles de la chapelle pontificale de Saint-Michel, également au Palais des Papes, exécutées à la même époque, ainsi que d'autres fresques qui avaient été réalisées à Villeneuve-lès-Avignon pour Clément VI et pour Napoleone Orsini. Pour illustrer les faits de la *Vie de saint Martial,* évangélisateur de l'Aquitaine, le peintre a composé un ensemble copieux de scènes grouillantes de vie, caractérisées par des portraits incisifs et dont la fantaisie descriptive invite le spectateur à suivre le déroulement du récit. C'est encore à la demande de Clément VI que Giovannetti exécuta la décoration de la Salle du consistoire (Palais des Papes), détruite très tôt par un incendie, et celle de la chapelle Saint-Jean-Baptiste, visible encore aujourd'hui. La mesure de ces conceptions spatiales, découlant de préceptes toscans et d'idées d'Ambrogio Lorenzetti, donne à cet ensemble limpidité et harmonie ; mais celui-ci tire son plus grand charme de la gamme pure de ses teintes, imprégnée d'une luminosité qui annonce le monde ingénu et merveilleux de la peinture courtoise. C'est dans le même esprit, et avec plus d'enthousiasme encore, que Giovannetti dut concevoir le cycle mural de la salle de la Grande Audience, dominé par la vaste fresque du *Jugement dernier.* Mais il ne subsiste de cet important ensemble qu'un compartiment de voûte où figurent *Vingt Prophètes et la Sibylle d'Érythrée* (1352-53). Le monde merveilleux de Giovannetti s'épanouit dans le groupe céleste de ces vieillards enveloppés, comme une constellation humaine, par le ciel étoilé qui les accueille ; et leur discussion passionnée, provoquée par les inscriptions des immenses phylactères, prend désormais les accents d'un gothique français. Personnalité dominante du groupe nombreux d'artistes employés par la cour pontificale, Giovannetti exécute ensuite pour Innocent VI des décorations, auj. disparues, et les fresques d'une chapelle dédiée à saint Jean-Baptiste à la chartreuse de Villeneuve-lès-Avignon (v. 1355-56), où son évolution dans le sens gothique et descriptif atteint une expression d'une liberté surprenante. Après un long intervalle, le

Matteo Giovannetti
Prophètes (1352-53) ▶
Fresque de la salle de la Grande Audience
Avignon, Palais des Papes
Phot. Flammarion

peintre est au service d'Urbain V (1365), mais il ne reste rien des travaux exécutés alors pour le Palais des Papes ou pour Montpellier (*Scènes de la vie de saint Benoît,* traitées sur 50 morceaux de tissu de lin, 1367). Cette même année, le peintre accompagne Urbain V et sa cour à Rome. En janvier 1368, il reçoit le paiement des travaux exécutés au Vatican : c'est le dernier document le concernant qui nous soit parvenu. Les peintures sur bois de cet artiste sont rares : la critique lui attribue un triptyque avec la *Vierge* entre *Saint Hermagoras* et *Saint Fortuné* (divisé entre Paris, New York [coll. part.], et Venise, musée Correr), une *Vierge à l'enfant avec un donateur* (New York, coll. part.) et un *Christ en croix avec des saints* (Viterbe, Cassa di Risparmio). C. V.

Giovanni da Milano

peintre italien
(Caversaccio, près de Côme;
documenté à Florence de 1346 à 1369)

Il est considéré comme l'un des plus grands artistes italiens du trecento. Actif surtout à Florence, il y élabora une vision picturale qui, issue d'un certain « giottisme », lui fit pourtant devancer par sa nouveauté tous les peintres florentins contemporains, Giottino seul pouvant lui être comparé.

Ses recherches centrées sur les valeurs épidermiques relèvent du réalisme le plus subtil. Ce qui, dans les dernières œuvres de Giotto, chez Maso, chez l'hypothétique Stefano ou chez Giottino, avait été une superposition « impressionniste » de glacis chromatiques se réduit méthodiquement avec Giovanni à une modulation continue et patiente de la surface picturale grâce à une trame de minces touches filiformes et curvilignes qui font « tourner » les choses représentées. Ainsi est produite la sensation d'une forme parfaitement définie, mais revêtue d'une sorte de peau frémissante. Cet accord entre structure et épiderme résulte d'une synthèse géniale des idéaux florentins et du penchant bien lombard pour une vérité aimable et savoureuse : tendance qui imprègne la production artistique de la vallée du Pô, depuis les polyptyques sculptés des maîtres de Campione jusqu'aux fresques de S. Abbondio (Côme), de Montiglio, du dôme de Bergame, depuis les miniatures du *Tristan* (Paris, B. N.) et du *Pantheon* de Goffredo da Viterbo jusqu'à l'œuvre de Vitale da Bologna et à celle de Tommaso da Modena, ce précurseur ou presque des Flamands. Cette singulière synthèse s'explique si l'on pense que, dès av. 1350, la présence d'artistes toscans est attestée en Lombardie : séjour du vieux Giotto à Milan, fresque du campanile de S. Gottardo à Milan, décoration de la coupole de Chiaravalle et du chœur de Viboldone, où la fresque avec la *Vierge et des saints,* datée 1349, est presque déjà un Giovanni da Milano.

Mais le peintre se trouvait alors déjà à Florence, ou y avait séjourné (sa présence est attestée dans la ville en 1346) ; l'absence d'œuvres documentées permet difficilement d'imaginer la manière dont il peignait à cette époque. Les seules données certaines concernant ce qui subsiste de la production de Giovanni se rapportent : au polyptyque avec la *Vierge et l'Enfant* et des *Saints* de la Pin. de Prato, qui ne peut, en tout cas, être postérieur à 1363 ; aux fresques de la chapelle Rinuccini à l'église S. Croce (Florence), auxquelles il travaillait en 1365 ; à la *Pietà* de l'Accademia de Florence (1365).

Ces minces repères chronologiques sembleraient indiquer une évolution allant de formes amenuisées et gothiques à des modes plus amples et plus monumentaux. On pourrait donc rattacher aux débuts de l'artiste des œuvres comme la *Pietà* (Paris, coll. du Luart), le petit retable avec la *Vierge et l'Enfant et des saints* entourés de *Scènes de la vie des saints* et du *Christ* (Rome, G.N.), la *Crucifixion* (autref. à Londres, coll. Seymour-Maynard) et le *Polyptyque* de Prato (qui était peut-être déjà peint en 1354, puisque l'on retrouve la silhouette de la Vierge figurant dans ce polyptyque dans un tableau peint cette année-là par le Florentin Puccio di Simone). C'est le Giovanni de cette période qui influence toute la riche production lombarde entre 1360 et 1380, et donc des œuvres comme les cycles de fresques de Lentate, de Mocchirolo, de Viboldone, de l'église S. Marco à Milan ; ou les illustrations des livres des Visconti, comme ce délicat et frais témoignage de la vie courtoise que sont les pages de *Guiron* (Paris, B. N.), l'un des chefs-d'œuvre de la miniature.

L'activité de Giovanni dut se poursuivre en Toscane avec la *Madone avec deux donateurs* du Metropolitan Museum, le polyptyque peint pour l'église d'Ognissanti à Florence (dont subsistent 7 panneaux aux Offices : *Saintes Catherine et Lucie, Saints Étienne et Laurent, Saints Jean-Baptiste et Luc, Saints Pierre et Benoît, Saints Jacques*

Giovanni da Milano, **La Nativité de la Vierge** ▼
Fresque de la chapelle Rinuccini
Florence, Santa Croce
Phot. Scala

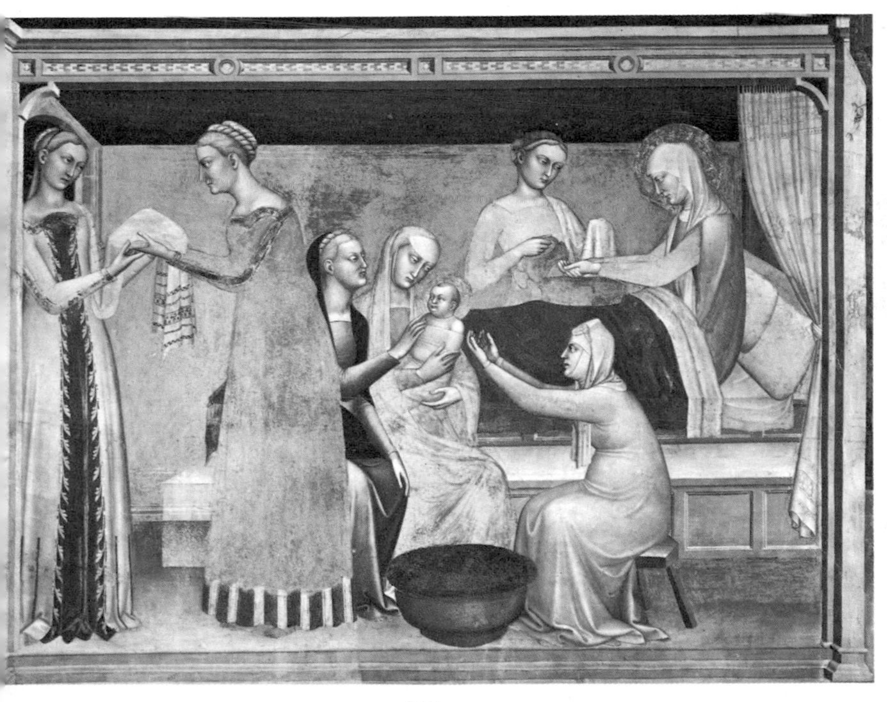

et Grégoire, de nombreux *Saints, Patriarches* et *Prophètes* à la prédelle), les pinacles provenant d'un retable (Londres, N. G.) jusqu'aux fresques de la chapelle Rinuccini, la *Pietà* de l'Accademia et le polyptyque dont devaient faire partie le *Christ bénissant* de la Brera et les *Saints* de la Gal. Sabauda de Turin. Une production qui, sans être très abondante, dut agir profondément sur la formation du Gothique international en raison de l'élégance extrême de ses formes, de la recherche toute profane des costumes, de l'intimité délicate et poignante des scènes douloureuses, de la caractérisation aiguë des physionomies. Ce rendu méthodique de la vérité épidermique est la voie qui aboutira à Jan Van Eyck : la *Pietà* du Luart se situe à mi-chemin entre la culture d'Avignon et l'œuvre des frères Limbourg. Et, en Italie, Giovanni da Milano laisse son héritage à Gentile da Fabriano, à Masolino et à Sassetta. L. B.

Giovanni di Paolo

peintre italien
(Sienne 1395/1399 - id. *1482)*

Il se forma probablement dans l'entourage de Taddeo di Bartolo et de Gregorio di Cecco. On sait qu'il livra ses premières commandes, auj. perdues, en 1420 et 1423. Le *Polyptyque Pecci* (1426), dont subsistent le panneau central (la *Vierge et des anges,* Castelnuovo Berardenga, Prepositura), 2 volets (*Saint Dominique* et *Saint Jean-Baptiste,* Sienne, P. N.) et les panneaux de la prédelle (*Résurrection de Lazare; Portement de croix; Descente de croix; Déposition,* Baltimore, W. A. G.; la *Crucifixion,* Altenburg, Lindenau Museum), est l'œuvre la plus ancienne qui nous soit parvenue de lui. Le style nerveux et incisif du *Christ souffrant et triomphant* (Sienne, P. N.) exprime avec une rare intensité le sentiment pathétique exalté de l'artiste. Âme encore médiévale, celui-ci se refusera à adhérer aux principes expressifs de la Renaissance, poursuivant un idéal de haute spiritualité douloureuse, d'irréalité effrénée pénétrée d'un souffle religieux archaïque. Si l'influence de Gentile da Fabriano se reflète dans certains détails décoratifs, elle n'attaque pas cette cohérence dans le panneau subsistant du *Polyptyque Branchini* (la *Vierge à l'Enfant,* 1427, Pasadena, Norton Simon Museum); et les nouveautés apportées entre-temps à Sienne, en particulier par Sassetta, n'ont sur les œuvres ultérieures de Giovanni que des conséquences purement formelles. Ces observations s'appliquent encore aux panneaux conservés de la prédelle du *Polyptyque Fondi,* de 1436 (la *Crucifixion;* la *Présentation au Temple;* la *Fuite en Égypte,* Sienne, P. N.; l'*Adoration des mages,* Otterlo, Kröller-Müller) : les suggestions de Sassetta se transforment en visions d'un irréalisme tout gothique correspondant à la reprise des conceptions paysagistes d'Ambrogio Lorenzetti, comme le montre bien l'étonnante *Fuite en Égypte* (Sienne, P. N.). Les panneaux dispersés du *Polyptyque des Pizzi-*

Giovanni di Paolo
L'Expulsion du paradis ▶
New York,
Metropolitan Museum of Art,
The Robert Lehman collection
Phot. Giraudon

caiuoli (1447-1449), la *Présentation au Temple* (Sienne, P. N.) et les *Scènes de la vie de sainte Catherine de Sienne* (Lugano, coll. Thyssen; Metropolitan Museum; musée de Cleveland, Detroit, Inst. of Arts) confirment la volonté tenace de l'artiste de traduire en langage ancien les idées modernes d'un Vecchietta ou d'un Pietro di Giovanni d'Ambrogio, par exemple.

Le maître atteint une expression dramatique incomparable dans les différentes versions de la *Crucifixion* (1440, Sienne, P.N.; 1440, San Pietro Ovile; Dublin, N. G.) ou dans les fameuses *Scènes de la vie de saint Jean-Baptiste* (Chicago, Art Inst.; Metropolitan Museum; musée de Münster; Avignon, Petit-Palais; Norton Simon Museum), où la ferveur de sa vision ascétique s'exalte au point de retrouver le «stylisme» gothique de Lorenzo Monaco dans ce qu'il a de plus visionnaire.

Le catalogue de l'artiste comporte encore un très grand nombre d'œuvres (beaucoup provenant de polyptyques démembrés). Parmi les plus remarquables, on peut citer, dans l'ordre chronologique, le *Jardin des Oliviers* et la *Déposition* (Vatican), qui datent sans doute d'avant 1440, la *Madone d'humilité* (2 exemplaires : Sienne, P.N., et Boston, M.F.A.), le *Paradis* et l'*Expulsion du paradis* (Metropolitan Museum), le *Polyptyque* de 1445 des Offices, la prédelle de l'*Enfance du Christ* (l'*Annonciation,* Washington, N.G.; la *Nativité,* Vatican; le *Calcaire,* Berlin-Dahlem; l'*Adoration des mages,* musée de Cleveland; la *Présentation au Temple,* Metropolitan Museum), dont plusieurs éléments sont inspirés de Gentile da Fabriano, le *Retable de saint Nicolas* (1453, Sienne, P.N.), le *Retable* du dôme de Pienza (1463), la prédelle du *Jugement dernier* (Sienne, P.N.), le retable de *San Galgano (id.), Saint Jérôme* (Sienne, Opera del Duomo). Les toutes dernières œuvres, tel le *Polyptyque de San Silvestro* (1475) à Staggia (Sienne, P.N.), révèlent un affaiblissement incontestable. Parmi les continuateurs de ce peintre inimitable et solitaire se détache la personnalité plus indépendante de Pellegrino di Mariano. C. V.

Girodet-Trioson

Anne Louis

peintre français

(Montargis, Loiret, 1767 - Paris 1824)

Envoyé très tôt à Paris, où de bonnes études classiques révèlent ses dons littéraires et artistiques, il a pour tuteur le docteur Trioson, dont il deviendra le fils adoptif après la mort de son père. Il fut un des meilleurs élèves de l'atelier de David, où il entra en 1785; il y prépara le Prix de Rome, qu'il obtint en 1789 avec *Joseph reconnu par ses frères* (Paris, E.N.B.A.). De la même année date une *Déposition de croix* (Montesquieu-Volvestre, église). Le contact avec la peinture italienne favorisa peut-être l'éveil de sa personnalité, en rupture avec le davidisme; dès 1791, interprétant le sfumato de Léonard et de Corrège, il faisait de l'étrange *Sommeil d'Endymion* (Louvre) le premier succès romantique; tempérament exigeant, il reste classique dans ses compositions historiques, telles qu'*Hippocrate refusant les présents d'Artaxerxès* (1793, Paris, faculté de Médecine), où sa volonté d'exprimer les passions le rapproche plus de Poussin que de David. Réfugié à Naples en 1793, il exécute quelques paysages néo-classiques (Dijon, musée Magnin), méconnus mais dignes des maîtres du genre. Sur le chemin du retour en France, à Gênes, où la maladie le retient, il peint pour Gros, venu avec l'armée d'Italie, son *Autoportrait* (1795, Versailles), qu'il échange contre celui de son ami. Bien que de facture essentiellement

Anne Louis Girodet-Trioson
L'Apothéose des héros français ▲ morts pour la patrie pendant la guerre de la liberté (1802)
Malmaison, Musée national du château
Phot. Lauros-Giraudon

classique, les portraits de Girodet reflètent les tendances d'une époque de transition et montrent une volonté d'adapter le style à la personnalité du modèle : ils rappellent Greuze (le *Docteur Trioson,* 1790, musée de Montargis), puis suivent le courant davidien (*Belley,* 1797, Versailles; *Portrait d'homme,* musée de Saint-Omer; *Larrey,* 1804, Louvre), avec parfois une marque de fantaisie (le *Jeune Trioson,* 1800, coll. part.) ou de romantisme (le célèbre *Chateaubriand,* 1809, musée de Saint-Malo). L'originalité de l'artiste s'exprime librement dans une interprétation de thèmes littéraires : *Ossian* (château de Malmaison, pour lequel il fut commandé en 1800), par sa lumière glauque et son enchevêtrement de formes spectrales, déplut à David, qui, en revanche, apprécia la tragique grandeur du dantesque *Déluge* (1806, Louvre) et la touchante pureté des *Funérailles d'Atala* (1808, *id.*), fidèle illustration du roman de Chateaubriand. Avec le même soin que pour *Atala* et que précédemment pour le satirique portrait de *Mademoiselle Lange en Danaé,* qui fit scandale au Salon de 1799 (Minneapolis, Inst. of Arts), il peignit la fade beauté de *Galatée* (1819, château de Dampierre), se souvenant ici des sculptures de Canova. Ainsi, au moment où allait exploser le Romantisme, ses dernières œuvres accusent une fidélité au Classicisme qu'il n'abandonnera jamais complètement dans les portraits et sujets d'histoire, même lorsqu'il montre la fascination que l'exotisme exerce sur lui (*Un Indien,* musée de Montargis; la *Révolte du Caire,* 1810, Versailles). Son atelier, célèbre sous la Restauration, dispensait d'ailleurs un enseignement académique, et l'on put dire que sa mort précipita le déclin de la peinture néo-classique. Le musée Girodet de Montargis conserve plusieurs toiles et dessins de l'artiste. F. M.

Girtin
Thomas

peintre anglais
(Londres 1775 - id. *1802)*

Il apprit à peindre avec un certain Fisher, puis, en 1789, avec l'aquarelliste et topographe Edward Dayes. En 1792, Dayes et Girtin travaillaient en étroite collaboration avec James Moore, spécialiste de l'Antiquité, premier protecteur de Girtin. Celui-ci recevait six shillings par jour de Moore et l'accompagna vraisemblablement en Écosse en 1792. Vers 1790, il fit des estampes en couleurs pour John Raphael Smith, et c'est à cette occasion qu'il rencontra Turner. Au début de sa carrière, son style était très proche de celui de Dayes, mais, en 1794, il commença à acquérir une facture personnelle, comme en témoignent ses dessins : la *Cathédrale de Peterborough* (1795, Oxford, Ashmolean Museum) et *Lichfield West Fronts (id.).* Vers 1794, Turner et Girtin travaillaient le soir chez le Dr Monro à copier les dessins inachevés de

Thomas Girtin
La Maison blanche ▼
(Crépuscule sur la Tamise) [1800]
Londres, Tate Gallery
Phot. du musée

Cozens. Girtin se décida à visiter en 1796 l'Écosse et le nord de l'Angleterre, où il exécuta des sujets d'architecture (la *Cathédrale de Durham,* 1799, Manchester University, Whitworth Art Gal.), l'année suivante les régions du Sud-Ouest, enfin en 1798 le nord du pays de Galles. À la fin du XVIIIe s., il peignit un énorme panorama de Londres *(Eidometropolis),* présenté au public au moment de sa mort. De 1800 à 1802, il résida à Paris, qui lui inspira une série de croquis gravés à l'eau-forte en manière de crayon, publiée après sa mort et peut-être destinée à l'exécution d'un projet comparable à celui d'*Eidometropolis.* Il figure sans conteste parmi les plus grands aquarellistes et, s'il n'était pas mort si jeune, il aurait sans doute eu rang parmi les plus grands peintres : « Si Girtin avait vécu !, déclarait son ami Turner, je serais mort de faim. » Girtin améliora la technique de l'aquarelle, délaissant le vieux procédé des monochromes colorés pour les tons plus riches de la couleur appliquée directement et l'usage du papier cartouche légèrement grisé ; il mûrit ainsi le style caractéristique de ses dernières années et dans l'*Abbaye de Kirkstall, le soir* (1800, Londres, V. A. M.), il libère la composition des références à l'Antiquité, l'organise selon les formes naturelles et contrôle de façon magistrale la puissance émotive de la couleur. Il exécuta enfin des paysages purs, représentant surtout les landes et les montagnes. Il peignait hardiment au premier plan une vaste étendue vide conduisant le regard à mi-distance et jusqu'à l'arrière-plan. Sa notion d'espace et sa manière d'agencer collines et vallées sont remarquables. Avant tout, il libéra l'aquarelle de sa dépendance du dessin architectural et topographique, et il lui assigna un rang honorable, permettant à cette technique de soutenir la comparaison avec la peinture à l'huile. Le British Museum conserve plus d'une centaine de ses œuvres. J. N. S. et W. V.

Giulio Romano

Giulio Pippi, dit

peintre italien

(Rome 1499 - Mantoue 1546)

Collaborateur de Raphaël dans les travaux du Vatican, il se dégage bientôt du groupe des « héritiers » du maître et marque, dès 1527, par la véhémence de son inspiration, le caractère du nouveau style romain, désormais libéré de toute influence classique.

Sa carrière peut être divisée en deux phases : participation aux travaux du Vatican jusqu'à la mort de Raphaël (1520), puis, après le sac de Rome (1527), nouvelle activité à Mantoue, où il est introduit par Balthazar Castiglione auprès de Frédéric Gonzague, fils d'Isabelle d'Este, qui lui confie l'entreprise d'un vaste ensemble monumental : le palais du Té.

Dès 1515, Giulio fournit certains des dessins préparatoires aux *Actes des Apôtres,* suite de

Giulio Romano
La Chute des géants ▶
(1532-1534)
Fresque
de la salle des Géants
Mantoue, palais du Té
Phot. Scala

projets de Raphaël destinés à la tapisserie, et traduit les cartons du maître dans les fresques de l'*Incendie du bourg* et de la *Bataille d'Ostie* (1515-16, Chambre de l'Incendie). En même temps, il participe au décor des « Loges », succession de 52 scènes de l'Ancien Testament aux proportions réduites, aux effets contrastés, rythmés par un jeu de motifs stylisés dits « grotesques ». Giulio est en outre responsable d'une grande partie des fresques de l'*Histoire de Psyché,* à la Loggia de la Farnesina, exécutées sur des projets de Raphaël (1518). Il participe enfin à plusieurs des œuvres religieuses tardives du maître, comme la *Montée au calvaire* (Prado), la *Sainte Famille de François Ier* (Louvre), la *Lapidation de saint Étienne* (Gênes, S. Stefano), et à certains portraits (*Jeanne d'Aragon,* Louvre ; la *Fornarina,* Moscou, musée Pouchkine).

En 1520, le cardinal Giulio de'Medici lui confie, ainsi qu'à Giovanni da Udine, le décor de la Loggia de la Villa Madama (achevé en 1521). Devenu pape sous le nom de Clément VII, et soucieux de terminer les travaux des Stanze, il le charge des fresques de la salle de Constantin (1523-1525), vastes et tumultueuses compositions aux perspectives parfois insolites, que l'on retrouve dans certains tableaux contemporains : *Madone au chat* (Naples, Capodimonte), *Sainte Famille avec des saints* (Rome, S. Maria dell'Anima).

À Mantoue, au service de Frédéric Gonzague, Giulio et ses élèves réalisent au palais du Té un décor complet, envahissant et coloré, recouvrant de stucs et de peintures la totalité des murs et des voûtes. Deux ensembles principaux s'opposent par la diversité de leur parti : la *Salle de Psyché* (1527-1531), au nord, articulée par un jeu subtil de médaillons et de lunettes aux effets plafonnants ; la *Salle des Géants* (1532-1534), au sud, enveloppant la pièce d'un vaste tourbillonnement de figures monstrueuses. D'autres salles développent des thèmes cosmiques *(Salle des Vents).* Le palais du Té, combinant en décor continu les ressources les plus variées de l'illusionnisme théâtral, a eu une grande influence sur les ensembles maniéristes plus tardifs, en particulier sur les réalisations de Primatice, présent à Mantoue de 1525-26 à 1532 et au service de François Ier après cette date.

Les dernières années de l'activité de Giulio Romano sont plutôt consacrées à des travaux d'architecture ; citons cependant la décoration prévue pour le chœur et l'abside de la cathédrale de Vérone (v. 1534, *Scènes de la vie de la Vierge,* exécutées par F. Torbido), la *Nativité* (1531, Louvre) peinte pour la chapelle Boschetti à S. Andrea de Mantoue, une série de tableaux mythologiques (la *Famille de Jupiter*) peints pour le duc de Mantoue (Londres, N.G. et coll. royales) et une suite importante de cartons de tapisserie réalisés à la demande de François Ier (*Histoire de Scipion,* Louvre ; Ermitage). F.V.

Giunta Pisano

peintre italien
(originaire de Pise, connu de 1229 à 1254)

Son œuvre subsistante est constituée par trois *Crucifix,* signés (Assise, S. Maria degli Angeli ;

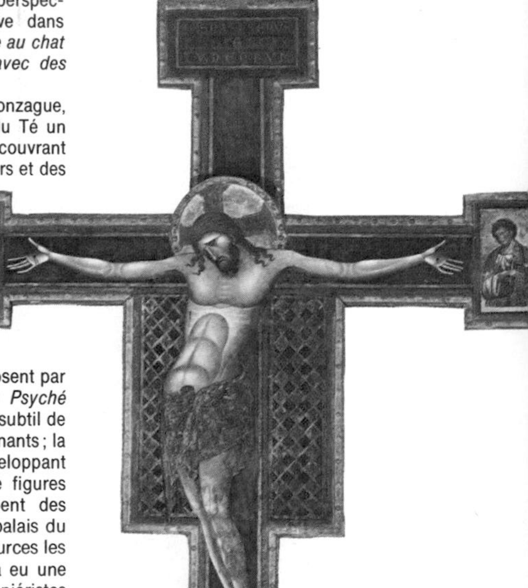

Giunta Pisano
Crucifix ▶
Bologne,
église San Domenico
Phot. Scala

Pise, M. N., provenant de S. Raniero; Bologne, S. Domenico), dont on a rapproché d'autres peintures en raison de leur similitude de style. Des documents, datés de 1229 à 1254, donnent quelques renseignements sur l'artiste; le plus intéressant mentionne l'inscription qui apparaissait sur un *Crucifix* (auj. perdu) peint par Giunta en 1236 pour la basilique inférieure de S. Francesco à Assise sur la commande de frère Elia, général de l'ordre. Des trois *Crucifix* conservés et non datés, celui de S. Maria degli Angeli est considéré comme le plus ancien, sans doute de la même époque que le *Crucifix* d'Assise, auj. perdu; il est suivi par le *Crucifix* de Pise et, v. 1250, par celui de Bologne. Le peintre, dans sa première phase, qui rappelle le style des miniatures des évangéliaires arméniens, révèle sa maîtrise des formules byzantines du type le plus composite et néo-classique; dans le *Crucifix* bolonais, plus tardif, au contraire, il imprime une profonde flexion à la figure du Christ et la complique de lignes contournées. Conscient de l'aridité expressive du style byzantin tardif, Giunta en force le vocabulaire, désormais épuisé, pour obtenir des effets plus dramatiques. À Pise, il eut pour disciple Ugolino di Tedice. Mais c'est en Émilie et en Ombrie, et sur le Maître de San Francesco en particulier, qu'il exerça sa plus grande influence. Même Cimabue, dans le *Crucifix* d'Arezzo, prouve qu'il subit l'ascendant du maître pisan. B. T.

Giusto de'Menabuoi

dit Giusto da Padova

peintre italien

(Florence?; connu à partir de 1363 - Padoue entre 1387 et 1391)

La rareté des documents le concernant et la datation plutôt tardive des œuvres padouanes fondamentales font de lui une personnalité très discutée; il eut en tout cas un rôle important d'intermédiaire entre l'art florentin postérieur à Giotto et l'art septentrional de la seconde moitié du siècle.

L'hypothèse d'une formation florentine dans l'entourage giottesque, mais non orthodoxe, de « Stefano » et de Maso est fondée sur des faits stylistiques et techniques (comme l'abandon de la préparation à la terre verte, ou « verdaccio », pour obtenir des effets de couleur plus souples et plus lumineux).

Sa première œuvre certaine est la *Vierge en majesté* (Montignoso di Massa, coll. part.; volets avec des *Saints,* Athens, University of Georgia Museum of Arts), datée de 1363 et peinte pour Isotta de Terciago, nom d'origine lombarde suivant R. Longhi. Partant de cette œuvre, l'historien a attribué à Giusto la fresque du *Jugement dernier* décorant le chœur de l'abbaye de Viboldone, près de Milan, dont la date devrait se situer vers la moitié du siècle, ou peu après. À son indubitable affinité de style avec les œuvres padouanes (cependant plus tardives) font contraste une clarté narrative toute nordique et une vivacité chromatique qui ont aussi fait penser à un artiste autochtone, mais influencé toutefois par la culture florentine. Le petit *Triptyque* (au centre, le *Couronnement de la Vierge;* sur les volets, *Scènes de la vie de la Vierge*) de Londres (N. G.), daté de 1367, affine le style de la Vierge par une présentation iconographique de tradition giottesque, proche d'Agnolo Gaddi.

Giusto de'Menabuoi, **La Nativité de la Vierge** ▼
Fresque du baptistère
Padoue, dôme
Phot. Scala

La décoration à fresque du baptistère de Padoue, chef-d'œuvre de Giusto, commandée par la protectrice du peintre, Fina Buzzacarina dei Carraresi, qui est ensevelie là, fut achevée en 1376, ou peu après. Tout en se situant parallèlement à l'art septentrional de Tommaso da Modena, d'Altichiero et de l'encore mystérieux Avanzi, Giusto se distingue par une tendance à la pureté formelle abstraite, encore florentine, et une imposante synthèse architectonique de l'ensemble et des détails, que fait ressortir un coloris d'émail presque métaphysique. Ces caractères sont surtout évidents dans la rigoureuse symbolique théologique de la coupole (le *Paradis, Scènes de l'Ancien Testament*), tandis que la retenue stylistique se détend légèrement dans les *Scènes de la vie du Christ,* peintes sur les parois. Les affinités avec la curiosité descriptive, psychologique des artistes nordiques augmentent dans la chapelle Conti (achevée en 1383, comprenant en particulier des *Scènes de la vie de saint Jacques et de saint Philippe*) au Santo de Padoue, mais donnent lieu à des discordances de style ; tandis que dans sa dernière œuvre connue, le *Couronnement de la Vierge,* peint à fresque dans une lunette à l'entrée du cloître du Santo, le ton s'élève et se purifie. Parmi les œuvres attribuées, et très discutées, citons les deux tableaux illustrant l'*Apocalypse* de Fürstenau (coll. Erbach). M. R.

Goes

Hugo Van der

peintre flamand

(Goes en Zélande ? entre 1435 et 1445 - Groendael 1482)

Le 5 mai 1467, il est reçu franc maître à Gand avec le patronage de Joos Van Wassenhove. Son activité, telle qu'elle ressort des documents d'archives jusqu'en 1475, est celle d'un peintre occupé à des besognes variées : en 1468, il travaille aux préparatifs des fêtes du mariage de Charles le Téméraire et de Marguerite d'York à Bruges ; en 1469 et en 1471-72, aux « joyeuses entrées » du duc à Gand ; en 1473, il décore la chapelle Sainte-Pharahilde pour le service à la mémoire du duc Philippe le Bon, et presque chaque année il reçoit des paiements pour la peinture de divers blasons.

▲ Hugo Van der Goes, **Adoration des bergers**
Berlin-Dahlem,
Staatliche Museen-Preussischer
Kulturbesitz, Gemäldegalerie
Phot. du musée

En 1474-75, il assume la charge de doyen de la gilde de Saint-Luc. Vers 1478, tourmenté par un sentiment de culpabilité et d'infériorité, il quitte Gand pour se retirer au couvent de Rouge-Cloître en qualité de novice. Vers 1481, au cours d'un voyage à Cologne, il sombre dans la folie. Le prieur chercha, dit-on, à le soigner en lui faisant entendre de la musique. Il paraît certain que, durant son séjour au couvent, il continua son métier de peintre et reçut alors la visite de nombreux princes attirés par sa célébrité.

On ne connaît rien de certain sur sa formation. Il est appelé en 1480 à Louvain pour estimer la valeur des panneaux de la *Justice d'Othon* laissés inachevés par Dirk Bouts à sa mort et exécute un volet figurant des donateurs pour le triptyque de *Saint Hippolyte* (Bruges, église Saint-Sauveur) du même peintre — ces faits pouvant indiquer une relation étroite entre les deux artistes, telle que celle de maître à élève.

La chronologie de l'œuvre de Van der Goes n'est pas établie et reste matière à contestation. Quelques peintures de petit format, d'une facture encore hésitante, pourraient constituer son œuvre de jeunesse, mais certains auteurs préfèrent mettre en doute leur attribution. Dans une *Vierge à l'Enfant* (Philadelphie, Museum of Art, coll. Johnson), dérivée des modèles de Bouts, un dessin aigu s'attarde sur les nodosités des articulations. La même technique apparaît dans un émouvant petit panneau de la *Crucifixion* (Venise, musée Correr) et une *Lamentation sur le Christ mort* (Grenade, fondation Rodriguez Acosta, legs Gomez Moreno). C'est un style très différent, beaucoup plus évolué que présente le *Retable de Monforte* (provenant du couvent de cette ville en Espagne [Berlin-Dahlem]) : l'*Adoration des mages* est figurée avec une recherche de monumentalité associée à une précision poétique des détails qui trahit son origine, la méditation des grandes œuvres de Jan Van Eyck. On y décèle également des emprunts à Rogier Van der Weyden (notamment le type de la Vierge), mais le style graphique de ce peintre n'est pas adopté par Van der Goes, qui recherche au contraire une plasticité eyckienne. Selon les auteurs, cette peinture est considérée tantôt comme une œuvre de jeunesse, tantôt comme une œuvre de pleine maturité proche dans le temps du retable Portinari, ce qui paraît surprenant, compte tenu de la différence de style qui sépare les deux œuvres. La célébrité du retable est du moins attestée par la copie libre du Maître de Francfort (musée d'Anvers). Un fragment de volet qui montre un donateur en buste présenté par saint Jean-Baptiste (Baltimore, W. A. G.) est assez proche du tableau de Berlin par sa puissance plastique. Toutefois, une humanité vibrante anime le visage, qui acquiert de ce fait une présence beaucoup plus sensible. Le grand triptyque commandé par le marchand florentin Tomaso Portinari pour l'église S. Egidio de Florence est l'œuvre capitale de Van der Goes et l'une des plus impressionnantes du siècle. Le panneau central de l'*Adoration des bergers* témoigne d'une intensité émotionnelle rarement atteinte. Une sorte de cercle de dévotion, de méditation et de déférence isole l'Enfant Jésus, corps malingre et décharné couché nu sur le sol. La Vierge douloureuse médite sur le destin de l'enfant, tandis que les bergers font irruption avec un enthousiasme qui contraste avec la gravité des autres assistants. Le coloris, où les tons froids l'emportent, contribue à l'expression de l'émotion. Sur les volets, les donateurs prient agenouillés devant leurs saints patrons dans un paysage hivernal sévère, décrit avec une précision délicate et attentive à la qualité de la lumière. Au revers des volets, une *Annonciation* en grisaille est empreinte d'un sentiment dramatique : l'ange, encore emporté par son vol, fait irruption devant la Vierge recueillie et amorce un salut solennel.

Ce sentiment du drame anime la plupart des œuvres de Van der Goes et atteint à son paroxysme dans les tableaux que l'on s'accorde à dater de ses dernières années. L'*Adoration des bergers* (Berlin-Dahlem) reprend le thème du retable Portinari dans un rythme plus dense et avec une volonté démonstrative accusée par la présence de deux prophètes ouvrant le rideau sur la scène évangélique. Un petit diptyque du musée de Vienne associe le *Péché originel* et la *Déposition de croix*. Considéré comme une œuvre tantôt précoce, tantôt tardive, il est animé de cette même passion inquiète qui non seulement rend dramatique la scène de la *Déploration du Christ,* mais souligne aussi l'isolement du premier couple au sein d'un paradis exubérant. La petite *Vierge à l'Enfant* du Staedel. Inst. (Francfort), complétée par des volets d'une autre main, est d'un sentiment voisin.

Un groupe de peintures à la détrempe (Pavie, Munich, Tolède) a pu être également attribué à Van der Goes. La plus remarquable composait un diptyque consacré à la *Déposition de croix* (Berlin-Dahlem et coll. Wildenstein). Les deux volets d'orgue *(Jacques III et Marguerite d'Écosse présentés par des saints;* au revers *Sir Edward Bonkil adorant la Trinité),* peints v. 1478 pour sir Edward Bonkil (Holyrood Palace, en dépôt à Édimbourg, N. G.), ont été achevés par une autre main. C'est peut-être durant son séjour au couvent que Van der Goes peignit la *Mort de la Vierge* (musée de Bruges), extraordinaire cercle de douleurs formé par les apôtres autour du lit de la Vierge. Les nombreuses copies qui ont été faites de ses œuvres ont sauvé le souvenir de quelques compositions disparues. A. Ch.

Goltzius
Hendrick

peintre néerlandais
(Mühlbrecht, près de Venlon, 1558 - Haarlem 1617)

Premier fils de Jan II Goltzius et frère de Jacob II, Hendrick Goltzius apprit son métier chez le maître graveur Coornhert (1575), puis chez l'éditeur Philipp Galle. En 1577, il s'installe à Haarlem. Jusqu'à son départ en Italie, c'est-à-dire en 1590, ses gravures et ses dessins sont influencés par le maniérisme forcené de Spranger, que lui a fait connaître son ami Van Mander et dont il grave même certaines compositions. De cette période citons les planches de *Marcus Curtius* (1586), de *Mars et Minerve,* de *Minerve et Mercure* (1588) et la très belle série des *Prophètes et Sibylles* (Rijksmuseum, cabinet des Estampes). Ces gravures sont typiquement maniéristes par leur composition recherchée, par leur agitation et par les proportions des figures, allongées avec de petites têtes. En 1587-88, il exécute une série de 7 gravures retraçant l'histoire de la *Création* (Haarlem, musée Teyler, cabinet des Estampes) et des dessins à la plume préparant l'illustration des *Métamorphoses* d'Ovide, ouvrage imprimé en 1590 (musées d'Amiens, de Besançon, de Hambourg; Leyde, cabinet des Estampes); c'est l'un des derniers exemples de l'influence de Spranger sur Goltzius.

En 1590, Goltzius part pour l'Italie avec Jan Mathis et passe par Munich; il visite Bologne, Venise, Florence, où il rencontre Jean de Bologne, dont il fait le portrait, et enfin il arrive à Rome, où il dessine beaucoup, copie les plus fameux antiques ainsi que le *Moïse* de Michel-Ange; il admire les fresques de Raphaël à la Farnesina; puis il part pour Naples et revient à Rome, où il travaille pour les Jésuites. À la fin de l'année 1591, il est rentré à Haarlem.

Il grave en 1592 plusieurs séries, dont les *Neuf*

Hendrick Goltzius
▲ **Vénus et Adonis** (1614)
Munich,
Bayerische Staatsgemäldesammlungen,
Alte Pinakothek
Phot. Blauel

Muses (Berlin-Dahlem, cabinet des Estampes), les *Sept Vertus* (Copenhague, S. M. f. K.) et surtout, en 1593-94, la série de la *Vie de la Vierge*, dite « chef-d'œuvre de Goltzius » (Haarlem, musée Teyler, cabinet des Estampes), influencée par Raphaël, Parmesan et Bassano. En effet, les leçons italiennes ont été déterminantes pour l'art de Goltzius : depuis son retour, il réagit contre Spranger et pratique une sorte de maniérisme apaisé, se combinant avec un savant éclectisme aux tendances classicisantes (Raphaël, mais aussi, par un curieux retour aux sources, Dürer et Lucas de Leyde, qu'il pastiche ouvertement). Plusieurs larges dessins de paysages attestent une influence de Titien et de Campagnola ainsi que celle de Muziano (un bel exemple au musée d'Orléans). En 1596, il exécute une série de dessins représentant les *Dieux* (Rijksmuseum, cabinet des Estampes) ; il grave aussi plusieurs *Passions :* 1596, 1598, dédiée au cardinal Federico Borromeo. Son œuvre de graveur lui vaudra une réputation immense et durable, et il reste à juste titre l'un des graveurs les plus connus du XVIe s. En 1600, son art prend une nouvelle orientation ; en effet, il se consacre à la peinture. De 1607 date *Suzanne et les vieillards* (musée de Douai), d'une remarquable précision réaliste dans le rendu des détails et qui constitue une heureuse transcription d'un métier de graveur en peinture. Par la suite s'exerce une influence déterminante de Rubens, dont le meilleur exemple est *Vénus et Adonis* de 1614 (Munich, Alte Pin.), où la vivacité du coloris s'allie à l'opulence des corps et à la richesse de la nature en gardant aussi toutefois une caractéristique fermeté de graveur presque crispante à force de froideur et d'insistance. En 1616, Goltzius peint *Jupiter et Antiope* (Louvre), tableau délicat, où la pose du corps d'Antiope rappelle celle de la *Nuit* de Michel-Ange. Parallèlement à l'influence de Rubens, on trouve de nombreuses références à l'art de Titien ou, plus généralement, à l'art vénitien dans des œuvres comme *Adam et Ève* (Ermitage), le *Christ couronné d'épines* (Utrecht, Centraal Museum), *Saint Sébastien* (1615, musée de Münster). Quant à la *Vieille et le jeune homme* de Douai, de 1614, elle atteste une très intéressante tendance à la peinture de genre, qui triomphera sous les générations suivantes, mais avec un réalisme impitoyable qui reste bien dans la note du maniérisme inhérent à Goltzius. J. V.

Gonçalves
Nuno

peintre portugais
(actif dans la seconde moitié du XVe s.)

La documentation connue au sujet de ce maître commence en 1450, lors de sa nomination comme peintre du roi Alphonse V, pour se terminer en 1492, date à laquelle on peut présumer qu'il était déjà mort. Nuno Gonçalves peignit en 1470 le

Nuño Gonçalves
▲ **Saint Vincent** [détail]
(panneau dit « de l'Archevêque »
du *Retable de saint Vincent*)
Lisbonne, Museu Nacional de Arte Antiga
Phot. Giraudon

retable de la chapelle du palais royal de Sintra, malheureusement disparu. Grâce à la citation de l'artiste portugais Francisco de Holandá, auteur des célèbres *Dialogues avec Michel-Ange* (1548), on sait qu'il peignit également le grand *Retable de saint Vincent* pour la cathédrale de Lisbonne, démonté et remplacé à la fin du XVIIe s. Peu de temps avant le tremblement de terre de 1755, qui détruisit cette ville et ruina la cathédrale, ces peintures furent providentiellement transférées dans les faubourgs de la ville, au palais épiscopal, qui résista au séisme. Les restes du retable du XVe s. échappèrent ainsi à la destruction, mais ensuite leurs traces se perdirent. On découvrit en 1882, dans l'ancien monastère de Saint-Vincent-hors-les-Murs à Lisbonne, un magnifique ensemble de 6 peintures anonymes sur bois, immédiatement reconnues comme des œuvres originales du XVe s. Elles furent restaurées v. 1908; l'éminent critique José de Figueiredo, se fondant alors sur la citation de Francisco de Holandá, établit l'identification auj. adoptée : ces peintures, actuellement conservées à Lisbonne (M. A. A.), étaient dues au maître Nuno Gonçalves et représentaient la *Vénération de saint Vincent*. Quelques années plus tard s'éleva une vaste polémique, encore loin d'être éteinte, contestant plus particulièrement l'identification iconographique. À ce noyau principal viennent s'ajouter, au même musée, par affinités de style et de technique, une demi-douzaine de peintures sur bois, dont les plus intéressantes sont deux panneaux (l'un d'eux est un fragment) représentant, grandeur nature, deux phases du martyre de saint Vincent.

La réputation croissante du vieux maître portugais est issue de cet ensemble exceptionnel de peintures, où ce qui l'emporte est non pas la composition, mais la qualité de son extraordinaire dessin synthétique et la pénétration psychologique des portraits. Le *Polyptyque de saint Vincent,* l'une des plus somptueuses peintures historiques du passé, nous présente une lointaine et pourtant vivante assemblée, composée de dizaines de personnages d'âges et de conditions sociales les plus variés — princes, prêtres, moines, chevaliers — unies par la même concentration autour d'une énigmatique figure sanctifiée et dont les portraits sont exécutés avec une incomparable économie de moyens. La technique de Nuno Gonçalves, caractérisée parfois par l'emploi, surprenant et moderne, de la matière en pleine pâte, sans les apprêts épais et les recettes précieuses des maîtres flamands, par une application originale d'ombres violacées et par un traitement remarquable des blancs, est parfaitement adaptée à l'expression directe du document humain, saisi dans sa profonde et dramatique vérité intérieure. Si Holandá, avec une remarquable pénétration critique, rapproche Nuno Gonçalves des « peintres anciens et italiens », c'est sans doute en raison de l'échelle monumentale et de l'énergie avec lesquelles ce maître sut nous léguer une représentation noble et grave de l'homme, en relation avec la mentalité humaniste du quattrocento européen.

Son sens de la couleur, à la fois brillante et « harmonique », suggère la leçon flamande, qui était alors assimilée par toutes les écoles de la péninsule Ibérique. Mais Nuno Gonçalves est non seulement « le meilleur parmi tous les peintres primitifs hispaniques » (E. Tormo), mais aussi l'un des grands maîtres de son temps par la force et l'originalité de son réalisme.

Il est difficile d'expliquer sa formation artistique, étant donné que l'on sait très peu de chose sur les ateliers portugais contemporains. L'apprentissage avec Van Eyck, qui se trouvait au Portugal en 1428-29, est une hypothèse exclue pour des raisons d'ordre chronologique et stylistique. On admet, d'autre part, que Nuno Gonçalves se rendit en France en 1476, attaché à la suite d'Alphonse V, lors de la visite que ce dernier rendit au roi Louis XI. Mais un tel voyage, où le peintre aurait rencontré Jean Fouquet, n'est pas documenté et serait une justification trop tardive de son art. On suggère également une relation possible entre sa peinture et celle de l'école d'Avignon, qui serait toutefois le fait d'une évolution commune et spontanée des écoles régionales, éloignées des grands centres créateurs. Au demeurant, le problème subsiste. La connaissance de l'œuvre du maître portugais conduisit certains historiens à attribuer à ce dernier l'*Homme au verre de vin* (Louvre) et le *Portrait de jeune homme* (Vaduz, coll. de Liechtenstein) daté de 1456. Ces attributions n'ont toutefois pas été confirmées. A. da G.

Gorky

Arshile

peintre américain

(Arménie 1904 - New York 1948)

Il émigre aux États-Unis en 1920, s'installe v. 1925 à New York, étudie, puis enseigne à la Grand Central School of Art. Il se lie d'amitié avec Stuart Davis et, en 1930, avec Willem de Kooning. Son œuvre est alors fortement influencée par Picasso, en particulier par les intérieurs d'ateliers des années 1927-28 ; elle reste cependant d'une facture plus lâche et plus dynamique que les contours durs et linéaires de son modèle à cette époque : l'*Artiste et sa mère* (1926-1929, New York, Whitney Museum). Des allusions de formes organiques ou anatomiques, cultivant une savante ambiguïté, s'y mêlent de plus en plus volontiers, particulièrement à la fin des années 30 : *Jardin à Sochi* (1941, New York, M. O. M. A.). En 1942, durant la guerre, Gorky donne des cours de camouflage qui l'aideront à élucider le rapport de l'image du réel et de l'image « surréelle ». Deux ans plus tard, la rencontre d'André Breton et des surréalistes a un impact décisif sur son évolution. Les techniques de l'automatisme, l'exemple de Matta et, plus encore, celui de Miró, dont il reprend les figures biomor-

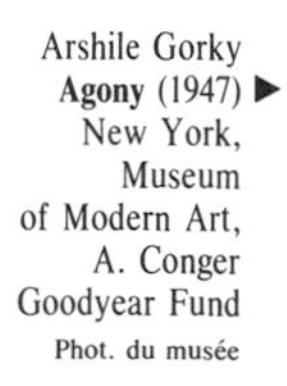
Arshile Gorky **Agony** (1947) ▶ New York, Museum of Modern Art, A. Conger Goodyear Fund
Phot. du musée

phiques, lui permettent de trouver sa voie. C'est alors à propos de ses images allusives nées de l'inconscient comme des archétypes ou des symboles primitifs aux implications sexuelles plus ou moins évidentes que Breton prononcera le mot d'*hybrides.* Combinant la figuration et l'automatisme gestuel, Gorky peut être considéré à la fois comme un exemple ultime du Surréalisme — il est le dernier à être accepté comme membre du groupe — et le premier représentant de l'Expressionnisme abstrait : le *Foie et la crête du coq* (1944, Buffalo, Albright-Knox Art Gal. ; l'*Eau du moulin fleuri,* 1944, New York, M. O. M. A.). Au lieu d'une peinture grasse, il use alors de lavis aux tonalités pâles, traversés par une calligraphie fluante évoquant une vie organique secrète. Un des meilleurs tableaux de cette période est le *Landscape table* (1945, Paris, M. N. A. M.). Dans les dernières œuvres, les formes se font plus dures, menaçantes, acérées ou dilacérées : *Agony* (1947, New York, M. O. M. A.). Ce climat dramatique correspond à une série de malheurs qui s'abattent sur lui : un incendie de son atelier détruit 27 toiles en 1946 et, l'année suivante, il tombe gravement malade. Il choisit alors de se suicider en 1948. J. C.

Gossaert

Jan dit Mabuse

peintre flamand

(Maubeuge entre 1478 et 1488 - Breda 1532)

On ignore où il fit son apprentissage. En 1503, il est inscrit comme maître à la gilde d'Anvers. En 1508-1509, il voyage à Rome en compagnie de l'évêque d'Utrecht, Philippe de Bourgogne. L'an-

Jan Gossaert
Danaé (1527) [détail] ▶
Munich, Bayerische Staatsgemäldesammlungen, Alte Pinakothek
Phot. Scala

née suivante, il se fixe à Middelburg, travaillant pour le château de Soubourg, en Zélande, qui appartenait à ce prélat. De cette période date un diptyque de la *Vierge et l'Enfant, Antonio Siciliano présenté par saint Antoine* (Rome, Gal. Doria Pamphili), le *Triptyque de Malvagna* (au centre : la *Vierge et l'Enfant avec des anges musiciens,* Palerme, G. N.), l'*Adoration des mages* (Londres, N. G.). Toutes sortes d'influences apparaissent dans ces œuvres, qui témoignent d'emprunts à l'art du XVe s., à Dürer, aux peintres italiens ; dans *Saint Luc peignant la Vierge* (1515, musée de Prague), architecture classique et ornements gothiques se mêlent. En 1516, Gossaert participe aux travaux de décorations du cortège funèbre de Ferdinand le Catholique et, en 1517, il exécute à Malines le *Portrait de Jean Carondelet priant la Vierge* (diptyque, Louvre) et celui de plusieurs gentilshommes. À cette date, il réside à Wijklez-Duurstede, sur le Rhin, où s'est fixé l'évêque d'Utrecht et où il travaille jusqu'à la mort de son protecteur, en 1523. Il s'intéresse davantage à la peinture profane, et *Neptune et Amphitrite* (Berlin-Dahlem), *Hercule et Déjanire* (Birmingham, Barber Inst. of Arts), la *Métamorphose d'Hermaphrodite et de la nymphe Salmacis* (Rotterdam, B. V. B.), *Vénus et l'Amour* (Bruxelles, M. A. A.) sont des compositions qui appartiennent nettement à la Renaissance. Des tableaux religieux datés entre 1517 et 1524, seuls deux vraiment importants subsistent : la *Vierge avec saint Luc* (Vienne, K. M.) et le retable commandé par le banquier Pedro de Salamanca pour sa chapelle dans l'église des Augustins à Bruges (1521). De retour à Middelburg (1525), il entre au service d'Adolphe de Bourgogne, marquis de Veere, seigneur de Zélande, chez qui il vit désormais. En relation avec Christian II de Danemark, il peint les *Trois Enfants de Christian* (Hampton Court) et dessine entre 1526 et 1528 un projet pour la tombe d'Isabelle d'Autriche, épouse du monarque. De ces dernières années datent encore de nombreuses *Vierges à l'Enfant* (Metropolitan Museum : Prado ; Mauritshuis ; Bruxelles, M. A. A.), une *Danaé* (1527, Munich, Alte Pin.), un *Christ, homme de douleur* (*id.,* auj. perdu), œuvres d'exécution très soignée, comme le sont les portraits (*Portraits d'hommes :* musée de Kassel ; Londres, N. G. ; Manchester, New Hamp., Currier Art Gal. ; Berlin-Dahlem ; *Double Portrait,* Londres, N. G.).

Gossaert a occupé une place très importante dans l'art des Pays-Bas, où, au début du XVIe s., il a introduit l'esprit et les formes de la Renaissance italienne. Il reste cependant un peintre de transition influencé toujours par la tradition septentrionale ; même si dans ses dessins, par exemple, il s'efforce d'employer les formes de la Renaissance, le jeu des arabesques rappelle encore la décoration de l'art gothique tardif. Il faut attendre son élève Lambert Lombard pour voir chez un artiste du Nord s'établir la conviction absolue de la primauté de la Renaissance. Le catalogue de Gossaert, très important, comprend plus de 80 tableaux conservés dans des collections publiques ou privées d'Anvers, de Berlin, de Birmingham, de Bruxelles, de Cambridge (Mass.), de Detroit, de Hambourg, de Houston, de La Haye, de Lisbonne, de Londres, de Madrid, de New York, de Nuremberg, de Toledo, de Washington. J. L.

Goya y Lucientes

Francisco de

peintre espagnol

(Fuendetodos, Aragón, 1746 - Bordeaux 1828)

Les débuts. Il était le fils d'un maître doreur, José Goya, et de Gracia Lucientes. On ignore presque tout de sa jeunesse et de sa formation ; on suppose qu'il fréquenta l'académie de dessin de Saragosse et que José Luzán, peintre médiocre, fut son maître. En 1763, il partit pour Madrid, où il échoua au concours de l'Académie San Fernando, qu'il représenta sans succès en 1766. Il fit le traditionnel voyage à Rome, où il résida entre 1767 et 1771. D'après Ceán Bermúdez, Goya fit peut-être alors un court séjour en France. De petites peintures, datées de 1771 et conservées dans des coll. part., révèlent l'influence du néo-classicisme romain. De retour à Saragosse, il peignit en 1772 pour la chartreuse d'Aula Dei plusieurs grands tableaux qui témoignent de sa formation baroque. En octobre 1771, Goya reçut sa première commande de fresques : la décoration de la voûte de l'église Notre-Dame-del-Pilar à Saragosse, qui devait représenter l'*Adoration du nom de Dieu.* L'œuvre atteste la fidélité de l'artiste aux schémas de la décoration baroque et aux exemples laissés par Corrado Giaquinto.

Madrid. En 1773, Goya tente de nouveau sa chance à Madrid, où il s'établit, et il épouse Josefa Bayeu, dont les trois frères étaient peintres, notamment Francisco, son aîné de plusieurs années, de qui il s'est dit parfois l'élève. À partir de 1774, il exécute pour la Real Fábrica de Tapices plusieurs séries de cartons de tapisseries (43 conservés au Prado), qui furent tissées pour les palais royaux.

Les cartons de tapisseries et les premiers portraits. Cette collaboration, qui dura presque vingt ans, illustre en ses différentes séries (1774-75, 1776-1780, 1786-1788, 1791-92) l'évolution de l'artiste. Les cartons des deux premières séries, dans lesquelles Goya s'est inspiré des peintures de Michel-Ange Houasse exécutées en 1730, sont consacrés à des scènes populaires, de chasse, de pêche (le *Goûter,* 1776; l'*Ombrelle,* 1778). L'évolution du style se signale par l'importance plus grande accordée aux figures, détachées sur des paysages clairs et estompés. En décembre 1778, l'artiste envoie à son ami Martín Zapater les gravures à l'eau-forte d'après les tableaux de Velázquez appartenant aux collections royales, travail qui lui permit de se familiariser avec les œuvres du maître.

En 1780, Goya est reçu à l'Académie de San Fernando avec un *Christ en croix* (Prado), mais il repart pour Saragosse, où il est chargé de peindre trois demi-coupoles à la cathédrale Notre-Dame-del-Pilar. L'année suivante, il reçoit la commande d'un autel pour l'église San Francisco el Grande à Madrid, œuvre d'une exécution laborieuse. Il entre alors en relation avec de puissants personnages qui vont devenir ses protecteurs et dont il brosse les portraits (le *Comte de Floridablanca,* 1783, Madrid, Banco Urquijo; l'*Infant don Luis et sa famille,* 1784, Italie, coll. part.; *Portraits de l'infant,* musée de Cleveland, et de *Sa Femme,* Munich, Alte Pin.; l'*Architecte Ventura Rodríguez,* 1784, Stockholm, Nm.; à partir de 1785, *Portraits de la famille des ducs d'Osuna,* Prado).

Le peintre du roi. Nommé peintre du roi en juillet 1786, Goya commence la série des portraits des directeurs de la banque de San Carlos (Madrid, Banque d'Espagne), et il exécute celui de la *Marquise de Pontejos* (Washington, N.G.). Il devient alors le peintre à la mode de la société de Madrid, et ses lettres à Zapater attestent son aisance matérielle; cet optimisme se retrouve dans la troisième série (1786-1788) de ses cartons de tapisseries, *las Floreras, la Era, la Vendimia* (Prado). En 1787, pour les appartements de la duchesse d'Osuna, à l'Alemada près de Madrid, il réalise une suite de 7 *Scènes champêtres* dont les relations sont nettes avec les cartons de tapisseries de la même période (4 appartenant au duc de Montellano, 1 au comte de Romanones, 1 au comte de Yebes à Madrid et 1 à l'ancienne coll. Herzog de Budapest). Goya n'abandonne pas pour autant la peinture religieuse; il travaille pour les églises de Valdemoro, S. Ana de Valladolid, la cathédrale de Tolède (1788) et s'intéresse au paysage (la *Prairie de San Isidro,* 1788, peinte pour les ducs d'Osuna). La même année, on décèle dans son œuvre une première manifestation du fantastique dans la *Vie de San Francisco de Borja,* à la cathédrale de Valence (les esquisses, plus libres, dans la coll. du marquis de Santa Cruz à Madrid). En 1789, Goya est nommé « Pintor de cámara » du nouveau roi Charles IV, dont il fait, ainsi que de la reine Marie-Louise, un grand nombre d'effigies officielles (les plus importantes au Prado et au Palais royal de Madrid). Posent pour lui, au cours des mêmes années, les *Ducs d'Osuna et leurs fils* (Prado), puis la Comtesse del Carpio, *Marquise de la Solana* (Louvre), l'actrice Maria Rosario Fernandez, dite *la Tirana* (Madrid, Acad. San Fernando), l'historien *Ceán Bermúdez* (Madrid, coll. du marquis de Perinat), le collectionneur *Sebastián Martínez* (Metropolitan Museum). Maître incontesté du portrait espagnol, Goya se distingue alors par la richesse de sa palette, où dominent les gris et les tons mêlés de vert.

La crise de 1792 et ses suites. À la fin de 1792, de passage à Cadix, l'artiste tombe gravement malade pendant plusieurs mois, mais envoie en janvier 1793, au secrétaire de l'Académie, 12 peintures sur fer-blanc, parmi lesquelles 8 scènes de tauromachie (Madrid, coll. part.), *Comédiens ambulants* (Prado), le *Préau des fous* (Dallas, Southern Methodist University, Meadows Museum). On a cru longtemps qu'il s'agissait des célèbres tableaux de l'Acad. San Fernando (l'*Enterrement de la sardine,* la *Procession des flagellants* notamment), auj. datés beaucoup plus tardivement, après 1808. La maladie de Goya apporta de profonds changements dans son œuvre. La crise de 1792, qui le rendit sourd, transforma sa manière de vivre et contribua à faire du peintre aimable qu'il était un artiste d'une originalité puissante. Dans une lettre qui peut être datée de 1795, Goya faisait savoir à Zapater qu'il allait peindre le portrait de la *Duchesse d'Albe,* qui était venue à son atelier (Madrid, coll. de la duchesse d'Albe). Il rejoignit la duchesse à Sanlúcar de Barrameda à la mort du marquis de Villafranca, son mari, en 1796, et dessina pendant ce séjour campagnard de nombreuses scènes prises sur le vif, ainsi que d'autres plus évocatrices ou imaginaires et dont quelques-unes reflètent une grande intimité. Il exécuta le portrait de la *Duchesse en deuil* (New York, Hispanic Society) avec deux anneaux où l'on lit « Goya Alba » et où la duchesse, debout, désigne sur le sable l'inscription « Goya solo ». Le peintre resta longtemps obsédé par l'image de la duchesse, qui revient constamment dans ses dessins et ses gravures. Cette passion a peut-être

Goya
Portrait de la comtesse del Carpio, ▶
marquise de la Solana
Paris, musée du Louvre
Phot. Lauros-Giraudon

donné naissance à deux chefs-d'œuvre du Prado, la *Maja vestida* et la *Maja desnuda* (1798-1805), mais rien ne confirme cette hypothèse. À la mort de son beau-frère, Francisco Bayeu, il fut nommé directeur de l'Académie de peinture (1795), poste que sa mauvaise santé l'obligea à abandonner deux ans plus tard. De 1795 à 1798, Goya peignit plusieurs tableaux religieux, notamment à Cadix, ainsi que les portraits des ministres *Jovellanos* (Prado), *Saavedra* (Londres, Courtauld Inst.), *Iriarte* (musée de Strasbourg) et *Valdès* (Barnard Castle, Bowes Museum). En 1798, les ducs d'Osuna lui commandèrent une série de petits tableaux, parmi lesquels plusieurs sur le thème de l'au-delà. Il peignit la même année le portrait du *Général Urrutia* (Prado) ainsi que celui de l'ambassadeur français *Guillemardet* (Louvre).

San Antonio. À la même époque (printemps de 1798) Goya exécuta d'un seul jet la décoration du petit ermitage San Antonio de la Florida sur les bords du Manzanarès. Elle reste une de ses œuvres maîtresses; sur la coupole est représenté le miracle de la résurrection d'un mort par saint Antoine, sous les yeux d'une foule bigarrée.

Les « Caprices ». L'année suivante, l'artiste mit en vente la suite la plus connue de ses gravures, les *Caprices.* Elle comprend 80 planches gravées à l'eau-forte, dont les fonds et les ombres sont enrichis de lavis à l'aquatinte, et Goya s'est souvent inspiré de dessins exécutés à Sanlúcar. Le recueil vise l'humanité en général, ses folies et sa stupidité, et constitue une étonnante satire des faiblesses de la condition humaine. La même année, il termine pour la duchesse d'Osuna 7 petits tableaux et notamment la *Prairie de San Isidro* (Prado), chef-d'œuvre d'aisance et de naturel où le paysage joue un rôle plus important qu'à l'accoutumée.

L'apogée du portraitiste. Goya exécute durant la même période le portrait de l'écrivain *Fernández de Moratin* (Madrid, Acad. S. Fernando), les deux portraits de la *Reine Marie-Louise,* en noir avec une mantille et à cheval (Prado), ainsi que le *Portrait équestre du roi (id.).* Cette exceptionnelle fécondité ne tarit pas les années suivantes. En octobre 1799, Goya est nommé premier peintre du roi. En 1800, il brosse la silhouette de la jeune et frêle *Comtesse de Chinchón* (Madrid, coll. du duc de Sueca), habillée de blanc et assise sur un fauteuil. En juin, il commence le grand tableau de la *Famille de Charles IV* (Prado). Les personnages sont debout dans une salle du palais, comme s'ils regardaient quelqu'un poser pour le peintre, à gauche dans la pénombre, près du tableau auquel il travaille, disposition qui rappelle celle des *Ménines* de Velázquez. La somptuosité du coloris, le chatoiement des soies et des lamés, le reflet des bijoux et des croix évitent toute monotonie et donnent mouvement et vie à un groupe figé en costume d'apparat. La composition est celle d'une frise avec plusieurs groupes de personnages autour de la reine Marie-Louise. De 1800 à 1808, année de la guerre, le talent de Goya portraitiste connaît son apogée : le *Prince de la Paix* (1801, Madrid, Acad. S. Fernando), les *Ducs de Fernán Núñez* (1803, Madrid, coll. du duc de Fernán Núñez), le *Marquis de San Andrián* (1804, musée de Pampelune), *Doña Isabel Cobos de Porcel* (1805, Londres, N. G.), *Don Pantaleón Pérez de Nenin* (Madrid, Banco Exterior), *Ferdinand VII à cheval* (1808, Madrid, Acad. S. Fernando), commandé juste avant le début du soulèvement de l'Espagne contre les armées napoléoniennes.

En 1806, un fait divers donne à Goya l'occasion de manifester son intérêt pour le réalisme populaire : la capture du bandit Maragato par le moine Zaldivia. En 6 petits panneaux (Chicago, Art Inst.), cet événement, qui défraya alors la chronique, est restitué avec vigueur suivant une succession de scènes aisément lisibles qui annonce le procédé de la bande dessinée.

La guerre de libération. La rébellion contre l'occupation française, conséquence de la dissolution de l'Ancien Régime et de la ruine politique et économique de l'Espagne, ne laissa pas Goya indifférent. Tout porte à croire qu'il faisait partie des Espagnols souhaitant pour leur pays des réformes en profondeur. Mais la brutalité de la soldatesque napoléonienne et les cruautés de la guerre aliénèrent tout attachement aux nouveaux représentants politiques. Pris entre deux positions qu'il détestait pour des raisons différentes, Goya passe les années troubles de la guerre dans une situation ambiguë : tantôt il semble agir comme un « afrancesado », tantôt comme un patriote révolté.

Son intérêt se tourne de nouveau vers la gravure. Vers 1810, il travaille à la suite des *Désastres de la guerre,* violente accusation contre les agissements des troupes françaises, et, après 1814, il exécute 2 grands tableaux, le *Dos* et le *Tres de Mayo* (Prado). Sa palette change alors de tons, les bruns et les noirs y prennent une place plus importante, comme en témoignent les portraits du *Général Guye* (New York, coll. part.), du ministre *Romero* (Chicago, coll. part.), du chanoine *Juan Antonio Llorente* (musée de São-Paulo), de ses amis *Silvela* (Prado). Sont encore plus éloquentes les quelques peintures que Goya conserva chez lui : le *Colosse* (Prado), le *Lazarillo de Tormes* (Madrid, coll. Maranon), les *Forgerons* (New York, Frick Coll.), les *Majas au balcon* (Suisse, coll. part.), les *Jeunes* et les *Vieilles* (musée de Lille). Entre 1805 et 1810 ont dû être exécutées plusieurs natures mortes (l'inventaire de 1812 en mentionne 12), dont la saisissante *Tête de mouton* du Louvre.

Après la Restauration (1814-1824). En mars 1814, le roi Ferdinand VII rentre en Espagne. Goya put justifier suffisamment son attitude pour rester « Pintor de cámara » et venir à l'Académie. Dans ses portraits royaux (Prado) ainsi que dans d'autres brossés juste après la Restauration (le *Duc de San Carlos,* musée de Saragosse ; l'*Évêque de Marcopolis,* musée de Worcester, Mass.), à la gamme dominante des tons sombres s'ajoutent de violentes taches de couleur, rouges, jaunes et bleues. À soixante-neuf ans, Goya peint deux *Autoportraits* (Madrid, Acad. S. Fernando et Prado) et, la même année (1815), l'immense toile de la *Junte des Philippines* présidée par le roi (musée de Castres). L'idée originelle est empruntée à Velázquez, mais la réalisation est absolument personnelle et l'ambiance sombre du vaste salon a été fidèlement rendue.

Suites graphiques et peintures noires. En 1816, Goya met en vente les 33 gravures de la *Tauromachie.* La série fut entreprise comme illustration d'un texte historique sur les courses de taureaux ; très rapidement, l'artiste changea d'avis et, au lieu de suivre les avatars de l'histoire, il grava ses propres souvenirs des courses auxquelles il avait assisté sur la Plazza. Il peint encore des portraits : celui de *Mariano,* son petit-fils (Madrid, coll. du duc d'Albuquerque), celui du *Duc d'Osuna,* fils de ses protecteurs (musée de Bayonne) et celui de la *Duchesse d'Abrantès,* sa sœur (Madrid, coll. part.), ainsi qu'une grande œuvre religieuse qui fut très discutée, *Santa Justa y Rufina* (cathédrale de Séville, esquisse au Prado). À soixante-treize ans, Goya apprend la lithographie, technique alors toute nouvelle (la *Vieille filant* est datée de 1819). À la fin du mois d'août, la plus importante peinture religieuse de Goya, la *Dernière Communion de saint Joseph de Calasanz,* était déjà placée à l'autel de l'église des pères Escolapios à Madrid ; dans cette œuvre émouvante, rien de conventionnel n'apparaît et tout dans l'atmosphère sombre est dominé par la terrible expression de foi du saint mourant. De nouveau gravement malade, Goya peint un autoportrait et un portrait du médecin *Arrieta* le soignant (Minneapolis, Inst. of Arts) ainsi que d'autres portraits d'amis. Pendant sa convalescence, comme il l'avait fait autrefois, il grave à l'eau-forte, dont il enrichit la technique par des procédés complexes, l'extraordinaire série des *Disparates,* ou *Proverbes,* dans laquelle son imagination traduit les visions les plus mystérieuses et sa fantaisie se donne libre cours. Si leur exceptionnelle beauté frappe toujours, le sens de la plupart des planches nous échappe et leur réalisation est liée à la décoration de sa maison (1820-1822). Goya avait acheté en 1819 une propriété sur les bords du Manzanares, aux environs de Madrid, et il en décora deux chambres, le salon et la salle à manger. Ce sont les 14 peintures dites « noires » (Prado), exécutées à l'huile sur les murs. Elles représentent un monde clos, où la hideur sous toutes ses formes se trouve exprimée, et marqué par le mythe de Saturne, symbole de mort et de destruction. Sa compagne Leocadia Weiss, représentée à l'entrée et habillée de noir, est accoudée à une sorte de tertre que domine la balustrade d'un tombeau, évoquant sans doute la mort à laquelle l'artiste vient encore d'échapper. Les scènes les plus surprenantes, et dont l'interprétation est malaisée, sont le *Duel à coups de gourdins, le Chien* enseveli dont la tête seule émerge au ras d'un paysage désert, *Deux Jeunes Femmes se moquant d'un homme.* L'ensemble est peint avec hardiesse et avec une liberté technique totale, marquée par l'emploi constant du racloir, qui étale les taches, restituant cet univers halluciné où se déchaînent la laideur, l'horreur et l'avilissement.

Les dernières années à Bordeaux. En 1823, un revirement de la politique espagnole fit que Ferdinand VII, qui avait accepté la Constitution de 1820, rétablit le pouvoir royal, soutenu par l'expédition du duc d'Angoulême. Les libéraux furent persécutés ; Goya se réfugia chez un de ses amis, le prêtre don José de Duasso, dont il fit le portrait (musée de Séville), puis il quitta l'Espagne. Il fut probablement poussé par doña Leocadia Weiss, cousine de sa femme et avec qui il vivait, et dont le fils, un libéral exalté, tombait sous le coup de la répression ; la famille Weiss le suivit. Selon les documents, Goya avait demandé le 2 mai 1824 un congé, qui lui fut accordé, pour prendre les eaux de Plombières. Il ne semble pas qu'il s'y rendit ; il passa à Bordeaux un court moment et alla ensuite deux mois (juin-juill. de 1824) à Paris. Là, il exécuta les portraits de ses amis Ferrer, œuvres sombres dépouillées de tout artifice (Rome, coll. part.), et une course de taureaux aux couleurs contrastées *(id.).* De retour à Bordeaux, hormis des voyages à Madrid, il y demeura jusqu'à sa mort. Exilé par sa volonté, il demanda d'abord que l'on prolongeât son permis de séjour (1825), puis que lui-même fût mis à la retraite avec toute sa solde et qu'on l'autorisât à vivre en France, ce que le roi accepta.

Les ultimes portraits des amis de Goya datent de la période de Bordeaux : *Fernández Moratín* (musée de Bilbao), *Galos* (Merion, Penn. Barnes Foundation), *Juan de Muguiro* (Prado), *José Pío de Molina* (Winterthur, coll. Oskar Reinhart) ; il laissa aussi de petits tableaux au coloris brillant (Prado et Oxford, Ashmolean Museum), peints dans une pâte très dense, consacrés aux courses de taureaux, et une série de lithographies sur le même sujet, dont 4 forment une suite célèbre connue sous le nom des *Taureaux de Bordeaux.* Il faut signaler également les miniatures sur ivoire, dont Goya parlait dans une de ses lettres à Ferrer et dont 23 ont pu être identifiées sur une quarantaine (*Homme cherchant des puces,* Los Angeles, coll. part.; *Maja et Célestine,* Londres, coll. part.). Mais la *Laitière de Bordeaux* (Prado) est le tableau le plus illustre de ces dernières années; elle représente, au terme d'une longue suite d'études de jeunes femmes du peuple, l'aspect le plus gracieux et le plus délicat de l'art de Goya ainsi que l'aboutissement de sa technique; exécutée vers le même moment, la *Nonne* (Angleterre, coll. part.) témoigne au contraire d'une vigueur abrupte et simplificatrice qui annonce l'Expressionnisme.

Goya est représenté dans les grands musées du monde entier, mais la majeure partie de son œuvre est conservée à Madrid, dans des collections privées et publiques, le Prado particulièrement. En France, le Louvre et les musées d'Agen, de Bayonne, de Besançon, de Castres, de Lille, de Strasbourg possèdent de ses œuvres. X. de S.

Les dessins de Goya. Les dessins de Goya, env. un millier, principalement exécutés à partir de 1796, comprennent 2 catégories, 8 albums désignés de A à H et les dessins préparatoires pour les peintures, peu nombreux, et surtout pour les 4 grandes suites gravées. Les techniques utilisées, à la fois au trait et au lavis, sont l'encre de Chine, la sépia, la pierre noire et le crayon lithographique (albums de Bordeaux, G et H), la sanguine. Les dessins sont généralement accompagnés de légendes de la main de Goya et donnent une juste idée de la diversité de son génie, reflet de sa vie intime (album A, de Sanlúcar) et surtout de ses maintes observations sur la vie du peuple espagnol, ses joies, ses ridicules, ses distractions, ses malheurs dans les périodes de crise où la carrière de l'artiste s'est développée. Ils sont dispersés dans le monde entier; le Prado conserve dans sa presque totalité l'album C. Quelques très belles feuilles ont été détruites à Berlin en 1945 *(Homme tirant sur une corde).* S. R.

Goyen

Jan Josephs Van

peintre néerlandais
(Leyde 1596 - La Haye 1656)

Il s'initia de bonne heure à la peinture chez Coenraat Adriaens Schilperoort, Isaack Van Swanenburgh et Jan Arentsz de Man. Il travailla ensuite deux ans dans l'atelier d'un certain Willem Gerrits à Hoorn. De Van Swanenburgh nous connaissons des tableaux historiques qui n'ont rien de commun avec l'œuvre de son élève; les autres maîtres avaient, à leur époque, une certaine renommée de paysagistes, mais, comme leur œuvre a disparu, il est impossible de savoir à quel point les traditions de l'école de Leyde ont influencé Van Goyen. Par contre, nous savons qu'il se rendit un an en France en 1615. Après son retour à Leyde, il travailla une année encore dans l'atelier d'Esaias Van de Velde à Haarlem, et cet apprentissage eut sur sa formation

Jan Van Goyen
Vue de Dordrecht ►
Paris, musée du Louvre
Phot. Lauros-Giraudon

une importance capitale, dont témoignent ses premières peintures.

À partir de 1620 jusqu'à sa mort, il a daté tous ses tableaux, ce qui permet de suivre de près l'évolution de son style. Entre 1620 et 1626, ses paysages se composent d'architectures et de groupes de personnages dispersés, peints en couleurs vives que limitent des contours bruns (*Vue de village,* 1623, Brunswick, Herzog Anton Ulrich-Museum). Il est par là l'un des créateurs du paysage « réaliste » hollandais. Van Goyen a exécuté à cette époque de nombreux petits tableaux ronds sur un thème commun (l'*Été* et l'*Hiver,* les *Quatre Saisons*), suivant l'exemple des maîtres flamands de la seconde moitié du XVIe s. On peut également mentionner l'influence de Jan Bruegel ; les paysages peints par ce dernier au début du XVIIe s. sont également animés de figures de genre et exécutés suivant une technique très voisine de celle de Van Goyen.

Entre 1625 et 1630 env., son style — en même temps que celui de Pieter Molyn et d'Esaias Van de Velde (ces maîtres se sont sûrement influencés sans cesse l'un l'autre à cette époque) — se modifie profondément. Le coloris varié est remplacé par la palette « monochrome » ; seuls sont utilisés le vert, le jaune, le brun et leurs nuances intermédiaires pour rendre le paysage comme les figures et les architectures qui le complètent. La composition devient également beaucoup plus simple : l'accent est mis désormais sur un seul groupe architectural, un seul bouquet d'arbres ou une seule dune, placés d'un côté du tableau ; les figures et les édifices, groupés le long d'une diagonale descendante, acquièrent ainsi une importance secondaire. Le tableau ne doit plus sa vivacité et sa variété à l'accumulation de détails pittoresques, mais à l'alternance de parties claires et obscures qui semblent inonder le paysage de grands mouvements onduleux et qui lui donnent en même temps un caractère dynamique et une certaine cohérence (*Paysage de dunes avec ferme,* 1632, musée de Hanovre). À partir de 1630, l'eau commence à jouer un rôle beaucoup plus important dans les paysages de Van Goyen. À cette époque, on retrouve dans l'œuvre de Salomon Van Ruysdael la même technique pour représenter les lacs et les fleuves hollandais, et les deux artistes se sont sans doute mutuellement inspirés. Van Goyen commence alors à acquérir une virtuosité toute personnelle grâce à des méthodes très simples ; l'accumulation de détails caractérisant les années 1620-1626 et le dynamisme encore maniériste de sa production v. 1630 font désormais place à une construction économe et claire du tableau. La partie inférieure de celui-ci, qui occupe souvent à peine un quart de la toile, est subdivisée en bandes superposées d'eau et de terre. Un rythme vivant est imprimé à ces bandes grâce à quelques accents subtils : petits bateaux avec leurs équipages, groupes de bétail et d'édifices peints avec maîtrise et souplesse. La touche du pinceau de Van Goyen reste toujours visible (comme chez Frans Hals), procédé qui lui permet d'animer sa peinture. Des théories de nuages — éléments caractéristiques du paysage hollandais — glissent dans le ciel, qui occupe souvent les trois quarts au moins de la toile, et renforcent encore l'effet majestueux de l'ensemble. La composition se simplifie peu à peu, et le peintre est amené dans les quinze dernières années de sa vie à créer des œuvres d'allure vraiment monumentale (les *Deux Chênes,* 1641, Rijksmuseum ; *Vue sur le Rhin,* 1646, Utrecht, Centraal Museum).

Le maître fit de nombreux croquis d'après nature ; av. 1625, il exécuta surtout des dessins à la plume, ensuite il utilisa de préférence le crayon. On connaît de sa main des centaines de dessins du même genre et même quelques carnets d'esquisses. Plusieurs pages portent une date et, dans un grand nombre de cas, on peut reconnaître l'endroit où ils ont été dessinés grâce aux édifices que l'on peut facilement identifier. Van Goyen composait ses tableaux chez lui, dans son atelier, en se référant à ces dessins. Car, malgré leur caractère « réaliste », ces paysages ont été réinventés : il introduisait des silhouettes de villes, Leyde par exemple, dans un cadre qui n'était pas tout à fait conforme à la vérité topographique. Son réalisme propre se définit davantage par son talent d'évocation de l'atmosphère hollandaise avec ses eaux, ses ciels gris chargés d'humidité.

De son vivant, l'artiste fut sans aucun doute apprécié ; les nombreux imitateurs de son style en témoignent, ainsi que les deux commandes qu'il obtint : l'une du stathouder Guillaume II et l'autre de la municipalité de La Haye. Vers 1631, le maître s'était fixé dans cette ville après un séjour à Leyde. À l'exception d'un court séjour à Haarlem, il vécut à La Haye jusqu'à sa mort et peignit en 1651, pour la municipalité, une immense *Vue de La Haye.* Il vendit nombre de ses œuvres, car dans maint document son nom est lié à des transactions commerciales. Ils indiquent qu'il investissait des sommes considérables dans l'achat de peintures, de maisons et de tulipes (les bulbes étaient à cette époque un article précieux et donnaient lieu à des spéculations financières insensées). Cependant, il ne fut pas toujours heureux en affaires, et, de temps à autre, sa situation financière dut être très précaire.

Au XVIIIe s. et dans la première partie du XIXe, Van Goyen tomba dans l'oubli ; on lui reprochait alors son coloris monotone et son manque de raffinement dans le détail. Il est, avec Frans Hals, un des peintres dont les qualités exceptionnelles ont été redécouvertes grâce à la vision impressionniste. On l'admire aujourd'hui et on le considère souvent, quelquefois avec excès, comme le représentant par excellence du paysage hollandais au début du XVIIe s. Son œuvre peint est très abondant; il est représenté dans tous les musées hollandais et dans la plupart des grands musées d'Europe et des États-Unis. Ses dessins sont conservés notamment au Rijksmuseum, au musée de Hambourg, à Bruxelles (M.A.A.), à Dresde (cabinet des Estampes). A. Bl.

Graf

Urs l'Ancien

peintre suisse

(Soleure v. 1485 - Bâle 1527/28)

Son père, orfèvre, lui donna les éléments d'une formation poursuivie et achevée à Bâle. En 1503, à Strasbourg, il exécute une série de dessins qui seront xylographiés et publiés par Knobloch en 1506. Les années suivantes le voient à Bâle, à Zurich, à Strasbourg, à Soleure. Emporté par un tempérament tumultueux qui le conduira maintes fois en prison, il passera rarement plus de quelques mois dans la même ville, recevant de nombreuses commandes de dessins qui, grâce à la gravure, seront répandus et connaîtront un succès retentissant (la *Vie de Jésus,* publiée à Strasbourg en 1508, musée de Bâle). En 1511, il épouse une jeune Bâloise, acquiert le droit de bourgeoisie de la cité rhénane et, l'année suivante, s'engage dans les troupes de mercenaires qui partent au secours de Jules II à Milan. En 1513, il est à Dijon, puis au couvent de Saint-Urbain (Lucerne), où il réalise un *Ostensoir* et un *Reliquaire.* Il prend part à la bataille de Marignan. Les archives des années suivantes ne font état que d'une suite de condamnations pour querelles sanglantes et outrages aux mœurs. Banni de Bâle en 1518, Urs Graf en deviendra l'année suivante le graveur de monnaie officiel. En 1521, il se bat de nouveau devant Milan. Il est mentionné pour la dernière fois en 1526. Il est l'auteur de quelques vitraux (le *Banneret,* 1507; *Ulrich d'Hohensax,* apr. 1515, tous deux à Zurich, Kunsthaus), et de 2 peintures : l'*Année sauvage* et *Saint Georges et le dragon,* grisaille sur fond bleu (musée de Bâle). Mais son génie éclate dans quelque 300 gravures et dessins datés de 1503 à 1525 et presque tous monogrammés.

D'une spontanéité exubérante, mais avec des allures de « peintre maudit », il puisa ses thèmes parmi les figures qui lui étaient familières, femmes et soldats, croqués avec acuité et humour dans un réalisme gonflé de vie, de frénésie et de mort. Il fut ouvert à toutes les influences et sut les intégrer en un langage original qui évoluera avec ses déplacements : gothique tardif au début, puis proche de Schongauer, qu'il copie parfois littéralement. Il s'inspira en même temps des études anatomiques d'un Hans Wechtlin ou du clair-obscur de Hans Baldung et de la puissance incisive et ironique de Dürer. Après sa première campagne italienne, les thèmes renaissants, frises décoratives, putti, figures mythologiques, firent leur apparition (la *Jeune Fille folle,* 1513, musée de Bâle; *Madame*

Urs Graf, **La Vivandière et le pendu** (1525) ▶
Dessin à la plume
Bâle, Kunstmuseum, Kupferstichkabinett
Phot. Hinz

Vénus et le lansquenet, 1517, Rijksmuseum), et son dessin, tout en conservant la netteté métallique un peu crispée du trait, acquit la souplesse frémissante et passionnée qui fit son renom (le *Diable arrêtant un lansquenet en fuite,* 1516, musée de Bâle ; *Saint Sébastien mourant,* 1517, *id.* ; *Flagellation,* 1526, *id.* ; la *Vivandière et le pendu, id.*).

Personnalité haute en couleurs, Graf illustre, par sa vie même, la mise en question révolutionnaire du monde médiéval dans les bouleversements politiques et artistiques qui secouèrent l'Europe au début du XVIe s. B. Z.

Greco

Domenikos Theotokopoulos, dit

peintre espagnol d'origine grecque (Candie, Crète, 1541 - Tolède 1614)

Ses premières années crétoises et sa formation vénitienne sont encore loin d'être éclaircies. D'après les documents récemment publiés en Grèce, il est né dans la capitale de la Crète vénitienne d'une famille sans doute catholique de petite bourgeoisie urbaine — collecteurs d'impôts, douaniers — (son frère aîné, Manussos, destitué pour malversation, viendra finir sa vie près de lui à Tolède). En 1566, il est mentionné à Candie comme maître peintre.

Période italienne. Est-ce avant ou seulement après cette date qu'il travaille à Venise ? En tout cas, son séjour y fut moins prolongé qu'on ne le pensait jadis. En 1570, il se rend à Rome : le « jeune Candiote, élève de Titien » que le miniaturiste croate Giulio Clovio recommande au cardinal Alexandre Farnèse, figure en 1572 sur les registres de l'académie de Saint-Luc. Dans le milieu humaniste qui fréquentait la bibliothèque du palais Farnèse, il entra en relation avec des ecclésiastiques espagnols, notamment Pedro Chacón, chanoine de la cathédrale de Tolède. La construction d'importants couvents et le vaste chantier de l'Escorial ont sans doute attiré Greco vers la puissante Espagne. Au printemps de 1577, il arriva à Tolède, où il demeura jusqu'à sa mort.

Cette période italienne de l'artiste, longtemps négligée, a suscité depuis un demi-siècle l'attention des historiens, et de nombreuses peintures, où se marque la conjugaison d'influences byzantines et vénitiennes, ont été mises sous le nom de Greco. Aucune de ces attributions n'est indiscutée, même le polyptyque retrouvé à Modène (Pin. Estense) et signé « Domenikos », où le byzantinisme reste prépondérant, et les *Saint François stigmatisé* (Genève, coll. part., et Naples, Capodimonte), qui accordent une large place au paysage, de tradition vénitienne, mais traité d'une manière nerveuse et tourmentée. Dans les œuvres de style purement vénitien, comme la *Guérison de l'aveugle-né* (Parme, G. N., et Dresde, Gg) ou le *Christ chassant les marchands du Temple* (Washington, N. G.), la conception de l'espace dérive surtout de Tintoret, et la richesse chatoyante des couleurs de la palette de Titien. Greco y fait preuve d'une science très poussée de la perspective et de plus d'habileté dans le traitement des arrière-plans architecturaux que dans la représentation des mouvements de foule. La toile la plus accomplie de cette période est peut-être l'*Annonciation* (v. 1575, Prado), peinte dans une gamme toute vénitienne. Son séjour romain eut sur son œuvre beaucoup moins d'influence que les années d'étude à Venise ; le souvenir de l'Antiquité classique, l'art de Michel-Ange et des maniéristes seront perceptibles dans la *Pietà* de la coll. Johnson du Museum of Art de Philadelphie et dans celle de l'Hispanic Society de New York, de même que dans ses peintures ultérieures (réminiscences de l'*Hercule Farnèse* et du *Laocoon,* composition en pyramide, allongement du canon). Mais, ici encore, Greco doit plus à Titien qu'à aucun autre maître. Dans le *Jeune Garçon allumant une chandelle* (v. 1570, Naples, Capodimonte), il emploie, pour la première fois, cette source de lumière, s'inspirant de la *Nativité* de Titien (Florence, Pitti) et ouvrant la voie aux recherches luministes de la fin du siècle. Pendant son séjour en Italie, il exécuta maints portraits — genre dans lequel il excella — proches des portraits vénitiens : *Giulio Clovio* (Naples, Capodimonte), *G. B. Porta* (Copenhague, S. M. f. K.), le *Gouverneur de Malte Vincentio Anastagi* (New York, Frick Coll.) sont représentés avec un respect minutieux de l'apparence physique, qui n'exclut pas l'ampleur de la composition.

Période espagnole. Demeuré obscur en Italie, c'est à Tolède que l'artiste s'affirme dans la triomphale *Assomption* destinée au maître-autel du couvent de S. Domingo el Antiguo (1577, Chicago, Art Inst.). La richesse vénitienne du coloris demeure, et la composition révèle également l'emprise de l'*Assomption* des « Frari » de Titien, mais des suggestions maniéristes se manifestent dans l'absence de profondeur et les attitudes mouvementées. La *Trinité* (Prado), qui occupait l'attique du même retable, est unique dans la production de Greco par son caractère sculptural, directement inspiré de Michel-Ange. Dans la *Résurrection,* demeurée sur place, apparaît un nouveau Greco, dramatique, éloquent, mystérieux. L'artiste compose alors l'*Espolio* (le Christ dépouillé de sa tunique, 1577-1579, cathédrale de Tolède), l'une de ses créations les plus originales; les savants effets de raccourci prouvent l'assimilation des leçons de la Renaissance italienne, mais la formule iconographique est d'origine byzantine, et l'intensité de la couleur, avec l'obsédante tache écarlate de la tunique du Christ, suscite une puissante émotion. C'est aussi là qu'apparaît le type féminin cher à Greco — long visage mince, grands yeux tristes —, dont le modèle fut peut-être la Tolédane Jeronima de las Cuevas, épouse (ou maîtresse?) du peintre. Les éléments médiévaux sont également transfigurés, dans l'*Allégorie de la Sainte Ligue* (ou le *Triomphe du nom de Jésus* (Escorial), par l'imagination visionnaire de l'artiste. Cette composition (jadis nommée le *Songe de Philippe II*) semble avoir été peinte en 1578 pour le roi, à l'occasion de la mort de son demi-frère, don Juan d'Autriche, le vainqueur de Lépante. Le *Martyre de saint Maurice* (1582, Escorial), également exécuté pour Philippe II, déplut au monarque et aux religieux — sans doute par son irréalisme et son aigre coloris —, et Greco cessa dès lors de travailler pour la Cour. Il se consacra surtout aux « tableaux de dévotion », chers à la piété espagnole : *Sainte Véronique* (Madrid, coll. Caturla), *Saint François recevant les stigmates* (Madrid, coll. marquis de Pidal), *Christ en croix*. La *Crucifixion avec deux donateurs* (Louvre) annonce le chef-d'œuvre du maître : l'*Enterrement du comte d'Orgaz* (1586, Tolède, Santo Tomé). Cette austère et somptueuse composition de vitrail, qui associe toute la cour céleste à la représentation d'une cérémonie funèbre, offre comme une synthèse de la société tolédane — clercs, juristes, capitaines —, qui adopta le peintre et se reconnut dans ses toiles. Mieux qu'aucun artiste espagnol, Greco exprime, dans une série de portraits, la gravité solennelle des nobles castillans : le *Chevalier à la main sur la poitrine* (Prado), l'humaniste *Covarrubias* (Louvre), le *Capitaine Julian Romero de las Hazanas* (Prado), traités en blanc et noir, dans une forme classique, austère et précise. Le cardinal *Niño de Guevara* (Metropolitan Museum), d'un somptueux coloris, allie l'observation psychologique à la représentation solennelle du grand inquisiteur.

Pendant les trente dernières années de son séjour tolédan, Greco créa une iconographie nouvelle, conforme aux prescriptions du concile de Trente : saints pénitents, scènes de la Passion et de la Sainte Famille, thèmes fréquemment répétés par l'artiste ou par son atelier. La profondeur de l'émotion religieuse, le respect de l'apparence physique et la chaleur de la gamme (rouges sombres, jaunes d'or) caractérisent le *Christ portant la croix* (Prado; Metropolitan Museum), la *Madeleine repentante* (musée de Budapest; Sitges, musée du Cau Ferrat), les *Larmes de saint Pierre* (Tolède, hôpital Tavera). La *Sainte Famille* (Prado; Tolède, hôpital Tavera et musée de S. Cruz) est l'une de ses créations les plus heureuses, par la grâce douloureuse et la fraîcheur éclatante du coloris.

Les dernières années. À partir de 1595 env., l'artiste s'éloigne du réel et transpose sur la toile la richesse extatique de son royaume intérieur. Les corps s'allongent et perdent leur lourdeur charnelle, toujours plus semblables à la flamme qui illumine parfois le tableau : cette évolution est saisissante dans les œuvres peintes entre 1596 et 1600 pour le collège de S. Maria de Aragon à Madrid (*Annonciation* du musée Balaguer à Villanueva y Geltrú; *Adoration des bergers* du musée de Bucarest, *Baptême du Christ* du Prado). L'accentuation des lignes verticales atteint son paroxysme dans la décoration de la chapelle Saint-Joseph à Tolède (1599), dont seuls les tableaux du grand autel *(Saint Joseph et l'Enfant Jésus,* le *Couronnement de la Vierge)* demeurent en place et d'où provient *Saint Martin et le pauvre* (1599, Washington, N.G.). La simultanéité de la distorsion dans l'anatomie du mendiant et dans le traitement académique du cheval suffit à réfuter les hypothèses selon lesquelles le peintre aurait été atteint d'astigmatisme ou de folie. Le paysage de Tolède sous un ciel d'orage qui occupe le fond du tableau est amplifié dans la célèbre *Vue de Tolède* (Metropolitan Museum). Les thèmes traités par Greco au début de sa carrière sont parfois repris — *Adoration des bergers, Résurrection* (Prado) — dans un climat d'angoisse et de tension vers l'au-delà. Les tons froids, la pâle lumière, les corps immatériels et les visages émaciés caractérisent les 5 toiles peintes pour l'hôpital de la Charité à Illescas (près de Tolède) [1603-1605]; *Saint Ildefonse écrivant* et la *Vierge de miséricorde* transposent les thèmes médiévaux dans un monde extatique. Le *Saint Dominique en prière* (cathédrale de Tolède), figure solitaire perdue dans un paysage désolé, est l'une des créations les plus pathétiques de Greco, qui consacre également plusieurs tableaux à la légende dépouillée franciscaine : *Saint François et frère Léon méditant sur la mort,* gravé par Diego de Astor en 1906 (nombreuses versions, notamment au Prado; à Ottawa, N.G.; à Valence, collège du Patriarche), et la *Vision de la torche enflammée* (Cadix, hôpital du Carmen; Madrid, musée Cerralbo).

Pendant ses dernières années, Greco traduisit sur la toile ses visions, ses rêves et ses aspirations, tandis que son atelier (dans lequel figure son fils Jorge Manuel) exécutait de nombreuses répliques des thèmes les plus chers à la dévotion espagnole : série d'*Apôtres,* figures de saints (Tolède, cathédrale et musée de Greco). L'anatomie tourmentée,

Greco
Laocoon ▲
Washington, National Gallery of Art
Phot. Fabbri

les déformations accusées, l'allongement extrême du canon, la touche large et les amples drapés, comme la splendeur automnale du coloris, n'ont jamais été aussi accentués que dans l'*Assomption* peinte apr. 1607 pour l'église S. Vicente et auj. au musée de Tolède. L'exaltation atteint à son paroxysme dans le *Cinquième Sceau de l'Apocalypse* (Metropolitan Museum), très proche du *Laocoon* (Washington, N. G.), seul thème mythologique qu'ait traité Greco. La *Vue de Tolède* (Tolède, musée de Greco), dont la composition, à partir de petits volumes cubiques, préfigure l'art de Cézanne, prouve l'extraordinaire sûreté du pinceau peu avant la mort du maître, dont la dernière œuvre, restée inachevée, fut peinte pour l'hôpital Tavera de Tolède : *Baptême du Christ.*

Tout au long de sa carrière, l'imagination créatrice de Greco allia et transfigura les divers éléments dont elle s'était nourrie : l'héritage crétois, les leçons de la Renaissance italienne et l'atmosphère de Tolède. Oublié jusqu'au XIXe s., redécouvert par la « génération de 98 » en Espagne et révélé au public français par Maurice Barrès (*Greco ou le Secret de Tolède,* 1910), Greco fut considéré comme un artiste solitaire, extravagant et génial. La critique contemporaine cherche à déterminer les composantes de cette alchimie picturale : l'allongement des proportions est un trait commun à tous les maniéristes, mais seul Greco — le dernier et le plus grand d'entre eux — lui a donné la signification mystique d'une aspiration vers l'au-delà. Son originalité profonde s'est épanouie à la faveur du climat tolédan. À l'artiste, maître de sa technique, l'Espagne a donné un vaste répertoire iconographique, presque exclusivement religieux, d'où sont bannis les thèmes profanes, à l'exception du paysage et du portrait. Plus qu'aucun autre peintre, Greco est redevable au milieu environnant — Venise, Tolède —, où son art a puisé ses modèles et son inspiration, mais, par la transfiguration du monde extérieur qu'il opère dans ses toiles, il demeure un créateur isolé, sans disciples véritables (le meilleur, Luis Tristan, évolue très vite vers le ténébrisme caravagesque) et sans postérité : seul Velázquez, qui l'admirait et recherchait ses œuvres, peut être considéré en quelque manière, par la hardiesse de sa technique « impressionniste, comme son héritier spirituel.

A. C. et P. G.

Greuze

Jean-Baptiste

peintre français

(Tournus, Saône-et-Loire, 1725 - Paris 1805)

On sait qu'il fit ses études à Lyon, chez Grandon (peintre de la ville de Lyon de 1749 à 1762) et qu'il se rendit à Paris v. 1750. C'est probablement de cette époque que date le *Saint François* de l'église de la Madeleine à Tournus. Protégé de Sylvestre, il est l'élève de Natoire à l'Académie, mais ne s'engage pas dans la voie officielle du Prix de Rome et de la carrière académique. Il est cependant agréé en 1755 et peut envoyer au Salon le *Père de famille expliquant la Bible* (acheté par Lalive de Jully), son portrait de Sylvestre et d'autres tableautins quelque peu galants. La critique accueille avec enthousiasme ce qui fait son originalité au milieu du siècle et qui restera une constante dans son œuvre : scènes familiales d'une intention morale évidente où la pointe de galanterie se transformera en une sensualité plus osée. Dès ses débuts, Greuze apparaît donc comme un observateur attentif, disciple des Hollandais, ayant comme eux le goût du sujet, avec en plus une « âme délicate et sensible » (Diderot). En septembre 1755, l'abbé Gougenot, conseiller au Grand Conseil, l'emmène à Naples, puis à Rome, où Greuze passe un an env. De ce séjour en Italie, il retient le pittoresque (tableaux exposés au Salon de 1757 : le *Guitariste napolitain,* musée de Varsovie ; la *Paresseuse italienne,* Hartford, Wadsworth Atheneum ; les *Œufs cassés,* Metropolitan Museum ; le *Geste napolitain,* musée de Worcester), mais ne semble pas préoccupé par la vogue de l'antique (c'est l'époque de la publication des *Antiquités romaines* de Piranèse, qu'achètent son ami Gougenot ou Barthélemy), ni par l'enthousiasme préromantique de Fragonard ou de Robert pour les ruines et les paysages italiens. C'est tout au plus l'expression des figures des Bolonais du XVIIe s. qu'il se rappellera : il inaugure alors un genre nouveau (*Jeune Fille pleurant sur un oiseau mort,* Louvre), dont l'ambiguïté va plaire au public.

Avec l'*Accordée de village* (Salon de 1761, Louvre), Greuze ouvre une nouvelle voie, celle de la peinture de genre traitée avec les ressources de la peinture d'histoire, qui prête aux acteurs l'expression de leurs sentiments. Ce fut un triomphe, que

Jean-Baptiste Greuze
◄ **Le Fils puni** (1777-78)
Paris, musée du Louvre
Phot. Telarci-Giraudon

continuèrent le *Paralytique soigné par ses enfants* (1763, Ermitage) et la *Mère bien-aimée* (1765, coll. du marquis de Laborde). Pendant cette période, Greuze se souvient de Jan Steen dans l'anecdote, mais veut aussi trouver la « grande idée » que réclame Diderot : c'est *L'empereur Sévère reproche à Caracalla, son fils, d'avoir voulu l'assassiner* (1769, Louvre) qui provoque les plus vives réactions de l'Académie et du public. Et pourtant, dans la carrière de l'artiste, l'œuvre marque une étape importante, car le sujet, qu'il veut recherché (il avait songé à Éponine et Sabinus, dessin de 1768, musée de Chaumont, où le geste de Vespasien sera repris dans le tableau final), est emprunté à la version de Dion Cassius par Coeffeteau. D'autre part, Greuze fait de nombreux dessins pour ces figures d'après l'antique (*Papinien,* 1768, Louvre ; *Caracalla,* 1768, musée de Bayonne ; et la figure de la *Fortune* d'après le *Grand Cabinet romain* de Michel-Ange de La Chaussée, de 1706) ou d'après nature, et il y révèle une grande sensibilité (*Bustes de Septime Sévère,* 1768, Paris, E. N. B. A.). Ce tableau est à situer entre la *Marchande d'amours* de Vien (1763) et les *Horaces* (1784) de David. On pense là moins au Greuze moralisant qu'à l'influence de Poussin, que Saint-Aubin évoquait à propos du dessin du *Père dénaturé abandonné par ses enfants* (1769, musée de Tournus) ; la composition rappelle, en effet, celle du *Germanicus,* et, par là, Greuze, comme presque tous les artistes français, sauf Vien et Prud'hon peut-être, se montre moins « néo-classique » que « néo-poussiniste » ; en tout cas, le tableau a déjà tous les traits du mouvement que va illustrer David dans la *Mort de Socrate* de 1787.

L'austérité et la précision qu'il a acquises de 1767 à 1769 en travaillant la peinture d'histoire, Greuze va les introduire dans sa peinture moralisante : d'où une série plus austère, où le coloris s'assombrit, le geste se fait plus digne et une certaine tension passe dans l'expression et l'attitude, quoique le drame ne soit que bourgeois (le *Gâteau des rois,* 1774, musée de Montpellier ; la *Dame de charité,* 1775, musée de Lyon ; la *Malédiction paternelle* et le *Fils puni,* 1777-78, Louvre, et le *Retour de l'ivrogne,* musée de Portland). Le succès en est complet (l'auteur, d'ailleurs, se sert de la presse pour sa propagande), de même que celui de la *Cruche cassée* (Louvre). Et si la cour de Russie raffole de son art, Greuze aura en France de nombreux imitateurs (Bounieu, Aubry, Bilcoq, G. M. Kraus). Mais sa peinture de genre, qui oscille entre celle de Chardin et celle d'un Hogarth dépourvu de sarcasme, commence à lasser l'opinion v. 1780 (*Mémoires* de Bachaumont) et il s'attache surtout au portrait. Dès le début de sa carrière (*Autoportrait,* Louvre), il se montre aussi fin qu'un La Tour, avec un sentiment du réel qui rappelle davantage Chardin (*George Gougenot de Croissy,* v. 1756, Bruxelles, M. A. A.) et permet de penser à une influence de Rembrandt (*Portrait d'homme,* 1755, Louvre). C'est la même franchise que l'on retrouve dans les admirables séries de dessins de l'Ermitage et du Louvre (d'autres dessins sont conservés au musée de Tournus, à l'Albertina, au British Museum) autant que dans ses meilleurs portraits (*Babuti,* Paris, coll. David-Weill ; *Wille,* 1763, Paris, musée Jacquemart-André). C. C.

Gris
Juan

peintre espagnol
(Madrid 1887 - Boulogne-sur-Seine 1927)

De son véritable nom Victoriano González (nom qu'il porta presque jusqu'à son départ d'Espagne), il entra en 1902, sur le désir de ses parents, à la Escuela de Artes y Manufacturas de Madrid. Se sentant depuis longtemps une vocation artistique, il abandonna toutefois deux ans plus tard ces études scientifiques pour se consacrer entièrement à la peinture. Son premier professeur fut un vieux peintre académique qui ne put, comme il devait le dire plus tard, que le dégoûter de la « bonne » peinture (lettre de Gris citée par Kahnweiler, *Juan Gris,* Paris, 1946). Sous l'influence des revues allemandes *Simplicissimus* et *Jugend* (dont son ami Willy Geiger était le collaborateur), Gris se tourna un temps vers le Jugendstil, qui était alors fort prisé en Espagne et représentait, pour la plupart des artistes madrilènes d'alors, l'art le plus avancé. Cependant, cette esthétique ne put le satisfaire longtemps, et, ressentant le besoin d'une atmosphère de nouveauté et de recherche plus propre à le stimuler, il décida en 1906 de partir pour Paris, où plusieurs de ses compatriotes vivaient déjà et où l'attirait en particulier la renommée naissante de Picasso. Il trouva un atelier à l'endroit même où habitait celui-ci, au fameux Bateau-Lavoir. Mais, ayant vendu tout ce qu'il possédait pour payer son voyage, il dut d'abord travailler pour gagner sa vie, et, durant près de cinq ans, son temps se passa à composer des dessins humoristiques qu'il plaçait dans divers journaux illustrés, notamment *l'Assiette au beurre, le Charivari* et *le Cri de Paris.* Aussi, bien qu'il peignît un peu à ses moments de loisir, ne put-il se consacrer réellement à son art que vers 1911.

À peine âgé de vingt-quatre ans, sans formation technique véritable, il ne chercha pas à affirmer d'emblée une esthétique personnelle, mais résolut

Juan Gris
◄ **L'Échiquier** (1915)
Chicago, The Art Institute

de suivre la voie ouverte par Picasso et Braque, dont il avait pu suivre les recherches (ils séjournent tous trois en 1911 à Céret) et dont il partageait les vues.

Après avoir tenté en 1911 de résoudre le problème de la lumière venant frapper les objets (le *Livre,* Paris, M. N. A. M. ; *Portrait de Maurice Raynal,* Paris, coll. part. ; *Natures mortes,* New York, M. O. M. A., et Otterlo, Kröller-Müller), il exécuta, au début de 1912, des œuvres dans lesquelles il commença à appliquer certains procédés spécifiquement cubistes, tels que le renversement des plans ou la variation des angles de vue (*Hommage à Picasso,* Chicago, Art Inst. ; *Guitare et fleurs,* New York, M. O. M. A.), mais ce n'est qu'à partir de l'été de 1912 qu'il adopta entièrement le langage cubiste.

Bien qu'on le cite pour avoir été le plus orthodoxe des cubistes, il ne se départit jamais de sa propre personnalité. Dès l'époque analytique, en effet, sa peinture se distingua de celle de ses initiateurs par un emploi assez différent de la couleur et par une construction plus affirmée du tableau. Refusant d'accorder une valeur exclusive au « ton local », il se contentait de donner une sorte d'échantillon de la matière (sauf pour certains objets rebelles à l'analyse, tels que miroir, gravure ou reproduction de tableau, qu'il introduisait alors carrément dans son œuvre) et usait pour le reste de couleurs franches et vives, parfois même assez contrastées (le *Fumeur,* 1913, New York, coll. Armand P. Bartos ; le *Torero,* 1913, Key West, anc. coll. Ernest Hemingway ; les *Trois Cartes,* musée de Berne, fondation Rupf). S'il représentait lui aussi plusieurs aspects différents d'un même objet, il se refusait d'autre part à séparer ceux-ci sur la toile et tâchait au contraire de les réunir en une image unique. Les divers éléments représentatifs, enfin, étaient soumis à un agencement plastique d'une rigueur intransigeante, quoique sans nulle sécheresse.

Dès la fin de 1914 et en particulier dans ses admirables papiers collés (la *Bouteille de banyuls,* musée de Berne, fondation Rupf ; *Nature morte aux roses,* Paris, ancienne coll. Gertrude Stein ; *Nature morte,* Otterlo, Kröller-Müller ; *Nature morte au verre de bière,* Chicago, coll. Samuel A. Marx), on relève une désaffection de plus en plus grande à l'égard de la méthode « analytique » et le passage à une méthode plus « synthétique », dans laquelle les objets sont le plus possible réduits à leurs attributs permanents. Cette nouvelle conception culmine dans l'admirable *Nature morte au livre, à la pipe et aux verres* (1915, New York, coll. Ralph F. Colin). Le passage d'une méthode à l'autre ne se fit pourtant pas en un jour. Nombreuses sont les toiles des années 1915-1917 qui trahissent une certaine hésitation de leur auteur sur le chemin à suivre. Tantôt Gris semble perdre l'objet de vue pour ne plus s'occuper que de l'architecture du tableau (*Nature morte ovale,* 1915, Paris, coll. part.; la *Place Ravignan,* 1915; la *Lampe,* 1916, Philadelphie, Museum of Art, coll. Arensberg; *Violon,* 1916, Detroit, coll. Isadore Levin), tantôt il revient à cet objet, mais, dans son désir d'échapper aux inconvénients de l'analyse, il en donne une représentation quelque peu schématique, frôle même parfois la stylisation (*Nature morte au poème,* 1915, Radnor, coll. Henry Clifford; le *Violon,* 1916, musée de Bâle; *Nature morte aux cartes à jouer,* 1916, Saint Louis, Missouri, Washington University, Gal. of Art; l'*Échiquier,* 1917, New York, M.O.M.A.). En fait, ce n'est qu'au début de 1918 qu'il se sentira entièrement maître de sa nouvelle technique « synthétique ».

Les années de guerre furent donc pour lui décisives et marquées par un travail acharné, en dépit d'embarras pécuniaires souvent tragiques (Kahnweiler, sujet allemand, n'ayant pu rentrer en France, Gris se trouvait en effet d'autant plus démuni que, se considérant lié par son contrat, il refusa longtemps de vendre à d'autres), mais ce labeur devait porter magnifiquement ses fruits.

Si les œuvres que Gris exécuta entre 1918 et 1920 sont surtout remarquables par la rigueur de leur architecture plastique et par la pureté d'expression, d'une grandeur presque hautaine (*Nature morte au compotier,* 1918, musée de Berne, fondation Rupf; *Guitare et compotier,* 1919, Chicago, coll. part.; *Guitare et bouteille,* 1920, Nice, coll. part.), si celles des années 1921 à 1923 font, au contraire, preuve d'un lyrisme nouveau chez lui et d'un goût pour la couleur plus prononcé qu'auparavant (le *Canigou,* 1921, Buffalo, Albright-Knox Art Gal.; *Devant la baie,* 1921, Cambridge, Mass., coll. Gustave Kahnweiler; le *Cahier de musique,* 1922, New York, coll. part.; *Arlequin assis,* 1923, Hartford, Wadsworth Atheneum Museum), il est permis de penser que ce sont les œuvres des trois dernières années de sa vie qui représentent en définitive le meilleur de sa production et aussi en quelque sorte le sommet de la pensée cubiste. La méthode que Gris y emploie marque en effet le point d'achèvement de la longue recherche épistémologique inaugurée par Picasso en 1907. Ce dernier, certes, fut là encore le créateur de la nouvelle méthode, qu'il utilisa dès 1913, mais, comme toujours, pressé de courir vers de nouvelles découvertes, il se contenta d'apporter la solution sans chercher à l'exploiter lui-même longuement. C'est donc Gris qui, l'ayant reprise à son compte, la précisa et l'enrichit au point d'en faire, si l'on ose dire, sa propriété. Cette méthode, volontairement fondée sur une démarche intellectuelle *a priori,* est — mutatis mutandis — assez comparable en son fond à celle des phénoménologues allemands, de Husserl en particulier. Au lieu de dénombrer les divers aspects d'un objet comme on le faisait à l'époque du cubisme analytique, le peintre, en effet, s'élève désormais d'une façon purement intuitive jusqu'à l'essence de cet objet, c'est-à-dire jusqu'à la structure nécessaire qui fait de lui ce qu'il est, ce qui le rend possible. Effectivement, dans un objet, certains prédicats (la couleur d'un verre, la matière d'une pipe) peuvent varier; d'autres, au contraire, les prédicats « essentiels », conditionnent la possibilité même de l'objet et ne sauraient souffrir de variation. Ce sont ces derniers seuls que Gris veut dorénavant retenir.

Mais ce problème de méthode se double d'un problème de « visualisation ». Durant la période analytique, Gris assemblait les différents éléments descriptifs que lui fournissait l'étude visuelle de l'objet. En d'autres termes, il partait de l'objet pour arriver à l'architecture. Maintenant, au contraire, il part de l'architecture pour arriver à l'objet, ce qu'il résumait dans une formule restée célèbre : « Cézanne d'une bouteille fait un cylindre, moi, je pars du cylindre pour créer un individu d'un type spécial, d'un cylindre, je fais une bouteille » (l'*Esprit nouveau,* Paris, nº 5, février 1921). De la même manière, un parallélogramme blanc deviendra une page de livre ou un feuillet de musique; un rectangle, une table; un ovale, une poire ou un citron; une forme composée de deux trapèzes affrontés, une guitare. D'une ligne droite se courbant brusquement naîtra une pipe; d'une ligne sinueuse, le feston d'un tapis de table. Ce que Gris appellera « qualifier les objets ».

Nées d'un parfait équilibre entre la richesse du contenu spirituel et les nécessités architecturales, empreintes d'une poésie discrète et d'une émotion pleine de pudeur, les compositions de cette dernière période (la *Table du peintre,* 1925, Heidelberg, coll. Reuter; le *Tapis bleu,* 1925, Paris, M.N.A.M.; *Guitare et feuillet de musique,* 1926, New York, coll. Daniel Saidenberg; la *Guitare jaune,* 1926, Paris, coll. part.; *Compotier et livre,* 1927, Suède, Lund, coll. Dr Sandblom) comptent parmi les chefs-d'œuvre du Cubisme.

La sérénité qui se dégage de ces œuvres ne peut manquer de frapper. Elles furent pourtant créées à une époque où l'état de santé du peintre, s'aggravant de jour en jour, lui rendait tout travail pénible. Épuisé par une vie de misère et de privations, il avait, en effet, été atteint d'une pleurésie en 1920 et, malgré de fréquents séjours dans le Midi, ne s'en était jamais complètement remis. Après des mois de souffrance, il s'éteignit le 11 mai 1927 à Boulogne-sur-Seine, où il habitait depuis 1922, ayant eu malgré tout la consolation de voir son renom grandir auprès des amateurs et des critiques. L'œuvre gravé, surtout des illustrations, comprend 34 lithos et eaux-fortes. G. H.

Gros

Antoine-Jean

peintre français

(Paris 1771 - id. 1835)

Les débuts. Fils d'un miniaturiste, il entra à l'âge de quatorze ans dans l'atelier de David. À partir de 1787, il suivit également les cours de l'Académie de peinture. Il semble que cet élève de David avait peu d'inclination pour les sujets tirés de la Rome républicaine. L'intérêt qu'il porta très tôt à Rubens fait comprendre son hésitation à adopter le style néo-classique. Le tableau *Antiochus et Éléazar* (musée de Saint-Lô), avec lequel il concourut en 1792, sans succès, pour le Prix de Rome, est étrangement baroque pour l'époque et d'une certaine violence dans l'attitude des personnages, qui demeurera une caractéristique du peintre.

Craignant d'être dénoncé pour ses opinions modérées, Gros quitta le Paris révolutionnaire au début de 1793. Il séjourna huit ans en Italie, d'abord à Gênes, plus tard à Milan. Un séjour à Florence ne fut que de courte durée, mais, semble-t-il, particulièrement enrichissant. Les albums d'esquisses subsistants témoignent d'un intérêt assez général : on y trouve, à côté de copies d'après l'antique, des esquisses d'après Masaccio, Andrea del Sarto, Pontormo, Rubens, des sujets de vases antiques édités par J. W. Tischbein ainsi que des dessins d'après Flaxman. Gros choisit pour ses compositions originales des sujets comme *Malvina pleurant Oscar,* tiré d'Ossian, ou *Young pleurant sa fille,* thèmes qui illustrent le courant préromantique. Néanmoins, il n'acheva comme tableaux qu'un grand nombre de portraits représentant surtout des membres de la société génoise, tel celui de *Madame Pasteur* (Louvre), femme d'un banquier français à Gênes. À la fin de 1796, Joséphine, séjournant dans cette ville, emmena le portraitiste, déjà renommé, à Milan. C'est là que Gros peignit le célèbre *Bonaparte au pont d'Arcole* (Versailles, esquisse au Louvre). Nommé adjoint de la commission chargée de choisir les œuvres d'art à envoyer en France, il parcourut l'Italie et vit enfin Rome au printemps de 1797. Après la dissolution de la commission, il reçut un titre dans l'armée et dut fuir avec celle-ci en 1799 devant les Autrichiens victorieux. En février 1801, il était de nouveau à Paris.

Le Consulat et l'Empire. Un des premiers tableaux qu'il a peints après son retour est le portrait posthume de la jeune femme de Lucien Bonaparte, *Christine Boyer* (Louvre). La finesse du visage, empreint d'une expression méditative, et l'élégance dépouillée sont des caractéristiques qui le classent encore parmi les effigies du début. En 1801, Gros exposa au Salon *Sapho à Leucate* (musée de Bayeux), tableau commencé en Italie, dont le thème du suicide et le paysage, nocturne et lugubre, caractérisent le penchant romantique de l'artiste jeune. Mais son apport essentiel concerne une expression romantique différente.

À la même date furent également exposées au Louvre les esquisses pour la *Bataille de Nazareth,* dont celle de Gros (musée de Nantes). La décision du jury en sa faveur provoqua un scandale. Son coloris vif fut considéré comme un retour au « genre gracieux » du XVIIIe s. et non comme un élément novateur. C'est avec les *Pestiférés de Jaffa* (Louvre), exposés au Salon de 1804, que Gros devint célèbre parmi ses contemporains, qui le considéraient comme le plus grand coloriste de l'école française. Au Salon de 1806 fut présentée la *Bataille d'Aboukir,* commandée par Murat (Versailles). Gros, qui ne s'intéressait pas particulièrement à la vie militaire, n'était pas un peintre de bataille proprement dit. Conscient de son rang de « peintre d'histoire », il lui aurait été impossible de se faire l'imitateur de peintres comme Courtois et Parrocel et de leur genre anecdotique. Il continua dans sa *Bataille d'Aboukir* — mesurant près de 10 mètres de long — la tradition des grands tableaux héroïques, telles les *Batailles d'Alexandre* de Le Brun. Partant d'une composition en frise où prédomine la figure monumentale, il n'hésita pas à créer un déséquilibre et à suggérer un mouvement unique à cette époque. En 1807, il remporta le concours pour la *Bataille d'Eylau* (Louvre), exposée au Salon de 1808. Napoléon est représenté sous un jour humanitaire, parcourant le champ de bataille après le combat. Le visage pâle de l'Empereur enthousiasma toute la génération romantique. Le réalisme des morts et des blessés au premier plan, qui a fait reculer les visiteurs du Salon, n'est pas, dans l'esprit de Gros, une accusation contre la guerre, mais la recherche romantique d'une expression forte.

En 1802-1803, le peintre avait été chargé d'exécuter une série de portraits officiels du *Premier Consul* (l'exemplaire le plus connu est à Paris, au musée de la Légion d'honneur). À partir de 1806, il collabora également à des cycles de portraits des dignitaires de l'Empire, tel *Duroc* (Versailles). Parmi les commandes de particuliers, il faut citer les portraits des généraux *Lasalle* (Paris, musée de l'Armée) et *Fournier-Sarlovèze* (Louvre), et du *Fils du général Legrand* (1810, Los Angeles, County Museum of Art). Il a également laissé une série de portraits équestres importants, comme celui de *Murat* (Louvre), exposé au Salon de 1812.

Le romantisme de Gros. Par son attitude envers l'art, Gros se distingue des artistes plus jeunes comme Géricault et Delacroix. Il exécutait presque uniquement des commandes et n'était pas incité au travail par le désir de réaliser et de perfectionner ce qu'il trouvait en lui-même. Il ne ressentait pas non plus la nécessité d'un état d'inspiration fiévreuse et désordonnée et pouvait peindre, à l'étonnement de Delacroix, selon un horaire régulier. Mais ses dessins et ses peintures, par l'énergie du trait, la couleur, le mouvement (*Alexandre domptant Bucéphale,* Paris, coll. part.), révèlent bien un tempérament romantique, dont la « fougue » était déjà critiquée par les contemporains de la *Bataille d'Aboukir.*

L'orientalisme romantique commence avec Gros. Même si, en dehors des commandes, celui-ci ne peignit pas de sujets orientaux, l'Orient l'intéressait. Il existe un certain nombre de dessins à la plume, très originaux, se rattachant surtout à la *Bataille de Nazareth.* Un personnage comme celui du pacha de la *Bataille d'Aboukir,* qui semble

Antoine-Jean Gros
Bonaparte visitant les pestiférés de Jaffa (11 mars 1799) [1804] ▼
Paris, musée du Louvre
Phot. Giraudon

personnifier la fureur la plus primitive, est romantique bien au-delà de l'exotisme de ses vêtements.

Dans la lutte qui opposait dans les années 20 les « romantiques » aux « classiques », le terme de *romantique,* vague dans son interprétation, désignait au moins tout ce qui s'éloignait des « Grecs » et des « Romains » pour retrouver plus de vérité. Gros s'était placé dès la *Bataille de Nazareth* en dehors de la tradition classique de l'école. Bien que la politique artistique de Napoléon favorisât particulièrement les sujets contemporains, Gros est le seul parmi les peintres employés à en avoir fait son domaine propre. Ce qu'il y a de plus novateur ou de romantique dans Gros, c'est la représentation véridique de soldats morts, de pestiférés, de combattants. Le Romantisme victorieux rendit hommage à Gros. Dans un texte de 1831, Gustave Planche, partisan des romantiques, cite ensemble pour la première fois Gros, Géricault et Delacroix.

La dernière manière. À une époque où la politique artistique des Bourbons triomphait avec des sujets religieux ou tirés du passé monarchique, les tableaux de sujets contemporains que Gros exposait aux Salons de 1817 et de 1819 (*Louis XVIII quittant le palais des Tuileries,* Versailles ; l'*Embarquement de la duchesse d'Angoulême à Pauillac,* musée de Bordeaux) n'avaient plus le degré d'actualité des tableaux napoléoniens. C'est aussi le moment où se ranime l'Académisme, et, sous l'influence de David, exilé, qui lui avait confié ses élèves, Gros revient vers un style classicisant. Il était désormais trop âgé pour accepter l'individualisme romantique, qui aurait justifié ses célèbres tableaux de l'Empire. Il devint ainsi le défenseur de la doctrine pure, condamnant ceux qui ne voulaient pas se plier aux principes de l'école. Pourtant, Gros n'eut pas de véritable talent pour la figure idéale ; d'autre part, sa puissance d'invention diminua considérablement au cours des années. Au Salon de 1822, il exposa *Saul* et *Bacchus et Ariane.* En 1824, il acheva de peindre la coupole du Panthéon, qui lui avait été commandée dès 1811 et pour la décoration de laquelle il fut fait baron par Charles X. Sa renommée sociale était alors à son apogée, tandis que sa veine créatrice s'épuisait. Il était professeur à l'E. N. B. A., membre de l'Institut et membre honoraire de plusieurs académies étrangères. Cette reconnaissance officielle n'empêcha point le suicide de l'artiste, qui se noya dans la Seine le 26 juin 1835. L'illusion que Gros entretint longtemps d'être le seul « juste » au milieu de la décadence des mœurs artistiques s'était écroulée, et ce fut avec douleur qu'il comprit l'anachronisme de son art et la justesse de la critique attaquant violemment son *Hercule et Diomède* (musée de Toulouse), exposé au Salon de 1835. M. Br.

Grünewald

Mathis Gothart Nithart, dit

peintre allemand

(Würzburg 1445/1450 ou 1475/1480 - Halle 1528 ou 1531/32)

Les textes d'archives et les commentaires contradictoires des historiens ont créé la confusion autour de la personne et de l'activité de ce peintre, dont le chef-d'œuvre, peint de 1511 à 1517, est le retable des Antonites d'Issenheim, en Alsace.

Le problème de l'identité de Grünewald. Le nom même de Grünewald n'est révélé qu'en 1675 par Joachim von Sandrart à propos de « Mathis von Aschaffenburg », de même que Mérian le Vieux, Faesch et quelques autres désignent du nom de *Grün* le monogrammiste MG, en relation avec le retable d'Issenheim (H. J. Rieckenberg). Les archives d'Aschaffenburg signalent les faits suivants : en 1489, Meister Mathis a peint la croix de fer sur la tour de la chapelle de l'hôpital Sainte-Élisabeth ; sa présence y est attestée entre 1480 et 1490. En date du 11 novembre 1500, les archives de Seligenstadt révèlent à leur tour le nom de Meister Mathis, le retrouvent l'année suivante et font mention, en 1502, d'un Meister Mathis, Bildschnitzer (sculpteur sur bois). Les comptes de cette même ville portent des versements annuels à son nom jusqu'en 1525. En 1505, les actes du vicariat général d'Aschaffenburg font état des travaux de peinture assurés par Meister Mathis pour l'épitaphe du vicaire Jean Ritzmann, mort l'année précédente. Mathis était entré comme peintre, sans doute, mais aussi comme maître d'œuvre au service de l'évêque de Mayence, Uriel von Gemmingen, résidant à Aschaffenburg. En 1510, un maître Mathis Nithart gen. Gothart von Würzburg apparaît comme « Wasserkunstmacher », c'est-à-dire ingénieur hydraulique, ainsi que l'a établi Zülch. De 1514 à 1516, un procès soutenu à Francfort-sur-le-Main le signale de nouveau à l'attention. Auparavant, il avait livré aux dominicains de cette ville le retable Heller (1509) et un panneau (1511). Le 15 août 1514, maître Mathis de Seligenstadt est chargé de la peinture d'un retable dédié à la Vierge et au miracle de la neige *(Maria-Schnee-Altar)* pour la collégiale d'Aschaffenburg (1514-1519, *Vierge de Stuppach* et le *Miracle de la neige,* musée de Fribourg-en-Brisgau). Le 27 août de la même

Mathis Grünewald, **La Crucifixion** ▲
Panneau du retable d'Issenheim [détail]
Colmar, musée d'Unterlinden
Phot. Lauros-Giraudon

année, un protocole du chapitre du dôme de Mayence livre les termes d'une supplique adressée par Meister Mathis Gothart le peintre. Il est établi que Grünewald a achevé le retable d'Issenheim en 1516, année de la mort du précepteur des Antonites. L'artiste regagne Aschaffenburg la même année et se met au service du cardinal Albrecht de Brandebourg, successeur d'Uriel von Gemmingen et son grand protecteur. Il semble qu'en 1526, à la suite des troubles de la guerre des paysans et de la Réforme, Grünewald soit entré en disgrâce auprès de ce prélat (ce qui est contesté par H. J. Rieckenberg) ; il s'établit à Francfort, où il fabrique du savon et se livre à des activités d'ingénieur. Peu de temps après, il se rend à Halle, où il meurt en 1528. Rieckenberg fait mourir « maître Grün » en 1531-32 dans l'Odenwald, au moment où il est au service de l'archevêque von Erbach.

La concordance de ces renseignements donne de l'étoffe à la personnalité du peintre, sans que, toutefois, leur référence à une seule et unique personne soit pleinement assurée. On peut être tenté, avec Zülch, H. Naumann et H. Haug, de reconnaître dans le *Portrait de jeune homme* signé

MN et daté de 1475 (Chicago, Art Inst.) la physionomie de l'artiste en raison de sa ressemblance avec celle, plus âgée, du *Saint Sébastien* du retable d'Issenheim ; en ce cas, sa date de naissance devrait se situer entre 1445 et 1450, et sa disparition 80 années plus tard. Si, en ce cas, le visage de saint Sébastien paraît un peu jeune pour être celui d'un homme d'une soixantaine d'années, celui, si reconnaissable, lui, de l'ermite saint Paul, en conversation avec saint Antoine (Guido Guersi), répond davantage à l'âge supposé de Grünewald au moment de l'exécution du retable d'Issenheim.

Le problème de l'œuvre de jeunesse. La question de la jeunesse de Grünewald a été subtilement, mais témérairement débattue par Hans Naumann *(Das Grünewaldproblem)* et par Hans Haug à partir de 1930. Leur solution est loin d'avoir fait l'unanimité des historiens. C'est par le biais des comparaisons avec des œuvres de l'art graphique qu'ils ont étayé leur thèse, mais leur tentative d'identifier également à maître Mathis celui que l'on nomme le Maître du Cabinet d'Amsterdam, de même que le « Maître des Dessins circulaires de Coburg » et que l'auteur de certaines gravures du *Livre de raison,* a encore élargi les dimensions du problème Grünewald. Certes, ces deux auteurs ont constitué un ensemble d'ouvrages fort apparentés les uns aux autres, et même aux œuvres reconnues de Grünewald, mais la complexité de leurs rapports entre eux et de leurs références au contexte de l'art haut-rhénan s'oppose à la logique rigoureuse d'une démonstration. Pourtant, la pénétration presque intuitive de l'art propre à Grünewald, sauvage d'expression — où la forme tend à tout instant à éclater sous la poussée de l'irrationnel, où la lumière a la force de suggestion du verbe mystique —, permet de déceler dans la facture griffue des gravures et des dessins du Maître du Cabinet d'Amsterdam une parenté incontestable.

Ainsi, l'œuvre de Grünewald, dans l'état actuel des connaissances, ne saurait recueillir objectivement cet ensemble d'œuvres proposées, parmi lesquelles figurent en bonne place l'*Homme à la cage* et les *Amants trépassés* (musée de Strasbourg), ce dernier ouvrage étant le revers du panneau comportant le *Couple d'amoureux* du musée de Cleveland.

Les œuvres certaines de Grünewald. En conséquence, le catalogue d'œuvres généralement reconnues s'établit comme suit.

1503 : volets du retable (triptyque) de l'église de Linderhardt, près de Bayreuth, provenant de l'église de Bindlach (1685), à partie centrale sculptée et à volets extérieurs peints sur 2 panneaux avec *Quatorze Saints protecteurs ;* la *Dérision du Christ* (Munich, Alte Pin.), probablement donnée par Jean de Kronberg à l'église d'Aschaffenburg en mémoire de sa sœur Apollonie, décédée en décembre 1503.

Après 1503 : la *Crucifixion* du musée de Bâle, partie d'un panneau de retable conservée dans les collections depuis 1775.

1509 : 2 volets du retable Heller, donné en 1509 à l'église des Dominicains de Francfort-sur-le-Main par le patricien Jacob Heller. Les parties, peintes en camaïeu par Grünewald, sont partagées entre le musée de Karlsruhe *(Sainte Élisabeth, Sainte Lucie ?)* et le Staedel. Inst. de Francfort *(Saint Laurent, Saint Cyriaque).*

Après 1509 : la *Crucifixion* de Washington (N. G., coll. Kress), jadis dans la collection du duc Guillaume V de Bavière, signée m. g. Il en existe 15 copies identifiées.

1511-1516 : le retable de la préceptorie des Antonites d'Issenheim (Haut-Rhin), à partie centrale sculptée par Nicolas de Haguenau en 1505 (l'identité du sculpteur a été récemment contestée par R. Recht ; Strasbourg, 1974) et par Désiré Beichel, du temps du précepteur Jean d'Orliac. Le retable était placé au fond du chœur des chanoines, derrière le jubé ; aux yeux des malades, il était ordinairement dominé par la présence du grand saint Antoine sculpté « en majesté », à la fois thaumaturge et thérapeute et, par conséquent, sujet à dévotions. Les 2 volets fixes, la prédelle et les 4 volets mobiles ont été commandés par le précepteur des Antonites, Guido Guersi à Mathis Nithart. C'est le mérite de Jacob Burckhardt, après Boisserée et Engelhardt, d'avoir redressé l'erreur d'attribution de l'ouvrage à Dürer. Une *Déploration du Christ* occupe la prédelle. Sur la première face, le volet de gauche est consacré à *Saint Antoine,* le volet de droite à *saint Sébastien* (ces volets ont été intervertis en 1966) ; sur le panneau central, la *Crucifixion* est encadrée par la Vierge, saint Jean-Baptiste et sainte Madeleine (la date de 1515 apparaît sur le pot d'aromates de la sainte). Sur la deuxième face, l'*Annonciation,* sur le volet gauche, et la *Résurrection,* sur le volet droit, encadrent la *Nativité,* selon la conception symbolique de sainte Brigitte de Suède. Sur la troisième face, le volet gauche relate la rencontre des *Saints Ermites Antoine et Paul :* saint Antoine sous les traits de Guido Guersi, et saint Paul probablement sous ceux de Grünewald ; la *Tentation de saint Antoine* lui fait pendant à droite ; le panneau central est sculpté. Cet ouvrage majeur de Grünewald est inspiré par sainte Brigitte de Suède et, semble-t-il aussi, par Ludolphe le Saxon et par saint Bonaventure. Il témoigne des préoccupations théologiques de Guido Guersi, et des expériences hospitalières que l'artiste n'a pas dû manquer de faire auprès des malades d'Issenheim.

1517-1519 : le retable (triptyque) du *Miracle de la neige (Maria-Schnee-Altar)*, provenant de l'église d'Aschaffenburg, commandé en 1513 par le chanoine Heinrich Ritzmann à maître Mathis. Le cadre, encore conservé *in situ*, porte les noms des donateurs Heinrich Ritzmann et Kaspar Schantz, la date de 1519 et le monogramme GMN (Gotthart Mathias Nithart). De cet ouvrage sont conservés un volet (le *Miracle de la neige*, musée de Fribourg-en-Brisgau), peut-être un panneau (la *Vierge de Stuppach*, dont l'identité est probable), qui fut conservé à Mergentheim jusqu'en 1809, puis fut acheté par Stuppach. H. J. Rieckenberg admet qu'il fut peint pour les chevaliers de l'ordre Teutonique à Francfort Saxenhausen.

1525 : *Saint Érasme et saint Maurice* (Munich, Alte Pin.), signalé en 1525 dans l'inventaire de la collégiale de Hallo, transporté v. 1540 par le cardinal Albrecht de Brandebourg à Aschaffenburg. Saint Érasme porte les traits de ce prélat.

Après 1525 : le *Portement de croix* et au revers la *Crucifixion* provenant sans doute du musée de Tauberbischofsheim (musée de Karlsruhe), avers et revers d'un panneau scié en 1883 ; la *Déploration du Christ* (église d'Aschaffenburg), sans doute prédelle d'un grand retable, aux armes du cardinal Albrecht et de l'archevêque Dietrich von Erbach.

Trente-six dessins admirables, tous des études pour les tableaux (musées de Karlsruhe, de Berlin-Ouest et de Berlin-Est, de Dresde, de Weimar, de Stockholm, d'Erlangen, d'Oxford ; Louvre ; Albertina) vient enrichir ce catalogue d'œuvres et souvent raffermir les attributions ; certains dessins au contraire, comme ceux qui ont été retrouvés après la guerre à Marburg, au bord d'un fossé, éveillent le doute.

L'art de Grünewald. L'art de maître Mathis Nithart, tel qu'il apparaît dans les œuvres incontestées, est en tout point exceptionnel. Non pas qu'il soit totalement isolé, car celui d'un Gossaert dans les Flandres, celui d'un Masaccio en Italie lui sont apparentés, fondamentalement parfois, mais Grünewald ne paraît guère emprunter à d'autres et ne transmettra que fort peu à ses successeurs. Les conditions de son apprentissage sont des plus obscures. Rieckenberg le fait naître v. 1480 aux environs d'Aschaffenburg, dans une famille modeste, apprendre les éléments de son art v. 1500 à Francfort dans l'atelier de Hans Fyell, au temps où Holbein le Vieux peignait le retable de l'église des Dominicains. Sandrart le désigne comme élève de Dürer. Mais ces exemples ne semblent pas avoir été déterminants pour lui. Pareillement, Grünewald n'a pas formé d'école ; on ne lui connaît pas d'élève ou d'imitateur caractérisé. Selon E. Ruhmer, des sculpteurs, inspirés par les panneaux de *Saint Érasme* et de *Saint Maurice*, dans le dôme de Halle (auj. Munich, Alte Pin.), des orfèvres pourraient être considérés comme des suiveurs du maître ainsi que, peut-être, quelques peintres et graveurs, saisissables dans telle ou telle œuvre isolée — ainsi les dessins trouvés à Marburg. La violence sauvage de son expression et de son écriture, l'éclatement parfois inorganique de ses formes, la magie de sa lumière et de sa palette, diluées dans le rayonnement mystique ou, au contraire, comme « empoisonnées » de désespérance glauque, la démarche spirituelle très particulière que ces traits suggèrent, établissent une personnalité hors du commun et même hors de toute tradition bien définie. V. B.

Guardi

Gian Antonio

peintre italien

(Vienne 1699 - Venise 1760)

La personnalité de Gian Antonio, longtemps éclipsée par celle de son frère Francesco, a été remise en lumière par la critique moderne, alors que l'aîné semble, de son vivant, avoir joui d'une certaine notoriété. C'est ainsi qu'il entra à l'Académie dès sa fondation (1756), peut-être sur la recommandation de son beau-frère, G. B. Tiepolo. On sait qu'entre 1730 et 1745 env. le maréchal Schulemburg lui commanda d'assez nombreuses copies d'après les maîtres (Véronèse, Ricci, Solimena, L. M. Van Loo). Citons parmi ces interprétations : la *Cène* (d'après S. Ricci) du musée de Saale, les portraits de *Philippe V*, d'*Élisabeth Farnèse*, de *Ferdinand d'Espagne* (d'après L. M. Van Loo) dans la coll. Schulemburg à Hanovre, *Alexandre devant le corps de Darius* (d'après Langetti) du musée Pouchkine de Moscou. Le cas de ses autres œuvres est délicat et a donné lieu à d'âpres discussions. Cependant, se fondant sur une argumentation assez convaincante, la majorité des historiens s'accorde aujourd'hui pour estimer que la plupart des peintures de « figures » qui furent naguère attribuées à Francesco Guardi doivent revenir en fait à Gian Antonio, aidé, dans quelques cas et selon certains, par son frère cadet. Le catalogue de Gian Antonio comprendrait ainsi, outre la *Mort de saint Joseph*, signée, de Berlin-Est (Bode Museum), des tableaux d'autel avec la *Vierge et des saints*, à l'église de Vigo d'Anaunia (inspiré par Solimena), à l'église de Belvedere di Aquilei (inspiré par S. Ricci) et à l'église de Cerete

Gian Antonio Guardi
▲ **Le Départ de Tobie**
Venise, église de l'Angelo Raffaele
Phot. Giraudon

Basso (inspiré par Véronèse), et la *Vision de saint Jean de Matha* (église de Pasiano), des panneaux décoratifs (l'*Aurore, Neptune, Cybèle, Mars,* plafond, Venise, coll. Cini), des tableaux de chevalet (*Turqueries,* Lugano, coll. Thyssen) et des cycles narratifs. Ceux-ci illustrent la *Jérusalem délivrée* (Londres, coll. part.), des scènes de l'*Histoire romaine* (Oslo, villa de Bogstad) ou de l'*Histoire de Joseph* (Milan, coll. part.). Cette série compte, selon certains critiques, l'un des chefs-d'œuvre les plus brillants du XVIIIe s. vénitien : l'*Histoire de Tobie,* qui orne l'orgue de l'église de l'Angelo Raffaele de Venise. Curieusement, bon nombre de ces peintures sont des transcriptions plus ou moins libres de compositions empruntées aux contemporains ou à des peintres plus anciens : mais l'originalité de Gian Antonio et sa fantaisie picturale tiennent à l'extrême virtuosité de son coup de pinceau, léger et comme effervescent, et à l'éclat lumineux de sa palette. S. R.

Guardi

Francesco

peintre italien

(Venise 1712 - id. 1792)

Son activité de jeunesse ne peut se dissocier de celle de son frère Gian Antonio, son aîné de plusieurs années, qui dirigeait l'atelier, réputé, à Venise. Le jeune Francesco travailla d'abord avec lui, puis de façon de plus en plus indépendante, et, quand Gian Antonio mourut, en 1760, il devint à son tour chef de l'atelier familial. Comme son frère, il se spécialisa dans la peinture de figures (ou d'histoire), mais se signala très tôt par une touche incisive et rapide et par une sensibilité nouvelle à l'atmosphère, qui lie les personnages au paysage. Ces caractères sont déjà présents dans des œuvres de jeunesse comme la *Foi* et l'*Espérance* (1747, Sarasota, Ringling Museum), aux figures frémissantes devant le vaste paysage lumineux, et on les retrouve plus tard dans le *Miracle d'un saint dominicain* (v. 1763, Vienne, K. M.), où l'espace semble vibrer sous la touche agile et brisée, tandis que les petites figures, saisies sur le vif, s'insèrent nerveusement dans une atmosphère glauque et évanescente. Et c'est ici que se pose le problème qui divise la critique : auquel des deux frères Guardi doit-on attribuer les *Scènes de l'histoire de Tobie* de la Cantoria (buffet d'orgue) de l'église de l'Angelo Raffaele à Venise? La facture indéniablement impressionniste et libre, la vibration argentée de l'atmosphère unissant étroitement les personnages au paysage, l'éclat violent de certains rouges évoquent avec insistance les tableaux d'histoire incontestés de Francesco et ses célèbres *Vedute*.

La célébrité de Guardi lui vient en effet de son talent de « védutiste », qui lui assura une place de premier plan sinon à Venise, du moins à l'étranger, où ses œuvres étaient extrêmement recherchées. Impressionné d'abord par Marco Ricci, dont on retrouve la manière dans quelques œuvres de jeunesse, comme le *Paysage de fantaisie* de l'Ermitage, peint sans doute av. 1750, il subit ensuite l'influence de Canaletto; mais il donne à ses *Vues* de Venise et de la lagune une interprétation toute personnelle, dont témoigne sa vue de la *Piazza San Marco* (Londres, N. G.) : si le schéma est bien dans le style de Canaletto, « la couleur assume un rôle nouveau de ferment en s'estompant dans la lumière » (Pallucchini).

La série des 12 *Fêtes ducales,* tirées d'estampes de Brustolon (1766), est à dater v. 1770; dispersés entre divers musées (Louvre, Bruxelles [M. A. A.], et Grenoble), ces tableaux sont des « vues » où l'événement historique précis (fêtes du couronnement du doge Alvise IV Mocenigo en 1763) est prétexte à une description fascinante et insolite de certains monuments de Venise, rendus avec un sentiment très large de l'espace et une luminosité diaphane et argentée; l'image baigne dans un jeu mobile et continu de la lumière, perd toute fixité et se transforme en une évocation fantastique et fugace. De cette série, citons le *Doge sur le Bucentaure* (Louvre), où les silhouettes restent précises et identifiables dans le scintillement vif des couleurs.

Guardi fait alterner ces vues officielles avec les fameux *Caprices,* qui se différencient peu à peu de la manière de Ricci par une luminosité de plus en plus claire et un sens plus familier de la réalité : dans le *Capriccio sur la lagune* (Metropolitan Museum), déployé largement devant un ciel humide, le pinceau s'attarde sur les voiles rapiécées et les murs lézardés, mariant réalisme et fantaisie.

En 1782, Guardi redevient le peintre de la Venise officielle dans deux séries de peintures. De la première, exécutée pour les « comtes du Nord », rappelons le *Concert de dames* (Munich, Alte Pin.), tenu dans une gamme sourde de verts et de marrons, mais animé par l'éparpillement de la lumière en innombrables flammèches aux formes fluctuantes. Dans la seconde série, peinte en l'honneur du pape Pie VI, la perspective fantaisiste des intérieurs crée un effet de vide poignant, et les silhouettes palpitantes se colorent d'une atmosphère crépusculaire, comme dans la *Messe pontificale à S. Giovanni e Paolo* (musée de Cleveland), où les nefs de l'église reflètent une lumière mélancolique. C'est le style de Guardi désormais âgé, replié sur lui-même dans une méditation solitaire, que traduit aussi une palette plus éteinte; cette manière est illustrée en particulier par le *Capriccio* tardif des Offices, où la matière semble se désagréger dans une évocation poétique d'une nostalgie pénétrante. F. d'A.

L'œuvre peint de F. Guardi est fort abondant (plus de 1 000 tableaux). On trouve dans la plupart des grands musées européens et américains ses vues de Venise, de Mestre et ses *Caprices;* outre les œuvres déjà citées et celles qui sont conservées dans les musées de Venise, rappelons que le musée Poldi-Pezzoli à Milan, la fondation Gulbenkian à Lisbonne, le musée Nissim de Camondo à Paris, la N. G. de Londres, le Metropolitan Museum, l'Akademie de Vienne, la fondation Cagnola à Gazzada, la coll. Thyssen à Lugano, l'Accad. Carrara de Bergame conservent chacun plusieurs

Francesco Guardi
Le Départ du Bucentaure ▲ pour San Niccolò du Lido
Paris, musée du Louvre
Phot. Lauros-Giraudon

paysages particulièrement remarquables de l'artiste.

L'œuvre graphique de Francesco Guardi comprend des « figures », des projets décoratifs, des silhouettes de personnages *(macchiette)* et des vues, où la légèreté allusive du lavis et la vivacité de la plume animent la page ; l'artiste obtient ainsi de singuliers effets de luminosité et de vibration atmosphérique. S. R.

Guerchin

Gian Francesco Barbieri Guercino,

peintre italien

(Cento di Ferrara 1591 - Bologne 1666)

Bien que né dans la province de Ferrare, alors satellite de Venise dans le domaine artistique, et bien que marqué dans sa jeunesse par les gloires ferraraises, par Dosso Dossi surtout, il fut très tôt attiré par la proche Bologne, où les Carrache s'étaient déjà affirmés comme réformateurs de la peinture. De cette famille de peintres, il admire en particulier Ludovic, dont il avait pu voir, à Cento même, le tableau d'autel peint pour l'église des Cappuccini. Cette toile eut un rôle déterminant dans la formation de son style, aux empâtements vibrants, soutenu et lié par un dessin invisible qui gouverne la composition sans freiner l'imagination picturale. Mais Guerchin ne se détache pas pour cela de sa ville natale, où, sauf de brèves absences, il vécut jusqu'en 1642, fidèle à un idéal de vie simple, dédiée à l'art, à cet art qui était pour lui l'expression de sentiments sincères et ardents, dénués de prétentions intellectuelles et insoucieux des règles préétablies.

Maître v. 1618 de ses propres moyens expressifs, il réalisa en quelques années une suite de chefs-d'œuvre que dominent le *Saint Guillaume d'Aquitaine* (1620, Bologne, P.N.), *Saint François en extase et saint Benoît* (Louvre), l'*Ensevelis-*

sement de sainte Pétronille (1622-23, Rome, Gal. Capitoline) et les fresques avec la *Nuit* et l'*Aurore* (1621, Rome, Casino Ludovisi), peintures où les éclaboussures de lumière mobile qui tachent les zones de couleur chaude à la vénitienne créent des effets d'un naturalisme subjectif et pittoresque qui ne peut se comparer à celui, tragique et lucide, de Caravage, mais traduit, comme chez ce dernier, une conception de l'art fondée sur l'imitation de la nature. D'autre part, tout en continuant à s'en différencier par une matière, chez lui souple et ondulante, Guerchin subit certainement l'influence du grand Lombard, comme le prouvent certaines mises en pages typiquement caravagesques

Guerchin
Funérailles de sainte Pétronille (1622-23) ▶
Rome,
Galerie Capitoline
Phot. Arborio Mella

utilisées dans des scènes à demi-figures : tels le *Fils prodigue* (Vienne, K. M.) ou l'*Arrestation du Christ* (Cambridge, Fitzwilliam Museum). Mais son séjour à Rome (1621-1623) dans le cercle choisi du pape Grégoire XV Ludovisi, d'origine bolonaise, incita le peintre à méditer sur la signification et la valeur du Classicisme. Ce courant heureux, que soutiennent alors des peintres bolonais illustres comme Domenichino et Guido Reni, impressionna Guerchin. De retour à Cento, il s'attache à tempérer de plus en plus son impétuosité picturale par une observance stricte des règles du dessin, par l'étude de la composition selon l'esthétique classique et enfin par l'élimination progressive de la «macchia» (tache), c'est-à-dire de cette manière particulière de construire figures et objets, nuages ou paysages, par masses contrastées d'ombre et de lumière, manière caractéristique de ses œuvres de jeunesse et raison principale de sa renommée dès ses débuts. Ce renoncement à ses tendances naturelles l'amènera à assimiler dans la plupart de ses œuvres tardives les modes les plus académiques de Reni, mais il l'incite par contre dans les moments heureux à soutenir un style qui, par sa clarté et son homogénéité formelles comme par sa monumentalité classique, se rapproche de celui d'un Sassoferrato dans ce qu'il a de meilleur : il suffit de citer le *Christ apparaissant à la Vierge* (1630, Cento, Pin.) ou le *Mariage mystique de sainte Catherine* (1650, Modène, Pin. Estense), ces nobles œuvres qui semblent conçues dans la France de Louis XIII ; elles appartiennent au contraire à un artiste qui passa la plus grande partie de sa vie dans la petite ville de Cento, refusa de se rendre aux invitations personnelles des souverains d'Angleterre ou de France et dont les déplacements, sauf un bref voyage à Venise et le séjour de deux ans à Rome, se limitèrent à la région émilienne. En dehors de son abondante production picturale, Guerchin a laissé un grand nombre de dessins, qui, très appréciés dès le XVIIe s., furent convoités et acquis par des collectionneurs de tous les pays d'Europe (Windsor Castle, British Museum, Albertina, Louvre, Offices ; Haarlem, musée Teyler ; Londres, coll. Mahon ; Faschenfeld, coll. Koenig-Faschenfeld). Qu'ils soient au crayon ou à la plume, ils brillent de qualités intensément picturales, et, grâce à la spontanéité de ce moyen d'expression, ils montrent jusqu'à une époque assez tardive ce goût naturaliste propre à la jeunesse de l'artiste. E. B.

Frans Hals
Les Régentes de l'hospice des vieillards (1664) ▲
Haarlem, musée Frans Hals
Phot. du musée

Hals
Frans

peintre néerlandais
(Anvers entre 1581 et 1585 - Haarlem 1666)

La vie de Frans Hals. On pourrait attendre davantage de données biographiques précises sur un artiste de la célébrité de Frans Hals. Bien des écrivains tentèrent de romancer sa vie, et les anecdotes foisonnent. Frans Hals fut exclusivement

portraitiste, et toute sa longue carrière se déroule à Haarlem. Aujourd'hui encore, le musée de cette ville abrite ses œuvres maîtresses.

En 1591, la famille Hals est déjà fixée à Haarlem, puisque le frère de Frans, Dirck, y est baptisé cette même année. Vers 1600-1603, Frans est l'élève du peintre Karel Van Mander, demeuré célèbre pour son *Livre de peinture,* publié en 1604. De haute culture italienne et de style maniériste, son influence sur son jeune élève ne fut probablement pas déterminante, puisque Frans n'ira jamais en Italie pour parfaire sa formation de peintre, comme l'exigeaient les tenants du Maniérisme à Haarlem. Les premières œuvres connues de Frans Hals sont voisines de 1610, date à laquelle il est membre de la gilde de Saint-Luc à Haarlem. L'artiste approche la trentaine, mais aucune œuvre antérieurement ne lui est attribuée. Son premier fils, Harmen, qui sera peintre, est baptisé en 1611. Il aura huit autres enfants d'un second mariage. De 1616 date sa première grande commande : le *Banquet du corps des archers de Saint-Georges.* En 1633, il est choisi pour exécuter le tableau de confrérie de la *Compagnie du capitaine Reynier Read,* à livrer à Amsterdam. En 1641, nouvelle commande : les *Régents de l'hôpital Sainte-Élisabeth* à Haarlem. En 1644, Hals fait partie du conseil de la gilde de Haarlem.

À partir de 1654, la vie de Frans Hals s'assombrit : son mobilier est saisi cette année-là ; en 1662, il est obligé de demander un secours à la municipalité ; l'année suivante, une annuité de deux cents florins lui est accordée à vie. Âgé de plus de quatre-vingts ans, Hals peint en 1664, pour l'hospice des vieillards, les émouvants *Régents* et les *Régentes*. Le 1er septembre 1666, l'artiste est inhumé dans le chœur de l'église Saint-Bavon à Haarlem. Ainsi connut-il une vieillesse analogue à celle de Rembrandt, qui mourut ruiné.

Caractères de son œuvre. Hals, né vingt ans env. av. Rembrandt, entre dans l'atelier de Karel Van Mander et s'instruit dans le cercle du maniérisme harlémois au contact des gravures de H. Goltzius et surtout des premiers tableaux de corporation peints par C. Cornelisz. Ce dernier se situe à l'origine d'une tradition où les personnages représentés à mi-corps ne peuvent éviter souvent l'entassement ou une disposition trop systématique. Très tôt dégagé de tout le contexte italianisant de Haarlem, Hals fit de la réalité la plus objective possible face au modèle son seul but esthétique : « Ce qui meurt alors, c'est l'image italienne de l'homme » (André Malraux). Frans Hals est le peintre de la bourgeoisie hollandaise du XVIIe s. au même titre que Van der Helst, Ravesteijn et beaucoup de ses contemporains. Dans ses vastes compositions patriotiques (les *Dolen,* les *Régents*), comme dans ses portraits individuels ou ses portraits de caractère, il ne vise pas au-delà du poids charnel et de la ressemblance du modèle. Son véritable génie ne se révèle que dans sa science nouvelle de la liberté en peinture, par sa palette si personnelle, sa conception audacieuse des valeurs, des teintes, de la lumière, ramenées au jeu des touches.

Premières œuvres. Son œuvre, uniquement composé de portraits, se suit de très près grâce aux nombreux tableaux signés et datés. Ses premières œuvres se situent v. 1610 : le *Portrait de Jacobus Zaffius* (1611, Haarlem, musée Frans Hals) et celui d'un homme tenant un crâne (Birmingham, Barber Inst. of Art), de la même époque, conservent encore une certaine raideur, propre aux artistes du XVIe s. tels que Cornelis Ketel, Antonio Moro ou Dirck Barendsz ; pourtant, elles indiquent aussi que Hals a rompu avec le Maniérisme en trouvant l'essence de son style : savoir peindre la chair, en faire sentir, du vermillon au blanc pur et froid, le sang, la vie et la lumière. Le sujet comme la composition du *Banquet des officiers du corps des archers de Saint-Georges en 1616* (Haarlem, musée Frans Hals) étaient traditionnels alors, proches d'un tableau de même sujet de Cornelis Van Haarlem. Si la composition reste encore peu liée, Hals, pourtant, renonce aux vieilles images figées de ses devanciers en créant une animation générale, une aération spatiale jamais vues — par l'obliquité des poses, les grandes diagonales de la construction — et, déjà, par endroits, des parties traitées audacieusement en puissantes touches. Alors devient possible cette spontanéité des poses et des expressions qui font qu'aucun portraitiste ne sut prendre ainsi sur le vif ses modèles. L'adorable *Enfant et sa nourrice* (v. 1620, Berlin-Dahlem) n'a pas cet air d'enfant malade des *Infantes* de Velázquez. Les modèles ne posent pas devant Hals, qui surprend chacun d'eux dans l'attitude naturelle conforme à son tempérament. Aussi Hals ne répéta-t-il jamais une seule pose. Le *Portrait d'un couple* (v. 1622, Rijksmuseum), parfois considéré, mais à tort, comme autoportrait, est un des rares essais de Hals sur fond de paysage. La lumière y fait éclater en reflets le lisse un peu froid des carnations unies de ses prédécesseurs. Hals compose alors sa palette, où les noirs somptueux prennent des reflets colorés et laissent les tons clairs s'exprimer librement dans des chefs-d'œuvre éclatants comme le *Cavalier souriant* (1624, Londres, Wallace Coll.), le *Portrait d'Isaac Massa* (musée de Toronto) ou celui de *Willem Van Heythuysen* (Munich, Alte Pin.).

Portraits de caractère. C'est de 1620-1625 env. à 1630 que Hals peint sa grande série de portraits de caractère. Ce sont le *Bouffon joueur de luth* (Paris, Louvre), le *Joyeux Buveur* (Rijksmuseum), la *Bohémienne* (v. 1628-1630, Louvre), qui est une courtisane, l'inquiétante *Malle-Babbe,* vieille sorcière au hibou (Berlin-Dahlem), *Monsieur Peeckelhaering* (musée de Kassel), le *Mulâtre* (musée de Leipzig), les *Deux Jeunes Musiciennes* (musée de Kassel), les *Deux Enfants* (Rotterdam, B.V.B.). Ces thèmes — ce sont les seuls — sont empruntés aux caravagistes d'Utrecht. Les tableaux de Hals ne sont pas sommairement brossés, la nouveauté de son style n'est pas faite d'inachevé ; l'exécution est très recherchée et l'audace du peintre tient dans les touches rapides, capables de rendre à la fois lumière, ton local, animation et matière. Celle-ci, sans épaisseur, est tour à tour légère, libre, empâtée ou glissante. Hals ne fut pas toujours habile à composer : sa volonté d'animation du tableau conduit parfois au désordre, comme dans le *Banquet des officiers du corps des archers de Saint-Adrien* (Haarlem, musée Frans Hals) ; aussi, dès 1630-1635, Hals recherche-t-il une simplification de ses compositions, tandis que les contours de ses formes se font moins accidentés. Les fonds s'assombrissent et la palette trouve alors son plus fort chromatisme. La *Réunion des officiers du corps des archers de Saint-Adrien de 1633 (id.)* a perdu son mouvement. Seules les flexions des têtes et des bustes animent la composition horizontale, longue et très statique. Là encore, Hals essaie un fond de paysage ; cependant, cet arrière-plan très sombre s'écarte de la notion de plein air telle que nous la concevons aujourd'hui. Le paysage, très conventionnel, est probablement d'un élève, ainsi que celui du *Corps des archers de Saint-Georges de 1639 (id.).*

Dernière période. Les *Régents de l'hôpital Sainte-Élisabeth* (1641, Haarlem, musée Frans Hals) préparent l'ultime mutation de l'artiste et annoncent ses dernières compositions. Probablement, l'influence de Rembrandt se manifeste-t-elle alors par le jeu oblique de la lumière, mais surtout par l'atmosphère plus tendue, par l'expression plus intense et recueillie, nouvelle chez Frans Hals. La palette ne s'éteint pas, il réduit seulement ses teintes à des blancs purs argentés, des noirs profonds jouant avec quelques accords subtils comme dans les *Portraits d'homme* de la N.G. de Londres et du Metropolitan Museum, le portrait de *Joseph Coymans* (Hartford, Wadsworth Atheneum) et de son épouse (Baltimore, Museum of Art), le portrait de *Stephanus Geraerdts* (musée d'Anvers) et de son épouse (collection Rothschild). Hals, très âgé, joue de plus en plus sur les contrastes du blanc et du noir, et les contours des formes tendent à s'estomper comme dans le *Portrait d'homme* du musée Jacquemart-André de Paris, ceux du musée de Kassel et du Mauritshuis (1660) ou le *Portrait de W. Croes* (Munich, Alte Pin.). De plus, l'objectivité, qui fut son grand caractère, fait place à une tendance expressionniste, à une tension intérieure qui rendent si saisissants le tableau des *Régents* et surtout celui des *Régentes de l'hospice des vieillards* (tous deux de 1664, Haarlem, musée Frans Hals), à propos desquels Claudel a pu écrire : « Ni dans Goya, ni dans le Greco, il n'y a rien d'aussi magistral et d'aussi effrayant, car l'enfer même a moins de terreurs pour nous que la zone intermédiaire. » Quel que soit le bien-fondé des réserves de Fromentin *(les Maîtres d'autrefois)* sur ces derniers chefs-d'œuvre du vieux maître, qu'il y ait eu audace sans égale ou affaiblissement de sa main, Frans Hals, à plus de quatre-vingts ans, marchait dans le sens de l'histoire de la peinture et se montrait un précurseur : au XIXe s., des peintres d'avant-garde, comme Édouard Manet surtout, se réclameront de lui et de sa technique audacieuse. Au XVIIe s., son frère Dirck et ses propres fils ne furent que des petits maîtres. Pieter Codde, Jan Miense Molenaer, Judith Leyster furent ses élèves. Seul Adriaen Brouwer, qui fréquenta son atelier en 1628 et parvint à un style personnel, est à la hauteur du génie de Frans Hals. P. H. P.

Hartung
Hans

peintre français d'origine allemande
(Leipzig 1904)

Entre huit et dix ans, alors qu'il résidait à Bâle avec ses parents, il se montra curieux d'astronomie et de photographie, mais déjà il avait manifesté un penchant pour le dessin qui allait s'accentuer pendant ses études classiques au lycée de Dresde. Sur ses cahiers, il trace en 1922 ses premiers dessins abstraits, élaborant ainsi les éléments fondamentaux de son langage graphique, auquel il trouve immédiatement une équivalence picturale avec ses aquarelles « tachistes » de la même année et qu'il confirme dans ses grands dessins carrés à la craie noire ou à la sanguine de 1923. Spontanément — car il ignorait l'existence des premiers « abstraits » —, le jeune autodidacte avait établi les bases de son expression dynamique particulière. Hartung suit des cours de philosophie et d'histoire de l'art à l'université de Leipzig, fréquente les académies des beaux-arts de Dresde et de Leipzig, où il acquiert des connaissances techniques qu'il approfondira plus tard à Munich avec le professeur Max Doerner. Il avait eu au musée de Dresde la révélation des maîtres anciens : Holbein, Cranach, Greco, Hals, Rembrandt, dont il avait déjà fait des copies de dessins ou de gravures, comme il avait peint une de ses premières petites toiles en 1921 d'après une reproduction des *Fusillades* de Goya. Il s'intéresse aussi aux expressionnistes (Nolde et surtout Kokoschka) et découvre la peinture française moderne à l'Exposition internationale d'art à Dresde, en 1926. En 1925, il assiste à une conférence de Kandinsky, dont les propos doctrinaires sur l'esthétique du Bauhaus ne le séduisent pas, car il refuse d'aller étudier dans cette école, préférant voyager à travers l'Europe, séjourner sur le littoral méditerranéen et à Paris, où il passe les hivers de 1927 à 1929. Il fait sa première exposition à Dresde en 1931 et s'installe ensuite de 1932 à 1934 aux Baléares, à Minorque, où il peint ses premières peintures dites « taches d'encre », qui développent ses dessins de 1922 à 1925 et qu'il continuera à Paris jusqu'en 1938. Après un séjour à Stockholm, il se rend à Berlin en 1935, mais, pour échapper au régime hitlérien, il quitte presque aussitôt l'Allemagne et vient s'établir à Paris. Au moment de la guerre, il s'engage dans la Légion étrangère ; grièvement blessé, il doit être amputé de la jambe droite. L'année suivante, il obtient la nationalité française. De retour à Paris à l'été de 1945, il recommence à peindre et participe dès

▲ Hans Hartung, **Composition 1935-I,** Paris, Musée national d'Art moderne
Phot. Lauros-Giraudon

1946 au Salon des réalités nouvelles et au Salon de mai, où il exposera ensuite régulièrement. En 1947, il fait sa première exposition personnelle à Paris (gal. Lydia Conti). Très rapidement, à mesure que se succèdent les étapes d'une création intensive, se développe l'intérêt général pour l'œuvre de Hartung, qui est reconnu en quelques années comme l'un des maîtres de l'art contemporain, tant par son originalité foncière que par l'influence qu'exerce bientôt sa nouvelle conception de l'art abstrait. À l'opposé de l'esprit dogmatique de l'Abstraction géométrique qui s'était imposé à la jeune génération d'après guerre, l'art de Hartung s'est caractérisé d'emblée par la liberté de son dynamisme subjectif, qui s'exprime dans les traces graphiques d'actes énergétiques spontanés. « Ce que j'aime, a-t-il déclaré, c'est *agir* sur la toile », avançant ainsi, le premier, l'idée de la « peinture comme action », qui devait être généralisée à New York avec l'Action Painting. L'importance de l'expression graphique chez Hartung est en partie à l'origine d'une valorisation du noir en tant que teinte majeure, qui s'est imposée pendant une assez longue période à tout un secteur de la peinture aussi bien figurative qu'abstraite (*T. 1949-26,* 1949, Stockholm, Moderna Museet). Lui-même avait néanmoins été amené à matérialiser le champ d'action de son écriture, par la coloration de certains éléments, des grattages dans la peinture fraîche (1961) ou en nuançant les fonds de ses tableaux, qui, à partir de 1963, se présentent comme de vastes espaces d'une profondeur vibrante, griffée ou non par des réseaux arachnéens (*T. 1967/H25,* Paris, M. N. A. M.). Les toiles plus récentes accordent un rôle plus grand aux contrastes colorés et sont tantôt animées de stries vigoureuses ou d'arabesques rythmiques (*T. 1973/R15,* coll. part.), tantôt occupées par de vastes taches dynamiques (*T. 1974/E11,* coll. part.). En même temps qu'il réalisait son œuvre peint, Hartung n'a pas cessé de pratiquer le dessin, exécutant d'innombrables crayons et pastels, et, à plusieurs époques (1928, 1938), il s'est aussi consacré à la gravure, se montrant maître de toutes les techniques du cuivre, mais surtout en lithographie (à partir de 1946), dont il apprécie la souplesse. Le premier catalogue de l'œuvre gravé (1921-1965) comprend près de 200 estampes. Il a également beaucoup pratiqué la photo et a réuni un matériel considérable, parfois exploité dans l'élaboration de ses peintures. Hartung expose régulièrement à la galerie de France depuis 1956. Le M. N. A. M. de Paris lui a consacré une rétrospective en 1968. Il est représenté dans la plupart des grands musées d'art moderne du monde entier. R. V. G.

Hayez
Francesco
peintre italien
(Venise 1791 - Milan 1882)

Très jeune, il se rend à Rome (1809), où, sous la protection de Canova, il peint suivant les règles néo-classiques : *Aristide* (1811, Venise, G. A. M. Ca' Pesaro), *Ulysse à la cour du roi Alcinoos* (1815, Naples, Capodimonte), et rencontre sans doute les Nazaréens. Sa première formation vénitienne (il revient à Venise en 1817) l'incite toutefois à juger les œuvres néo-classiques les plus orthodoxes trop dures et trop ingrates dans leurs couleurs, et il amorce une légère réaction en faveur d'une palette plus aisée et plus vraie. Son passage au Romantisme, comme cela s'est généralement produit dans la peinture italienne, est dû essentiellement à la mutation des thèmes. En 1820, avec une œuvre d'inspiration médiévale (*Pietro Rossi,* Milan, coll. part.), il triomphe à l'académie Brera à Milan, où il s'installe en 1823 ; il deviendra professeur, puis président de cette académie, faisant figure de chef incontesté des peintres d'histoire. Dans ce domaine, ses œuvres les plus connues et les plus réussies sont les *Vêpres siciliennes* (1822, Milan, coll. part. ; 2e version, 1846, Rome, G. A. M.), la *Conjuration de Cola da Montano* (1826, Brera), les *Proscrits de Parga* (1831, Brescia, Pin. Tosio Martinengo), la *Rencontre de Jacob et d'Ésaü* (1844, *id.*), la *Destruction du Temple de Jérusalem* (1867, Venise, G. A. M. Ca' Pesaro), les *Derniers Moments du doge Faliero* (1867, Brera). Représentant de la première génération des peintres de tendance romantique, il s'en distingue toutefois par sa sensibilité raffinée et discrète (le *Baiser,* 1859, Brera), qui s'exprime avec une sensualité délicate et sincère dans ses nus (*Carlotta Chabert en Vénus,* 1830, musée de Trente ; *Ruth,* Bologne, Museo Civico ; *Bethsabée,* 1834, Brera). Il fut le plus grand portraitiste de son temps, alliant la finesse psychologique à la douceur des clairs-obscurs, qui n'exclut pas la précision graphique. Il se montre soucieux d'exprimer tour à tour la mélancolie du modèle (*Carolina Zucchi,* 1825, Turin, Museo Civico ; *Pensée mélancolique,* 1842, Brera), la fraîcheur acidulée de l'enfance (*Don Giulio Vigoni,* 1839, Milan, coll. part. ; *Antonietta Negroni Prati Morosini,* 1858, Milan, Offices communaux), l'élégance aristocratique (la *Princesse de Sant'Antimo,* Naples, museo di S. Martino ; *Mathilde Juva Branca,* 1851, Milan, G. A. M.) ou l'autorité du génie (*Manzoni,* 1860, Brera ; *Cavour,* 1864, *id. ; Rossini,* 1870, *id.*). La même souplesse se manifeste dans de

Francesco Hayez
Portrait de Caroline Zucchi (1825) ▲
Turin, Museo Civico
Phot. Fabbri

nombreux dessins, dont une grande partie est conservée à Milan (Brera). A. M. M.

Heem
Jan Davidsz de
peintre néerlandais
(Utrecht 1606 - Anvers 1684)

Il fut l'élève de son père, David, et travailla dans l'atelier de B. Van der Ast, qui influença ses débuts, puis dans celui de David Bailly, à Leyde, en 1629. En 1636, il s'établit à Anvers, qu'il ne quittera que de 1669 à 1672 pour séjourner à Utrecht. Il se rendit célèbre comme peintre de fleurs et de natures mortes ; ses tableaux antérieurs à 1636 — principalement des natures mortes de livres (1628, Mauritshuis) — s'inscrivent dans le courant monochrome et austère cher à Heda et Pieter Claesz. Son long séjour à Anvers fut décisif : cette ville était un centre particulièrement fécond dans la production

Jan Davidsz de Heem
▲ **Fruits et vaisselle, un dessert** (1640)
Paris, musée du Louvre
Phot. Musées nationaux

de natures mortes, caractérisées par l'abondance des objets et la richesse de compositions très décoratives, dont les maîtres étaient Snyders, Fyt et A. Van Utrecht. J. D. de Heem, adoptant ce style « baroque », peignit ses opulentes natures mortes, dont tous les grands musées du monde conservent un exemplaire ; citons celles du Louvre (1640), de l'Akademie de Vienne, de Munich (1653, Alte Pin.), de La Haye (Mauritshuis), du Rijksmuseum. Ses motifs les plus fréquents sont le homard inséré dans une riche composition de fleurs et de fruits (Londres, Wallace Coll. ; Rotterdam, B.V.B.), le corail, les pots de faïence Ming ou bien les coquillages curieusement disposés.

Mais il fut tout aussi célèbre pour ses sujets de fleurs : il peignit des *Bouquets* (musées de Bruxelles, de Dresde, de La Haye, d'Amsterdam), dont le vase reflète souvent une fenêtre, des fruits et des fleurs disposés en grappes et suspendus par un ruban (Rijksmuseum), et enfin des guirlandes encadrant un sujet central, thème créé par D. Seghers : *Buste de Guillaume d'Orange* (musée de Lyon), *Vierge en buste* (musée du Puy). Unissant la tradition flamande au style précis et à la rigueur géométrique des Hollandais, J. D. de Heem marqua de son originalité le milieu anversois. Aidé par ses fils (Jan, Cornelis), son petit-fils David Cornelisz et un important atelier, il eut une influence très féconde sur des artistes comme A. Mignon, J. B. Lust, Joris et Jan Van Son, Gillemans, Coosemans, Jan Van den Hecke et Andries Benedetti (un de ses premiers élèves, très souvent confondu avec lui). Entre ces deux écoles, l'art de Heem, riche et somptueux, est à rapprocher de celui d'un Kalf et d'un Beyeren. J. V.

Heemskerck

Maerten Jacobsz Van

peintre néerlandais

(Heemskerk, près de Haarlem, 1498 - Haarlem 1574)

Formé chez Cornelis Willemsz à Haarlem, puis chez Jan Lucasz à Delft, Maerten Van Heemskerck séjourna de 1527 à 1529 dans l'atelier de Scorel, où il subit son influence, sensible dans le double portrait d'*Anna Codde* et de *Pieter Bicker Gerritsz,* échevin d'Amsterdam (1529, Rijksmuseum) avec ses volumes francs et ses contrastes entre les clairs et les sombres. De 1532 datent le *Portrait du père de l'artiste* (Metropolitan Museum), *Judas et Thamar* (Potsdam, Sans-Souci) et *Saint Luc peignant la Vierge* (Haarlem, musée Frans Hals), qui retient du style de Scorel — en l'exagérant — un certain goût pour les accessoires antiques, les plis tourmentés, une mise en page impressionnante et l'amour des détails pittoresques, tels que les lunettes du saint ou bien le « cartellino » démesurément agrandi.

En 1532, Heemskerck part pour l'Italie ; il y restera jusqu'en 1536 et passera trois ans à Rome ; il y dessine d'après les antiques et Michel-Ange, comme le montrent deux fameux albums d'études conservés à Berlin-Dahlem (cabinet des Estampes). En 1536, il est de retour à Haarlem ; profondément marqué par la double influence de Scorel et de Michel-Ange, son romanisme prend des aspects tout à fait expressionnistes. Certes, les portraits restent plus calmes : portraits de *Pieter Bicker Gerritsz* et d'*Anna Codde au rouet* (1529, Rijksmuseum), *Portrait de Johannes Colmannus* (1538, *id.*), *Portrait d'homme* (v. 1545, Rotterdam, B. V. B.), *Portrait de femme au rouet* (Lugano, coll. Thyssen) et *Portrait de famille* (musée de Kassel), fascinant tableau par ses dissonances de tons et ses contours fortement découpés sur un fond clair. Mais dans ses tableaux d'histoire, Heemskerck pratique une véritable exaspération des lignes et des saillies, comme en témoigne l'immense triptyque de la *Crucifixion,* peint entre 1538 et 1541 pour l'église Saint-Laurent d'Alkmaar (Suède, église de Linköping). De 1540, année où il est élu doyen de la gilde de Saint-Luc, date la *Mise au tombeau* de Rotterdam (B. V. B.) ; en 1542, il quitte Haarlem et s'installe pour deux ans à Amsterdam. Le *Calvaire* du musée de Gand (daté 1543, répétition à l'Ermitage) constitue un autre exemple caractéristique de cette manière crispée aux musculatures boursouflées et aux compositions grouillantes de figures agitées. Le peintre revient à Haarlem en 1544 ; son style, quoique toujours éminemment décoratif, tendra ensuite vers un relatif apaisement. Ainsi, le *Saint Luc peignant la Vierge* du musée de Rennes est une œuvre de maturité, beaucoup plus calme que celle de Haarlem et qui vise non sans raideur et pédantisme à la dignité de Michel-Ange (la Vierge) et de l'Antiquité (un véritable jeu d'emprunts à la statuaire gréco-romaine anime toute la composition). Il peint en 1552 une vue

Maerten Van Heemskerck, **Portrait de famille** ▼
Kassel, Staatliche Gemäldegalerie
Phot. Lauros-Giraudon

d'*Arènes antiques* (musée de Lille), sorte de rêverie archéologique sur ses souvenirs romains ; il reprendra ce thème une année plus tard dans son *Autoportrait* (Cambridge, Fitzwilliam Museum), où le fond du tableau est occupé par une vue du Colisée. La même année, il décore l'église Saint-Bavon de Haarlem. De 1555-56 date la série de 7 dessins retraçant l'*Histoire de David* (Louvre), préparant une suite de gravures que Philipp Galle exécuta à Anvers ; cet ensemble est caractéristique de la technique de Heemskerck, qui délimitait nettement les contours de ses figures, employant des hachures serrées, courtes et croisées.

De la période 1559-60, citons le triptyque du *Christ de douleur,* entouré de donateurs (Haarlem, musée Frans Hals), l'*Ecce Homo* (Rotterdam, B. V. B.), la *Mise au tombeau* (Bruxelles, M. A. A.), dans laquelle il reprend des formes chères à Scorel sur un mode plus apaisé. Enfin, il peint la *Sibylle d'Érythrée* (1564, Rijksmuseum), la *Déploration du Christ* (1566, musée de Delft) et une de ses dernières œuvres, le *Bon Samaritain* (1568, Haarlem, musée Frans Hals), où le paysage tient une place assez importante.

Principal disciple et continuateur de Scorel, Maerten Van Heemskerck fut, avec lui et comme Frans Floris, l'un des premiers à introduire l'italianisme, et plus spécialement l'art de Michel-Ange, dans les Pays-Bas du Nord ; son style fécond, tourmenté et parfois grandiloquent, confine au Maniérisme. Il fut avec Floris et Maerten de Vos l'un des peintres qui inspirèrent le plus les graveurs de l'époque. J. V.

Hemessen

Jan Sanders Van

peintre flamand

(Hemiksen v. 1500 - Haarlem v. 1565)

Élève de Hendrik Van Cleve à Anvers en 1519, il devint franc maître en 1524. Il se fixa probablement à Haarlem v. 1551. Il n'est pas exclu qu'il ait séjourné en Italie v. 1530. Certains historiens d'art l'identifient avec le Monogrammiste de Brunswick. Les œuvres signées et datées de Van Hemessen s'échelonnent entre 1531 et 1557. Avec Aertsen Beuckelaer et Van Reymerswaele, il appartient à ce groupe de peintres anversois qui s'inspirent de la réalité quotidienne. Esprit positif et peintre de genre réaliste, il actualise toujours ses sujets, tandis que, par un sens populaire, il sécularise complètement les thèmes religieux. Ses œuvres présentent un caractère monumental, des volumes accusés, des raccourcis audacieux, un modelé vigoureux, des mouvements véhéments et désordonnés, des détails grotesques, des couleurs intenses bien contrastées, mais pas toujours harmonieuses. Par sa manière directe et par la plasticité de son langage, il est considéré comme l'un des principaux précurseurs de Pieter Bruegel. Son tableau le plus ancien, un *Saint Jérôme* (Lisbonne, M. A. A.), est de 1531. Déjà le peintre s'y fait remarquer par l'audace de la figuration, par la recherche du raccourci et par son style dramatique et monumental. Ce caractère révolutionnaire se révèle moins dans l'*Adoration des mages* des collections royales de Grande-Bretagne (1534), tableau assez semblable à ceux de ses contemporains anversois. La personnalité du peintre s'affirme beaucoup mieux dans l'*Enfant prodigue* (1536) du M. A. A. de Bruxelles, où la parabole évangélique est changée en une scène populaire et anecdotique. Dans un bordel, le fils prodigue gaspille son héritage au milieu de filles de joie et de mauvais garçons. Le peintre introduit le spectateur d'une façon directe et vivante. Il représente les personnages à mi-corps, très grands au premier plan du tableau. Il renie l'ordonnance classique pour une composition naturelle, voire désordonnée, où tout est fonction de la réalité : la vivacité du récit, la vérité des détails et la matérialité des objets et des personnages. L'exécution minutieuse et traditionnelle est en opposition avec la conception monumentale de l'ensemble. Les mêmes tendances nouvelles se retrouvent dans la *Vocation de saint Matthieu* (1536, Munich, Alte Pin.), où Hemessen représente l'officine d'un percepteur d'impôts. Aucun élément nouveau ne s'introduit dans la *Suzanne et les vieillards* (1540, passée en vente à Paris en 1925), dans la *Sainte Famille* de Munich (1541, Alte Pin.), dans le *Saint Jérôme* du musée de Prague (1541), dans la *Suzanne et les vieillards* d'une coll. part. de Barcelone ni dans le *Saint Jérôme* de l'Ermitage (1543). Mais un changement se présente dans les œuvres de 1544, surtout dans l'*Ecce Homo* du K. M. de Düsseldorf et dans la *Vierge et l'Enfant* de Stockholm (Nm). L'artiste, pour la première fois, y réussit à mieux rendre l'espace tant par la composition de ses personnages que par l'élaboration des plans du paysage. Dans *Isaac bénissant Jacob* (1551, Suède, Oesterby), Hemessen, à la façon des maniéristes italiens, agrandit les personnages, qui, par des effets de lumière et par des raccourcis, donnent l'impression de bondir hors du tableau. La même volonté d'insister outre mesure sur les raccourcis qui projettent les personnages trop mouvementés au tout premier plan du tableau se retrouve dans le *Jeune Tobie rendant la vue à son père* (1555, Louvre). La composition chaotique et l'exécution

Jan Sanders Van Hemessen
Le Fils prodigue (1536) ▲
Bruxelles,
Musées royaux des Beaux-Arts
Phot. du musée

lourde du grand tableau qu'est le *Christ chassant les marchands du Temple* (1556, musée de Nancy) semblent annoncer la décadence de l'artiste. Le dernier tableau (1557, Londres, coll. part.) représente de nouveau *Saint Jérôme*. À ces œuvres signées et datées s'ajoutent quelques tableaux portant une signature, mais pas de date ; un des plus importants attribués à Hemessen est la *Joyeuse Compagnie* du musée de Karlsruhe. Il se rapproche de l'*Enfant prodigue* de Bruxelles (M. A. A.) aussi bien par la représentation moralisante d'un homme aux trois âges de la vie devant la tentation du plaisir que par le style vivant et l'exécution soignée. W. L.

Herrera

Francisco, dit le Vieux

peintre espagnol

(Séville v. 1585/1590 - Madrid apr. 1657)

C'est l'une des personnalités les plus importantes de la première génération baroque de Séville, célébrée par Lope de Vega comme « soleil de la peinture », en même temps qu'un personnage légendaire par son caractère violent et fantasque, qui aurait terrorisé les élèves, fait fuir ses propres enfants. Il passe pour avoir été l'élève de Pacheco. Les premières de ses œuvres qui nous soient parvenues restent dans la tradition maniériste : ainsi la *Pentecôte* de 1617 (Tolède, musée du Greco) et le grand *Triomphe de saint Herménégilde* de 1624 (Séville, S. Hermenegildo), avec sa composition en trois zones superposées. Mais, entre 1627 et 1629, il peint pour le collège de S. Buenaventura une série de 4 tableaux (2 au Louvre, 1 au Prado, 1 à la Bob Jones University de Greenville, South Carolina) pour une *Histoire de saint Bonaventure* que Zurbarán terminera : là, son style personnel apparaît entièrement formé, avec le réalisme parfois âpre, la vigueur expressive des visages, l'éclat d'un coloris qui reste étranger au ténébrisme, la technique libre et souple, parfois brutale, et aussi la maladresse évidente de la composition. Sa période la plus heureuse se place sans doute entre 1636 (*Saint Jérôme*, musée de Rouen) et 1648 (*Saint Joseph*, Madrid, musée Lazaro Galdiano), avec des œuvres d'une grande intensité expressive, d'une technique vigoureuse et d'un beau coloris, sobre, où dominent les terres. Ses figures de vieillards barbus, prophètes ou docteurs, restent

Francisco Herrera
◀ **Saint Basile dictant sa doctrine**
(1639)
Paris, musée du Louvre
Phot. Lauros-Giraudon

animées d'un souffle épique (le grandiose *Saint Basile dictant sa doctrine* du Louvre, peint en 1639 pour le collège basilien de Séville), alors que d'autres œuvres de cette époque possèdent plus de simplicité et d'intimité (*Sainte Famille avec saint Jean-Baptiste,* 1637, musée de Bilbao). La seule conservée des 4 grandes scènes peintes en 1647 pour l'archevêché de Séville (*Miracle des pains et des poissons,* Madrid, palais archiépiscopal) ajoute à son large réalisme un intérêt nouveau pour le paysage. Magnifique artisan, Herrera est également loué par les auteurs anciens comme peintre de nature morte et de genre ; mais aucune œuvre certaine ne nous est parvenue dans ce domaine. En revanche, le Prado possède une saisissante *Tête coupée de martyr* signée de lui, et peut-être fut-il le créateur de ce genre, où s'illustra Valdés Leal. Dans les dernières années de sa vie, Herrera se fixa à la Cour ; sa présence à Madrid est prouvée par des documents de 1657. Mais, de la production de cette époque, rien n'est conservé. A. E. P. S.

Heyden ou Heyde

Jan Van der

peintre néerlandais
(Gorinchem 1637 - Amsterdam 1712)

Établi en 1650 à Amsterdam, Van der Heyden fut un spécialiste de paysages urbains, qu'il rendit d'une façon plus minutieuse encore que G. Berckheyde ; il décrivit avec prédilection la ville d'Amsterdam, faisant preuve d'une précision et d'une délicatesse remarquables, rendant aussi bien la poésie d'un mur de brique, la fluidité de l'atmosphère, les jeux de lumière que le frémissement des feuillages ou la netteté des architectures se reflétant sur l'eau des canaux paisibles ; citons le *Dam,* la *Martelaarsgracht* (Rijksmuseum), la *Westerkerk* (Londres, Wallace Coll.), le *Herengracht,* l'*Hôtel de ville* (1668, Louvre), le *Gracht* (musée de Karlsruhe). Cet art soigneux et net, quoique nuancé par un très fin sentiment de la lumière, trahit l'activité d'ingénieur de Van der Heyden ; en effet, dès 1668, il s'intéressa aux problèmes de l'éclairage public et fit paraître un ouvrage sur les pompes à incendie à boyaux, dont il grava les planches (dessins préparatoires au cabinet des Estampes du Rijksmuseum). Il ne faudrait pas en conclure, cependant, que ses paysages soient toujours d'une grande fidélité topographique ; il se plaît, au contraire, à associer, dans le même tableau, des motifs architecturaux tirés de ses voyages rhénans avec d'autres motifs authentiquement néerlandais, les baignant de la lumière idéale et poétique d'un doux ensoleillement, à la façon de Potter ou d'Adriaen Van de Velde, qui a d'ailleurs « étoffé » maint paysage de Heyden. Si l'on met à part l'hypothétique voyage à Londres cité par Houbraken, Heyden entreprit av. 1661 un voyage vers le sud qui le mena à Cologne (*Vue de Cologne,* Londres, N.G. et Wallace Coll. ; Ermitage), à Emmerich (*Sainte Aldegonde d'Emmerich,* Louvre) et à Düsseldorf (l'*Église des Jésuites à Düsseldorf,* 1667, Mauritshuis) ; avant 1673, il se rendit aussi à Bruxelles : l'*Ancien Palais des ducs de Bourgogne* (Louvre ; Dresde, Gg ; musée de Kassel). Ses quelques rares natures mortes (musée de Budapest ; 1664, Mauritshuis ; Vienne, Akademie ; Leningrad, musée d'Histoire de la religion) sont d'une extrême sécheresse et d'une très grande rigueur géométrique (un peu comme celles de Vucht), qui ne seraient guère séduisantes si elles n'aboutissaient à une véritable étrangeté.

Peintre agréable, exécutant délicat et même virtuose, Van der Heyden a exercé une grande influence sur les paysagistes urbains du XVIIIe s. tels que Ten Compe, Ouwater, La Fargue, Prins, qui, à son exemple, cédèrent à une sorte d'exploitation sentimentale de ce thème national par excellence qu'est l'évocation des villes hollandaises endormies dans leur calme. J. V.

Jan Van der Heyden
L'Église des Jésuites à Düsseldorf (1667) ▲
La Haye, Mauritshuis
Phot. du musée

Hilliard

Nicholas

miniaturiste anglais

(Exeter 1547 - Londres 1619)

Apprenti en 1562 chez Robert Brandon, orfèvre de la reine, il travaillait v. 1572 comme miniaturiste sous la protection directe de la souveraine et de son favori, le comte de Leicester. De 1576 à 1579, il séjourna en France au service de François, duc d'Alençon, comme valet de chambre, mais fut amené à retourner en Angleterre et à travailler pour Élisabeth Ire et son successeur Jacques Ier. De nature prodigue, il eut une vieillesse assombrie par les dettes et par le déclin du succès.

Nicholas Hilliard,
▼ **Jeune Homme parmi les roses**
Londres, Victoria and Albert museum
Phot. Fleming

De sa première miniature de la reine (1572, Londres, N. P. G.) jusqu'à sa mort, son style, dont la popularité atteignit son apogée entre 1570 et 1590 env., n'offrit aucun changement. Brillamment coloré, jouant sur deux dimensions, il est linéaire et dérive, en dernier lieu, des miniatures tardives de Holbein, où se mêle la tendre intimité des portraits dessinés aux crayons par Clouet. Hilliard, dans son *Treatise on Art of Limning (Traité sur l'art de la miniature),* décrit les vues fondamentales de la reine auxquelles il conforma son talent. Elle avait décidé que les ombres ne seraient employées que par les artistes dont l'œuvre montrait un « trait plus appuyé », et logiquement elle « choisit, pour cette raison, de poser dans l'allée découverte d'un beau jardin, où il n'y avait pas d'arbre, ni aucune ombre ». Parmi les plus importantes miniatures de Hilliard, citons, outre son *Autoportrait* (1577), les portraits de sa femme *Alice* (1578, Londres, V. A. M.), de *Sir Walter Raleigh* (v. 1585, Londres, N. P. G.), du *Jeune Homme parmi les roses* (v. 1590, Londres, V. A. M.), du *Troisième Comte de Cumberland* (v. 1590, Greenwich, Maritime Museum), de la *Reine Élisabeth Ire* (v. 1600, Londres, V. A. M.), de *Charles Ier,* alors prince de Galles (1614, Belvoir Castle, coll. duc de Rutland). Hilliard peignit aussi des portraits de grandes dimensions, dont deux d'*Élisabeth Ire* peuvent lui être attribués avec quelque certitude (v. 1570-1575, Liverpool, Walker Art Gal., et Londres, N. P. G., dépôt à la Tate Gal.). Dans sa vieillesse, il écrivit le traité fragmentaire cité sur l'art de la miniature (resté manuscrit), où il proposait des attitudes esthétiques empruntées au *Trattato della pittura* de Paolo Lomazzo (1584), dans la traduction partielle de Richard Haydocke (1598). Les minuscules miniatures de Hilliard constituent la quintessence de l'art pictural à l'âge élisabéthain ; elles influencèrent une génération entière d'artistes. R. S.

Hobbema

Meindert

peintre néerlandais

(Amsterdam 1638 - id. 1709)

Hobbema fut l'élève de Jacob Van Ruisdael à Amsterdam entre 1657 env. et 1660 (et peut-être au-delà) et se lia d'amitié avec lui. On possède peu

Meindert Hobbema
▲ **L'Allée de Middelharnis** (1689)
Londres, National Gallery
Phot. du musée

de précisions sur sa carrière. En 1668, il épousa une servante, dont il eut trois enfants. L'année suivante, il est nommé juré jaugeur de vins et d'huiles d'Amsterdam. Cet emploi administratif l'accapare, puisque son activité picturale diminue considérablement à partir de 1669. Il semble qu'il ait toujours vécu à Amsterdam. Peut-être travailla-t-il dans la Gueldre ou l'Overijssel, ou dans la plaine rhénane près de Düsseldorf comme le croyait Thoré-Bürger ?

Les paysages d'Hobbema, sauf exception, ne représentent pas de site très déterminé, mais des motifs, de véritables thèmes de la nature inspirés des compositions antérieures de Ruisdael, dont, jusqu'en 1664 env., Hobbema restera tributaire. Sa plus ancienne œuvre connue est datée de 1658 et représente un *Paysage de rivière* (Detroit, Inst. of Arts), thème privilégié de sa jeunesse. Les *Paysages* de 1659 (musée de Grenoble ; Édimbourg, N. G.) reprennent la disposition par écrans de Ruisdael, dont il s'inspire dès 1660 dans des paysages de forêt : la *Maison dans la forêt* (Londres, N. G.), l'*Entrée du bois avec une ferme* (1662, Munich, Alte Pin.). C'est avec une extrême précision qu'il définit les feuillages dans *Paysage du bois de Haarlem* (1663, Bruxelles, M. A. A.), le *Bois* (Ermitage) ou le *Village parmi les arbres* (1665, New York, Frick Coll.). Sa vue de l'*Écluse de Haarlem* (Londres, N. G.) est l'un des rares sites urbains qu'il ait peints, sans doute en 1662.

Dans les paysages de sa maturité, son art évolue dans un sens tout contraire à celui de Ruisdael : son réalisme minutieux, sa fidélité au motif s'opposent à la vision synthétique de ce dernier. Il détaille les formes dans leurs moindres structures. Son *Moulin à eau* (Louvre) est un chef-d'œuvre de précision analytique, dont Fromentin soulignait combien « tout y paraît si finement gravé avant d'être peint, et si bien peint par dessus cette âpre gravure ». Les arrière-plans des paysages d'Hobbema sont trop détaillés ; le sentiment de l'infini, les grandes échappées de perspective (qui sont le propre de Ruisdael) leur font défaut. Enfin, le lyrisme de résonance préromantique lui demeure étranger. Ce naturalisme et ce sentiment de la poésie intime de la nature s'imposent avec force et simplicité dans le *Paysage ensoleillé* (Rotterdam, B. V. B.), le *Cottage au bord d'une rivière* (Rijksmuseum), la *Vue de Deventer* (Mauritshuis), le *Chemin forestier* (Londres, N. G.). Ces paysages ainsi que les rares dessins conservés au Rijksmuseum, au musée Teyler à Haarlem et au Petit Palais à Paris semblent tous antérieurs à 1669. C'est inlassablement qu'Hobbema reprend le thème du *Moulin à eau :* 6 versions à peu près identiques en sont conservées au Rijksmuseum, à Bruxelles (M. A. A.), à Chicago (Art Inst.), à Londres (Wallace Coll.). Ce même motif revient encore dans des toiles disposées en hauteur ou en largeur, et, par excès de détails, de tels paysages semblent souvent figés. D'autre part, Hobbema tombe parfois dans le poncif à vouloir trop rechercher la perfection de la facture, ainsi que le prouve son goût des variations. Parfois, il rompt l'harmonie de ses paysages par un coup de lumière trop crue, en cherchant à retrouver le secret des grands échos lumineux de Ruisdael. Il rehausse son chromatisme vert, brun et bleu par l'éclat vermillon d'un toit de brique, parti qui devient chez lui systématique.

Pourtant, il reste inégalable lorsqu'il restreint sa palette, lorsqu'il tend à la monochromie des effets, comme dans les *Moulins* (Paris, Petit Palais) ou les *Chênes près de la mare* (Munich, Alte Pin.), et qu'il utilise en virtuose le jeu des reflets. Ses ciels éclatants aux nuages blancs font respirer les grandes masses sombres de ses arbres. Une poésie un peu triste, caractéristique de son art, se dégage de ces paysages de verts froids et d'eau sombre, à l'humidité pénétrante.

Ses dernières œuvres, postérieures à 1669, les *Ruines du château de Brederode* (1671, Londres, N. G.), l'*Allée de Middelharnis* (1689, *id.*) comptent parmi les chefs-d'œuvre du paysage hollandais : leur égale perfection de facture, leur naturalisme paisible seront copiés en Angleterre par les peintres de scènes rurales jusque dans le choix des sujets.

Hobbema fut redécouvert en France au moment où l'école de Barbizon se développait. Huet, Diaz, Dupré, Th. Rousseau virent en lui un imitateur fidèle de la nature et admirèrent la solidité de ses touches et les effets de sa lumière. P. H. P.

Hodler

Ferdinand

peintre suisse

(Berne 1853 - Genève 1918)

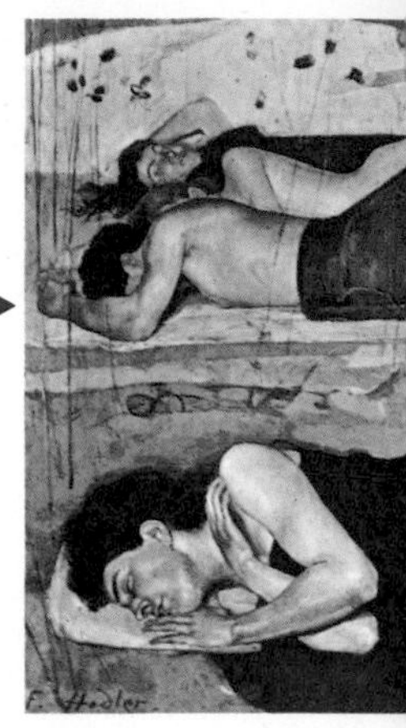

Ferdinand Hodler
La Nuit (1889-90) ▶
Berne,
Kunstmuseum
Phot. Ph. Schwitter, Paris, 1976

Issu d'un milieu artisanal et misérable, orphelin à quatorze ans, il débute enfant comme peintre d'enseignes, puis comme peintre de « vues suisses » fabriquées en série pour les touristes à Thoune. Venu à Genève en 1872, il suit pendant cinq ans l'enseignement de Menn, lui-même élève d'Ingres et ami de Corot. En cinq ans, Menn fait de Hodler un artiste qui affirme d'emblée sa personnalité dans le paysage (*Nant à Frontenex,* 1874, coll. part.), le portrait (l'*Étudiant,* 1874, Zurich, Kunsthaus) et la grande composition (*Banquet des gymnastes,* 1876, détruit ; 2e version au Kunsthaus). Inspiration populaire, dessin rigoureux et accusé, mise en page nette et équilibrée, tonalités d'abord sombres aux clairs-obscurs contrastés caractérisent ses premiers travaux. Un séjour à Madrid éclaircit sa palette (*Bords du Manzanarès,* 1879, musée de Genève) et confirme son émancipation.

La lutte qu'il engage au cours des années 1880 pour s'imposer se traduit par des compositions d'un réalisme agressif (le *Furieux,* 1881, musée de Berne) ou, au contraire, pieux et résigné (*Prière dans le canton de Berne,* 1880-81, *id.*) qui débouche sur un symbolisme contemplatif, voire mystique (*Dialogue intime avec la nature,* 1884, *id.*). L'accent mis sur le contour des figures vise à la monumentalité, non à la déformation expressionniste ou visionnaire. Dans le paysage apparaissent le motif à dominantes parallèles et la haute montagne, tandis que l'ordonnance symétrique s'impose dans la composition. La *Nuit* (1889-90, musée de Berne) est l'œuvre clé du « parallélisme » de Hodler, principe de composition, désormais dominant, qui consiste à répéter des formes semblables pour conférer au tableau son unité architectonique et décorative ; interdite à Genève, la *Nuit* est primée à Paris à l'instigation de Puvis de Chavannes. La

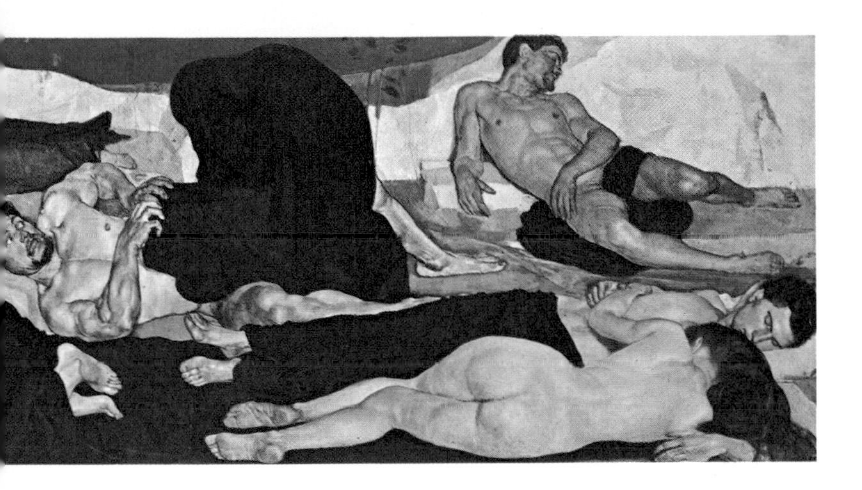

veine pessimiste atteint son apogée avec les *Âmes déçues* (1891-92, *id.*), attraction du premier Salon de la Rose-Croix. Une orientation moins amère point dans une *Annonce du printemps,* d'allure préraphaélite, intitulée l'*Élu* (1893-94, *id.*). L'application systématique du parallélisme au paysage apparaît dans la stricte symétrie d'une allée d'arbres (*Soir d'automne,* 1892, musée de Neuchâtel) et, dès la première peinture d'un lac en vue plongeante, dans le rythme elliptique formé par les nuages et la rive (*Léman vu de Chexbres,* 1895, Zurich, Kunsthaus).

Ressuscitant, dans un groupement grandiose et multicolore, les lansquenets d'Urs Graf et de Manuel Deutsch, la *Retraite de Marignan* (fresque, 1900, Zurich, Schweizerisches Landesmuseum; esquisse à Stuttgart, Staatsgal.) marque un renouveau de la peinture murale au tournant du siècle et impose le nom de Hodler en Europe. À presque cinquante ans de privations succèdent les honneurs et les commandes, prodigués surtout par l'Autriche et l'Allemagne, mais aussi par Venise et Paris. Le *Jour* (1899-1900, musée de Berne) exprime l'émerveillement qu'éprouvent, devant l'afflux de la lumière solaire, 5 figures féminines assises en demi-cercle sur un pré fleuri : avec la gloire s'opèrent simultanément un revirement optimiste et l'adoption de couleurs riantes, quoiqu'un peu crues. Du *Printemps* (1901, Essen, Folkwang Museum) à la *Femme en extase* (1911, musée de Genève), les poses ravies de femmes sans grâce alternent avec les allures complaisantes ou brutales des figures masculines. Dans ses compositions, toutes reprises en plusieurs variantes, Hodler pousse au paroxysme le dessin ornemental, qui fait de lui l'un des promoteurs du Jugendstil. Seuls l'*Amour* (1908, coll. part.) et le *Regard dans l'infini* (1915, musée de Bâle), avec l'accord apaisé de ses 5 figures bleues, échappent aux excès gesticulatoires. Dans le *Départ des étudiants d'Iéna* (1907-1908, université d'Iena), Hodler déroule l'événement de 1813 en deux registres superposés : en bas, les soldats s'apprêtant au départ; en haut, la colonne en marche; la stature percutante des silhouettes et le rythme insufflé à la composition en font une œuvre maîtresse de la peinture monumentale au XXe s.

Parmi les innombrables portraits, têtes d'hommes campées de face comme des rocs, têtes de femmes légèrement ployées (l'*Italienne,* 1910, musée de Bâle), les quelque 50 *Autoportraits* qui jalonnent l'œuvre de Hodler remplissent une fonction comparable à ceux de Van Gogh, de Cézanne ou de Munch, celle d'une mise en question périodique de l'artiste par lui-même (1914, musée de Schaffhouse).

Deux cycles d'œuvres consacrées au thème de la mort attestent la résurgence du réalisme foncier de Hodler : le premier représente en 1909 la mère de son fils (*A. Dupin morte,* musée de Soleure); le second, en 1914-15, la mère de sa fille (*V. Godé à l'agonie,* musée de Bâle). L'implacable acuité de la touche et l'âcre résonance chromatique traduisent cet affrontement à la fois lucide et bouleversé de la mort, unique dans la peinture européenne entre les figurations analogues de Géricault et de Käthe Kollwitz.

Enfin, c'est dans le paysage que Hodler trouve le

thème qui correspond le mieux à son puissant tempérament, tout en assouvissant son besoin d'harmonie. L'arbre et le cours d'eau, mais surtout la montagne et le lac lui fournissent ses motifs préférés, inlassablement repris et transformés. Un sens classique de l'équilibre préside au cadrage et à l'orchestration des formes dans ses lacs en vue horizontale, qui reflètent les chaînes de montagnes couronnées de nuages (*Lac de Silvaplana,* 1907, Zurich, Kunsthaus). Une vitalité élémentaire se dégage de la structuration massive, largement brossée, de ses montagnes, affrontées dans une conquête progressive des sommets (le *Breithorn,* 1911, musée de Lucerne). Dans quelques paysages, l'intensité expressive de la couleur rejoint l'ampleur de la ligne : ces visions cosmiques placent Hodler paysagiste au niveau de Van Gogh et de Cézanne (*Montée des brouillards à Caux,* 1917, Zurich, Kunsthaus).

Typiquement suisse, Hodler l'est en particulier par son isolement; son évolution s'est effectuée hors de toute influence contemporaine directe. Si son œuvre a stimulé la génération des expressionnistes allemands et autrichiens, elle n'a pas fait école, sinon auprès de ses épigones helvétiques. Bien qu'il appartienne pour l'essentiel au XIXe s., Hodler compte parmi les précurseurs du XXe par sa contribution à l'éclosion du « style 1900 », mais davantage encore par l'apport d'une dimension qui lui est propre : la monumentalité. Les musées de Bâle, de Genève, de Zurich et de Berne conservent des ensembles particulièrement importants d'œuvres de Hodler. J. Br.

Hogarth

William

peintre anglais

(Londres 1697 - id. 1764)

D'abord élève d'Ellis Gamble, graveur d'armoiries sur argent, il apprit ainsi l'art de disposer une décoration riche et compliquée à l'intérieur d'une surface réduite. De 1718 à 1720, il acheva sa formation de graveur en s'établissant à son compte.

En 1720, il exécuta surtout des écriteaux et des enseignes de boutiques, à caractère populaire, pour gagner sa vie. C'est en 1721 qu'il grava les *Méfaits de la loterie* après l'affaire financière des « Mers du Sud ». À la même époque, il commença à caricaturer les événements de la vie du théâtre et, en 1724, publia sa gravure *Mascarades et opéras,* dirigée contre la frivolité des mœurs théâtrales de l'époque. En 1728, il exécuta une peinture d'une scène de l'*Opéra du gueux* de John Gay (plusieurs versions, coll. part. et Londres, Tate Gal.), qui venait d'être joué cette année-là, pour la première fois, à Lincoln Inn Fields; il y représente non seulement les acteurs, mais également quelques spectateurs aristocrates.

À partir de 1720, Hogarth illustra également des ouvrages, parmi lesquels *le Paradis perdu* (1724) et *Hudibras* de Butler (1727).

Il commença à se faire vraiment connaître comme peintre et comme graveur en 1729, année où il épousa la fille du célèbre peintre sir James Thornhill. Il peignit alors un grand *Portrait de Henry VIII et d'Anne Boleyn* (disparu) pour les jardins de Vauxhall, son premier essai d'une grande peinture historique. Entre 1729 et 1733, il gagnait facilement sa vie comme portraitiste et travaillait surtout pour une clientèle aristocratique. C'est à cette même époque qu'il joua un rôle dans l'introduction en Angleterre des « Conversation pieces » : le *Mariage de Stephen Beckingham et de Mary Cox* (1729, Metropolitan Museum), la *Famille Wollaston* (1730, Leicester, Art Gal.), la *Famille Fountaine* (Philadelphie, Museum of Art), la *Pêche* (Londres, Dulwich College), *Réception à Wanstead House* (1730, Philadelphie, Museum of Art), la *Représentation de l'empereur indien* (1731, coll. part.) illustrent bien ce genre.

C'est au début des années 30 que Hogarth exécuta ses deux premiers cycles satiriques : la *Carrière d'une prostituée* (*Harlot's Progress,* en 6 épisodes, 1732, peintures originales auj. détruites) et la *Carrière d'un roué* (*Rake's Progress,* en 8 épisodes, 1735, originaux au Soane Museum de Londres). Ces deux séries, qui apportent quelque chose de tout à fait nouveau à l'art anglais, constituent un genre inédit, indépendant des modèles hollandais ou français. Elles correspondaient, selon Hogarth, à des « sujets modernes et moraux » tirés de la vie quotidienne de la première moitié du XVIIIe s. telle qu'il la voyait. Hogarth montre des individus, non des types, et la société qui les entoure. Ces séries pouvaient atteindre un public très large grâce à la gravure, et le succès financier des « carrières » l'amena à pratiquer le genre historique à une grande échelle. C'est ainsi qu'il donna le *Bon Samaritain* et la *Piscine de Bethsaïde* pour Saint Barthelemew's Hospital, qui s'inspirent, pour leur composition, de Raphaël et de Rembrandt, mais dont la facture se rattache bien au style rococo. Après avoir peint une nouvelle série (*Une journée à Londres,* en 4 épisodes, 1737, coll. part.), Hogarth exécuta le grand portrait du *Capitaine Coram* (1740, Londres, Foundling Hospital), qui marque un nouveau tournant dans l'art du portrait en Angleterre. Il ne s'agit pas du portrait officiel d'un roi ou d'un gentil-

William Hogarth
La Marchande de crevettes ▶
Londres, National Gallery
Phot. du musée

homme, mais de celui d'un bourgeois arrivé, avec tous les attributs de sa prospérité.

Parmi les nombreux autres portraits peints par Hogarth au cours de sa carrière, on peut citer les *Enfants Graham* (1742, Londres, Tate Gal.), *Mary Edwards* (1742, New York, Frick Coll.), *Benjamin Hoadly* (1743, Londres, Tate Gal.), *Mrs Salter* (1744, *id.*), l'*Autoportrait au chien* (1745, *id.*), les *Domestiques du peintre (id.), Garrick et sa femme* (1757, Windsor Castle).

En 1745, Hogarth acheva une autre série, qui est consacrée aux rangs élevés de la société : le *Mariage à la mode* (originaux en 6 épisodes à Londres, N. G.). L'année suivante, ce fut la *Marche sur Finchley* (1746, Londres, Foundling Hospital) et *Garrick dans le rôle de Richard III* (Liverpool, Walker Art Gal.), représentant le célèbre acteur sur scène. En 1748, il peint *À la porte de Calais* (Londres, Tate Gal.) et produit les séries gravées du *Travail et de la paresse,* la plus didactique et la plus moralisatrice de toutes ses œuvres. En 1753, il publie un traité théorique, *The Analysis of Beauty (Analyse de la beauté),* où il considère la « ligne serpentine » comme élément primordial du beau. En 1754, il peignit sa série sur les *Élections* (4 épisodes, Londres, Soane Museum), gravée par la suite, et, en 1756, exécuta un grand retable peint pour Saint Mary Redcliffe à Bristol (triptyque : l'*Ascension,* les *Trois Maries au sépulcre,* la *Fermeture du sépulcre,* en dépôt à Bristol, City Art Gal.). Sa dernière tentative dans le grand genre historique fut *Sigismonde* (1760, Londres, Tate Gal.), généralement considérée à l'époque comme un échec.

Hogarth fut un personnage fort complexe. On ne doit pas oublier que, tout en ridiculisant les diverses formes du snobisme en matière d'art et en s'attaquant aux soi-disant « connaisseurs », il peignait en même temps des sujets historiques tout à fait conventionnels à une grande échelle et qu'il eut toujours l'ambition de « briller » comme peintre d'histoire. Pleinement conscient d'être anglais, il estimait que les peintres anglais avaient tout lieu d'être fiers de leur pays et qu'ils devaient éviter de singer les mœurs et les coutumes italiennes ; il signa ainsi un portrait d'homme (peint en 1741) : « Hogarth Anglus Pinxit ». Très « anglais » en effet, Hogarth fut également fort proche de la tournure d'esprit et de la mentalité de son temps. Ses cycles s'apparentent étroitement aux romans de Fielding et, comme eux, combinent réalisme et intuition avec satire et moralité. La gravure jouissant d'une large diffusion, ses récits moraux atteignaient un vaste public, aristocratie, hautes classes et classes moyennes, et étaient de très loin supérieurs aux gravures populaires qui les avaient précédés dans le même genre. Il brisa la conception traditionnelle du portrait en Angleterre en choisissant un sujet original en rapport avec la vie contemporaine. Ce fut en réalité un peintre littéraire : on peut « lire » ses peintures, et cette qualité le fit mettre par Hazlitt au rang des écrivains comiques. Par la forme, Hogarth appartient à la période rococo. Par sa touche, délicate et spontanée, il égale ses contemporains français. Certains tableaux esquissés permettent de juger l'extraordinaire liberté de sa facture : ainsi la fameuse et charmante *Marchande de crevettes* (Londres, N. G.), *Chez le tailleur* (Londres, Tate Gal.), le *Bal* (1745, Camberwell, South London Art Gal.). Même dans sa peinture « sérieuse », son style ressemble à celui d'Amigoni par sa fraîcheur et sa « bravura ». Enfin, l'actualité et le réalisme de son œuvre gravé constituent sa contribution la plus fondamentale à l'art anglais et européen. J. N. S.

Holbein

Hans le Jeune

peintre allemand

(Augsbourg 1497/98 - Londres 1543)

Formation. Sa première formation lui fut donnée par son père, Hans Holbein l'Ancien, et peut-être par Hans Burgkmair, avec qui il serait entré très tôt en contact. Vers 1515, il gagne Bâle en compagnie de son frère Ambrosius et y exécute sa première œuvre connue : un dessus de table composé de scènes de genre encore imprégnées de traditions médiévales (Zurich, Schweizerisches Landesmuseum). Il est probable qu'il travaille dans l'atelier de Hans Herbst, mais la précocité de son talent favorisera son indépendance et l'introduira dans les cercles humanistes. En 1516, il illustre un exemplaire de l'*Encomium Morae* (Bâle, éd. 1515) d'Érasme, dont il deviendra l'intime ami. On y trouve déjà l'expression d'un esprit plus libre, détaché et ironique.

Bâle (1516-1526). Il entre en relation, en 1516, avec la haute bourgeoisie commerçante, dont il exécute les commandes : portraits du bourgmestre *Jakob Meyer* et de sa femme, *Dorothée Kannengiesser* (1516, musée de Bâle). En 1517, il participe avec son père à la décoration de la façade de la maison Hertenstein à Lucerne. Cette façade, détruite en 1824, était conçue dans le style de la Renaissance italienne. Il est intéressant de noter la parenté incontestable entre la *Lamentation sur la mort du Christ* (1519, connue par une copie) et la *Vierge aux rochers* de Léonard (Louvre) ou la *Madone de la victoire* de Mantegna *(id.)*, parenté qui confirmerait la thèse d'un voyage de Hans le Jeune en Italie.

Membre en 1519 de la gilde « Zum Himmel » de Bâle, il reprend vraisemblablement l'atelier de son frère décédé et épouse Elsbeth Schmid. Alors commence une période d'intense production jusqu'à son départ pour l'Angleterre en 1526, période où se situent pratiquement toutes les œuvres religieuses qui nous ont été conservées ainsi qu'un nombre appréciable de décorations murales (maisons d'aristocrates bâlois, salle du Conseil de l'hôtel de ville), hélas toutes perdues, mais qui, par leur ampleur, témoignent du renom dont jouissait le jeune Holbein. Des premières œuvres, sorties dès 1519-20 de son atelier, il faut notamment retenir 5 scènes de la Passion, dont seules la *Cène* et la *Flagellation* sont entièrement de sa main (musée de Bâle). Son art s'y partage entre le puissant expressionnisme allemand hérité du Gothique tardif par l'intermédiaire de Grünewald, dont l'influence est remarquable dans l'extraordinaire *Christ mort* (1521, *id.*), et l'« objectivité » des artistes de la haute Renaissance italienne avec son mélange de profane et de sacré ; sa *Madone* (*Retable Gerster,* 1522, musée de Soleure), où les personnages, de conception germanique, sont intégrés dans une composition Renaissance, en est un frappant exemple. De cette époque (1524 ?) datent des *Scènes de la Passion* (musée de Bâle) et les gracieuses figures de *Vénus* et de *Lais* (1526, *id.*). La *Vierge avec la famille du bourgmestre Meyer* (1526, Darmstadt, coll. du prince de Hesse) est une œuvre maîtresse de cette période, peinte pour l'autel de la chapelle du château Meyer, près de Bâle. Holbein y ajoutera, à son retour d'Angleterre, le portrait posthume de Mme Meyer. De 1526 datent également les *Volets de l'orgue* de la cathédrale de Bâle (musée de Bâle),

Hans Holbein
▲ **Les Ambassadeurs** (1533)
Londres, National Gallery
Phot. Fleming

portant les statues monumentales de la Vierge et de trois saints, exécutées en grisaille. L'influence de Léonard de Vinci y est sensible, en particulier dans le traitement des chairs. Il est probable en effet que Holbein fit entre 1523 et 1526 un voyage en France, où il put voir des œuvres tardives du maître florentin. Durant ces années, il grava sa célèbre *Danse des morts,* dont 3 planches furent tirées en 1527 (Berlin-Dahlem, cabinet des Estampes) et dont la première édition, qui comportait 41 gravures, fut imprimée à Lyon en 1538 par les frères Trechstel. De cette période datent quelques portraits : *Portrait de femme* (1517?, Mauritshuis), *Bonifacius Amerbach* (1519, musée de Bâle), *Érasme* (1523, Longford Castle, coll. Radnor; *id.,* Louvre; *id.,* musée de Bâle).

Londres (1526-1528). En 1526, sans doute sur les conseils d'Érasme, qui le recommande à Thomas More, Hans fuit la Réforme et s'exile pour deux ans à Londres, où sa renommée de portraitiste s'étend rapidement (*Sir Thomas More,* 1527, New York, Frick Coll.; *Sir Henry Guilford,* 1527, Windsor Castle; l'*Archevêque Warham,* 1527, Louvre; *Nicolas Kratzer,* 1528, *id.; Thomas et John Godsalve,* 1528, Dresde, Gg).

Bâle (1528-1531). Après son retour à Bâle, son activité se limite au portrait et à la décoration de façades. En 1529, un décret du Conseil de la ville ayant interdit toute peinture religieuse, Holbein regagnera l'Angleterre en 1532. Dans l'intervalle, il entreprend probablement un voyage en Italie du Nord et exécute la décoration de la maison « Zum Kaiserstuhl » (seules nous restent les esquisses préparatoires au musée de Bâle) ainsi qu'un important tableau, la *Famille de l'artiste* (1528-29, musée de Bâle). Holbein domine désormais son art; dans cette œuvre, où le réalisme se teinte de chaleur humaine et montre à quel degré l'exemple flamand a été assimilé, l'émotion intime se sublime en quelque sorte dans le classicisme tranquille de la composition, et le sujet domestique acquiert la puissance du symbole. Vers 1530, Hans achève la décoration de la salle du Conseil, dont le musée de Bâle possède quelques fragments, et exécute de nombreuses gravures sur bois, notamment les 94 *Icones historiarum Veteris Testamenti,* publiées à Lyon en 1538 par les Trechstel. À ces œuvres, il faut ajouter une dizaine de dessins de vitraux, seul art religieux autorisé, dont le thème est la *Passion* (musée de Bâle).

Londres (1532-1543). Lorsque Holbein regagne Londres en 1532, Thomas More a perdu la faveur du roi; aussi Holbein trouve-t-il des protecteurs auprès des représentants londoniens de la ligue hanséatique, pour lesquels il réalise un nombre considérable de portraits. Ceux de *Georg Gisze* (1532, Berlin-Dahlem), de *Dirk Tybis* (1533, Vienne, K.M.), de *Derich Born* (1533, Windsor Castle) et du *Jeune Marchand* (1541, Vienne, K.M.) figurent parmi les plus fameux. Ses protecteurs lui font également la commande d'œuvres décoratives, telles qu'un *Arc de triomphe* à l'occasion du couronnement d'Anne Boleyn (seule l'esquisse de 1533 est conservée au cabinet des Estampes de Berlin-Dahlem) ou que le *Triomphe de la Richesse* et le *Triomphe de la Pauvreté* (1533, dessin et gravure au Louvre). Dès 1533, une part majeure de son activité est vouée aux commandes de Henry VIII, au service de qui il entre en 1536, vraisemblablement par l'entremise de Cromwell, dont il a fait en 1534 le portrait, auj. disparu. Son activité sera dès lors très diverse, car, outre des œuvres décoratives et une douzaine de miniatures, dont Lucas Horenbout lui a enseigné la technique, il réalisera de nombreuses études pour des pièces de joaillerie et une série très importante de portraits, dont *Robert Cheseman* (1533, Mauritshuis), les *Ambassadeurs* (1533, Londres, N. G.), *Charles de Solier, sire de Morette* (1534-35, Dresde, Gg), *Richard Southwell* (1536, Offices), *Christine de Danemark* (1538, exécuté en Flandres, Londres, N.G.), *Anne de Clèves* (1539, Louvre), *Édouard, prince de Galles* (1539, Washington, N.G.), *Thomas Howard, duc de Norfolk* (1539-40, Windsor Castle), *Henry VIII* (1540, Rome, G.N.), *John Chambers* (1542, Londres, N.G.). De nombreuses pièces ne sont connues que par les dessins préparatoires qu'abritent les collections royales du château de Windsor. La surface s'organise maintenant avec une incomparable maîtrise et, si la composition des portraits en buste s'inspire de types tels que la *Joconde,* on peut néanmoins y déceler une parenté avec Gossaert ou Metsys, voire avec le Maniérisme, qu'il vienne de Moretto da Brescia ou de peintres italiens au service de Henry VIII et que l'on retrouve dans le décor et la solennité hiératique des portraits en pied, grandeur nature. De plus, Holbein avait certainement connaissance des œuvres de l'école de Fontainebleau et des dessins de Clouet. En 1538, envoyé en mission en Bourgogne, il fait un détour par Lyon et Bâle, où le Conseil de la ville lui offre les conditions de travail les plus avantageuses, mais où il ne se réinstalle pas, puisque nous le retrouvons en 1541 à Londres. Sa dernière œuvre connue (1543) est le dessin d'une pendule destinée à Henry VIII.

Du fait de la perte de la plupart de ses œuvres monumentales, Hans le Jeune apparaît comme l'un des plus grands portraitistes de tous les temps. De Grünewald à Léonard, de Metsys à l'école de Fontainebleau et aux peintres anglais contemporains, il est ouvert à toutes les influences et sait les intégrer en un langage original qui se présente comme une synthèse internationale unique de la peinture du début du XVIe s. Son art se fonde sur la solution de deux problèmes, qui furent déjà ceux de son père : le dessin, porteur de l'exactitude expressive, et la composition, bâtie sur une étude extrêmement attentive de la perspective, dans laquelle les structures de l'espace varient constamment pour parvenir dans les derniers portraits à une sorte d'équilibre entre le réalisme et l'abstraction, entre la tradition gothique et la Renaissance humaniste. En effet, au contact d'Érasme et de More, Holbein imprègne son art des idées humanistes formulées dans le doute rationaliste qui baigne ses peintures religieuses et dans la recherche inquiète et constante d'une signification profonde de l'être, derrière l'apparence du portrait. S'il domine de la hauteur de sa personnalité la première moitié du XVIe s. en Allemagne, en Suisse et en Angleterre, l'arrivée à la cour de Henry VIII, en 1540, de nombreux artistes flamands étouffera son influence sur les générations postérieures. En 1543, la grande peste qui ravage Londres terrasse Holbein en pleine force et en pleine gloire. B. Z.

Homer

Winslow

peintre américain

(Boston 1836 - Scaboro 1910)

Apprenti lithographe (1854-1857), puis illustrateur (jusqu'en 1875) de la revue new-yorkaise *Harper's Weekly,* pour laquelle il exécute des reportages dessinés pendant la guerre de Sécession, Homer n'aborde la peinture à l'huile que vers la trentaine, avec des tableaux de genre inspirés par la guerre et la vie militaire (les *Prisonniers,* 1866, Metropolitan Museum) et par la campagne (la *Cloche du matin,* New Haven, Yale University Art Gal.). Après un voyage à Paris (1866-67), sa manière se rapproche de celle des débuts de l'Impressionnisme : les sujets de plein air (scènes de la vie campagnarde, plages, scènes maritimes) sont traités par larges taches claires, cernées par un dessin nerveux (*Long Branch, New Jersey,* 1869, Boston, M. F. A.). Il subit également l'influence des estampes japonaises. À partir de 1881 (en 1881-82, il fait un long séjour en Angleterre), ses tableaux s'assombrissent et s'empâtent. Il est installé à Prout's Neck, sur la côte du Maine, d'où il partira tous les ans pour des voyages d'été dans les Adirondacks ou le Canada, d'hiver à Nassau, à Cuba, en Floride ou aux Bermudes. Il peint la vie rude des marins, en mettant l'accent sur l'héroïsme de l'homme en lutte avec les éléments (le *Tocsin,* 1886, Metropolitan Museum), la puissance de la mer (le *Soleil sur la côte,* 1890, Toledo, Ohio, Museum of Art ; *The Gulf-Stream,* 1899, Metropolitan Museum) ou son insolite poésie (*Nuit d'été,* 1890, Orsay) ; il décrit aussi la chasse (le *Cerf,* 1892, Washington, N. G.), les animaux sauvages (*Canards, id.*). À la même époque cependant, ses aquarelles, qui évoquent ses voyages ou préparent ses compositions (Boston, M. F. A. ; Chicago, Art Inst. ; Metropolitan Museum ; New York, Cooper Union Museum et Brooklyn Museum), restent très fluides et vivement colorées. De son vivant déjà, Homer était considéré comme le type même de l'artiste américain ; le réalisme est l'expression spontanée de son génie, mais il est mis au service d'une haute conception de la valeur humaine. S. C.

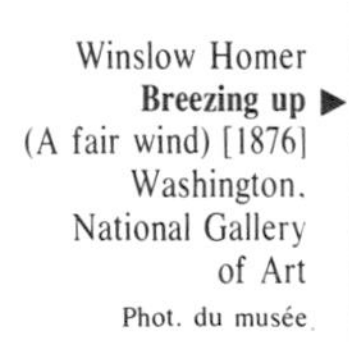

Winslow Homer
Breezing up ▶
(A fair wind) [1876]
Washington.
National Gallery
of Art
Phot. du musée

Gerrit
Van Honthorst
◀ **L'Entremetteuse**
(1625)
Utrecht,
Centraal Museum
Phot. du musée

Honthorst

Gerrit Van

peintre néerlandais
(Utrecht 1590 - id. *1656)*

D'abord élève d'Abraham Bloemaert à Utrecht, il arrive à Rome entre 1610 et 1612, où il adhère totalement à l'esthétique nouvelle du Caravagisme. De puissants protecteurs, le cardinal Scipione Borghese et le grand-duc de Toscane, lui font obtenir d'importantes commandes pour les églises de Rome. Rentré en 1620 à Utrecht, inscrit à la gilde des peintres en 1625, il connut un succès considérable. Il produit alors nombre de tableaux religieux et de scènes de genre, et occupe 25 élèves. En 1628, il est invité par Charles Ier à la cour d'Angleterre, où il peint plusieurs portraits et un *Mercure présentant les arts libéraux à Apollon et à Diane* (Hampton Court). En 1635, il réalise de vastes compositions historiques pour Christian IV, roi de Danemark. En 1637, il est inscrit à la gilde de La Haye et devient le peintre favori de la cour du prince d'Orange. Il exécute des tableaux mythologiques pour les châteaux de Rijswijk et de Honselaersdijk, mais se consacre encore davantage au portrait. La participation de ses élèves est proportionnelle à ses nombreuses commandes.

Avec Ter Brugghen et Van Baburen, Honthorst est l'un des principaux introducteurs du style nouveau et de l'esthétique de Caravage à Utrecht et dans les Pays-Bas du Nord.

Il fut surnommé en Italie « Gherardo delle Notti » en raison de ses éclairages contrastés à la bougie, comme dans sa *Flagellation* (1612) ou son *Christ couronné d'épines* (1615, Rome, S. Maria in Aquiro). La *Décollation de saint Jean-Baptiste* (1618, Rome, S. Maria della Scala) procède des raccourcis dramatiques et de l'expression réaliste de Caravage. L'éclairage à la bougie, simplifiant les plans et les masses du *Christ enfant et saint Joseph* (couvent S. Silvestro à Montecompatri et Ermitage) ou du *Reniement de saint Pierre* (musée de Rennes), présente des solutions analogues à celles de Georges de La Tour en France. Mais, en définitive, dès son retour à Utrecht, Honthorst retint davantage la première manière claire de Caravage ; son apport réside aussi dans l'introduction de la grande manière décorative italienne, qui lui est inspirée par l'étude des Carrache et qui tempère le clair-obscur et le réalisme sans outrance de son *Adoration des bergers* (1620, Offices). Dans ses scènes de genre, telles que la *Joyeuse Compagnie* (1620, Offices), le *Concert* (1624, Louvre) ou le *Dentiste* (1627, *id.*), il affectionne la disposition à mi-corps des figures, dont l'une, au premier plan, sert de repoussoir tandis que le clair-obscur cerne beaucoup les formes, qui gardent leur vivacité colorée. L'humour, pris sur le vif, de ces scènes de genre constitue aussi une différence essentielle par rapport au Caravagisme. Cependant, Honthorst ne sut pas éviter le ton conventionnel dans l'*Allégorie du roi et de la reine de Bohême et de leur famille*

(1636, Hanovre, Herrenhausen-Museum) ou dans l'*Allégorie du mariage de Frédéric Hendrik avec Amalia Van Solms* (1650, La Haye, Huis ten Bosch). Ces grandes compositions représentent la part la plus inégale de son œuvre, ainsi que ses portraits, pour la plupart issus de son atelier. P. H. P.

Hooch ou Hooghe ou Hoogh

Pieter de

peintre néerlandais

(Rotterdam 1629 - Amsterdam 1684 ?)

On a longtemps méconnu les œuvres de jeunesse et oublié celles de la fin de la carrière de Pieter de Hooch pour ne s'intéresser qu'à sa période de maturité, grâce à laquelle il prend place parmi les meilleurs intimistes hollandais après Vermeer de Delft.

Période de jeunesse. Ses œuvres de jeunesse, en effet, sont assez éloignées de celles de sa belle période delftoise. Cet artiste qui a exalté le recueillement et le silence des scènes intimes peint, à ses débuts, le tumulte des corps de garde et des auberges, qui sont les thèmes les plus appréciés à Haarlem, où il fait alors son apprentissage. Élève de Berchem, il semble très peu marqué par le ton idyllique et pastoral de ce maître italianisant dans son *Cavalier chez des paysans* (Moscou, musée Pouchkine), dans le *Verre vide* (Rotterdam, B. V. B.) ou dans le *Cabaret* (Philadelphie, Museum of Art, coll. Johnson). Si, comme Jacob Ochtervelt, alors son condisciple, il commence par des thèmes voisins de la bambochade, il donne déjà le rôle primordial à la lumière. Celle-ci s'accommode encore des recettes caravagesques du rayon de lumière tombant d'une fenêtre (la

Pieter de Hooch
◀ **La Buveuse** (1658)
Paris,
musée du Louvre
Phot. Lauros-Giraudon

Partie de cartes, Paris, anc. coll. Pereire) ou des éclairages artificiels du *Coin du feu* (Rome, Gal. Corsini), où des figures forment écran à la lumière. Dans le *Lever* (Ermitage), il apprécie déjà les ressources spatiales de l'espace clos d'un intérieur.

Période de Delft : la maturité. Inscrit à la gilde de Delft en 1655, Pieter de Hooch s'était installé dans cette ville un an auparavant à l'occasion de son mariage. C. Fabritius, principal artiste de Delft, était mort en 1654, et Vermeer, son cadet de trois ans, y faisait ses débuts. Pieter séjourne à Delft de 1654 à 1662 env. et réalise alors la plus belle partie de son œuvre, dont la qualité se maintient jusque v. 1670. Abandonnant les premiers sujets, il se consacre désormais à la vie domestique et à la scène d'intérieur : le *Cellier* (Rijksmuseum), la *Fileuse* (Londres, Buckingham Palace), les *Soins maternels* (Rijksmuseum), ou de conversations galantes (la *Buveuse,* 1658, Louvre). Après avoir exploité une gamme de tons assez réduite, de Hooch inaugure à Delft une palette tout en nuances, dont la *Mère* (Berlin-Dahlem) ou le *Verre de vin* (Londres, N. G.) donnent le meilleur exemple. Le rôle dévolu à la lumière et à l'atmosphère réduit d'autant l'anecdote des thèmes.

L'originalité de l'artiste apparaît dans la création de multiples correspondances et affinités entre la figure humaine et les objets qui l'entourent; volumes, formes et teintes engendrent une rythmique plastique émanant de leurs subtiles relations (la *Dentellière,* Paris, Inst. néerlandais; la *Partie de cartes,* Londres, Buckingham Palace). Il est également novateur dans sa conception de l'espace : la *Cour d'une maison à Delft* (1658, Londres, N. G., et Mauritshuis), le *Garçon apportant des grenades* (Londres, Wallace Coll.) lui permettent de confronter l'espace aérien extérieur et la perspective close d'une pièce, tandis que la *Dame et sa cuisinière* (Ermitage) ou la *Mère* (Berlin-Dahlem) s'ordonnent selon des lignes de fuite rapides, accélérant la succession des plans où les formes s'inscrivent en contre-pose.

Période d'Amsterdam. On ignore pourquoi P. de Hooch quitta Delft pour Amsterdam, où il s'installa en 1662 et demeura jusqu'à sa mort. Sa dernière œuvre est datée de 1684. Il reste égal à lui-même jusque v. 1670, mais se renouvelle moins. Il évoque encore ce silence particulier des choses et des êtres dans ses intérieurs hollandais au luxe bourgeois (les *Joueurs de cartes,* Louvre; *Devant la cheminée,* New York, Frick Coll.; la *Lettre,* musée de Budapest) ou les tâches ménagères accomplies cérémonieusement, comme dans la *Peleuse de pommes* (1663, Londres, Wallace Coll.) ou la *Peseuse d'or* (Berlin-Dahlem). Cette dernière œuvre présente des affinités avec Vermeer, mais il ne s'agit là que d'une influence épisodique. Le réalisme et l'acuité d'observation de l'artiste justifient encore, dans ces œuvres, la facture au fini très soigné.

À partir de 1670 et jusque v. 1684, les scènes d'intimité, jadis pleines de sensibilité et de retenue, tombent dans un libertinage proche de celui de Jan Steen (la *Lettre d'amour,* Stockholm, Nm; le *Menuet,* 1675, Philadelphie, Museum of Art; le *Chanteur,* Ermitage; la *Collation,* 1677, Londres, N. G.). Sa production est alors considérable, et il n'évite pas le procédé : les formes, rehaussées de petites touches de lumière, se compliquent, se maniérisent, comme dans le *Parc* (Windsor Castle), la *Conversation* (Lisbonne, M.A.A.). C'est ce qui explique que de telles peintures furent longtemps attribuées à des contemporains comme Ochtervelt, Hoogstragten, Brekelenkam, Janssens, alors que, dans ses meilleurs moments, P. de Hooch évoque l'harmonie souveraine de Vermeer. P. H. P.

Hopper

Edward

peintre américain

(Nyack, New York, 1882 - New York 1967)

Sa formation artistique s'effectua auprès de Kenneth Hayes Miller et de Robert Henri à la New York School of Art (de 1900 à 1906). Entre 1906 et 1910, Hopper fit trois voyages en Europe, durant lesquels il séjourna principalement en France. Contrairement à la plupart de ses compatriotes qui se rendirent à cette époque en Europe, il se montra relativement insensible aux développements les plus avancés de l'art européen. Il tira quelques leçons du Néo-Impressionnisme, ignora totalement le Cubisme naissant, et les toiles de cette époque qui nous sont parvenues indiquent déjà clairement l'acquisition d'un style solide et personnel, sobre et concerté, dont il ne se départit jamais (le *Quai des Grands-Augustins,* 1909, New York, Whitney Museum). Hopper exposa pour la première fois à l'Harmonie Club en 1908 en compagnie d'autres artistes, et, bien que la toile qu'il exposa à l'Armory Show (*Sailing,* 1913, coll. James H. Beal) eût trouvé acquéreur, le succès fut lent à venir. Aucune autre toile ne fut vendue avant 1923. Entre 1915 et 1920, son activité de peintre fut d'ailleurs quelque peu réduite : pour subvenir à ses besoins, Hopper devait travailler comme illustrateur commercial et, dès 1915, il commença une série d'ailleurs brillante d'eaux-fortes (*Night Shadows,* 1921; *Train and Bathers,* 1930).

Hopper mena une vie calme, entièrement vouée à l'accomplissement de son œuvre. Il ne retourna jamais en Europe après 1910, mais voyagea par contre abondamment aux États-Unis et au Mexique. Le choix de ses sujets, paysages américains, figures solitaires dans des chambres d'hôtels ou des bars, monde du théâtre, l'a souvent fait passer pour un simple illustrateur, ce dont lui-même se défendait. Son « américanisme » réside moins dans ses sujets que dans sa manière de peindre, franche, directe et solide, que les peintres pop admireront (Hopper est souvent considéré comme un précurseur du Pop'Art).

Sa production est considérable et ne saurait être caractérisée par époques. Son style accuse peu de différences entre 1913 et 1965. Cette obstination typique de son caractère est aussi l'une des raisons de la grandeur de son œuvre. Parmi ses toiles les plus célèbres, il convient de citer *Early Sunday Morning* (1930, New York, Whitney Museum), *Room in Brooklyn* (1932, Boston, M. F. A.), *New York Movie* (1939, New York, M. O. M. A.), *Gas* (1940, *id.*), *Nighthawks* (1942, Chicago, Art Inst.), *Second Story Sunlight* (1960, New York, Whitney Museum).

Dès 1933, Hopper bénéficia d'une rétrospective au M. O. M. A. Le Whitney Museum lui en consacra plusieurs en 1950, en 1964 et en 1971, après que ce musée eut reçu en règlement de son testament plusieurs milliers d'œuvres — soit le contenu presque intégral de son atelier après décès. Signalons enfin que Hopper représenta les États-Unis à la Biennale de Venise en 1948 en compagnie de Calder, de Stuart Davis et de Kuniyoshi. J. P. M.

Edward Hopper
Nighthawks (1942) ▲
Chicago, The Art Institute
Phot. du musée

Huber

Wolfgang, dit Wolf

peintre allemand

(Feldkirch ?, Vorarlberg, v. 1485 - Passau 1553)

Dernier représentant important de la peinture de l'école du Danube, il est connu par ses dessins avant que ses premiers tableaux ne nous soient parvenus. Si le *Paysage du Mondsee* (musée de Nuremberg) n'était pas daté de 1510 et monogrammé, il serait difficile d'en établir la date exacte, tant ce simple dessin au trait est dénué de conventions stylistiques. Dans les nombreux dessins conservés des années suivantes, on relève, dans le rythme des compositions ainsi que dans la technique du trait clair sur fond sombre, des analogies avec l'art d'Altdorfer. La peinture la plus ancienne qui soit connue est le fragment d'une *Épitaphe* datée de 1517 (monastère de Kremsmünster, Haute-Autriche). En 1515, alors qu'il était déjà installé à Passau, Huber reçut la commande de panneaux pour un retable de sainte Anne (Feldkirch, église paroissiale), qu'il termina en 1521. Au revers de l'armoire, richement sculptée, est peinte une *Lamentation du Christ (in situ).* Les volets, récemment retrouvés (Bregenz, Vorarlberger Landesmuseum), sont décorés de scènes de la *Vie de saint Joachim et de sainte Anne* et de l'*Enfance du Christ.* Ces peintures — auxquelles s'apparente un panneau daté de 1519 représentant les *Adieux du Christ* (Vienne, K. M.) — surprennent par leur sens très vif de l'espace. On décèle dans les architectures l'influence d'une gravure de l'entourage de Bramante et celle d'Altdorfer, sans laquelle la souplesse du métier ne s'expliquerait pas, et les figures sont souvent inspirées de motifs empruntés à des gravures sur bois de Dürer. De la décennie 1520-1530, on possède une *Déposition de croix* (1521, Louvre) et des fragments de 3 retables : une *Flagellation* et un *Couronnement d'épines* provenant d'un retable de la Passion daté de 1525 (monastère de Saint-Florian, Haute-Autriche) ; un *Mont des Oliviers* et l'*Arrestation du Christ* (Munich, Alte Pin.) provenant d'un autre retable de la Passion ; enfin 2 panneaux faisant partie d'un 3e retable décoré de *Scènes de la vie de la Vierge* (Berlin-Dahlem et Munich, Bayerisches Nationalmuseum). On est frappé dans toutes ces œuvres, ainsi que dans une *Érection de la croix* (Vienne, K. M.), par l'importance qu'occupe chaque personnage dans l'espace du tableau et par la plus grande plasticité de leur modelé ; l'artiste recherche les raccourcis prononcés et les types un peu caricaturaux. Quelques portraits dessinés, dont les modèles apparaissent d'une laideur presque agres-

Wolf Huber
La Fuite en Égypte ▼
Berlin-Dahlem, Staatliche Museen-Preussischer Kulturbesitz, Gemäldegalerie
Phot. Anders

Jaime Huguet
▲ **La Flagellation du Christ**
Paris, musée du Louvre
Phot. Lauros-Giraudon

sive, peuvent également dater de la même époque (musée d'Erlangen; Berlin-Dahlem; Dresde, Gg); Huber est aussi l'auteur de remarquables portraits peints. Les effigies d'*Anton Hundertpfundt* (1526, Dublin, N. G.) et de l'humaniste *Jakob Ziegler* (Vienne, K. M.) sont les meilleurs exemples de son talent de portraitiste. Dans ses portraits, comme dans ses retables, Huber s'est soumis au goût du client, mais c'est surtout dans ses nombreux dessins de paysages, d'une vaste profondeur, que l'on peut le mieux juger de son mérite. Il a aussi dessiné occasionnellement des esquisses de portraits et de scènes religieuses, mais la plus grande partie de son œuvre dessiné est composée de paysages très proches de la nature. La fin de l'école du Danube se révèle par une manière tout à fait opposée à celle d'Altdorfer, dont, en fait, elle procédait; chaque objet et chaque élément du paysage est vivement délimité et se détache nettement sur son fond; en revanche, les formes, d'une stylisation mouvementée, animées d'une énergie intense, sont encore bien caractéristiques du style danubien. A. R.

Huguet
Jaime

peintre espagnol
(Valls v. 1415 - Barcelone 1492)

Il travailla d'abord à Saragosse, puis à Tarragone, où l'archevêque mécène Dalmau de Mur attirait de nombreux artistes, avant de s'établir à Barcelone en 1448. Figure dominante de la peinture gothique de la seconde moitié du XVe s., il représente le dernier stade de l'âge d'or barcelonais. Après la mort de Martorell, son atelier est le plus actif et le plus productif de Barcelone. Huguet ajoute aux recherches de Martorell et de Luis Dalmau une émotion contenue, un sens du mysticisme et de la grandeur qui lui sont personnels. Mais, s'il s'intéresse à l'aménagement de l'espace, aux effets d'éclairage, à l'observation du paysage naturel, il est généralement forcé par les exigences de sa clientèle artisanale et marchande de rester fidèle aux fonds d'or traditionnels, qui donnent souvent à sa peinture un aspect somptueusement archaïque.

Ses œuvres, nombreuses, souvent documentées, s'imposent dès le début. Le *Triptyque de saint Georges,* partagé entre Berlin-Dahlem et de Barcelone (M. A. C.) et qui date peut-être de la période aragonaise, présente — en gros plan — le saint revêtu de son armure ; le visage pensif et mélancolique, il se tourne vers la princesse, qui lui apporte les autres pièces de son équipement ; à l'arrière-plan, un ciel bleu surplombe un paysage verdoyant. Le *Retable de Vallmoll* (1447-1450, Barcelone, M. A. C.) comprend une imposante représentation de la Vierge assise, tenant l'Enfant, entourée d'anges musiciens d'allure flamande et qui rappelle l'influence exercée sur Huguet par Dalmau (un autre panneau du même retable, l'*Annonciation,* est conservé au musée de Tarragone). Un petit retable avec 3 compositions (av. 1450, musée de Vich), *Annonciation, Épiphanie, Calvaire,* offre dans les 2e et 3e scènes un paysage agreste où s'élèvent un ou deux manoirs fortifiés ; l'élégance courtoise de l'*Épiphanie* est un reflet des leçons gothiques prises par Huguet auprès de Martorell. Entre 1450 et 1455, Huguet peignit la *Mise au tombeau* (Louvre), image traditionnelle, traitée ici avec relief et se détachant sur fond de ciel ; à la même époque appartient l'admirable *Flagellation (id.),* retable exécuté pour la confrérie des cordonniers de Barcelone ; au-delà d'une élégante arcature d'arrière-plan se déroule un paysage lumineux avec des arbres, une église, les collines bleuâtres, qu'escalade un chemin sinueux.

Désormais parvenu à la maturité, Huguet réalise ses chefs-d'œuvre dans un style beaucoup plus large. Le *Retable de S. Vicente de Sarriá* (Barcelone, M. A. C.), dont 5 panneaux subsistent, aurait été exécuté entre 1458 et 1460. Au faste liturgique s'ajoutent l'étude minutieuse de chaque physionomie, sensible par exemple dans l'étonnant groupe des chanteurs de l'*Ordination de saint Vincent,* ainsi qu'une rigueur géométrique et une grandeur monumentale attestant le souci de construction plastique, qui détache désormais l'artiste des motifs purement linéaires du style gothique international.

Le *Retable de saint Antoine abbé* (1455-1458), malheureusement détruit dans les émeutes de 1909, ajoutait 6 compositions narratives à une impressionnante image de saint Antoine assis, sa crosse en main et portant un livre ouvert. Du *Retable des revendeurs,* dédié à saint Michel-Archange (1455-1460, Barcelone, M. A. C.), seuls subsistent la charmante *Vierge et l'Enfant avec quatre saintes* et 3 des tableaux latéraux : *Victoire de saint Michel sur l'Antéchrist, Apparition du saint sur le château Saint-Ange de Rome* et *Miracle du Mont-Saint-Michel,* où une mère et son nouveau-né échappent à la montée des flots.

Le grand *Retable des saints Abdon et Senen,* resté intact (1459-60, Tarrassa, église S. Maria de Egara), est consacré aux patrons des agriculteurs catalans. Sur un pavement mosaïqué, les deux jeunes gens se dressent en pleine lumière, élégamment vêtus, fiers et mélancoliques. Les panneaux latéraux montrent des scènes de leur martyre, souvent d'un réalisme pittoresque, notamment la *Translation des reliques à l'abbaye d'Arles-sur-Tech.* Le monumental *Retable du connétable* fut commandé par Pedro de Portugal, devenu Pierre IV, pour la chapelle royale de Barcelone (1464-65, musée d'histoire de Barcelone) ; il décrit les *Joies de la Vierge,* parmi lesquelles domine l'*Épiphanie,* avec son riche cortège de rois, dont l'un serait, dit-on, un portrait de Pierre IV. Le *Retable de saint Augustin* (contrat de 1463) ne fut achevé qu'en 1480 ; il avait été commandé par la confrérie des tanneurs pour leur chapelle de l'église des Augustins ; 8 panneaux en sont conservés (Barcelone, M. A. C.), où l'accumulation des détails ne nuit pas à la solennité grave de scènes comme la consécration épiscopale du saint. D'un retable destiné à la confrérie des maîtres vanniers a été conservée la scène centrale : *Saint Michel-Archange* et *Saint Bernardin* (1468, Barcelone, musée diocésain), où la riche dalmatique du premier personnage contraste avec la robe de bure du second. Enfin, 3 figures séparées, *Sainte Anne, Saint Bartholomé, Sainte Marie-Madeleine* (Barcelone, M. A. C.), provenant de l'église Saint-Martin de Portegas, ont fait partie d'un retable dont le contrat date de 1465.

Pendant ses dernières années, Huguet, vieilli, semble avoir vécu sur sa réputation et quelque peu industrialisé sa production (*Retable de sainte Thècle,* 1486, cathédrale de Barcelone) ; sa personnalité disparaît parmi les collaborateurs de son atelier, dont les plus actifs appartenaient à une même famille de peintres, les Vergos.

La part de Huguet dans la peinture espagnole du XVe s. est considérable : il s'agit d'une personnalité de stature européenne. Lié à la tradition catalane par son goût du décor somptueux et sa grâce narrative, tenu par sa clientèle au respect de certaines formules archaïsantes (les fonds d'or gaufrés), encore attaché par sa sensibilité au lyrisme médiéval, ce n'en est pas moins un artiste « moderne » soucieux d'unité spatiale et lumineuse

▲ Jaime Huguet, **L'Adoration des mages**
Panneau central du retable du Connétable (1464-65)
Barcelone, musée d'histoire de Barcelone
Phot. MAS

autant que de construction monumentale. Il rejoint ainsi un courant méditerranéen de recherches qui passe par l'Italie et la Provence. M. Be. et S. R.

Hunt

William Holman

peintre anglais

(Londres 1827 - id. 1910)

Fils d'un directeur de maison de commerce, il commença une carrière dans les affaires avant d'étudier à la Royal Academy (1844), où il fit la connaissance de Millais. La lecture, en 1846, du premier volume des *Peintres modernes* de Ruskin le persuada de la nécessité d'une réforme tendant à plus de réalisme et de sérieux dans l'art contemporain ; il est avec Millais, Rossetti et quatre autres artistes l'un des fondateurs de la « Pre-Raphaelite Brotherhood » (1848). À l'encontre de ces derniers, il demeura fidèle aux principes de ce mouvement. Après *Claudio et Isabella* (1850, Londres, Tate Gal.), le *Mauvais Berger* (1851, Manchester, City Art Gal.), l'un des chefs-d'œuvre du mouvement préraphaélite, illustre bien la dualité de son art : chaque détail y est peint d'après nature avec une exactitude et une minutie rares dans l'histoire de la peinture (l'hyperréalisme contemporain s'en réclame assez justement), et, en même temps, le sujet exprime symboliquement une idée morale forte et complexe. Sans atteindre d'emblée à une pleine réussite (son premier tableau important, *Rienzi,* coll. Clarke, avait pourtant été remarqué à la Royal Academy en 1849, à côté du *Lorenzo et Isabella* de Millais), la *Lumière du monde* (1853, Oxford, Keble College), montrant symboliquement le Christ portant une lanterne et frappant à une porte depuis longtemps close, rencontra une immense popularité. Cette allégorie spirituelle, d'un naturalisme appuyé, fut exposée avec l'*Éveil de la conscience* (1854, coll. part.), scène moralisatrice contemporaine qui devait lui faire pendant. Il effectua divers voyages à Paris et en Belgique (1849) avec Rossetti, puis plus tard en Italie (1869, 1875, 1892), et il alla à trois reprises en Palestine, en 1854, en 1869 et en 1875, pour donner plus de vraisemblance à ses scènes bibliques, bien que cette exactitude en ait quelquefois obscurci le sens symbolique, comme dans le *Bouc émissaire* (1854, Port Sunlight, Lady Lever Art Gal. ; esquisse à la City Art Gal. de Manchester). Son œuvre souffre d'un manque flagrant d'aisance ; sa couleur est volontiers dissonante dans l'intensité et la stridence, mais les meilleures de ses créations ont une puissance poétique indéniable (*The Lady of Shalott,* terminée en 1905, Hartford, Wadsworth Atheneum), qu'accentue le contraste singulier entre l'ésotérisme de l'inspiration et le naturalisme maniaque de l'exécution. La précision presque obsédante de sa description de la réalité, notamment dans les effets lumineux (son goût des

William Holman Hunt
◀ **Le Mauvais Berger**
(1851)
Manchester,
City Art Galleries
Phot. du musée

effets d'éclairage artificiels apparaît dans certaines scènes nocturnes évoquant la vie contemporaine : le *Pont de Londres le soir du mariage du prince de Galles,* 1863-1866, Oxford, Ashmolean Museum ; le *Pont du navire,* 1875, Londres, Tate Gal.), finit par exercer une sorte de fascination. En 1905, il publia une histoire du Préraphaélisme qui, en dépit de ses jugements partiaux à l'encontre de Rossetti, est un livre extrêmement précieux.

Il est représenté dans les musées britanniques, notamment à la Tate Gal. de Londres (la *Brebis égarée,* 1852 ; le *Triomphe des Innocents,* 1883-84), au City Museum de Birmingham (*Jésus chez les docteurs,* 1854-1860), à la Walker Art Gal. de Liverpool, à la City Art Gal. de Manchester (l'*Ombre de la mort,* 1870-1873) et à l'Ashmolean Museum d'Oxford (les *Bretons protégeant un missionnaire,* 1850). W. V. et S. R.

Ingres

Jean Auguste Dominique

peintre français

(Montauban 1780 - Paris 1867)

Son père, Joseph Ingres, peintre, miniaturiste, sculpteur et ornemaniste, lui apprit le dessin et aussi le violon. Mais l'instruction de l'enfant, au collège des frères des Écoles chrétiennes de Montauban, fut limitée, et Ingres le déplora toute sa vie. En 1791, il entra à l'Académie royale de Toulouse, où il eut comme maîtres le peintre Joseph Roques, ancien élève de Vien (le maître de David), et le sculpteur Jean-Pierre Vigan. Il reçut également des leçons du paysagiste Jean Briant et du violoniste Lejeune. Il fut même deuxième violon dans l'orchestre du Capitole. Pendant toute sa vie, la musique fut son « violon d'Ingres ». Muni de certificats élogieux de ses maîtres, il partit en 1797 pour Paris.

Paris (1797-1806). Dès son arrivée, il entra dans l'atelier de David, qui peignait alors les *Sabines.* Studieux et sauvage, il ne se mêla pas aux turbulentes fantaisies de ses camarades. Les uns — les « Muscadins » — étaient attirés par le Moyen Âge ; les autres — les « Primitifs » ou « Penseurs » ou encore « Barbus » — ne s'intéressaient qu'aux formes archaïques de l'art et de la littérature (les vases grecs ou « étrusques », les peintures des Primitifs italiens, Homère et les poèmes du pseudo-Ossian). Néanmoins, il fut profondément marqué par le milieu artistique, à la fois classique et archaïsant, dans lequel il travailla jusqu'en 1801. Il peint alors plusieurs *Académies* d'hommes (musée de Montauban ; Paris, E. N. B. A.). Il obtint en 1801 le premier grand prix de Rome avec les *Ambassadeurs d'Agamemnon* (Paris, *id. ;* esquisse à Stockholm, Nm). Ne pouvant se rendre immédiatement à Rome en raison de la situation politique et financière, il s'installa dans l'ancien couvent des Capucines, non loin de plusieurs autres anciens élèves de David, Gros, Girodet, Granet et le sculpteur florentin Bartolini. C'est là qu'il exécuta ses premières commandes et ses premiers chefs-d'œuvre, qui sont tous des portraits : *Autoportrait à l'âge de vingt-quatre ans* (1804, remanié plus tard, Chantilly, musée Condé), les 3 portraits de la *Famille Rivière* (1805, Louvre), *Napoléon Ier sur le trône impérial* (1806, Paris, musée de l'Armée). Ces œuvres, exposées au Salon de 1806, furent sévèrement jugées par la critique : on leur reprochait leur « genre sec et découpé » et leur style « gothique » imité de « Jean de Bruges » (Jan Van Eyck). Ingres fut profondément et durablement affecté de cette incompréhension, qui devait se renouveler souvent.

Rome (1806-1820). Arrivé à la Villa Médicis en octobre 1806 après avoir admiré à Florence les fresques de Masaccio, il découvrit Rome avec enthousiasme, surtout les chambres de Raphaël au Vatican et la chapelle Sixtine, mais aussi les églises, les ruines des monuments romains et les collections d'antiques. Après les 2 beaux portraits de *Granet* et de *Madame Devauçay* (1807, musées d'Aix-en-Provence et de Chantilly), il peignit plusieurs nus, notamment la *Baigneuse à mi-corps* (musée de Bayonne) et la *Baigneuse* dite « de Valpinçon » (1808, Louvre), « envoi de Rome » qui fut apprécié en raison de la finesse du modelé et de l'éclairage par reflet. En revanche, les déformations expressives de son dernier envoi, *Jupiter et Thétis* (1811, musée d'Aix-en-Provence), provoquèrent les quolibets des milieux académiques parisiens.

À la fin de 1810, son temps de pensionnat achevé, Ingres décida de rester à Rome, où l'administration impériale et une colonie française nombreuse lui assuraient des commandes. Il peignit plusieurs portraits de hauts fonctionnaires (*Marcotte d'Argenteuil,* 1810, Washington, N. G. ; *Moltedo,* 1810, Metropolitan Museum ; *Cordier,* 1811, Louvre ; *Bochet, id. ; Devillers,* 1811, Zurich, fondation Bührle) et de grandes compositions : *Romulus vainqueur d'Acron* (1812, Paris, E. N. B. A., dépôt au Louvre), d'un dessin archaïsant, et le *Songe d'Ossian* (1813, musée de Montauban), d'inspiration préromantique, tous deux pour le palais impérial de Monte Cavallo au Quirinal, et *Virgile lisant l'Énéide* (1812, musée de Toulouse) pour la Villa Aldobrandini, résidence du gouverneur de Rome. De 1814, au retour d'un séjour à Naples (où il peignit une *Dormeuse,* auj. disparue), datent 3 œuvres capitales où l'art des arabesques expressives atteint son point culminant : le portrait de *Madame de Senonnes,* terminé en 1816 (musée de Nantes), la *Grande Odalisque* (Louvre) et *Paolo et Francesca* (Chantilly, musée Condé). Ingres s'était marié, en 1813, avec une modiste de Guéret, Madeleine Chapelle.

À la chute de l'Empire, en 1815, il perdit toute son ancienne clientèle. Il dut exécuter pour vivre des portraits, dessinés à la mine de plomb, des membres de la nouvelle colonie anglaise (les *Sœurs Montagu,* 1815, Londres, coll. part.) ou des portraits de famille (la *Famille Stamaty,* 1818, Louvre), genre qu'il méprisait, mais où il fit preuve d'un talent remarquable par l'élégance et le naturel des attitudes, la précision incisive du trait.

Il peint alors des tableaux de petites dimensions à sujets historiques : *Henri IV recevant l'ambassadeur d'Espagne* (1817, Paris, Petit Palais), la *Mort de François Ier* (1818, *id.*), le *Duc d'Albe à Sainte-Gudule* (1815-1819, musée de Montauban) et *Roger et Angélique* (1819, Louvre).

Florence (1820-1824). À l'appel de son ancien condisciple, le sculpteur Lorenzo Bartolini, Ingres s'établit pour quatre ans à Florence, où il étudia Raphaël, peignit quelques admirables portraits (*Bartolini,* 1820, Louvre; *Gouriev,* 1821, Ermitage; *Monsieur Leblanc* et *Madame Leblanc,* 1823, Metropolitan Museum) et exécuta une importante commande du gouvernement français : le *Vœu de Louis XIII* (1820-1824, mis en place à la cathédrale de Montauban en 1826, avec exécution de la *Messe du sacre* de Cherubini).

Paris (1824-1835). En octobre 1824, Ingres accompagna à Paris son tableau, qui reçut au Salon un accueil triomphal : par son sujet religieux, par les souvenirs des *Madones* de Raphaël, il apparaissait comme le symbole du Classicisme et de la tradition en face des *Massacres de Scio* de Delacroix, manifeste du Romantisme, présentés au même Salon. Dès lors, Ingres se posa en défenseur de la doctrine classique et connut une carrière officielle brillante : croix de la Légion d'honneur, élection à l'Académie des beaux-arts (1825). Il ouvrit un atelier et commença à former de nombreux élèves. L'*Apothéose d'Homère* (1827, Louvre), destinée à un plafond du Louvre, obtint un grand succès dans les milieux classicisants en face du *Sardanapale* de Delacroix : par le choix des artistes et des écrivains antiques et modernes qui entourent le poète, Ingres y affirmait en une sorte d'« art poétique » ses convictions et sa doctrine.

Le *Portrait de M. Bertin* (1832, Louvre) est l'un des sommets de l'art d'Ingres par la vérité du caractère individuel et en même temps par la portée générale du portrait social, celui de la grande bourgeoisie de l'époque de Louis-Philippe. L'échec du *Martyre de saint Symphorien* (1834, cathédrale d'Autun), dont Ingres fut très affecté, le détermina à ne plus exposer aux Salons et à accepter le poste de directeur de l'Académie de France à Rome.

Rome (1835-1841). Accueilli triomphalement à la Villa Médicis par plusieurs de ses anciens élèves, Ingres consacra la plus grande partie de son temps à l'administration et aux transformations de la Villa, à l'aménagement d'une bibliothèque, à l'enrichissement des collections de moulages de sculpture antique, à la création d'un cours d'archéologie. Il peignit peu : l'*Odalisque à l'esclave* (1839, Cambridge, Mass., Fogg Art Museum), *Antiochus et Stratonice* (1840, Chantilly, musée Condé). Il fit un voyage à Ravenne, où il dessina les monuments byzantins, à Urbino, en pèlerinage raphaélesque (1839), à Assise, où il copia les fresques de Giotto.

Paris (1841-1867). De cette période date une série de portraits mondains qui lui causaient des peines infinies, mais qui sont de grandes réussites : la *Comtesse d'Haussonville* (1845, New York, Frick Coll.), la *Baronne James de Rothschild* (1848, coll. part.), *Madame Gonse* (1845-1852, musée de Montauban), *Madame Moitessier* debout (1851, Washington, N. G.) et assise (1856, Londres, N. G.), la *Princesse de Broglie* (1853, New York, Metropolitan Museum, coll. Lehman). Ingres, dont la gloire ne cessait de croître, reçut plusieurs commandes importantes de décorations monumentales : l'*Âge d'or,* grande peinture murale au château de Dampierre (1842-1849, inachevé); l'*Apothéose de Napoléon Ier,* plafond pour l'Hôtel de Ville de Paris (1853, détruit en 1871; esquisse au musée Carnavalet); 2 séries de cartons pour les vitraux de la chapelle Saint-Ferdinand à Paris et la chapelle Saint-Louis à Dreux (1842 et 1844, Louvre). Il peignit aussi des tableaux religieux : la *Vierge à l'hostie* (1841, Moscou, musée Pouchkine), *Jeanne d'Arc au couronnement de Charles VII* (1854, Louvre), *Jésus au milieu des docteurs* (1862, musée de Montauban), auxquels on a reproché un raphaélisme conventionnel, responsable des fadeurs du « style Saint-Sulpice ».

Cependant, Ingres n'avait rien perdu de sa vigueur créatrice. Trois tableaux de nus couronnent son œuvre : *Vénus Anadyomène,* commencée dès 1808 à Rome, mais achevée seulement à Paris en 1848 (Chantilly, musée Condé); la *Source* (1856, Louvre); et surtout le *Bain turc* (terminé en 1863, Louvre), chef-d'œuvre des dernières années.

Ingres, qui avait perdu sa première femme en 1849, épousa en secondes noces, à soixante et onze ans, Delphine Ramel (son portrait, datant de

Ingres
Le Bain turc (1862) ▲
Paris, musée du Louvre
Phot. Giraudon

1859, est à Winterthur, coll. Oskar Reinhart). Il mourut à Paris le 14 janvier 1867.

Le style d'Ingres. La vie d'Ingres se confond avec sa carrière artistique, partagée entre Paris et Rome. On peut y distinguer deux grandes périodes, séparées par le succès du *Vœu de Louis XIII* au Salon de 1824 et par celui de l'*Apothéose d'Homère* de 1827 : une phase d'« expressionnisme archaïsant », anticlassique, et une phase classique et officielle. En fait, l'une et l'autre sont unies par des traits fondamentaux et permanents ainsi que par une forte personnalité ; il y a évolution plutôt que véritable rupture.

De sa formation dans l'atelier de David, Ingres conserva — comme l'attestent ses *Cahiers* — l'habitude de chercher les sujets de ses tableaux dans l'histoire et les littératures anciennes, ses modèles dans les sculptures antiques, les peintures de Raphaël et de Poussin. Mais, à l'exemple de certains de ses condisciples sensibles au courant préromantique, il s'intéressa aussi au Moyen Âge et à l'histoire nationale, à Dante et à Ossian, aux tableaux des Primitifs italiens ou flamands et aux vases grecs archaïques, sans ignorer d'ailleurs des formes d'art postclassiques comme l'art hellénistique ou le maniérisme toscan du XVIe s. Afin de donner à ses compositions une couleur historique, il se documentait scrupuleusement en copiant des gravures ou des moulages. La diversité de style des œuvres qu'il prenait pour modèles produit inévitablement des disparates : l'exactitude du détail nuit à la vérité de l'ensemble. Mais il impose à ses larcins un style personnel d'une grande autorité qui rétablit l'unité. Ce style, le plus souvent archaïsant et d'un anticonformisme provocant au cours de la première période, s'assagit et devint plus classique au cours de la seconde.

Ingres ne néglige pas pour autant le travail d'après nature : tous ses tableaux sont précédés d'études dessinées, parfois au nombre de plusieurs centaines, d'après des modèles vivants qu'il fait poser souvent dans l'attitude des statues ou des figures peintes dont il s'inspire. Il cherche avec obstination le mouvement juste; mais il préfère l'immobilité, les attitudes de long repos. Il recommande à ses élèves la vérité, la « naïveté », non pour reproduire passivement le réel, mais pour dégager et affirmer le caractère individuel du modèle, figure nue ou portrait.

Là intervient la stylisation, qui est choix, accentuation du caractère, exagération au besoin : d'où ces « déformations » (le cou de Thétis ou de Francesca, les trois vertèbres « supplémentaires » de la *Grande Odalisque*) que les critiques de son temps lui ont reprochées comme des « fautes », mais qui donnent à ses formes des qualités expressives auxquelles il sacrifie délibérément la construction anatomique et la vraisemblance. Il étire les proportions, recherche les courbes ondulantes, les arabesques des contours. Il manifeste une préférence pour les formes pleines et rondes, desquelles il élimine ce qu'il considère comme des détails : « Il faut modeler rond, disait-il, et sans détails intérieurs apparents. » Son modelé lisse ne comporte ni ombres ni lumières très marquées, mais des passages subtils dans les demi-teintes. Cette tendance à styliser de l'extérieur, par les contours, conduit Ingres à une certaine géométrie : c'est pourquoi certains mouvements artistiques du XXe s. se sont réclamés de lui. C'est aussi à cause des audaces de sa jeunesse, de ses « bizarreries » qu'il trouve grâce parfois aux yeux de Baudelaire, qui lui préfère toutefois Delacroix, plus coloriste et plus poète. En effet, Ingres est avant tout un dessinateur; Delacroix construisit avec la couleur; la couleur d'Ingres paraît, au contraire, surajoutée au dessin; mais elle n'est pas toujours aussi discordante et désagréable qu'on le dit : les portraits de *Madame de Senonnes,* de *Granet* et de la *Comtesse d'Haussonville,* la *Baigneuse de Valpinçon* sont à cet égard des chefs-d'œuvre.

Si l'on constate, dans la seconde période d'Ingres, un certain assagissement et un retour à un classicisme plus traditionnel, les traits essentiels de son style demeurent visibles et son hostilité à l'égard de l'Institut et de l'École des Beaux-Arts ne désarma jamais. Elle s'explique non seulement par l'incompréhension dont fit preuve l'Académie à l'égard de ses ouvrages de jeunesse et par les humiliations subies, mais aussi, plus profondément, par l'opposition permanente d'Ingres à la doctrine néo-classique du « beau idéal », héritée de Winckelmann et de David et incompatible avec sa propre tendance à l'affirmation expressionniste du caractère individuel. Bien qu'Ingres ait suivi une carrière officielle et qu'il ait été élu dès 1825 à l'Académie des beaux-arts, dont il devint bientôt l'une des personnalités les plus influentes, il eut jusqu'à sa mort de sérieux démêlés doctrinaux avec ses collègues. Le préjugé courant qui fait d'Ingres un peintre « académique » est donc sans fondement.

En dépit de ses ambitions, il est avant tout un réaliste et un visuel — un « œil » a-t-on dit —, non un homme d'imagination. Sa fidélité à l'objet lui vaut aujourd'hui la sympathie des adeptes du Nouveau Roman. Ces qualités ne sont cependant pas de celles qui font le grand « peintre d'histoire » qu'il prétendait être, genre dans lequel il a trop souvent échoué. En revanche, il réussit magistralement dans le nu et dans le portrait : il a laissé dans ces deux domaines quelques-uns des chefs-d'œuvre de l'art universel, non seulement dans ses peintures, mais aussi dans ses innombrables études dessinées et dans ses portraits à la mine de plomb, qui constituent la partie la plus populaire de son art. Personnalité complexe et déroutante, caractère entier et irritable, Ingres suscite aujourd'hui encore des réactions violemment opposées. D. T.

Ingres a laissé à sa ville natale, Montauban, un ensemble incomparable de tableaux et de dessins (plus de 4 000, en majorité des études préparatoires pour les compositions et certains portraits) qui permettent d'étudier ses méthodes de composition mieux qu'on ne peut le faire pour aucun grand artiste du XIXe s., d'autant plus que sont aussi réunis à Montauban les gravures et les livres dont il se servit. S. R.

Jawlensky

Alexeï von

peintre russe

(Torschok 1864 - Wiesbaden 1941)

Il renonça à la carrière militaire pour se consacrer à la peinture et se forma d'abord à l'Académie de Saint-Pétersbourg (1889), puis à Munich (1896) chez Anton Azbé, où il rencontra Kandinsky. En possession d'un métier solide, après des débuts réalistes, il subit l'influence de Van Gogh (*Avec jacinthe et fruits,* 1902, Bâle, coll. part.) et celle du Néo-Impressionnisme, découvert en France, où il se rend dès 1905 et fait la connaissance de Matisse (*Bord de la Méditerranée,* 1907, Munich, coll. part.). Il fonde la Nouvelle Association des artistes de Munich (1909) avec Kandinsky, et tous deux travaillent l'été (à partir de 1908) à Murnau, au pied des Alpes bavaroises. Jawlensky y découvre une expression originale, synthèse des mises en page économes du Jugendstil, des apports matissiens légèrement postérieurs au Fauvisme ainsi que des stylisations des peintures populaires bavaroises et de celles des icônes traditionnelles (la *Russe,* 1911, musée de Bielefeld; *Solitude,* 1912, musée de Dortmund). Il retrouve l'esprit de celles-ci en 1912 et 1913, surtout lors de l'activité du Blaue Reiter, dans des œuvres maîtresses caractérisées par l'hiératisme des attitudes et l'emploi du cerne exaltant des couleurs aux sourdes résonances (*Dame au chapeau bleu,* 1912-13, musée de Mönchengladbach).

Après un séjour à Bordighera (1914), il réside à Saint-Prex, en Suisse (1914-1921). Il y expérimente une expression beaucoup plus abstraite dans de petites « variations sur un thème de paysage », « chansons sans paroles », écrit-il (lettre au père Verkade, 12 juin 1938) [*Grande Variation, matin,* 1916, Paris, coll. part.], qui précèdent des études analogues ayant pour thème le visage, désormais privilégié dans son œuvre et investi d'une signification éminemment religieuse (*Tête de saint,* 1919, Stuttgart, Kunstkabinett). Installé définitivement à Wiesbaden (1921), Jawlensky forme encore avec Kandinsky, Klee et Feininger le groupe éphémère des Quatre Bleus (1924), en souvenir du Blaue Reiter. Il continue ses recherches au profit d'un art toujours plus spirituel, admet un retour à une figuration relative en 1922-23 (les *Yeux ouverts,* 1923, New York, M.O.M.A.) et achève son évolution par une longue suite de « méditations » d'inspiration biblique, de très petit format et d'un métier plus dru, visages aux yeux clos où de grandes barres noires enserrant des hachures verticales offrent un minimum de repères (*Méditation,* 1930, Paris, coll. part.). Les premières atteintes de la paralysie l'ont touché en 1920 et il cesse de peindre en 1938. Publié en 1959, le catalogue de Clemens Weiler comprend 789 numéros.

L'œuvre de Jawlensky, dans sa quête inlassable d'une représentation de l'invisible, sans abandonner tout à fait les allusions concrètes, est significative du conflit essentiel de l'art moderne entre Abstraction et Figuration. Il est représenté à Paris (M.N.A.M.), au musée de Lyon et dans la plupart des musées allemands : Dortmund, Düsseldorf (K.M.), Cologne (W.R.M.), Munich (Städtische Gal.), Stuttgart (Staatsgal.), et surtout Wiesbaden (27 toiles) et Wuppertal (Von der Heydt Museum).

M.A.S.

Alexeï von Jawlensky
Dame au chapeau bleu (1912-13) ▲
Mönchengladbach, Städtisches Museum
Phot. Larousse

Johns

Jasper

peintre américain
(Allendale, Caroline du Sud, 1930)

Johns étudia quelque temps à l'université de Caroline du Sud et vint à New York en 1952. En 1955, alors que l'Expressionnisme abstrait était à son apogée, il peignit une série de *Drapeaux* américains et de *Cibles* (*Flag,* 1955, New York, M. O. M. A. ; *Target with four faces,* 1955, New York, M. O. M. A.), dont quelques-uns furent exposés à New York en 1957 chez Leo Castelli et furent particulièrement remarqués par l'historien d'art Robert Rosenblum. En 1958, quand l'artiste tint sa première exposition personnelle chez Castelli, les drapeaux et les cibles soulevèrent une tempête de protestations. Ces travaux réintroduisaient la figuration dans l'art américain et furent attaqués en tant que productions néo-dadaïstes. Johns utilisait l'ancienne technique de l'encaustique pour modifier la surface de la toile et identifiait ses images avec le fond, ou champ, donnant ainsi priorité à la surface plane et insistant en même temps sur la signification de l'image (*Flag on Orange Field,*

1957, Cologne, W. R. M., coll. Ludwig). À l'aide d'un répertoire limité d'objets et d'images d'une banalité usuelle, il offrit à l'expression artistique un surprenant éventail de virtuosité picturale : *Numbers in Color* (1958-59, Buffalo, Albright-Knox Art Gal.), *Gray Alphabets* (1956, Houston, coll. de Ménil), *Map* (1961, New York, M. O. M. A.). Un changement important se produisit autour de 1960. Johns renouvela alors rigoureusement à la fois son iconographie et sa technique — employant d'autre part une touche plus brisée, qui dissocie l'unité du champ et de l'image (*Slow Field,* 1962, Stockholm, Moderna Museet; *According to what,* 1964, Los Angeles, coll. Edwin Janss Jr.; *Edingsville,* 1965, Cologne, W. R. M., coll. Ludwig). L'artiste ne s'est pas limité à la représentation d'une image à deux dimensions et à sa transcription picturale; vers 1960, il créa une série de sculptures en bronze (*Beer cans* [Painted bronze], 1960, musée de Bâle, coll. Ludwig; *Painted Bronze,* 1960, coll. J. Johns) qui posaient les mêmes problèmes théoriques que les *Drapeaux* et les *Cibles,* mais transposées dans un espace à trois dimensions.

Plus récemment encore, Johns s'est affirmé comme un graveur de tout premier plan. Dessinateur accompli, il a prouvé que son répertoire limité de thèmes prenait une signification totalement différente une fois transcrit sur une surface et par des moyens différents (*Three Flags,* crayon sur papier, 1959, Londres, V. A. M.). Il exécuta ses gravures à la fois sur les presses de Gemini, G. E. L. à Los Angeles et sur celles de Tamarind à Long Island, les deux centres qui contribuèrent à un renouveau de la lithographie aux États-Unis.

En 1977, le Witney Museum de New York, et en 1978, le M. N. A. M. de Paris lui ont consacré des rétrospectives. D. R. et J. P. M.

Jongkind

Johan Barthold

peintre néerlandais

(Latdorp, Overijsel, 1819 - Grenoble 1891)

Il passe son enfance à Vlaardingen et, bien qu'il soit destiné au notariat, son goût pour le dessin le décide à suivre une carrière artistique. Il se rend à La Haye (1837) et y reçoit l'enseignement du paysagiste Andreas Schelfhout. De 1838 à 1842, il travaille assidûment le dessin à Massluis et à La Haye et obtient en 1843 une bourse dont il bénéficiera pendant dix ans.

Il fait la connaissance d'Eugène Isabey à La Haye (1845) et fréquente à Paris l'année suivante son atelier ainsi que celui de Picot. Jusqu'en 1855, Jongkind s'inspire surtout de Paris (nombreuses vues des quais, telles que l'*Estacade* [1853, musée d'Angers], le *Quai d'Orsay* [1852, musée de Bagnères-de-Bigorre]) et des ports de la Normandie (Honfleur, Fécamp, Le Havre, Étretat), où il séjourne dès 1849; ses aquarelles et ses tableaux le montrent en possession d'un métier accompli, respectueux du motif, mais sans servilité, dans la tradition du paysage hollandais (le *Pont Marie,* 1851, Paris, coll. part.).

Son échec à l'Exposition universelle de 1855 le décide à retourner en Hollande, où il réside (à Rotterdam, à Klaaswall, à Overschie) jusqu'en 1860. Mais il regrette Paris et, à l'instigation de ses amis (Cals, le comte Doria), qui redoutent pour lui les résultats de son intempérance, il regagne la capitale. Il rencontre alors une compatriote, Mme Fesser, au dévouement de laquelle il s'abandonne désormais. De 1862 à 1866, il réside l'été en Normandie. En 1862, il exécute ses premières eaux-fortes, *Six Vues de Hollande* (il laissera 27 planches gravées), et participe l'année suivante au Salon des refusés. En 1864, il rencontre Monet à Honfleur, où les deux hommes travaillent ensemble. Après 1860, sa facture s'allège, la touche se fragmente, divise spontanément les tons pour suggérer la vibration de la lumière (*Effet de lune sur l'estuaire,* 1867, coll. part.).

Surtout, au cours de ses nombreux déplacements (Belgique, Hollande, Normandie, Nivernais), il pratique l'aquarelle, souvent à titre d'étude pour un tableau, mais de plus en plus pour elle-même (*Le Havre, plage de Sainte-Adresse,* 1863, Louvre). Il fréquente le Dauphiné à partir de 1873 et s'installe à La Côte-Saint-André (Isère), ville natale de Berlioz, en 1878. En 1880, il fait un voyage dans le Midi (Marseille, Narbonne, La Ciotat) et, de 1881 à 1891, revient travailler l'hiver à Paris. L'aquarelle devient alors sa technique de prédilection; d'un dessin très sûr, suggérant rapidement et avec une vérité intense le lieu et le moment, la tache de couleur fluide, ménageant beaucoup les blancs, ajoute d'abord une dimension complémentaire; elle s'épanouit librement, sans soutien graphique préalable, utilisant une gamme réduite où dominent les jaunes et les ocres (*Paysage de neige en Dauphiné,* 1885, coll. part.). L'art de Jongkind est dû à la fraîcheur d'une vision que matérialisent un crayon ou un pinceau extrêmement subtils, et

Jasper Johns
◀ **Flag on Orange Field** (1957)
Cologne, Wallraf-Richartz Museum,
collection Ludwig
Phot. du musée

Johan Barthold Jongkind
▲ **Le Quai d'Orsay** (1852)
Bagnères-de-Bigorre, musée Saliès
Phot. Lauros-Giraudon

c'est surtout peut-être par cette attitude devant la nature qu'il est le précurseur des impressionnistes. À la fin de sa vie, l'abus de l'alcool provoqua un traumatisme psychologique ; il mourut à l'asile de Grenoble et fut inhumé à La Côte-Saint-André.

Il est représenté en particulier dans les musées hollandais (Rijksmuseum ; Rotterdam, B.V.B. ; La Haye, Gemeentemuseum), français (Paris, Orsay, Petit Palais ; Grenoble, Aix-les-Bains, Reims) et dans des coll. part. M. A. S.

Jordaens

Jacob

peintre flamand

(Anvers 1593 - id. *1678)*

Toute sa carrière se déroula à Anvers, où son succès fut tel qu'il recevait des commandes de l'Europe entière. À la mort de Rubens (1640) et de Van Dyck (1641), Jordaens fut considéré comme le premier peintre de sa ville natale.

Élève, en 1607, d'Adam Van Noort, dont il deviendra le gendre en 1616, il est reçu franc maître de la gilde d'Anvers en qualité de peintre à la détrempe (1615). Les diverses influences qui participent alors à la formation de son art persistèrent curieusement jusque dans les dernières œuvres de sa carrière. Jordaens, qui n'ira jamais en Italie, s'intéressa aux recherches d'éclairage de Bassano et d'Elsheimer, comme on peut le constater dans la *Sainte Famille avec sainte Anne* (v. 1615-1617, Detroit, Inst. of Arts).

Première période. Jordaens acquit très vite un style personnel, mais revint sans cesse sur quelques modèles de ses glorieux aînés, Rubens et Caravage surtout. Dans le Caravagisme, Jordaens trouva des correspondances très étroites avec sa propre sensibilité : un réalisme âpre, vigoureux, d'amples formes rebondies et un éclairage qui exalte les couleurs vives : *Sainte Famille* (1616, Metropolitan Museum), *Adoration des bergers* (v. 1617, musée de Grenoble), les *Filles de Cécrops* (musée d'Anvers), *Allégorie de la Fécondité* (Munich, Alte Pin.), la *Crucifixion* (musée de Rennes), la *Tentation de la Madeleine* (musée de Lille). Dans ces mêmes tableaux, Jordaens subit aussi l'ascendant de Rubens, dont les thèmes et les compositions l'inspirèrent longtemps. Il demeura beaucoup plus italianisant que lui et, selon Charles Sterling, se montra le disciple de Caravage le plus personnel peut-être des Pays-Bas. Son œuvre oscillera toujours entre ces deux tendances.

Jordaens dans l'atelier de Rubens (1620-1640). Jordaens fut plus un collaborateur qu'un élève du maître et travailla durant vingt ans à ses côtés. Vers 1620, il participe avec Van Dyck aux grandes compositions que peignait alors Rubens : le *Christ chez Simon* (Ermitage). Van Dyck étant parti pour l'Italie en 1622, Jordaens devint le premier assistant de Rubens et prit probablement part à l'élaboration des 21 tableaux commandés pour la galerie Médicis à Paris. En 1634-35, il participe aux grandes décorations pour la *Joyeuse Entrée du Cardinal-Infant Ferdinand à Anvers* ainsi qu'à des compositions mythologiques destinées à Philippe IV d'Espagne pour la Torre della Parada (la *Chute des Titans,* v. 1636-1638, Prado, signée de sa main mais composée d'après une esquisse de Rubens, conservée au M. A. A. de Bruxelles).

À la mort de Rubens, en 1640, ses héritiers confièrent à Jordaens l'achèvement de 2 œuvres, un *Hercule* et une *Andromède,* pour Philippe IV, ainsi que la vaste commande destinée à Charles Ier d'Angleterre : l'*Histoire de Psyché,* en 7 tableaux. Il apparut alors comme le « successeur spirituel » de Rubens.

Activité propre de Jordaens (1620-1630). Collaborateur de Rubens, il n'en poursuivit pas moins sa propre carrière. Avec des œuvres telles que *Pan et Syrinx* (Bruxelles, M. A. A.), le *Satyre et le paysan* (musée de Kassel), l'*Adoration des bergers* (Stockholm, Nm ; autres versions aux musées de La Haye et de Brunswick) ou les *Portraits de famille* de l'Ermitage et du musée de Brunswick, il atteint sa parfaite maturité ; son style trouve alors sa plus heureuse expression à ce moment et durant la décennie 1620-1630. Dans l'*Adoration des bergers* (Mayence, Mittelrheinisches Landesmuseum), le groupe de la Vierge, plein de grâce et d'idéalisation, et celui des bergers, vigoureux et réaliste, juxtaposent deux traditions, l'italienne et la flamande. Dans l'*Arrestation du Christ* (Londres, N. G.) et surtout dans l'*Allégorie de la Fécondité* (v. 1622, Bruxelles, M. A. A.), les formes sont souples, la couleur très claire, la facture moins lisse qu'à ses débuts. Les *Quatre Évangélistes* (Louvre, v. 1622-23), chef-d'œuvre d'art religieux baroque, opposent idéalisme mystique et réalisme

Jacob Jordaens
Le Christ chassant les marchands du Temple ▼
Paris, musée du Louvre
Phot. Larousse

humain. Le *Martyre de sainte Apolline* (1628, église Saint-Augustin d'Anvers ; esquisse à Paris, Petit Palais) est un grand tableau d'église dominé par l'influence de Rubens. Le *Christ chassant les marchands du Temple* (Louvre), grand et joyeux tohu-bohu de personnages et d'animaux, atteste la vigoureuse santé picturale de l'artiste et sa stupéfiante aisance.

Portraitiste, Jordaens fait preuve d'une autorité et d'une distinction proches de celles de Van Dyck dans le *Jeune Homme et son épouse* de Boston (M. F. A.) et dans le *Portrait d'homme* de Washington (N. G.).

Maturité et dernières années. La maturité (1630-1635) et les dernières années de Jordaens furent souvent, et bien à tort, critiquées. Pourtant, jusqu'à la fin de sa carrière, l'artiste réalisa des tableaux de la plus grande qualité. Le *Piqueur et sa meute* (1635, musée de Lille) reste l'un de ses plus beaux paysages, à la fois rubénien et italianisant. Le plafond avec les *Signes du zodiaque,* peint v. 1640 pour sa propre maison et auj. remonté au palais du Luxembourg à Paris, montre sa virtuosité dans les effets de perspective, typiques de l'illusionnisme baroque, les plus audacieux et les plus surprenants. L'*Éducation de Jupiter* (1635-1640, Louvre) est plus une scène de genre qu'une allégorie ; si les chairs y sont lourdes et les formes rebondies comme dans *Suzanne et les vieillards* (Bruxelles, M. A. A.), l'artiste évite toute rudesse de facture et les teintes un peu crues auxquelles il se complaît alors. Ces défauts, aggravés d'un réalisme brutal, sont plus fréquents dans les deux thèmes chers au peintre, celui du *Satyre et du paysan* (musées de Bruxelles, de Budapest, de Leningrad, de Munich) et celui du *Roi boit* (v. 1638-1640, Louvre). Dans des thèmes analogues comme le *Concert de famille* (musée d'Anvers) ou *Les jeunes filles piaillent comme chantent les vieux* (musée de Valenciennes), Jordaens finit par céder à la vulgarité, de même que dans *Le roi boit* (Vienne, K. M.). Son art religieux, débordant de mouvement et de vie, aux multiples points de vue perspectifs, assigne ses limites à l'esthétique religieuse baroque, comme en témoignent le tumultueux *Jugement dernier* (peint pour l'hôtel de ville de Furnes, auj. au Louvre) ou *Jésus parmi les docteurs* (1663, Mayence, Mittelrheinisches Landesmuseum). De 1650 à la fin, il reste constamment sollicité entre l'équilibre, la grâce italienne (*Marsyas châtié par les Muses,* Mauritshuis ; le *Sommeil d'Antiope,* 1650, musée de Grenoble) et l'emphase des figures colossales (*Neptune enlevant Amphitrite,* Anvers, maison de Rubens) ou l'aspect conventionnel (la *Paix de Münster,* 1654, Oslo, Ng). Son chromatisme reste très clair et léger dans le *Saint Yves, patron des avocats* (1645, Bruxelles, M. A. A.). Le *Triomphe du prince Frédéric Henri de Nassau* pour la Huis ten Bosch de La Haye (1652, esquisses aux musées d'Anvers, de Bruxelles, de Varsovie) constitue la preuve de sa tendance finale à la démesure, typiquement baroque, et à une véhémence pathétique dans l'expression, qui apparaît dans ses dernières compositions religieuses : *Montée au Calvaire* (Amsterdam, église Saint-François-Xavier), le *Christ chassant les marchands du Temple* (1657, La Haye, Mobilier national).

Dessins et cartons de tapisseries. Jordaens dessinateur reste célèbre autant par ses copies (de 1630 à 1640) des peintures ou des dessins de Rubens que par les siens propres. Éloigné du raffinement graphique et valoriste de Rubens, il pose rapidement de larges taches de blanc et de noir et trace d'abord, d'une ligne épaisse et d'un pinceau chargé d'encre, le contour extérieur des formes. Il pratique souvent le lavis et utilise plus le pinceau que la plume : *Mise au tombeau* (v. 1616, Prado), *Moïse faisant jaillir l'eau du rocher* (v. 1617, Anvers, cabinet des Estampes). De nombreuses études de visages aux craies de couleur sont conservées au musée de Besançon ainsi qu'au Louvre et à la bibliothèque de l'E. N. B. A. Il utilise aussi fréquemment, et avec une rare maîtrise, l'aquarelle et la gouache (*Scènes de la vie champêtre,* British Museum).

Peintre à la détrempe, Jordaens est l'auteur de nombreux cartons de tapisseries, dont l'*Histoire d'Alexandre,* une *Suite de proverbes flamands* et l'*Histoire de Charlemagne,* plusieurs fois tissées aux XVIIe et XVIIIe s. Le Louvre possède quatre des cartons peints originaux, et le musée de Besançon plusieurs fragments. P. H. P.

Jorn

Asger Oluf Jørgensen, dit Asger

peintre danois

(Vejrum, Jutland, 1914 - Aarhus 1973)

Il commence à peindre à partir de 1930 (petits paysages et portraits) et prend connaissance de l'œuvre de Kandinsky par les publications du Bauhaus. À Paris en 1936, il travaille avec Léger, puis l'année suivante sous la direction de Le Corbusier (décoration du palais des Temps nouveaux à l'Exposition universelle). Après son retour au Danemark succèdent à ces influences celles, plus conformes à son tempérament, de son compatriote Jacobsen, de Klee, de Miró et des gravures d'Ensor. Il fonde à Copenhague pendant la guerre

Asger Jorn
▲ **Rocher peuplé**
Vienne,
Museum des XX Jahrhunderts
Phot. Fabbri

la revue *Helhesten* avec Bille, Perdersen, Jacobsen, qui se retrouveront dans Cobra. Son activité s'exerce désormais en faveur d'un art essentiellement spontané, dynamique et coloré (aquarelles des *Didaska,* 1944-45, Copenhague, S. M. f. K.), et l'artiste joue un rôle de premier plan dans plusieurs mouvements d'avant-garde : Cobra, 1948-1951 ; Mouvement international pour un Bauhaus imaginiste, 1953-1957 ; Internationale Situationniste, 1957-1960. En 1958 paraît *Pour la forme. Ébauche d'une méthodologie des arts* (Paris), recueil d'articles sur les positions esthétiques de Jorn depuis Cobra. Intéressé par toutes les techniques (gravure, céramique, tapisserie), Jorn a réalisé une œuvre que distingue une mobilité constante. D'abord surtout figurative et d'une grande intensité expressive, celle-ci s'inspira de bonne heure du bestiaire fantastique de la mythologie scandinave et fut soumise à l'ordonnance de la spirale viking (*Yin-Yen,* 1948, coll. part.). L'expérience de Cobra lui insuffla une liberté nouvelle (« peintures historiques », « visions de guerre », dessins dits « Aga-nak »), au bénéfice de tableaux effervescents dans la meilleure tradition expressionniste (*Entrée triomphale de Churchill à Copenhague,* 1949-50, coll. part. ; *Lettre à mon fils,* 1956-57, coll. part.). Les références surréalistes de Cobra le conduisent également à participer à des travaux collectifs (la *Chevelure des choses,* 1948-1953, « peinture-mots », en collaboration avec Christian Dotremont). Un humour irrévérencieux se manifeste un peu plus tard, au détriment de toiles « pompier » recueillies par l'artiste et sur lesquelles il repeint en y introduisant des créatures agressives (*Modifications,* 1959; *Défigurations* et *Nouvelles Défigurations,* 1961 et 1962). Jorn évoqua ensuite, à tous les niveaux de l'expérience, une poétique de l'échange entre le réel et le rêve, en souples balafres de couleur fluide (*C'est dans l'air,* 1965, Paris, coll. part.; *Regard calme,* 1971, coll. part.). À partir de 1956, il vécut beaucoup à Paris, où il exposa régulièrement gal. Rive gauche, puis gal. Jeanne Bûcher, qui a montré ses derniers travaux (collages, affiches lacérées, gouaches). Jorn graveur ne le cède en rien au peintre. Ses trouvailles expressives annoncent tantôt Dubuffet, tantôt Alechinsky, et la fantaisie qui s'y donne libre cours est toujours aussi rebelle, irréductiblement, à tout dogmatisme (*Von Kopf bis Fuss,* 1966-67, 10 lithos couleur; *Entrée de secours,* 1971, 9 pointes-sèches; *Études et surprises,* 1971-72, 12 bois couleur). On lui doit encore de vastes ensembles décoratifs, céramiques et tapisseries (en collaboration avec Pierre Wemaere) pour le lycée d'Aarhus, des peintures murales (1967-68) pour une banque de La Havane. Jorn est bien représenté dans les musées danois, à Louisiana (près de Copenhague), à Aalborg, surtout à Silkeborg, richement pourvu par l'artiste lui-même, ainsi qu'à Vienne (musée du XXe s.) et à Paris (donation d'œuvres graphiques au M. N. A. M.). M. A. S.

Jouvenet

Jean-Baptiste

peintre français

(Rouen 1644 - Paris 1717)

Il est le principal membre d'une famille de peintres et de sculpteurs installée à Rouen, mais dont plusieurs travailleront à Paris, où il vint lui-même v. 1661. Sans aller jamais en Italie, il se forma dans l'admiration de Poussin et collabora aux entreprises de Le Brun, au moins à partir de 1669 (à Saint-Germain, aux Tuileries, au grand appartement de Versailles : salon de Mars, 1673-74 et 1678, décor conservé, mais repeint). En 1673, il peignit le May de Notre-Dame (*Jésus guérissant le paralytique,* perdu, mais gravé); en 1675, il fut reçu à l'Académie *(Esther et Assuérus).* Son œuvre de jeunesse, formée surtout de plafonds mythologiques auj. disparus, est mal connue. On peut en trouver des témoignages dans la *Famille de Darius* (Paris, lycée Louis-le-Grand), la *Fondation d'une ville par les Tectosages* (1684-85, musée de Toulouse) et le *Départ de Phaëton* (musée de Rouen), où la leçon de Le Brun est transposée dans un langage lyrique.

Vers 1685, il se consacre surtout à la peinture religieuse (*Annonciation,* musée de Rouen), dont il devient le plus grand spécialiste français. Il place ses œuvres les plus importantes dans les églises parisiennes : *Jésus guérissant les malades* pour les Chartreux (1689, Louvre), *Martyre de saint Ovide* (1690, musée de Grenoble) et *Descente de croix* (1697, Louvre) pour les Capucines, 4 toiles géantes (la *Pêche miraculeuse,* la *Résurrection de Lazare,* Louvre; les *Marchands chassés du Temple,* le *Repas chez Simon,* musée de Lyon) pour Saint-Martin-des-Champs (1703-1706, répétitions pour la tapisserie à partir de 1711, aux musées de Lille, d'Amiens et d'Arras), *Magnificat* (1716, à Notre-

Jean-Baptiste Jouvenet
La Descente de croix (1697) [détail] ▼
Paris, musée du Louvre
Phot. Lauros-Giraudon

Dame). Il exécute des œuvres importantes pour des couvents ou des églises de province : *Louis XIV guérit les scrofuleux* pour l'abbaye de Saint-Riquier, le *Christ au jardin des Oliviers* (1694, musée de Rennes) pour Saint-Étienne de Rennes, l'*Éducation de la Vierge* (1699, église d'Haramont) pour l'abbaye de Longpré, la *Déposition de croix* (1708, Saint-Maclou de Pontoise) pour les jésuites de Pontoise, le *Centenier aux pieds du Christ* (1712, musée de Tours) pour les récollets de Versailles, la *Mort de saint François* (musée de Rouen) pour les capucins de Rouen. Il peint aussi quelques toiles mythologiques pour Trianon (2 en place : *Zéphyre et Flore,* 1688-89 ; *Apollon et Thétys,* 1700-1701), Marly et Meudon (*Latone et les paysans de Lycie,* 1700-1701, auj. au château de Fontainebleau), mais surtout de grandes décorations pour le parlement de Rennes (1694-95, conservées ; esquisse pour le *Triomphe de la justice* au Petit Palais à Paris), pour le dôme des Invalides (1702-1704, fresques dégradées ; esquisses des *Douze Apôtres* au musée de Rouen), pour la chapelle de Versailles (*Pentecôte,* 1709, conservée), pour le parlement de Rouen (détruite ; esquisses du *Triomphe de la justice* aux musées de Rennes et de Grenoble). La fin de sa vie est assombrie par une paralysie qui le force à peindre de la main gauche. Son art est fondé sur un vif sens du réel, bien visible dans ses dessins (Stockholm, Nm) et ses portraits (*Raymond Finot,* Louvre), et sur l'emploi d'une pâte riche dans un coloris simplifié, qui lui permettent de rajeunir la tradition classique, à laquelle il reste très attaché. Jouvenet est représenté par un bel ensemble de peintures (parmi lesquelles son *Autoportrait*) et de dessins au musée de Rouen. A. S.

Juan de Borgoña
Pietà ▲
Fresque, Tolède, cathédrale, salle capitulaire
Phot. Oronoz

Juan de Borgoña

peintre peut-être d'origine française
(actif en Espagne de 1494 à 1533)

On suppose qu'il séjourna en Italie ; il semble, en tout cas, avoir connu des œuvres florentines et lombardes. Il apparaît en 1494 à Tolède, où les fresques qu'il a peintes alors ont disparu. Sa première grande œuvre est le retable du maître-autel de la cathédrale d'Ávila ; par un contrat signé en mars 1508, il s'engage à poursuivre les peintures entreprises par Pedro Berruguete et Santa Cruz ; 5 panneaux lui sont attribués : *Annonciation, Nativité, Purification, Transfiguration, Descente aux limbes ;* la composition habile et équilibrée, les architectures classiques et le traitement de la perspective révèlent l'influence des fresques florentines. C'est à Tolède que s'affirme le talent de l'artiste, qui, de 1509 à 1511, exécute les 15 fresques de la salle capitulaire de la cathédrale consacrées à la Vierge (cycle complet, de la *Rencontre à la porte Dorée* à l'*Assomption*) et au Christ *(Descente de croix, Mise au tombeau, Résurrection, Jugement dernier).* La série des portraits d'évêques et le décor floral du vestibule complètent cette décoration, qui fit de J. de Borgoña le peintre favori du cardinal Cisneros. Il exécuta d'autres travaux à la cathédrale de Tolède (retables des chapelles de la Trinité, de l'Épiphanie et de la Conception) ; en 1514, Cisneros lui commanda pour la chapelle mozarabe 3 grandes fresques, d'une composition assez monotone, décrivant la *Conquête d'Oran*. L'art de la Renaissance italienne, que J. de Borgoña introduisit en Castille, trouva un faible écho chez ses successeurs Antonio de Comontes et Pedro de Cisneros. Par l'équilibre qu'il maintient entre un naturalisme de caractère nordique (qu'il doit peut-être à son origine française) et un goût, appris sans doute en Italie même, pour l'organisation rigoureuse des volumes et de l'espace, Juan de Borgoña rejoint d'autres Espagnols tels que Pedro Berruguete, Alejó Fernandez, Johannes Hispanus. Il retrouve aussi certains peintres lombards (Spanzotti) ou provençaux (Lieferinxe) de la fin du XVe s. A. C.

Juan de Flandes

peintre flamand
(? v. 1465 - Palencia v. 1519)

Il entra en 1496 au service d'Isabelle la Catholique ; on ne connaît pas d'œuvres antérieures à sa venue en Espagne et l'on ignore dans quelles circonstances il arriva à la Cour, où la peinture des Flandres était fort appréciée.

La première œuvre qu'on peut lui attribuer est une série de petits panneaux illustrant des *Scènes de la vie du Christ et de la Vierge*. Ces tableaux proviennent d'un retable peint entre 1496 et 1504 pour l'oratoire de la reine, en collaboration avec Michel Sittow. Des 47 tableaux mentionnés dans l'inventaire après le décès d'Isabelle la Catholique, 28 ont été retrouvés. À l'exception de 3 (Louvre ; Washington, N. G. ; coll. part. anglaise), qui sont dus à Michel Sittow, ces panneaux doivent revenir à Juan de Flandes. Ils sont actuellement dispersés entre le Palais royal de Madrid, qui en conserve 15, et divers musées (Louvre ; Washington, N. G. ; Londres, N. G. et Apsley House ; Detroit, Inst. of Arts ; Vienne, K. M. ; Berlin-Dahlem, New York, Metropolitan Museum et coll. part.). Les tons clairs, l'importance accordée au paysage et la minutie de la technique caractérisent ces scènes. Après la mort d'Isabelle (1504), le peintre abandonne la Cour et signe l'année suivante un contrat pour décorer le retable de la chapelle de l'université de Salamanque ; de ce premier ensemble, attesté par les documents, ne subsistent que 2 représentations de *Saintes* à mi-corps (Apolline et Madeleine), peintes en grisaille. Le retable consacré à saint Michel (Salamanque, musée diocésain) date de la même période. L'œuvre la plus importante, conservée sur place, est le grand retable de la cathédrale de Palencia (1505-1506 ; 12 *Scènes de la vie du Christ*). La plénitude du modelé rivalise avec la sculpture dans des essais de trompe-l'œil chers au réalisme flamand ; les visages sont parfois traités dans un style grimaçant, où le tempérament septentrional se plie aux exigences du pathétique espagnol.

Pour le maître-autel de l'église S. Lazaro de Palencia, Juan de Flandes peignit un autre grand retable du même style ; 4 panneaux *(Annonciation, Nativité, Adoration des mages, Baptême du Christ)* sont à la N. G. de Washington ; les autres *(Visitation, Jardin des Oliviers, Résurrection de Lazare, Ascension, Pentecôte)*, au Prado. Il faut encore signaler de la main de l'artiste une *Décollation de saint Jean-Baptiste* au musée de Genève et une

Juan de Flandes
La Résurrection de Lazare ▼
Madrid, Museo Nacional del Prado
Phot. Salmer

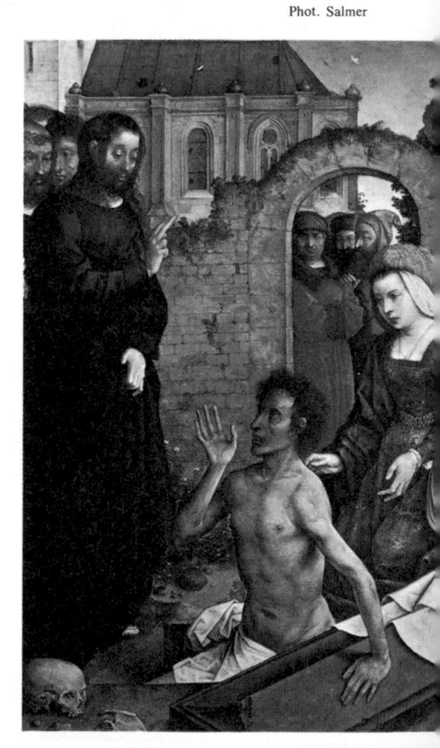

Juste de Gand
**La Communion ▶
des apôtres**
Urbino, Palazzo ducale,
Galleria Nazionale
Phot. Arborio-Mella

délicate *Pietà* (Lugano, coll. Thyssen), où apparaît clairement l'une des sources principales du style de l'artiste : l'influence de Hugo Van der Goes. On attribue également à Juan de Flandes divers portraits de la famille royale, notamment celui d'*Isabelle la Catholique* (Madrid, Palais royal) et celui d'une jeune fille (Jeanne la Folle ?), dans la coll. Thyssen à Lugano. A. C.

Juste de Gand

peintre flamand
(mentionné à Urbino de 1473 à 1475)

C'est avec une grande vraisemblance qu'on l'identifie au peintre gantois Joos Van Wassenhove, connu de 1460 à 1469. Ce dernier est d'abord reçu franc maître à Anvers en 1460, puis à Gand le 6 octobre 1464. Il apparaît plusieurs fois ensuite dans les archives de la confrérie des peintres de Gand, notamment en 1467 pour se porter garant de Hugo Van der Goes et, en 1469, de Sanders Bening. Il paraît avoir été protégé par la riche famille bourgeoise des Van der Zickele, qui lui fait un don d'argent au moment de son départ pour l'Italie, probablement en 1469. Une série de textes de la confrérie du Corpus Domini d'Urbino, échelonnés de 1473 à 1475, concerne le paiement d'un tableau consacré à la *Communion des apôtres* à « maestro Giusto », qui peut être identifié avec notre peintre grâce aux témoignages de Guicciardini et de Vasari, qui parlent de « Juste de Gand, qui fit le tableau de la communion du duc d'Urbino ». Il paraît également pouvoir être assimilé au « maestro solenne » que le duc Frédéric d'Urbino fit venir des Flandres et auquel il fit exécuter, selon Vespasiano da Bisticci, les portraits d'hommes célèbres de son studiolo. Grâce à ces données, l'œuvre du peintre peut être reconstituée. La *Communion des apôtres* (1474, Urbino, Palais ducal) est un tableau surprenant pour un maître flamand par l'ampleur de ses proportions et son style monumental. Mais il est probablement resté inachevé, et seuls deux anges, dans la partie supérieure, ont le modelé et la délicatesse des peintures septentrionales. À cause de la parenté de certaines attitudes de personnages et de certains types avec ce tableau, des critiques ont cru pouvoir attribuer à Juste de Gand, avant son voyage en Italie, le *Triptyque de la Crucifixion* de l'église Saint-Bavon de Gand. Cette idée séduisante a longtemps été admise sans discussions. Il convient cependant de remarquer que l'exécution et l'esprit des deux œuvres sont si éloignés qu'il paraît difficile de se contenter d'analogies de détail pour conclure à une identité de main. Quant aux 28 portraits d'hommes célèbres provenant du studiolo du duc Frédéric d'Urbino (Louvre et palais d'Urbino), ils sont cités au début du XVIIe s. par Pablo de Cespedès comme l'œuvre du peintre espagnol Pedro Berruguete, qui paraît bien avoir travaillé à Urbino au temps de leur exécution et s'est inspiré de leur composition dans des portraits de saints, plus tardifs. Par ailleurs, la présentation des personnages à mi-corps comme leur ampleur monumentale ont une résonance italienne qui a incité certains auteurs à les attribuer à Melozzo da Forlì. Le problème reste difficile à résoudre, bien que les textes parlent plutôt en faveur de Juste de Gand et soient confirmés par l'unité de facture, sensible au stade de la préparation, révélée par la photographie à l'infrarouge. Le *Portrait du duc et de son fils* (Urbino) qui complétait la décoration du studiolo a vu également son attribution contestée. Il est probable que son auteur — Juste de Gand ou un autre — a également repris les mains du duc dans le tableau de Piero della Francesca de la Brera (la *Madone adorée par Frédéric de Montefeltre*). Du même ensemble, on a également rapproché 4 *Allégories des Arts* (2 à Londres, N.G., et 2 autref. au musée de Berlin, détruites en 1944) qui proviennent probablement d'une autre décoration commandée par le même mécène. Le caractère italien en est cependant beaucoup plus marqué, notamment dans les jeux complexes de perspective. C'est également le cas d'un panneau fort ruiné représentant le *Duc Frédéric écoutant la leçon d'un humaniste* (Hampton Court). La personnalité de Juste de Gand reste donc cernée de mystère : elle se situe à un carrefour d'influences entre le Nord et le Midi et déconcerte notre conception trop rigide des écoles et des styles. A. Ch.

Kalf
Willem

peintre néerlandais
(Rotterdam 1619 - Amsterdam 1693)

Élève de Pot au dire d'Houbraken, mais influencé à ses débuts par Rijckhals et aussi par Cornelis Saftleven, Kalf est le maître de l'école amsterdamoise de nature morte. Il peignit tout d'abord des scènes rustiques (généralement avec des accumulations de vaisselle ou d'objets domestiques) dans le goût mis à la mode par Adriaen Van Ostade : *Intérieurs de chaumière, Cours de ferme* (Louvre, musée de Strasbourg, Berlin-Dahlem, Ermitage). La plupart de ces tableaux furent peints à Paris, où il se trouvait entre 1642 et 1646, fréquentant l'importante colonie flamande de Saint-Germain-des-Prés et se rapprochant de Bourdon, peintre de « bambochades ». Ce type d'œuvres (dans le goût de Brouwer, des Van Ostade, de Teniers et de C. Saftleven) est d'autant plus intéressant à signaler que celles-ci ont laissé d'évidents souvenirs chez Watteau (l'*Écureuse de cuivres,* musée de Strasbourg), Boucher et Chardin.

Willem Kalf, **Nature morte** ▼
Amsterdam, Rijksmuseum
Phot. du musée

Mais, dès 1643, Kalf peint aussi de somptueuses *Natures mortes* avec des pièces d'orfèvrerie (Cologne, W.R.M. ; musées du Mans, de Rouen) et des armures (musée du Mans) caractérisées par un rendu particulièrement savoureux de la matière, des accords poétiques et mystérieux de tons recherchés et surtout des oppositions de pénombre (gris-bruns) et de « coups de lumière » (ors, argents, jaunes) dérivés de l'esthétique de Rembrandt et de ses disciples, comme Dou. Rentré en Hollande v. 1646 (il réside en tout cas à Amsterdam à partir de 1653), il y perpétue ce style chaud et précieux auquel son renom est attaché à juste titre. Son répertoire habituel comporte des juxtapositions d'orfèvrerie, de verres, de faïences ou de porcelaines de Chine et d'objets plus rares (coquillages, nautiles, corail), disposés sur des tapis luxueux aux tons sourds et profonds; citons les *Natures mortes* du Rijksmuseum, du musée d'Amiens, de Berlin-Dahlem, de Rotterdam (B.V.B.), du Mauritshuis (1658), de Copenhague (1678, S.M.f.K.), de Paris (Inst. néerlandais).

Nettement en réaction contre la nature morte austère et monochrome de Claesz et de Heda, Kalf, avec Beyeren et J. D. de Heem, caractérise bien dans ce domaine, aux environs de 1650, la nouvelle orientation de la peinture hollandaise vers un art somptueux et ostentatoire, dérivé de tendances baroques. Son influence sur les peintres Van Streeck, Van Hulsdonck, Janssens Roestraten fut si nette que l'on a parfois confondu leurs œuvres avec les siennes. J. V.

Kandinsky

Wassily

peintre français d'origine russe
(Moscou 1866 - Neuilly-sur-Seine 1944)

Naissance d'une vocation. Il s'engage d'abord dans des études de droit et d'économie, comme il est alors de mise dans la grande bourgeoisie moscovite; les leçons de dessin, de peinture et de musique qu'il avait reçues plus jeune l'attiraient sans doute davantage vers la profession de peintre, mais, écrira-t-il plus tard, « je trouvais mes forces trop faibles pour me sentir en droit de renoncer aux autres obligations ». En 1889, il est envoyé en mission dans le gouvernement de Vologda, où l'architecture paysanne et l'art folklorique semblent cependant l'intéresser autant — comme en témoignent les pages de son calendrier — que l'étude du droit coutumier paysan, but officiel de sa mission. Sa première entrée dans une isba, au cours de ce même voyage, restera fixée dans sa mémoire : lorsque, devant les images populaires aux couleurs « vives et primitives » qui ornent les murs, il a le sentiment d'« entrer dans la peinture », n'est-il pas déjà à la source même de sa quête ultérieure, cette « nécessité intérieure » qu'il définira à l'époque du Blaue Reiter? Une autre révélation décisive fut celle de la *Meule de foin* de Monet, devant laquelle Kandinsky, alors attaché à la faculté de droit de Moscou (1895), sentait « sourdement que l'objet (le sujet) manquait dans cette œuvre ». Celle-ci pourtant le pénètre profondément, et tous ses détails se gravent dans sa mémoire; dès lors, l'objet (ou le sujet : l'hésitation est ici révélatrice) devait inconsciemment perdre pour lui de son importance en tant qu'« élément indispensable du tableau ». Ainsi, d'appel en appel, Kandinsky renonce peu à peu à la carrière de juriste qui s'ouvre devant lui et, lorsque, en 1896, une chaire de professeur lui est offerte à l'université de Dorpat, il démissionne pour se consacrer à la peinture.

La formation. Il arrive à Munich à la fin de l'année 1896 et s'inscrit à l'école Azbé, dont les cours de dessin ne l'intéressent guère. Il travaille seul quelque temps, notamment à des études de paysages, avant de suivre les cours de Franz Stuck à l'Académie (1900), où ses « extravagances de couleurs » lui valent les plus vives critiques du maître. Pour la première exposition du groupe Phalanx, qu'il fonde en 1901 et dissout trois ans plus tard, il crée une affiche qui n'échappe pas aux impératifs du Jugendstil, alors en vigueur à Munich. L'année suivante, il enseigne à l'école qui se rattache au groupe : parmi ses élèves se trouve Gabriele Münter, qui sera sa compagne jusqu'à la déclaration de guerre en 1914. Déçu sans doute par le conservatisme inébranlable du milieu artistique munichois, il effectue bientôt avec elle de nombreux voyages : Venise, puis Odessa et Moscou (1903), Tunis (1904), Dresde, Odessa de nouveau, puis l'Italie (1905), avant de séjourner une année entière près de Paris, à Sèvres. Durant cette période, riche et très active, Kandinsky, à travers divers procédés et techniques, cherche sa voie. « Chaque ville a un visage, Moscou en a dix » : le « modèle » qu'est pour lui sa ville natale le guide souvent, tant dans ses peintures « par cœur » que dans ses études ou croquis pris sur le vif. Exécutés dans le vieux Schwabing de Munich — dont la luminosité intense rappelle les couleurs de Moscou —, ces derniers le déçoivent cependant, car ils s'avèrent n'être qu'un « effort infructueux pour capter la force de la nature ». De ses tableaux peints « par cœur », on retient surtout ses « peintures romantiques », exécutées en atelier, de mémoire, telles que *Promenade* (1901, Zurich, coll. Goldberg), *Vieille Ville* (1903, Munich, Städtische Gal.) ou *Panique* (1907), dont le caractère moyenâgeux et russe à la fois se retrouve dans ses bois gravés (146 de 1902 à 1912). Ceux-ci, comme *Poésies sans paroles* (12 bois, 1904, Moscou) et surtout *Xylographies* (5 bois, 1906, Paris), s'apparentent beaucoup à son œuvre peint quant au « sujet », mais révèlent une plus grande maîtrise de la couleur, traitée pour elle-même.

Murnau. De retour à Munich en 1908 après avoir sillonné l'Europe, Kandinsky s'installe bientôt à Murnau avec Gabriele Münter. C'est là qu'il accomplira son « saut dans l'abstraction ». Rentrant un soir dans son atelier, il voit, dans la demi-pénombre, « un tableau d'une indescriptible beauté, tout imprégné d'un flamboiement intérieur» ; ne percevant «que des formes et des couleurs dont la teneur [lui reste] incompréhensible», il reconnaît bientôt un de ses propres tableaux, accroché à l'envers. «Je sus dès lors expressément que les «objets» nuisaient à ma peinture.» Peu à peu, dans sa recherche de l'expression, Kandinsky refuse le simple remplissage par la couleur de formes «objectives» et confère ainsi à la couleur sa fonction expressive propre (*Rue à Murnau avec femmes,* 1908, Paris, coll. Nina Kandinsky ; *Paysage avec clocher,* 1909, Paris, M. N. A. M.). C'est à cette époque qu'il participe à l'exposition d'art graphique organisée à Dresde par le groupe Die Brücke (1909) ; la même année, il fonde avec son ami Jawlensky la Nouvelle Association des artistes de Munich. Mais, à la suite de divergences fondamentales sur l'essence même de l'art, il quitte le groupe et, toujours luttant contre l'académisme, prépare avec Franz Marc l'*Almanach du Blaue Reiter.*

Élaboration d'un langage abstrait. L'almanach, bien que terminé dès 1911, paraît en mai 1912 après les deux retentissantes expositions du mouvement (décembre 1911 et février 1912), qui ont pour but de «montrer, dans la diversité des formes représentées, comme le désir intérieur des artistes se concrétise diversement». Si l'opinion est préparée par les deux éditions successives de *Du spirituel dans l'art (Über das Geistige in der Kunst),* Kandinsky ne s'en trouve pas moins en butte aux vigoureuses attaques des critiques. Car, chez lui, le peintre précède toujours le théoricien. Cette «nécessité intérieure», qu'il justifie dans son essai par l'anthroposophie du philosophe autrichien Rudolph Steiner, l'amène à se détacher de plus en plus des éléments figuratifs : les surfaces colorées, distinctes des formes objectives et cernées de noir, deviennent «signes» (*Improvisation III,* 1909, Paris, M. N. A. M. ; *Esquisse pour Composition II,* 1909, New York, Guggenheim Museum). Puis, par l'abandon de l'illusionnisme spatial traditionnel, il affirme le caractère bidimensionnel de la toile et, par là même, le caractère arbitraire de son espace. Peu à peu, les cernes noirs deviennent éléments graphiques autonomes, en nombre sans cesse croissant, en même temps que la couleur déborde les limites de l'«objet» figuré (*Église,* 1910, Munich, Städtische Gal. ; *Composition IV,* 1911, Paris, coll. Nina Kandinsky ; *Avec l'arc noir,* 1912, Paris, M. N. A. M. ; *Improvisation* [sans titre], 1912, New York, Guggenheim Museum). Sa première aquarelle abstraite (Paris, M. N. A. M.) date de 1910 env., et l'aquarelle a été pour lui la technique expérimentale par excellence. Il lui faut cependant plus d'un an pour se détacher totalement de l'objet dans ses peintures à l'huile, dont la technique plus lente nécessite une plus grande élaboration constructive. Dès lors, tandis que ses *Impressions* restent des représentations expressives de la nature, ses *Improvisations* et surtout ses *Compositions* deviennent peu à peu de pures constructions de formes et de couleurs.

En 1912, la galerie Der Sturm organise une rétrospective de son œuvre à Berlin, où, en 1913, il participe au premier Salon d'automne allemand. La même année, il publie son autobiographie, *Regards en arrière (Rückblicke),* et un recueil de poèmes illustrés de 6 bois gravés, *Sonorités (Klänge),* «petit exemple de travail synthétique» (Kandinsky).

Période de la guerre. En 1914, la guerre éclate et Kandinsky rentre à Moscou. Nommé membre de la section artistique du Commissariat pour le progrès intellectuel (1918), il enseigne à l'Académie des beaux-arts et crée l'année suivante le musée de Culture artistique de Moscou ainsi que 22 musées de province. Mais, après avoir fondé l'Académie des sciences artistiques (1921) et devant «tout l'enthousiasme culturel qui s'effrite peu à peu», il quitte Moscou avec Nina de Andreevsky — sa femme depuis 1917 — et revient en Allemagne. Il est nommé professeur au Bauhaus de Weimar, où Klee enseigne déjà. Si, durant l'intermède russe, Kandinsky est peu productif (les matériaux sont rares), les conceptions de l'avant-garde lui permettent cependant de préciser sa théorie d'une «science de l'art», qu'il va développer à Weimar.

Le Bauhaus. C'est une nouvelle période de son œuvre qui s'ouvre, caractérisée par ce qu'il nomme lui-même «un géométrisme lyrique». Mais chaque forme, chaque couleur, leur organisation dans l'espace ont une fonction précise : «La nouvelle esthétique ne peut naître que lorsque les signes deviennent des symboles», et c'est pourquoi «il faut que l'on comprenne enfin que la forme n'est pour moi qu'un moyen d'atteindre le but et que si je m'occupe, en théorie aussi, avec tant de minutie et si abondamment de la forme, c'est que je veux pénétrer à l'intérieur de la forme». C'est dans ce sens qu'il apprend à ses élèves «à observer précisément et à représenter précisément non pas les apparences extérieures d'un objet, mais ses éléments constructifs, ses lois de tension...». Il livrera une partie de ses réflexions dans *Point, ligne, surface (Punkt und Linie zu Fläche),* publié en 1926, et dans diverses études théoriques, publiées notamment par les *Bauhaus-Bücher.*

La période du Bauhaus est celle de la plus intense production ; celle aussi où son génie est le mieux reconnu. Les trois figures fondamentales — cercle, triangle, carré — s'associent à un véritable code chromatique pour constituer un nouvel espace où chaque ligne est tension, où chaque

Wassily Kandinsky
Improvisation nº 35 (1914) ▲
Bâle, Kunstmuseum
Phot. Hinz

couleur « affirme son dynamisme » *(Composition VIII,* 1923, New York, Guggenheim Museum ; *Jaune-rouge-bleu,* 1925, Paris, M. N. A. M. ; *Accent en rose,* 1926, Paris, *id.).*

À Dessau, où Kandinsky fête son soixantième anniversaire, de nouvelles nuances de couleurs apparaissent, tandis que le géométrisme s'accentue (*Quadrat,* 1927, Paris, coll. Maeght ; *Point sombre,* 1930, Paris, coll. A. Bloc) ou, au contraire, s'amenuise pour laisser l'espace se remplir de formes plus souples et « organiques » (*Vannerie,* 1927, Paris, coll. Nina Kandinsky ; *Noir pointu,* 1931, Bâle, coll. M. Hagenbach).

Poursuivant dans le sens de la « synthèse des arts », Kandinsky met en scène (décors et costumes) *Tableaux d'une exposition* de Moussorgsky (1928) et exécute de grands panneaux muraux de céramique pour la Salle de musique de Mies Van der Rohe à l'Exposition internationale d'architecture de Berlin (1931). En 1933, le Bauhaus, transféré à Berlin l'année précédente, est fermé par la Gestapo.

La « troisième période ». Neuilly. Venu s'établir à Neuilly-sur-Seine avec sa femme, Kandinsky entame alors la « troisième période » de son œuvre, où l'on a souvent vu la volonté de renouer avec un art symbolique millénaire. En effet, l'amenuisement des formes, le compartimentage de la toile amènent à rapprocher certaines figures de l'idéogramme *(Bagatelles douces,* 1937, Paris, coll. Nina Kandinsky ; *Trente, id.).* Dans les toiles de ses dernières années, les formes souples, tentaculaires, ramassées ou déployées, se partagent l'espace avec les derniers éléments géométriques simplifiés *(Allégresse,* 1939, *id.; Élan tempéré,* 1944, *id.).*

Si grand que fut le prestige de Kandinsky de son vivant, ce n'est qu'après la guerre que son œuvre fut saisie dans toute son ampleur, alors même que son champ d'influence se percevait à travers la Nouvelle Abstraction, dont il avait ouvert la voie. La période antérieure à 1914 est bien représentée à Munich (Städtische Gal.) grâce notamment à la donation de G. Münter. Le M.N.A.M. de Paris (15 toiles, 15 aquarelles, donation Nina Kandinsky), les musées allemands (Cologne, Düsseldorf, Essen, Hambourg) et américains (Los Angeles; Chicago; New York, M.O.M.A. et surtout Guggenheim Museum, possesseur d'un ensemble énorme) conservent également des tableaux de Kandinsky. E. M.

Khnopff
Fernand
peintre belge
(Grembergen-lez-Termonde 1858 - Bruxelles 1921)

Il suivit les cours de Mellery à l'Académie de Bruxelles, puis à Paris (1877) ceux de G. Moreau et de J. Lefebvre. Cofondateur des XX en 1883, il fut le premier adepte belge du Sâr Peladan, créateur du Salon de la Rose-Croix à Paris en 1892. Anglophile, influencé par les préraphaélites, il collabora à partir de 1894 à la revue anglaise *Studio.* Lié avec les poètes symbolistes, il devint un des chefs de file du Symbolisme en Belgique; l'intimisme de ses débuts (*En écoutant du Schumann,* 1883, Bruxelles, M.A.M.) fit place à un art d'inspiration allégorique et littéraire d'une distinction délicate et froide (l'*Art* ou les *Caresses* ou le *Sphinx,* 1896, *id.; I lock my door upon myself,* Munich, Neue Pin.; la *Méduse endormie,* 1896, pastel, coll. part.). La perfection du dessin réaliste comme la rigueur de la mise en page ajoutent à l'ambiguïté des symboles (*Portrait de la sœur de l'artiste,* 1887, Bruxelles, coll. part.; la *Ville abandonnée,* dessin, Bruxelles, M.A.M.). Il a ailleurs utilisé la photo, et le réel le moins transposé se heurte alors à une impossible connaissance (les sept jeunes femmes de *Memories,* 1889, pastel, *id.*). Khnopff partage avec d'autres symbolistes une conception ambivalente de la femme, créature céleste ou sphinx exerçant sur l'homme une fascination certaine. Par bien des aspects, son art annonce le Surréalisme. M. A. S.

Kirchner
Ernst Ludwig
peintre allemand
(Aschaffenburg 1880 - Frauenkirch, près de Davos, 1938)

Il passe son enfance à Chemnitz et en 1898 découvre à Nuremberg les gravures allemandes

▼ Fernand Knopff, **I lock my door upon myself**
Munich, Bayerische Staatsgemäldesammlungen, Neue Pinakothek

anciennes, et en particulier celles de Dürer. Il entre à Dresde (1901) à l'École technique supérieure, fréquente à Munich (1903-1904) l'école d'art de Hermann Obrist et, de retour à Dresde, découvre au musée ethnographique les sculptures africaines et océaniennes, dont l'influence le marquera longtemps. Cofondateur de Die Brücke (1905), il est la personnalité dominante du mouvement et montre une précoce maîtrise comme graveur sur bois, après assimilation du japonisme comme de l'intimisme de Vallotton (*l'Homme et la femme,* suite, v. 1904 ; *Baigneuses,* v. 1906). En peinture, la leçon du Divisionnisme de Van Gogh, de Munch est d'abord sensible (*Rue à Dresde,* 1908, New York M. O. M. A.), mais la pratique de la gravure comme de la sculpture sur bois le conduit à élaborer un style d'une rare tension, où la couleur violente, disposée en aplats, est contenue par un dessin sobre et ramassé (*Jeune fille assise : Fränzi,* 1910-1920, Minneapolis, Inst. of Arts) L'activité graphique proprement dite (plume, crayon, craie, aquarelle), intense et variée (scènes de cabaret, de danse), témoigne en revanche d'un dynamisme qui ira s'accentuant. La période de Dresde de Kirchner se distingue surtout par un érotisme et un sentiment de la nature héritiers à la fois des Nabis et de Gauguin ; période où Kirchner peint de jeunes modèles (Dodo, Fränzi) nus dans des intérieurs (*Marzella,* 1909-10, Stockholm, Moderna Museet) ou en plein air sur les bords du lac de Moritzburg (*Quatre Baigneuses,* 1909, Wuppertal, Von der Heydt Museum ; *Nus jouant sous les arbres,* 1910, Wuppertal, coll. part.). Enfin, avant l'installation à Berlin, le *Nu au chapeau* de 1911 (Cologne, W. R. M.) est la plus remarquable d'une série de toiles de la même année, construites selon un mode plus synthétique, et constitue une magistrale réponse de Kirchner au grand style matissien de 1909-10. À Berlin en 1911, le contact avec le Cubisme, qu'il ignorait à Dresde, se traduit par l'allongement des formes, l'adoucissement relatif de la palette, une exécution moins unifiée. Kirchner exprime dans les œuvres berlinoises le sentiment de claustration qu'apporte la vie citadine, avivé par un érotisme latent ou manifeste, dans des scènes de rue ou d'intérieur (*Cinq Femmes dans la rue,* 1913, Cologne, W. R. M. ; la *Chambre dans la tour,* 1913, coll. part.). Le cabaret et le cirque l'intéressent toujours pour leur dynamisme (l'*Écuyère,* 1912, coll. part.), tandis qu'il retrouve dans l'île de Fehmarn (étés de 1912 à 1914) une inspiration plus bucolique (*Lever de lune à Fehmarn,* 1914, Düsseldorf, K. M.). Mobilisé en 1915, il s'adapte fort mal à la vie militaire, fait une dépression nerveuse et est réformé ; de puissants autoportraits témoignent de ce moment de crise : le *Buveur* (1915, musée de Nuremberg), *Autoportrait en soldat* (1915, Oberlin, Allen Memorial Art Museum). Il grave la même année un de ses chefs-d'œuvre, les bois pour *Peter Schlemihl,* l'homme qui vendit son ombre au diable, de Chamisso. Il se retire en 1917 à Davos, en Suisse, s'installe à Wildboden, près de Frauenkirch, en 1923 et connaît une manière plus sereine : paysages alpins et types rustiques, à partir de 1917-18 (*Davos sous la neige,* 1921, musée de Bâle). Son évolution, marquée par une tentative assez timide d'abstraction de caractère lyrique (1926-1929), puis par un essai de synthèse entre l'agrément décoratif et l'expression (*Deux Nus dans le bois,* 1927-1929, Frauenkirch, coll. part. ; *Couple d'amants,* 1930, coll. part.), trahit un certain désarroi devant les nouvelles formes de l'art moderne, étrangères à son expressionnisme foncier. Ses dernières peintures révèlent pourtant un nouvel accord entre la figuration et les exigences de la couleur et de l'espace au bénéfice d'un réel apaisement (*Bergers le soir,* 1937, coll. part.).

Ernst Ludwig Kirchner
Autoportrait avec un modèle (1907) ▲
Hambourg, Kunsthalle
Phot. Snark International

Son œuvre gravé et lithographié, un des plus importants de la première moitié du siècle, a conservé jusqu'au bout une qualité très homogène. Il comprend (catalogue Dube, 1967) 971 bois, 665 eaux-fortes et 458 lithographies. Citons la série des portraits et autoportraits sur bois de 1917-18 (*Henry Van de Velde*, 1917; *Autoportrait à la mort qui danse*, 1918). Comme en peinture et avec plus de réussite peut-être, le thème du nu et du couple a constamment inspiré Kirchner; parmi les pièces lithographiques se détache l'extraordinaire suite érotique de 1911 (6 lithos), digne des Japonais, suivie en 1915 d'études sur des comportements plus spéciaux (l'*Onanisme à deux*, le *Sadique*, l'*Amateur de seins*). Kirchner a exercé quelque influence après la guerre, notamment sur le Hollandais Wiegers, qui le rencontra dès 1920. En 1934, il s'entretint avec Klee et Schlemmer. La confiscation par le gouvernement nazi de 639 de ses œuvres en 1937 fut une épreuve qui explique en partie son suicide quelques mois plus tard. L'artiste est représenté dans la plupart des musées d'art moderne d'Europe et des États-Unis ainsi que dans d'importantes coll. part. M. A. S.

Klee

Paul

peintre suisse

(Münchenbuchsee 1879 - Muralto-Locarno 1940)

Au-delà du Cubisme et du Surréalisme, de l'Expressionnisme et de l'Abstraction, la situation de Paul Klee, dans l'évolution artistique du XXe s., est celle d'un magicien. « Je suis insaisissable dans l'immanence — dit l'épitaphe qu'il se composa —, car je réside aussi bien chez les morts que chez les êtres qui ne sont pas encore nés. Un peu plus proche du cœur de la création qu'il n'est habituel, et cependant pas autant que je le souhaiterais. » Musique et poésie, lyrisme « primitif » et rigueur technique, son œuvre, aux côtés de celles de Picasso et de Kandinsky, fonde dans leur esprit et dans leurs formes les expressions majeures de l'art contemporain.

Apprentissages. Son père, Hans, et sa mère, Ida Maria Frick, étaient musiciens; il leur dut son talent de violoniste. Peu après sa naissance, ils s'installèrent à Berne, où Paul fit ses humanités et obtint le baccalauréat classique en 1898. Bien qu'il hésitât entre la musique et les arts plastiques, il s'inscrivit à l'Académie de Munich et suivit les cours du peintre Heinrich Knirr et du graveur Walter Ziegler, puis, à partir de 1900, travailla l'anatomie avec Franz Stuck. Peu satisfait de cet apprentissage, il pensa se tourner vers la sculpture, mais le professeur W. von Rühmann l'en découragea. Il passa alors l'hiver de 1901-1902 à Rome en compagnie du sculpteur Hermann Haller, dessinant passionnément, visitant Naples et Florence. De retour à Berne, il y demeure jusqu'en 1906, gagne sa vie comme musicien de l'orchestre municipal et, dans l'espoir d'obtenir des commandes d'illustrations, travaille le dessin, la gravure et, dès 1905, les aquarelles « sous verre ». Les œuvres de ces premières années témoignent d'un effort intense pour libérer la ligne de la servitude académique, lui donnant une plus large autonomie, et pour dépasser un expressionnisme trop formel en accentuant le contenu émotionnel. Mais il introduit peu à peu le clair-obscur et s'essaye à la couleur, notamment dans le portrait « hodlérien » de sa *Sœur* (1903, Berne, fondation Paul Klee) et dans les paysages « sous verre » (*Scène de jardin, arrosoir, chat, chaise rouge*, 1905, Berne, coll. Félix Klee); ses dessins respirent encore un symbolisme proche du Jugendstil : organisation de l'espace en fonction des seules structures linéaires, mais d'une sévérité et d'une rigueur que Michaux appelle « son attention horlogère au mesurable » et qui constituent une donnée fondamentale de son art. Thématiquement, les difficultés des années bernoises s'exprimèrent dans une amertume qui prit le visage d'une ironie mordante et dont l'aspect littéraire évoque parfois certaines attitudes surréalistes (*Inventions*, exposées en 1906 à la Sécession de Munich, notamment la *Tête menaçante*, 1905, Berne, fondation Paul Klee). Entre 1905 et 1906, il visite Paris et Berlin. Après son mariage avec la pianiste Lily Stumpf, le ménage s'installe à Munich; leur fils Félix naît en 1907. Au cours de son voyage en Allemagne, Klee avait découvert Rembrandt et Grünewald; une série d'expositions en 1908 et en 1909 lui révéleront Van Gogh et Cézanne, « le maître par excellence », tandis qu'il étudie passionnément les gravures de Blake, de Goya et d'Ensor. En 1910, le musée de Berne présente sa première exposition : 56 dessins, gravures et « sous-verre »; 1911 fut une année décisive : constitution du « Cavalier Bleu » (Blaue Reiter), dont les théories confirmeront ses investigations personnelles; rencontre de Kandinsky, de Marc, de Jawlensky, d'Arp; enfin découverte du Cubisme. Il commencera également de tenir un catalogue précis de ses œuvres depuis 1899, document essentiel pour la connaissance de ses premiers travaux. En 1911 et 1912, il réalise 26 illustrations grotesques pour le *Candide* de Voltaire (publiées en 1920, Berne, fondation Paul Klee) et traduit l'*Essai sur la lumière* de Delaunay, qu'il venait, avec Marc, de rencontrer à Paris.

Paul Klee
Around the Fish (1926) ▲
New York, the Museum of Modern Art.
Abby Aldrich Rockefeller Fund

Phot. du musée

Tunis. Lumière et couleur, souvent réduites aux effets monochromes (*Rue avec char,* 1907, Cincinnati, coll. Frank Laurens), n'avaient eu jusqu'alors qu'une place restreinte dans l'œuvre de Klee, tandis que son trait avait progressivement brisé sa linéarité et tendait, au moyen de hachures et de griffures, à rendre une atmosphère impressionniste (*Munich, gare centrale,* 1911, Berne, fondation Paul Klee ; *Voiliers,* 1911, New York, coll. Kurt Valentin). Aussi le voyage entrepris en 1914 en compagnie de Macke et de Moilliet à Tunis, à Hammamet et à Kairouan fut-il une révélation. À son retour, il note dans son journal : « La couleur me tient, je n'ai plus besoin de la poursuivre [...] voilà le sens de cette heure heureuse, moi et la couleur ne faisons qu'un. Je suis peintre » (*Coupoles rouges et blanches,* 1914, New York, coll. Clifford Odets). Avec le départ de Kandinsky pour Moscou, la mort de Macke en 1914 et celle de Marc en 1916, la guerre brisa son cercle d'amis. Malgré sa mobilisation, il put partiellement poursuivre son travail, tandis que sa renommée allait croissant. Démobilisé en 1918, il rédige un essai sur les éléments de l'art graphique, essai qui constituera un chapitre de sa *Schöpferische Konfession,* credo créateur publié la même année, en 1920 ; parallèlement à la publication par la gal. Der Sturm d'un volume de dessins, Théodor Daeubler et W. Hausenstein lui consacrent deux monographies, et la galerie Goltz de Munich organise une importante rétrospective (quelque 362 numéros).

Le Bauhaus. En novembre 1920, Gropius propose à Klee de collaborer à l'enseignement du Bauhaus. En janvier 1921 débute à Weimar la carrière pédagogique de Klee. Ces dernières années avaient été de plus en plus productives. Depuis l'expérience de l'Afrique du Nord, « essence concentrée des mille et une nuits », ses horizons psychique et spirituel s'étaient élargis, et la vision subjective s'était totalement libérée dans un monde de fantaisie et d'abstraction formelle. L'adoption d'éléments cubistes (géométrisations) va purifier les structures : le dessin, affiné, abandonne la symbolique du clair-obscur pour celle du motif (échelles, parallèles, flèches, etc. : *Cavalier démonté et ensorcelé,* 1920, États-Unis, coll. part. ; *Ménage idéal,* 1920, Berne, coll. Félix Klee), alors que l'aquarelle, toute en vibrations et en transparences, acquiert par sa forme et sa perfection technique la finesse cristalline de la miniature. Klee ne travaillera régulièrement la peinture à l'huile qu'à partir de 1919. Les œuvres antérieures répondaient à des suggestions venues de Van Gogh, de Cézanne, de Delaunay ou du Cubisme (*Fillette aux cruches,* 1910, Berne, coll. Félix Klee; *Hommage à Picasso,* 1914, Bâle, coll. part.). Mais, dès les années 1920, il développe dans les huiles une potentialité expressive toute nouvelle, où les couleurs interviennent en fonction de leur « sonorité », composées, dans un jeu de verticales et d'horizontales, avec des motifs simplifiés, arbres, oiseaux, lunes, cœurs, véritables paysages intimes (*Ville R,* 1919, musée de Bâle; le *Pavillon des femmes,* 1921, New York, coll. Ralph Collin). Ses années d'enseignement, particulièrement fertiles, lui permirent, grâce aux échanges qu'il avait avec collègues et élèves, d'élargir considérablement le champ de ses possibilités et surtout de définir avec précision, dans l'étroite relation pédagogie-activité créatrice, une orientation tout intuitive. Ses cours furent publiés sous forme d'essais par le Bauhaus : *Wege des Naturstudiums* en 1923 et l'important *Pädagogisches Skizzenbuch (Esquisses pédagogiques)* en 1925. Ainsi allaient s'épanouir les idées d'élaboration, de progression, de construction. Les formes seront de plus en plus ressenties pour elles-mêmes, en tant qu'expression pure, sans présupposition de contenu. Mais l'originalité de Klee sera de sublimer aussitôt cette objectivation en dépassant la simple notion de construction pour développer celle de totalité et en préservant le rôle primordial, sinon absolu, de l'intuition. Dès 1920 apparaissent les premiers motifs linéaires tirés à la règle : parallèles (*Enchaînement,* 1920, Berne, fondation Paul Klee), angles aigus (*Montagne en hiver,* 1925, Berne, coll. Rupf), perspectives (*Chambre avec habitants, vue perspective,* 1921, Berne, fondation Paul Klee; *Ville italienne,* 1928, Munich, coll. Ida Bienert; *Rue principale et rues secondaires,* 1929, Cologne, coll. part. en dépôt au W. R. M.). Par ailleurs, l'enseignement de la tapisserie le sensibilisa aux qualités matérielles (grain et texture), rendues dans le fractionnement et la répétition du motif, véritable calligraphie évoquant certains thèmes décoratifs orientaux (*Brise fraîche dans un jardin de la zone torride,* 1924, Bâle, coll. Doetsch-Benzinger; *Pastorale,* 1927, New York, M. O. M. A.). Dans l'ordre chromatique, les recherches sur l'intensité tonale le conduisent dès 1923 aux damiers (*Gradation de couleur du statique au dynamique,* 1923, Berlin, coll. part.), puis, en brisant l'homogénéité des structures, au Divisionnisme (*Coucher de Soleil,* 1930, Berlin, coll. part.). En 1924, Klee passe six semaines en Sicile et, l'année suivante, suit le Bauhaus à Dessau. Désormais, il profitera de ses vacances pour voyager et visitera successivement l'Italie, le Portugal, la Corse, la Bretagne et l'Égypte. Pour son 50e anniversaire, la gal. Flechtheim de Berlin, puis le M. O. M. A. de New York organisèrent une grande rétrospective de ses œuvres.

Les dernières années. L'enseignement au Bauhaus était à la longue devenu fastidieux; aussi accepta-t-il avec empressement la chaire de technique picturale à l'Académie de Düsseldorf, poste dont les nazis le destituèrent en 1933. Rentré définitivement à Berne, il est affaibli considérablement par les premières attaques de la sclérodermie qui devait l'emporter. La préparation d'une importante exposition à Berne en 1935 l'épuisera et 1936 sera une année presque stérile. Ses œuvres s'emplissent dès lors d'une profonde angoisse. Le dialogue avec le monde et lui-même se modifie, l'ironie devient tristesse et la mort est constamment présente. Les éléments thématiques récurrents dans toute son œuvre sont spiritualisés, et leur présence se fait plus profondément symbolique. Le visage du *Savant* (1933, Belp, canton de Berne, coll. part.), porteur de tout un drame dans la gravité objective de ses traits, se dissout dans une sorte d'archétype, image primordiale ou noyau organique : la *Peur* (1934, New York, coll. Rockefeller). Ainsi, dans leur « primitivisme » de dessins d'enfants, souvent joint à une extrême économie de moyens, le fruit, le serpent, le masque ou la flèche deviennent un véritable vocabulaire métaphysique (*Pleine Lune au jardin,* 1934, Berne, coll. Rupf). Ce dernier, dès 1936, se muait en notations hiéroglyphiques. Klee entrait dans la phase ultime de son art : le motif figuratif réduit peu à peu au pur échange rythmé de signes, runes ou idéogrammes en larges traits, transcendant désormais le symbole dans la totale liberté de leur association *(Signes en jaune,* 1937, Belp, coll. part.; *Projet,* 1938, Berne, fondation Paul Klee; *la Mort et le feu,* 1940, *id.).* Durant les derniers mois, l'image de la mort s'impose avec plus d'insistance (*Voyage sombre en bateau,* 1940, Berne, coll. Félix Klee), mais elle est désormais sereine, trop réelle, trop concrète pour être terrifiante. Les derniers regards enfantins de Klee la retrouvent dans les motifs heureux d'autrefois : l'*Armoire* (1940, Berne, coll. Félix Klee) et *Nature morte,* son ultime peinture *(id.).* Au bout de la trajectoire créatrice, irréel et réel sont confondus : l'ange est entré dans le décor familier. Le 29 juin 1940, Paul Klee s'éteint à Muralto-Locarno.

En 1946, une société Paul Klee constitua une fondation comprenant une partie importante de l'œuvre, déposée en 1952 au musée de Berne.

Regards sur l'œuvre. Le génie de Klee est d'avoir su transcender le formalisme de la plupart des mouvements modernes pour retrouver en un noyau énergétique la source de toute création ; il fallait, disait-il, « être un nouveau-né ». D'où sa conception essentiellement dynamique de l'art : « La création formelle jaillit du mouvement, est elle-même mouvement fixé, et elle est saisie dans le mouvement », conception qui fonde la nature de sa démarche et de son enseignement. Mais, si le processus créateur se situe au-dessous du niveau de la conscience, l'œuvre ne surgit pas automatiquement du subconscient. Elle est le fruit d'une élaboration organique impliquant gestation, observation, méditation et finalement maîtrise technique, qui tendent à une exacte identification du moi créateur avec l'univers. « L'art ne rapporte pas le visible, il rend visible », ce qui exclut tout naturalisme, bien que, puissance génératrice, le travail de l'artiste soit semblable à celui de la nature : métamorphose de formes, comparable au développement musical d'un motif et qui, accomplie dans l'œuvre, prend une valeur métaphorique. La musique est d'ailleurs constamment présente dans l'œuvre de Klee. Un grand nombre de peintures ou de dessins sont de véritables transmutations graphiques de lignes musicales avec leurs rythmes, leurs accords, leurs mesures, leurs textures chromatiques. Une aquarelle comme la *Ville de rêve* (1921, New York, coll. Betty Chamberlain) parvient à objectiver une structure sonore au moyen d'éléments graphiques et picturaux qui en constituent en quelque sorte l'idéogramme. Le parcours de Klee n'a, de nos jours, rien perdu de sa grandeur exemplaire. Moins par l'originalité profonde du langage et ses infinies capacités de renouvellement que par l'engagement moral, l'authenticité ascétique qu'il suppose. Plongée aux sources de l'inspiration, l'œuvre de Klee s'est faite racine et sève de l'art contemporain. En elle se fondent son autonomie créatrice, la richesse de son destin, l'étendue de ses exigences. En dehors de la fondation Paul Klee à Berne, l'artiste est représenté dans maintes coll. publiques, notamment à Düsseldorf (K. N. W., 91 tableaux, aquarelles et dessins), au musée de Bâle (une trentaine de peintures, dont *Seneccio,* 1922), à Paris (M. N. A. M.), au musée de Hambourg, à New York (M. O. M. A.), à Buffalo (Albright-Knox Art Gal.) et au musée de Pasadena.

B. Z.

Klein

Yves

peintre français

(Nice 1928 - Paris 1962)

Originaire d'une famille de peintres, il fit ses études à l'École nationale de la marine marchande de Nice et à l'École des langues orientales avant d'être, tour à tour, libraire et entraîneur de chevaux. Dès 1947, il réalise ses premières œuvres, *Monochromes* (panneaux recouverts uniformément d'une couche de couleur pure), et se lie avec Arman. Entre 1948 et 1954, Klein, dont la produc-

Yves Klein
Feu-Couleur F C 1 (1962) ▼
Paris, Musée national d'Art moderne

Phot. Lauros-Giraudon

tion va procéder par séries, voyage à travers l'Europe, l'Asie orientale et le Japon, où il présente en privé ses peintures « monochromes » signées « Yves ». En 1955, à la gal. des Solitaires, il expose pour la première fois à Paris ; l'année suivante, à la gal. Colette Allendy (préface de P. Restany), il présente ses *Propositions monochromes,* toutes de différentes couleurs, et participe au premier festival d'Art d'avant-garde organisé à Marseille par M. Ragon et J. Polieri.

En 1957, successivement à Milan, gal. Apollinaire, et à Paris, chez Iris Clert, puis chez Colette Allendy, Klein expose ses peintures et sculptures d'un bleu outremer profond qu'il appelle I. K. B. (International Klein Blue), la couleur bleue matérialisant l'expansion infinie de l'univers (coll. Mme Y. Klein ; *IKB 73,* 1961, Cologne, W. R. M.).

Il décore le nouvel Opéra de Gelsenkirchen (1958-1959) dans la Ruhr avec des monochromes bleus et des reliefs muraux en éponges stratifiées en polyester, matériau qu'il utilisera souvent (*Relief éponge rouge,* 1959, Paris, coll. part.).

À l'occasion de sa collaboration à l'Opéra de Gelsenkirchen, Klein donne en 1959 deux conférences en Sorbonne sur l'*Évolution de l'art et de l'architecture vers l'immatériel.* Dès 1958, il avait réalisé ses premières expériences du « pinceau vivant » et entrepris les *Anthropométries* (1958-1962) et les *Suaires,* empreintes sur le papier ou sur la toile de modèles nus enduits de bleu qu'il dirige au gré de son inspiration (*Ant. 96,* 1961, Houston, coll. de Menil ; *Ant. 130,* 1960, Cologne, W. R. M.).

En février 1960, au musée des Arts décoratifs de Paris dans le cadre de l'exposition *Antagonismes,* il présente pour la première fois un « monogold » (or fin sur toile) et le projet de l'*Architecture de l'air,* et, avec ses *Cosmogonies,* il utilise les éléments naturels : pluie, vent, foudre ; il expose avec les Nouveaux Réalistes à Milan et participe à Paris à la fondation du groupe. En 1961, au moyen d'un jet de gaz incandescent, il crée au centre d'essais du Gaz de France les « peintures de feu », empreintes anthropométriques du feu (*Feu couleur FC 1,* 1962, Paris, M. N. A. M.), et, en 1962, il moule en plâtre le *Portrait-relief d'Arman* (le bronze peint en bleu est présenté sur panneau doré ; Paris, M. N. A. M.). Résolvant la crise de l'Abstraction à la fin des années 50, Klein, au-delà de son impossible conquête du vide et de l'immatériel, a orienté un nouveau courant de recherches. S'il a dérouté d'abord le public (exposition du Vide, 1958, gal. Iris Clert, où 2 000 personnes assistaient au vernissage des murs nus). Son œuvre apparaît maintenant comme une nouvelle synthèse du réel contemporain, matérialisant les éléments comme les êtres humains dans les traces fugitives ou affirmées de leur passage sur le support. Klein est représenté à Paris (M. N. A. M.), à New York (M. O. M. A.), à Londres (Tate Gal.), dans les musées de Krefeld et de Cologne.

H. N.

Klimt

Gustav

peintre autrichien

(Vienne 1862 - id. 1918)

L'art de Klimt est issu des deux tendances antagonistes de la peinture autrichienne à la fin du XIXe s., la peinture d'histoire traditionnelle sous ses différentes formes (Rahl, Canon, Makart) et un Impressionnisme très proche de la peinture de plein air française. Si les tableaux symboliques à nombreux personnages jalonnèrent régulièrement sa carrière, les portraits et les paysages, d'une conception monumentale, prirent une importance croissante.

Les débuts. Klimt se forma à l'école des Arts décoratifs de Vienne, où il fut l'élève de Ferdinand Laufberger. Ses premières œuvres relèvent d'une tradition académique et d'une vision naturaliste jusqu'au détail (plafonds et rideaux de théâtre pour Karlsbad, Reichenberg, Bucarest). Klimt travaille alors en collaboration avec son frère Ernst et son condisciple Franz Matsch, qui interviennent également pour le décor du Burgtheater de Vienne (plafonds des deux grands escaliers illustrant l'histoire du théâtre).

En 1890-91, il décore les pendentifs du grand escalier du Kunsthistorisches Museum d'allégories qui révèlent pour la première fois une tendance fondamentale de l'artiste : la définition lapidaire de la silhouette, qu'agrémente un goût avoué pour l'ornement — rappelant l'œuvre contemporaine d'un Khnopff en Belgique. Il est chargé ensuite de peindre deux dessus-de-porte (toiles marouflées) pour un salon de musique du palais appartenant au mécène Nikolaus Dumba : *Allégorie de la Musique* et *Schubert au piano* (1898-99). Le traditionnel effet de clair-obscur disparaît peu à peu et fait place dans la *Musique* à une lumière neutre et sans ombre. Les silhouettes délicates, aux contours légers mais pourtant fermes, sont des éléments de composition auxquels Klimt restera toujours fidèle, et les mêmes caractères se retrouvent dans le *Portrait de Sonja Knips* (1898, Vienne, Österr. Gal.), où se manifeste un autre trait particulier à l'art de Klimt, la mise en page asymétrique, quelque peu japonisante. Ces divers travaux sont déjà représentatifs de l'esprit de la Sécession, interprétation viennoise de l'Art nouveau, et témoignent de

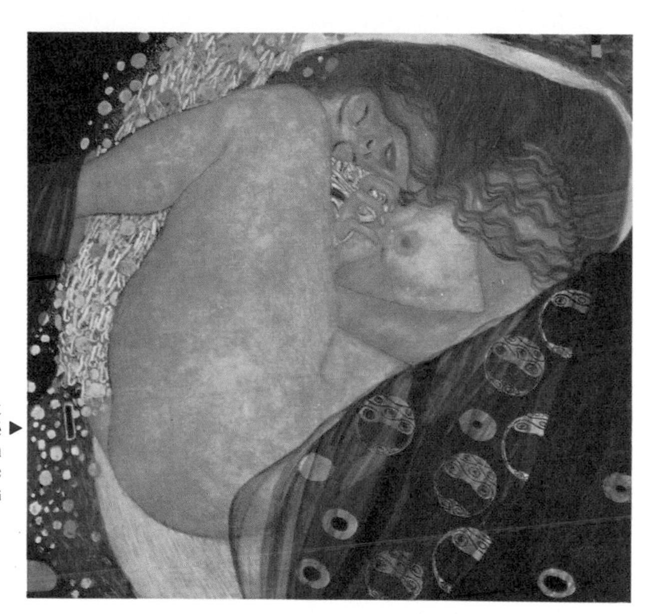

Gustav Klimt
Danaé ▶
Vienne, collection
particulière
Phot. Fabbri

l'importance de l'artiste au sein de ce mouvement, dont il fut le premier président (1897-1905); il collabora en 1898 à *Ver sacrum*, revue ouverte aux principaux représentants du Symbolisme (Beardsley, Burne-Jones, Puvis de Chavannes).

Les grands cycles décoratifs. Au début du siècle, Klimt reçut la commande de 3 peintures pour le plafond de la salle des fêtes de l'Université : la *Philosophie*, la *Médecine*, la *Jurisprudence ;* elles furent souvent modifiées jusqu'en 1907, année de leur achèvement. L'érotisme provocant et désespéré qui les imprègne suscita le scandale, et l'artiste dut les retirer (détruites à la fin de la Seconde Guerre mondiale, études à l'Albertina). La composition asymétrique est reprise dans les allégories de la *Philosophie* et de la *Médecine*, dont le format correspond à l'effet recherché; dans l'une et l'autre peinture s'élève vers l'infini une colonne légèrement inclinée, masse compacte de corps humains dont une partie est coupée par le bord de la composition; la traduction illusionniste des corps et de la lumière, aux teintes étrangement assourdies, atteint ici une rare virtuosité. La *Jurisprudence*, plus tardive, expose au contraire des silhouettes aux contours strictement définis. La ligne va devenir pour Klimt le moyen d'expression essentiel (typique d'ailleurs des entrelacs ornementaux du Jugendstil), qui s'impose dans ses deux dernières œuvres murales : la *Frise de Beethoven*, destinée au bâtiment de la Sécession à l'occasion de l'inauguration de la statue de Beethoven par Max Klinger (1902), et la mosaïque pour la salle à manger du palais Stoclet à Bruxelles (v. 1905-1909). L'agencement non illusionniste des surfaces engendre un rythme immédiatement perceptible; les espaces vides alternent avec des effets de foule dense (frise de Beethoven), les silhouettes humaines émergent à peine de la profusion des ornements (palais Stoclet). Cet art de la surface à deux dimensions, cherchant une union étroite entre peinture et architecture, est la contribution, capitale, de Klimt au renouveau de l'art monumental, auquel ont participé à des titres divers Gauguin, Munch, Toorop et Hodler. Ces nouveaux principes de composition murale ont été appliqués à certaines toiles, dont la plus célèbre est le *Baiser* (1907-1908, Vienne, Österr. Gal.), ainsi qu'à quelques portraits *(Fritza Riedler*, 1906, *id.; Adèle Bloch-Bauer*, 1907, *id.).*

Les paysages. La transposition du motif en une surface plane pour affirmer la structure architectonique du tableau se retrouve également dans les paysages, auxquels Klimt commença à s'intéresser v. 1900. Les premiers paysages sont encore assez réalistes, puis apparaissent un découpage recherché des surfaces et une composition asymétrique; la couleur est appliquée en touches pointillistes, et la palette gagne en intensité. Cette nouvelle structure, quasi « moléculaire », anima en général la peinture de Klimt, et ses paysages en particulier, d'une vitalité organique qu'il voulait conserver dans la représentation de la nature (*Der Park*, New York, M.O.M.A.; *Rosiers*, Paris, musée d'Orsay).

Le style de Klimt. Cette ambition se manifeste aussi dans les grandes allégories (l'*Espérance*, 1903, Ottawa, N.G.; les *Trois Âges*, 1905, Rome, G.A.M.; *la Mort et l'Amour*, 1911-1913, Vienne, coll. part.; la *Vierge*, 1913, musée de Prague; la *Fiancée*, 1917-18, inachevée, coll. part.) et certains portraits. On observe dans quelques grands portraits en pied une symétrie rigoureuse conférant une attitude hiératique aux personnages, tandis que la couleur est appliquée par touches de plus en plus nuancées et presque impressionnistes (*Adèle Bloch-Bauer II*, 1912, Vienne, Osterr. Gal.; la *Baronne Élisabeth Bachofen-Echt*, 1914, Genève, coll. part.; *Friederike-Maria Beer*, 1916, New York, coll. part.; *Mademoiselle Lieser*, 1917-18, inachevée, coll. part.). À la stylisation de naguère s'ajoutent des motifs empruntés aux arts médiéval, byzantin, oriental et exotique; les visages et les mains, représentés de manière naturaliste, semblent étrangers au foisonnement d'éléments dans lequel le peintre les a insérés. Les dessins, esquisses et études, dont le nombre est immense, témoignent, dans leur concision, d'une vie intense et révèlent à quel point la vision de la nature et sa traduction préoccupaient Klimt. Or, les tableaux monumentaux engendrent un effet totalement contraire. Deux forces antagonistes entrent ici en jeu : d'une part la volonté de parvenir à une liberté absolue vis-à-vis de l'objet et qui conduit à la création d'un jeu de formes ornementales, des premières allégories à la frise du palais Stoclet; ces différentes œuvres sont en effet des symboles chargés de signification et il faut les interpréter dans l'esprit du Symbolisme, comme l'expression d'un monde inaccessible, situé au-delà de la réalité et du temps; d'autre part l'intensité de sa perception de la nature, qui permit à Klimt de sentir le danger de cette ornementation luxuriante. Dans sa production ultime, l'artiste s'efforce de concilier ces deux sollicitations, et l'équilibre conquis consista en quelque sorte à un retour à la nature : le rôle de l'idée, de l'érotisme aussi, est désormais moins important. Un sentiment de calme et d'isolement émane des derniers paysages (*Litzlbergerkeller am Attersee*, 1915-16, coll. part.). Le motif du pommier revient par trois fois dans l'œuvre de Klimt : en 1903 dans le *Pommier doré* (détruit en 1945), où l'ornement est extrêmement petit et touffu, annonçant l'*Arbre de vie* de la frise du palais Stoclet; v. 1912 dans le *Pommier I* (Vienne, musée du XXe s.), qui présente une structure légère et quasi frémissante; finalement en 1916 dans le *Pommier II* (Vienne, Österr. Gal.), qui est un arbre sombre aux couleurs ternes qui se dresse devant une allée de troncs rabougris. Une évolution analogue est perceptible dans une des œuvres les plus importantes de cette dernière période, la *Mère et les deux enfants* (v. 1900-1910, coll. part.), dite aussi la *Mère et les émigrants;* les têtes claires des trois personnages endormis, blottis dans une obscurité insondable, offrent une vision pleine d'un tragique infini. Cette vision annonce déjà une nouvelle époque, celle de l'expressionnisme de Kokoschka et de Schiele, dont l'art est en relation directe avec celui de Klimt, leur maître. F. N.

Kline

Franz

peintre américain
(Wilke Barre, Penn., 1910 - New York 1962)

Cet artiste, dont l'influence et l'exemple furent considérables aux États-Unis, possède un vocabulaire de formes immédiatement identifiable. Il se forma d'abord au Girard College de Philadelphie et à l'université de Boston (1931-1935); mais, intéressé par l'art moderne européen, il passa deux ans à Londres (1937-38), travaillant à la Heatherley School of Fine Art. Cependant, jusque v. 1940 env., son œuvre demeurait encore semi-figurative, et l'influence du portrait expressionniste et même celle de la peinture de genre américaine y étaient fort sensibles. Kline devint ensuite le peintre abstrait le plus directement inspiré par la ville, notamment par New York, pendant la période de bouleversements urbains qui suivit la guerre. Ses formes monumentales semblent suggérer une iconographie d'échafaudages et de ponts, de constructions réduites à des squelettes et à des murs dégradés au fur et à mesure qu'on les démolit (*Collage*, 1947, New York, coll. Noah Goldowsky). Son style atteignit à la simplicité totale par l'agrandissement de dessins au pinceau et à l'encre noire, faits sur des feuilles d'annuaire téléphonique (*Dessin*, 1950, New York, coll. Robert Bout). Kline transposa ces intuitions picturales sur une grande échelle en mettant l'accent sur le dynamisme de l'exécution et en apportant la même attention au travail de la brosse qu'à l'équilibre rythmique des

Franz Kline
Andes (1957) ▶
Bâle, Kunstmuseum
Phot. Hinz

blancs et des noirs (*Abstraction,* 1950-51, New York, coll. Noah Goldowsky; *Black and White N° 1,* 1952, Thermal, Californie, coll. William Janss; *Andes,* 1957, musée de Bâle). Jusque v. 1955, il s'exprima uniquement par des valeurs absolues. Avec la réintroduction de la couleur aux env. de 1957, l'espace ainsi créé devint plus complexe, plus dense, plus délicatement hiérarchisé dans un ensemble illusionniste (*Jaune, rouge, vert, bleu,* 1956, Baltimore, Museum of Art; *Horley Red,* 1960, New York, coll. R. C. Sall). Sa mort en 1962 le surprit au sommet de son art. Il est représenté dans de nombreux musées américains, notamment à New York (M. O. M. A., Metropolitan Museum et Guggenheim Museum) et à Pittsburgh (Carnegie Inst.). D. R.

Købke

Christen

peintre danois

(Copenhague 1810 - id. 1848)

Il fut sans doute le plus grand des peintres de l'« âge d'or danois », période faste de l'art danois où, au rebours des tendances préromantiques d'Abildgaard et sous l'influence classique d'Eckersberg, tout un groupe de peintres (notamment W. Bendz, C. Hansen, J. Roed, C. A. Jensen, J. Th. Lundbye et Købke) peignent des scènes d'intérieur, des portraits familiers, des vues de la campagne danoise, et cela avec une justesse dans l'observation de la lumière, un raffinement de palette et une sûreté de mise en page qui font de leurs meilleures œuvres, le plus souvent de petites dimensions, des morceaux de peinture de la plus subtile qualité, exprimant une vision simple et vraie du réel et que l'histoire de l'art, hors des pays scandinaves, n'a pas encore mis à leur vraie place, c'est-à-dire au niveau de la grande peinture européenne.

Købke se forma à l'Academie de Copenhague de 1822 à 1832 et fut l'élève d'Eckersberg à partir de 1828. Hormis un voyage en Italie (Rome, Naples, Capri, 1838-1840), il se fixa dans la banlieue de Copenhague. Dès sa première œuvre importante (la *Salle des moulages de Charlottenborg,* 1830, Copenhague, Hirschsprungske Samling), il a trouvé son style (science de l'éclairage, qui fait jouer les blancs et anime l'espace; composition stricte, mais ne refusant pas l'insolite) et son ton d'intimisme tranquille (*Vue prise d'un grenier dans les remparts de la citadelle de Copenhague,* 1831, Copenhague, S. M. f. K.). Ses portraits d'amis *(Frederic Sodring,* 1832, *id.),* ses paysages des environs de Copenhague (le *Pont,* 1834, Copenhague, N. C. G.) illustrent la même maîtrise que celle de ses débuts, la même sensibilité chaleureuse et discrète. Sa touche fluide et précise traduit, au-delà de la leçon d'Eckersberg, une vision très personnelle de la

Christen Købke
▲ **Vue prise d'un grenier dans les remparts de la citadelle de Copenhague** (1831)
Copenhague, Statens Museum for Kunst
Phot. Petersen

lumière et des valeurs colorées. Il peint sous plusieurs angles le *Château de Frederiksborg* (1835, Copenhague, Hirschprungske Samling, et 1836, Copenhague, S. M. f. K.), dont les toits à clochetons, se détachant sur la campagne, lui fournissent les motifs de grands panneaux décoratifs (Copenhague, musée des arts décoratifs ; projet à Copenhague, C. L. Davids Samling), et fait précéder ces grands tableaux d'études prises sur le motif, comme il le fera pour la plupart de ses paysages importants. Il peint ses proches, ses amis (*Marstrand,* 1836, Copenhague, S. M. f. K. ; *H. E. Freund,* Copenhague, Académie royale ; la *Sœur de l'artiste,* coll. part.). Vers 1838, il est attiré par le romantisme de G. D. Friedrich, qui le conduit à exalter parfois les mystères brumeux de l'aube et les effets d'arbres dépouillés à contre-jour (le *Matin au bord du fleuve,* 1838, Copenhague, N. C. G.) ou la poésie de l'attente (l'*Embarcadère sur le lac de Sortedam,* 1838, *id.*), tendance que son séjour en Italie devait heureusement atténuer (1838-1840, le *Castel de l'Uovo à Naples, id.*). À son retour à Copenhague et jusqu'à sa mort prématurée, il donne certains de ses paysages les plus émouvants : de lumineuses vues de jardins de campagne (exemples à Copenhague, S. M. f. K.), simples pochades peintes évidemment sur le vif et miraculeuses par la sûreté d'œil et de touche dont elles font preuve.

L'œuvre peint de Købke, qui comprend un peu plus de 200 numéros, est pour une bonne part conservé à Copenhague. Chacun des musées de la ville (S. M. f. K., N. C. G., Hirschsprungske Samling) conserve un bel ensemble d'œuvres de l'artiste. Il est également représenté à Stockholm (Nm) et à Winterthur, Stiftung Oskar Reinhart. S. R.

Koch

Josef Anton

peintre allemand

(Obergieblen, Tyrol, 1768 - Rome 1839)

Issu d'une famille de paysans pauvres, il entre en 1785 dans la célèbre Karlsschule, à Stuttgart, mais, peu satisfait de l'enseignement traditionnel qu'il y reçoit, il s'enfuit de l'école, enflammé par les idées de liberté que propage la Révolution, après avoir réalisé en 1791 ses premiers essais de paysage. Après un séjour à Strasbourg, il passe en Suisse (1791-1794), où la grandeur des Alpes l'impressionne profondément, mais où, pour des raisons politiques, il ne peut séjourner. Il s'établit finalement en Italie en 1794 et réside à Rome à partir de 1795, où il admire les œuvres de Carstens. C'est seulement en 1806 que cet artiste au « génie rude et primitif » (Niebuhr), de tempérament bohème, se fixe enfin après avoir épousé la fille d'un paysan d'Olevano. En 1812, il quitte cependant Rome pour Vienne. Malgré les succès qu'il y recueille, il retourne en 1815 en Italie, sa seconde patrie. Il célébrera les sites montagneux des environs de Rome et plus particulièrement le village d'Olevano. Les peintres romantiques Fohr, Richter, Preller, Rottmann subiront profondément son influence. En 1839, le « vieux Koch », figure déjà légendaire, meurt à Rome. Sa personnalité volontaire s'affirme dans l'alliance de l'esprit classique et de l'amour de la nature. Koch a dessiné des illustrations remarquables, en particulier pour *la Divine Comédie,* et c'est aussi à Dante qu'il emprunte les thèmes des fresques qu'il exécute de 1827 à 1829 pour une pièce de la Villa Massimi à Rome. Dans son tableau présentant la *Cascade de Schmaldribach* (1811, musée de Leipzig), il s'est inspiré d'études réalisées en Suisse. Il montre déjà dans cette œuvre son goût pour la constitution physique des terrains et l'action des éléments (*Paysage héroïque à l'arc-en-ciel,* Munich, Neue Pin.). Sa vision de la nature est si pénétrante que les paysages qu'il imagine sont doués d'une ampleur toute naturelle et d'un caractère expressif, telle la scène biblique du *Sacrifice de Noé* (1813, Francfort, Staedel. Inst.) ou celle, dramatiquement pittoresque, de *Macbeth et les sorcières* (1829, musée de Bâle). Représentant du mouvement néo-classique germano-romain et rénovateur du paysage, Koch exerça sur l'évolution de ce genre une influence prépondérante. Il est représenté dans la plupart des musées allemands et autrichiens ; la collection de dessins la plus importante — presque 70 pièces, dont 50 pour Dante — se trouve à Vienne (Bibliothek der Akademie). G. et V. K.

Josef Anton Koch
La Cascade de Schmadribach (1821-22) ▲
Munich, Bayerische Staatsgemäldesammlungen, Neue Pinakothek
Phot. Blauel

Kokoschka
Oskar
peintre autrichien
(Pöchlarn 1886 - Montreux, Suisse, 1980)

Étudiant à l'école des Arts décoratifs de Vienne (1905-1909), il n'apprécie guère son enseignement et compose deux drames en vers pendant cette période, *le Sphinx et l'Épouvantail* et *Assassin, espérance des femmes,* dont l'affiche (*Pietà,* 1908, Vienne, K.M.) est une des œuvres maîtresses de l'Expressionnisme à ses débuts. D'abord marqué par Romako, par Klimt (premiers dessins de nus) et surtout par l'art extrême-oriental, il montre vite son originalité dans les dessins qu'il exécute pour ses drames et dans les tableaux exposés au Kunstschau de Vienne (1908 et 1909). Il collabore aux travaux des Ateliers viennois (les *Enfants qui rêvent,* 8 lithos en coul., 1908), fondés par Hoffmann en 1903. L'architecte Loos l'introduit en 1908 dans les milieux artistiques et littéraires, dont les personnalités servent de modèles à la célèbre suite de portraits dits « psychologiques », réalisée entre 1909 et 1914 et l'une des créations les plus originales de l'Expressionnisme viennois. « Les gens vivaient en sécurité », a déclaré plus tard l'artiste, « mais ils avaient tous peur. Je le percevais à travers leur manière de vivre raffinée qui se rattachait à l'époque baroque ; j'ai fait le portrait de ces gens dans leur anxiété et leur souffrance » (cité par L. Zahn dans *Das Kunstwerk,* II, 1948). Jusque v. 1910, Kokoschka concède encore un rôle important au graphisme dans ses tableaux (*Adolf Loos,* 1909, Berlin, N.G. ; *Auguste Forel,* 1910, musée de Mannheim). Le portrait d'*Herwarth Walden* (*id.,* Stuttgart, Staatsgal.), que Loos lui a présenté et qui l'appelle à collaborer à Der Sturm en 1910 (il y publie de nombreux portraits dessinés), est un des chefs-d'œuvre de cette période, dans lequel la précision aiguë du dessin relève la séduction de la couleur. En 1909, accompagnant Loos dans un voyage en Suisse, il est frappé par les sites alpestres et peint quelques paysages, premier contact avec un genre auquel il devait se consacrer plus tard (la *Dent du Midi,* Zurich, coll. part.). À Berlin, à partir de 1910, Kokoschka acquiert rapidement la notoriété, et sa vie intime se reflète davantage dans son œuvre (*Autoportrait avec Alma Mahler,* 1912, Hambourg, coll. part.) ; un séjour en Italie (1913), qui lui révèle la peinture vénitienne et Tintoret en particulier, confirme le sens de son évolution vers la conquête d'un métier plus dynamique et pictural (la *Fiancée du vent,* 1914, musée

Oskar Kokoschka
◀ **La Tempête ou la Fiancée du vent** (1914)
Bâle, Kunstmuseum
Phot. Mondadori

de Bâle). Engagé volontaire, Kokoschka, grièvement blessé en septembre 1915, est soigné à Dresde, où il réside de 1917 à 1924 (il est nommé professeur à l'Académie en 1919). Il recommence à travailler pour le théâtre et pour l'opéra (*Job* et le *Buisson ardent,* 1919, théâtre Max Reinhardt), et pour Hindemith en musique : *Assassin, espérance des femmes* (1920, représenté en 1921 au Frankfurter-Schauspielhaus). Ces années correspondent à un changement de vision comme de technique ; les tableaux de 1917 et de 1918 se distinguent par leur matière dense, que morcelle le rythme fiévreux de l'exécution, et par leur pathétique expressif (*Autoportrait,* 1917, Wuppertal, coll. part.) ; une facture plus unifiée et de grandes plages de couleurs vibrantes caractérisent les œuvres postérieures (l'*Esclave,* 1924, États-Unis, Saint Louis, coll. part.). Les portraits aquarellés, dessinés ou lithographiés, sont nombreux au début des années 20, et le registre de l'interprétation est fort vaste, d'une définition serrée à une invention beaucoup plus libre (*Gitta Wallerstein,* aquarelle, v. 1921, coll. part.). Mais Dresde voit surtout le premier développement cohérent de Kokoschka paysagiste (le *Pont Auguste au steamer,* 1923, Eindhoven, Stedelijk Van Abbemuseum), avec pour corollaire l'abandon relatif de l'Expressionnisme qui se manifeste encore dans les autoportraits et de virulentes études d'animaux (le *Mandril,* 1926, Rotterdam, B.V.B.). Le paysage est désormais le thème de prédilection, renouvelé au cours de fréquents déplacements (*Marché à Tunis,* 1928-29, coll. part. ; le *Pont Charles à Prague,* 1934, musée de Prague) et traité dans une mise en page ample et détendue, une couleur de plus en plus claire et au moyen d'une touche allègre parfois impressionniste. Entre 1924 et 1931, Kokoschka vit beaucoup à Paris, où il expose chez Georges Petit en 1931. Il habite ensuite Vienne (1931-1934) et Prague (1934-1938). En 1938, il exécute une affiche en faveur des républicains espagnols. Très touché par la campagne nazie contre l'« art dégénéré », il se réfugie en Angleterre (1939), devient sujet britannique (1947) et se retire en 1953 à Villeneuve sur le lac de Genève. Son évolution — où prennent place, à côté des paysages, de vastes compositions sur des thèmes classiques (la *Bataille des Thermopyles,* 1954, Hambourg, faculté de Philosophie) — retrouve la verve décorative et lyrique du baroque autrichien (la *Tamise vue de Vickers Building,* 1961, Londres, coll. part.).

L'activité du décorateur et du lithographe concurrence celle du peintre : décors et costumes pour *la Flûte enchantée* de Mozart (1953) et pour *le Bal masqué* de Verdi (1953) ; suites lithographiques : *le Roi Lear,* 1963 ; *l'Odyssée,* 1963-1965 ; *Saül et David,* 1966-1968 ; *les Troyennes,* 1971-72. Une mosaïque monumentale pour Saint-Nicolas de Hambourg a été inaugurée en 1973 *(Ecce homines).* Kokoschka a publié en 1971 à Munich une autobiographie, *Mein Leben ;* cette même année, le Belvédère de Vienne lui a consacré une ample rétrospective, puis la Haus der Kunst à Munich a exposé ses portraits (1907-1970). L'artiste est représenté dans la plupart des grands musées européens et américains. M. A. S.

Koninck
Philips

peintre néerlandais
(Amsterdam 1619 - id. 1688)

Élève de son frère Jacob à Rotterdam av. 1640, Philips subit d'abord la forte influence de Rembrandt, sans qu'il soit pour autant prouvé qu'il fut son élève, comme l'a prétendu Houbraken. Plus significatif apparaît son mariage en 1641 avec la Rotterdamoise Cornelia Furnerius, nièce d'Abraham Furnerius, talentueux dessinateur de paysages qui fut élève de Rembrandt et dont la manière présente tant d'analogies avec celle de Koninck. Le peintre s'établit à Amsterdam dès 1641 et fut souvent en relation avec Rembrandt. Comme beaucoup d'autres artistes contemporains, il semble avoir eu un deuxième métier, exploitant un service de navigation entre Amsterdam et Rotterdam.

Ses plus anciennes œuvres conservées sont des scènes de genre et des histoires religieuses ou mythologiques qui attestent des influences très diverses et insuffisamment maîtrisées, allant de Rembrandt (pour les dessins), à Maes, à Steen (*Fête de Bacchus,* 1654, La Haye, musée Bredius), à Bloot, à Brouwer et aux réalistes rustiques de Rotterdam, comme Sorgh (*Couseuse,* 1671, Ermitage). Son activité de portraitiste (*Autoportrait,* 1667, Offices; *Portrait de Vondel,* 1674, Rijksmuseum), quoique notable, se révèle assez conventionnelle dans son rembranisme imprégné de Bol ou dans une vision mondaine proche de l'art d'un Jan de Boen. Le dessinateur, abondant, pastiche même avec une rudesse et un laisser-aller désa-

▼ Philips Koninck, **Paysage,** Londres, National Gallery
Phot. du musée

gréables, sinon vulgaires, la souveraine maestria de Rembrandt, sauf dans le domaine du paysage, où son écriture énergique trouve des accents heureux et une incontestable largeur de vision. La vraie grandeur de Koninck réside dans ses paysages (près de la moitié de tout l'œuvre peint connu de l'artiste) et dans la place originale qu'il occupe au sein de la peinture néerlandaise du XVIIe s., au point de jouir à l'époque moderne d'une célébrité toujours plus grande. Ses plus anciens paysages connus datent seulement de 1647 (Londres, V. A. M.) et de 1649 (Metropolitan Museum), mais ils attestent déjà une formule originale, celle d'un paysage panoramique aux vastes horizons rythmés par des alternances de plans sombres (masses vertes des arbres) et de plans clairs (étendues d'eau ou zones illuminées par le soleil), et dont toute la poésie si prenante consiste en un approfondissement et une intensification de l'espace. Peu de paysages hollandais donnent une telle impression d'immensité, irréelle à force de rigueur réaliste : non que les vues soient celles de sites déterminés (ce n'est que d'une manière vague et générale que les paysages de Gueldre ont pu inspirer Koninck, qui réutilise arbitrairement les mêmes motifs d'un tableau à l'autre), mais l'artiste semble s'effacer devant son spectacle, à la différence d'un Hercules Seghers, virtuose et fantastique, d'un Rembrandt, visionnaire, ou d'un Jacob Van Ruisdael, lyrique et harmonieux. Le recours délibéré aux horizontales infinies et comme prolongées au-delà des bords du cadre qui les coupe, mais ne les arrête pas, apparaît ainsi propre à Koninck. Même franchise réaliste dans son coloris vert, bleu, blanc et gris, animé parfois de quelques notes rouges qui tranchent sur les splendides monochromies dorées et brunes de Rembrandt et de Seghers. L'art de Koninck réside dans une conciliation suprême des tendances au paysage idéal (qui, à la même époque, se rencontrent dans toute l'Europe, notamment chez les Italiens et les Français Claude Lorrain, Dughet, Poussin) et des exigences d'une vision réaliste.

La conception du paysage chez Koninck apparaît donc comme l'aboutissement du courant néerlandais depuis Esaïas Van de Velde et Van Goyen, qui préconisait l'abaissement de la ligne d'horizon et réservait au ciel une place grandissante, tout en représentant parfaitement le grand tournant des années 50 vers un art plus baroque et plus lyrique, et qui s'exprime ici dans une véritable fascination de l'espace, élargi et approfondi jusqu'au-delà des limites matérielles du tableau. Cette synthèse sera sans lendemain — on en trouverait quelques échos chez Ruisdael lui-même, qui semble bien avoir ici subi l'influence de Koninck, de Van der Hagen et de Vermeer de Haarlem — dans la mesure où triomphe, dans la seconde moitié du siècle, l'art d'évasion des paysagistes italianisants. Parmi les plus beaux paysages de Koninck, qui affectionnait les grands formats (en général 1,30/1,40 m sur 1,60/1,70 m), signalons ceux des musées de Copenhague (1654, S. M. f. K.), du Rijksmuseum (surtout l'acquisition de 1967, un tableau daté de 1655 et autref. dans la coll. du comte de Derby), d'Oxford (Ashmolean Museum), de Rotterdam (1664, B. V. B.), de Londres (N. G., 3 exemples). Dans quelques paysages tardifs (Locking House, coll. Loyd ; Rijksmuseum, 1676 et un paysage non daté représentant un chemin forestier au bord de l'eau), le peintre devient moins rigoureux et fait contraster ses horizontales avec de grosses masses d'arbres à l'avant-plan, d'un effet manifestement moins heureux, comme s'il paraissait céder, par compromis, à la mode du paysage arcadique des italianisants. J. F.

Kupka

František

peintre tchèque

(Opočno, Bohême orientale, 1871 - Puteaux 1957)

Aîné d'une famille nombreuse, il entre comme apprenti chez un sellier à Dobruška, où son père était secrétaire de mairie. D'une grande sensibilité, il est très vite influencé par son maître, qui l'initie au spiritisme et découvre en lui un don de médium. Mais, n'ayant aucune disposition pour le métier de sellier, il s'enfuit. Au cours de sa fugue dans cette partie de la Bohême orientale, riche enclave baroque, il a la révélation de l'art de cette région et particulièrement des sculptures de Mathias Braun. À son retour, son maître lui fait rencontrer Archleb, maire de Dobruška, lui aussi fervent de spiritisme et qui sera son premier mécène. Grâce à ce dernier, il peut suivre les cours de l'école technique de Jaroměř, où le peintre Studnička lui fait connaître l'œuvre de Josef Mánes et le prépare à entrer à l'Académie des beaux-arts de Prague. De toutes les influences qu'il subit, celle de ce professeur fut peut-être la plus profonde. Pendant son séjour à Prague (1887-1891), élève brillant, il découvre la peinture européenne contemporaine et continue à se passionner pour le spiritisme. Il se rend ensuite à Vienne pour y suivre les cours de l'Académie. De cette époque datent différents portraits (*Schéhérazade; Dernière Vision de Henri Heine,* étude, musée de Prague), tableaux symbolistes peints dans le style académique de l'époque. En 1894 se placent un court séjour à Londres et un plus long dans les pays scandinaves. En 1895, il arrive à Paris, qu'il ne quittera plus que pour de brefs séjours.

Pour subsister, Kupka donne des cours de dessin à des modistes et fournit à des journaux des dessins satiriques. Le cycle qu'il exécute pour *l'Assiette au beurre* (l'*Argent,* la *Paix*) est une violente diatribe contre l'injustice et la cruauté des hommes. Puis, le succès venu, il abandonne l'illustration des journaux pour celle de livres de bibliophiles. De 1904 à 1906, il illustre *l'Homme et la Terre* d'Elisée Reclus; entre 1905 et 1909, le *Cantique des Cantiques,* les *Erynnies* de Leconte de Lisle, *Lysistrata* d'Aristophane et le *Prométhée* d'Eschyle, où se retrouve, particulièrement dans les deux premières œuvres, l'influence d'Alphonse Mucha. Il n'avait pourtant pas cessé de peindre et, au début de son séjour parisien, avait expérimenté l'Impressionnisme (le *Bibliophile,* musée de Prague).

Bientôt, influencé par Odilon Redon, il exécute des toiles de caractère symbolique où le goût de la ligne prédomine, sacrifiant parfois l'expression plastique à l'idée (*Défiance* ou l'*Idole noire,* 1903, musée de Prague). Installé à Puteaux et voisin de J. Villon, il participe à la Section d'or. À partir de 1905, il retourne à l'Impressionnisme avec une touche plus expressive et s'oriente bientôt vers le Fauvisme. Entre 1907 et 1910, il exécute des tableaux de caractère expressionniste (scènes de rues, prostituées), dont plusieurs seront donnés en 1963 au M. N. A. M. de Paris par la veuve de l'artiste (l'*Archaïque,* 1910, Paris, M. N. A. M.).

Influencé par le praxinoscope de Reynaud et la chronophotographie de Marey, il s'efforce, bien avant Marcel Duchamp et les futuristes italiens, de traduire le mouvement et la lumière. En 1909, il peint le tableau qui marque un tournant dans son art : les *Touches de piano - le lac* (musée de Prague). À cet effet, il découpe sa toile en une série d'étroites bandes parallèles, et ce sont ces « plans par couleur » qui sont à l'origine de ses toiles abstraites, peintes dès 1910, mais exposées seulement au Salon d'automne de 1912 (*Madame Kupka parmi les verticales,* 1910-11, New York, M. O. M. A.). *Amorpha, fugue à deux couleurs* (musée de Prague) et *Plans verticaux I* (1912, Paris, M. N. A. M.) firent sensation. Ces titres, choisis par l'artiste lui-même, explicitent d'une part les motifs circulaires, caractérisés par une interférence de formes elliptiques et de couleurs souvent chaudes, et d'autre part les motifs verticaux, se définissant par une géométrie rigoureuse et des couleurs souvent froides. À la même époque, l'intérêt pour les sciences naturelles se reflète dans ses tableaux : *Printemps cosmique I* (1913-1919, musée de Prague) ; pendant toute sa vie, l'artiste reprit ses séries de toiles, les retouchant constamment, et ce

František Kupka
Plans par couleurs (1910-11) ▲
Paris, Musée national d'Art moderne

ne fut souvent qu'à la fin de sa vie qu'il les data.

Après s'être engagé dans les légions tchèques en France au cours de la Première Guerre mondiale, Kupka revient à ses premières recherches. En 1931, il adhère au mouvement Abstraction-Création et il est ainsi en contact avec des peintres appartenant à l'Abstraction géométrique. Son art se dépouille davantage, tendant vers une stylisation rigoureuse; il peint alors une série de toiles et de gouaches inspirées par le jazz et par ses rythmes syncopés : *Jazz-Hot n° 1* (1935, Paris, M. N. A. M.) et *Musique* (1936, *id.*). Réfugié à Beaugency durant la guerre, il retourne ensuite à Puteaux, où il retouche d'anciennes toiles (*Trois Bleus, trois rouges,* 1913-1957, Paris, M. N. A. M.) et peint des compositions de surfaces régulières qui s'organisent en plans perpendiculaires dans un espace non illusionniste *(Blanc autonome,* 1951-52, *id.).* Ses multiples préoccupations, particulièrement la musique, sa culture prodigieuse font de lui l'un des représentants les plus éminents de l'esprit moderne chanté par Apollinaire. Kupka a donné de l'inspiration musicale dans son œuvre une interprétation souvent complexe *la Création dans les arts plastiques,* essai théorique, rédigé en français et publié à Prague en 1923, dans une traduction tchèque). Il peut être considéré, au même titre que Kandinsky, Malevitch, les Delaunay et Mondrian, comme l'un des pionniers de l'Art abstrait. Son art reste celui d'un solitaire et son œuvre ne fut vraiment reconnue qu'après sa mort. Une salle lui est consacrée au M.N.A.M. de Paris (les 163 tableaux et dessins proviennent en grande partie de la donation de Mme Kupka en 1968), qui conserve avec le musée de Prague le plus vaste ensemble de son œuvre.

M. V.

Laer ou Laar

Pieter Van,
dit aussi Bamboccio ou Bamboche
peintre néerlandais
(Haarlem 1599 - id.? 1642?)

Pieter Van Laer
Il Tabaccaro ▲
Rome, Galleria Nazionale d'Arte antica, Galleria Corsini
Phot. Fabbri

De son véritable nom Pieter Boddingh Van Laer, il a pu être l'élève d'Esaias Van de Velde à Haarlem. Vers 1625, Van Laer se rendit à Rome, où il resta jusqu'en 1639. Il s'y lia d'amitié avec Herman Van Swanevelt et Sandrart et y rencontra aussi Claude Lorrain ; il dut jouer un rôle assez important dans le cercle d'étrangers bruyants qui travaillèrent à Rome entre 1630 et 1640, et plus particulièrement dans le groupe de peintres nordiques rassemblés dans la « Schilderbent », ou gilde des peintres. À cause de sa taille difforme (émouvants *Autoportraits* à la Gal. Pallavicini de Rome et aux Offices), il fut surnommé « Bamboccio », mot que l'on pourrait traduire par « pantin ». Ce surnom est à l'origine de l'appellation donnée à un nouveau genre de peinture que Van Laer créa à Rome et qui l'a rendu célèbre : la « bambochade », représentant des scènes de la rue romaine (le *Coup de pistolet,* Ermitage ; *Scène italienne,* Offices ; *Voyageurs avec des chevaux devant une auberge italienne,* Florence, Pitti ; *Voleurs devant une grotte, Cavaliers devant une auberge,* Rome, Gal. Spada ; les *Flagellants,* Munich, Alte Pin.). Ces scènes sont animées de types populaires vêtus de haillons et coiffés de grands chapeaux à larges bords. Le peintre utilisait des couleurs sourdes et empâtées, mêlant sa formation hollandaise à la tradition caravagesque. Les « bambochades » se vendirent aussitôt très facilement à Rome et furent imitées par un groupe de « bamboccianti », parmi lesquels on compte Miel, Lingelbach, Cerquozzi et Bourdon. On a redécouvert récemment l'importance de Van Laer paysagiste ; il fut le premier peintre néerlandais à composer ses paysages de quelques groupes d'arbres et de collines de dimensions assez importantes au milieu desquels il plaçait des figures de genre ; celles-ci, grandes par rapport à la surface, peintes avec souplesse et de façon vivante, forment une partie essentielle de la composition : le *Départ de l'hôtellerie* (Louvre), les *Pâtres (id.), Forges dans des ruines romaines* (1635, musée de Schwerin). Il s'agit souvent de bergers accompagnés de leurs animaux ou de chasseurs avec leurs chiens : *Bergers et lavandières* (Rijksmuseum), *Ruines et troupeau* (Prado). Ainsi Van Laer fut-il le créateur de deux genres nouveaux qui devaient avoir beaucoup de succès en Hollande apr. 1640 et être imités jusqu'au XIXe s. : le « tableau pastoral » et le « tableau de chasse ». Vers 1640 et plus tard, ce furent non seulement des paysagistes italianisants (Berchem, Asselijn, Dujardin, Weenix) qui s'inspirèrent de ces genres introduits par Van Laer, mais aussi des peintres qui, selon toute probabilité, n'ont jamais voyagé eux-mêmes dans le Midi : Adriaen Van de Velde, Dirck Stoop, Philips Wouwerman. En 1639, Van Laer rentra à Haarlem, en passant par Amsterdam. Il peut avoir influencé les peintres néerlandais non seulement par les œuvres qu'il peignit à son retour, mais aussi par les tableaux qu'il exécuta à Rome, qui, comme les documents nous l'apprennent, furent achetés très cher en Italie et transportés en Hollande à cette époque. Van Laer lui-même repartit en voyage en 1642, mais, à partir de cette date, sa vie n'est plus documentée. A. Bl.

La Fresnaye

Roger de

peintre français

(Le Mans 1885 - Grasse 1925)

Issu d'une famille de Normandie, il se sentit très tôt des dispositions pour le dessin et, ses études classiques terminées, s'inscrivit à Paris à l'académie Julian, où il se lia avec Dunoyer de Segonzac, Lotiron, Boussingault et Luc-Albert Moreau. Conscient de la faiblesse de l'enseignement qui y était dispensé, il la quitta en 1905 et entra en 1908 à l'académie Ranson, où professaient Denis et Sérusier. C'est volontairement et par admiration pour leur œuvre qu'il se soumit alors aux conseils de ces deux « patrons », qui l'initièrent aux véritables problèmes de la peinture et lui firent découvrir les impressionnistes, Gauguin et Cézanne.

Les débuts. La facture des œuvres qu'il exécuta en 1908 et en 1909 est effectivement très proche tantôt de celle de Maurice Denis (le *Printemps*, 1908; *Ève*, 1909, France, coll. part.), tantôt de celle de Sérusier (*Paysage de Bretagne*, 1908, New York, anc. coll. G. Seligmann), tantôt de celle de Gauguin (la *Femme aux chrysanthèmes*, 1909, Paris, M. N. A. M.; le *Marche*, 1909, Paris, coll. part.; *Nus dans un paysage*, 1910, Paris, M. N. A. M.). Mais, si sa véritable personnalité se révèle un peu lente à se dégager, on peut malgré tout en entrevoir déjà la marque dans la *Gardeuse de moutons* (1909, Libourne, coll. part.) et l'*Homme buvant et chantant* (1910, Paris, coll. part.), toiles d'un réalisme fortement stylisé et d'une expressivité un peu caricaturale qui les apparentent curieusement à l'imagerie populaire.

Cette tendance à l'imagerie se retrouve au demeurant dans certaines œuvres postérieures, telles que le *Cuirassier* de 1910 (Paris, M. N. A. M.) ou la *Jeanne d'Arc* de 1912 (Suède, coll. part.), mais ces deux derniers tableaux font entrer en jeu un élément nouveau : l'affirmation résolue des volumes essentiels, procédé que La Fresnaye a hérité de Cézanne, dont il subit profondément l'influence à partir de la fin de 1910. Cette influence se révèle du reste assez différente de celle subie par Picasso et Braque en 1908-1909. En effet, dans la série de ses *Paysages de Meulan* notamment (1911-12, Paris, M. N. A. M.; New York, coll. Ralph Colin), La Fresnaye simplifie fortement les volumes et les modèles par un clair-obscur appuyé, mais il se refuse à renoncer aux modulations de la lumière et de l'atmosphère. En l'obligeant à conserver la perspective aérienne, ce refus le gardera malheureusement prisonnier plus longtemps que d'autres de l'espace scénographique classique, dont il parviendra d'autant plus difficilement à se libérer que, tant par éducation que par tempérament, il se montrera toute sa vie fort respectueux de la tradition.

L'influence cubiste. Avec la seconde version de l'*Artillerie* (1912, Chicago, coll. Samuel A. Marx) et le *Portrait d'Alice*, exécutés durant l'hiver de 1911-12 et exposés aux Indépendants de 1912 (musée de Lyon), La Fresnaye aborde la période la plus fructueuse de sa production. Renonçant enfin aux règles de la perspective albertienne, il construit alors son espace par le système de superposition des plans inauguré par Picasso et par une utilisation très subtile et personnelle de « passages », plus cézanniens que cubistes il est vrai, mais qui lui permettent néanmoins de briser, carrément cette fois, l'encombrante carcasse linéaire de la composition traditionnelle. Travaillant par aplats colorés à peine « rabattus » par endroits pour suggérer le modelé, il efface le plus possible les lignes de contour des objets, les réduisant à de simples indications graphiques flottant dans un espace qui n'est plus mesuré, c'est-à-dire dans lequel la profondeur est encore présente, mais sans être nettement évaluée.

Bien plus que la première, la seconde version de l'*Artillerie* révèle en outre une assez nette préoccupation de l'expression du mouvement : au début de 1912, les futuristes italiens tinrent leur première exposition à Paris (gal. Bernheim-Jeune), événement qui, malgré son caractère passablement tapageur, laissa peu de peintres indifférents.

La période coloriste. L'influence de Delaunay devait bientôt se révéler très profonde et extrêmement féconde. Indubitable, elle fut aussitôt relevée par Apollinaire. Rendant compte du Salon d'automne de 1913, il notait en effet : « Dans le très petit nombre de toiles intéressantes figure, dans le premier rang, la *Conquête de l'air* de Roger de La Fresnaye, lucidement composée et distinguée. Aussi influence de Delaunay » (les *Soirées de Paris*).

La *Conquête de l'air* (1913, New York,

Roger de La Fresnaye
◀ **La Conquête de l'air**
(1913)
New York,
Museum
of Modern Art

M. O. M. A.), qui reste sans doute l'œuvre la plus considérable de l'artiste, contient certes quelques acquis antérieurs et conserve un accent bien personnel, mais le rôle prépondérant joué par la couleur, dans l'expression de l'espace notamment, y est particulièrement significatif. Comme Delaunay, La Fresnaye utilise la loi du contraste simultané, qui lui permet d'aviver ses couleurs, de les rendre plus brillantes ou plus profondes — procédé qui a fait très justement vanter la luminosité remarquable de ce tableau —, et aussi d'en modifier l'intensité de manière à faire avancer ou reculer les plans colorés les uns par rapport aux autres. Cette omnipotence de la couleur se retrouve dans les 2 grands trumeaux qu'il exposa au Salon d'automne de 1913 dans le « Salon bourgeois » du décorateur André Mare — l'*Arrosoir* (New York, coll. princesse Gourielli) et la *Mappemonde* (New York, anc. coll. G. Seligmann) — ainsi que dans les séries des *Natures mortes au diabolo, à l'équerre, à la bouteille de porto* ou *à la bouteille de térébenthine* (1913-14, France et États-Unis, coll. part.), qui comptent parmi ses meilleures œuvres. Toutefois, ce sont probablement le 14-Juillet (1914, Paris, M. N. A. M.) et surtout l'*Homme assis* (1914, Paris, coll. part.) qui, du point de vue technique, marquent le point culminant de cette période et plus généralement de toute la production de La Fresnaye. S'il l'utilise dans un sens moins dynamique que les Delaunay, la couleur, en effet, y prend malgré tout une valeur constructive et spatiale presque absolue, sans être à la fois « forme et sujet ». La Fresnaye se refusant énergiquement à aller jusqu'à la non-figuration, le sujet, enfin, n'y détermine plus les formes. Ce sont les plans colorés qui recréent le sujet, l'artiste partant maintenant des formes pour y arriver.

La réaction néo-classique. La Première Guerre

mondiale devait malheureusement mettre un terme brutal à cette évolution. Bien que réformé à la suite d'une pleurésie, La Fresnaye s'engagea et partit pour le front, où il ne put guère peindre que quelques aquarelles. D'une santé bien trop fragile pour la vie qu'il y menait, il contracta la tuberculose en 1918 et dut être évacué. L'année suivante, il s'installa à Grasse avec son ami le peintre Jean-Louis Gampert, qui le soigna avec un remarquable dévouement. En 1919 et 1920, il exécuta un certain nombre de belles aquarelles encore empreintes du souffle coloriste de 1913-14, mais, dès 1920, avec le *Portrait de J. L. Gampert* (Paris, M. N. A. M.), puis des œuvres comme le *Bouvier* (1921, Paris, coll. part.), la *Table Louis-Philippe* (1922, *id.*) et surtout le *Portrait de Guynemer* (1921-1923, Paris, M. N. A. M.), il tomba dans un néo-classicisme qui n'est peut-être pas sans qualités, mais marque une étonnante et déplorable rupture avec l'esprit des années d'avant guerre. Cette malencontreuse régression fut-elle consécutive à la perte de ses forces physiques ou ne fut-elle que le résultat d'un respect croissant envers la tradition ? Il est difficile de le dire avec certitude, ses écrits et notamment un long article qu'il publia en 1913 dans *la Grande Revue (De l'imitation dans la peinture et la sculpture)* dénotant une fâcheuse tendance à croire que toute innovation en art se limite à un apport partiel et ne fait qu'ajouter des détails à l'édifice bâti par les générations antérieures. Cette affirmation stérilisante laissera en effet toujours planer un doute sur les véritables possibilités de l'artiste, et il est permis de se demander si son idéal profond n'était finalement pas d'adapter un style moderne à une vision traditionnelle plutôt que de renouveler celle-ci totalement.

Épuisé par la maladie, La Fresnaye fut incapable durant ses dernières années de produire autre chose que des dessins d'un classicisme presque ingresque. G. H.

La Hyre

Laurent de

peintre français

(Paris 1606 - id. 1656)

Son père, Étienne de La Hyre, peintre lui-même à ses débuts, lui inculque les premiers rudiments de son art. Cette éducation est complétée dans le milieu parisien de l'atelier de Georges Lallemand ainsi que par l'examen attentif des décorations du château de Fontainebleau (une œuvre de jeunesse comme la *Tuile*, Paris, coll. part., en témoigne). Il profita certainement des conseils de Quentin Varin, ami de sa famille et premier maître de Poussin.

Sa première grande commande, *Visite du pape Nicolas V au tombeau de saint François* (1630, Louvre), exécutée pour la chapelle Saint-François des Capucins du Marais, allie des traits maniéristes à une sensibilité déjà ordonnée et classique.

Laurent de La Hyre, **Allégorie de la Musique : la muse Euterpe** (1649), ▼
New York, Metropolitan Museum of Art, Collection Charles B. Curtis
Phot. du musée

L'exécution des 2 mais de Notre-Dame de Paris, *Saint Pierre guérissant les malades de son ombre* (1635, Notre-Dame de Paris) et la *Conversion de saint Paul* (1637, *id.*), consacre sa réputation. Le caractère baroque de cette dernière œuvre, dont l'éclairage dramatique n'est pas sans rappeler Vouet ou Blanchard, marque le terme de la première phase dans l'évolution de La Hyre.

À partir de 1640, il exécute des travaux de décoration (hôtels de Tallemant et de Montoron), dessine des cartons de tapisseries (série de la *Vie de saint Étienne,* pour Saint-Étienne-du-Mont à Paris, dessins au Louvre) et répond à la demande de nombreux amateurs pour des tableaux « de cabinet » ou à celle des ordres religieux commandant des retables pour les églises nouvellement édifiées. Il est aussi en 1648 l'un des douze fondateurs de l'Académie de peinture.

Ces activités multiples sont à l'image des intérêts nombreux d'un artiste éclectique, mélomane et attiré par les mathématiques et l'archéologie. Peintre représentatif du milieu parisien, il amorce une réaction contre la fougue de Vouet, épure ses compositions par un effort lucide vers l'élégance et la sérénité (la *Vierge et l'Enfant,* 1642, Louvre). Le paysage prend dans ses œuvres une place grandissante, étayée toujours par quelque motif d'architecture dans un souci de précision archéologique, comme en témoignent déjà la *Naissance de Bacchus* (1638, Ermitage) ou un des chefs-d'œuvre de sa maturité classique, *Laban cherchant ses idoles* (1647, Louvre), où l'action s'insère dans un paysage calme et transparent. Le coloris clair, proche des tonalités de Gentileschi, soutient discrètement le drame sans violence de la *Mort des enfants de Béthel* (1653, musée d'Arras) ou de *Moïse sauvé des eaux* (Detroit, Inst. of Arts). Dans le *Paysage au joueur de flûte* (1647, musée de Montpellier) ou le *Paysage aux baigneuses* (1653, Louvre), les personnages s'estompent au profit du paysage, qui devient le sujet du tableau. La limpidité de la touche et la finesse de l'observation ont fait penser à l'influence du paysagiste flamand Fouquières, établi à Paris à cette époque. Cependant, La Hyre peint jusqu'à la fin de sa vie des tableaux mythologiques ou antiques (*Hersé et Mercure,* 1649, musée d'Épinal ; *Cornélie,* musée de Budapest ; *Allégorie de la Paix et de la Justice,* 1654, musée de Cleveland), d'amples et éloquentes compositions religieuses, telles que l'*Apparition du Christ aux Maries* (Louvre), la *Descente de croix* (1655, musée de Rouen), l'*Apparition du Christ à la Madeleine* et les *Disciples d'Emmaüs* (1656, musée de Grenoble), remarquables pour leur puissance dramatique.

Il ne subsiste que des morceaux dispersés pour témoigner de son activité de décorateur : l'*Allégorie de la Musique* (1649, Metropolitan Museum) encadrée de *Putti* (Dijon, musée Magnin), fait partie d'une suite consacrée aux *Arts libéraux* sans doute peinte pour l'Hôtel Lallemand. D'autres *Allégories* (Londres, National Gallery, musées d'Orléans, de Toledo, de Baltimore) appartiennent à cet ensemble ou à une deuxième série d'*Arts libéraux.* La B. N. de Paris possède une quarantaine de gravures très fines de cet artiste, dont on connaît de nombreux dessins, à la sanguine (*Saint Jean,* Louvre) et à la pierre noire (les *Trois Grâces,* musée de Montpellier). Son influence, trop mésestimée, s'exerça sur la production normande. La Hyre compte parmi les plus grands paysagistes du XVIIe s. N. Bl.

Laib

Konrad

peintre autrichien

(Eislingen, près de Nördlingen, v. 1410 - apr. 1460)

Il est mentionné pour la première fois comme peintre à Salzbourg en 1442 et acquiert en 1448 le droit de bourgeoisie. Il travaille vraisemblablement jusqu'après 1460. Sa première œuvre connue (v. 1440), un *Retable de la Vierge* dont subsistent 2 panneaux — la *Nativité* au séminaire de Freising et l'*Adoration des Rois* au musée de Cleveland — et destiné à Salzbourg, permet de le rattacher à la tradition salzbourgeoise. Deux panneaux triangulaires au musée de Salzbourg représentant *Saint Hermès* et *Saint Primus* (v. 1445) — à l'origine vraisemblablement des volets d'orgue provenant de Hogastein — révèlent d'autre part l'influence de la peinture néerlandaise et des préoccupations voisines de celles de Konrad Witz et de Hans Multscher.

Si un voyage aux Pays-Bas reste hypothétique, Laib possède certainement une expérience personnelle de l'art véronais et de l'art padouan, et surtout de la manière d'Altichiero. La grande *Crucifixion* de 1449 dérive des fresques d'Altichiero à Padoue ; elle fut exposée dans la cathédrale de Salzbourg (auj. à Vienne, Österr. Gal.) et peinte par Laib pour s'acquitter de l'impôt que comportait l'inscription sur la liste des bourgeois. La mention « L. Pfenning » sur le panneau fut longtemps interprétée à tort comme la signature d'un maître. Les panneaux des volets de cette *Crucifixion* sont auj. dispersés : ceux qui représentent une *Annonciation* et une *Nativité* sont à Padoue (Palazzo Vescovile), et celui qui illustre la *Mort de la Vierge* à Venise (Seminario Patriarcale) ; les volets extérieurs représentaient à gauche *Saint Korbinian* (partie inférieure à Padoue), à droite *Saint Florian,* Padoue et Venise conservant chacune une partie de ce panneau coupé en deux.

On peut dater d'env. 1450 un *Saint Maximilien* (Bischofshofen). Le tableau peint pour la cathédrale de Graz représentant aussi la *Crucifixion* est proche du tableau de Salzbourg ; il est signé « Laib » et daté de 1457 (Graz, musée diocésain).

Le triptyque de l'église paroissiale de Pettau (Ptuj, Yougoslavie, Prokrajinski Muzej), qui peut être considéré comme la dernière œuvre importante de Conrad Laib, est un curieux mélange du type germanique de retable à volets et d'icône vénitienne ; on voit, lorsqu'il est ouvert, la *Mort de la Vierge,* et sur les volets *Saint Jérôme* et *Saint Marc ;* une fois fermé, une *Crucifixion* et, sur les côtés, *Saint Nicolas* et *Saint Bernardin de Sienne.* Sur la prédelle est figurée une *Sainte Véronique présentant le linge miraculeux porté par deux anges.* D'une époque un peu postérieure date une *Vierge à l'Enfant* (Munich, Alte Pin.). Deux fresques de l'église franciscaine de Salzbourg peuvent encore être attribuées avec certitude à ce maître (le *Christ au jardin des Oliviers,* l'*Homme de douleur*).

W. B.

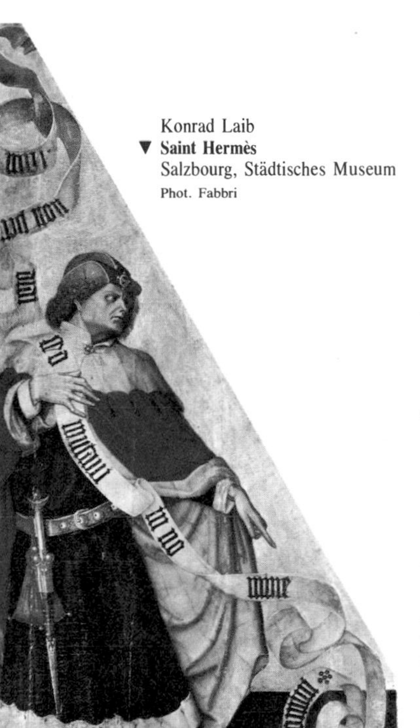

Konrad Laib
▼ **Saint Hermès**
Salzbourg, Städtisches Museum
Phot. Fabbri

Lairesse

Gérard de

peintre flamand

(Liège 1640 - Amsterdam 1711)

Jadis appelé laudativement le « Poussin hollandais », il est issu du milieu artistique de Liège, où l'influence de l'art classique français et romain l'emportait sur le courant baroque flamand issu de Rubens. Fils du peintre Renier de Lairesse, sur qui nous savons très peu de chose, filleul de Gérard Douffet, il fut l'élève de Bertholet Flémalle, à qui il doit sa passion du Classicisme, qui triomphait alors à Paris. Il ne visita pourtant aucune de ces capitales et ne connut que par des gravures l'œuvre de Poussin, à qui il voua un véritable culte.

En 1660, Lairesse peint à Aix-la-Chapelle un *Martyre de sainte Ursule* (musée d'Aix-la-Chapelle) où son classicisme rigide, un peu théâtral, se manifeste déjà. À Liège même, il brosse de grands tableaux mythologiques : *Orphée aux Enfers* (1662, Liège, musée d'Ansembourg), les *Noces d'Alexandre et Roxane* (1664, Copenhague, S. M. f. K.).

Le brio de la facture, l'élégance classique des formes, les qualités du coloris, particulièrement les teintes argentées et violacées, s'imposent dans la *Conversion de saint Augustin* (musée de Caen) et dans le *Baptême de saint Augustin* (Mayence, Mittelrheinisches Landesmuseum), œuvres qui furent peintes pour l'église du couvent des Ursulines de Liège. En 1664, une aventure amoureuse l'oblige à quitter Liège. Lairesse se réfugie à Bois-le-Duc, puis réside à Utrecht en 1665. Il se fixe définitivement à Amsterdam en 1667, sans doute après les propositions du marchand de tableaux Uylenburg. Il va connaître un rapide succès comme introducteur des beautés classiques de Poussin, de Le Brun et de Raphaël dans l'école néerlandaise. Il travaille pour le stathouder Guillaume d'Orange, futur roi d'Angleterre, ainsi que pour la haute société hollandaise et entreprend une série de 7 vastes compositions tirées de l'histoire romaine, qui décorent la chambre civile (Binnenhof) de La Haye. Il exécute également de grandes

Gérard de Lairesse
▲ **Séléné et Endymion**
Amsterdam, Rijksmuseum
Phot. du musée

décorations pour les châteaux de Soestdyck et de Loo ainsi que des décorations allégoriques en grisaille qui comptent parmi ses meilleures œuvres (musée d'Orléans et Rijksmuseum). La virtuosité de son style éclate dans la *Bacchanale* (musée de Kassel), *Antoine et Cléopâtre* (Rijksmuseum), l'*Assomption de la Vierge* destinée à la cathédrale liégeoise Saint-Lambert (auj. église Saint-Paul). Le portrait allégorique de la *Duchesse Marie de Clèves* (musée d'Amiens) s'inspire aussi des modèles de Vouet et de Le Brun. Lairesse est frappé de cécité en 1690. Dès lors, il organise des conférences sur la peinture et publie plusieurs ouvrages d'esthétique : *Grondlegginge der Teeken Kunst* (Amsterdam, 1701) et *Het Grootschilderboek* (1707). Ce *Grand Livre des peintres,* traduit en français en 1728, exalte l'Académisme le plus intransigeant, que seul Poussin incarne complètement à ses yeux, et Rubens comme Rembrandt sont à peine cités. L'auteur prône la copie servile de l'antique et de la nature, car, selon lui, « l'art procède de la raison et du jugement ». Le peintre et le théoricien connurent une gloire posthume à mesure que se développaient au XVIIIe s. le goût de l'antique et le Néo-Classicisme des dernières décennies. Le peintre marchand J.-B. Lebrun fit rééditer en 1787 le *Grand Livre des peintres* et louait le génie de l'artiste comme l'un des plus puissants de la peinture. P. H. P.

Lam
Wifredo

peintre cubain
(Sagua la Grande, Cuba, 1902 - Paris 1982)

Tardivement affilié au mouvement surréaliste, Lam y a introduit une forme d'imagination qui se ressent de ses origines. Après avoir passé son enfance à Cuba, où il commence ses études, il les poursuit à Madrid et à Barcelone, jusqu'à ce que la guerre d'Espagne le conduise à se réfugier en France en 1937. Introduit par Picasso auprès de

Wifredo Lam
La Jungle (1943) ▼
New York, Museum of Modern Art
Phot. Lam, © by S. P. A. D. E. M., Paris, 1976

Breton et des surréalistes, il est aussitôt accueilli par eux, et c'est avec A. Breton qu'il se rend aux Antilles en 1941. Depuis, Lam a voyagé à travers les îles du Pacifique, l'Amérique du Sud et l'Europe. Ce n'est qu'à son retour à Cuba, après une première exposition parisienne (1938), qu'il donne quelque ampleur à son œuvre : les formes végétales entrelacées, où se cachent des figures mythiques, s'étirent verticalement sur un fond sombre (la *Jungle,* 1943, New York, M.O.M.A., et Paris, M.N.A.M.; la *Harpe astrale,* 1944, Paris, M.N.A.M.). À ces thèmes végétaux succèdent, après la guerre, de vastes aplats aux couleurs moins vives (*Umbral,* 1950, Paris, M.N.A.M.; *Extralucide,* 1950, Rotterdam, B.V.B.). Puis les figures, se détachant sur un fond sombre, connaissent une simplification croissante (*Mujer sentada,* 1954, New York, coll. Mrs A. Gimbel). Plus récemment, les formes effilées et aiguës de la période cubaine réapparaissent, avec des transparences floues dans un espace plus clair (*Figure,* 1965; la *Barrière,* 1968). Si l'œuvre de Lam s'apparente à certains aspects de l'Expressionnisme d'Amérique centrale et d'Amérique du Sud (Tamayo), c'est avec une souplesse d'imagination, une profusion onirique qui font de lui un surréaliste authentique. S. R.

Lanfranco

Giovanni

peintre italien

(Terenzo, près de Parme, 1582 - Rome 1647)

À Parme, il eut pour premier maître Agostino Carracci, alors peintre du duc Ranuccio Farnese au « Palazzo del Giardino », qui lui inculqua des principes classicisants. À la mort de son maître, en 1602, Lanfranco part pour Rome avec son condisciple Badalocchio, et ensemble ils fréquentent le milieu artistique où règne Annibale Carracci. Grâce à ce dernier, il est chargé de décorer de fresques et de toiles le « Camerino » dit « degli Eremiti » (en raison du sujet de la décoration), contigu au palais Farnèse. Ces peintures, réparties auj. entre l'église S. Maria delle Morte (Rome) et Capodimonte (Naples), prouvent que, dès ses débuts, il se dégage des principes classiques officiels et utilise des moyens expressifs — contrastes de lumière et d'ombre, composition désinvolte — dérivant du naturalisme de son contemporain Caravage et de ses disciples. Certains morceaux de paysage — l'arrière-plan, par exemple, de *Sainte Madeleine enlevée par les anges,* maintenant à Naples (Capodimonte) — donnent une impression de vérité étonnante qui s'oppose décidément à la vision idéalisée d'Annibale Carracci.

Après la mort d'Annibale en 1609, Lanfranco retourne à Parme et, entre 1610 et 1612, il étudie Corrège, dont le luminisme diffus et le sens audacieux de l'espace le fascinent; un voyage en Émilie le remet en contact avec des œuvres de jeunesse d'Annibale Carracci, conçues sous l'influence vénitienne, dont le coloris brillant et la composition mouvementée l'impressionnent vivement. De cette période datent des œuvres telles que la *Rédemption d'une âme* (Naples, Capodimonte), la *Madone, saint Charles Borromée et saint Barthélemy (id.), Saint Luc* (Plaisance, Collegio Notarile).

Son tempérament essentiellement romantique, qui l'éloigne de l'Académisme, s'épanouit après son retour à Rome dans une série d'œuvres religieuses, peintes pour diverses églises (*Madone, saint Antoine et saint Jacques,* Vienne, K.M.). Elles se caractérisent toutes par un contraste marqué entre les formes pleines, fermes, naturalistes et l'éclairage intense qui semble surgir d'une source surnaturelle, mais produit des effets réalistes. De ce contraste naît une tension dramatique qui annonce le climat exaltant de l'illusionnisme baroque. C'est du reste Lanfranco qui fut le créateur de ce climat dans la fresque gigantesque de la coupole de S. Andrea della Valle (l'*Assomption de la Vierge*), dont il enleva la commande à son rival Domenichino en 1625. Ses contemporains eux-mêmes se rendirent compte de la nouveauté de cette peinture conçue comme une symphonie, « où tous les tons ensemble forment l'harmonie » ; il s'agit en effet d'une myriade de figures s'envolant comme un tourbillon à la conquête de la voûte céleste, où elles se dissolvent dans la profondeur resplendissante d'un Empyrée symbolique. Son goût pour la composition hardie et dynamique, renforcé par l'étude de Corrège et que révèle déjà la voûte de la chapelle Buongiovanni (1616-17, Rome, S. Agostino), s'exalte ici dans cette lumineuse coupole, dont Lanfranco s'inspirera pour d'autres œuvres similaires et qui servira de modèle à Pietro da Cortona et à Baciccio, à Rome et ailleurs. Parmi les peintures qu'il exécute à cette période, on peut citer l'*Extase de sainte Marguerite de Cortone* (Florence, Pitti) et une série de toiles, auj. dispersées, peintes v. 1625 pour la chapelle du Saint-Sacrement à S. Paolo fuori le Mura de Rome (entre autres : Dublin, N.G.; musées de Marseille et de Poitiers; Los Angeles, musée P. Getty). À la fin de la troisième décennie, Lanfranco — avec Bernini pour la sculpture — est à l'avant-garde de l'art officiel : sa peinture exprime à la fois une liberté formelle affranchie des préceptes académiques — naguère attaqués par les réalistes et défendus maintenant par Domenichino — et une adhésion entière à l'idéologie de l'Église catholique triomphante : après les luttes de la Réforme, l'Église, pour s'affirmer encore davantage, a besoin d'un langage artistique assez conservateur pour ne pas être déconcertant, mais assez nouveau pour séduire. Il lui faut un style qui s'impose par ses effets illusionnistes, par sa ferveur sentimentale et son faste spectaculaire, mais dont la grâce facile lui assure une compréhension universelle.

Miracles, martyres, extases, couronnements célestes, allégories de Vertus seront dorénavant les thèmes de Lanfranco, sauf quelque concession à la légende mythologique. Spécialisé dans la fresque, il trouve à Naples — qui appelait à l'époque les meilleurs artistes — le terrain le plus favorable à son génie de décorateur. Les vastes surfaces nues des coupoles et des pendentifs de l'église du Gesù (1634-35, seuls les *Évangélistes* subsistent), la tribune et la voûte *(Martyre des apôtres)* de l'église des S. Apostoli (1638-1646), la coupole *(Gloire des bienheureux)* de la Cappella del Tesoro au Dôme (1641-1643) furent couvertes par ses soins d'une multitude de figures brûlant d'un feu sacré et sentimental qui conquirent les peintres de Naples et conditionnèrent l'art à venir, de Giordano à Solimena. Rentré à Rome en 1646 pour y décorer à fresque la tribune de l'église S. Carlo ai Catinari, où trente ans plus tôt il avait peint le retable de l'*Annonciation,* un de ses chefs-d'œuvre, il y mourut sans avoir pu terminer la commande.

En dehors de l'Émilie, de Rome et de Naples, Lanfranco a laissé des œuvres dans différentes villes d'Italie. Son art a influencé un grand nombre de peintres tant italiens (Anastasio Fontebuoni, Francesco Cozza, Giacinto Brandi notamment) que français (Simon Vouet et François Perrier surtout). E. B.

Giovanni Lanfranco
Sainte Madeleine enlevée par les anges ▲
Naples, Galleria Nazionale di Capodimonte
Phot. Fabbri

Largillière
Nicolas de

peintre français
(Paris 1656 - id. 1746)

Né à Paris d'un père chapelier, Largillière passe sa jeunesse à Anvers, où il est élève d'Antoine Goubaud et où il est reçu maître à la gilde en 1672. Peu après, il se rend en Angleterre, où il est protégé par Peter Lely, qui l'emploie dans son atelier. Cette double formation de peintre de genre et de portraitiste se retrouvera dans toute sa carrière. Mal vu comme catholique, Largillière revient à Paris en 1682, où il y est protégé par une solide colonie flamande, groupée autour de Van der Meulen.

En 1686, il est reçu à l'Académie avec un grand portrait de *Le Brun* (Louvre) où éclatent déjà ses principales qualités : capable d'orchestrer de manière flatteuse et solennelle un portrait dans lequel il a enfermé en raccourcis symboliques toute la carrière de son modèle, il retient en même temps l'attention par une exécution brillante et la vigueur de l'analyse psychologique. L'essentiel de sa carrière est consacré au portrait, mais il fut aussi chargé de commémorer divers événements de la vie de Paris. Il sut alors rajeunir la tradition des portraits de groupe hollandais (*Corps de ville délibérant... en 1687,* perdu ; esquisses au musée d'Amiens, au Louvre, à l'Ermitage) ou associer les échevins parisiens à une apparition céleste (*Ex-voto à sainte Geneviève,* 1696, Paris, église Saint-Étienne-du-Mont). Il exécuta également de rares peintures d'histoire (*Moïse sauvé des eaux,* 1728, Louvre), quelques paysages (Louvre) et des natures mortes, largement traitées dans une harmonie colorée très simple, probablement assez tôt dans sa carrière (Paris, Petit Palais ; musées d'Amiens, de Dunkerque et de Grenoble). Portraitiste, il est l'auteur d'une œuvre immense (1 500 numéros, selon ses contemporains), répartie sur une soixantaine d'années, sans qu'il soit facile d'en distinguer l'évolution ; d'autant que beaucoup de ses portraits sont encore dans des coll. part. Sa clientèle, un peu moins aristocratique que celle de son ami Rigaud, se recrute surtout chez les parlementaires, les financiers et autres grands bourgeois. Dans les œuvres de jeunesse, la mise en page, assez simple, se rattache aux portraits français de la génération antérieure, en se combinant à la distinction des portraits anglais dérivés de Van Dyck (*Précepteur et son élève,* 1685, Washington, N. G.). Ce réalisme traditionnel, animé par un certain dynamisme de la ligne, est bien visible dans ses portraits en buste, au décor réduit et simplement traité (*Pupil de Craponne,* 1708, musée de Grenoble) ; on le retrouve toujours dans ses nombreux portraits d'artistes (plusieurs *Autoportraits :* 1711, Versailles ; avec sa famille, Louvre, réplique à Hartford, Wadsworth Atheneum ; portraits de *Jean Thierry,* Versailles, de *Norbert Roettiers,* Cambridge, Mass., Fogg Art Museum, de *J. B. Forest,* 1704, musée de Lille, de *Thomas Germain et sa femme,* 1736, Lisbonne, fondation Gulbenkian) et certains portraits féminins exceptionnels, où il joue parfois d'une dominante chromatique, le noir pour la fameuse *Belle Strasbourgeoise* (1703, musée de Strasbourg) ou le blanc pour le *Portrait d'Elizabeth Throckmorton* (1729, Washington, N. G.). Mais ses effigies de femmes, campées dans des poses avantageuses (*Mademoiselle Duclos,* Comédie-Française et Chantilly, musée Condé), malgré leur brio, sont souvent vides de contenu psychologique ; en revanche, dans les meilleurs portraits d'hommes, l'étude nerveuse d'étoffes profondément creusées par les ombres s'allie efficacement à la description sans complaisance des visages. A. S.

La Tour

Georges de

peintre français

(Vic-sur-Seille, évêché de Metz, 1593 - Lunéville ? 1652)

Fameux en son temps, puis totalement oublié, redécouvert à partir de 1915 (Hermann Voss, s'appuyant sur les travaux d'Alexandre Joly, 1863), ce peintre a retrouvé une place éminente dans la peinture française depuis l'exposition des Peintres de la réalité (1934) et la thèse de François-Georges Pariset (1948) ainsi que dans la peinture internationale depuis l'achat retentissant de la *Diseuse de bonne aventure* par le Metropolitan Museum (1960) et l'exposition consacrée au peintre (Paris, Orangerie, 1972).

Né en 1593 dans le gros bourg lorrain de Vic-sur-Seille, alors dépendant de l'évêché de Metz, second fils d'un boulanger et d'une fille et sœur de boulanger, La Tour semble pourtant

Nicolas de Largillière
Portrait de Thomas Germain et de sa femme (1736)
Lisbonne, Fundação Calouste Gulbenkian
Phot. du musée

recevoir une éducation assez soignée et profiter, pour l'apprentissage de son art, du foyer brillant qui s'est développé en Lorraine (Bellange). Un séjour en Italie entre 1610 et 1616 a pu superposer à la formation maniériste probable une expérience caravagesque : mais nulle preuve matérielle n'en a pu être découverte jusqu'ici. Dès 1616, La Tour, qu'on retrouve à Vic, semble un peintre formé. En juillet 1617, il épouse Diane Le Nerf, fille de l'argentier du duc de Lorraine et de famille noble, et, après la mort de son père (1618), il va s'installer à Lunéville, pays de sa femme, où il se fait recevoir bourgeois de la ville (1620). Doté par le duc de lettres d'exemption (1620) qui lui octroient les franchises accordées aux personnes de qualité noble, bientôt riche, il y mène une vie de hobereau lorrain, aimant la chasse, entretenant une meute, brutal à l'occasion avec les paysans, préservant durement fortune et privilèges au milieu d'un pays qui à partir de 1635 se verra cruellement ravagé par les guerres, les famines, les épidémies. La renommée dont il jouit promptement (achats du duc de Lorraine en 1623-24) se confirme sous l'occupation du duché par les troupes françaises : La Tour obtient le titre de peintre ordinaire du roy (av. déc. 1639) et l'estime particulière du gouverneur, le maréchal de La Ferté, pour qui il peint notamment une *Nativité* (1644), un *Saint Alexis* (1648), un *Saint Sébastien* (1649), un *Reniement de saint Pierre* (1650, sans doute le tableau du musée de Nantes). Ses œuvres atteignent des prix considérables (600, 700 francs et plus). C'est en pleine gloire, semble-t-il, qu'il est enlevé par une épidémie, le 30 janvier 1652, quelques jours après sa femme et son valet. Son fils Étienne, probablement son collaborateur depuis 1646, obtient à son tour le titre de peintre ordinaire du roy dès 1654; mais riche, il cesse bientôt de se réclamer de ce métier roturier, devient lieutenant de bailliage, et sa rapide ascension sociale (lettres d'anoblissement en 1670) explique sans doute pour une bonne part l'oubli qui s'étend promptement sur l'œuvre de son père.

Reconstitué à partir de quelques toiles signées, cet œuvre ne comprend plus qu'un petit nombre de compositions (env. 75, dont 35 originaux retrouvés), toiles religieuses et scènes de genre exclusivement : ni tableaux mythologiques, ni portraits, ni dessins. Les multiples répliques anciennes (*Saint Sébastien soigné par Irène,* composition en largeur : 11 exemplaires connus, original non retrouvé) prouvent pourtant la célébrité qui s'attacha à plusieurs de ses inventions.

On distingue à l'ordinaire scènes diurnes et scènes nocturnes. Les premières sont traitées dans une lumière froide et claire, avec une écriture précise, rapide, impitoyable, fouillant à la pointe du pinceau les rides et les haillons (*Saint Jérôme pénitent,* 2 versions originales, Stockholm, Nm, et musée de Grenoble; le *Joueur de vielle,* musée de Nantes). Les « nuits » utilisent au contraire la lumière artificielle pour exclure la couleur — une tache de rouge vif venant seule, d'ordinaire, animer la gamme des bruns — et pour réduire les volumes à quelques plans simples qui ont fait souvent prononcer le mot de « Cubisme » (*saint Sébastien soigné par Irène,* composition en hauteur, 2 versions originales, chapelle de Bois-Anzeray, Eure, et Berlin-Dahlem). Le petit nombre de toiles clairement datées (*Saint Pierre repentant,* 1645, musée de Cleveland; le *Reniement de saint Pierre,* 1650, musée de Nantes) n'a pas jusqu'ici permis l'accord complet des érudits sur une chronologie. Il semble pourtant possible de distinguer une première période (1620-1630), nettement marquée par le réalisme caravagesque et très proche de l'art d'un Baburen ou d'un Ter Brugghen (série du *Christ et les douze apôtres,* 2 originaux conservés et 9 copies, musée d'Albi; les *Larmes de saint Pierre,* perdues, gravées au XVIIIe s.). C'est seulement dans les années 30 que La Tour évoluerait vers un réalisme plus personnel (le *Vielleur* du musée de Nantes). La grande crise lorraine, avec ses désastres (1635-1642) et notamment l'incendie de Lunéville (30 sept. 1638), qui anéantit à coup sûr l'essentiel de cette première production, entraîne sans doute un séjour à Paris (v. 1638-1642?), où La Tour doit s'efforcer de s'imposer par des tableaux diurnes impressionnants (la *Diseuse de bonne aventure* du Metropolitan Museum, le *Tricheur* du Louvre) et surtout par ses « nuits » (le *Saint Sébastien* offert à Louis XIII). Le retour à Lunéville (1643) et la cinquantaine correspondent à la grande série des nocturnes : à une formule désormais tout originale correspond la plus haute méditation (*Nouveau-né* du musée de Rennes, *Saint Sébastien* en hauteur du Louvre, sans doute 1649; *Job raillé par sa femme,* musée d'Épinal). Les années ultimes pourraient être marquées par la collaboration accrue d'Étienne et la reprise de compositions déjà anciennes (les *Joueurs de dés,* musée de Teesside).

Dans toutes ces œuvres, les thèmes, limités en nombre et volontiers répétés, sont presque toujours empruntés fidèlement au répertoire caravagesque des années 1610-1620 : la *Diseuse de bonne aventure* (Metropolitan Museum), l'*Enfant prodigue* ou le *Tricheur* (Louvre), la *Madeleine repentante* (plusieurs versions : N.G. de Washington, Louvre, New York, Metropolitan Museum, et une autre gravée dès l'époque), le *Reniement de saint Pierre* (musée de Nantes). La Lorraine ne semble y ajouter que quelques sujets de dévotion particulière (la *Découverte du corps de saint Alexis,* un exemplaire peut-être original au musée de

Georges de La Tour
Le Tricheur ▲
Paris, musée du Louvre
Phot. Lauros-Giraudon

Nancy) ou quelques types spécifiques (le *Joueur de vielle*). Mais, au lieu de pousser ce répertoire vers le pittoresque, comme la plupart de ses contemporains nordiques, La Tour renoue avec l'esprit des premiers caravagistes et ramène la peinture à l'étude exclusive de l'âme humaine. Il restreint le tableau à ses données essentielles, et son univers est sans doute le plus dépouillé qu'ait jamais créé un grand peintre. Il exclut anecdotes, décor, figurants, architectures (complètement absentes de l'œuvre connu), paysages (nulle place à la nature, aucune plante, deux ou trois bêtes seulement...), accessoires mêmes, réduits au minimum (ni auréoles aux saints, ni ailes aux anges), au point de rendre parfois ses sujets énigmatiques (*Saint Joseph éveillé par l'ange,* musée de Nantes). Il fige jusqu'aux gestes les plus violents en une sorte de schéma géométrique (la *Rixe,* Los Angeles, musée P. Getty) et préfère d'ordinaire l'immobilité, le silence, les regards baissés sur la méditation (la *Femme à la puce,* musée de Nancy). Il installe dans chacune de ses œuvres, qu'on devine lentement mûries, une nécessité plus rigoureuse encore que celle de son contemporain — et sur tant de points son contraire — Nicolas Poussin. De là cette présence insolite qu'acquiert le moindre détail et des compositions qui atteignent, avec des moyens en apparence très simples, mais souvent d'une audace surprenante (*Job raillé par sa femme,* musée d'Épinal), à une intensité exceptionnelle même chez les caravagistes. De là aussi — que La

Tour souligne la faiblesse humaine et la déchéance des corps (le *Joueur de vielle; Saint Jérôme pénitent,* Stockholm, Nm, et musée de Grenoble) ou qu'il lui oppose la dignité secrète et fragile de la vie intérieure (*Saint Joseph charpentier,* Louvre; le *Nouveau-né,* musée de Rennes) — des œuvres qui s'apparentent à la fois au grand courant stoïcien diffus dans toute cette époque et à la mystique lorraine (saint Pierre Fourier, les Franciscains), et qui comptent sans conteste parmi les plus hautes méditations spirituelles du temps. J. T.

La Tour

Maurice Quentin de

pastelliste français
(Saint-Quentin 1704 - id. 1788)

Son nom, dans tous les actes officiels de Saint-Quentin, est orthographié Delatour. C'est l'artiste qui écrivit son nom en trois parties, graphie admise depuis. Très jeune, il manifeste du goût pour le dessin, copie des estampes. En 1723, peut-être à la suite d'une intrigue malheureuse avec sa cousine, il vient à Paris, se présente au graveur N. H. Tardieu, qui le fait entrer chez Jean-Jacques Spoëde, peintre médiocre. Il reçoit aussi les conseils de Louis de Boullogne et surtout de Jean Restout. Mais, en vérité, il se forme seul dans l'art du pastel, alors remis en vogue par Vivien et par Rosalba Carriera. « Il s'afficha, écrit Mariette, pour peintre de portraits, il les faisait au pastel, y mettait peu de temps, ne fatiguait point ses modèles; on les trouvait ressemblants, il n'était pas cher. » Le premier portrait daté est celui de *Voltaire,* que nous ne connaissons que par une gravure de Langlois, qui indique l'année 1731. Désormais, nous serons mieux renseignés sur ses travaux. « Agréé » à l'Académie royale en 1737, reçu en 1746 comme « peintre de portraits au pastel » avec le *Portrait de Restout, peintre* (Louvre), il participe aux expositions du Louvre, dont le directeur des Bâtiments du roi, Orry de Vignory, venait d'ordonner la reprise après treize ans d'interruption. Il exécute en 1741 le grand portrait en pied du *Président de Rieux* (Prégny, coll. de Rothschild), en 1742, celui de la *Présidente de Rieux,* en habit de bal (Paris, musée Cognacq-Jay) et, étonnant de vérité, celui de son ami l'*Abbé Huber,* lisant aux chandelles (musée de Saint-Quentin).

En 1743 commence la série des portraits officiels : celui du *Duc de Villars,* gouverneur général de Provence, est conservé au musée d'Aix-en-Provence. En 1745, il montre au Salon le *Portrait de Duval de l'Épinoy* (Lisbonne, fondation Gulbenkian). Le nombre des pastels envoyés par lui au Salon de 1748 s'élève à 14, parmi lesquels 8 sont conservés au Louvre : entre autres les portraits du *Roi,* de la *Reine,* du *Dauphin* et du *Maréchal de*

Maurice Quentin de La Tour **Portrait de l'abbé Huber** ▶ Pastel Saint-Quentin, musée Antoine-Lécuyer
Phot. Telarci-Giraudon

Saxe. En 1750, il est nommé conseiller de l'Académie royale ; la même année y est « agréé » un artiste que tels critiques se plaisent à lui opposer, Jean-Baptiste Perronneau. Il exécute alors (1751) le plus « fini » de ses *Autoportraits,* celui du musée d'Amiens. La manière de l'artiste perd en moelleux et en charme ce qu'elle gagne en vigueur et en intensité de vie. C'est, au Salon de 1753, *Jean-Jacques Rousseau* (musée de Genève), *D'Alembert* (Louvre). Au Salon de 1755 est montré avec apparat le grand portrait de *Madame de Pompadour* (Louvre ; 3 préparations, aux accords nacrés, dont l'une saisissante par le déclin de l'âge capté, au musée de Saint-Quentin), portrait payé mille louis d'or. Parmi les figures envoyées par l'artiste en 1757, citons le *Père Emmanuel,* capucin, *Mademoiselle Fel,* chanteuse de l'Opéra (musée de Saint-Quentin), l'une des nombreuses actrices portraiturées par La Tour et qui fut la compagne de presque toute sa vie. Les portraits de La Tour provoquent alors l'enthousiasme de Diderot. En 1761, il expose l'image de la *Dauphine,* Marie-Josèphe de Saxe (Louvre). À partir de cette époque, il a tendance, par scrupule, à retoucher sans cesse ses œuvres, ce qui souvent les durcit et les alourdit. Les critiques parlent moins de lui. Il expose pour la dernière fois en 1773.

Féru de chimie, de géologie, d'astronomie, approuvant le mouvement philanthropique des encyclopédistes, il forme des projets humanitaires, notamment en faveur de sa ville natale, où il se retire avec son frère en 1784. Celle-ci est dotée par lui de deux rentes, pour les femmes en couches et pour les artisans vieux et infirmes, d'une école gratuite de dessin, richement pourvue pour l'avenir et qui existe toujours dans le bâtiment de style XVIIIe s. construit par Paul Bigot de 1928 à 1931 pour l'abriter, ainsi que de 92 pastels de La Tour, tant esquissés qu'achevés. Le peintre fonda trois prix, dont l'un à l'Académie des sciences d'Amiens et un autre, celui de la demi-figure, encore décerné. Les sommes élevées qu'il demandait à la commande l'avaient considérablement enrichi. Son caractère indépendant, autoritaire, irascible s'altéra pendant ses dernières années, au point qu'il perdit la raison. L'artiste mourut intestat ; son frère légua à la ville de Saint-Quentin toutes les œuvres et études du peintre, qui constituent le fonds du musée de cette ville. Dans ses portraits les plus réussis, un modelé à la fois souple, ferme et léger saisit au-delà de la ressemblance, derrière un regard, un sourire, une moue, la psychologie du modèle ou ce que celui-ci veut en montrer. Des accents de lumière et d'ombre la mettent encore en valeur. La gamme chromatique est à dominantes bleue et gris perle ; le rose est fréquent ; peu de rouge et de jaune. Les accessoires sont soigneusement indiqués, sans minutie, et définissent le personnage, les fonds sont heureusement nuancés dans une pénombre. Il a inventé pour ses pastels un fixatif dont il n'a pas laissé le secret de composition.

R. Pr.

Lawrence

sir Thomas

peintre anglais

(Bristol 1769 - Londres 1830)

Ce fils d'un aubergiste malchanceux en affaires manifesta des dons précoces, que l'on exploita très tôt. En 1782, sa famille s'installa à Bath, où ses

Thomas Lawrence
Portrait de la reine Charlotte (1789) ▼
Londres, National Gallery
Phot. Fabbri

portraits au pastel furent vite prisés par la société élégante de Londres. Il partit pour cette ville en 1787, où, à l'exception de quelques mois passés comme élève à la Royal Academy, il continua d'obtenir des commandes, pratiquant surtout la peinture à l'huile. En 1789, il présenta le portrait de *Lady Cremorne* (1789, coll. part.) à la Royal Academy, ce qui lui valut la commande du portrait de la *Reine Charlotte* (*id.,* Londres, N. G.), exposé l'année suivante.

En dépit d'une réputation déjà solide de peintre mondain, ce fut le portrait de *Miss Farren* (1790, Metropolitan Museum), présenté la même année, qui captiva le public : l'exécution nerveuse, la vivacité de l'attitude du modèle annoncent l'orientation nouvelle qu'il allait donner à la conception du portrait établie par Reynolds. Au cours des années 1790, la réputation de Lawrence dans les salons à la mode comme dans les milieux artistiques ne fit que croître. Il fut nommé A. R. A. en 1791, peintre ordinaire du roi en 1792, à la mort de Reynolds, et R. A. en 1794, à l'âge minimal requis. C'est pourtant au cours de cette période qu'apparaissent les limites de son art. Tout en continuant à produire des portraits de la plus haute qualité, comme ceux de *John Angerstein avec sa femme* (1792, Louvre), d'*Arthur Atherley* (Los Angeles, County Museum of Art), il était obsédé par le désir de peindre dans le « grand style » préconisé par Reynolds (*Satan rassemblant ses légions,* 1797, Royal Academy, œuvre très proche de Füssli). Il exécutait parallèlement les portraits de théâtre de Kemble, où il apparaît que le manque de formation traditionnelle nuit à la profondeur de l'expression. Ces préoccupations et les ennuis financiers dus à un mode de vie supérieur à ses moyens portèrent alors préjudice à la qualité de ses portraits et le firent souvent tomber dans une excessive facilité technique.

Après 1800, son style, cependant, acquiert plus de sobriété. L'abandon de la peinture d'histoire lui permit de concentrer ses efforts sur les ressources de composition offertes par le portrait, comme en témoigne *Francis Baring* (1807, coll. part.). La mort de son rival, Hoppner, survenue en 1810, le confirma comme chef de file du portrait anglais et lui attira les faveurs du prince régent, qu'il peignit à plusieurs reprises. Ce dernier le fit chevalier en 1815, distinction qui devait faciliter le séjour de l'artiste sur le continent afin d'y exécuter les portraits des dirigeants responsables de la chute de Napoléon. Ce projet fut réalisé en 1818, quand Lawrence se rendit à Aix-la-Chapelle, à Vienne et à Rome (*Portrait de Pie VII,* 1819, Windsor Castle). Il revint en Angleterre en 1820 et fut élu président de la Royal Academy à la mort de Benjamin West. Son charme personnel lui avait donné accès à toutes les cours et son style brillant l'avait consacré premier portraitiste d'Europe. Dans ses œuvres tardives, on décèle quelque tendance à la sentimentalité (*Maître Lambton,* 1825, coll. part.), mais il réussit à sauvegarder l'aspect le plus original de son art, par exemple dans le portrait de *Lady Blessington* (1822, Londres, Wallace Coll.), où forme et facture unissent avec bonheur charme et sophistication, ou encore dans celui de *John Nash* (1827, Oxford, Jesus College), empreint d'une familiarité sincère.

Il figure avec succès au Salon de 1824 à Paris parmi d'autres artistes anglais et fait suffisamment impression sur Delacroix pour que celui-ci exécute un portrait dans son style (le *Baron Schwitters,* Londres, N. G.). Il s'intéressa vivement à l'œuvre d'autres artistes et demeura toujours accessible, même aux plus jeunes et aux moins connus de ses contemporains. Sa carrière fut particulièrement brillante, mais l'œuvre, en dépit de sa séduction, n'atteignit jamais au niveau qu'elle avait laissé entrevoir. Suivant le mot de Haydon : « Lawrence était fait pour son époque et son époque pour lui... » En effet, si ses portraits mondains baignent dans une aura romantique, celle-ci flatte le modèle, mais ajoute rarement à la pénétration de sa psychologie.

Passionné de dessins, Lawrence assembla une des plus belles collections de son temps, sans égale sans doute depuis celle de Crozat. W. V.

Le Brun

Charles

peintre français
(Paris 1619 - id. 1690)

La jeunesse. Fils d'un sculpteur, Le Brun fut un enfant prodige et bénéficia très tôt de la protection du chancelier Séguier. Entré dans l'atelier de Vouet v. 1634, il assimile rapidement les différents styles à la mode. Il donne à la gravure des dessins qui attestent diverses manières et exécute des peintures pour Richelieu (*Hercule et Diomede,* 1641, musée de Nottingham ; esquisse à Paris, coll. part.), et, pour la Corporation des peintres, le *Martyre de saint Jean l'Évangéliste* (1642, Paris, Saint-Nicolas-du-Chardonnet).

En 1642, il se rend à Rome en compagnie de Poussin, qui continue à guider ses études dans la Ville Éternelle. Il y étudia les antiques (pour une information documentaire autant que pour la plastique), Raphaël, les Carrache, Dominiquin et aussi, sans doute, l'œuvre décorative de Pierre de Cor-

Charles Le Brun, **Le Chancelier Séguier** ▲
Paris, musée du Louvre
Phot. Giraudon

tone. Il peint alors *Horatius Cocles* (Dulwich College), *Mucius Scevola* (musée de Mâcon), le *Christ mort sur les genoux de la Vierge* (Louvre).

Contre le gré de Séguier, il quitte Rome et, après un bref séjour à Lyon (où il peint sans doute *Caton mourant,* musée d'Arras), revient à Paris en 1646, où, tout en bénéficiant encore de la protection du chancelier, il étend rapidement sa clientèle. À deux reprises, il exécute le mai de Notre-Dame (la *Crucifixion de saint André,* 1647, esquisse à Northampton, coll. Spencer; le *Martyre de saint Étienne,* 1651). La plupart des commandes qu'il reçut sous la régence d'Anne d'Autriche étaient celles de tableaux religieux ou de plafonds peints. Les premiers (le *Repas chez Simon,* Venise, Accademia; le *Christ servi par les anges,* v. 1653, Louvre; le *Silence,* 1655, *id.;* le *Benedicite, id.;* la *Madeleine repentante, id.*) se distinguent par leur dignité calme et la traduction magistrale des expressions; les seconds (Hôtel de La Rivière, 1653, Paris, musée Carnavalet; *Psyché enlevée au ciel,* petit cabinet du roi, Louvre, auj. détruit; Galerie d'Hercule à l'hôtel Lambert) manifestent une riche invention décorative et associent souvent la peinture au relief stuqué sur la voûte, mais en évitant toujours les raccourcis excessivement accusés.

Le *Portrait du chancelier Séguier* à cheval (Louvre), l'un des chefs-d'œuvre les plus justement populaires de l'artiste, doit dater de cette période (v. 1655).

L'œuvre maîtresse de Le Brun est la décoration du château de Vaux-le-Vicomte pour Nicolas Fouquet (1658-1661); il eut ainsi l'occasion de déployer son talent à travers bâtiments et jardins, peignant murs et plafonds et dessinant sculptures et tapisseries (qui furent exécutées à Maincy) ainsi que les projets des fêtes et des spectacles.

Le Brun au service de Louis XIV. À la même époque, il peignit pour Louis XIV la *Tente de Darius* (1660-61, Versailles), qui servit de manifeste à l'art académique, composition en frise, sobre et classique, dans laquelle les attitudes et les expressions des protagonistes illustrent l'action dramatique.

Le Brun n'eut pas à souffrir de la disgrâce de Fouquet, puisqu'il travailla pour Colbert et pour le roi, et son titre de premier peintre fut confirmé en 1664. Membre fondateur de l'Académie royale de peinture, il y occupa bientôt une place prépondérante. Lorsque Colbert demanda à l'Académie de codifier les règles de l'art, Le Brun en fut l'orateur le plus remarqué, soutenant que la peinture est un art qui s'adresse d'abord à l'intelligence, à l'encontre de ceux qui la jugent en fonction du plaisir de l'œil. Nommé directeur des Gobelins en 1663, il veilla à la formation des artisans, et le contrôle qu'il exerça sur la production des meubles et des tapisseries contribua à assurer l'unité du « style Louis XIV » à travers les résidences royales. Il donne les cartons pour les suites des *Quatre Éléments,* des *Quatre Saisons,* des *Mois* (ou des *Maisons royales*) et de l'*Histoire du roi.* La *Tente de Darius* fut suivie v. 1673 de 4 autres peintures inspirées par la geste d'Alexandre : l'*Entrée à Babylone,* le *Passage du Granique,* la *Bataille d'Arbelles, Alexandre et Porus,* et d'autres sujets furent également esquissés. Les toiles immenses (Louvre) qui servirent de cartons pour les tapisseries des Gobelins devaient être destinées à prendre place dans un cycle de peintures épiques, et c'est sans doute leur format, l'impossibilité de leur trouver un lieu d'exposition convenable qui empêchèrent la réalisation du projet initial. La galerie d'Apollon du Louvre, qui devait, dans l'intention de Le Brun, glorifier Louis XIV d'une manière plus franche, demeura également partiellement réalisée quand le roi abandonna Paris pour le nouveau palais de Versailles. C'est à Versailles, avec l'escalier des Ambassadeurs (1674-1678, auj. détruit), la galerie des Glaces (1679-1684, esquisse aux musées d'Auxerre, de Troyes, de Compiègne et de Versailles), les salons de la Paix et de la Guerre (1685-86) et la surveillance qu'il exerça sur la décoration des Grands Appartements et du château de Marly que Le Brun donna la démonstration de son idéal artistique, glorifiant l'absolutisme — exemple qui devait être suivi par les rois et les cours dans toute l'Europe.

Louvois ayant succédé à Colbert en 1683, Mignard, rival de Le Brun, bénéficia dès lors de la protection royale. Privé de commandes importantes, Le Brun passa les dernières années de sa vie à exécuter des peintures religieuses de moyen format : la *Passion du Christ* (Louvre ; musées de Troyes et de Saint-Étienne), reprenant la tradition poussinesque de la méditation sur un thème narratif.

Le Brun instaura en France un style qui devait beaucoup au classicisme de Poussin et au baroque italien, et qui pouvait s'adapter aux différents impératifs de la peinture de plafond, de la tapisserie ou du tableau d'histoire. Son autoritarisme, qui lui fut souvent reproché, était une conséquence même de sa supériorité artistique. La gravure contribua à répandre son œuvre, qui, plus vigoureux par la beauté du trait que par la couleur, ne souffrit pas outre mesure de ce procédé de traduction. Son influence s'étendit bien au-delà des frontières de son pays et de son temps. J. M.

Les dessins. Outre les peintures de chevalet, les peintures murales et les tapisseries, l'œuvre de Le Brun comporte aussi une admirable suite de dessins exécutés tout au long de sa carrière, généralement des études préparatoires de détail ou d'ensemble pour les compositions qu'il peignit ou les travaux décoratifs ou ornementaux qu'il dirigea. Le Louvre ne conserve pas moins de 3 000 dessins dus à l'artiste et à certains de ses collaborateurs immédiats, trouvés chez Le Brun à sa mort et qui entrèrent alors dans la collection royale. Des dessins importants de Le Brun se trouvent aussi dans les musées de Besançon, de Stockholm, d'Oxford (Ashmolean Museum) ainsi qu'à l'E. N. B. A. de Paris. S. R.

Les élèves de Le Brun. Le Brun eut tôt de nombreux collaborateurs qui travaillèrent à ses grandes entreprises décoratives et à l'exécution des cartons de tapisseries, d'abord pour Maincy, ensuite pour les Gobelins : parmi eux Baudrin Yvart, Louis Licherie, Verdier, Testelin, Houasse. À certains était dévolue une « spécialité » : à Van der Meulen les paysages, à Nicasius Bernaerts et Pieter Boël les animaux, à Monnoyer les fleurs et les feuillages, à Desportes les fruits. Si beaucoup des élèves de Le Brun suivirent fidèlement son enseignement (Verdier, Houasse, Licherie), d'autres, comme La Fosse, ou certains de ses collaborateurs, comme Jouvenet ou les Boullogne, se dégagèrent vite de son emprise pour affirmer leur personnalité propre ; le dogmatisme et le sectarisme de Le Brun professeur ont été en fait bien exagérés.

Les œuvres du premier peintre furent largement répandues par la gravure : Sébastien Le Clerc grava les *Tapisseries du roi* (1670), et Gérard Audran les peintures de l'*Histoire d'Alexandre* dans une série d'immenses gravures prodigieusement finies. J. P. C.

Léger

Fernand

peintre français

(Argentan 1881 - Gif-sur-Yvette 1955)

Après deux ans d'études d'architecture à Caen (1897-1899), il arrive à Paris en 1900 et entre comme dessinateur chez un architecte. Libéré du service militaire en 1903, il se présente avec succès à l'école des Arts décoratifs, mais il est refusé aux Beaux-Arts, où il s'inscrit comme élève libre dans l'atelier de Léon Gérôme, puis dans celui de Gabriel Ferrier. Il fréquente également l'académie

Julian tout en travaillant chez un architecte et chez un photographe. De ses premiers essais ne subsistent que quelques toiles exécutées en 1904-1905, dérivées de l'Impressionnisme (le *Jardin de ma mère,* 1905, Biot, musée Fernand Léger) ou, plus rarement, d'une manière de Fauvisme, tel le vigoureux *Autoportrait* peint en pleine pâte (Paris, coll. part.). L'artiste détruisit en effet la plupart des « Léger avant Léger », selon son expression.

Le choc initial fut provoqué par les 42 Cézanne exposés au Salon d'automne de 1904, comme le révèlent les paysages de Corse (hiver de 1906-1907), d'un style déjà géométrisé, et les études de nus à l'encre de Chine (1905-1908, Biot, musée Fernand Léger), dont le trait synthétique délimite de vigoureux volumes.

La période cubiste. La rétrospective Cézanne au Salon d'automne de 1907 précipite l'évolution du peintre, qui écrira : « Cézanne m'a appris l'amour des formes et des volumes et il m'a fait me concentrer sur le dessin. » Ainsi, le *Compotier sur une table* (1909, Minneapolis, Inst. of Arts) prouve une parfaite assimilation de la leçon cézannienne, tandis que la *Couseuse* (1909, Paris, coll. part.) inaugure dans son austère articulation sans profondeur un style déjà personnel. Installé à la Ruche (v. 1908-1909), Léger se lie notamment avec Delaunay, Max Jacob, Apollinaire, Maurice Raynal et surtout Blaise Cendrars, qui lui dédiera le célèbre poème *Construction.* En 1910, Kahnweiler s'intéresse à ses recherches et lui ouvre sa galerie, où sont déjà Braque et Picasso. Les *Nus dans la forêt* (1909-10, Otterlo, Kröller-Müller) sont, au dire de Léger, « une bataille de volumes » brutalement

Fernand Léger, **La Ville** (1919) ▼
Philadelphie, Museum of Art,
The A. E. Gallatin Collection

imbriqués et dont le rythme syncopé, qu'unifie une lumière froide, affirme une règle plastique « aux antipodes de l'Impressionnisme ». D'autre part, on peut déceler l'influence de Delaunay dans la *Noce* (1911, Paris, M. N. A. M.) et dans certains paysages urbains (les *Toits de Paris,* 1912, Biot, musée Fernand Léger) à leurs accents plus colorés et à une fluidité musicale des passages entre les plans (d'origine encore cézannienne). En revanche, un caractère nouveau, promis à d'amples développements, apparaît dans la *Femme en bleu* (1912, musée de Bâle) : l'aplat géométrique et cerné, redistribuant le thème dans une composition purement plastique, confinant à l'Abstraction. La même année 1912 voit la première exposition personnelle de Léger chez Kahnweiler (qui lui offre l'année suivante un contrat d'exclusivité) et sa participation à l'exposition du « Valet de carreau » montée par Malévitch à Moscou. En 1913 et 1914, l'artiste se rend en Allemagne ; il prononce à l'académie Wassilieff de Berlin deux conférences au cours desquelles il énonce le principe essentiel de toute son esthétique : « l'intensité des contrastes », de couleurs et de formes. Il développe en 1913 cette ultime référence cézannienne jusqu'à l'abstraction dans la suite très homogène et maîtrisée des *Contrastes de formes* (Paris, M. N. A. M. ; New York, M. O. M. A. ; Düsseldorf, K. N. W.). Puis, en 1914, il tire de cette expérience un nouvel ordre figuratif traduit par une gamme restreinte de teintes (bleu, blanc, rouge, jaune et vert) réparties en volumes lumineux et en plans géométriques, adaptés soit au paysage (*Maisons dans la forêt,* musée de Bâle), soit à la nature morte (*Nature morte à la lampe,* New York, coll. part.), soit à la figure (*Femme en rouge et vert,* Paris, M. N. A. M.).

Les années de guerre (1914-1918). Léger est mobilisé dès le 2 août 1914. De juillet 1915 à décembre 1916, il exécute une série de croquis (Biot, musée Fernand Léger) pris sur le vif, témoignages sur l'existence quotidienne de ses camarades au cantonnement et d'où naîtront l'*Homme à la pipe* (1916, Düsseldorf, K. N. W.) et la monumentale *Partie de cartes* (Otterlo, Kröller-Müller), peinte à la fin de 1917 alors que l'artiste est hospitalisé après avoir été gazé sur le front de Verdun. Cette toile, que Léger désignera comme « le premier tableau où j'ai délibérément pris mon sujet dans l'époque », offre une composition close, souvenir de la casemate, où s'entassent des soldats robots aux silhouettes mécaniquement articulées. Elle conclut les expériences précédentes et marque un tournant décisif dans la sensibilité et la conception du peintre.

La période mécanique et le retour à la figure, 1918-1923. « Je fus ébloui par une culasse de 75 ouverte en plein soleil », écrit Léger ; elle « m'en a plus appris pour mon évolution plastique que tous les musées du monde. Revenu de la guerre, j'ai continué à utiliser ce que j'avais senti au front. » En effet, durant plusieurs années, le peintre est le témoin enthousiaste de l'insertion de la machine et de sa puissante beauté dans la vie quotidienne. Deux tableaux dominent cette période, dite « mécanique » : les *Disques* (1918, Paris, M. A. M. de la Ville), dont les aplats circulaires de couleurs gaiement contrastées (souvenir des cercles chromatiques de Delaunay) s'ordonnent dans un mouvement de bielle ; la *Ville* (1919-20, Philadelphie, Museum of Art), dans laquelle Léger célèbre plus lyriquement le monde urbain ; l'imbrication dynamique de plans aigus, la parfaite autonomie de la couleur, l'introduction de lettres au pochoir transposent un univers banal en une vision grandiose où de petites silhouettes prennent place. Enfin, la vaste composition des *Éléments mécaniques* (1924, Paris, M. N. A. M. ; esquisses à partir de 1917) fait la somme de ces investigations. Enrichi par l'expérience humaine des années de guerre, Léger réintroduit la figure dès 1918, d'abord en contrepoint timide à la présence de la machine (le *Remorqueur,* 1918, coll. part. ; autres versions, de 1920, au musée de Grenoble et, de 1923, au musée Fernand Léger de Biot), puis dans une relation plus égale (le *Typographe,* 2e état, 1919, Munich, Neue Pin.) ; elle prend enfin valeur d'archétype dans le monumental *Mécanicien* (1920, Ottawa, N. G.) et plus tard dans l'*Homme au chandail* (1924, Paris, coll. part.). La figure humaine est cependant appréhendée, prévient l'artiste, « non comme une valeur sentimentale, mais uniquement comme une valeur plastique, en la soumettant à l'ordre géométrique qui régit les machines et l'environnement urbain ». Ainsi, jusqu'en 1923, Léger traite parallèlement les thèmes de la ville, du travail et du loisir ; le personnage est situé dans un *Paysage animé* (1921, Paris, coll. part.) ou, avec une note d'intimisme, dans un intérieur complexe (le *Grand Déjeuner,* 1921, New York, M. O. M. A. ; *Femme et enfant dans un intérieur,* 1922, musée de Bâle). L'aboutissement du thème est l'imposante *Lecture* de 1924 (Paris, M. N. A. M.), dont les accessoires sont beaucoup plus discrets.

La préoccupation monumentale. Des architectures rectilignes et asymétriques servent de fond aux vues urbaines comme aux études de figures ; elles en sont le dénominateur commun et permettent de rappeler que, dès 1921, Léger était en relation avec les artistes du « Stijl », Van Doesburg et Mondrian, dont la galerie l'Effort moderne avait publié des textes l'année précédente. Le Néo-Plasticisme lui paraît alors « une libération totale, une nécessité, un moyen de désintoxication ». En fait, il va aider Léger à prendre conscience de sa vocation murale, et son influence sera déterminante sur les grandes compositions abstraites de 1924-25, qu'il appelle des « enluminures de murs » (*Composition murale,* 1924, Biot, musée Fernand Léger). À l'exposition des Arts décoratifs de 1925, il décore avec Delaunay le hall d'entrée du pavillon d'une ambassade française et exécute ses premières peintures murales pour Le Corbusier au pavillon de l'Esprit nouveau.

Léger s'était intéressé de bonne heure au monde du spectacle ; une de ses principales réalisations fut en 1923 les décors et les costumes de la *Création du monde,* inspirés de l'art africain baoulé et bushongo (ballet de Rolf de Maré, musique de D. Milhaud, livret de Cendrars).

La période puriste (1924-1927). En 1924, Léger ouvre un atelier libre, avec Ozenfant, Laurencin et Exter, dont le rayonnement fut international. La même année, sous l'influence probable des séquences d'objets déjà exploitées dans *la Roue* d'Abel Gance (1921 ; il y a collaboré ainsi que Cendrars), il réalise le premier film sans scénario, *le Ballet mécanique,* dont le principe est la démultiplication rythmique de l'objet (photographies de Man Ray et de Dudley Murphy, musique de G. Antheil). À la suite de cette expérience décisive, Léger déclare : « Un lyrisme tout neuf de l'objet transformé vient au monde, une plastique va s'échafauder sur ces faits nouveaux, sur cette nouvelle vérité. » De 1924 à 1927, l'objet occupe en effet dans sa peinture une place prééminente. À l'effet d'une composition en gros plan (inspiré du cinéma) se conjuge celui du dépouillement et de la rigueur constructive, synthèse de sa connaissance des recherches du Stijl, de celle du Bauhaus, du constructivisme russe et de ses contacts avec les fondateurs du Purisme, bien que Léger ait contesté l'influence de ce dernier sur sa peinture (l'*Accordéon,* 1926, Eindhoven, Stedelijk Van Abbe Museum ; *Nature morte au bras,* 1927, Essen, Folkwang Museum).

Les objets dans l'espace et leurs prolongements. À partir de 1928, Léger se détache progressivement du Néo-Plasticisme et reste fidèle aux deux grandes constantes de son art, l'objet et le contraste. Les éléments naguère statiques s'animent, leur présentation frontale abandonnée, et flottent dans l'espace. L'artiste conçoit maintenant un espace dynamique (composition circulaire), renouvelle son iconographie (objets du monde végétal, animal et minéral) et établit de nouveaux rapports entre ces motifs (liaison par la corde ou le ruban enroulé). La *Joconde aux clés* (1930, Biot, musée Fernand Léger) est ainsi pour Léger « le tableau le plus risqué du point de vue des objets contrastés ». Parallèlement, des toiles comme la *Feuille de houx* (1930, Paris, gal. L. Leiris ; crayon en 1928, Paris, coll. part.), *Papillon et fleurs* (1937, coll. part.) illustrent l'univers végétal et animal. La racine, d'abord motif privilégié de liaison, sera plus tard traitée pour elle-même (*Racine noire,* 1941, Paris, gal. Maeght ; *Racine rouge et noire,* céramique, Chicago, Art Inst.). À la *Joconde aux clés* peuvent se rattacher *Marie l'acrobate* (1933, coll. part.) et *Adam et Ève* (1935-1939, Düsseldorf, K. N. W.) : dans le même espace indifférencié, mais beaucoup plus vaste, s'opposent éléments abstraits et figures, parfaite démonstration de ce principe énoncé par Léger : « L'art majeur a toujours en contrepoint deux thèmes en opposition. »

En 1935, Léger part pour la seconde fois aux États-Unis avec Le Corbusier (premier voyage en 1931, New York et Chicago) ; le M. O. M. A. et l'Art Inst. organisent sa première exposition américaine. L'expérience du Front populaire de 1936 le marque profondément et infléchira son orientation vers la grande scène réaliste.

En 1936, il dessine pour l'Opéra les décors et les costumes de *David triomphant* (musique de Rieti, chorégraphie de Lifar), pour la fête des syndicats le décor du vélodrome d'Hiver et peint le *Transport des forces,* à la gloire de la science, pour le palais de la Découverte à l'Exposition internationale de Paris. Cette riche période est couronnée par la vaste *Composition aux deux perroquets* (1935-1939, Paris, M. N. A. M. ; études de 1933 et de 1937 à Biot, musée Fernand Léger), antithèse de la *Ville* de 1919 selon l'artiste et début de son évolution vers le thème des personnages dans l'espace.

La période américaine (1940-1945). Après un troisième voyage à New York (sept. 1938 - mars 1939 ; décor de l'appartement de Nelson A. Rockefeller Jr.), Léger quitte la France en octobre 1940 pour un exil volontaire de cinq ans aux États-Unis, où il sera chargé de cours à l'université de Yale. Avant son embarquement à Marseille, il assiste à la baignade de jeunes dockers dans le port : « Ces plongeurs, ça a déclenché tout le reste, les acrobates, les cyclistes, les musiciens. » Les *Plongeurs sur fond jaune* (1941-42, New York, M. O. M. A.) inaugurent en effet une suite de variations sur les « hommes dans l'espace » et bouleversent l'assise encore frontale de la *Composition aux deux perroquets.* La vie nocturne américaine et ses lumières enthousiasment le peintre, qui adopte la dissociation entre la couleur et le dessin, créant ainsi une « surface élastique », dans les *Plongeurs polychromes* (1942-1946, Biot, musée Fernand Léger) et la *Danse* (1942, Paris, gal. L. Leiris). Le procédé sera repris dans deux œuvres ultimes de 1954 : la *Grande Parade* (New York, Guggenheim

Museum), sur le thème du cirque, « pays des cercles en action », abordé en 1918 (le *Cirque,* Paris, M. N. A. M.) et dont la composition générale est empruntée aux *Acrobates et musiciens* de 1945 (Paris, gal. Maeght), et la *Partie de campagne* (Saint-Paul-de-Vence, fondation Maeght), qu'annonce nettement un lavis de 1943 (Chicago, Johnson International Gal.).

L'expérience de la vie américaine informe également le thème des cyclistes, d'une puissante saveur populaire (la *Grande Julie,* 1945, M. O. M. A.), ainsi que le conflit entre la nature et les déchets des grandes concentrations urbaines (*Adieu New York,* 1946, Paris, M. N. A. M.).

Dernière période française (1945-1955). Ce goût pour la réalité contemporaine, Léger l'associe dès son retour en France à un besoin de signification politique et sociale (il s'inscrit au P. C.). Il se rallie à un art d'édification « compréhensif pour tous, sans subtilité », soucieux de traiter de « grands sujets » où la figure humaine l'emporte. Les *Loisirs,* commencés aux États-Unis en 1943, se transforment en un *Hommage à David* (1948-49, Paris, M. N. A. M.), qui achève la série des cyclistes sur le mode d'un réalisme symbolique, heureux et populaire. Le *Campeur* (1954, Biot, musée Fernand Léger) comme la *Partie de campagne,* déjà citée, témoignent des réussites de cet art de communication directe, dont les signes simplifiés transposent les motifs tout en leur laissant une lisibilité immédiate. Les *Constructeurs* (1950, *id.*) illustrent l'autre aspect de la vie ouvrière, celui du travail ; préparés et suivis de maintes études d'ensemble et de détail, ils célèbrent l'épopée sociale du labeur humain sur un ton plus réaliste. En même temps, Léger expérimente à partir de 1949 à Biot, avec son ancien élève Roland Brice, les techniques de la céramique, de la mosaïque et du vitrail, pour en tirer une expression originale où règnent toujours ses préoccupations d'un art monumental, de la couleur et du contraste : mosaïque pour la façade de l'église d'Assy (1949) ; vitraux pour l'église d'Audincourt (1951), pour l'église de Courfaivre (Suisse) [1954] et pour l'université de Caracas (1954) ; sculptures, mosaïques et céramiques pour Gaz de France à Alfortville (1955). La céramique, par l'éclat de sa couleur et le brillant de sa matière, avait offert à Léger de nouvelles possibilités pour la création de sculptures et de reliefs polychromes. La *Fleur qui marche* (1950, Paris, M. N. A. M.), les *Femmes au perroquet* (1952, Biot, musée Fernand Léger) marquent pour leur auteur « une évolution très nette vers un but de coopération architecturale » : le dernier mot de cette féconde carrière évoque le souci majeur de l'artiste. En 1960 fut inauguré à Biot le musée Fernand Léger, fondé par Nadia Léger et Georges Bauquier. Construit sur les plans de l'architecte Svetchine, ce musée, national depuis 1967, abrite un ensemble considérable de dessins, de gouaches, de peintures, de mosaïques et de céramiques retraçant tout l'itinéraire de Léger ; il réalise en outre un accord juste et radieux entre le site méditerranéen et l'œuvre de celui qui se considérait lui-même comme le « primitif d'un âge à venir ». A. Ba.

Leibl

Wilhelm

peintre allemand
(Cologne 1844 - Würzburg 1900)

Il fut l'élève du peintre polonais Hermann Becker de 1861 à 1864. En 1864, il fréquenta l'Académie de Munich et fit connaissance, la même année, de

Hirth, de Haider et de Sperl. Il fut l'élève d'Arthur von Ramberg de 1866 à 1868 et de Piloty en 1869. Leibl exposa sa première œuvre importante à l'Exposition internationale de Munich : *Frau Gedon* (*Madame Gedon,* Munich, Neue Pin.) ; il y vit les tableaux de Courbet, qui l'impressionnèrent vivement. La même année, il fit la connaissance du peintre français et le suivit à Paris, où il exécuta la *Cocotte* (Cologne, W. R. M.). De 1870 à 1873, il s'installe de nouveau à Munich. En 1871, il rencontre Schuch et Trübner et, l'année suivante, il exécute sa première grande composition à plusieurs personnages : *Die Tischgesellschaft* (la *Tablée, id.*). À partir de 1873, Leibl vécut dans différents villages des environs de Munich. En 1876-77, il exécuta *Die Dorfpolitiker* (les *Politiciens de village,* Winterthur, Stiftung Oskar Reinhart), première représentation d'un intérieur de paysans où le réalisme achevé de chaque détail atteste la maturité de l'artiste, puis entre 1878 et 1882 les *Trois Femmes à l'église* (musée de Hambourg), toile qui correspond à l'apogée de sa manière. Les *Braconniers* furent peints de 1882 à 1886, mais l'artiste détruisit le tableau, mal accueilli à Paris (fragment à Berlin, N. G.). La vie paysanne lui fournit les modèles de portraits et les motifs des scènes de genre, qu'il traduisit avec une fidélité dénuée d'anecdotisme, ce qu'il doit à son étude des peintres néerlandais, notamment Rembrandt et Ter Borch. À Munich, il s'opposa aux peintres de sujets historiques tels que Piloty et son école et rencontra de plus en plus l'hostilité du public et de la critique. De 1874 env. à 1886, il traduisit ce réalisme grâce à une peinture minutieuse, d'une grande perfection technique même dans les compositions de vastes dimensions. Durant les années 1880, les intérieurs de paysans bavarois, avec personnages, constituent ses principaux thèmes. Un faire plus large marque sa dernière période (les *Fileuses,* 1892, musée de Leipzig). Il a représenté souvent son ami Sperl ainsi que des artistes comme Trübner, Schuch (Munich, Neue Pin.), Thoma et Eysen, qui faisaient partie du même groupe de peintres que lui. Le W. R. M. de Cologne conserve la plus grande partie de l'œuvre de Leibl, qui demeure avec Menzel le plus célèbre représentant de la peinture réaliste allemande du XIXe s. La Neue Pin. de Munich possède également plusieurs de ses tableaux. H. B. S.

Wilhelm Leibl
◀ **Trois Femmes à l'église** (1882)
Hambourg, Kunsthalle
Phot. Kleinhempel

Lemoyne
François
peintre français
(Paris 1688 - id. 1737)

Élève de Louis Galloche de 1701 à 1713, il fut reçu académicien en 1718 (*Hercule et Cacus,* Paris, E. N. B. A. ; dessin préparatoire au Louvre et esquisse au musée de Compiègne). À l'encontre de son contemporain Watteau — on a parfois confondu leurs œuvres, qui témoignent d'une sensibilité très voisine —, il eut une carrière officielle de professeur à l'Académie (1733) et de premier peintre du roi (1736). Ses premières toiles, qui s'inscrivent dans la suite de La Fosse, sont conçues dans des tonalités chaudes héritées de Jouvenet et de Galloche : commande d'un ensemble illustrant des *Épisodes de la vie du Christ* par les cordeliers d'Amiens (1715-1720), dont plusieurs toiles sont conservées au musée du Palais synodal de Sens ; l'*Olympe,* esquisse pour la décoration du plafond de la Banque royale (1718, Paris, musée des Arts décoratifs). Mais le passage à Paris de S. Ricci, qu'il connut, ainsi que Pellegrini, et un voyage en Italie (Rome, Venise, 1723) l'orientèrent vers la recherche d'un coloris plus clair, et l'usage prédominant de jaunes et de roses constamment rompus lui fit adopter une facture onctueuse, fluide et plus vibrante : *Hercule et Omphale,* peint à Rome (Louvre) ; la *Transfiguration* (1723, Paris, église Saint-Thomas-d'Aquin). Lemoyne travailla ensuite pour divers monuments de Versailles (*Céphale et l'Aurore,* 1724, hôtel de ville ; tableaux pour la cathédrale) et diverses églises parisiennes (la *Glorification de la Vierge,* 1731-32, très repeinte, Saint-Sulpice) : ces ensembles marquent la nette évolution du métier de l'artiste vers une répartition plus claire des valeurs et des grandes masses colorées, qu'anime une touche frémissante. L'artiste obtint alors deux commandes pour le château de Versailles : une composition allégorique pour le salon de la Paix (*Louis XV donnant la paix à l'Europe,* 1728-29) et le plafond du salon d'Hercule (1733-1736, esquisse à Versailles), qui restent dans la tradition décorative du Grand Siècle, avec cependant une composition plus lisible, moins austère, moins monumentale aussi, à l'instar des œuvres vénitiennes contemporaines. La dernière œuvre conservée de lui est une grisaille qui servit de modèle à Laurent Cars pour la gravure du frontispice de la thèse de théologie du cardinal de Rohan-Ventadour (*Allégorie à la gloire de Louis XV et à la fin de la guerre de la*

Succession de Pologne, 1737, musée de Strasbourg).

S'il connaissait les décorations françaises du XVIIe s. (Le Brun) et italiennes contemporaines ou antérieures (Corrège), celles de Rubens ne pouvaient que l'attirer vers la peinture claire, ainsi l'ovale du salon de la Paix, dont l'ordonnance rappelle la galerie Médicis. Cette influence est tout à fait sensible dans le *Repos des chasseurs* (Munich, Alte Pin. ; dessins préparatoires au Nm de Stockholm, et au Metropolitan Museum), où les vêtements dits « à l'espagnole » sont directement empruntés au flamand ; c'est aussi le seul tableau de Lemoyne dont le parti décoratif soit animé par un souci descriptif qui évoque à la même époque J. F. de Troy, influencé par Rubens et Véronèse. Sa dernière source d'inspiration est l'art des Bolonais et, en particulier, l'œuvre de l'Albane : dessins et petites compositions autref. attribués à Watteau (les *Enfants tirant à la cible,* coll. part., gravés en couleurs par Jean Robert et par N. C. de Silvestre ; *Enfants jouant avec les attributs d'Hercule,* motif repris dans le plafond d'Hercule). Pour n'être point un simple imitateur, François Lemoyne sut, grâce à une culture étendue, rester dans la tradition décorative française, dont il adapta la grandeur et la monumentalité au goût de la cour de Louis XV, au service d'une peinture plus claire, plus agréable, plus facile aussi, qui allait permettre, en face des fêtes galantes de l'école de Watteau, l'éclosion de l'élégance et de la grâce dont témoigne, vers le milieu du siècle, la peinture de Boucher et de Natoire, ses élèves. C. C.

Le Nain (les frères)

Antoine (Laon 1588 ? - Paris 1648)
Louis (Laon 1593 ? - Paris 1648)
Mathieu (Laon 1607 ? - Paris 1677)
peintres français

Quasi oubliés dès la fin du XVIIe s., puis ressuscités par les travaux du romancier Champfleury (1850, 1862), ils sont aujourd'hui mis de pair avec les plus grands noms de la peinture française. Pourtant, la reconstitution de leur biographie et de

François Lemoyne
◀ **Le Repos des chasseurs**
Munich,
Bayerische
Staatsgemäldesammlungen,
Alte Pinakothek
Phot. Blauel

Le Nain, **Famille de paysans** ▲
Paris, musée du Louvre
Phot. Giraudon

leur œuvre continue à poser une série d'énigmes. Tous trois sont nés à Laon (Aisne) ; mais, des dates de naissance couramment acceptées, seule est plausible (encore qu'approximative sans doute) celle du benjamin, Mathieu (1607) ; celles d'Antoine (1588) et de Louis (1593), qui proviennent de sources suspectes, doivent probablement être avancées (entre 1597 et 1607 ?). L'enfance semble se dérouler dans un milieu relativement aisé et éclairé, mais conservant des liens directs avec la paysannerie : le père, Isaac, d'une famille de laboureurs et de vignerons des environs de Laon, avait acheté une charge de sergent royal au grenier à sel (1595) et possédait plusieurs maisons, vignes, prés et bois à Laon et aux alentours. Des cinq frères, les trois cadets suivirent une vocation qui n'était pas tout à fait paradoxale à Laon, où subsistait, autour de la cathédrale et des couvents, un petit centre artistique assez actif. Ils reçoivent durant une année les leçons d'un peintre de passage, puis viennent se perfectionner à Paris. Dédaignant de suivre la filière lente et coûteuse de la corporation des peintres et sculpteurs, ils s'installent à l'abri d'un « lieu privilégié » : Saint-Germain-des-Prés, où Antoine se fait recevoir maître peintre (1629) et s'établit avec ses frères (rue Princesse). Leur carrière se déroulera tout entière dans la capitale, sans que pour autant se relâchent les attaches avec Laon, où ils conservent propriétés et parents.

L'atelier, où collaborent étroitement les trois frères, semble vite prisé. Dès 1632, il obtient de la Ville de Paris la commande du *Portrait des échevins* (perdu). Avant 1643, Mathieu exécute le portrait de la reine Anne d'Autriche elle-même (perdu). Les Le Nain sont choisis pour décorer la chapelle de la Vierge à Saint-Germain-des-Prés (ensemble disparu à la Révolution) et pour exécuter le tableau d'autel de quatre chapelles à Notre-

Dame (dont une *Crucifixion* datée de 1646, perdue). Leur succès semble confirmé par la littérature du temps (Du Bail, 1644; Scudéry, 1646). En 1648, tous trois sont admis à l'Académie royale de peinture et de sculpture au moment même de sa formation : mais. Louis meurt brusquement le 24 mai, suivi le 26 par Antoine.

Mathieu, qu'un acte de 1646 faisait légataire universel de ses frères, se retrouve seul, maître d'une fortune assez considérable. D'« humeur martiale », reçu dès 1633 lieutenant d'une compagnie bourgeoise de Paris et ayant sans doute servi dans l'armée royale elle-même, il prend le titre de « sieur de La Jumelle » et aspire à voir consacrer une élévation sociale en désaccord avec le métier de peintre. Il continue un temps à manier le pinceau (*Portrait de Mazarin,* donné à l'Académie en 1649, perdu; *Martyre des saints Crépin et Crépinien,* 1654, Laon, église des Cordeliers, perdu), mais probablement en « honnête homme », cesse de mentionner la qualité de « peintre ordinaire du Roy » et obtient enfin en 1662 le collier de l'ordre de Saint-Michel, qui équivaut pratiquement à l'anoblissement. Son souci de ne plus rappeler un métier entaché de roture, donc de ne pas entretenir la mémoire de ses frères, suffit pour une grande part à expliquer l'oubli où, surtout après sa mort, le 20 avril 1677, tombe peu à peu le nom des peintres Le Nain.

Il a fallu reconstruire l'œuvre à partir d'une quinzaine de toiles signées et datées (toutes entre 1640 et 1647). On l'a regardé longtemps comme celui de peintres provinciaux qu'un Flamand de passage aurait formés à la peinture de genre et qui, venus tardivement dans la capitale, auraient tenté sans succès de faire accepter au public parisien une inspiration paysanne trop réaliste : échec qui les aurait portés à s'essayer maladroitement à la « grande peinture » et au portrait, et qui finalement aurait conduit Mathieu à une totale décadence. Cette image, marquée par le romantisme du siècle dernier, doit être révisée. Les trois frères semblent au contraire s'imposer rapidement dans Paris par leurs peintures religieuses et surtout leurs portraits; vers 1640, quand la concurrence des élèves de Vouet se fait plus grande et que se développe dans la haute société le goût du burlesque et des paysanneries, ils tentent probablement de maintenir leur succès en consacrant une grande part de leur activité aux « bamboches », interprétées dans un goût « français », et une autre part au portrait de groupe, jusque-là généralement réservé en France aux ex-voto et aux portraits officiels, et qu'à l'exemple des peintres hollandais ils transforment en scène de genre et réduisent au format du tableau de cabinet : innovations habiles qui semblent avoir connu le plus vif succès auprès de la société parisienne.

Leur « grande peinture » reste mal connue. Une figure allégorique, sans doute destinée au décor d'une cheminée, la surprenante *Victoire* du Louvre, et 2 toiles mythologiques (*Bacchus et Ariane,* musée d'Orléans; *Vénus dans la forge de Vulcain,* 1641, musée de Reims) semblent indiquer qu'ils pratiquèrent ce genre avec une science médiocre de la composition, mais une inspiration fraîche et sensible. Les grands tableaux religieux conservés montrent les mêmes défauts et les mêmes qualités : la série de la *Vie de la Vierge,* sans doute peinte dès 1630-1632 pour une chapelle des Petits Augustins de Paris (4 tableaux retrouvés sur 6, dont l'*Adoration des bergers* du Louvre), n'a pas encore la maîtrise des retables de Notre-Dame (2 retrouvés sur 4 : *Saint Michel dédiant ses armes à la Vierge,* Nevers, église Saint-Pierre; *Nativité de la Vierge,* Paris, Notre-Dame, naguère Saint-Étienne-du-Mont). Dans des toiles de composition moins complexe, la simplicité monumentale de la forme met en valeur la vision réaliste et l'émotion discrète (*Repos de la Sainte Famille en Égypte,* coll. part.; la *Madeleine repentante, id.,* sans doute variante de la toile de même sujet, 1643, perdue), tandis qu'une série d'œuvres de moyen ou de petit format, avec personnages nombreux, rejoint les tableaux de genre, parfois avec bonheur (l'*Adoration des bergers,* Londres, N. G.), souvent avec une facture si médiocre qu'elle semble renvoyer à des imitateurs ou à des élèves (plusieurs apprentis sont connus par les contrats).

L'œuvre des Le Nain portraitistes est encore plus mal préservé, et de surcroît encombré d'attributions sans fondement. On ne conserve qu'un tout petit nombre de portraits isolés sûrs, opposés entre eux de format et de manière : le *Marquis de Trévilles* (1644, coll. part.); *Dame âgée* (copie d'un original daté de 1644, musée d'Avignon); *Homme en buste* (musée du Puy). Mieux connus, les portraits de groupe sont dominés par une série d'œuvres traitées en tableaux de genre, mais avec le souci d'allier franchise et distinction, et dans un éclairage solide, mais qui parfois ne craint pas de décomposer les visages en un jeu de reflets insistants : série qui se regroupe autour du *Corps de garde* (1643, Louvre) et des 5 tableaux de l'ancienne collection Seyssel, dont les *Joueurs de tric-trac* (Louvre) et la *Danse d'enfants* (Paris, coll. part.). On en détacherait une composition plus sévère et plus proche des modèles hollandais, la *Réunion d'amateurs* (Louvre), et surtout des œuvres de petit format, de composition maladroite, d'observation plus réaliste, de technique curieusement impressionniste : *Réunion de famille* (1642, Louvre), *Portraits dans un intérieur* (1647, Louvre).

Mais la partie de leur œuvre qui place hors de pair les Le Nain est constituée par leurs tableaux paysans. Ici encore surprend la diversité de facture et de qualité. Deux grandes toiles, qu'il faut mettre d'emblée à part, définissent les plus hautes qualités de leur art, la *Famille de paysans* (Louvre) et le *Repas de paysans* (1642, Louvre) : puissance de la construction en bas relief, sobriété du coloris, où les bruns et les gris sont à peine animés de quelques taches de couleur, sûreté d'une facture simple et solide à la fois, tout met en valeur une sincérité d'observation excluant aussi bien le pittoresque que la cruauté, et une intuition psychologique qui, dans le spectacle de quelques paysans contemporains, a su exprimer l'âme paysanne de tous les temps. Quelques-uns de ces dons surprenants se retrouvent dans des tableaux d'intérieur de dimensions plus réduites, comme la *Visite à la grand-mère* (Ermitage) ou la *Famille heureuse* (dite *Retour du baptême,* 1642, Louvre). La *Forge* (Louvre) y ajoute une étude de lumière artificielle rendue avec une science et une audace de touche exceptionnelles. La plupart des thèmes sont étroitement liés au répertoire flamand : mais la densité psychologique dérive peut-être de la tradition caravagesque (les *Joueurs de cartes,* musée d'Aix-en-Provence ; la *Rixe,* 164(0) ?, musée de Cardiff, Museum of Wales). Fort différente, une autre série de scènes d'intérieur, de petit format, sur bois ou cuivre, montrant le plus souvent des groupes d'enfants, marque un refus de composer une « action », joint à une observation « naïve » et généralement une touche grasse, dont la maladresse n'est qu'apparente : le meilleur exemple en est le *Vieux Joueur de flageolet* (1644, Detroit, Inst. of Arts). En regard de ces toiles d'intérieur, plus surprenante encore apparaît une série de scènes paysannes de plein air. Tantôt le motif continue à l'emporter (la *Charrette,* 1641, Louvre), tantôt l'on touche au paysage pur (*Paysans dans un paysage,* Hartford, Wadsworth Atheneum), mais, le plus souvent, ces deux intérêts s'équilibrent en compositions d'une volontaire gaucherie (la *Laitière,* Ermitage). Le coloris très clair s'allie à une audace exceptionnelle : touche libre, vérité du paysage rejetant toutes les conventions du genre, justesse de l'atmosphère argentée, qui semble établir un lien imprévu entre Fouquet et Corot.

Un ensemble aussi complexe multiplie pour la critique les problèmes les plus délicats. Les limites mêmes de l'œuvre restent indécises. Vite plagié, il se trouve encombré dès le XVIIIe s. de fausses attributions. Il a été possible d'en séparer la production de Michelin ; il est plus difficile d'identifier le « Maître des Cortèges » (le *Cortège du bœuf gras,* Louvre, donation Picasso ; le *Cortège du bélier,* Philadelphie, Museum of Art), original dans ses compositions en frise, ou le peintre plus sévère des *Voyageurs dans une auberge* (Minneapolis, Inst. of Arts), ou encore l'auteur médiocre de nombreuses scènes d'extérieur, à intentions souvent grossières, fréquemment données sans fondement à la vieillesse de Mathieu (le *Repas villageois,* l'*Abreuvoir,* Louvre). D'autre part, la répartition des œuvres entre les trois frères a, depuis quarante ans, accaparé la critique. Elle perd beaucoup de son importance si la différence d'âge supposée (dix-neuf ans entre Antoine et Mathieu) se réduit à quelques années. La distinction proposée par Paul Jamot (*les Le Nain,* 1929) apparaît toujours la plus raisonnable : à Antoine les petits tableaux d'enfants pittoresques et les petits portraits de groupe ; à Louis les tableaux paysans, avec le privilège d'une psychologie profonde et d'un sentiment tout moderne du paysage ; à Mathieu les portraits de groupe élégants, tels que les *Joueurs de tric-trac.* Mais ce partage lui-même se heurte à une série de graves difficultés, ne peut s'appliquer à l'ensemble de la production (les portraits en pied, les tableaux mythologiques et religieux ?) et ne doit pas faire oublier une collaboration constante : dans la plupart des toiles importantes, portraits exceptés, apparaissent plusieurs mains.

Il convient, au contraire, d'insister à la fois sur la diversité de la production de l'atelier et sur son unité profonde. À titres divers, les trois frères partagent le même mérite : celui d'avoir incarné l'idéal d'élégance et de clarté où tend, entre 1630 et 1650, la peinture parisienne. Leur œuvre exprime pleinement cette recherche : simplicité de la composition, établie sur des plans distincts, sobriété et souvent clarté du coloris, souci de l'atmosphère, équilibre entre l'intérêt psychologique et la retenue de l'expression, entre l'observation du « naturel » et l'élégance de la forme. Or, tandis que la grande peinture (La Hyre, Le Sueur) s'appuie dans l'élaboration de ce style sur la tradition italienne, les Le Nain — s'agissant du portrait et de la scène de genre, où la production française reste étroitement liée à la tradition flamande — sont conduits à une expression tout originale et qui, dans son aboutissement du moins, apparaît pratiquement isolée dans la peinture européenne du XVIIe s. J. T.

Léonard de Vinci

Leonardo di ser Piero da Vinci

peintre italien

(Vinci, près de Florence, 1452 - Amboise 1519)

Par son œuvre picturale, mais aussi par l'universalité de ses intérêts (allant de l'architecture à la musique, de l'hydraulique et de la géologie à l'anatomie et à la botanique) et le caractère précurseur de bien de ses intuitions géniales, Léonard est devenu le symbole et le mythe du génie de la Renaissance italienne : il marque en effet le point extrême du passage de l'art encore quattrocentesque des Pollaiolo et de Botticelli à celui, pleinement renaissant, qu'illustrent Fra Bartolomeo et Raphaël dès le début du XVIe s. On divise habituellement sa carrière en quatre périodes principales : 1452-1481, période de formation à Florence; 1482-1500, première période milanaise; 1500-1516, maturité; 1517-1519, vieillesse et mort en France.

La formation. Léonard fit son apprentissage à Florence, où il est documenté dès 1469, dans l'atelier d'Andrea del Verrocchio, à côté d'artistes comme Botticelli, Pérugin, Domenico Ghirlandaio, Cosimo Rosselli, Filippino Lippi. Dans les œuvres attribuées à ses années de jeunesse (*Madone Ruskin,* Sheffield, Art Gal.; l'ange du *Baptême du Christ,* de Verrocchio, Offices; le *Portrait de Ginevra Benci* [?], Washington, N.G.; dessin d'un *Paysage* de 1473, Offices), il se montre bien, en effet, héritier et continuateur de la tradition plastique et graphique des Florentins Pollaiolo, Verrocchio, Desiderio da Settignano, et imprégné de cette ambiance hautement culturelle de la Florence de Laurent le Magnifique et de Marsile Ficin. De cette époque inquiète, il donne une interprétation d'une rare acuité, due peut-être aux résonances qu'elle put éveiller dans sa sensibilité d'enfant illégitime (né d'un bourgeois, le notaire « ser Piero », et d'une paysanne, une certaine Caterina). Cette condition particulière le sépare de la vie et de la culture des classes supérieures, dont il reste proche cependant et auxquelles il est mêlé de façon indirecte. De là, sans doute, sa lutte pour faire admettre l'égalité de la peinture (considérée par tradition « art mécanique ») et de la poésie, et obtenir ainsi pour le peintre le « statut d'art libéral »; de là son effort incessant pour s'assimiler une culture supérieure (peu instruit en latin, il se considérait « un homme sans lettres » par rapport aux humanistes de son temps); de là, sans doute, son style même de vie (tenant du « mage » et du « courtisan »), nettement différent de celui qui était habituel à sa classe. De ses multiples aspirations, de ses ambitions littéraires et philosophiques, de ses curiosités techniques et scientifiques, qu'il maintiendra sa vie durant, témoignent les nombreuses feuilles, artistiquement parfaites, de ses codex. Cette période florentine se conclut par l'*Adoration des mages* (1481-82), destinée à l'église S. Donato, à Scopeto (aujourd'hui aux Offices), dont le style et le sujet apparaissent profondément renouvelés par la recherche d'une expression dramatique fondée sur la mimique et le mouvement. Mais celle-ci est cependant respectueuse de l'équilibre général de la composition, qu'assure un jeu de symétries subtiles. L'œuvre resta inachevée du fait du départ de Léonard, appelé à Milan par le duc Ludovic Le More (1482).

Premier séjour à Milan. Durant ce premier séjour à Milan, la peinture de Léonard s'enrichit des apports de l'art local, attentif par tradition aux phénomènes naturels de la lumière et qui, tardivement, s'assimilait (grâce à Bramante) la grande leçon de perspective apportée par la Renaissance. Vasari rappelle l'amitié du peintre et de Bernardino Zenale, dont la culture complexe a été récemment très bien étudiée; et si les apports du premier au style de Zenale sont certains, il est aussi très probable que, sous l'influence du maître de Trévise, Léonard dut méditer plus à fond les problèmes du clair-obscur et de la perspective aérienne. C'est ce que l'on peut déduire en tout cas de l'examen des chefs-d'œuvre de cette époque milanaise : la *Vierge aux rochers* (Londres, N.G.; Louvre) et la *Cène* (1497, Milan, S. Maria delle Grazie). L'état de conservation désastreux de cette fresque (dû en partie à la funeste technique expérimentale de Vinci) n'empêche pas d'apprécier les morceaux de nature morte « naturelle » répartis sur la nappe (assez insolites chez un Florentin) et la construction de la perspective centrale, savamment exaltée par le contraste des ombres et des lumières. Il est évident que, si, dans le groupement ternaire des apôtres, l'artiste poursuit les recherches d'expressions physionomiques, de gestes et de mouvements déjà entreprises dans l'*Adoration des mages,* et celles d'équilibre ramassé de la *Vierge aux rochers,* il organise aussi l'ensemble de la composition sur une structure de perspectives indiquées par l'éclairage, car l'impression de profondeur que donne la fresque est accentuée — comme l'avait observé Mengs — tant par la situation en premier plan des protagonistes que par deux séries de gradations des ombres et des lumières, l'une allant de l'éclairage maximal de la nappe à la pénombre du mur de fond, l'autre s'intensifiant progressivement à travers le paysage pour aboutir à la luminosité absolue du ciel. De ce qui dans l'esprit de l'artiste aurait dû être son œuvre capitale à Milan — le gigantesque *Monument équestre à Francesco Sforza* (7,20 m, v. 1490), père de Ludovic Le More — ne restent que quelques dessins splendides (Windsor Castle). Après la chute de Ludovic Le More (1499) et la

Léonard de Vinci
Portrait de Monna Lisa, dite la Joconde ▶
Paris, musée du Louvre
Phot. Giraudon

conquête par Louis XII du duché de Milan, le modèle de la statue (grandeur nature) servit de cible aux hallebardiers du roi de France et fut ensuite complètement détruit.

Pour éviter les désordres consécutifs à la conquête, Léonard quitte Milan. Il se rend d'abord à Mantoue, où il exécute un portrait d'*Isabella d'Este* (carton au Louvre, 1500), puis à Venise et à Florence. Il reste ensuite un an (1502) en Romagne, comme architecte militaire de Cesare Borgia. Mais, revenu à Florence en 1503, il entreprend le carton pour la *Bataille d'Anghiari,* qui aurait dû faire pendant, au Palazzo Vecchio, à la *Bataille de Cascina* de Michel-Ange. L'œuvre ne sera jamais terminée, et le carton (fini en 1505) sera détruit plus tard. Nous pouvons cependant en avoir une idée par des copies partielles (copie par Rubens, Louvre) et des dessins préparatoires (musée de Budapest ; Venise, Accademia ; British Museum ; Windsor Castle). Dans l'épisode central, ou *Conquête de l'étendard,* Léonard déploie toute sa science de l'anatomie de l'homme et du cheval, des raccourcis et de la composition, et son habileté à rendre les mouvements les plus impétueux comme les plus violentes passions. Nous ne pouvons savoir aujourd'hui l'importance qu'auraient prise les détails d'« atmosphère » que sembleraient suggérer certaines esquisses autographes, et surtout la description écrite qu'en a faite Vinci lui-même dans un de ses célèbres recueils d'annotations. C'est probablement à cette époque qu'il peignit le portrait de Monna Lisa, femme de Francesco del Giocondo, la célèbre *Joconde* (Louvre).

Second séjour à Milan. En 1506, Léonard revient à Milan, cette fois au service de Charles II de Chaumont, maréchal d'Amboise, nommé par Louis XII gouverneur du duché de Milan. On suppose qu'il put alors travailler à la seconde version de la *Vierge aux rochers* (Londres, N. G.). En septembre 1507, des différends avec ses frères au sujet de la succession de leur oncle Francesco le ramènent à Florence, où il vécut pendant six mois chez Piero Martelli en même temps que le sculpteur Francesco Rustici, qui exécutait alors le groupe en marbre du *Baptême du Christ* pour le baptistère de Florence. En juillet 1508, Vinci rentre à Milan, où il restera jusqu'en septembre 1513 ; pendant ces cinq années, il se serait surtout consacré à des études de géologie, tout en préparant le projet du *Monument équestre à Gian Giacomo Trivulzio* (dessins à Windsor Castle) et en poursuivant l'exécution de *la Vierge, l'Enfant Jésus et sainte Anne,* tableau pour lequel il a déjà dessiné un carton préparatoire v. 1500 (Londres, N. G.) et qu'il gardera chez lui, sans complètement l'achever, jusqu'à sa mort (Louvre). Le 24 septembre 1513, Léonard quitte Milan avec ses élèves Melzi, Selaï, s'arrête à Florence en octobre, et, le 1er décembre, il arrive à Rome pour entrer au service de Giuliano de'Medici, frère du pape Léon X, qui le loge au belvédère du Vatican. Sous la protection du « Magnifico Giuliano », passionné de philosophie et d'alchimie, il peut se consacrer à des études techniques et scientifiques.

Léonard en France. À la mort de son protecteur (17 mars 1516), Vinci accepte l'hospitalité que lui offre François Ier au manoir de Clos-Lucé, près d'Amboise. C'est là qu'en octobre 1517 vint le visiter le cardinal d'Aragon, en voyage en Europe avec son secrétaire Antonio de Beatis, qui note dans son *Journal* avoir vu chez le peintre « une infinité de livres et tous en langue vulgaire », et 3 tableaux : la *Joconde,* la *Vierge et sainte Anne* et un *Saint Jean-Baptiste,* unanimement reconnu comme dernière œuvre certaine de l'artiste (Louvre). La « petite histoire » veut qu'il se soit éteint dans les bras de François Ier le 2 mai 1519. Inhumé dans le cloître de l'église de Cloux, ses cendres furent dispersées pendant les guerres de Religion, et sa sépulture a disparu. G. P.

Le Sueur

Eustache

peintre français

(Paris 1616 - id. 1655)

En dépit des légendes qui circulèrent à son sujet, Eustache Le Sueur, peintre d'histoire et décorateur, mena une vie paisible. Les limites géographiques de sa carrière s'inscrivent dans le centre de Paris et l'île Saint-Louis, et il ne se rendit jamais en Italie. Fils d'un tourneur sur bois, Cathelin Le Sueur, il fait son apprentissage v. 1632 dans l'atelier de Vouet, où il rencontre Le Brun et Mignard. L'étude des œuvres de Raphaël et des dessins des collections royales, des estampes de Marc-Antoine Raimondi, des décorations du château de Fontainebleau complète sa formation.

L'influence de Vouet. Ses débuts furent facilités par Vouet, qui lui confia en 1637 une commande de 8 tableaux illustrant le *Songe de Poliphile* de F. Colonna, lesquels furent ultérieurement reproduits en tapisserie. De cet ensemble, terminé v. 1645, 4 tableaux subsistent (musées du Mans, de Rouen, de Dijon [Magnin] ; Vienne, coll. Czernin). Il commence en 1644 des travaux de décoration pour le président de la Chambre des comptes, Lambert de Thorigny, dont l'hôtel a été bâti par Le Vau dans l'île Saint-Louis. De ces travaux subsistent plusieurs éléments importants, en particulier les panneaux ornementaux (auj. coll. part., château de La Grange) et le plafond du *Cabinet de l'Amour* (5 panneaux au Louvre). Ces œuvres indiquent une certaine soumission au dynamisme de Vouet, mais le dessin est plus léger et plus retenu et la couleur riche et fraîche. Les portraits de cette époque ont un ton plus personnel (*Réunion d'amateurs,* Louvre ; *Portrait de M. Albert,* 1641, musée de Guéret).

De ce moment inspiré par l'exemple et les leçons de Vouet datent plusieurs toiles (souvent attribuées naguère à Vouet) : *Diane et Callisto* (Dijon, musée Magnin), la *Résurrection du fils de la veuve de Naïm* (Paris, église Saint-Roch), l'*Ange Raphaël quittant Tobie* (musée de Grenoble, provenant, comme un autre tableau du Louvre illustrant la vie de Tobie, de l'hôtel de Fieubet), la *Présentation de la Vierge au Temple* (Ermitage) et même encore la *Résurrection de Tabitha* (musée de Toronto).

Eustache Le Sueur
Clio, Euterpe et Thalie ▶
Panneau du cabinet des Muses
de l'hôtel Lambert
Paris, musée du Louvre
Phot. Lauros-Giraudon

La maturité. Le *Cabinet des Muses,* appartenant au même hôtel Lambert, exécuté lors de la reprise des travaux v. 1647-1650, prouve, par le traitement ample des personnages et des draperies, que Le Sueur ne reste pas insensible à la grande leçon classique de Poussin, présent à Paris entre 1640 et 1642. Cinq panneaux figurant les *Muses* et la toile du plafond *(Phaéton)* sont conservés au Louvre ; celui des *Trois Muses Clio, Euterpe et Thalie* est l'exemple type de ce moment de transition, caractérisé par le rythme souple des lignes et la fraîche harmonie des tons. Sa réputation alors établie, l'artiste est en 1648 un des membres fondateurs de l'Académie de peinture.

Il reçoit l'importante commande de 22 tableaux pour la décoration du cloître des Chartreux ; exécutées de 1645 à 1648, ces peintures relatent les principaux épisodes de la *Vie de saint Bruno.* Le Sueur y affirme un style personnel, fruit d'une réflexion soutenue de l'exemple classique offert par Poussin. Il illustre la *Mort de saint Bruno* (Louvre) avec une sobriété qu'anime l'observation psychologique et réaliste. La sévérité de l'inspiration, la discrétion dans l'harmonie ne sont pas sans évoquer Zurbarán. La connaissance de la perspective, l'usage noble qu'on peut en tirer font la grandeur de *Saint Bruno écoutant Raymond Diocre prêchant* (Louvre). La même solidité régit le *Saint Paul à Éphèse* (1649, Louvre), commandé par la corporation des orfèvres pour le mai de Notre-Dame.

Le Sueur exécute pour le roi, dans sa chambre du Louvre, une *Allégorie de la Monarchie française,* traite le thème de l'*Autorité du roi* et décore l'appartement des bains de la reine mère; cet ensemble a disparu à la fin du XVIIIe s.

L'influence de Raphaël. À partir de 1650, une orientation quelque peu différente marque l'art du peintre dans les toiles religieuses et les tableaux de chevalet, dont il emprunte les sujets à l'Ancien et au Nouveau Testament ou à l'histoire grecque. Très impressionné par les dessins des tapisseries de Raphaël et la composition des Loges, il élabore un art assez froid, remarquable dans l'*Annonciation* (1652, Louvre), dans *Jésus chez Marthe et Marie* (Munich, Alte Pin.) et dans la *Présentation au Temple* (1652, musée de Marseille), qu'éclairent toutefois des éclats colorés. Dans la grande *Adoration des bergers* (1653, musée de La Rochelle), la ligne noblement modulée unit les personnages, dont les expressions et les attitudes restent cependant précises et véridiques. La nostalgie de la Renaissance a sans doute inspiré le tondo de la *Descente de croix* du Louvre (qui fait partie du même retable que l'admirable *Christ portant sa croix*).

Cette inspiration savante marque les 4 dernières œuvres, exécutées en 1654 pour l'abbaye de Marmoutiers, dont l'*Apparition de la Vierge à saint Martin* et la *Messe de saint Martin* (Louvre); les 2 autres tableaux sont au musée de Tours. L'artiste, ayant peint pour l'église Saint-Gervais à Paris *Saints Gervais et Protais amenés devant Astasius* (Louvre), laissa inachevé le *Martyre des saints Gervais et Protais* (musée de Lyon), qui sera terminé, après sa mort, par son beau-frère Thomas Goussey.

L'œuvre de Le Sueur comporte aussi un ensemble abondant et remarquable de dessins (outre le Louvre, la plupart des grands cabinets de dessins en conservent des exemples) préparatoires à ces tableaux, exécutés à la sanguine ou souvent, à l'exemple de Vouet, à la pierre noire, avec rehauts de blanc, sur papier gris.

Très imité, Le Sueur n'a pas laissé d'élève connu. Appelé le « Raphaël français », apprécié au XVIIIe s. à l'égal de Poussin pour la « tendresse », goûtée à l'époque, qui émane de ses œuvres, il demeure l'un des plus sensibles représentants de cette équipe de peintres travaillant à Paris sous la régence d'Anne d'Autriche, qu'un sentiment très pur de l'harmonie des formes et une solide culture conduisirent à l'élaboration d'un classicisme français, avant l'arrivée de Le Brun. N. Bl.

Leu

Hans le Jeune
peintre suisse
(Zurich v. 1490 - tué à la bataille de Gubel en 1531)

Il ne fut distingué de son père, Hans Leu l'Ancien, comme représentant le plus remarquable du Gothique tardif zurichois, qu'en 1901 par Paul Ganz. Il parcourut l'Allemagne de 1507 à 1513 et très vraisemblablement travailla avec Dürer à Nuremberg et avec Hans Baldung à Fribourg-en-Brisgau. Dès 1514, il est actif à Zurich, et sa production est considérable malgré une vie désordonnée qui le conduit de champs de bataille en cours de justice. Le musée de Bâle abrite ses meilleures œuvres, dont le célèbre *Orphée charmant les animaux* (1519), le *Paysage fantastique* et la *Passion du Christ* (1522), ainsi que 4 gravures

Hans Leu
Orphée charmant les animaux (1519) ▼
Bâle, Öffentliche Kunstsammlung
Phot. Larousse

sur bois datées de 1516, dont *Saint Georges combattant le dragon,* et un grand nombre de dessins *(Paysage).* Parmi ces derniers, il importe de mentionner le *Baptême du Christ* (1513, British Museum) et le *Saint Sébastien* (1517, musée de Nuremberg). Si l'existence agitée de Leu évoque celle d'Urs Graf ou celle de Niklaus Manuel, il ne fut pas comme eux peintre de batailles et de mœurs militaires. Ses thèmes, religieux ou mythologiques pour la plupart, sans être toujours d'une grande maîtrise d'exécution, sont remarquables par une interprétation pleine de poésie intime et mystérieuse, non exempte de bizarrerie. Mais la grande originalité de Leu le Jeune réside dans les paysages peints ou dessinés pour eux-mêmes dès 1513. Comme Altdorfer ou Hirschvogel, il se plaît à imaginer des sites fantastiques, enchevêtrements romantiques de montagnes déchiquetées et de sauvage végétation qui font de lui l'un des maîtres du paysage du XVIe s. B. Z.

Liberale da Verona

peintre italien
(Vérone v. 1445 - id. *1529)*

Il exécute ses premières miniatures à Vérone en 1465 pour l'église de S. Maria in Organo, puis émigre en Toscane. Entre 1467 et 1469, il enlumine 4 *Antiphonaires* (Chiusi, Opera del Duomo) du monastère de Monte Oliveto Maggiore, dans lesquels s'unissent la force de la tradition padouane, de Belbello aux grands miniaturistes de Borso d'Este, et les premiers motifs plastiques toscans. Formé dans l'Italie du Nord, il y a acquis la qualité fondamentale de son style : un graphisme très souple et fleuri, riche d'arabesques et de torsions formelles. Son originalité se déploie pleinement dans les fameux 14 *Graduels* décorés, entre 1470 et 1476, pour la « libreria » (bibliothèque) Piccolomini de Sienne (dôme). Dans ces grandes feuilles, chefs-d'œuvre de l'enluminure italienne du quattrocento, certains rythmes fantastiques du Gothique tardif international subsistent encore, côtoyant les lignes fortes et incisives de la manière florentine telle que la pratiquent Botticelli et Pollaiolo.

Toute l'activité siennoise de Liberale da Verona est proche et souvent étroitement liée à celle d'un autre miniaturiste, Gerolamo da Cremona, ce qui a rendu longtemps difficile toute attribution certaine à chacun des deux artistes. Cependant, R. Longhi a reconnu à Liberale da Verona une personnalité supérieure à celle de Gerolamo, chez qui pourtant il puisa souvent ses sources d'inspiration. On reconnaît aujourd'hui en Liberale l'auteur de plusieurs œuvres importantes, attribuées antérieurement à Gerolamo et exécutées au cours de séjours à Rome (la *Vierge et l'Enfant entre saint Benoît et sainte Françoise Romaine,* église Sainte-Françoise-Romaine) et à Viterbe. Le *Christ et quatre saints* (1472, Viterbe, cathédrale) est ainsi sans doute son chef-d'œuvre. La figure du Christ, debout sur un podium, prend un relief plastique plus intense dans le mouvement du vêtement, gonflé et accentué par un regard à la fixité inquiète.

Liberale da Verona
Éole (ou **Aquilon** ou **Borée**) ▲
Enluminure du Codex (Graduel) 2
Sienne, Duomo, Libreria Piccolomini
Phot. Scala

Parmi les œuvres ainsi restituées à Liberale, on peut citer 2 *Scènes de la vie de saint Pierre* (Berlin-Dahlem et Londres, coll. part.), l'*Enlèvement d'Hélène* (Avignon, Petit Palais) et l'*Enlè-*

vement d'Europe (Louvre), la *Nativité* (New Haven, Yale University Art Gal.), les *Joueurs d'échecs* (« cassone » partagé entre le Metropolitan Museum, la fondation Berenson et une coll. part.).

Selon Vasari, Liberale est de retour à Vérone en 1482 ; puis il se rend à Venise en 1489, date à laquelle il peint la « pala » avec la *Madone en trône avec quatre saints* (Berlin-Est, Bode Museum). Il rentre ensuite à Vérone, où il déploie une grande activité jusqu'à sa mort. Parmi les œuvres de cette période, il faut mentionner la *Pietà* (Munich, Alte Pin.), un *Saint Sébastien* (Brera) où apparaît encore l'influence de Mantegna, la *Nativité* (Boston, Gardner Museum), de nombreuses *Madones* (Turin, Gal. Sabauda ; Londres, N. G. ; Stockholm, Université ; musées de Grenoble et de Cracovie), l'*Adoration des mages* (Vérone, Duomo), la *Déposition de croix* (Vérone, Castel Vecchio), la prédelle de la *Vie de la Vierge* (Vérone, archevêché). Les fresques (1490) de la chapelle Bonaversi à S. Anastasia, à Vérone, restent l'une de ses œuvres les plus significatives.

Les dons de Liberale da Verona, son imagination poétique pleine de fantaisie, son âpreté, son goût pour une expression tourmentée furent reconnus déjà par Vasari, qui admirait sa capacité de « savoir rendre le rire aussi bien que les pleurs ». Son « expressionnisme », pour employer un terme moderne, fait de lui un isolé dans le climat classique de Vérone à cette époque. Il apparaît ainsi beaucoup plus proche de certains peintres du Nord et en particulier de ceux de l'école du Danube, tout en les devançant sensiblement sur le plan historique, ce qui rend sa personnalité encore plus singulière. L. C. V.

Lichtenstein

Roy

peintre américain
(New York 1923)

Lichtenstein étudia avec Reginald Marsh en 1939 à l'Art Students League, puis à l'Ohio State College. Il retourna dans cette université de 1946 à 1951 après avoir effectué son service militaire en Europe. Il vécut d'abord à Cleveland (jusqu'en 1957), puis enseigna dans diverses universités de l'État de New York avant de s'installer à New York même. Il exposa dans cette ville régulièrement à

Roy Lichtenstein, **Grande Peinture 6** (1965) ▼
Düsseldorf, Kunstsammlung Nordrhein-Westfalen
Phot. Fabbri

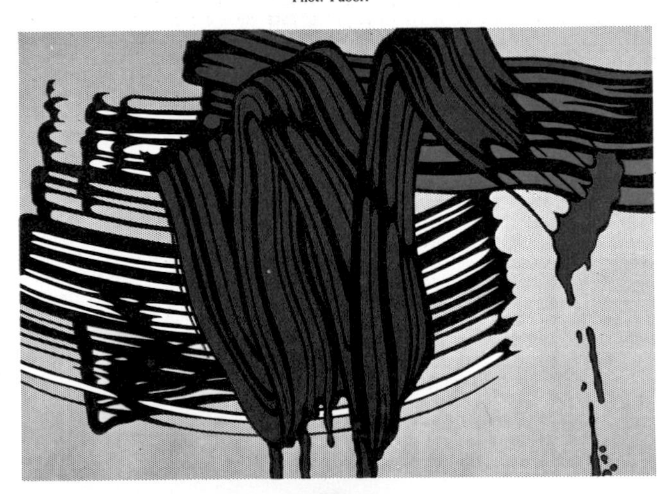

partir de 1951 — essentiellement à la John Heller Gal. —, mais son œuvre suscita une vive attention à partir de 1960-61. L'exposition qu'il fit en 1962 chez Leo Castelli montra de façon retentissante de quelle manière il s'opposait à l'Expressionnisme abstrait alors régnant. Rejetant celui-ci, il choisit ses sujets dans les images publicitaires les plus banales (*Like New,* 1962, New York, coll. R. Rosenblum), les bandes dessinées (*Whoam,* 1963. Londres, Tate Gal.; *M.-Maybe,* 1965, Cologne, W.R.M., coll. Ludwig), les journaux, la télévision. De plus, sa technique semblait dérivée des moyens de production en série, notamment de l'imprimerie, avec ses écrans de points minuscules. Cet art, calculé à l'extrême, ne laissait aucune place pour les réactions personnelles ni pour les effets sensoriels des couleurs auxquels on était alors habitué. Ses bandes dessinées et ses diagrammes d'après des tableaux de Cézanne ou de Picasso (*Portrait de Mme Cézanne,* 1962, Los Angeles, coll. I. Blum) furent considérés par les uns comme des fautes de goût, par les autres comme une satire virulente de la société américaine et de ses productions, les appareils de télévision et les machines à laver (*Washing Machine,* 1961, New York, coll. Richard Brown Baker). Une telle recherche maintenait naturellement en lisière les préoccupations formelles. Les compositions de Lichtenstein sont cependant rigoureusement organisées, avec leur coloris brillant et leur dessin linéaire. À partir de 1964, les images ont occupé une place moins importante dans son art, au profit des paysages, de compositions abstraites, commentaires ironiques de l'expressionnisme (*Grande peinture 6,* 1965; Düsseldorf, K.N.W.) ou parfois fondées sur l'art décoratif des années 30 (*Peinture moderne avec deux cercles,* 1967, musée de Nagakoa, Japon), puis de peintures représentant des miroirs (1971) et de natures mortes assez complexes (*Nature morte avec coupe de cristal, citron et raisins,* 1973, New York, Whitney Museum) — sujets qui permettent tous à Lichtenstein d'exploiter plus aisément encore une élégante calligraphie. Beaucoup de ses dessins (crayon et crayons de couleurs surtout) ont leur fin en soi (6 variations, progressivement abstractisées sur le thème du *Taureau,* 1973; variations sur le thème de l'*Atelier de l'artiste,* 1974). Lichtenstein s'est également intéressé à la lithographie et à la sérigraphie, auxquelles son style s'adapte parfaitement (la *Cathédrale de Rouen,* lithos, 1969). Bien que l'on ait pu mettre en parallèle ses schèmes et ceux d'artistes d'une récente tendance de l'Abstraction (Minimal Art), il établit une relation nouvelle entre la banalité du sujet et la structure intellectuelle abstraite, conception picturale qu'il contribua à réintroduire aux USA en tant que chef de file du Pop'Art.

D. R. et J. P. M.

Limbourg (les frères)

Pol, Herman et Jean de

miniaturistes franco-flamands

(XIVe s. - av. 1416)

La connaissance de l'œuvre des frères de Limbourg repose tout entière sur une découverte de L. Delisle, qui proposait, dès la fin du siècle dernier, d'identifier les célèbres *Très Riches Heures* du musée Condé de Chantilly, acquises en 1855 par le duc d'Aumale, avec un article de l'ultime inventaire des collections de Jean de Berry dressé en 1416, où ce manuscrit, resté inachevé en raison de la mort du duc et de ses peintres et qui fut complété plus tard par Jean Colombe pour le duc Charles de Savoie, est décrit en ces termes : « Plusieurs cayers d'unes très riches heures, que faisoient Pol et ses frères, très richement historiés et enluminés. » Cette mention, recoupée avec d'autres sources documentaires, s'est révélée déterminante pour la reconstitution de la carrière des Limbourg.

Originaires de la Gueldre par leurs attaches familiales, sur lesquelles de récents travaux ont jeté une lumière nouvelle, Pol, Hermann et Jean de Limbourg appartenaient à une famille d'artistes : leur père, Arnold, était sculpteur, et ils avaient pour oncle Jean Malouel, peintre du duc de Bourgogne Philippe le Hardi. Dès 1399, un document révèle la présence de deux des frères, Herman et Jean, encore « jeunes enfants », dans l'atelier d'un orfèvre parisien. En 1402, leur réputation était suffisamment établie pour que Philippe le Hardi les eût engagés à son service exclusif afin d'enluminer une « très belle et notable bible ». Rien ne s'oppose à l'identification de cette première commande, dont l'exécution dut être interrompue par la mort du duc de Bourgogne en 1404, avec une *Bible moralisée* dont les 3 premiers cahiers sont de la main des Limbourg (Paris, B.N., ms. fr. 166).

Bien qu'aucun document ne permette de l'affirmer, il paraît probable que les trois frères passèrent assez vite au service de Jean de Berry à la mort de leur premier employeur : on sait, en effet, qu'ils enluminèrent pour le duc de Berry une charte, auj. disparue, datée de 1405. Ce n'est, cependant, qu'à partir de 1409 que se multiplient les mentions témoignant de la faveur obtenue par les Limbourg, et surtout par Pol, qui paraît avoir été le plus doué des trois, auprès de leur nouveau mécène : don d'immeubles, octroi du titre envié de valet de chambre, cadeaux précieux récompensent leur activité auprès du duc. Cette faveur ne se démentira pas jusqu'en 1416, année de la mort de Jean de

Berry, que les Limbourg semblent avoir précédé dans la tombe quelques mois auparavant.

Au mécénat de Jean de Berry se rattachent les deux œuvres majeures des Limbourg : les *Belles Heures* (New York, Cloisters) et les *Très Riches Heures* (Chantilly, musée Condé), auxquelles il convient d'ajouter diverses enluminures insérées dans deux autres livres d'heures exécutés antérieurement pour le duc : ainsi la peinture figurant le duc partant en voyage des *Petites Heures* (Paris, B.N., ms. lat. 18014) et celles qui illustrent les prières aux anges et à la Trinité dans les *Très Belles Heures de Notre Dame* (Paris, B.N., ms. nouv. acq. lat. 3093). À l'exception des *Très Riches Heures,* sûrement datées entre 1413 et 1416, la chronologie de ces œuvres reste mal assurée. Elle paraît même devoir être révisée en ce qui concerne les *Belles Heures,* datées généralement de 1410-1413, mais dont le style, décidément plus proche de celui de la *Bible historiée* de la B.N. que de celui des *Heures* de Chantilly, implique une datation plus précoce. La place que ces *Belles Heures* occupent dans l'inventaire de 1413 prouve d'ailleurs qu'elles étaient achevées dès 1409 et avant les *Grandes Heures* de Jacquemart de Hesdin. Il est probable que les feuillets ajoutés aux *Très Belles Heures* ainsi que le *Livre d'heures* de la coll. Seilern (Londres) ont vu le jour à la même époque, tandis que la peinture des *Petites Heures* semble se placer à la fin de la carrière des frères Limbourg.

Dès les premières œuvres, le style des Limbourg apparaît comme profondément original : rien ne saurait vraiment leur être comparé dans la production des ateliers d'enlumineurs parisiens de l'époque. Peut-être leur condition de peintres (il n'est pas exclu, en effet, que Jean de Berry les ait employés occasionnellement à des travaux de peinture monumentale) explique-t-elle ce relatif isolement : c'est en tout cas avec les très rares peintures de chevalet conservées de cette époque, notamment avec les tableaux attribués à leur oncle Jean Malouel et à Henri Bellechose, que leur art présente le plus d'affinités. Cet art a pour composantes une acuité d'observation héritée de leur ascendance septentrionale et un sens de la composition monumentale certainement acquis au contact d'œuvres italiennes qu'ils ont pu étudier dans les collections de Philippe le Hardi et de Jean de Berry, sans avoir à se déplacer en Italie : la diversité des sources de leurs italianismes, Sienne, Florence, mais aussi l'Italie du Nord, semble le confirmer. Ce qui reste unique dans l'œuvre des Limbourg, outre la qualité presque féerique du coloris, est leur science de plus en plus approfondie de la représentation de la nature dans ses aspects changeants et divers, et qui fait de leur ultime chef-d'œuvre, les *Très Riches Heures,* un monument capital de la peinture européenne, échappant aux définitions du style gothique international, dont il constitue cependant l'une des expressions les plus raffinées. F. A.

◀ Limbourg (les), **Le Mois d'août**
Enluminure
des *Très Riches Heures du duc de Berry*
Chantilly, musée Condé
Phot. Giraudon

Liotard
Jean Étienne

peintre genevois
(Genève 1702 - id. *1789)*

Il passa la plus grande partie de sa vie à l'étranger. Après un apprentissage à Genève chez le miniaturiste Daniel Gardelle, il séjourne à Paris (1723-1736) et devient l'élève de Jean-Baptiste Massé. Il se rend à Rome (1736), où il fait la connaissance du chevalier William Ponsonby, le futur lord Bessborough, avec qui, en 1738, il part pour Constantinople (1738-1742), d'où il ramènera une série de dessins de voyage (Paris, Louvre et B.N.) à la pierre d'Italie et à la sanguine, d'une précision qui ne manque pas de charme. Voyageur infatigable, Liotard séjourne à Vienne (1743-1745), où il peindra son pastel le plus célèbre, le portrait de Mlle Baldauf (la *Belle Chocolatière,* v. 1745, Dresde, Gg). Il retourne à Paris, où, en 1749, il est présenté à la Cour par le maréchal de Saxe, dont il vient d'exécuter le portrait. S'il expose à plusieurs reprises à l'académie de Saint-Luc, il essuie de nombreux déboires avec l'Académie royale de peinture, dont il ne réussira jamais à devenir membre. Liotard quitte la France pour Londres (1754) et pour la Hollande et, en 1757, s'installe à Genève. Il est riche, célèbre et devient le portraitiste attitré des notabilités de la ville et des étrangers de passage. Plusieurs portraits au pastel exécutés à cette époque comptent parmi les meilleurs. Son style est devenu plus rigoureux, son dessin plus précis : le portrait de *Madame d'Épinay* (v. 1759, musée de Genève), admiré par Flaubert et par Ingres, en est peut-être le plus parfait exemple. De retour à Vienne en 1762, il dessine aux trois crayons les portraits des onze enfants de Marie-Thérèse (musée de Genève). Un nouveau séjour à Paris (1770-1772) et à Londres, où il expose avec succès à la Royal Academy, et un dernier voyage à Vienne précèdent son retour à Genève, en 1778. Le *Portrait de l'artiste âgé,* daté de 1773 (musée de

Genève), par le jeu subtil de la lumière, les reflets dans les ombres, les rapports des tons, la spontanéité de la touche, dénote un métier libre, dégagé de toutes conventions et une audace à laquelle Liotard n'était pas habitué. Durant les dernières années de sa vie, retiré à Confignon, près de Genève, il peint des natures mortes (musée de Genève et coll. Salmanowitz) — traitées d'une manière très sobre, avec une certaine ingénuité même, qui peuvent se ranger parmi les chefs-d'œuvre de ce genre et rivaliser avec celles de Chardin — et un étonnant *Paysage* avec une vue de montagnes près de son atelier (Rijksmuseum). L'art de Liotard s'oppose à l'art français du XVIIIe s., épris de brio, de grâce et de charme. Sa conception esthétique, d'une indépendance et d'une originalité parfois déconcertantes, fut à la fois la force et la faiblesse de son génie. Il est typiquement genevois par son goût de l'analyse et de l'observation, par son indépendance, qui lui fait mépriser les écoles à la mode ; il use d'un langage pictural extrêmement dépouillé, se refusant à toute concession tendant à

Jean-Étienne Liotard
◀ **La Belle Chocolatière** (1745)
Pastel
Dresde, Staatliche
Kunstsammlungen,
Gemäldegalerie
Phot. Giraudon

embellir ses modèles. Sa première et son unique préoccupation est de faire « vrai » — d'où son surnom de « peintre de la vérité ». Coloriste sensible, Liotard possède au plus haut point la science des valeurs. Ses pastels n'ont pas la pénétration psychologique de ceux de La Tour ni l'extrême raffinement de ceux de Perronneau, mais leur prix réside dans le rendu scrupuleux de la réalité. R. L.

Liotard est représenté par un ensemble important de pastels, d'huiles et de dessins au musée de Genève ; le Rijksmuseum conserve également une belle série de pastels (la *Liseuse,* 1746). De nombreuses œuvres de l'artiste appartiennent à des collectionneurs genevois.

Liotard est également l'auteur du *Traité des principes et des règles de la peinture* (Genève, 1781). Sa conception de la peinture « miroir immuable de tout ce que l'univers nous offre de plus beau » s'oppose vivement à la « peinture de touches » de ses contemporains et lui fait affirmer qu'« on ne voit point de touches dans les ouvrages de la nature, raison très forte pour n'en point mettre sur la peinture ». Il s'insurgea et lutta contre cette opinion qu'il jugeait erronée, contre cette naïveté des « ignorarts », c'est-à-dire de ceux qui « n'ont aucune connaissance des principes de l'art ». G. P.

Lippi

Filippo

peintre italien

(Florence 1406 - Spolète 1469)

Lippi était frère convers au couvent du Carmine (Florence) à l'époque précise où Masaccio peignait les *Scènes de la vie de saint Pierre* dans la chapelle Brancacci et la *Sagra* (auj. détruite) dans le cloître contigu. Il quitta tôt le couvent et mena une vie aventureuse (encore que l'histoire de son enlèvement par les « Mores » et de sa captivité en « Barbarie » soit probablement le fruit de l'imagination de Vasari). Il faut au contraire accorder plus de crédit à la notice du chroniqueur concernant un séjour de Lippi à Naples, où il aurait trouvé un milieu de culture strictement flamande que certaines minuties de ses œuvres de jeunesse semblent bien refléter. En 1456, tandis qu'il peignait à Prato (dôme), il incita une religieuse du couvent de S. Margherita à fuir avec lui ; de cette union, légalisée ensuite grâce au pape Pie II, qui délia les deux fugitifs de leurs vœux, naquit un fils, Filippino, futur peintre lui aussi. Lippi se forma donc dans une ambiance encore gothique, mais sut regarder ce qui se faisait sous ses yeux à la chapelle Brancacci ; là, à côté des derniers raffinements gothiques de Masolino, s'affirmait avec violence le monde sévère et dramatique de Masaccio. Dans les premières œuvres de Lippi, la fresque de la *Confirmation de la règle,* autref. au cloître du Carmine (1432-33), et la *Madone Trivulzio* (Milan, Castello Sforzesco), l'empreinte de Masaccio transparaît dans les figures amples et pesantes ; mais Lippi refuse du premier coup tant la perspective rigoureuse qui ordonne les scènes de Masaccio que le caractère sévère et dramatique, dénué de toute complaisance décorative ou de toute rhétorique, que le chef d'école des peintres de la Renaissance leur conférait. Et c'est dans une série de figures rustiques et joyeuses que Lippi transpose cette humanité nouvelle, grave. C'est par cette traduction en formes plus simples et compréhensibles, par son abandon à des accents chaleureux et populaires que, dans la première moitié du XVe s., il réussit à rapprocher du nouveau style le grand public florentin, déconcerté par le langage dépouillé et rationnel inauguré par la Renaissance.

En 1434, notre peintre est à Padoue, mais il ne reste rien de sûr de cette activité en Vénétie ; il ne semble pas, du reste, que Lippi soit encore en mesure d'introduire avec autorité le style nouveau de la Renaissance, ce que Donatello pourra au contraire faire, quelque temps plus tard, grâce à ses dix ans de séjour à Padoue.

Revenu à Florence, Lippi peint en 1437 la *Madone de Tarquinia* (Rome, G. N.), l'œuvre où il se rapproche le plus de Masaccio, bien que le rapport entre figures et décor, si rigoureusement calculé chez Masaccio, soit annulé chez Lippi, dont la Vierge massive pèse, menaçante, sur la perspective en raccourci de la salle où elle se tient. À partir de ce moment, l'influence d'Angelico sur Lippi devient de plus en plus évidente et se manifeste en particulier par l'emploi de couleurs claires et lumineuses. En 1437, les Barbadori commandent le retable avec la *Vierge et l'Enfant entre saint Frediano et saint Augustin et des anges* (Louvre ; prédelle avec *Saint Frediano changeant le cours de la rivière ; Annonciation de la mort de la Vierge ; Saint Augustin,* aux Offices), où se note, dans les drapés des anges latéraux surtout, ce rythme linéaire qui, à partir de 1440, s'accentuera dans la peinture florentine sous l'influence d'Andrea del Castagno et des solutions linéaires apportées par Donatello. Les œuvres les plus significatives de cette période sont le *Couronnement de la Vierge* (1441, Offices) et les deux *Annonciations* (Florence, église S. Lorenzo ; Rome, G. N.), où Lippi donne à l'atmosphère raréfiée et spirituelle d'Angelico un caractère plus terrestre et concret, conforme à son tempérament d'homme et d'artiste. En 1452, il est chargé de la décoration à fresque du chœur du dôme de Prato, dont il termine le cycle des *Scènes de la vie de saint Jean-Baptiste et de saint Étienne* en 1464. Toujours de 1452 date le tondo Bartolini (Florence, Pitti) avec la *Vierge et l'Enfant et des scènes de la vie de la Vierge.* Certains détails, comme le voile de la Vierge, la figure de la porteuse de corbeille, anticipent les subtilités linéaires de Botticelli, d'ailleurs futur élève de Lippi. Dans les œuvres postérieures à 1455 comme la *Vierge et l'Enfant soutenu par deux anges,* la *Vierge adorant l'Enfant et saint Hilarion* (toutes deux aux Offices), Lippi mêle, et souvent sans discrimination, les souvenirs les plus disparates de sa culture, de la sensibilité fragile des figures d'Angelico à la solidité pesante des formes de Masaccio, et rappelle même certains traits du Gothique finissant, comme les rochers écaillés de la *Vierge adorant l'Enfant avec saint Bernard* peinte pour Lorenzo Tornabuoni (Offices). L'artiste meurt à Spolète, où, avec son jeune fils Filippino, il était allé peindre les *Scènes de la vie de la Vierge* du chœur de la cathédrale. Cette dernière œuvre laisse voir bien des faiblesses, dues en grande partie à l'intervention massive de collaborateurs, et en particulier de Fra Diamante. M. B.

Lippi

Filippino

peintre italien

(Prato ? 1457 ? - Florence 1504)

À la mort de son père — Filippo, son premier maître —, Filippino, alors âgé de douze ans, entre à l'atelier de Botticelli, dont l'influence marque vivement ses premières œuvres : les *Madones* de la N. G. de Londres, des Offices, du musée de Budapest et de Berlin-Dahlem, les *Scènes de la vie d'Esther* (maintenant réparties entre le Louvre, le musée Condé de Chantilly, la N. G. d'Ottawa et le musée Hòrne de Florence), les *Trois Archanges et Tobie* (Turin, Gal. Sabauda), l'*Adoration de l'Enfant* de l'Ermitage, l'*Adoration des mages* de la N. G. de Londres, les *Scènes de l'histoire de Virginie* du Louvre et celles de l'*Histoire de Lucrèce* (Florence, Pitti) ; cette influence fut si vive que Berenson assigna tout ce groupe d'œuvres, ainsi que quelques portraits, à un hypothétique artiste, dit l'« Amico di Sandro » (Botticelli). Filippino emprunte à son maître les figures allongées et affinées, élégantes et pathétiques, peintes dans les œuvres citées, datables des années 1478-1482 env.

Vers 1484-85, il termine les fresques de la chapelle Brancacci (Florence, église du Carmine), interrompues cinquante ans auparavant par la mort de Masaccio. Mais, devant cette tâche, le jeune Filippino « renonça à la fois à être lui-même et à être Masaccio » (Brandi), effrayé peut-être par la grandeur impressionnante du modèle laissé par Masaccio, et il aboutit en effet à des formes plus superficielles et épisodiques, dénuées de cette sensibilité si personnelle qu'il avait su manifester dans ses premières œuvres. De 1483 env. dateraient les deux tondi de l'*Annonciation* de S. Gimignano (musée), qui marquent une évolution du style de Filippino : la ligne devient plus tourmentée et nerveuse, le drapé redondant, le coloris plus métallique. Le *Triptyque Portinari,* de Van der Goes pour la chapelle des Portinari à l'église S. Egidio, était entre-temps arrivé à Florence, et Filippino, comme les autres peintres de l'époque, fut frappé par les éléments naturalistes de cette œuvre bientôt célèbre. Pour notre peintre, c'est le début des commandes vraiment importantes : de 1486 le *Retable (Madone et quatre saints)* pour la salle degli Otti di Pratica du Palazzo Vecchio (auj. aux Offices) ; de la même date env. la *Vierge apparaissant à saint Bernard* pour la chapelle de la famille Pugliese, conservée à l'église de la Badia à Florence, et la *Vierge, des saints et un donateur,* auj. encore sur l'autel de la chapelle des Nerli, à l'église S. Spirito, où la perspective de Florence, ouverte au-delà du portique qui encadre le groupe sacré, s'égale aux paysages les plus intenses de la peinture nordique.

De 1489 à 1493, Filippino est à Rome pour peindre les *Scènes de la vie de la Vierge et de saint Thomas d'Aquin* de la chapelle Caraffa, à l'église S. Maria sopra Minerva. Le contact avec les vestiges du monde classique incite le peintre à s'abandonner à une exubérante décoration où s'accumulent grotesques, frises, coiffures bizarres (goût qui s'exaspérera dans les dernières fresques de Florence), car ce monde classique, dont les maîtres du premier quattrocento avaient respecté les lois et la mesure, devient un prétexte à évocations nostalgiques et à divagations fantastiques pour les artistes de la fin du xve s. En 1496, Filippino date l'*Adoration des mages* peinte pour le couvent de Scopeto (Offices). La disposition et les attitudes complexes des personnages qui tournent autour du groupe sacré ont peut-être été inspirées par l'ébauche de l'*Adoration des mages* que Vinci avait laissée inachevée (maintenant aux Offices) et dont la commande faite à ce dernier par les moines de S. Donato à Scopeto passa de ce fait à Filippino. À partir de la fin du siècle, le maître accepte aussi des commandes pour d'autres villes : pour l'église S. Domenico, à Bologne, il peint en 1501 le *Mariage mystique de sainte Catherine* (et, dans le milieu émilien, l'esprit extravagant de Filippino trouve un parallèle dans certaines tendances fantasques d'Amico Aspertini, qui, durant son séjour en Toscane, dut certainement s'intéresser aux œuvres du jeune Lippi) ; à la même époque env., il envoie à Gênes le *Retable de saint Sébastien,* auj. au Palazzo Bianco. En 1503, il termine pour la chapelle Strozzi (église S. Maria Novella) le cycle à fresque des *Scènes de la vie de saint Philippe et de saint Jean l'Évangéliste,* commandées depuis 1487 : la forme tourmentée s'exaspère, l'artiste s'abandonne à un délire décoratif dont les éléments, empruntés à l'art classique, submergent les perspectives architectoniques, tandis qu'il orne ses personnages de coiffures « étranges et capricieuses ». De cette « masse d'inventions », qui tombent souvent dans la rhétorique, se détachent cependant des figures et des détails remarquables qui gardent l'empreinte de sa force imaginative habituelle. Sa mort prématurée interrompit l'exécution d'œuvres comme le *Couronnement* de l'église S. Giorgio alla Costa (auj. au Louvre), terminé par Alonso Berruguete, et la *Déposition* destinée à l'église de l'Annunziata (Florence, Accademia), achevée par Pérugin en 1505.

Artiste singulier dans la culture florentine de la fin du quattrocento, il anticipe, parallèlement à Piero di Cosimo, certaines « humeurs » bizarres et fantastiques (qui, dans ses dernières œuvres, lui forcent peut-être trop la main) que le Maniérisme traduira en formes sophistiquées et intellectualisées. M. B.

Filippino Lippi.
Scène de la vie de saint Jacques : le miracle du dragon ▲
Fresque
Florence, Santa Maria Novella, chapelle Strozzi
Phot. Arborio Mella

Liss

Johann

peintre allemand

(Oldenburg v. 1597 - Venise 1630)

Après un séjour aux Pays-Bas de 1615 à 1619, il se fixe à Venise au plus tard en 1621 et y demeure jusqu'à sa mort, à l'exception d'un séjour à Rome

Johann Liss
▼ **La Toilette de Vénus**
Florence, Galleria degli Uffizi
Phot. Scala

en 1622. Formé à l'école de Goltzius, peintre de Haarlem, à celle de Pieter Bruegel, puis à celle de Buytewech ainsi qu'au Caravagisme flamand d'un Jordaens, il introduisit dans la ville italienne, qui traversait alors une période de stagnation, une nouvelle conception d'origine septentrionale. Il s'attacha essentiellement aux personnages. Il reprit plusieurs fois le thème de ses tableaux, et les différentes phases de son évolution se prêtent mal à la chronologie. On constate pourtant que, chez lui, le luminisme caravagesque (le thème du *Banquet de soldats* du musée de Nuremberg est directement emprunté au répertoire caravagesque) se transforme sous l'influence des maîtres vénitiens du XVIe s. en un coloris où les formes se dissolvent. Ses tableaux de genre vénitiens (la *Rixe,* Innsbruck, Ferdinandeum ; la *Noce,* musée de Budapest ; le *Fils prodigue,* Vienne, Akademie), le *Jeu de la mourre* (musée de Kassel) et plusieurs autres compositions datant pour la plupart des premières années de son séjour à Venise mettent en scène des groupes de personnages de caractère flamand évoluant dans des jardins vénitiens à la manière de Fetti et baignés d'une lumière empruntée à Titien. Les thèmes de Liss sont fort divers et les scènes religieuses ou mythologiques occupent, à côté des tableaux de genre, une place importante dans son œuvre. Citons notamment *le Satyre et le paysan* (Berlin-Dahlem ; Washington, N. G.), la *Chute de Phaéton* (Londres, coll. Mahon), *Judith* (Vienne, K. M., et Londres, N. G.), *Moïse sauvé des eaux* (musée de Lille) et la *Toilette de Vénus,* chef-d'œuvre au coloris éclatant représentant la déesse entourée de suivantes et trônant sous d'imposantes draperies de soie (Offices et Pommersfelden, coll. Schönborn).

Un des traits propres à l'art baroque est de réunir en une ultime et grandiose synthèse tous les éléments : la *Vision de saint Paul* (Berlin-Dahlem), l'*Inspiration de saint Jérôme* (Venise, S. Niccolo da Tolentino). Dans ces dernières œuvres, Liss associe avec une extrême virtuosité la vision céleste, l'extase à la plénitude sensuelle de la vie. L'élément irrationnel, le transcendant, est exprimé par l'espace lumineux, mais les saints sont représentés chargés d'une présence toute matérielle. Le caractère profane des corps est traduit par le dynamisme et la composition en diagonale, que baigne une lumière irisée. Moyen d'expression caractéristique de l'art baroque pour suggérer le mouvement, la diagonale régit toute la composition, de la zone sombre, réservée à la peinture du monde terrestre, à l'étincelante couronne, symbole de la gloire céleste. Ce langage pictural à la touche légère et dont l'extraordinaire rythme se résout dans la lumière semble appartenir déjà au XVIIIe s. Au cours des deux premières décennies du XVIIe s., Liss renouvela la peinture vénitienne, ouvrant ainsi, aux côtés de Fetti et de Strozzi, la voie à Tiepolo et à Piazzetta. Seules quelques années créatrices lui permirent de réaliser cette synthèse entre la force d'expression nordique, les formes grandioses inspirées par Caravage et les peintres romains et l'harmonie du coloris vénitien, synthèse qui trouve son expression la plus parfaite dans ces lumineuses visions.

G. A.

Lochner

Stephan

peintre allemand

(Meersburg v. 1400/1410 - Cologne 1451)

Lorsque Dürer, se rendant aux Pays-Bas en octobre 1520, s'arrêta à Cologne, il inscrivit dans son journal une dépense de 5 Weißpfennig, consentie afin d'obtenir l'autorisation de contempler en la chapelle de l'hôtel de ville un tableau peint par « Maister Steffan zu Cöln ». Cette mention permit d'établir que l'auteur de ces panneaux, transférés dans la cathédrale en 1810, n'était autre que Stephan Lochner et d'arracher ainsi à l'anonymat le plus éminent des peintres colonais du XVe s. Son nom apparaît pour la première fois dans les registres de Cologne en 1442 et pour la dernière en 1451, année de la peste noire, qui lui fut probablement fatale. Son élection renouvelée au conseil de la ville témoigne de la considération dont il jouissait parmi ses concitoyens. Un document qui le désigne sous le nom de « Stephan de Constance » semble attester qu'il naquit dans cette région.

Aujourd'hui encore, son évolution artistique demeure obscure. Il se forma vraisemblablement en Haute-Souabe, son pays natal, mais aucun fait précis ne vient étayer cette hypothèse, et on le retrouve à Cologne, dont il a déjà adopté la tradition picturale. Il semble s'être fixé dans cette ville au cours des années 30, après un séjour aux Pays-Bas dont il revint pénétré de l'art de Van Eyck et surtout de celui du Maître de Flémalle.

Si, conformément à la tradition du Moyen Âge, aucune de ses œuvres n'est signée, 2 d'entre elles sont datées : il s'agit de 2 volets d'un retable de Notre-Dame représentant la *Nativité* (au revers, la *Crucifixion,* Munich, Alte Pin.) et la *Présentation au Temple* (au revers, la *Stigmatisation de saint François,* Lisbonne, fondation Gulbenkian) et d'une autre *Présentation* (musée de Darmstadt), centre du retable majeur de l'église des chevaliers de

Stephan Lochner
◀ **Présentation au Temple**
Darmstadt, Hessisches Landesmuseum
Phot. Giraudon

l'ordre Teutonique, qui remontent respectivement à 1445 et à 1447 et permettent d'établir la chronologie des autres tableaux.

L'œuvre conservé de Lochner s'ouvre sur un *Saint Jérôme* (Raleigh, North Carolina Museum) et sur le retable du *Jugement dernier,* jadis dans l'église Saint-Laurent de Cologne (panneau central avec la scène du *Jugement,* Cologne, W. R. M.; volets intérieurs relatant sur chaque face le *Martyre de six apôtres,* Francfort, Staedel. Inst.; volets extérieurs figurant chacun trois saints debout, Munich, Alte Pin.). On a longtemps hésité à attribuer à Lochner le *Saint Jérôme,* mais ce sont précisément les inflexions flamandes qui autorisent à le rattacher aux débuts de l'artiste. Le retable démantelé du *Jugement dernier* est légèrement postérieur. Le compartimentage des volets en 6 scènes distinctes obéit encore aux canons médiévaux et rappelle les retables du début du xve s. L'image centrale est, elle aussi, une juxtaposition de scènes autonomes. Cependant, dans le détail, Lochner enrichit l'école de Cologne de maint élément novateur. Dotées d'une liberté toute nouvelle, les figurines évoluent avec aisance et vivacité. Jamais encore la figure humaine — qu'il s'agisse de nus, de vues de profil ou de dos ou de la représentation des gestes — n'avait été traitée ainsi par les Colonais. Tous les détails sont rendus avec une égale attention, et le contraste entre cette richesse d'éléments réalistes résultant d'une intelligente observation de la nature et le manque de cohésion de l'ensemble incite à attribuer ce triptyque à la phase initiale de l'activité de Lochner, soit aux années 1435-1440.

Le grand *Retable des Rois mages (Dombild),* qui permit d'identifier l'artiste, semblerait donc avoir été exécuté peu de temps après 1440 (cathédrale de Cologne). Le panneau central représente l'*Adoration des mages;* sur les volets, on reconnaît les deux patrons de la ville, sainte Ursule et saint Géréon, ainsi que leur suite. La face externe est consacrée à l'*Annonciation,* qui a pour cadre un intérieur tendu de brocart et dont le plafond est de bois. À gauche, la Vierge, agenouillée sur un prie-Dieu, est légèrement tournée vers l'ange, qui, à genoux à droite, lui apporte le message. Lochner suggère une scène d'une grande sobriété, dont la lecture est rendue aisée par l'ordonnance parfaitement claire des personnages. Rien ne rappelle plus les tentatives hésitantes de perspective et de suggestion de l'espace qui caractérisaient le triptyque du *Jugement dernier.* Renonçant à l'accessoire, l'artiste s'applique à rendre l'essentiel et demeure fidèle à ce principe dans le panneau central, dont l'esprit monumental et le dépouillement sont encore plus accusés. La disposition en strates des groupes symétriques formés par les rois et leur suite autour de la Vierge trônant au centre est franche. Refusant à l'espace environnant toute valeur intrinsèque, Lochner n'a esquissé ni architecture ni paysage. Le thème souverain est celui des personnages qui, monumentaux et puissants, occupent toute la surface. La représentation de la nature est à la fois objective et idéalisée. Objets, figures et costumes sont dépeints avec un intérêt pénétrant, en un style aimable et riche en traits individuels, mais l'unité de la composition demeure le souci majeur du maître. La Vierge et les deux rois agenouillés devant elle s'inscrivent dans un triangle; derrière les mages à genoux apparaissent les personnages du cortège, au milieu desquels se détache la silhouette du troisième roi, éclairée plus fortement. Ces groupes se prolongent sur les volets par ceux qui sont formés des saints patrons de la ville et de leur suite. La composition générale l'emporte désormais sur les détails, qui demeurent subordonnés à l'ensemble.

Le *Retable des Rois mages* conduit directement à la *Présentation au Temple* (1447) de Darmstadt. Par son ordonnance, celle-ci s'apparente étroitement au panneau central du triptyque précédent. Seul l'autel qui occupe le milieu du tableau révèle le lieu de la scène. Là aussi, les personnages forment des groupes disposés de part et d'autre de l'axe de symétrie. Le vide qui les sépare acquiert ainsi une nouvelle signification, de même que l'échelonnement en profondeur de Joseph, de Marie et de Simon. La disposition des figures dans l'espace se trouve encore accentuée par les petits enfants de chœur que l'on aperçoit de dos au premier plan. Comparé à l'évolution de la peinture de Witz ou de celle de Multscher, l'art de Lochner n'a rien de novateur. En effet, ce n'est que timidement qu'il aborde les problèmes nouveaux qui préoccupaient ces deux maîtres : la suggestion de l'espace et la représentation du paysage. Trop attaché, sans doute, à la tradition de l'école de Cologne, il semble leur avoir accordé une importance secondaire. Il s'est appliqué, en revanche, à faire évoluer librement des personnages puissants dont il a caractérisé à l'extrême le costume et les traits individuels. Le coloris subtil confère à ses tableaux une légèreté et une solennité pleines de suavité; aucun raccourci ou mouvement brusque ne vient interrompre l'atmosphère calme et recueillie. Bien que Lochner demeure proche de la tradition de Cologne telle que l'exprime, par exemple, le Maître de Sainte Véronique, il la dépasse aussi beaucoup. Se détournant de la peinture morcelée en faveur depuis quelques siècles, il redécouvre l'art des compositions en grandes surfaces et des formes amples. La *Vierge au buisson de roses* (Cologne, W. R. M.), son dernier ouvrage, où son idéal s'allie à la tradition de Cologne, constitue un témoignage de sa technique. La Vierge entourée d'anges forme le centre de la composition, qui idéalise le cadre réel. La tête légèrement inclinée sur le côté, Marie est assise sur le gazon. Les anges musiciens qui jouent délicatement de leurs instruments soulignent le calme solennel et le recueillement qui enveloppent la scène, et on retrouve ici le langage même qu'employait à la génération précédente le Maître de Sainte Véronique. M. W. B.

Longhi
Pietro

peintre italien
(Venise 1702 - id. 1785)

Après un apprentissage chez Balestra, dont témoignent les fresques peu réussies de la *Chute des Titans* au Palazzo Sagredo (1734, Venise), il va à Bologne et devient l'élève de G.M. Crespi. Impressionné par la facture moderne et désinvolte de ce maître, chez qui la nouveauté des sujets s'allie au goût pour une matière dense et savoureuse, apte à des effets de couleur remarquables, il change complètement de manière. Il devient ainsi « peintre de mœurs » et illustre dans de petites scènes de ton familier, légèrement caricatural, la vie quotidienne des Vénitiens, qu'ils soient aristocrates, paysans ou bourgeois. Longhi se rattache ainsi à un contexte culturel plus vaste, non seulement italien (avec Crespi, Ceruti et Ghislandi), mais même européen, par les affinités de son genre avec les « conversation pieces » anglaises, les peintures et les estampes de Watteau ou de Boucher. D'autre part, c'est le monde de la réalité qui intéresse et caractérise aussi la peinture vénitienne de l'époque, dans la « veduta » comme dans le portrait, de nouveau en vogue. De même, dans le domaine littéraire, on peut comparer la peinture de Longhi à la comédie de Goldoni, qui, avec plus de vigueur du reste, mettait en scène la société vénitienne à la veille de sa désagrégation.

Parmi les premières œuvres de Longhi qui appartiennent encore à la quatrième décennie, une série de *Bergers* et de *Bergères* (musée de Bassano ; Rovigo, Pin. del Seminario) révèle nettement l'influence de Crespi avec ses couleurs grasses éclairées par une lumière froide. Le *Concert* (Venise, Accademia) de 1741 est la première scène datée de vie vénitienne : c'est déjà un chef-d'œuvre par son rendu subtil des personnages et sa composition orchestrée dans des tons délicats et clairs, d'un raffinement exquis. Des critiques ont observé que, dans la cinquième décennie, Longhi alterne la touche rapide et dense, à la Crespi, avec une manière plus claire, plus proche du coloris fluide et transparent de Rosalba Carriera. De cette période datent des scènes qui peuvent être groupées en séries, comme la *Vie de la dame,* dont on peut citer la *Toilette* (Venise, Accademia), dénotant une observation fine et élégante, ou la *Présentation* (Louvre), construite selon un jeu savant et délicat de passages de tons. À côté de cette vie aristocratique, il y a aussi la vie populaire (le *Marchand de crêpes,* Venise, Ca'Rezzonico), d'une vivacité pétillante, et des épisodes de la vie de la rue, comme l'*Arracheur de dents* (Brera), d'une force caricaturale qui frise la satire.

Pietro Longhi
Le Rhinocéros (1751) ▲
Venise, Ca'Rezzonico
Phot. Giraudon

Jusqu'en 1770, le style de Longhi reste à peu près uniforme, au point qu'il est difficile de classer chronologiquement ses œuvres. L'observation de la réalité devient plus minutieuse, plus aiguë, et dans la recherche de sujets nouveaux transparaît une fantaisie mordante et vive. De 1751 date le fameux *Rhinocéros* (Venise, Ca'Rezzonico), où, par leur vivacité, les physionomies des personnages acquièrent la force de portraits. Parmi les « séries » célèbres, citons celle des *Sacrements* (Venise, Gal. Querini-Stampalia), certainement inspirée par celle de Crespi, mais qui devient ici une chronique typiquement vénitienne d'événements quotidiens observés avec une bonhomie un peu ironique et traduits dans une gamme délicate et claire, d'une luminosité transparente. Un décor de plein air caractérise les 7 scènes de chasse (dont la *Chasse en vallée,* Venise, Gal. Querini-Stampalia) peintes pour la famille Barbarigo v. 1760-1770 probablement : ces petits tableaux possèdent une intensité chromatique nouvelle, et le jeu d'ombres et de lumières qui amortit les teintes crée une atmosphère crépusculaire. L'artiste observe ses personnages d'un œil satirique, et son ton narratif devient plus alerte et brillant, comme dans l'*Arrivée du seigneur,* saluée par les paysans, ou dans le *Seigneur s'embarquant,* dont chaque personnage est rendu avec acuité.

Après 1770, l'art de Longhi semble subir un arrêt ou se replier sur lui-même : la qualité de la peinture s'appauvrit, la facture perd sa finesse, le coloris devient mort, éteint. Pourtant, dans ses dernières années, l'artiste peint encore des portraits étonnants, comme si son intérêt se concentrait alors sur l'individualisation de chaque personnage (la *Famille Michiel,* Venise, Gal. Querini-Stampalia) ; mais la recherche humaine est plus profonde et nous donne presque l'impression de reconnaître le parfum de cette société évanescente qu'il avait su dépeindre dans toute sa splendeur.

Parmi les musées qui conservent des tableaux de P. Longhi, il faut surtout citer les séries de la Ca'Rezzonico, de la Gal. Querini-Stampalia et de l'Accademia, à Venise, et également la N.G. de Londres et le Metropolitan Museum. F. d'A.

Lorenzetti

Pietro

peintre italien
(documenté à Sienne de 1305 ? à 1345)

Né peut-être une dizaine d'années avant son frère Ambrogio (mais il n'est pas certain qu'un document de 1305 se rapporte en fait à notre peintre), Pietro dut se former dans l'ambiance artistique de la maturité de Duccio, comme Simone Martini. Mais, contrairement à ces derniers, il manifeste un tempérament très dramatique et passionné. Après un début assez difficile et des efforts pour se libérer de la tradition de Duccio, il ne tarde pas à s'orienter vers la peinture de Giotto, dont il reprend, en les adaptant à l'ancien langage siennois, les profondes divisions de l'espace. Son œuvre la plus significative à cet égard est le triptyque avec la *Vierge et l'Enfant* entre *Saint François* et *Saint Jean-Baptiste,* peint à fresque (Assise, basilique S. Francesco, église inférieure), mais la cohérence et le développement de ces débuts ne sont pas moins apparents dans ses œuvres successives, toutes datables entre 1310 et 1320. Parmi les plus caractéristiques, rappelons la *Vierge à l'Enfant avec des anges* et le tragique *Crucifix* (musée de Cortone), le polyptyque représentant la *Vierge à l'Enfant et des saints,* maintenant démembré (église de Monticchiello ; Florence, musée Horne ; musée du Mans), la *Vierge en majesté et un moine donateur* (musée de Philadelphie, coll. Johnson), une petite *Crucifixion et des saints* (Cambridge, Mass., Fogg Art Museum). Ces œuvres nous permettent de suivre l'évolution du style puissant du maître, préoccupé par des problèmes tout à fait modernes d'expression pathétique ou d'éloquence tragique. Même quand Pietro s'inspire des accents violents de la statuaire de Giovanni Pisano, son talent naturel s'accompagne d'une expression profonde des sentiments, traduite par un coloris aux intonations tour à tour brillantes ou profondes. Il transforme ainsi la tradition aristocratique siennoise en une représentation réaliste et humaine dont la liberté s'affirme par le choix renouvelé et plus étendu des thèmes ainsi que par une vigueur à la fois plastique et formelle.

Ces expériences aboutissent à un résultat déjà admirable dans les fresques les plus anciennes du transept gauche de l'église inférieure d'Assise (que certains critiques attribuent cependant à l'atelier de Pietro et tiennent pour bien plus tardives), avec les *Scènes de la Passion* (de l'*Entrée du Christ à Jérusalem* à la *Montée au Calvaire*), comme dans le grand polyptyque de la *Vierge à l'Enfant et des saints* (encore actuellement sur le maître-autel de la Pieve d'Arezzo), commandé en 1320 et qui est aussi la première œuvre datée. Avec ces œuvres débutent la période la plus solennelle de la peinture de Pietro, prête à affronter les inventions grandioses requises par l'art de la fresque, et les motifs de concentration pathétique ou de puissante intensité tragique. C'est là l'idée dominante qui réunit les fresques du transept droit de l'église inférieure d'Assise. La grande *Crucifixion,* qui domine par ses dimensions matérielles et sa grandeur spirituelle les autres scènes de ce transept, est admirée à l'unanimité. L'artiste y a entouré la scène du supplice sur le Calvaire d'un cercle confus et bigarré de dévots, de soldats et de cavaliers, et semble ainsi avoir transféré la foule hurlante de la *Crucifixion* de Cimabue sur une scène de théâtre où, aux notations réalistes multi-

Pietro Lorenzetti
La Naissance de la Vierge (1342) ▲
Sienne, Museo dell'opera del Duomo
Phot. Scala

pliées dans la description des spectateurs, correspond la splendeur dramatique d'un ciel parcouru par la danse funèbre des anges qui accueillent les trois crucifiés dans l'azur profond. Ce chef-d'œuvre influença non seulement la peinture siennoise, mais toute la peinture contemporaine par la rénovation profonde qu'il apporte à la mise en scène des sentiments et à l'iconographie même de ce grand sujet. Mais, par certains côtés, les autres fresques de ce cycle ne sont pas moins admirables, qu'il s'agisse des *Scènes de la Passion* après la mort du Christ (de la *Déposition de la croix* à la *Résurrection*), de la *Mort de Judas* et du *Saint François recevant les stigmates* ou du parement d'autel peint avec la *Vierge entre saint François et saint Jean* (peint à fresque également).

De 1329 date le grand retable, autrefois à l'église du Carmine (Sienne, P. N.), qui, en particulier dans

Ambrogio Lorenzetti
Le Bon Gouvernement ▶
(1337-1339)
Fresque
Sienne, Palazzo Pubblico
Phot. Scala

son étonnante prédelle *(Scènes de la vie des moines du Carmel),* révèle bien la rencontre de Pietro avec la nouvelle peinture florentine « post-giottesque » et plus précisément avec celle de Maso di Banco. Ici s'apaise le grand feu prophétique qu'exprimaient les profondes découvertes des fresques d'Assise, et se manifeste dans une composition admirable, plus ornée et plus mondaine, le goût pour les volumes plongés dans l'espace, coloré et proportionné avec une mesure sereine, presque classique.

Les 3 panneaux du polyptyque (datés de 1332) représentant *Saint Barthélemy, Sainte Cécile* et *Saint Jean-Baptiste* (provenant de la Pieve di S. Cecilia à Crevole; Sienne, P. N.) ont des affinités marquées avec plusieurs œuvres dont certaines ont été jadis attribuées à un auteur hypothétique, proche de Pietro, appelé conventionnellement le « Maître du Triptyque de Dijon », le triptyque en question étant conservé au musée de cette ville. De ce groupe, nous citerons la *Vierge et l'Enfant* de la coll. Loeser (Florence, Palazzo Vecchio) et les panneaux qui l'accompagnaient (auj. au Metropolitan Museum; Assise, coll. Perkins et coll. part.), les petits tableaux montrant la *Vierge et l'Enfant entourés de saints* (Baltimore, coll. Walters ; Milan, musée Poldi-Pezzoli ; Berlin-Dahlem), le *Christ devant Pilate* (Vatican) ou le petit panneau avec *Saint Savin et le tyran* (Londres, N. G.), à rattacher au grand retable, commencé en 1335, pour le dôme de Sienne, dont le motif central était constitué par la *Naissance de la Vierge,* datée de 1342 (Sienne, Opera del Duomo).

La superbe *Vierge en majesté* de 1340, autref. à Pistoia (Offices), et le polyptyque décrivant des *Scènes de la vie de la bienheureuse Umiltà,* exécuté certainement apr. 1332 (Offices ; 2 panneaux à Berlin-Dahlem), concluent l'évolution stylistique du maître, concentré sur une étude presque néo-giottesque de la synthèse des formes et des couleurs. L'art de Pietro Lorenzetti eut une influence puissante, prolongée par ses nombreux disciples et imitateurs (Nicolo di Segna, le Maître de San Pietro d'Ovile) ; comme ce fut le cas pour Simone Martini, il est permis d'affirmer que, longtemps encore après la mort de Pietro, aucun artiste siennois n'échappa complètement à l'empreinte de cette incomparable personnalité poétique. C. V.

Lorenzetti

Ambrogio

peintre italien
(documenté à Sienne de 1319 à 1347)

Il est l'un des principaux maîtres de la première génération de peintres siennois du trecento. Sa carrière se développe parallèlement à celle de son frère Pietro, vraisemblablement son aîné, avec qui il entretient une sorte d'amitié intellectuelle malgré l'indépendance de son tempérament exceptionnel, de sa pensée cultivée et très raffinée, et l'originalité croissante de ses propres conceptions stylistiques. Mais il partage en effet avec son frère un intérêt pour les recherches de l'école florentine, vues sous l'angle de la tradition siennoise.

La *Vierge et l'Enfant* de l'église S. Angelo à Vico l'Abate (près de Florence), datée 1319, est sans doute l'œuvre la plus ancienne d'Ambrogio. Elle présente, intimement mêlés, les précieux éléments formels propres à la culture siennoise, ouverte aux secrets de l'élégance linéaire, et ceux de la culture florentine, qui, d'Arnolfo à Giotto, s'était déjà attachée à rendre le volume dans l'espace. Des documents attestent d'ailleurs qu'Ambrogio est présent à Florence en 1321. Cette influence des modèles florentins est bien nette aussi dans des œuvres attribuées généralement à la première période de l'artiste, soit de 1320 à 1330 env. : les 2 *Vierges à l'Enfant* (Brera; Metropolitan Museum), les 2 *Crucifix* (Sienne, P. N.; Montenero sull'Amiata, église S. Lucia) et les fresques solennelles avec le *Martyre des franciscains à Ceuta* et *Saint Louis de Toulouse devant Boniface VIII* (Sienne, S. Francesco), où l'espace semble mesuré hardiment par un Florentin de la lignée de Giotto-Maso di Banco, mais avec un accent bien plus réaliste. Pour certains critiques, ces fresques appartiendraient à l'ancien cycle du cloître du couvent, remontant selon la tradition à 1330-31, tandis que d'autres critiques les considèrent comme plus anciennes.

L'année 1332 fournit en effet la preuve d'un changement de manière du maître avec la *Vierge et l'Enfant* entre *Saint Nicolas* et *Saint Procule* (Offices) : ce triptyque est identifiable avec l'une des œuvres exécutées cette année-là pour l'église S. Procolo, à Florence, où dès 1327 Ambrogio Lorenzetti figure parmi les peintres du lieu sur le registre de l'ordre des « Medici e Speziali » (médecins et pharmaciens). Mais, à mesure que s'affermissent ses desseins personnels, Ambrogio se libère de l'influence du goût florentin; il pourrait même bien l'avoir influencé à son tour par sa description subtilement réaliste tant de l'espace (annonçant presque ces dimensions de l'infiniment proche et de l'infiniment lointain qui caractériseront les créations du Gothique international et seront spécialement sensibles aux artistes nordiques) que de la trame psychologique unissant les images : grâce à lui, celles-ci s'insèrent finalement dans une humanité très colorée, de type « moderne » peut-on dire, par la vérité de leurs gestes et de leur maintien, et par une joie terrestre due à des concessions à la chronique et au trompe-l'œil ornemental. C'est sous cet angle qu'il faut juger les 4 admirables *Scènes de la vie de saint Nicolas* (Offices), la surprenante *Allégorie de la Rédemption* (Sienne, P. N.), très souvent attribuée à son frère Pietro, les panneaux du polyptyque provenant de l'église S. Petronilla (entre autres : la *Vierge et l'Enfant, Sainte Madeleine, Sainte Dorothée,* Sienne, P. N.) ou les fresques de la chapelle de Montesiepi *(Maestà,* l'*Annonciation, Scènes de la vie de San Galgano),* où s'exprime encore toute la force inventive d'Ambrogio dans la manière désinvolte de simuler l'espace en utilisant les volumes réels des parois à peindre. Esprit désormais replié sur lui-même, mais pour s'exprimer avec une sensibilité plus pénétrante, Ambrogio suit cette voie dans la grande *Maestà* de Massa Marittima (Municipio), dans la fresque de la *Maestà* peinte dans la sacristie de l'église S. Agostino (Sienne) ou, parmi les œuvres que la critique situe généralement v. 1340, dans les étonnants polyptyques du musée d'Asciano (provenant de la Badia di Rofeno; au centre, *Saint Michel combattant le dragon*) et de Roccalbegna (églises SS. Pietro e Paolo), où les images trônantes de *Saint Pierre* et de *Saint Paul* rivalisent avec les plus hauts résultats du trecento italien.

Toutes ces œuvres, qui complètent la physionomie poétique de l'artiste, soutiennent la comparaison avec les célèbres fresques de l'*Allégorie du Bon et du Mauvais Gouvernement et de leurs effets dans la ville et les campagnes,* peintes de 1337 à 1339 (Sienne, Palazzo Pubblico).

Rien ne subsiste des fresques exécutées en 1335 par Ambrogio et Pietro Lorenzetti sur la façade de S. Maria della Scala (Sienne) et qui représentaient des *Scènes de la vie de la Vierge.* De la grande fresque de la *Vierge en majesté,* peinte en 1340 dans la loggia du Palazzo Pubblico, subsiste le groupe central avec la *Vierge et l'Enfant,* qui permet, par comparaison, la datation à cette époque tardive d'œuvres comme la *Madonna del latte* (la *Vierge au lait*) du Seminario (Sienne) ou le précieux petit retable portatif avec la *Vierge en majesté, des Saints* et *des Anges* (Sienne, P. N.), aux perspectives surprenantes pour l'époque et d'une admirable fraîcheur de coloris.

En 1340, après le départ de Simone Martini pour Avignon, Pietro et Ambrogio Lorenzetti demeurent les peintres les plus prestigieux de Sienne et s'engagent dans des œuvres de plus en plus ambitieuses. De 1342 date la *Présentation au Temple,* qui se trouvait à l'Ospedaletto de Monna Agnese (maintenant aux Offices) et qui couronne les recherches de perspective entreprises par le maître dès ses premiers contacts avec la culture florentine; mais il déploie une richesse ornementale et un luxe profane qui, pendant plus d'un siècle, serviront de modèle aux peintres siennois. Ainsi, l'*Annonciation* (1344, Sienne, P. N.), autrefois au Palazzo Pubblico, présente une telle certitude dans la perspective, la monumentalité des figures et l'élégante originalité du dessin qu'elle synthétise toutes les expériences poursuivies par ce maître sensible et raffiné au cours d'une carrière chargée de culture et d'anticipations audacieuses, digne en tout point d'un des plus hauts représentants de l'humanisme gothique italien. C. V.

Lorenzo Monaco

peintre italien
(Sienne ? v. 1370/71 - Florence 1422/1424)

Sa formation se fit à Florence, où il dut arriver bien avant 1390, date à laquelle sa présence est attestée au couvent des camaldules de Sainte-Marie-des-Anges, où il prononça ses vœux l'année suivante. La reconstitution des débuts de son activité est fondée sur des analogies stylistiques avec ses œuvres postérieures; elle montre un artiste qui cherche, sur l'exemple stimulant et rénovateur de Spinello Aretino, à approfondir et à renforcer le mélange quelque peu désuet de tradition giottesque et de fantaisie linéaire qui caractérise la culture florentine de la fin du siècle. Inspiré par une réligiosité aiguë et tourmentée, non sans rapport, comme on l'a récemment souligné, avec des méditations ascétiques contemporaines, Lorenzo hésite d'abord dans le choix de ses sources figuratives ; il interprète toutefois, avec une vigueur expressive révélatrice, soit les élégances graphiques et chromatiques d'Agnolo Gaddi dans la *Prédelle Nobili* (1387-88, Louvre) ; et le *Retable de S. Gaggio* (Florence, Accademia), soit la monumentalité sévère d'Andrea Orcagna *(Christ au jardin des Oliviers, id.)*. Son dessin, tendu et nerveux, qui traduit en images les moindres vibrations de sa sensibilité inquiète, s'affine au contact de l'école de miniature des camaldules et

Lorenzo Monaco
▲ **Annonciation** (1410)
Florence,
Galleria dell'Accademia
Phot. Scala

se manifeste, enrichi de nouvelles exigences rythmiques, dans la décoration de 3 manuscrits datés de 1394, de 1395 et de 1396 (*Corali 5, 8* et *1*, Florence, bibl. Laurenziana). Ses œuvres suivantes, dont ses 2 seules peintures documentées, le *Retable de Monteoliveto* (terminé en 1410, Offices) et le *Couronnement de la Vierge* (1414, *id.*), marquent une évolution rapide, suscitée par une réaction aux premiers travaux de Ghiberti et, en même temps, par la pénétration de l'artiste dans le monde de la peinture gothique internationale. Les torsions irréelles de la ligne et la fantastique liberté d'invention de la nouvelle mode figurative sont discrètement accueillies dans le retable de la cathédrale d'Empoli, dont la date, 1404, coïncide significativement avec le retour à Florence de Starnina, après son séjour en Espagne ; elles sont ensuite pleinement assimilées et soumises à la définition d'un climat moral tendu dans les 2 panneaux du Louvre, le *Christ au jardin des Oliviers* et les *Saintes Femmes au tombeau*, et dans l'*Annonciation* de Florence (Accademia), terminée en 1410. L'inspiration, de plus en plus dramatique, provoque une sorte d'excitation formelle qui s'exaspère dans le *Couronnement de la Vierge* mentionné plus haut et dans la *Crucifixion* de même date (Florence, S. Giovannino dei Cavalieri) ; le contour tendre qui découpe sur le fond des silhouettes élonguées et arquées, les couleurs vives et contrastées, les jeux arbitraires de la lumière dans les plis sinueux des draperies se chargent, grâce à une recherche d'approfondissement psychologique qui accentue l'expressionnisme des visages, d'une intense signification spirituelle. La méditation religieuse glisse ensuite vers le rêve, pour aboutir aux compositions où l'histoire sacrée se transforme en féerie (*Scènes de la vie de saint Onuphre et de saint Nicolas de Bari*, Florence, Accademia ; *Chevauchée des Rois mages*, dessin, Berlin-Dahlem, cabinet des Dessins). L'apaisement progressif du langage, uni à une certaine recherche de valeurs plastiques et spatiales, caractérise la dernière phase de l'activité de Lorenzo. De l'*Adoration des mages* (1420-1422, Offices), où il cherche à intégrer dans un paysage triste et mystérieux une figuration dense, Lorenzo Monaco passe à la monumentalité quelque peu forcée des fresques de la chapelle Bartolini (Florence, S. Trinità) et manifeste enfin dans le panneau de l'*Annonciation (id.)* un intérêt inattendu pour la nature souriante et fleurie qui le rapproche de Gentile da Fabriano, présent à Florence en 1423. Il influença, d'une façon plus ou moins directe, tous les peintres mineurs qui, insensibles à la révolution de Masaccio, prolongèrent à Florence l'ultime tradition gothique, mais aucun d'eux n'hérita de la force intime et sincèrement mystique du maître.

G. R. C.

Lorenzo Veneziano
◀ **Remise des clés à saint Pierre** (1370)
Venise, Museo Correr
Phot. Scala

Lorenzo Veneziano

peintre italien
(Venise, documenté de 1357 à 1372)

Le *Polyptyque Lion* (Venise, Accademia), première œuvre datée (1357-1359) de Lorenzo Veneziano, montre un artiste déjà formé. On peut supposer que, avant cette réalisation, celui-ci travailla dans l'entourage de Paolo Veneziano (plusieurs œuvres ont été attribuées à cette première période non documentée) et qu'il fit un séjour à Vérone v. 1350. En tout cas, on perçoit dans le *Polyptyque Lion* (l'*Annonciation* et de nombreux *Saints* sur deux registres) une tentative de s'évader des règles figuratives rigides, d'origine byzantine, héritées de Paolo Veneziano, moyennant une articulation formelle plus variée de tendance gothique et un anticonformisme expressif déjà fort conscient de certains mouvements européens et du réalisme bolonais. Ces efforts courageux permettent de voir en Lorenzo un innovateur de la peinture vénitienne de la seconde moitié du trecento. La tentative de rupture avec l'art byzantin est évidente dans le *Mariage mystique de sainte Catherine* (1359, Venise, Accademia), aux rythmes sinueux, aux couleurs plus claires et animé d'une sensibilité naturaliste rappelant Tommaso da Modena ; elle est moins décidée dans le polyptyque *(Dormition de la Vierge* et *Saints)* du dôme de Vicence (1366), qui garde la présentation générale et certains éléments stylistiques de goût oriental, et limite ses aspirations modernes à de grêles préciosités linéaires gothiques. Cette attitude linguistique, imprégnée de velléités gothiques, mais aux modes encore byzantins, s'accentue dans le polyptyque démembré, comprenant, au centre, la *Remise des clés à saint Pierre* (1370, Venise, musée Correr) et, aux côtés, quatre *Saints,* conservés à Berlin-Dahlem. Cependant, la prédelle, brillante, également à Berlin-Dahlem *(Scènes de la vie de saint Pierre et de saint Paul),* qu'animent une fraîcheur narrative et un sens de l'observation aigu de la nature, révèle une sensibilité nouvelle et originale ; témoignant de l'assimilation d'une culture de type continental, elle souligne aussi les liens étroits avec le milieu bolonais et confirme la présence de Lorenzo à Bologne. On sait d'ailleurs qu'en 1368 il avait peint pour l'église S. Giacomo, à Bologne, un *Polyptyque,* auj. démembré (2 panneaux à la P.N. de Bologne). Dans le *Polyptyque de l'Annonciation* de 1371 (Venise, Accademia), les personnages, d'une densité corporelle plus consistante, sont placés sur un pré fleuri annonciateur des « mille-fleurs » précieux du Gothique international. Une majesté nouvelle et vigoureuse et un esprit narratif plus fantastique se manifestent dans le triptyque, reconstitué par R. Longhi, avec la *Résurrection du Christ* (Milan, Castello Sforzesco), le *Saint Pierre* (1371) et le *Saint Marc* de l'Accademia de Venise.

Dans la dernière période de son activité, Lorenzo abandonne ses anciens intérêts et se limite à la recherche d'élégances subtilement gracieuses, auxquelles il se complaît particulièrement dans la *Vierge et l'Enfant Jésus* (1372, Louvre) ; son « gothicisme » atteint alors, dans les images douces et raffinées ainsi que dans de nouveaux caprices architectoniques, une tension originale. Dans le *Polyptyque de S. Maria della Celestia* (Brera) avec la *Vierge et l'Enfant avec des anges* entourés de huit *Saints,* ce « gothicisme » se complique d'ajours et de pinacles, composant ainsi, avec les petits personnages malicieux, un ensemble décoratif infiniment précieux. Avec cette dernière œuvre, le style de Lorenzo Veneziano atteint une dimension gothique déjà imprégnée d'esprit « courtois » qui, en concluant la carrière du peintre, ouvre à Venise le nouveau chapitre du Gothique international. F. Z. B.

Lorrain

Claude Gellée, dit

peintre français

(Chamagne, diocèse de Toul, 1600 - Rome 1682)

Orphelin très jeune, il se rendit à Rome, entre 1612 et 1620, où il fut le domestique puis l'élève d'Agostino Tassi, dont il adopta entièrement la manière. Deux autres sources d'inspiration furent moins décisives : un séjour de deux ans à Naples auprès de Gottfried Wals de Cologne, dont aucun tableau ne nous est connu, et un séjour d'un an à Nancy (1625-26) comme assistant de Deruet. Ses débuts se perdent dans l'anonymat de l'école de Tassi, elle-même héritière de l'art de Bril et de celui d'Elsheimer. L'Allemand Sandrart engagea Claude à dessiner en plein air, le Néerlandais Breenbergh doit avoir influencé son graphisme et il fut en relation avec Swanevelt. De 1620 à 1630 env., Claude imita son maître romain dans le travail à fresque, dont il ne subsiste qu'une décoration au palais Crescenzi. Il ne quitta plus Rome que pour faire d'assez brèves excursions en campagne. Son existence et son développement artistique ne sont marqués d'aucun événement saillant. Il ne se maria pas, mais vécut pendant vingt ans avec un « garzone », Desiderii, puis jusqu'à sa mort avec sa fille naturelle Agnese et avec ses deux neveux. Peu après 1630, des commandes du cardinal Bentivoglio et du pape Urbain VIII assurèrent son succès, qui ne cessa de croître. Gellée travailla surtout pour les plus illustres dignitaires romains — papes, princes et cardinaux —, mais aussi pour des ambassadeurs, de grands Français et pour la noblesse étrangère. Les deux acheteurs principaux furent, vers 1638, le roi d'Espagne, puis, après 1663, le prince Colonna.

Sa production ne peut être saisie qu'à partir de 1629. Dans la première phase, on distingue de petits cuivres très fins dans la tradition d'Elsheimer (coll. des ducs de Westminster et de Rutland), des paysages sur toile d'une facture d'abord plus grossière avec des figures de genre ou pastorales à la manière de Bamboche (1629, Philadelphie, Museum of Art ; 1630, musée de Cleveland) et des ports de mer. Ces œuvres sont caractérisées par l'emploi de motifs pittoresques (arbres brisés, cascades, caprices architecturaux), souvent par une composition en diagonale et par des effets de couchers de soleil ; les tableaux principaux sont alors *Céphale et Procris* (détruit, autref. à Berlin) et deux séries de paysages à sujets religieux, au Prado. Vers 1640, on constate l'influence du paysage classique d'Annibal Carrache et de Dominiquin dans la composition plus solide et l'atmosphère plus sereine. Les tableaux sont plus grands, les sujets souvent religieux, parfois classiques : le *Moulin* et la *Reine de Saba* (Londres, N.G.), le *Temple de Delphes* (Rome, Gal. Doria Pamphili). Dans les années 50, époque de la maturité la plus féconde de l'artiste, un style monumental se décèle tant dans l'importance du format, la sévérité de la composition que dans le choix du sujet, souvent tiré de l'Ancien Testament : le *Parnasse* (Édimbourg, N.G.), l'*Adoration du veau d'or* (musée de Karlsruhe), *Laban* (Petworth, coll. Egremont), le *Sermon sur la montagne* (New York, Frick Coll.), *Esther* (détruit). Si cette phase peut être qualifiée d'héroïque, les deux dernières décennies de l'artiste, qui marquent l'aboutissement suprême de sa carrière, sont plus classiques, voire antiquisantes. Les tableaux restent grandioses dans leur conception, mais deviennent plus lyriques dans le sentiment, plus délicats dans le détail (le *Château enchanté,* 1664, Londres, National Gallery). Les compositions sont nouvelles et audacieuses ; il tire ses sujets de préférence de *l'Énéide,* faisant parfois allusion à la famille ou à la vie de l'acheteur, et allonge le canon des figures : les 4 *Heures du jour* (Ermitage), l'*Oracle de Milète* et le *Débarquement d'Énée* (coll. lord Fairhaven), *Égérie* (Naples, Capodimonte), le *Parnasse* (Jacksonville, États-Unis), la *Chasse d'Ascagne* (Oxford, Ashmolean Museum).

Représentant par excellence du paysage classique, l'art de Lorrain offre une conception idéalisée : à quelques exceptions près, les sites de ses tableaux sont toujours imaginaires. La composition comprend, selon les dimensions de la toile, des plans et des éléments plus ou moins nombreux (groupes d'arbres, édifices). Elle s'inscrit dans une ordonnance orthogonale et dans la symétrie de simples proportions mathématiques (tiers, quarts de la largeur et de la hauteur). Presque toutes ses œuvres sont exécutées par paires, illustrent le même thème, ont les mêmes proportions intérieures, mais sont contrastées dans la composition, l'atmosphère et l'heure. Le sujet décide du mode particulier de chaque composition comme des espèces, de la disposition des arbres et même du style des édifices. La lumière venant de gauche, froide, indique le matin ; celle qui vient de droite, avec ses couchers de soleils chauds, le soir. Le secret de l'art de Gellée réside dans l'évocation de la profondeur de l'espace, due autant à l'observation du paysage romain qu'à l'étude de la lumière et de l'atmosphère. L'artiste participe ainsi aux courants principaux de la peinture de son siècle par son luminisme, la profondeur de l'espace, l'étude réaliste de la nature et en même temps par la représentation idéalisée.

Avec plus de 1200 dessins connus, tous très poussés, Lorrain se révèle l'un des plus grands dessinateurs de tous les temps. L'inventaire après son décès mentionne une douzaine d'albums, dont probablement l'album Wildenstein, qui contient 60 dessins illustrant toute sa carrière, attestant l'influence de Tassi et de Deruet dans les années 20, de Breenbergh v. 1630 et atteignant une maîtrise complète dès 1633.

La technique la plus courante de Claude Gellée est le dessin à la plume et au lavis, sur une esquisse rapide à la pierre noire. Mais ce sont les dessins au lavis pur, technique par excellence des études de nature v. 1635-1645, qui ont toujours suscité la plus vive admiration. Pour les dessins composés, l'artiste emploie souvent des papiers teintés, notamment en bleu.

On peut, en effet, distinguer deux groupes principaux de dessins : les études d'après nature faites sur le motif, nombreuses dans les premières années, et les compositions faites en atelier, qui caractérisent l'évolution ultérieure de l'artiste. Mais qu'ils soient exécutés sur le motif ou dans l'atelier, tous ses dessins témoignent d'un même souci de structuration et d'effet pictural, et constituent donc des œuvres achevées. Les esquisses rapides sont très rares chez Claude Gellée.

Les feuilles préparatoires pour les tableaux deviennent avec l'âge de plus en plus fréquentes. On en compte jusqu'à 10 par œuvre. Aux études d'ensemble s'ajoutent des études de figures pour les principales toiles des années 1645-1678.

Un certain nombre de dessins originaux, très travaillés, sans rapport avec les compositions connues, forment une catégorie particulière dans la production tardive de l'artiste.

Claude Lorrain
Paysage avec Psyché devant le château de l'Amour ▲
(le Château enchanté) [1664]
Londres, National Gallery
Phot. du musée

Dès 1636, Lorrain copia systématiquement ses tableaux par ordre chronologique dans un volume de 200 feuilles, le *Liber veritatis* (British Museum, qui possède plus de 500 dessins de Claude). Cet ensemble fut gravé à deux reprises par R. Earlom dans les années 1770, puis par L. Caracciolo (1815). Claude Gellée fit une quarantaine de gravures pastorales, la plupart avant 1642. Ces plaques gravées ne sont pas des œuvres originales, mais sont au contraire en liaison étroite avec des tableaux connus. Elles reflètent l'influence d'Elsheimer, de Pieter Van Laer et peut-être de Gottfried Wals, et semblent un témoignage des rapports de l'artiste avec les paysagistes hollandais à Rome dans les années 30.

L'influence de Claude. Il n'eut qu'un seul élève, Angeluccio, mort jeune, mais l'influence de son art, dans sa première période, fut immense dès son vivant, surtout sur Dughet et son école (Onofri) et sur certains Néerlandais italianisants. Son exemple domina tout le paysage classique du XVIIIe et du début du XIXe s. en Italie (Orizzonte, Vanvitelli, Locatelli, Anesi). Son influence se fit sentir en France (Patel, Rousseau) et en Allemagne, où Gellée en vint à représenter l'idée même de l'Italie en littérature (Goethe) et en peinture. L'Angleterre, dont les collections possédèrent v. 1850 l'œuvre presque entier de Claude, la subit également dans sa peinture (de Wilson à Turner), dans son art du jardin (à Stourhead) et dans la notion de pittoresque chère au XVIIIe s. À l'époque impressionniste enfin, ses lavis furent souvent imités. M. Ro.

Lorenzo Lotto
Portrait de gentilhomme dans son cabinet de travail ▶
Venise, Galleria dell'Accademia
Phot. Giraudon

Lotto

Lorenzo

peintre italien

(Venise 1480 - Lorette 1556)

La carrière artistique de Lotto, qui se développa en marge du courant officiel de la peinture vénitienne du cinquecento, tout en constituant un chapitre passionnant, est étroitement déterminée par les vicissitudes d'une existence inquiète, passée souvent loin de Venise du fait de séjours à Rome, à Bergame et, de façon répétée, dans les Marches.

L'anticonformisme de cette personnalité isolée s'affirme bien avant que ne commence son vagabondage artistique, lors d'une première activité en Vénétie, plus précisément à Trévise, où il est documenté de 1498 à 1508; révélatrice de son indépendance est sa liberté de choix dans l'énorme masse d'informations artistiques qui s'offrait à lui, au point que l'on a du mal à préciser ses antécédents. À côté des deux œuvres de Naples (Capodimonte), la *Madone avec saint Pierre martyr* (1503) et le *Portrait de l'évêque B. de Rossi* de 1505 (de même que son valet avec une *Allégorie* de la N. G. de Washington), on peut citer la *Scène mythologique*. En 1506, Lotto exécute, pour la première fois, des tableaux d'autel monumentaux, tels que la *Madone et saints* de l'église S. Cristina à Tiverone (près de Trévise) et l'*Assomption* de la cathédrale d'Asolo (Trévise), puis traite le thème de *Saint Jérôme* (Louvre), qu'il reprendra plusieurs fois par la suite. En 1508, il peint durant son premier séjour dans les Marches le polyptyque de Recanati (Pin.) et la *Madone avec deux saints* (Rome, Gal. Borghese) : résultats décisifs d'une période de formation qui, inspirée au début de Giovanni Bellini, puis d'Antonello de Messine (à travers Alvise Vivarini) et de Dürer (à Venise de 1505 à 1507), nous révèle son orientation ; fermé à la leçon de Giorgione et de Titien, Lotto s'est constitué un langage très personnel, caractérisé par des formes nerveuses et aiguës, par un chromatisme « polyphonique », sonore, nettement antitonal.

Son séjour à Rome, documenté en mars 1508 pour ses travaux dans les Stanze du Vatican (disparus), fut la cause d'un changement notable, dans un sens pleinement cinquecentesque. D'abord apparue comme le symptôme d'une crise dans les peintures immédiatement postérieures exécutées dans les Marches (*Transfiguration* de la Pin. de Recanati ; *Déposition,* 1512, Pin. de Jesi), cette évolution se révélera tout à fait dès la première œuvre de Bergame (le tableau d'autel de S. Stefano, maintenant à S. Bartolomeo, 1516, avec sa prédelle à l'Accad. Carrara), où il arrive à la fin de 1512; cet enrichissement formel témoigne d'une respiration spatiale plus large. À la composante raphaélesque s'ajoute, lors de cette fructueuse période bergamasque, une référence au goût lombardo-léonardesque qui augmente les possibilités expressives de Lotto dans un sens sentimental (*Madone* de la Gg de Dresde, 1518). De plus, on peut expliquer certaines recherches ouvertement pathétiques, renforcées parfois par des effets luministes (les *Adieux du Christ à sa mère,* Berlin-Dahlem), par un intérêt accru pour la peinture septentrionale d'Altdorfer et de Grünewald, comme sans doute grâce à des artistes « lansquenets » tels que Graf et Deutsch.

Cependant, la variété des sources d'inspiration n'amoindrit pas, durant cette période — peut-être la plus heureuse du peintre —, les qualités spécifiques de sa poésie : un chromatisme très pur et lumineux (retables de S. Bernardino et de S. Spirito, 1521, Bergame); l'atmosphère intime et douce dans laquelle sont baignées les scènes sacrées (1523 : le *Mariage mystique de sainte Catherine,* Bergame, Accad. Carrara; la *Nativité,* Washington, N.G.); l'humanisation du portrait grâce à une recherche de l'évidence réaliste et du secret psychologique du modèle (*Portrait des Dalla Torre,* 1515, Londres, N.G.; *Portrait de messire Marsilio et de sa femme,* 1523, Prado); surtout la fraîcheur des observations et la sincérité visuelle, qui ont fait donner une place importante à Lotto parmi les antécédents du Caravagisme (Longhi). De la phase bergamasque ressort, en outre, le charme de la veine narrative du peintre, qui, annoncée en 1517 par la *Suzanne au bain* (Florence, anc. coll. Contini-Bonacossi), atteint en 1524 dans les fresques de la chapelle Suardi à Trescore, Bergame *(Scènes de la vie de sainte Barbe, sainte Catherine et sainte Claire),* à des solutions d'une invention plus libre et plus savoureuse, de goût populaire.

Revenu à Venise à la fin de 1525, Lotto continue à travailler pour Bergame, où il envoie les cartons (auj. perdus) pour les marqueteries de l'église S. Maria Maggiore, dont il s'occupe de 1524 à 1532, et des œuvres de dévotion pour les églises de la province (polyptyque de l'église de Ponteranica, une de ses œuvres les plus touchantes, riche en traits qui rappellent Grünewald; l'*Assomption* de l'église de Celana, 1527). À Venise, il habite chez les dominicains de SS. Giovanni e Paolo; le *Portrait de dominicain,* plein de sensibilité et de douceur (1526, musée de Trévise), représente peut-être le trésorier du couvent. Lorenzo déploie une activité intense, surtout pour les Marches, où il envoie périodiquement des œuvres pour les églises (*Madone à l'Enfant avec saint Joseph et saint Jérôme,* 1526; *Annonciation,* auj. à la Pin. de Jesi). À Venise, le contact avec la personnalité dominatrice de Titien n'altéra pas l'indépendance de sa vision, qui, au contraire, atteignit dans ces années au plus haut degré d'originalité expressive dans des œuvres telles que le *Christ portant sa croix* (1526, Louvre), l'*Annonciation* peinte pour S. Maria Sopra Mercanti de Recanati, curieuse scène d'intérieur traitée dans un esprit luministe, l'*Adoration des bergers* (Brescia, Pin. Tosio Martinengo), le tableau d'autel de *Saint Nicolas en gloire* (1529, Venise, église dei Carmini), dont le paysage, remarquable par son sentiment de la nature à la fois idyllique et dramatique, est l'une des plus belles réussites poétiques de Lotto, mais dont le coloris acide et antitonal ne fut pas accessible au goût vénitien contemporain.

Vers 1530, il est dans les Marches, où il peint, en 1531, la *Crucifixion* de l'église de Monte S. Giusto (Fermo) et, en 1532, *Sainte Lucie devant le juge* (Jesi, Pin.), autre œuvre fondamentale, pleine d'inventions et de solutions nouvelles, dont l'expressivité est traduite dans un chromatisme froid et précieux riche en effets lumineux, particulièrement recherchés dans les passages narratifs, très libres, de la prédelle. Durant ces années, les portraits de Lotto, domaine qui lui est particulièrement propice pour les intérêts humains qu'il présente, gagnent en profondeur psychologique et en équilibre stylistique : *Portrait d'un jeune homme dans son studio* (Venise, Accademia), *Portrait d'Andrea Odoni* (Londres, Hampton Court), *Portrait de gentilhomme* (Rome, Gal. Borghese).

La dernière phase de l'activité de Lotto montre une accentuation du sentiment religieux, mais aussi une moins grande sérénité créatrice, correspondant certainement à la crise spirituelle qui aggrava, avec le cours des années, l'angoisse de cet artiste tourmenté. Les annotations du peintre dans son livre de comptes, de 1538 à l'année de sa mort, sont des documents précieux qui nous renseignent sur les vicissitudes d'une vie aigrie par les difficultés matérielles, les insatisfactions professionnelles, les fréquents déménagements et qui nous éclairent sur les dernières peintures. Ayant terminé provisoirement son séjour dans les Marches avec le tableau d'autel de Cingoli (*Madone du Rosaire,* 1539, église de S. Domenico), Lotto retourne à Venise en 1540 et peint en 1542, pour les dominicains de SS. Giovanni e Paolo, la *Distribution d'aumônes de saint Antoine,* encore pleine de vie et d'observations piquantes.

Demeurant de 1542 à 1545 à Trévise auprès de son ami Giovanni del Saon, puis de 1545 à 1549 de nouveau à Venise, à divers endroits, Lotto exerce, dans la cinquième décennie surtout, une activité de portraitiste qui, dans l'emploi d'un coloris plus fondu et jouant sur les tons, dénote une certaine sensibilisation à l'exemple de Titien : *Portrait de*

Febo da Brescia (Brera), *Portrait de Laura da Pola (id.), Portrait de gentilhomme âgé avec des gants (id.), Portrait d'arbalétrier* (Rome, Gal. Capitoline). Ce rapprochement avec l'art de Titien, qui est évident également dans des tableaux d'autel tels que la *Madone et saints* (autref. dans l'église de S. Agostino d'Ancône, maintenant à S. Maria della Piazza) et l'*Assomption avec des saints* (Fermo, église de Mogliano), sûrement peintes à Venise, marque les dernières manifestations de l'art authentique de Lotto.

Après son installation définitive dans les Marches en juillet 1549, fatigué et malade, il s'épuise dans une production abondante, mais d'une qualité moindre. Toutefois, de ces dernières œuvres mortifiantes se détache, comme pour les racheter, la *Présentation au Temple* peinte dans la Sacra Casa de Lorette, où, s'étant fait oblat, il termina ses jours. On trouve là — dans la gamme chromatique, réduite à des tons atténués, dans la facture « tachiste », abolissant l'intégrité formelle, de cette dernière peinture de Lotto — une ultime tentative de rénovation des moyens d'expression, mais aussi un résultat stylistique qui, par son modernisme, confirme le degré de génie de cet artiste qui est l'un des plus singuliers et des plus séduisants du XVIe s. italien. F. Z. B.

Morris Louis, **Alpha pi** (1961) ▲
New York, Metropolitan Museum,
Arthur H. Hearn Fund
Phot. du musée

Louis
Morris
peintre américain
(Baltimore, Maryland, 1912 - Washington, Columbia, 1962)

Il n'eut de notoriété et n'exerça d'influence qu'après sa mort. Sa formation se fit au Maryland Institute of Fine and Applied Arts (1929-1933) et il passa la plus grande partie de sa vie loin de New York, centre de l'activité artistique. Il résidait à Washington, enseignant surtout à des élèves particuliers. Il participa, au tout début des années 50, à l'Expressionnisme abstrait, mais de façon marginale. Il suivit alors cependant avec le plus vif intérêt le développement de la carrière de Pollock. Grâce à l'amitié qu'il portait à un autre peintre de Washington, Kenneth Noland, il rencontra l'influent critique Clement Greenberg à l'occasion d'un voyage à New York en 1953. Celui-ci s'intéressa à son travail et l'inclut dans l'exposition *Emerging Talent* à la Kootz Gal. (1954). En sa compagnie, Louis visita l'atelier de Frankenthaler, où il vit la toile *Mountains and Sea* (coll. Frankenthaler), qui le décida à utiliser la même technique d'application de la couleur par immersion de la toile dans des bains de pigment. C'est ainsi que, en 1954, il crée sa première série de *Veils.* Toiles qui, comme l'a fait remarquer Barbara Rose, émergent « comme des phénomènes naturels [...] et où les surimpositions de voiles diaphanes [...] ne s'ordonnent pas selon le parallélisme des plans du cubisme ». Louis fit deux séries de *Veils,* l'une en 1954, l'autre en 1958-59 (*Tet,* New York, Whitney Museum ; *Saraband,* New York, Guggenheim Museum), et affermit ses principes rigoureux à travers des séries que l'on appelle communément *Florals, Unfurled* (*Sigma,* 1961, New York, coll. E. Schwartz) et *Stripe* (*Pillar of Fire,* 1961, New York, coll. Abrams) — ces deux dernières étant le plus souvent reconnues comme des points de départ originaux à partir des deux données essentielles de l'Expressionnisme abstrait des années 50, le geste et le champ coloré.

Au cours de ses recherches, Louis fut amené à considérer la couleur non pas comme le contenu d'un dessin linéaire, mais comme un phénomène physique apparu au-delà des limites mêmes de la toile et qui viendrait la balayer ou s'y fixer solidement. L'importance matérielle de ses toiles s'explique mieux de ce fait, car elle permet de saisir une image sans commencement ni fin et qui, théoriquement, dépasse toute dimension physique.

L'artiste exposa d'abord à la Workshop Center

Art Gal. de Washington (1953 et 1955), puis chez Martha Jackson (1957), chez French and Co. (1959-60) et enfin chez André Emmerich (1961).

À son insu, il fut à l'origine d'une école appelée « Washington Color Painters ». En dehors de Kenneth Noland, Gene Davis et Thomas Downing se sont affirmés avec vigueur et semblent devoir à Louis leur intérêt pour la couleur. D. R. et J. P. M.

Lucas de Leyde

Lucas Huyghensz, dit

peintre néerlandais

(Leyde 1489 ou 1494 - id. 1533)

Venu au monde « le pinceau et l'outil de graveur à la main » (Van Mander), Lucas de Leyde est, par la variété et l'étendue de son œuvre, un des artistes les plus marquants de la première moitié du XVIe s.

Fils et élève de Huygh Jacobsz, il entre en 1508 dans l'atelier de Cornelis Engebrechtsz et commence à peindre, dès cette époque, des scènes de genre de petit format, telle la *Tireuse de cartes* (Louvre). Il est tout aussi précoce dans le domaine de l'estampe : en 1508, il grave sur cuivre l'*Ivresse de Mahomet* (Rijksmuseum, cabinet des Estampes), œuvre savamment organisée, utilisant pleinement le contraste entre les ombres et les parties claires. Ses œuvres de jeunesse, comme la *Femme de Putiphar* (Rotterdam, B.V.B.), sont souvent de petits tableaux de genre aux figures représentées à mi-corps. Dans le domaine de l'estampe, il exécute en 1509 une série de 9 gravures sur cuivre de forme ronde représentant la *Passion du Christ* (Rijksmuseum, cabinet des Estampes), où il étudie les attitudes et s'attache à l'analyse psychologique. Il affectionna particulièrement la gravure sur cuivre, mais grava également sur bois. C'est ainsi qu'entre 1511 et 1515 il illustre le *Jardin de l'âme* (La Haye, Bibliothèque royale) et orne de 42 vignettes représentant des saints le *Missale ad verum cathedralis ecclesiae Traiectensis ritum* (Haarlem, musée épiscopal), paru chez Jan Seversz à Leyde. En 1513-14, il tire une série de 7 gravures sur bois, dite « grande série de la femme » (*Adam et Ève, Samson et Dalila, le Festin d'Hérodiade, Virgile suspendu dans un panier,* Rijksmuseum ; *Salomon adorant les idoles, la Reine de Saba devant Salomon,* British Museum ; *Aristote et Phylis,* Paris, B. N.). Parallèlement à ces illustrations, il grave sur cuivre, en 1510, le *Porte-drapeau* (Rijksmuseum), inspiré du style de Dürer, qu'il connaissait par des estampes, et, en 1512, une série de 5 gravures racontant l'*Histoire de Jacob* (Rijksmuseum, cabinet des Estampes ; Rotterdam, B.V.B.), où la composition très soignée et les vêtements compliqués aux plis froissés révèlent une indiscutable influence du Maniérisme anversois ; de la même époque date la série de 13 gravures représentant le *Christ et les apôtres* (Offices, cabinet des Dessins). Sa carrière de graveur se poursuit avec le *Triomphe de Mardochée* (1515, Rijksmuseum, cabinet des Estampes), *Esther devant Assuérus* (1518, *id.*) et les *Évangélistes* (Rotterdam, B.V.B. ; Rijksmuseum, cabinet des Estampes). En 1520, il s'initie à la technique de l'eau-forte en exécutant le *Portrait de l'empereur Maximilien Ier (id.),* copie exacte de la gravure sur bois que Dürer fit en 1519. Toutes ces œuvres témoignent de son souci constant de résoudre les problèmes de composition, de mouvement et d'expression ; tout est prétexte, pour lui, à représenter des scènes de genre, même les épisodes tirés des Testaments. Les *Fiancés* (v. 1519, musée de Strasbourg) et le *Portrait de femme* (v. 1520, Rotterdam, B.V.B.) figurent parmi les rares peintures qu'il exécuta à cette époque.

En 1521, il est à Anvers et rencontre Dürer, qui fait son *Portrait* à la mine d'argent (daté de 1521, musée de Lille). Cette rencontre fut très importante : Lucas connaissait, avant 1521, l'œuvre du maître de Nuremberg et l'admirait ; l'entrevue d'Anvers permit aux deux hommes d'échanger leurs idées : « On a prétendu qu'Albert Dürer et lui se défièrent et cherchèrent à se surpasser » (Van Mander). Dès 1521, Lucas grave sur cuivre une

Lucas de Leyde, **Les Joueurs de cartes** ▲
Wilton House (Wiltshire),
collection du comte de Pembroke
Phot. du musée

série de 14 estampes dite « de la *Petite Passion* » (Rijksmuseum, cabinet des Estampes), inspirée par la suite que Dürer exécuta de 1507 à 1513. Quant au voyage que Lucas, selon Van Mander, aurait fait dans les Flandres, à l'âge de trente-trois ans, en compagnie de Gossaert, il doit être placé en 1522 (et non en 1527), car on ne conserve aucune gravure datée de 1522 et la présence de Lucas de Leyde à Anvers est justement attestée en 1521.

Rentré à Leyde, Lucas abandonne quelque peu la gravure pour se consacrer à la peinture. De 1522 date le diptyque de la *Vierge à l'Enfant avec sainte Madeleine et un donateur* (Munich, Alte Pin.), où l'on sent l'intérêt de l'artiste à peindre le paysage. Vient ensuite le triptyque de l'*Adoration du veau d'or* (Rijksmuseum), œuvre aux coloris des plus raffinés et remplie d'une foule savamment organisée, chef-d'œuvre de maniérisme pictural qui réalise toutes les promesses offertes par l'art d'un Engebrechtsz. À partir de 1526, Lucas s'intéresse au nu : en 1529, il grave sur cuivre 6 planches tirées de l'*Histoire d'Adam et Ève (id.),* influencées par Marcantonio Raimondi, et consacrées à des sujets mythologiques (*Vénus et Cupidon,* cuivre, 1528, Rijksmuseum).

La plus grande réalisation de Lucas et son vrai chef-d'œuvre reste le fameux triptyque du *Jugement dernier* (1526-27, musée de Leyde), tableau votif peint à la mémoire de Claes Dirck Van Swieten pour l'église Saint-Pierre de Leyde et soigneusement préservé des troubles iconoclastes du XVIe s. par les Leydois eux-mêmes, qui furent très vite conscients de l'exceptionnel intérêt de ce retable. Le *Paradis* (avec au revers *Saint Pierre*) et l'*Enfer* (avec au revers *Saint Paul*) encadrent la scène du *Jugement dernier,* riche de tons clairs très précieux avivés par de grandes zones de lumière blanche. La scène centrale, qui se poursuit sur les volets, comprend peu de personnages, mais Lucas les étudia très attentivement et soigna plus particulièrement les liaisons entre les groupes en jouant sur l'opposition des corps clairs et du sol brun sombre.

Artiste de réputation internationale, célébré par Vasari, efficace rival de Dürer, Lucas de Leyde fut connu comme graveur plus que comme peintre. Nous conservons relativement peu de tableaux de l'artiste, mais l'aisance et la sûreté de son pinceau, la quantité de ses coloris stridents et volontairement irréels, la précision et l'acuité de ses scènes de genre, qui dénotent un des premiers réalistes au sens moderne du mot, ne peuvent être négligées face à l'abondance de son œuvre gravé. Technicien de la gravure, artiste précoce, d'une grande sensibilité et réceptif aux nouveautés, tout en conservant son originalité, Lucas semble s'être ouvert, à lui seul, une voie particulière entre le Gothique et la Renaissance, que la mort, survenue trop tôt, ne lui a certes pas permis d'exploiter tout à fait. J. V.